KB051837
罗
斯
乌兰巴托
黑龙江省
哈尔滨
长春
吉林省
内蒙古自治区
沈阳
辽宁省
呼和浩特
河北省
北京
天津
首尔
银川
石家庄
韩
国
太原
自治区
山西省
济南
山东省
日
本
西安
郑州
陕西省
河南省
江苏省
合肥
南京
上海
湖北省
武汉
安徽省
杭州
浙江省
南昌
长沙
州省
湖南省
江西省
福州
台北
福建省
台湾
广东省
西壮族自治区
广州
南宁
香港特别行政区
澳门特别行政区
海口
海南省

MINJUNG'S
E·S·S·E·N·C·E

现代中国语
会话辞典

녹음 CD 포함

현대중국어
회화사전

채 심 연 저

民衆書林

머 리 말

중국의 국력이 날로 신장하고, 경제가 빠르게 발전하며, 2008년 올림픽 등 중요 행사를 앞두고 있는 까닭에 중국어에 대한 우리의 관심은 나날이 높아지고 있습니다. 중국과의 정치·경제·문화적 교류가 날로 증대되고 있는 가운데 중국에는 이미 많은 한국인들이 진출하여 있고 이러한 추세는 앞으로도 계속될 것입니다. 중국의 주요 도시마다 한국인 밀집 거주지역이 생겨나고 있으며, 한국 상품과 한국 문화의 물결이 넘쳐 납니다. 이제 막 중국에 첫발을 내디딘 사람이 있는가 하면, 이미 중국에 삶의 뿌리를 튼튼히 내린 사람도 있습니다.

독자 여러분께서도 아마 한 번쯤 중국 여행을 해 보셨거나 계획하고 있는 분이 많으실 것이며, 꼭 본인이 아니라 해도 친지 중 누군가가 중국에 나와 있는 경우가 흔할 정도로 이제 중국은 우리의 가장 가까운 이웃이 되었습니다.

필자 역시 중국에 온 지 벌써 10년이 되어 갑니다. 강산이 변한다는 그 세월 동안 톈진(天津), 구이린(桂林), 베이징(北京) 등에 거주하며 중국에 파견 나온 주재원의 가족으로서, 또 중국 문학을 전공하는 유학생이자 중국 학교에 아이들을 보내는 학부모로서, 그리고 중국 대학의 교수로서 살아오면서 중국의 격동과 변화를 온몸으로 체험하고 있습니다. 이제는 중국이 외국이라는 느낌이 거의 들지 않을 정도로 익숙해지기도 했지만 아직도 가끔은 어쩔 수 없이 이방인임을 실감하기도 합니다. 주변의 한국 분들께서도 같은 한자 문화권으로서 문화적 충격이나 언어의 장벽이 서구보다 덜하다고 하시면서도 여전히 이곳에서의 생활에 어려움과 불편함을 토로하시기도 합니다. 그럴 때마다 저는 우리에게도 정말 유용한 길잡이 책이 꼭 하나 있어야겠다고 생각하였습니다. 그냥 적당히 구색을 갖춰놓은 단순한 회화 교재가 아니라 실제 중국 생활에 꼭 필요한 말들을 모아서 체계적으로 정리해 놓은 책이 있다면 처음 중국에 오시는 분들도 훨씬 쉽게 적응하실 수 있을 거라는 생각을 하게 되었고, 부족하지만 제가 그런 일을 할 수 있기를 소망했습니다.

다행히 저에게 그 기회가 주어졌고 몇 년간의 각고 끝에 이제 독자 여러분 앞에 결실을 내놓게 되었습니다. 서가에 꽂힌 수많은 책들 중에서 저의 책을 선택해 주실 독자와의 인연을 소중히 생각하며 온갖 정성을 다 쏟아 부었습니다. 책의 내용을 꼼꼼히 살펴보신다면 이 책에 기울인 저의 노력과 열정을 느끼실 수 있으리라 감히 자부합니다. 물론 저의 학문적 역량이 미천하여 아직 부족함이 많으리라 사료됩니다. 미진하거나 잘못된 부분을 지적하여 주신다면 반드시 수정 보완하여 더욱 좋은 책으로 만들어 나가겠습니다.

본서가 나오기까지는 많은 분들이 함께 수고해 주셨습니다. 그동안 자료의 수집과 정리에서부터 교정에 이르기까지 도움을 주신 모든 분들께 진심으로 감사드립니다. 원고를 정리해 주신 金花, 徐莲花님, 1차 교정을 도와주신 北京师范大学 이기훈, 이봉상 님, 北京青年政治大学 대학생 여러분, 2차 교정을 도와주신 北京大学 한국어전공 대학원생 여러분, 3차 교정을 도와주신 南开大学 우인화, 정창배 님, 4차 교정을 도와주신 조오현 님, 北京外国语大学 유학생 여러분, 그리고 시도 때도 없는 질문에 늘 친절히 답해 주신 北京韩国国际学校의 韩秀娟, 杨一果, 焦国华 선생님들께 감사드립니다. 또한 이 책이 나오기까지 적극적인 지원과 격려를 해주신 법문사 배효선 사장님과 민중서림 김철환 사장님, 손수 편집을 담당해 주신 최복현 전무님, 복잡한 수정 조판을 정성껏 소화해 주신 (주)성지이디피 이화영 대리님, 그리고 본서의 기획에 많은 도움을 주신 전기철 님께도 진심으로 감사드립니다.

늘 자식을 위해 기도해 주시는 부모님과 平生知己이며 든든한 후원자인 남편, 공부하는 엄마의 부족한 보살핌 속에서도 잘 자라주는 영빈, 영채, 예경에게도 고마운 마음을 전하며, 본서의 편찬 기간 중에 겪었던 극한의 고통은 주님의 놀라운 은총이었기에 감사와 찬미를 드립니다.

2004년 11월
베이징에서
채 심 연

일러두기

1. 본서의 구성과 특징

- 본서는 모두 26개의 장으로 분류되어 있는 사전 개념을 도입한 '중국어회화사전'이다. 풍부하고도 다양한 내용은 본서의 가장 큰 자랑이며, 여러 권에 해당되는 분량을 한 권으로 압축하여 간편히 휴대할 수 있게 함으로써 경제적 효용 가치를 극대화하였다.
- 각 장은 몇 개의 대주제로 분류하고 다시 최대한 세분하여 독자가 원하는 표현을 쉽게 찾아볼 수 있도록 하였다.
- 원문에서 따로 설명이 필요한 부분은 각주 처리하여 이해를 돕고자 하였다.
- 매 장이 끝날 때마다 자주 사용되는 관련 용어들을 따로 모아 놓았다.

2. 병음 및 성조 표기

- **多音字** 한자(汉字) 중에는 여러 개의 병음과 성조를 가지고 있는 多音字가 많은데, 이들은 단어나 문장에 따라 각기 다르게 발음되는 특성을 지니고 있다. 본서에서는 多音字가 있을 경우 각주를 달아 그 차이를 예시하였다.

  예 1) 병음이 다른 경우
  差 : 差异(chāyì), 差不多(chàbuduō), 出差(chūchāi), 参差(cēncī)
  长 : 长短(chángduǎn) 长辈(zhǎngbèi)
  2) 성조가 다른 경우
  量 : 量词(liàngcí), 量杯(liángbēi)
  要 : 重要(zhòngyào), 要求(yāoqiú)

- **轻声化** 중국어에서는 성조가 경성(轻声) 처리됨으로써 뜻이나 어기(语气)가 달라지는 경우가 많이 있다. 또 의미에는 변화가 없으나 습관상 경성으로 발음하는 경우도 많다. 본서에서는 병음 표기를 한자(汉字)의 원래 성조가 아닌 문장 안에서 변화되는 성조로 표기하여, 실제 대화에 있어 현지의 억양에 가깝게 발음할 수 있도록 하였다.

예 1) 성조에 따라 의미가 달라지는 경우
告诉(gàosù)(고소하다) - 告诉(gàosu) (알려주다)
生意(shēngyì) (생기, 활기) - 生意(shēngyi) (장사, 영업)
运气(yùnqì) (기를 모으다) - 运气(yùnqi) (운, 재수)
2) 의미가 달라지지는 않지만 습관상 경성으로 발음하는 경우
这里(zhèlǐ) → 这里(zhèli)
早上(zǎoshàng) → 早上(zǎoshang)
事情(shìqíng) → 事情(shìqing)
喜欢(xǐhuān) → 喜欢(xǐhuan)

· **儿化** 현대 한어의 두드러진 특징으로 儿化를 꼽을 수 있다. 특히 베이징을 비롯한 북방 지역에서는 이 현상이 매우 심하여 같은 단어라도 儿을 사용했을 때와 사용하지 않았을 때는 의미나 뉘앙스가 달라지게 되는 경우가 많다. 본서는 매 글자마다 독립적으로 병음을 표기하고 있으나 '단어의 拼音 끝에 r만 붙인다'는 《汉语拼音方案》의 규정에 따라 단어와 儿의 중간에 병음을 표기하였다.

예) 点儿(diǎn ér) → 点儿(diǎnr), 这儿(zhè ér) → 这儿(zhèr), 事儿(shì ér) → 事儿(shìr)

· **不와 一의 성조 변화** 不은 뒤에 4성이 올 경우 2성으로 변화하며, 동사나 형용사의 단어 사이에 쓰일 경우에는 경성으로 발음된다. 또 숫자 一은 뒤에 1, 2, 3성이 올 경우는 4성으로, 4성이 올 경우는 2성으로 바뀌게 된다. 본서에서는 이들 역시 실제 변화되는 성조로 표기하였다. 다만 第一次의 경우는 현재 중국인들의 언어 습관에 따라 그대로 1성으로 표기하였으며, 숫자 七과 八 역시 현재에는 원래의 성조 그대로 발음하므로 고쳐 표기하지 않았다.

예 1) 不이 2성으로 변화되는 경우
不是(bùshì) → 不是(búshì)
不看(bùkàn) → 不看(búkàn)
2) 不이 경성으로 변화되는 경우
是不是(shìbùshì) → 是不是(shìbushì)
好不好(hǎobùhǎo) → 好不好(hǎobuhǎo)

对不起(duìbùqǐ) → 对不起(duìbuqǐ)
听不懂(tīngbùdǒng) → 听不懂(tīngbudǒng)

3) 一이 2성으로 변화되는 경우
一次(yīcì) → 一次(yícì)
一下(yīxià) → 一下(yíxià)

4) 一이 4성으로 변화되는 경우
一天(yītiān) → 一天(yìtiān)
一年(yīnián) → 一年(yìnián)
一种(yīzhǒng) → 一种(yìzhǒng)

3. 중국어 예문 및 한국어 번역

- 중국어의 예문은 어법에 입각한 작문이 아닌 실제적인 입말(口语)을 사용하였다. 실생활의 대화에서는 1인칭이나 2인칭의 주어를 삽입하지 않는 경우가 대부분이고 어법적으로 맞지 않는 말도 수두룩하다. 그러나 만일 이들 문장을 억지로 어법에 맞추다 보면 매우 어색해져 현지인도 고개를 갸웃거리는 이상한 문장이 되어 버린다. 본서는 실용적인 회화의 습득을 목표로 한 것이므로 현재 중국의 수도인 베이징의 시민으로서 일정한 교육을 받은 젊은이들이 사용하고 있는 普通话 입말을 위주로 하였다.
- 한글 번역은 될 수 있는 한 직역을 원칙으로 하였으며 의역이 필요한 경우는 따로 각주를 사용하였다. 직역을 원칙으로 한 이유는 처음 중국어를 배우는 독자들이 문장 속의 단어나 용법 등을 자연스럽게 익힐 수 있도록 하기 위해서이며, 성실한 직역의 기초가 있으면 의역은 자연스럽게 이루어질 수 있다는 판단에서이다.

4. 부　록

- 과거에 이미 한자를 배우신 분들이 중국어를 다시 배울 때에 가장 당혹스러운 점은 바로 우리나라에서 사용하는 한자와 중국에서 사용하는 한자가 서로 다르다는 것이다. 대개는 글자의 모양이 비슷하여 미루어 짐작할 수 있지만, 어떤 한자들은 생김새가 완전히 바뀌어 전혀 알아볼 수가 없다. 이에 본서에서는 비교적 자주 쓰이는 한자들을 간추려 번체자와 간체자를 한눈에 비교해 볼 수 있도록 정리하여 놓았다.

- 자칫 복잡하고 번거롭게 느껴지는 양사(量词)들을 사용 빈도가 높은 것들을 모아 일목요연하게 정리하였다.
- 중국어의 기초 단계를 넘어서 고급 단계로 가는 길목에는 반드시 성어(成语)의 장악이 필수 요건으로 자리 잡고 있다. 일정한 교양과 문화 수준을 갖춘 중국인일수록 성어를 즐겨 사용하기 때문이다. 기초 회화가 어느 정도 되시는 독자라면 이제 성어에도 관심을 가져 주시기를 당부 드린다. 대화 중에 적절히 성어를 구사할 수 있음은 곧 자신의 중국어 실력을 한 단계 높이는 일이기 때문이다. 부록에 삽입한 성어들은 사용 빈도가 아주 높은 것들로서 알아두면 매우 유용하다.
- 교과서나 일반 교재에서는 쉽게 찾아볼 수 없는 신체와 관련한 동작이나 행위에 관한 표현들을 정리하여 놓았다. 우리의 일상생활에서 늘 행해지고 있는 이러한 행위에 대한 표현을 알아둔다면 필요한 때에 요긴하게 사용할 수 있을 것이다.
- 처음 중국어를 배우는 독자를 위해 숫자 읽는 법을 정리하여 놓았다. 영수증 등 중요한 문서에 숫자 대신 기입하는 갖은자(大写)와 우리나라와 읽는 방법이 달라 주의하여야 할 부분들을 자세히 설명하였다.

차 례

4 가 사 家务 121–168

6 의사 표현　*表达方法*　225–272

7 대 화 对话

12 사교와 모임 社交与宴会 473–508

16 학교 생활 学校生活 683–726

20 취업과 근무 就业与工作 857–916

21 컴퓨터와 인터넷 电脑与网络 917-948

22 비즈니스 商务 949–1010

26 취미와 스포츠 *爱好与运动* 1127-1188

부 록 附 录 1189-1217

01 인 사

打招呼 DA ZHAOHU

1 만났을 때 见面

2 헤어질 때 告别

3 호 칭 称呼

4 명절 때 节日

1 만났을 때

见面
jiànmiàn

사람을 만났을 때 가장 흔히 하는 일상적인 인사는 "你好! nǐhǎo"이다. 바로 우리말의 "안녕하세요?"에 해당하는 인사로서 시간이나 장소 또는 연령에도 크게 구애받지 않고 쓸 수 있다. 물론 상대방을 높여서 인사를 해야 할 경우에는 "您好! nínhǎo"라고 하는 것이 좋다. 이 밖에 시간대에 따라서 인사를 달리 하기도 하는데 자주 쓰는 아침저녁 인사 早上好! zǎoshang hǎo, 晚上好! wǎnshang hǎo 외에도 오전 점심 오후를 구별하여 上午好! shàngwǔ hǎo, 中午好! zhōngwǔ hǎo, 下午好! xiàwǔ hǎo라고 하기도 한다.

기 본 대 화

A: 早上好!
zǎo shang hǎo

B: 早, 今天天气真好啊!
zǎo jīn tiān tiān qì zhēn hǎo a

A: 是啊, 真的不错。
shì a zhēn de bú cuò

A: 안녕하십니까?

B: 안녕하세요, 오늘 날씨가 아주 좋습니다.

A: 그렇군요. 정말 좋습니다.

여러 가지 활용

Ⅰ. 일상의 인사 打招呼
dǎ zhāo hu

▶ 아침 · 오전 早上 / 上午
zǎo shang shàng wǔ

- 안녕하십니까?
  早上好! / 早安! / 早! / 您早!
  zǎo shang hǎo zǎo ān zǎo nín zǎo

- 안녕하세요?
  上午好!
  shàng wǔ hǎo

- 안녕히 주무셨습니까?
  您睡得好吗?
  nín shuì de hǎo ma

• 아침 드셨습니까?
您吃早饭了吗?
nín chī zǎo fàn le ma

▶ **점심 · 오후 中午 / 下午**
zhōng wǔ xià wǔ

• 안녕하세요?
中午好! / 下午好!
zhōng wǔ hǎo xià wǔ hǎo

• 점심 드셨어요?
吃午饭了吗?
chī wǔ fàn le ma

▶ **저녁 晚上**
wǎn shang

• 안녕하세요?
晚上好!
wǎn shang hǎo

• 안녕히 주무십시오.
晚安!
wǎn ān

• 편안히 주무십시오.
睡个好觉!
shuì ge hǎo jiào

• 좋은 꿈 꾸세요.
做个好梦!
zuò ge hǎo mèng

▶ **근황을 물을 때 询问近况时**
xún wèn jìn kuàng shí

A: 您身体好吧?
nín shēn tǐ hǎo ba

B: 挺好的。
tǐng hǎo de

A: 건강은 어떠하십니까?

B: 아주 좋습니다.

A: 最近过得怎么样?
zuì jìn guò de zěn me yàng

B: 托您的福, 挺好的。[1]
tuō nín de fú tǐng hǎo de

A: 요즘 어떻게 지내십니까?

B: 덕분에 잘 지내고 있습니다.

A: 好久不见了, 没什么变化吧?
hǎo jiǔ bú jiàn le méi shén me biàn huà ba

B: 还是老样子。[2]
hái shì lǎo yàng zi

A: 오랜만입니다. 별고 없으십니까?

B: 네, 여전합니다.

A: 这几天过得好吗?
zhè jǐ tiān guò de hǎo ma

B: 马马虎虎![3]
mǎ ma hū hū

A: 그동안 잘 있었니?

B: 그럭저럭.

A: 事业顺利吗?
shì yè shùn lì ma

B: 还可以。
hái kě yǐ

A: 사업은 순조롭게 되어 갑니까?

B: 그런대로요.

---

1) 托福 tuōfú: 신세를 지다, 덕을 입다. TOEFL(토플)을 뜻하기도 함.

2) 老样子 lǎoyàngzi: 늘 여전하다, 예전과 다름없이 그대로이다.

3) 马马虎虎 mǎmahūhū: '그저 그렇다', '그리 나쁘지 않다'라는 뜻 외에도 '대충대충하다', '건성건성하다'의 뜻이 있음.

A: 生意好吗?
shēng yi hǎo ma

B: 这几天不太好。
zhè jǐ tiān bú tài hǎo

A: 장사는 잘 됩니까?

B: 요즘엔 그다지 좋지 않습니다.

A: 伯父, 身体好吗?[4]
bó fù shēn tǐ hǎo ma

B: 我身体很好。
wǒ shēn tǐ hěn hǎo

A: 아버님, 건강은 좋으십니까?

B: 나는 아주 건강하단다.

A: 您的家人都安然无恙吧?[5]
nín de jiā rén dōu ān rán wú yàng ba

B: 都挺好的。
dōu tǐng hǎo de

A: 가족들은 다 별고 없으십니까?

B: 다 잘 지내고 있습니다.

A: 几天不见, 身体还好吗?
jǐ tiān bú jiàn shēn tǐ hái hǎo ma

B: 还行, 你呢?
hái xíng nǐ ne

A: 我也不错。
wǒ yě bú cuò

A: 며칠 못 봤는데 여전히 건강하지?

B: 그런대로, 너는?

A: 나도 좋아.

---

4) 伯父 bófù: 큰아버지, 아저씨, 또는 친구의 아버지 등 아버지 연배에 대한 존칭.

5) 安然无恙 ān rán wú yàng: 무고하다, 무사 · 평안하다.

A: 最近忙吗?
zuì jìn máng ma
B: 很忙。
hěn máng

A: 요즈음 바쁘세요?
B: 아주 바쁩니다.

A: 怎么样, 有什么事吗?
zěn me yàng yǒu shén me shì ma
B: 也没什么特别的事情。
yě méi shén me tè bié de shì qing

A: 어떻게 지내? 무슨 일 있어?
B: 뭐 별일은 없어.

A: 有什么特别的事吗?
yǒu shén me tè bié de shì ma
B: 没有, 跟以前一样。
méi yǒu gēn yǐ qián yí yàng

A: 무슨 특별한 일 있으십니까?
B: 아니요. 늘 여전합니다.

▶ 기분이 좋아 보일 때 脸色好时
liǎn sè hǎo shí

A: 看你高兴的样子, 有什么喜事吗?
kàn nǐ gāo xìng de yàng zi yǒu shén me xǐ shì ma
B: 我收到录取通知书了。[6)]
wǒ shōu dào lù qǔ tōng zhī shū le

A: 신나 보이는데 무슨 좋은 일이라도 있니?
B: 합격 통지서를 받았거든요.

6) 录取 lùqǔ: 채용하다, 뽑다, 합격시키다. 录取线 lùqǔxiàn: 합격선.

- 안색이 환한데 무슨 좋은 일 있습니까?
  看你满面红光的样子，有什么好事吗？[7)]
  kàn nǐ mǎn miàn hóng guāng de yàng zi yǒu shén me hǎo shì ma
- 기색도 좋고 활력이 있어 보이십니다.
  看起来你气色不错，精神焕发。[8)]
  kàn qǐ lái nǐ qì sè bú cuò jīng shén huàn fā
- 기분이 좋은 걸 보니 무슨 좋은 일이라도 있나 보죠?
  看你美滋滋的，是不是有什么高兴的事？
  kàn nǐ měi zī zī de shì bu shì yǒu shén me gāo xìng de shì

기분이 안 좋아 보일 때 脸色不好时
liǎn sè bù hǎo shí

A: 今天早晨怎么了，好像气色不太好。
jīn tiān zǎo chén zěn me le hǎo xiàng qì sè bú tài hǎo
B: 昨天睡觉有点着凉了。[9)]
zuó tiān shuì jiào yǒu diǎn zháo liáng le

A: 오늘 아침 웬일이에요. 안색이 안 좋아 보여요.
B: 어젯밤 잘 때 감기에 걸린 것 같아요.

A: 你看起来很疲劳。
nǐ kàn qǐ lái hěn pí láo
B: 可能是因为昨天工作了一个晚上吧。
kě néng shì yīn wèi zuó tiān gōng zuò le yí ge wǎn shang ba
A: 不要太累了，要注意身体。
bú yào tài lèi le yào zhù yì shēn tǐ

A: 많이 피곤해 보이는데.
B: 아마 어제 밤새워 일을 해서 그런가 봐요.
A: 너무 무리하지 말고, 건강 조심해.

---

7) 满面红光 mǎn miàn hóng guāng: 안색이 환하다, 안색이 밝다. 이와 유사한 말로 满面春风 mǎn miàn chūn fēng 등이 있다.

8) 焕发 huànfā: 환하게 드러나다, 빛을 발하다. 精神焕发 jīngshén huànfā: 정기가 발산되다. 容光焕发 róngguāng huànfā: 얼굴빛이 환하다.

9) 着凉 zháoliáng: 찬바람에 노출되어 감기 드는 것을 말한다. = 伤风 shāngfēng.

A: 怎么，心情不好吗？
zěn me xīn qíng bù hǎo ma

B: 最近不太好。
zuì jìn bú tài hǎo

A: 왜 기분이 안 좋아요?

B: 요즘 좀 그래요.

A: 看你今天脸色不太好。有什么心事吗？
kàn nǐ jīn tiān liǎn sè bú tài hǎo yǒu shén me xīn shì ma

B: 没有，只是觉得身体有点不舒服。
méi yǒu zhǐ shì jué de shēn tǐ yǒu diǎn bù shū fu

A: 오늘은 안색이 안 좋아 보이는데 무슨 걱정거리라도 있어요?

B: 아니에요, 그냥 몸이 좀 불편할 뿐이에요.

A: 哪里不舒服吗？
nǎ li bù shū fu ma

B: 没有，只是昨晚没睡好。
méi yǒu zhǐ shì zuó wǎn méi shuì hǎo

A: 어디 불편한 데 있어요?

B: 아니요, 어젯밤 잠을 좀 못 잤어요.

A: 怎么了，什么事让你这么担心啊？
zěn me le shén me shì ràng nǐ zhè me dān xīn a

B: 你看出来了，我爱人生病住院了。
nǐ kàn chū lái le wǒ ài ren shēng bìng zhù yuàn le

A: 왜 그래요? 무슨 걱정거리라도 있어요?

B: 그렇게 보입니까? 아내가 병이 나서 입원했거든요.

A: 有什么不高兴的事吗？
yǒu shén me bù gāo xìng de shì ma

B: 没什么，只是太累了。
méi shén me zhǐ shì tài lèi le

A: 무슨 기분 나쁜 일이라도 있니?

B: 아니, 그냥 좀 피곤해서 그래.

Ⅱ. 처음 만났을 때 初见时 chū jiàn shí

A: 金永，给你介绍一下，这位是李娜。
jīn yǒng gěi nǐ jiè shào yí xià zhè wèi shì lǐ nà

B: 初次见面，请多多关照。
chū cì jiàn miàn qǐng duō duō guān zhào

C: 很高兴认识你。
hěn gāo xìng rèn shi nǐ

A: 金永是我的同事，李娜是我小时候的朋友。
jīn yǒng shì wǒ de tóng shì lǐ nà shì wǒ xiǎo shí hou de péng you

A: 진융 씨, 소개해 드릴게요, 이분은 리나 씨예요.

B: 처음 뵙겠습니다. 잘 부탁드립니다.

C: 만나 뵙게 되어 반갑습니다.

A: 진융 씨는 나의 회사 동료이고, 리나 씨는 어릴 적 친구예요.

소개할 때 介绍时 jiè shào shí

- 이분은 저희 베이징 지사의 지사장입니다.
这位是我们北京分公司的总经理。
zhè wèi shì wǒ men běi jīng fēn gōng sī de zǒng jīng lǐ

- 이번에 새로 오신 진융 선생님입니다.
这位是新来的老师金永。
zhè wèi shì xīn lái de lǎo shī jīn yǒng

- 이분은 한국의 저명한 화가이십니다.
这位是韩国著名的画家。
zhè wèi shì hán guó zhù míng de huà jiā

- 이분이 바로 네가 만나고 싶다던 이 선생님이셔.
这位就是你想见的李先生。
zhè wèi jiù shì nǐ xiǎng jiàn de lǐ xiān sheng

- 서로 인사하시죠.
你们互相认识一下吧。
nǐ men hù xiāng rèn shi yí xià ba

▶ 처음 만났을 때의 예절 初见时的礼节
chū jiàn shí de lǐ jié

- 안녕하세요, 처음 뵙겠습니다. 저는 리나입니다.
  你好, 初次见面, 我叫李娜。
  nǐ hǎo chū cì jiàn miàn wǒ jiào lǐ nà

- 만나서 반갑습니다. 앞으로 잘 부탁합니다.
  见到你很高兴, 以后请多多关照。
  jiàn dào nǐ hěn gāo xìng yǐ hòu qǐng duō duō guān zhào

- 만나 뵙게 되어 영광입니다.
  见到你很荣幸。
  jiàn dào nǐ hěn róng xìng

- 당신을 알게 되어서 정말 영광입니다.
  能有机会认识你, 真是荣幸。
  néng yǒu jī huì rèn shi nǐ zhēn shì róng xìng

- 존함은 익히 듣고 있었습니다.
  您的大名早有所闻啊。
  nín de dà míng zǎo yǒu suǒ wén a

- 장융 씨한테서 얘기 많이 들었습니다.
  张永常常在我面前提起你。
  zhāng yǒng cháng cháng zài wǒ miàn qián tí qǐ nǐ

▶ 만나보고 싶었을 때 希望认识时
xī wàng rèn shi shí

- 오래전부터 말씀 많이 들었습니다.
  久仰, 久仰。[10)]
  jiǔ yǎng jiǔ yǎng

- 오래전부터 존함 많이 들었습니다.
  久仰您的尊姓大名。
  jiǔ yǎng nín de zūn xìng dà míng

- 말씀 많이 들었는데 오늘 드디어 뵙게 되는군요.
  久仰, 久仰, 今天终于见到你了。
  jiǔ yǎng jiǔ yǎng jīn tiān zhōng yú jiàn dào nǐ le

- 오래전부터 찾아뵙고 싶었습니다.
  我很早就想拜访您。
  wǒ hěn zǎo jiù xiǎng bài fǎng nín

---

10) 久仰 jiǔyǎng: 상대가 누구인지 익히 들어 알고 있다가 드디어 처음으로 만났을 때 하는 인사이다.

- 오래전부터 만나 뵙기를 희망해 왔습니다.
很早就希望能认识你。
hěn zǎo jiù xī wàng néng rèn shi nǐ

- 기회가 있으면 꼭 한 번 뵙고 싶었습니다.
我一直希望有机会能见您一次。
wǒ yì zhí xī wàng yǒu jī huì néng jiàn nín yí cì

▶ **성명 묻기　询问姓名**
xún wèn xìng míng

- 성함이 어떻게 되십니까?
请问, 您贵姓?
qǐng wèn nín guì xìng

- 존함이 어떻게 되십니까?
您的尊姓大名?
nín de zūn xìng dà míng

- 이름이 뭐예요?
你叫什么名字?
nǐ jiào shén me míng zi

- 성함을 적어 주시겠습니까?
留下您的姓名, 好吗?
liú xià nín de xìng míng hǎo ma

- 죄송하지만 성함과 주소를 다시 한 번 말씀해 주십시오.
麻烦您把姓名和地址再说一遍。
má fan nín bǎ xìng míng hé dì zhǐ zài shuō yí biàn

- 당신을 어떻게 불러야 되죠?
我该怎么称呼您?
wǒ gāi zěn me chēng hu nín

- 샤오퍄오라 불러 주세요.
就叫我小朴吧。[11]
jiù jiào wǒ xiǎo piáo ba

- 그냥 이름을 부르시면 됩니다.
您就叫我的名字吧!
nín jiù jiào wǒ de míng zi ba

---

11) 자기와 동년배이거나 어린 사람을 부를 때 친근함의 표현으로 성 앞에 小 xiǎo를 붙여 부른다.

▶ 자기를 소개할 때 介绍自己时
jiè shào zì jǐ shí

• 먼저 제 소개를 하겠습니다.
先自我介绍一下。[12)]
xiān zì wǒ jiè shào yí xià

• 진융이라고 합니다. 앞으로 잘 부탁합니다.
我叫金永。以后就拜托您了。
wǒ jiào jīn yǒng yǐ hòu jiù bài tuō nín le

• 제 성은 마, 이름은 융허입니다.
我姓马，叫永鹤。
wǒ xìng mǎ jiào yǒng hè

• 저는 한국에서 왔습니다.
我是从韩国来的。
wǒ shì cóng hán guó lái de

• 저는 베이징대학에서 공부하고 있습니다.
我在北京大学读书。
wǒ zài běi jīng dà xué dú shū

• 저는 한 한국 기업에서 일하고 있습니다.
我在一个韩国企业上班。
wǒ zài yí ge hán guó qǐ yè shàng bān

• 중국에 온 지 한 달도 안 되었습니다.
来中国还不到一个月。
lái zhōng guó hái bú dào yí ge yuè

• 중국에 온 지 2년이 되어 갑니다.
来中国快两年了。
lái zhōng guó kuài liǎng nián le

• 중국 방문은 이번이 처음입니다.
这是我第一次来中国。
zhè shì wǒ dì yī cì lái zhōng guó

▶ 일행을 소개할 때 介绍同伴时
jiè shào tóng bàn shí

• 얘는 저의 가장 친한 친구 쉬징이에요.
这是我最好的朋友徐静。
zhè shì wǒ zuì hǎo de péng you xú jìng

---

12) 自我介绍 zìwǒ jièshào: 자기 소개.

- 소개해 드리겠습니다. 제 약혼녀입니다.
  介绍一下，这是我的未婚妻。[13)]
  jiè shào yí xià zhè shì wǒ de wèi hūn qī

- 이분은 우리 과장님 리창 씨입니다.
  这位是我们科长，叫李强。
  zhè wèi shì wǒ men kē zhǎng jiào lǐ qiáng

- 이분은 왕 선생님입니다. 무역에 종사하고 있지요.
  这位是王先生，他从事贸易工作。
  zhè wèi shì wáng xiān sheng tā cóng shì mào yì gōng zuò

- 제 상사이신 김 부장을 소개하겠습니다.
  给你介绍一下，我的上司金部长。[14)]
  gěi nǐ jiè shào yí xià wǒ de shàng si jīn bù zhǎng

- 이쪽은 제 소꿉친구 동동이에요.
  这是我的青梅竹马东东。[15)]
  zhè shì wǒ de qīng méi zhú mǎ dōng dōng

가족을 소개할 때 介绍家人时
jiè shào jiā rén shí

- 저의 아버지와 어머니, 그리고 남동생입니다.
  我的爸爸、妈妈和弟弟。
  wǒ de bà ba mā ma hé dì di

- 형이 하나 있는데 신문사 기자입니다.
  我有个哥哥，是报社记者。
  wǒ yǒu ge gē ge shì bào shè jì zhě

- 남동생은 고3이고, 여동생은 중2입니다.
  弟弟上高三，妹妹上初二。
  dì di shàng gāo sān mèi mei shàng chū èr

- 제 집사람입니다. 어린이 병원에서 간호사로 일하고 있어요.
  这是我的妻子，在儿童医院当护士。
  zhè shì wǒ de qī zi zài ér tóng yī yuàn dāng hù shi

- 제 남편이에요. 대학에서 영어를 가르치고 있어요.
  这是我的先生，在大学教英语。
  zhè shì wǒ de xiān sheng zài dà xué jiāo yīng yǔ

---

13) 未婚妻 wèihūnqī: 약혼녀. 약혼자는 未婚夫 wèihūnfū.
14) 上司 shàngsi: 상급자, 상사, 상관. = 上级 shàngjí.
15) 青梅竹马 qīng méi zhú mǎ: 어릴 적부터 같이 놀던 친구. 소꿉동무, 죽마고우.

▶ **명함을 교환할 때** **交换名片时**
jiāo huàn míng piàn shí

• 앞으로 어떻게 하면 연락할 수 있습니까?
以后怎么联系您呢?
yǐ hòu zěn me lián xì nín ne

• 명함 한 장 주시겠습니까?
能给我一张名片吗?
néng gěi wǒ yì zhāng míng piàn ma

• 이것이 제 명함입니다.
这是我的名片。
zhè shì wǒ de míng piàn

• 제 명함입니다. 앞으로 자주 연락합시다.
这是我的名片，以后常联系吧。
zhè shì wǒ de míng piàn yǐ hòu cháng lián xì ba

• 명함을 안 가져 왔네요. 연락처를 적어드리겠습니다.
我没有带名片，给你写一下我的联系地址吧。
wǒ méi yǒu dài míng piàn gěi nǐ xiě yí xià wǒ de lián xì dì zhǐ ba

• 하필 명함이 다 떨어졌군요. 다음에 드리겠습니다.
真不巧，名片用完了，下次留给你吧。
zhēn bù qiǎo míng piàn yòng wán le xià cì liú gěi nǐ ba

Ⅲ. 다시 만났을 때 再次见面时
zài cì jiàn miàn shí

A: 啊，陈磊先生，再次见到你很高兴。
ā chén lěi xiān sheng zài cì jiàn dào nǐ hěn gāo xìng

B: 真是好久不见了。
zhēn shì hǎo jiǔ bú jiàn le

A: 是啊，您过得好吗?
shì a nín guò de hǎo ma

B: 托您的福很好。你呢?
tuō nín de fú hěn hǎo nǐ ne

A: 和以前一样，这段时间你去哪里了?
hé yǐ qián yí yàng zhè duàn shí jiān nǐ qù nǎ li le

B: 因公事，去波斯顿，呆了一年。
yīn gōng shì qù bō sī dùn dāi le yì nián

A: 一定收获不小吧!
yí dìng shōu huò bù xiǎo ba

B: 是啊，很刺激，也获得了不少经验。
shì a hěn cì jī yě huò dé le bù shǎo jīng yàn

A: 아, 천레이 씨, 다시 만나 뵙게 되어 정말 기쁩니다.
B: 정말 오래간만입니다.
A: 그래요. 그동안 어떻게 지내셨습니까?
B: 덕분에 잘 지내고 있습니다. 당신은요?
A: 여전합니다. 그런데 그동안 어디에 계셨습니까?
B: 회사 일로 보스턴에서 1년 있었습니다.
A: 많은 수확이 있으셨겠습니다.
B: 네, 자극도 많이 받았고 경험도 많이 했습니다.

오랜만에 만났을 때 久别见面时
jiǔ bié jiàn miàn shí

- 오랜만입니다. 어떻게 지내셨습니까?
  好久不见了，过得好吗?
  hǎo jiǔ bú jiàn le guò de hǎo ma

- 오랫동안 연락드리지 못해 죄송합니다.
  好久没跟您联系，真是抱歉。
  hǎo jiǔ méi gēn nín lián xì zhēn shì bào qiàn

- 정말 오랫동안 뵙지 못했습니다.
  真是好长时间没见到你了。
  zhēn shì hǎo cháng shí jiān méi jiàn dào nǐ le

- 한동안 만나 뵙지 못했군요.
  有一段时间没见到你了。
  yǒu yí duàn shí jiān méi jiàn dào nǐ le

- 한 2년 못 뵈었습니다.
  都两年没见了。
  dōu liǎng nián méi jiàn le

- 오랫동안 소식 드리지 못해 죄송합니다.
  好长时间没给你消息，真对不起。
  hǎo cháng shí jiān méi gěi nǐ xiāo xi zhēn duì bu qǐ

- 그동안 어떻게 지냈니?
  这么长时间你是怎么过的?
  zhè me cháng shí jiān nǐ shì zěn me guò de

- 요 몇 년이 정말 빨리 지나갔어요. 마치 꿈을 꾼 것처럼요.
  这几年过得真快，就好像做梦一样。
  zhè jǐ nián guò de zhēn kuài jiù hǎo xiàng zuò mèng yí yàng

- 지난번에 만난 이후 벌써 3년이나 못 뵈었군요.
自从上次见面以后，我们已经三年没见了。
zì cóng shàng cì jiàn miàn yǐ hòu wǒ men yǐ jing sān nián méi jiàn le

상대방의 안부를 물을 때 问候对方时
wèn hòu duì fāng shí

A: 这段时间没见到您，您去哪儿了？
zhè duàn shí jiān méi jiàn dào nín nín qù nǎr le

B: 为了研修去了外国。
wèi le yán xiū qù le wài guó

A: 그간 뵙지 못했는데 어디에 갔었습니까?

B: 연수 때문에 외국에 나가 있었습니다.

- 어떻게 지냈어?
怎么过的？
zěn me guò de

- 요즈음 어떻게 지내고 계세요?
最近过得怎么样？
zuì jìn guò de zěn me yàng

- 건강은 좋으십니까?
身体还好吗？
shēn tǐ hái hǎo ma

- 가족들도 모두 안녕하세요?
您的家人都好吗？
nín de jiā rén dōu hǎo ma

- 그간 집안에 별고 없으셨어요?
这段时间家里没什么变化吧？
zhè duàn shí jiān jiā li méi shén me biàn huà ba

- 부인께서는 안녕하십니까?
您的夫人好吗？
nín de fū rén hǎo ma

- 아이들도 잘 지내고 있습니까?
您的孩子们也都过得好吗？
nín de hái zi men yě dōu guò de hǎo ma

- 저 대신 어머님께 안부 전해 주세요.
代我向您的母亲问好。
dài wǒ xiàng nín de mǔ qīn wèn hǎo

우연히 만났을 때 偶遇时
ǒu yù shí

A: 哎呀, 这不是李刚吗?
āi yā zhè bú shì lǐ gāng ma

B: 啊, 小丽。真没想到会在这里见到你, 你真是一点儿都没变啊。
ā xiǎo lì zhēn méi xiǎng dào huì zài zhè li jiàn dào nǐ nǐ zhēn shì yì diǎnr dōu méi biàn a

A: 你也一点儿都没变啊, 和上大学时一样。
nǐ yě yì diǎnr dōu méi biàn a hé shàng dà xué shí yí yàng

B: 谢谢, 这话我爱听, 你也和当年一样漂亮。
xiè xie zhè huà wǒ ài tīng nǐ yě hé dāng nián yí yàng piào liang

A: 어머, 리강 아니야?

B: 아, 샤오리. 여기서 만날 줄 상상도 못했는데. 정말 하나도 안 변했구나.

A: 너도 하나도 안 변했어. 대학 다닐 때 그대로야.

B: 고마워. 그 말 듣기 좋은데. 너도 그때처럼 여전히 예쁘구나.

- 어! 류메이 맞죠?
  呀! 是刘梅吧?
  yā shì liú méi ba

- 세상 정말 좁군요!
  这世界真小啊!
  zhè shì jiè zhēn xiǎo a

- 세상은 넓은 듯하면서도 참 좁군요.
  这世界看起来很大, 其实也挺小的。
  zhè shì jiè kàn qǐ lái hěn dà qí shí yě tǐng xiǎo de

- 어떻게 여기에 계십니까?
  你怎么在这里?
  nǐ zěn me zài zhè li

길에서 만났을 때 在路上遇见时
zài lù shang yù jiàn shí

A: 小江, 去哪儿啊?
xiǎo jiāng qù nǎr a

B: 我现在去图书馆。
wǒ xiàn zài qù tú shū guǎn

A: 샤오장, 어디 가니?
B: 나 지금 도서관에 가는 길이야.

- 너 지금 어디 가니? 학교 가니?
  你现在去哪里啊? 上学吗?
  nǐ xiàn zài qù nǎ li a shàng xué ma

- 출근하는 길이세요?
  您上班啊?
  nín shàng bān a

- 퇴근하세요?
  下班了?
  xià bān le

▶ **낯익은 얼굴일 때 似曾相识时**
sì céng xiāng shí shí

A: 我们好像以前在哪里见过。
wǒ men hǎo xiàng yǐ qián zài nǎ li jiàn guo
B: 是吗? 没有印象。
shì ma méi yǒu yìn xiàng
A: 或许十年前在北京大学……
huò xǔ shí nián qián zài běi jīng dà xué
B: 哦, 想起来了, 你是……
ò xiǎng qǐ lái le nǐ shì
A: 我是李刚。你是王兰, 对吧?
wǒ shì lǐ gāng nǐ shì wáng lán duì ba
B: 对, 真对不起, 没能一眼认出你。
duì zhēn duì bu qǐ méi néng yì yǎn rèn chū nǐ

A: 이전에 어디선가 뵌 적이 있는 것 같아요.
B: 글쎄요, 기억이 없는데요.
A: 혹시 10년 전 베이징대학에서 …
B: 아, 생각이 나는군요. 당신은 …
A: 저는 리강입니다. 당신은 왕란, 맞죠?
B: 맞아요. 얼른 알아보지 못해 죄송합니다.

- 어디서 만난 적이 있는 것 같지 않아요?
  我们是否在哪儿见过?
  wǒ men shì fǒu zài nǎr jiàn guo

- 틀림없이 어디에선가 당신을 뵌 것 같아요.
  我敢肯定, 在哪儿见过你。[16)]
  wǒ gǎn kěn dìng zài nǎr jiàn guo nǐ

- 실례합니다만, 리강 씨 아닙니까?
  冒昧地问一下, 你是李刚吗?[17)]
  mào mèi de wèn yí xià nǐ shì lǐ gāng ma

- 아직 저를 기억하십니까?
  还记得我吗?
  hái jì de wǒ ma

- 매우 낯이 익습니다.
  你很面熟。[18)]
  nǐ hěn miàn shú

- 제가 누군지 아십니까?
  你知道我是谁吗?
  nǐ zhī dào wǒ shì shéi ma

- 죄송합니다. 다른 사람으로 착각했습니다.
  对不起, 我认错人了。[19)]
  duì bu qǐ wǒ rèn cuò rén le

- 사람을 잘못 보신 것 같습니다.
  您好像认错人了。
  nín hǎo xiàng rèn cuò rén le

- 죄송하지만 전 당신을 모릅니다.
  对不起, 我不认识你。
  duì bu qǐ wǒ bú rèn shi nǐ

---

16) 敢 gǎn: 감히 ~하다. 我敢肯定 wǒ gǎn kěndìng은 '확신하건대', '장담하건대'의 뜻.
17) 冒昧 màomèi: 주제넘다, 당돌하다, 외람되다.
18) 面熟 miànshú: 낯익다.
19) 认错 rèncuò: 잘못 알다. 잘못 보다.

2 헤어질 때

告别
gào bié

헤어질 때 하는 인사말은 "再见! zàijiàn"으로서 "또 만나요"라는 뜻이다. "안녕히 가세요"라고 인사할 때는 "慢走! mànzǒu"라는 말을 주로 쓰며, 남방에서는 "好走! hǎozǒu"를 많이 쓰는 편이다. 만일 상대방이 먼 길을 떠나는 경우라면 "一路平安! yí lù píng ān"(가시는 길 평안하길 빕니다!)이라고 하면 된다.

기 본 대 화

A: 天色已晚, 我该回去了。
tiān sè yǐ wǎn wǒ gāi huí qù le

B: 好的, 代我向你们家里人问好。
hǎo de dài wǒ xiàng nǐ men jiā li rén wèn hǎo

A: 一定, 今天玩得很开心, 谢谢您的盛情款待。[1)]
yí dìng jīn tiān wán de hěn kāi xīn xiè xie nín de shèng qíng kuǎn dài

B: 哪里话呀。你太客气了!
nǎ li huà ya nǐ tài kè qi le

A: 以后我再来拜访您。
yǐ hòu wǒ zài lái bài fǎng nín

B: 你一定要来啊。
nǐ yí dìng yào lái a

A: 会的。打扰了, 再见。
huì de dǎ rǎo le zài jiàn

B: 请慢走。
qǐng màn zǒu

A: 날도 어두워졌으니 이제 가봐야겠습니다.
B: 네, 그러면 가족들에게 안부 전해 주십시오.
A: 그러겠습니다. 오늘 즐거웠고, 후한 대접을 해 주셔서 감사합니다.
B: 천만에요. 별 말씀 다하십니다.
A: 다음에 또 찾아뵙겠습니다.
B: 꼭 오셔야 됩니다.
A: 네. 폐가 많았습니다. 안녕히 계십시오.
B: 안녕히 가십시오.

---

1) 盛情款待 shèng qíng kuǎn dài: 후히 대접을 하다, 융숭하게 대접하다.

여러 가지 활용

Ⅰ. 작별할 때　告别时
gào bié shí

- 내일 만나요!
  明天见!
  míng tiān jiàn

- 다음에 또 만나요.
  下次再见吧。
  xià cì zài jiàn ba

- 그럼 다음에 뵙겠습니다.
  那, 下回再见。
  nà xià huí zài jiàn

- 나중에 또 봐요.
  以后再见吧。/ 改天再见吧。
  yǐ hòu zài jiàn ba　gǎi tiān zài jiàn ba

- 시간 있으면 또 놀러 오세요.
  有时间再来玩啊。
  yǒu shí jiān zài lái wán a

- 기회가 있으면 다시 한번 모입시다.
  有机会再聚一次吧。
  yǒu jī huì zài jù yí cì ba

- 그럼 나중에 다시 찾아뵙겠습니다.
  那以后再登门拜访吧。2)
  nà yǐ hòu zài dēng mén bài fǎng ba

- 부디 몸조심하세요.
  好好儿照顾自己啊。
  hǎo hāor zhào gù zì jǐ a

- 건강하십시오.
  注意身体啊。
  zhù yì shēn tǐ a

- 몸 건강히 안녕히 계세요.
  你可要多多保重啊。
  nǐ kě yào duō duō bǎo zhòng a

---

2) 登门 dēngmén: 방문하다, 심방하다, 찾아뵙다.

▶ 자리를 뜰 때 离开时
lí kāi shí

- 이제 돌아가겠습니다.
  我要回去了。
  wǒ yào huí qù le

- 별일 없으면 이만 가보겠습니다.
  没什么事，就告辞了。
  méi shén me shì jiù gào cí le

- 오늘은 이만 실례하겠습니다.
  今天就到这里吧。
  jīn tiān jiù dào zhè li ba

- 이젠 정말 가야겠습니다.
  我真的该走了。
  wǒ zhēn de gāi zǒu le

- 그럼 먼저 실례하겠습니다.
  那我先告辞了。
  nà wǒ xiān gào cí le

- 시간이 늦어서 이젠 가야겠습니다.
  时间不早了，该回去了。
  shí jiān bù zǎo le gāi huí qù le

- 그럼 여기서 작별 인사 드리겠습니다.
  那就在这里道别吧。
  nà jiù zài zhè li dào bié ba

▶ 다시 만나기로 약속할 때 约好再见面时
yuē hǎo zài jiàn miàn shí

- 그럼 그곳에서 뵙도록 하죠.
  那就在那里见吧。
  nà jiù zài nà li jiàn ba

- 내일 댁으로 찾아뵙겠습니다.
  明天我到府上去拜访。[3)]
  míng tiān wǒ dào fǔ shàng qù bài fǎng

- 내일 저녁 7시에 만나자.
  明天晚上七点见。
  míng tiān wǎn shang qī diǎn jiàn

---

3) 府上 fǔshàng: 댁. 즉 남의 집을 높여 부르는 말. = 贵府 guìfǔ: 귀댁.

• 그럼, 그때 다시 뵙지요.
好的, 那时候再见吧。
hǎo de nà shí hou zài jiàn ba

다시 연락하기를 바랄 때 希望再联系时
xī wàng zài lián xì shí

• 시간 있으면 자주 놀러 오세요.
有时间常来玩啊。
yǒu shí jiān cháng lái wán a

• 시간이 있으면 전화 주십시오.
有时间给我打电话。
yǒu shí jiān gěi wǒ dǎ diàn huà

• 바로 전화 드리겠습니다.
我会很快给你打电话的。
wǒ huì hěn kuài gěi nǐ dǎ diàn huà de

• 자주 연락하는 것 잊지 마세요.
别忘了保持联络。
bié wàng le bǎo chí lián luò

• 서로 연락하며 지냅시다.
互相保持联系啊。
hù xiāng bǎo chí lián xì a

• 그곳에 도착하는 대로 바로 전화 주십시오.
到那里以后, 就给我打电话吧。
dào nà li yǐ hòu jiù gěi wǒ dǎ diàn huà ba

다시 만나기를 바랄 때 希望再次见面时
xī wàng zài cì jiàn miàn shí

• 우리 다음에 다시 모이자.
我们下回再聚吧。
wǒ men xià huí zài jù ba

• 앞으로 자주 만납시다.
我们以后经常见面吧。
wǒ men yǐ hòu jīng cháng jiàn miàn ba

• 또 만나 뵙고 싶군요.
我想再见到你。
wǒ xiǎng zài jiàn dào nǐ

• 당신이 한국에 가기 전에 다시 한 번 뵐 수 있을까요?
你去韩国之前, 我们可以再见一次面吗?
nǐ qù hán guó zhī qián wǒ men kě yǐ zài jiàn yí cì miàn ma

▸ **주말에 헤어질 때 周末分别时**
zhōu mò fēn bié shí

· 즐거운 주말을 보내세요.
祝你有个愉快的周末！
zhù nǐ yǒu ge yú kuài de zhōu mò

· 즐거운 여행이 되기를 바랍니다.
祝你旅行愉快！
zhù nǐ lǚ xíng yú kuài

Ⅱ. 전송할 때 送别时
sòng bié shí

A: 你这次回韩国什么时候再回来啊？
nǐ zhè cì huí hán guó shén me shí hou zài huí lái a

B: 不太清楚，我希望能尽早回来。
bú tài qīng chu wǒ xī wàng néng jìn zǎo huí lái

A: 这段时间我们常常见面，你走了我真的很舍不得。
zhè duàn shí jiān wǒ men cháng cháng jiàn miàn nǐ zǒu le wǒ zhēn de hěn shě bu de

B: 我也一样，很感谢这段时间以来你对我的照顾。
wǒ yě yí yàng hěn gǎn xiè zhè duàn shí jiān yǐ lái nǐ duì wǒ de zhào gù

A: 没什么，你到了韩国一定要多加保重啊！
méi shén me nǐ dào le hán guó yí dìng yào duō jiā bǎo zhòng a

B: 好的，你也保重！
hǎo de nǐ yě bǎo zhòng

A: 一路顺风！
yí lù shùn fēng

B: 谢谢！再见！
xiè xie zài jiàn

A: 이번에 한국 가시면 언제 다시 돌아오세요?
B: 잘 모르겠어요. 될 수 있는 대로 빨리 오려고요.
A: 그동안 매일 만났는데, 가신다 하니 정말 섭섭하군요.
B: 저도 그래요. 그동안 잘 보살펴 주셔서 너무 고맙습니다.
A: 뭘요. 한국에 가면 건강하게 잘 지내세요.
B: 예, 당신도요.
A: 그럼 편히 가세요.
B: 고마워요. 다시 만나요.

- 안녕히 가십시오.
慢走。/ 请走好。
màn zǒu qǐng zǒu hǎo

- 조심해 가십시오.
路上小心啊。
lù shang xiǎo xīn a

- 시간이 되면 또 뵙겠습니다.
有时间我会再来看你的。
yǒu shí jiān wǒ huì zài lái kàn nǐ de

- 들어가시죠, 배웅하실 것 없습니다.
你进去吧, 不用送了。
nǐ jìn qù ba bú yòng sòng le

- 나오시지 마세요.
请留步。
qǐng liú bù

- 멀리 배웅하지 않겠습니다.
我不送你了。
wǒ bú sòng nǐ le

- 문 앞까지 바래다 드리겠습니다.
我就送你到门口吧。
wǒ jiù sòng nǐ dào mén kǒu ba

▶ 먼 길을 배웅할 때 送某人远行时
sòng mǒu rén yuǎn xíng shí

- 가시는 길 평안하길 빕니다.
祝你一路平安!
zhù nǐ yí lù píng ān

- 각별히 조심하세요.
请多加小心啊。
qǐng duō jiā xiǎo xīn a

- 역까지 바래다 드리죠.
我送你到车站吧。
wǒ sòng nǐ dào chē zhàn ba

- 편안히 잘 가시기를 빕니다.
祝你一帆风顺!
zhù nǐ yì fān fēng shùn

Ⅲ. 안부를 전할 때 代替问候时
dài tì wèn hòu shí

A: 代我向夫人问好。
dài wǒ xiàng fū rén wèn hǎo
B: 一定。
yí dìng

A: 부인께 안부 전해 주세요.
B: 그러겠습니다.

- 부모님께 안부 전해 주세요.
  替我向你的父母问好。
  tì wǒ xiàng nǐ de fù mǔ wèn hǎo
- 댁에 돌아가시면 가족들께 안부 전해 주세요.
  回到家里, 向您的家人问候一声。
  huí dào jiā li xiàng nín de jiā rén wèn hòu yì shēng
- 부군께도 안부 전해 주세요.
  也向您的丈夫问好。
  yě xiàng nín de zhàng fu wèn hǎo
- 그녀가 당신에게 안부 전해 달라더군요.
  她让我给你代好。
  tā ràng wǒ gěi nǐ dài hǎo
- 가족들에게 대신 안부 전해 주세요.
  代我向你的家人问好。
  dài wǒ xiàng nǐ de jiā rén wèn hǎo
- 저희 부모님께서 안부 전해 달라고 하셨습니다.
  我的父母让我向您问好。
  wǒ de fù mǔ ràng wǒ xiàng nín wèn hǎo

3 호　칭

称呼
chēng hu

사람을 호칭할 때 남성은 先生 xiānsheng, 여성은 小姐 xiǎojiě 또는 女士 nǚshì라고 하는 것이 가장 무난하다. 만일 결혼한 여성의 경우라면 남편의 성 뒤에 太太 tàitai 혹은 夫人 fūrén을 붙여서 부르면 된다. 호칭을 적절하게 사용하지 못할 경우 결례가 될 뿐만 아니라 상대의 기분을 상하게 할 수도 있으므로 주의하여 사용하는 것이 좋다.

기 본 대 화

A: 不好意思，请问您贵姓?
bù hǎo yì si qǐng wèn nín guì xìng

B: 我叫刘庆彬。叫我小彬就行了。
wǒ jiào liú qìng bīn jiào wǒ xiǎo bīn jiù xíng le

A: 是杨柳的柳吗?
shì yáng liǔ de liǔ ma

B: 不，是姓刘的刘。左面是“文”，右面是一个“竖刀”。[1)]
bù shì xìng liú de liú zuǒ miàn shì wén yòu miàn shì yí ge shù dāo

A: 실례지만 성함을 여쭤 봐도 될까요?
B: 제 이름은 류칭빈입니다. 그냥 샤오빈이라 부르시면 됩니다.
A: 버들 류 자입니까?
B: 아니요, 성 류 자입니다. 왼쪽에 글월문이고 오른쪽에 칼도 자입니다.

여러 가지 활용

Ⅰ. 사람을 부를 때　称呼别人时
chēng hu bié rén shí

▶ **여성에 대한 호칭**　对女性的称呼
duì nǚ xìng de chēng hu

• 왕 여사님, 안녕하세요?
王女士，您好![2)]
wáng nǚ shì nín hǎo

1) 竖刀 shùdāo: “刂”(칼도) 의 명칭. = 立刀 lìdāo.
2) 女士 nǚshì: 여성을 높여 부르는 말로서 여사, 부인 또는 숙녀의 의미. 여성의 성에 붙여 사용한다.

- Miss 리, 언제 돌아왔어요?
  李小姐, 你什么时候回来的?[3)]
  lǐ xiǎo jiě nǐ shén me shí hou huí lái de

- 누님, 한 가지 상의 좀 드릴 수 있을까요?
  大姐, 我能跟你商量一件事吗?[4)]
  dà jiě wǒ néng gēn nǐ shāng liang yí jiàn shì ma

- 사모님, 요즘 건강이 어떠신지요?
  夫人, 最近身体好吗?[5)]
  fū rén zuì jìn shēn tǐ hǎo ma

- 사모님, 정 사장님은 아직 안 돌아오셨습니까?
  太太, 郑总还没回来吗?[6)]
  tài tai zhèng zǒng hái méi huí lái ma

- 선배님, 이번 웅변대회 입상을 축하드려요.
  师姐, 恭喜你在这次演讲比赛中得奖![7)]
  shī jiě gōng xǐ nǐ zài zhè cì yǎn jiǎng bǐ sài zhōng dé jiǎng

- 아주머니, 이 근처에 슈퍼가 있나요?
  阿姨, 这附近有没有超市?[8)]
  ā yí zhè fù jìn yǒu méi yǒu chāo shì

- 할머니, 제가 가방을 들어 드릴게요.
  奶奶, 我来帮您提包。[9)]
  nǎi nai wǒ lái bāng nín tí bāo

▶ 남성에 대한 호칭 对男性的称呼
duì nán xìng de chēng hu

- 선생님, 뭐 좀 드시겠습니까?
  先生, 您喝点什么吗?[10)]
  xiān sheng nín hē diǎn shén me ma

---

3) 小姐 xiǎojiě: 젊은 여성에 대한 가장 보편적인 호칭. Miss 또는 아가씨란 의미지만 우리나라에서와 같은 폄하의 의미가 아닌 예의바른 호칭이다.
4) 大姐 dàjiě: 누나, 언니의 뜻. 나이가 다소 높은 여성을 친밀하게 부를 때 사용한다.
5) 夫人 fūrén: 영어의 Mrs.에 해당. 결혼한 여성에 대한 존칭으로 남편의 성에 붙여 사용한다.
6) 太太 tàitai: 결혼한 여성에 대한 존칭. 남편의 성을 붙여 사용한다.
7) 师姐 shījiě: 학교의 여자 선배에 대한 호칭. 여자 후배는 师妹 shīmèi.
8) 阿姨 āyí: 어머니와 연배가 비슷한 여성에 대한 일반적인 호칭. 아줌마, 아주머니.
9) 奶奶 nǎinai: 할머니와 같은 연배의 여성에 대한 호칭.
10) 先生 xiānsheng: 남성에 대한 존칭. 영어의 Mr., 우리말의 ~씨 또는 ~선생님에 해당한다.

• 젊은이, 이 짐 좀 들어 줄 수 있겠나?

小伙子, 能帮我拿这件行李吗?[11)]

xiǎo huǒ zi néng bāng wǒ ná zhè jiàn xíng li ma

• 젊은이, 앞으로 다시는 이 같은 우를 범하지 말도록 해요.

年轻人, 以后不要再做这样的傻事了。

nián qīng rén yǐ hòu bú yào zài zuò zhè yàng de shǎ shì le

• 형씨, 당신은 도대체 어떻게 생각합니까?

哥们儿, 你到底想怎么样?[12)]

gē menr nǐ dào dǐ xiǎng zěn me yàng

• 선배님, 이번 여름방학에 우리 동아리는 어떤 계획이 있나요?

师兄, 这暑假我们社团有什么安排?[13)]

shī xiōng zhè shǔ jià wǒ men shè tuán yǒu shén me ān pái

• 아저씨, 동물원에 가려면 어떻게 가야 해요?

叔叔, 请问去动物园怎么走?[14)]

shū shu qǐng wèn qù dòng wù yuán zěn me zǒu

• 할아버지, 또 산책 나가세요?

大爷, 又去溜弯儿呀![15)]

dà ye yòu qù liù wānr ya

• 동지, 화내지 말아요, 화내면 건강에 해로워요.

同志, 别生气, 气坏了身体就不好了。[16)]

tóng zhì bié shēng qì qì huài le shēn tǐ jiù bù hǎo le

• 기사님, 좀 빨리 가 주시겠어요?

师傅, 开快一点好吗?[17)]

shī fu kāi kuài yì diǎn hǎo ma

▶ 기타 其他

qí tā

• 꼬마야, 너는 몇 학년에 다니니?

小朋友, 你上几年级呀?[18)]

xiǎo péng yǒu nǐ shàng jǐ nián jí ya

---

11) 小伙子 xiǎohuǒzi: 약관의 젊은 남성에 대한 호칭. 총각.

12) 哥们儿 gēmenr: 동년배의 남성에 대한 호칭으로 친밀한 관계를 나타낸다.

13) 师兄 shīxiōng: 학교의 남자 선배. = 师哥 shīgē, 남자 후배는 师弟 shīdì라 한다.

14) 叔叔 shūshu: 아버지 연배와 비슷한 남성에 대한 호칭. 아저씨.

15) 大爷 dàye: 할아버지 연배의 남성에 대한 호칭.

16) 同志 tóngzhì: 우호적이며 연대감을 나타내는 호칭.

17) 师傅 shīfu: 운전기사, 요리사 등 주로 기능계통의 전문직 종사자를 높여 부를 때 사용한다.

18) 小朋友 xiǎopéngyou: 어린이들을 친근하게 부를 때 사용. 꼬마 친구.

- 착한 아가야, 울지 말아요.
  好孩子，别哭。
  hǎo hái zi bié kū

- 아가야, 말 잘 들어야지!
  宝宝，听话![19]
  bǎo bao tīng huà

- 신사 숙녀 여러분 안녕하십니까?
  女士们，先生们，大家好!
  nǚ shì men xiān sheng men dà jiā hǎo

- 내빈 여러분 안녕하십니까?
  各位来宾，晚上好!
  gè wèi lái bīn wǎn shang hǎo

- 친구들아, 안녕?
  朋友们，你们好吗?
  péng you men nǐ men hǎo ma

- 승객 여러분 안녕하십니까?
  各位旅客，你们好!
  gè wèi lǚ kè nǐ men hǎo

Ⅱ. 비존칭어 · 존칭어 非敬语/敬语
fēi jìng yǔ jìng yǔ

- 몇 살이니?/연세가 어떻게 되십니까?
  你几岁?/您多大年纪了?
  nǐ jǐ suì nín duō dà nián jì le

- 영감은 몇 살이요?/할아버님, 춘추가 어떻게 되십니까?
  老头，多大了?/老大爷，您高寿了?[20]
  lǎo tóu duō dà le lǎo dà ye nín gāo shòu le

- 그가 죽었어./돌아가셨어요.
  他死了。/他去世了。
  tā sǐ le tā qù shì le

- 먹어./드세요./천천히 드십시오.
  你吃吧。/请您吃吧。/请您慢用。
  nǐ chī ba qǐng nín chī ba qǐng nín màn yòng

- 잘 가./안녕히 가세요./안녕히 가십시오.
  走了。/走好。/您慢走。
  zǒu le zǒu hǎo nín màn zǒu

---

19) 宝宝 bǎobao: 아기에 대한 애칭. = 宝贝儿 bǎobèir
20) 您高寿了?는 연세가 많으신 노인께 물을 때만 사용.

- 말해. / 말씀하십시오.
你说。/ 请讲。
nǐ shuō qǐng jiǎng

- 샤오장, 내가 술 한 잔 따를게. / 장 선생님, 술 한 잔 올리겠습니다.
小张，我给你倒杯酒吧。/ 张老师，我敬您一杯吧。
xiǎo zhāng wǒ gěi nǐ dào bēi jiǔ ba zhāng lǎo shī wǒ jìng nín yì bēi ba

- 내 아내야. / 이분이 당신 부인이십니까?
这是我的老婆。/ 这位是您的夫人吗?
zhè shì wǒ de lǎo po zhè wèi shì nín de fū rén ma

- 내 남편이야. / 이분이 바깥어른이십니까?
这是我的老公。/ 这位是您的先生吗?
zhè shì wǒ de lǎo gōng zhè wèi shì nín de xiān sheng ma

Ⅲ. 별명 및 어투 外号 / 语气
wài hào yǔ qì

- 그의 별명은 "꼬마귀신"이라고 합니다.
他的外号叫"小鬼"。
tā de wài hào jiào xiǎo guǐ

- 우리들은 선생님에게 "키다리"라는 별명을 붙였어요.
我们给老师取了个外号叫"大个子"。
wǒ men gěi lǎo shī qǔ le ge wài hào jiào dà gè zi

- 우리 존칭은 필요 없잖아요.
我们用不着尊称。[21)]
wǒ men yòng bu zháo zūn chēng

- 우리 이런 어투로 말하지 맙시다.
我们不要再用这种语气说话了。
wǒ men bú yào zài yòng zhè zhǒng yǔ qì shuō huà le

- 저한테 함부로 반말하지 마세요.
请你不要对我说话这么随便。[22)]
qǐng nǐ bú yào duì wǒ shuō huà zhè me suí biàn

- 말조심하세요.
请你说话小心点儿。
qǐng nǐ shuō huà xiǎo xīn diǎnr

---

21) 用不着 yòngbuzháo: 필요치 않다, 쓸모 없다. ~不着: ~하지 못하다, ~할 수 없다.
22) 随便 suíbiàn: 마음대로 하다, 제멋대로 하다.

4 명절 때

节日
jié rì

새해가 되면 우리나라 사람들이 "새해 복 많이 받으세요" 라고 인사하는 것처럼 중국 사람들은 서로 "新年好! xīnnián hǎo" 또는 新年快乐! xīnnián kuàilè 라고 인사를 한다. 또한 새해에는 만사형통하고 순조롭기를 바라는 뜻에서 "恭喜发财! gōngxǐ fācái"(부자 되세요.) 또는 万事如意! wànshì rúyì(모든 일이 뜻대로 이루어지길 바랍니다.) 라고 축원을 하기도 한다. 세배를 하면 어른들이 세뱃돈을 주는데 이를 压岁钱 yāsuìqián이라고 하며, 길하라는 의미로 빨간 봉투에 넣어 준다.

기 본 대 화

A: 喂! 张老师, 您好! 我是小王, 给您拜年了。
wèi zhāng lǎo shī nín hǎo wǒ shì xiǎo wáng gěi nín bài nián le

B: 哦, 小王, 你好! 新年快乐。
ò xiǎo wáng nǐ hǎo xīn nián kuài lè

A: 张老师, 新年快乐! 万事如意!
zhāng lǎo shī xīn nián kuài lè wàn shì rú yì

B: 谢谢, 祝你学习进步, 身体健康!
xiè xie zhù nǐ xué xí jìn bù shēn tǐ jiàn kāng

A: 谢谢。
xiè xie

A: 여보세요. 장 선생님, 안녕하세요. 샤오왕이에요. 새해 인사 드립니다.

B: 아, 샤오왕, 잘 있었어요? 새해 복 많이 받아요.

A: 장 선생님, 새해 복 많이 받으시고, 뜻하시는 일 다 이루어지길 바랍니다.

B: 고마워. 샤오왕도 공부 잘하고, 몸도 건강하길 바라.

A: 감사합니다.

여러 가지 활용

I. 새해 新年
xīn nián

- 새해 복 많이 받으세요.
  新年好!/过年好![1)]
  xīn nián hǎo guò nián hǎo

1) 过年 guònián: 설을 쇠다, 새해를 맞다. 过年好 guònián hǎo!는 春节 chūnjié(음력설)에 주로 하는 인사이다.

- 기쁜 새해가 되십시오.
  新年快乐!/元旦快乐![2)]
  xīn nián kuài lè　yuán dàn kuài lè

- 새해 인사 드립니다. 부자 되세요.
  给您拜年了。恭喜发财!
  gěi nín bài nián le　gōng xǐ fā cái

- 원하는 대로 이루어지기를 바랍니다.
  心想事成!
  xīn xiǎng shì chéng

- 사업이 번창하시길 바랍니다.
  祝您财源广进!
  zhù nín cái yuán guǎng jìn

- 새해에는 새로운 마음으로 시작하십시오.
  新年新气象!
  xīn nián xīn qì xiàng

- 하시는 일 순조로우시길 바랍니다.
  工作顺利!
  gōng zuò shùn lì

- 하루 속히 성공하십시오.
  马到成功![3)]
  mǎ dào chéng gōng

Ⅱ. 기타　其他
qí tā

- 즐거운 추석 보내시기 바랍니다.
  中秋节快乐!
  zhōng qiū jié kuài lè

- 발렌타인데이를 축하해요.
  情人节快乐!
  qíng rén jié kuài lè

- 스승의 날을 맞아 선생님 노고에 감사드립니다.
  老师您辛苦了，祝您教师节快乐!
  lǎo shī nín xīn kǔ le　zhù nín jiào shī jié kuài lè

---

2) 元旦 yuándàn: 양력 1월 1일.

3) 말띠 해에 주로 사용함. 전쟁터에서 말이 단번에 승리를 거둔다는 성어로, 일을 함에 있어 손쉽게 빨리 성공하기를 바란다는 뜻.

참고 관련 용어

- 예절 礼节 lǐ jié
- 인사하다 打招呼 dǎ zhāo hu
- 얼굴이 밝다 满面红光, 满面笑容 mǎnmiànhóngguāng mǎnmiànxiàoróng
- 무고하다 安然无恙 ān rán wú yàng
- 처음 만나다 初见 chū jiàn
- 소개하다 介绍 jiè shào
- 이름을 익히 들어 알다 久仰 jiǔ yǎng
- 존함 尊姓大名 zūn xìng dà míng
- 부탁하다 拜托 bài tuō
- 명함 名片 míngpiàn
- 연락하다 联系 lián xì
- 다시 만나다 重逢 chóngféng
- 안부를 묻다 问候 wèn hòu
- 우연히 만나다 偶遇 ǒu yù
- 서로 사귀다 相识 xiāng shí
- 헤어지다 分别 fēn bié
- 안녕 再见 zài jiàn
- 안녕히 가세요 慢走/走好 màn zǒu zǒu hǎo
- 작별을 고하다 告辞 gào cí
- 헤어지다 告别 gào bié
- 송별하다 送别 sòng bié
- 여사 女士 nǚ shì
- 아가씨, 미스 小姐 xiǎo jiě
- 언니, 누나 大姐 dà jiě
- 부인, 사모님 夫人/太太 fū rén tài tai
- 여자 선배 师姐 shī jiě
- 축하하다 恭喜 gōng xǐ
- Mr. 先生 xiānsheng
- 젊은이, 총각 小伙子 xiǎo huǒ zi
- 젊은이 年轻人 niánqīng rén
- 형제 哥们儿 gē menr
- (남자) 선배 师兄 shī xiōng
- 아저씨 叔叔 shū shu
- 할아버지 大爷 dà ye
- 동지 同志 tóng zhì
- 기사님 师傅 shī fu
- 꼬마 친구 小朋友 xiǎopéng yǒu
- 나이 年纪 nián jì
- 춘추, 연세 高寿 gāo shòu
- 세상을 뜨다 去世 qù shì
- 새해 복 많이 받으세요! 新年好! xīn nián hǎo
- 새해를 축하합니다 新年快乐! xīn niánkuài lè
- 부자 되세요! 恭喜发财 gōng xǐ fā cái
- 뜻대로 이루어지기를! 万事如意 wàn shì rú yì
- 원단 元旦 yuán dàn
- 설 春节 chūn jié
- 추석, 중추절 中秋节 zhōng qiū jié
- 발렌타인데이 情人节 qíng rén jié
- 스승의 날 教师节 jiào shī jié
- 성탄절 圣诞节 shèng dàn jié
- 대보름날 元宵节 yuánxiāo jié
- 단오절 端午节 duān wǔ jié
- 노동절 劳动节 láo dòng jié
- 국경절 国庆节 guó qìng jié
- 여성의 날 妇女节 fù nǚ jié
- 어린이날 儿童节 ér tóng jié
- 어머니날 母亲节 mǔ qīn jié
- 아버지날 父亲节 fù qīn jié

02

02 대인교류

人际交往 RENJI JIAOWANG

1. 환영 · 환송할 때　　欢迎/欢送
2. 축하할 때　　祝贺
3. 감사할 때　　道谢
4. 칭찬할 때　　称赞
5. 선물할 때　　收送礼物
6. 사과할 때　　道歉
7. 부탁할 때　　请求
8. 오해했을 때　　误会

1 환영 · 환송할 때 欢迎/欢送 huānyíng huānsòng

상점에 들어서면 대개 "欢迎光临! huānyíng guānglín"이라고 반갑게 맞이한다. 우리말의 "어서 오세요"라는 뜻이다. 상점에서 뿐만 아니라 가정에서 손님을 맞이할 경우에도 많이 사용되며, "欢迎, 欢迎。huānyíng huānyíng"이라고도 한다. 손님을 전송할 때에는 "欢迎下次再来。huānyíng xiàcì zàilái"(다음에 또 오세요.)라고 하면 된다.

기본대화

A: 刘先生, 欢迎你来韩国。
liú xiān sheng, huān yíng nǐ lái hán guó

B: 谢谢, 李总这么欢迎我, 我感到很荣幸。
xiè xie, lǐ zǒng zhè me huān yíng wǒ, wǒ gǎn dào hěn róng xìng

A: 我给您介绍一下, 这是我太太。
wǒ gěi nín jiè shào yí xià, zhè shì wǒ tài tai

C: 欢迎您! 见到您很高兴。
huān yíng nín! jiàn dào nín hěn gāo xìng

B: 您好! 请多多关照。
nín hǎo! qǐng duō duō guān zhào

A: 류 선생님, 한국에 오신 것을 환영합니다.
B: 고맙습니다. 이 사장님이 이렇게 환영해 주시니 영광입니다.
A: 소개시켜 드리죠. 제 아내입니다.
C: 환영합니다. 만나 뵙게 되어 반갑습니다.
B: 안녕하세요. 잘 부탁드립니다.

여러 가지 활용

I. 환영할 때 欢迎时 huān yíng shí

- 어서 오십시오.
  欢迎光临!
  huān yíng guāng lín

- 환영합니다.
  欢迎, 欢迎!
  huān yíng huān yíng

- 열렬히 환영합니다.
  热烈欢迎!
  rè liè huān yíng

- 우리 회사에 입사한 것을 환영합니다.
欢迎您进我们公司。
huān yíng nín jìn wǒ men gōng sī

- 저희 집에 오신 것을 환영합니다.
欢迎你来我家做客。[1)]
huān yíng nǐ lái wǒ jiā zuò kè

- 중국에 오신 것을 환영합니다.
欢迎你到中国来。
huān yíng nǐ dào zhōng guó lái

- 여러분 신입생들에게 박수를 보냅시다.
大家为新生鼓掌。
dà jiā wèi xīn shēng gǔ zhǎng

- 김 선생님을 위해 환영회를 엽시다.
为金先生开个欢迎会吧。
wèi jīn xiān sheng kāi ge huān yíng huì ba

- 우리 동아리에 들어온 것을 환영해요.
欢迎你加入我们的社团。
huān yíng nǐ jiā rù wǒ men de shè tuán

- 우리 반에 전학 온 것을 환영합니다.
欢迎你转到我们班。
huān yíng nǐ zhuǎn dào wǒ men bān

- 오늘 밤 환영 파티를 엽시다.
今晚开一个欢迎派对吧。[2)]
jīn wǎn kāi yí ge huān yíng pài duì ba

- 오늘 밤 환영 파티에 참석하실 거죠?
你参加今晚的派对吗?
nǐ cān jiā jīn wǎn de pài duì ma

▶ 환영을 받을 때 受到欢迎时
shòu dào huān yíng shí

- 이렇게 환영해 주셔서 감사합니다.
这么欢迎我, 我表示感谢!
zhè me huān yíng wǒ wǒ biǎo shì gǎn xiè

---

1) 做客 zuòkè: (남의 집 등을 방문하여) 손님이 되다, 손님으로 가다.
2) 派对 pàiduì: 영어의 party를 음역한 것임.

- 여러분 모두가 환영해 주시니 영광입니다.
大家都这么欢迎我，我感到很荣幸!
dà jiā dōu zhè me huān yíng wǒ wǒ gǎn dào hěn róng xìng

- 이렇게 많은 분들이 환영해 주실 줄은 미처 몰랐습니다.
我没想到会有这么多人欢迎我!
wǒ méi xiǎng dào huì yǒu zhè me duō rén huān yíng wǒ

Ⅱ. 환송할 때 欢送时
huān sòng shí

- 당신과 함께 지낸 시간이 매우 즐거웠습니다.
和您相处很快乐!
hé nín xiāng chǔ hěn kuài lè

- 당신과 함께 보낸 날들을 잊지 못할 것입니다.
我忘不了和你一起度过的日子。
wǒ wàng bu liǎo hé nǐ yì qǐ dù guò de rì zi

- 다음에 꼭 다시 놀러 오십시오.
下次一定再来玩啊!
xià cì yí dìng zài lái wán ɑ

- 다음에 또 오십시오.
欢迎下次再来。
huān yíng xià cì zài lái

▶ 환송을 받을 때 接受欢送时
jiē shòu huān sòng shí

- 후히 대접해 주셔서 감사합니다.
谢谢您的热情款待!
xiè xie nín de rè qíng kuǎn dài

- 다음에는 당신께서 한국으로 놀러 오십시오.
下次欢迎你到韩国来玩!
xià cì huān yíng nǐ dào hán guó lái wán

- 이번에 너무나 즐거웠습니다.
这次我玩得很高兴!
zhè cì wǒ wán de hěn gāo xìng

- 당신과 함께 보낸 날들 정말 즐거웠습니다.
很开心和您一起度过这段日子!
hěn kāi xīn hé nín yì qǐ dù guò zhè duàn rì zi

2 축하할 때

祝贺
zhù hè

축하할 때는 "祝贺你! zhùhè nǐ" "恭喜你! gōngxǐ nǐ"또는 "恭喜恭喜! gōngxǐ gōngxǐ"라 하고, 기원 또는 축복할 때는 "祝你~。zhù nǐ"라고 하면 된다. 이 밖에도 생일, 승진, 결혼, 출산 등 경우에 따라 사용되는 의례적인 말들이 있으므로 기억해 두면 편리하다.

기 본 대 화

A: 听说你升职了。
tīng shuō nǐ shēng zhí le

B: 是啊, 多亏你们的帮助。
shì a duō kuī nǐ men de bāng zhù

A: 祝贺你。
zhù hè nǐ

B: 谢谢。
xiè xie

A: 듣자 하니 승진하셨다면서요.
B: 네, 모두 여러분이 도와주신 덕분이지요.
A: 축하합니다.
B: 감사합니다.

여러 가지 활용

Ⅰ. 축하할 때 祝贺时
zhù hè shí

- 축하합니다.
  祝贺你。/ 恭喜你。/ 恭喜恭喜!
  zhù hè nǐ gōng xǐ nǐ gōng xǐ gōng xǐ

▶ **승진을 축하할 때 祝贺升职**
zhù hè shēng zhí

- 승진을 축하합니다.
  祝贺你升职。
  zhù hè nǐ shēng zhí

- 또 한 계급 승진하신 것을 축하합니다.
  祝贺你又升了一级。
  zhù hè nǐ yòu shēng le yì jí

- 듣자 하니 부장으로 승진하셨다고요. 축하드립니다.
  听说你升职当部长了。恭喜你。
  tīng shuō nǐ shēng zhí dāng bù zhǎng le gōng xǐ nǐ

생일을 축하할 때 祝贺生日时
zhù hè shēng rì shí

A: 丽红, 祝你生日快乐。你今天太漂亮了。
lì hóng zhù nǐ shēng rì kuài lè nǐ jīn tiān tài piào liang le

B: 谢谢大家。我们一起干杯, 好吗?
xiè xie dà jiā wǒ men yì qǐ gān bēi hǎo ma

A: 리홍, 생일 축하해요. 오늘 정말 멋진데.

B: 모두 감사합니다. 우리 다같이 건배할까요?

- 생일을 축하해요.
  祝你生日快乐。
  zhù nǐ shēng rì kuài lè

- 한 살 더 먹은 것을 축하한다!
  祝贺你又长大了一岁!
  zhù hè nǐ yòu zhǎng dà le yí suì

- 다복하시고 장수하십시오.
  祝您福如东海, 寿比南山。[1)]
  zhù nín fú rú dōng hǎi shòu bǐ nán shān

약혼 · 결혼을 축하할 때 祝贺定婚/结婚时
zhù hè dìng hūn jié hūn shí

- 두 분 축하합니다.
  恭喜你们。
  gōng xǐ nǐ men

- 두 분 영원히 행복하세요.
  祝你们永远幸福。
  zhù nǐ men yǒng yuǎn xìng fú

- 진심으로 두 분 축복합니다.
  真心地祝福你们。
  zhēn xīn de zhù fú nǐ men

---

1) 福如东海, 寿比南山 fú rú dōng hǎi, shòu bǐ nán shān: "동해물처럼 큰 복 누리시고, 남산처럼 장수하십시오."라는 뜻.

· 행복하고 아름다운 가정을 이루세요.
希望你们家庭幸福美满。
xī wàng nǐ men jiā tíng xìng fú měi mǎn

· 두 분 한마음 엮어 백년해로하세요.
祝你们永结同心，白头偕老。
zhù nǐ men yǒng jié tóng xīn bái tóu xié lǎo

· 서로 사랑하고 존경하며 백년해로하십시오!
祝你们恩爱相敬，百年好合！
zhù nǐ men ēn ài xiāng jìng bǎi nián hǎo hé

· 빨리 옥동자를 낳으세요.
祝你们早生贵子。
zhù nǐ men zǎo shēng guì zǐ

출산을 축하할 때 祝贺生子时
zhù hè shēng zǐ shí

· 순산을 축하합니다.
恭喜你顺产。
gōng xǐ nǐ shùn chǎn

· 축하해요. 아들을 낳았다고요.
恭喜你生了儿子。
gōng xǐ nǐ shēng le ér zi

· 어여쁜 공주님 탄생을 축하합니다.
恭喜你生了这么漂亮的一个千金![2)]
gōng xǐ nǐ shēng le zhè me piào liang de yí ge qiān jīn

· 축하합니다. 떡두꺼비 같은 아드님을 낳으셨다고요!
恭喜你生了这么个大胖小子!
gōng xǐ nǐ shēng le zhè me ge dà pàng xiǎo zi

· 아빠를 꼭 닮았네요.
长得真像他爸爸。
zhǎng de zhēn xiàng tā bà ba

입학 · 졸업을 축하할 때 祝贺入学/毕业时
zhù hè rù xué bì yè shí

· 합격을 축하합니다.
恭喜你被录取了。
gōng xǐ nǐ bèi lù qǔ le

---

2) 千金 qiānjīn: 남의 집 딸을 귀히 여겨 부르는 말.

- 대학 합격을 축하해요.
  祝贺你考上大学。
  zhù hè nǐ kǎo shàng dà xué

- 졸업을 축하합니다.
  恭喜你毕业了。
  gōng xǐ nǐ bì yè le

- 이렇게 우수한 성적으로 졸업하다니 진심으로 축하해요.
  真心地祝贺你以这么好的成绩毕业。
  zhēn xīn de zhù hè nǐ yǐ zhè me hǎo de chéng jì bì yè

개업을 축하할 때 祝贺开业时
zhù hè kāi yè shí

- 개업을 축하하며 발전을 기원합니다.
  祝你开业大吉。
  zhù nǐ kāi yè dà jí

- 순풍에 돛단 듯 사업이 순조로우시길 바랍니다.
  祝你在事业上一帆风顺![3]
  zhù nǐ zài shì yè shang yì fān fēng shùn

- 돈 많이 버세요!
  祝你发大财!
  zhù nǐ fā dà cái

성공 · 성취를 축하할 때 祝贺成功/成就时
zhù hè chéng gōng chéng jiù shí

- 우리들의 성공을 위하여 건배!
  为我们的成功, 干杯!
  wèi wǒ men de chéng gōng gān bēi

- 끝내 성공했구나. 축하해, 건배!
  终于成功了, 恭喜你, 干杯!
  zhōng yú chéng gōng le gōng xǐ nǐ gān bēi

- 성공했다니, 정말 저도 기쁩니다.
  你成功了, 我真心地为你高兴。
  nǐ chéng gōng le wǒ zhēn xīn de wèi nǐ gāo xìng

---

3) 一帆风顺 yì fān fēng shùn: "순풍에 돛을 달다"는 뜻으로 모든 일이 순조롭게 잘 풀리기를 바라는 마음을 전할 때 사용한다. 이와 비슷한 말로는 "一路顺风 yí lù shùn fēng"이 있다.

- 영어 말하기 대회에서 일등 입상을 축하합니다.
  恭喜你获得了英语演讲比赛的第一名。
  gōng xǐ nǐ huò dé le yīng yǔ yǎn jiǎng bǐ sài de dì yī míng

- 수학 올림피아드에서의 우승을 축하합니다.
  祝贺你在奥林匹克数学竞赛中获得冠军。[4)]
  zhù hè nǐ zài ào lín pǐ kè shù xué jìng sài zhōng huò dé guàn jūn

기타 其他
qí tā

- 좋은 직장을 찾은 것을 축하합니다.
  恭喜你找到了好工作。
  gōng xǐ nǐ zhǎo dào le hǎo gōng zuò

- 축하합니다. 드디어 금연에 성공하셨군요.
  祝贺你终于戒烟成功了。
  zhù hè nǐ zhōng yú jiè yān chéng gōng le

- 이렇게 빨리 완쾌한 것을 축하해요.
  恭喜你这么快就恢复了健康。
  gōng xǐ nǐ zhè me kuài jiù huī fù le jiàn kāng

Ⅱ. 축복할 때 祝福时
zhù fú shí

A: 小彬, 新年快乐。祝你万事如意。
xiǎo bīn, xīn nián kuài lè zhù nǐ wàn shì rú yì

B: 谢谢, 新年快乐, 祝你发大财。
xiè xie, xīn nián kuài lè, zhù nǐ fā dà cái

A: 샤오빈, 새해 복 많이 받으세요. 만사형통 하시구요.

B: 감사합니다. 새해 복 많이 받으시고, 부자 되세요.

- 행복하시기를 빕니다!
  祝你幸福!
  zhù nǐ xìng fú

- 성공을 기원합니다.
  祝你成功。
  zhù nǐ chéng gōng

---

4) 冠军 guànjūn: 우승, 우승자, 챔피언, 1위. 亚军 yàjūn: 준우승, 2위.

- 사업이 번창하시기를 바랍니다.
  祝你生意兴隆!
  zhù nǐ shēng yi xīng lóng

- 즐거운 여행이 되시기를 빕니다.
  祝你旅途愉快。
  zhù nǐ lǚ tú yú kuài

- 신체 건강하시기를 빕니다.
  祝你身体健康。
  zhù nǐ shēn tǐ jiàn kāng

- 하루 빨리 회복하기를 바랍니다.
  希望你早日康复。
  xī wàng nǐ zǎo rì kāng fù

- 하느님이 당신을 보살펴 주실 것입니다.
  上帝会保佑你的。
  shàng dì huì bǎo yòu nǐ de

Ⅲ. 축하 · 축복에 대한 화답 祝贺时的回答
zhù hè shí de huí dá

- 진심으로 감사합니다.
  真的很谢谢你。
  zhēn de hěn xiè xie nǐ

- 모두 당신 덕분입니다.
  多亏有你。
  duō kuī yǒu nǐ

- 운이 좋았을 뿐입니다.
  运气好而已。
  yùn qi hǎo ér yǐ

- 저도 축하드립니다.
  同喜, 同喜![5)]
  tóng xǐ tóng xǐ

- 여러분 덕택에 오늘이 있을 수 있었습니다.
  多亏大家, 才有今天。
  duō kuī dà jiā cái yǒu jīn tiān

- 고맙습니다. 다 여러분의 공로입니다.
  谢谢, 大家的功劳。
  xiè xie dà jiā de gōng láo

---

5) 同喜 tóngxǐ: 새해 인사와 같은 축하의 말을 들었을 때 화답하는 말.

3 감사할 때 道谢 dào xiè

'감사하다'는 표현으로 가장 일반적인 것은 "谢谢! xièxie", "非常感谢! fēicháng gǎnxiè" 등이며, 상대방으로부터 감사하다는 인사를 받았을 경우에는 "不客气。búkèqi"라고 하거나, "不用谢。búyòngxiè" 또는 "别谢。biéxiè"라고 하면 된다.

기 본 대 화

A: 谢谢您的热心帮助。
xiè xie nín de rè xīn bāng zhù

B: 哪里的话，你这不是太客气了吗?
nǎ li de huà nǐ zhè bú shì tài kè qi le ma

A: 多亏有你的帮助，事情才这么快结束。
duō kuī yǒu nǐ de bāng zhù shì qing cái zhè me kuài jié shù

B: 可以为你出点儿力，我感到很高兴，以后有什么事尽管找我。
kě yǐ wèi nǐ chū diǎnr lì wǒ gǎn dào hěn gāo xìng yǐ hòu yǒu shén me shì jǐn guǎn zhǎo wǒ

A: 以后我少不了要麻烦您，多谢啊。[1)]
yǐ hòu wǒ shǎo bu liǎo yào má fan nín duō xiè a

A: 열심히 도와주셔서 감사합니다.

B: 천만에요, 별말씀을 다하십니다.

A: 다행히 당신의 도움으로 일이 이렇게 빨리 끝났어요.

B: 당신에게 힘이 될 수 있어서 기쁩니다. 앞으로 무슨 일 있으면 말씀하세요.

A: 앞으로도 귀찮게 하는 일이 적지 않을 텐데, 정말 고맙습니다.

여러 가지 활용

Ⅰ. 감사의 표현 表示感谢 biǎo shì gǎn xiè

- 대단히 감사합니다.
  非常感谢!
  fēi cháng gǎn xiè

---

1) 少不了 shǎobuliǎo: 없어서는 안 된다, 빼놓을 수 없다, ~하지 않을 수 없다. ~不了는 주로 양적으로 너무 많아서 다하지 못하거나 끝맺지를 못할 경우에 사용한다. 예) 吃不了 chībuliǎo: (음식 양이 너무 많아서) '다 먹을 수 없다.' 干不了gànbuliǎo: (일이 너무 많거나 고되어) '다 해낼 수 없다.'

- 너무나 감사합니다.
  太感谢您了。
  tài gǎn xiè nín le

- 충심으로 감사합니다.
  衷心的谢谢您。
  zhōng xīn de xiè xie nín

- 기다려 주어서 고맙습니다.
  谢谢你等我。
  xiè xie nǐ děng wǒ

- 염려해 주셔서 감사합니다.
  谢谢您能替我着想。[2]
  xiè xie nín néng tì wǒ zhuó xiǎng

- 여러 가지로 감사합니다.
  在各方面都很感谢您。
  zài gè fāng miàn dōu hěn gǎn xiè nín

- 정말로 뭐라고 감사의 말씀 드려야 할지 모르겠습니다.
  真不知道该怎么感谢你。
  zhēn bù zhī dào gāi zěn me gǎn xiè nǐ

- 당신은 제 생명의 은인입니다.
  您是我的救命恩人啊。
  nín shì wǒ de jiù mìng ēn rén a

- 바쁘신 가운데 이렇게 와 주셔서 감사합니다.
  谢谢您在百忙之中抽时间过来。[3]
  xiè xie nín zài bǎi máng zhī zhōng chōu shí jiān guò lái

- 왕림해 주셔서 정말 고맙습니다.
  大驾光临, 真是太感谢了。[4]
  dà jià guāng lín zhēn shì tài gǎn xiè le

▶ 수고에 대한 감사 因辛苦道谢
yīn xīn kǔ dào xiè

A: 在各方面承蒙您关照, 真是感激不尽。[5]
zài gè fāng miàn chéng méng nín guān zhào zhēn shì gǎn jī bú jìn

---

2) 着想 zhuóxiǎng: 구어에서는 zháoxiǎng으로 많이 발음한다. (다른 사람이나 일의 이익을) 고려하다, 생각하다.

3) 百忙之中 bǎi máng zhī zhōng: 바쁜 가운데, 다망한 가운데.

4) 大驾 dàjià: 지체 높은 사람이 타는 수레이므로 곧 상대방을 높여 부르는 말이다.

5) 承蒙 chéngméng: (주로 은혜, 혜택, 보살핌 등) ~을 입다, ~을 받다.

B: 你太客气了，也不是什么大事。
nǐ tài kè qi le yě bú shì shén me dà shì

A: 여러 가지로 당신의 도움을 받아 정말 감사합니다.
B: 천만에요. 별일도 아닌걸요.

- 수고하셨습니다.
  辛苦您了。
  xīn kǔ nín le

- 당신께 폐를 끼쳤군요.
  给您添麻烦了。
  gěi nín tiān má fan le

- 너무 많은 폐를 끼쳤습니다.
  给您添了很多麻烦。
  gěi nín tiān le hěn duō má fan

- 이렇게 폐를 끼쳐드려 정말 죄송합니다.
  这样给您添麻烦真不好意思。
  zhè yàng gěi nín tiān má fan zhēn bù hǎo yì si

도움에 대한 감사 因帮助道谢
yīn bāng zhù dào xiè

- 매번 도와주셔서 정말 대단히 감사합니다.
  每次都让您帮忙，真是非常感谢。
  měi cì dōu ràng nín bāng máng zhēn shì fēi cháng gǎn xiè

- 저에게 큰 도움이 되었습니다.
  您帮了我的大忙啊。
  nín bāng le wǒ de dà máng a

- 당신 덕분입니다. 감사합니다.
  多亏您了，谢谢。[6)]
  duō kuī nín le xiè xie

- 일전에 도와주셔서 감사합니다.
  谢谢你上回帮了我。
  xiè xie nǐ shàng huí bāng le wǒ

6) 亏 kuī는 손해를 보다, 부족하다, 모자라다의 뜻도 있지만, 다행히, 덕분에 라는 뜻으로도 쓰인다. 多亏 duōkuī: 다행히, 덕분에, ~의 은혜를 입다, ~의 덕택이다.

- 지원해 주셔서 감사합니다.
  谢谢你的支援。
  xiè xie nǐ de zhī yuán

- 지난번에는 정말로 고마웠습니다.
  上回实在是太感谢了。
  shàng huí shí zài shì tài gǎn xiè le

- 당신의 큰 은혜를 영원히 잊을 수 없습니다.
  我永远都不会忘记您的大恩大德。
  wǒ yǒng yuǎn dōu bú huì wàng jì nín de dà ēn dà dé

- 신경써 주셔서 감사합니다.
  让您费心了，谢谢。7)
  ràng nín fèi xīn le xiè xie

- 제게 큰 힘을 주셔서 감사합니다.
  谢谢您给了我无比的力量。8)
  xiè xie nín gěi le wǒ wú bǐ de lì liàng

▶ **친절에 대한 감사 因热情道谢**
yīn rè qíng dào xiè

- 이렇게 친절히 보살펴 주셔서 감사합니다.
  谢谢您这么热情地照顾我。
  xiè xie nín zhè me rè qíng de zhào gù wǒ

- 친절히 환대해 주셔서 감사합니다.
  谢谢您的盛情款待。
  xiè xie nín de shèng qíng kuǎn dài

- 저에게 베풀어 주신 사랑, 평생 잊지 않겠습니다.
  您对我的爱，我将永生难忘。
  nín duì wǒ de ài wǒ jiāng yǒng shēng nán wàng

- 따뜻한 충고에 감사합니다.
  谢谢您的热心忠告。
  xiè xie nín de rè xīn zhōng gào

Ⅱ. 감사에 대한 화답 对道谢的应答
duì dào xiè de yìng dá

- 천만에요.
  不客气。
  bú kè qi

---

7) 费心 fèixīn: 마음을 쓰다, 신경쓰다, 걱정하다.

8) 无比的 wúbǐde: 비할 수 없는, 비길 데 없는.

- 별말씀을요.
  别谢。
  bié xiè

- 천만의 말씀을요.
  哪里的话。
  nǎ li de huà

- 작은 일인데요, 뭘.
  小事一桩，不足挂齿。[9)]
  xiǎo shì yì zhuāng bù zú guà chǐ

- 감사는요.
  不用谢。
  bú yòng xiè

- 당연한걸요.
  应该的。[10)]
  yīng gāi de

- 너무 겸손하신 말씀이십니다.
  您那么说实在是太客气了。
  nín nà me shuō shí zài shì tài kè qi le

- 아무튼 도와드릴 수 있어서 저도 기쁩니다.
  总之，能帮上忙已经很高兴了。
  zǒng zhī néng bāng shàng máng yǐ jing hěn gāo xìng le

- 별로 큰일도 아닌걸요.
  也不是什么大事。
  yě bú shì shén me dà shì

- 제가 별로 도와드린 것도 없는데요.
  我也没什么可帮忙的。
  wǒ yě méi shén me kě bāng máng de

- 도움이 되셨다니 영광입니다.
  能帮助你，是我的荣幸。[11)]
  néng bāng zhù nǐ shì wǒ de róng xìng

---

9) 桩 zhuāng: 사건이나 일 등에 쓰이는 양사(量词 liàngcí).
挂齿 guàchǐ: 언급하다, 제기하다. = 说起 shuōqǐ, 提起 tíqǐ。즉 不足挂齿 bù zú guà chǐ는 '언급할 만한 일도 아니다'라는 뜻.

10) 应该的 yīnggāide: 자신이 마땅히 해야 할 일을 했을 뿐이라는 뜻.

11) 荣幸 róngxìng: 영광이다. 영광스럽다.

4 칭찬할 때

称赞
chēng zàn

칭찬을 나타내는 단어에는 称赞 chēngzàn 외에도 赞扬 zànyáng, 表扬 biǎoyáng 등이 있다. 赞扬 zànyáng은 칭찬의 정도가 称赞 chēngzàn 보다 높은 경우에 주로 사용되며, 表扬 biǎoyáng은 공개적으로 널리 알려 칭찬하는 의미가 내포되어 있는데, 선생님이 학생을 칭찬하는 경우와 같이 주로 윗사람이 아랫사람을 칭찬할 때에 사용된다.

기본대화

A: 金先生，您的研究计划真是太好了。
jīn xiān sheng nín de yán jiū jì huà zhēn shì tài hǎo le

B: 谢谢您的夸奖，真是太高兴了。
xiè xie nín de kuā jiǎng zhēn shì tài gāo xìng le

A: 这样下去，您一定会有很大的成就。
zhè yàng xià qù nín yí dìng huì yǒu hěn dà de chéng jiù

B: 好的，我会更加努力的。
hǎo de wǒ huì gèng jiā nǔ lì de

A: 김 선생님, 연구 계획이 정말 훌륭합니다.
B: 칭찬해 주시니 정말 기쁩니다.
A: 이대로만 하면 곧 커다란 성과를 올리게 될 것입니다.
B: 네, 더 열심히 하겠습니다.

여러 가지 활용

Ⅰ. 칭찬할 때 称赞时
chēng zàn shí

- 당신이 최고예요.
  你是最棒的。
  nǐ shì zuì bàng de

- 당신 정말 대단하군요.
  你真了不起![1]
  nǐ zhēn liǎo bu qǐ

- 아주 잘했어요.
  做得很好。
  zuò de hěn hǎo

1) 了不起 liǎobuqǐ: 보통이 아니다, 대단하다, 굉장하다.

- 아주 멋지군요!
  太精彩了!
  tài jīng cǎi le

- 장하다, 참 잘했어.
  好样的, 你做得很棒。
  hǎo yàng de nǐ zuò de hěn bàng

- 당신이 존경스러워요.
  我很佩服你。[2]
  wǒ hěn pèi fú nǐ

- 너무나 위대하십니다.
  您太伟大了。
  nín tài wěi dà le

- 나무랄 데라곤 없습니다.
  真是完美无暇啊![3]
  zhēn shì wán měi wú xiá a

- 우리 회사는 당신을 자랑스럽게 여기고 있어요.
  我们公司以你为荣。
  wǒ men gōng sī yǐ nǐ wéi róng

- 당신은 우리들의 자랑이에요.
  你是我们的骄傲。[4]
  nǐ shì wǒ men de jiāo ào

- 모두가 당신의 공로입니다.
  这都是你的功劳。
  zhè dōu shì nǐ de gōng láo

▶ 능력에 대한 칭찬 对能力的称赞
duì néng lì de chēng zàn

A: 真羡慕你能说一口流利的汉语。
zhēn xiàn mù nǐ néng shuō yì kǒu liú lì de hàn yǔ

B: 谢谢, 不过, 您的汉语也不差啊。
xiè xie bú guò nín de hàn yǔ yě bú chà a

A: 还差得远呢。你学汉语多长时间了?
hái chà de yuǎn ne nǐ xué hàn yǔ duō cháng shí jiān le

---

2) 佩服 pèifú: 감복하다, 탄복하다, 존경스럽다.
3) 完美无暇 wán měi wú xiá: 완벽하여 흠잡을 데가 없다.
4) 骄傲 jiāo'ào: 여기서는 자랑, 긍지, 자부 등의 뜻을 나타내는 명사로 쓰임. 자랑하다, 뽐내다, 교만하다, 거만하다 등의 동사로 쓰이기도 한다.

B: 快一年了。
kuài yì nián le

A: 学了一年就说得这么棒, 你很有语言天分啊!
xué le yì nián jiù shuō de zhè me bàng nǐ hěn yǒu yǔ yán tiān fèn

B: 您太抬举我了, 我还要多加努力学习呢。[5)]
nín tài tái ju wǒ le wǒ hái yào duō jiā nǔ lì xué xí ne

A: 당신이 중국어를 유창하게 하는 게 정말 부러워요.
B: 고마워요. 그런데 당신의 중국어도 못하지 않던데요.
A: 아직 멀은걸요. 중국어 배운 지 얼마나 됐어요?
B: 1년 돼 가요.
A: 1년 배워서 그렇게 잘하다니 어학적 재능이 있군요.
B: 너무 치켜 세우시네요. 저도 더 열심히 배워야 하는걸요.

- 너 정말로 똑똑하구나.
  你真聪明。
  nǐ zhēn cōng míng

- 그는 머리가 정말 영리해.
  他头脑真伶俐。
  tā tóu nǎo zhēn líng lì

- 당신은 정말로 천재에요.
  你可真是个天才。
  nǐ kě zhēn shì ge tiān cái

- 손재주가 정말 좋습니다.
  你的手艺真好。
  nǐ de shǒu yì zhēn hǎo

- 당신 영어 회화에 정말 두 손 들었어요.
  你的英语会话真是让我甘拜下风啊。[6)]
  nǐ de yīng yǔ huì huà zhēn shì ràng wǒ gān bài xià fēng a

- 초보자치고는 상당히 잘하시는군요.
  对初学者来说, 这已经很不错了。
  duì chū xué zhě lái shuō zhè yǐ jing hěn bú cuò le

---

5) 抬举 táiju: 들어올리다, 칭찬하다, 밀어주다.

6) 甘拜下风 gān bài xià fēng: 상대방보다 못함을 인정하거나, 상대방에게 졌음을 인정하는 말.

- 중국어를 정말 잘하시네요. 외국 사람이 말하는 것 같지 않아요.
  你的汉语说得真好, 都听不出来你是一个外国人。
  nǐ de hàn yǔ shuō de zhēn hǎo dōu tīng bu chū lái nǐ shì yí ge wài guó rén

- 한글을 잘쓰시는군요.
  你的韩语写得很好。
  nǐ de hán yǔ xiě de hěn hǎo

- 영어 발음이 정확하군요.
  你的英语发音真标准。
  nǐ de yīng yǔ fā yīn zhēn biāo zhǔn

- 당신이 만든 한국 요리는 정말 끝내주는군요.
  您做的韩国料理真是没的说啊。[7)]
  nín zuò de hán guó liào lǐ zhēn shì méi de shuō a

- 솜씨가 저보다 한 수 위십니다.
  你的手艺比我高。
  nǐ de shǒu yì bǐ wǒ gāo

- 당신의 재주는 세상에서 비길 데가 없군요.
  你的才华可是天下无比啊。
  nǐ de cái huá kě shì tiān xià wú bǐ a

- 당신은 정말 못하는 게 없군요.
  你简直没有不会做的。
  nǐ jiǎn zhí méi yǒu bú huì zuò de

- 일처리 효율이 정말로 높군요.
  你的办事效率真高。
  nǐ de bàn shì xiào lǜ zhēn gāo

- 좋다는 말밖에 할 말이 없군요.
  除了好, 我无话可说。
  chú le hǎo wǒ wú huà kě shuō

▶ 공로에 대한 칭찬 对功劳的称赞
duì gōng láo de chēng zàn

- 그것은 오로지 당신의 공로입니다.
  那都是您的功劳啊。
  nà dōu shì nín de gōng láo a

---

7) 没的 méide: 동사의 앞에서 그 동작이나 행위가 미칠 대상이 없음을 나타냄.
没的说 méideshuō: 말할 것이 없다. 没的吃 méidechī 먹을 것이 없다.

- 이것은 정말 놀랄 만한 위업입니다.
  这可是惊人的伟业呀!
  zhè kě shì jīng rén de wěi yè ya

- 어떻게 그 난제를 해결하셨습니까? 모두가 찬탄하고 있습니다.
  你是怎么解决那个难题的? 大家都在赞叹呢。
  nǐ shì zěn me jiě jué nà ge nán tí de dà jiā dōu zài zàn tàn ne

- 정말이지 너무 잘 해내셨습니다.
  您做得实在是太好了。
  nín zuò de shí zài shì tài hǎo le

- 이번 일에서 당신은 큰 공로를 세웠습니다.
  这次的事情, 你可是立了汗马功劳啊。[8)]
  zhè cì de shì qing nǐ kě shì lì le hàn mǎ gōng láo a

- 이번 담판에서 당신의 유창한 한국어가 큰 공을 세웠어요.
  在这次谈判中, 您一口流利的韩语可是立了大功啊。
  zài zhè cì tán pàn zhōng nín yì kǒu liú lì de hán yǔ kě shì lì le dà gōng a

▶ 외모에 대한 칭찬 对外貌的称赞
duì wài mào de chēng zàn

- 그는 너무나 멋있어요.
  他好帅呀![9)]
  tā hǎo shuài ya

- 어쩜 그렇게 늘씬하세요.
  你的身材真苗条。[10)]
  nǐ de shēn cái zhēn miáo tiao

- 다리가 정말 가늘군요.
  你的腿好细。
  nǐ de tuǐ hǎo xì

- 실제 나이에 비해 젊어 보이시네요.
  您比实际年龄年轻多了。
  nín bǐ shí jì nián líng nián qīng duō le

---

8) 汗马功劳 hàn mǎ gōng láo: 원래는 '전쟁에서 세운 공로'란 뜻이며, 주로 일정 분야에서 세운 공적·공로·공헌 등을 말한다.

9) 帅 shuài: 남자가 아주 잘 생기거나 멋있음을 말한다. 帅哥 shuàigē: 미남, 잘생긴 남자, 젊은 오빠.

10) 苗条 miáotiao: 여성의 몸매가 늘씬하고 호리호리한 것을 일컫는다.

- 저는 20대밖에 안 되신 줄 알았습니다.
  我还以为你才二十几岁呢。
  wǒ hái yǐ wéi nǐ cái èr shí jǐ suì ne

- 코트가 아주 멋져요.
  您的外套真好看。
  nín de wài tào zhēn hǎo kàn

- 옷이 정말로 예뻐요. 당신에게 잘 어울리네요.
  这衣服真漂亮，非常适合您。
  zhè yī fu zhēn piào liang, fēi cháng shì hé nín

- 캐주얼을 입으니 5년은 젊어 보입니다.
  穿上那套休闲服，看起来年轻五岁。
  chuān shàng nà tào xiū xián fú, kàn qǐ lái nián qīng wǔ suì

- 그런 디자인을 입으니 정말 보기 좋네요.
  那版型你穿起来真好看。
  nà bǎn xíng nǐ chuān qǐ lái zhēn hǎo kàn

- 당신은 어떤 옷을 입어도 잘 어울리는군요.
  你穿什么衣服都好看。
  nǐ chuān shén me yī fu dōu hǎo kàn

- 스웨터가 아주 예쁘네요. 손수 짜셨나요?
  这毛衣真好看，是自己织的吗？
  zhè máo yī zhēn hǎo kàn, shì zì jǐ zhī de ma

▶ 성격에 대한 칭찬 对性格的称赞
duì xìng gé de chēng zàn

- 당신은 정말 착하시군요.
  你真善良。
  nǐ zhēn shàn liáng

- 당신은 정말 유머가 풍부하군요.
  你真幽默。
  nǐ zhēn yōu mò

- 그는 겉으로 보기에는 차거워 보이지만 실제 속마음은 따뜻한 사람이에요.
  她表面看起来很冷淡，其实内心是很热情的。
  tā biǎo miàn kàn qǐ lái hěn lěng dàn, qí shí nèi xīn shì hěn rè qíng de

- 당신 같은 낙천적인 사람이 저는 좋아요.
  我很喜欢你这种乐观主义者。
  wǒ hěn xǐ huan nǐ zhè zhǒng lè guān zhǔ yì zhě

- 당신처럼 유머가 있었으면 좋겠어요.
  能像你那样幽默，就好了。
  néng xiàng nǐ nà yàng yōu mò jiù hǎo le

- 그가 오늘 성공할 수 있었던 것은 인내의 정신이 있었기 때문이죠.
  他能有今天的成功，全靠他的忍耐精神。[11)]
  tā néng yǒu jīn tiān de chéng gōng quán kào tā de rěn nài jīng shén

- 그는 책임감이 아주 강합니다.
  他责任心很强。
  tā zé rèn xīn hěn qiáng

- 당신은 천사 같은 마음씨를 가지셨군요.
  你有一个天使般的心灵。
  nǐ yǒu yí ge tiān shǐ bān de xīn líng

- 당신은 상냥하고 친절한 분이시군요.
  您真是一位和蔼可亲的人。[12)]
  nín zhēn shì yí wèi hé ǎi kě qīn de rén

Ⅱ. 칭찬을 받았을 때 得到称赞时
dé dào chēng zàn shí

- 칭찬해 주시니 감사합니다.
  谢谢您的夸奖。[13)]
  xiè xie nín de kuā jiǎng

- 당신의 격려에 감사드립니다.
  非常感谢您的鼓励。
  fēi cháng gǎn xiè nín de gǔ lì

- 과찬이십니다!
  过奖，过奖![14)]
  guò jiǎng guò jiǎng

- 칭찬해 주시니 정말 영광입니다.
  承蒙您夸奖，真是感到很荣幸。[15)]
  chéng méng nín kuā jiǎng zhēn shì gǎn dào hěn róng xìng

---

11) 全靠 quánkào: 전적으로 ~에 달렸다. 모두 ~에 의지하다(기대다).
12) 和蔼可亲 hé ǎi kě qīn: 상냥하고 친절하다, 자애롭고 친근하다.
13) 夸奖 kuājiǎng: 칭찬하다. 찬양하다. 남의 칭찬을 들었을 때 겸손의 표현으로 '과찬'을 의미한다.
14) 过奖 guòjiǎng: 지나치게 칭찬하다, 과찬하다.
15) 承蒙 chéngméng: (은혜, 혜택을) 입다. 받다.

- 이런 영예를 얻다니 정말 부끄럽습니다.
  真是有愧于这个荣誉啊。[16)]
  zhēn shì yǒu kuì yú zhè ge róng yù a

- 아닙니다. 아직 부족한 점이 많은걸요.
  哪里，我还有很多不足的地方。
  nǎ li wǒ hái yǒu hěn duō bù zú de dì fang

- 너무 칭찬하지 마세요. 마땅히 해야 할 일을 한 것 뿐인걸요.
  您不用那么夸我，这是我应该做的事。
  nín bú yòng nà me kuā wǒ zhè shì wǒ yīng gāi zuò de shì

- 별로 대단한 것도 아닌데요.
  也不是什么了不起的事。
  yě bú shì shén me liǎo bu qǐ de shì

- 자꾸 치켜 세우지 마세요.
  您不要再夸我了。
  nín bú yào zài kuā wǒ le

- 칭찬해 주시니 몸둘 바를 모르겠습니다.
  您的夸奖我不敢当啊。[17)]
  nín de kuā jiǎng wǒ bù gǎn dāng a

- 이렇게 칭찬해 주시니 정말 부끄럽습니다.
  你们这么夸奖我，我真是害羞啊。[18)]
  nǐ men zhè me kuā jiǎng wǒ wǒ zhēn shì hài xiū a

- 그렇게 말씀해 주시니 저도 매우 기쁩니다.
  有你这么一句话，我也就心满意足了。[19)]
  yǒu nǐ zhè me yí jù huà wǒ yě jiù xīn mǎn yì zú le

- 이런 영예를 주시다니 정말 분에 넘칩니다.
  你们给我的荣誉实在是太高了。
  nǐ men gěi wǒ de róng yù shí zài shì tài gāo le

- 아직 멀었는걸요, 앞으로 더욱 열심히 하겠습니다.
  还差得远了，我以后继续努力吧!
  hái chà de yuǎn le wǒ yǐ hòu jì xù nǔ lì ba

- 아직 부족하니 많은 지도 편달 바랍니다.
  还差得多，希望您多多指教。
  hái chà de duō xī wàng nín duō duō zhǐ jiào

---

16) 有愧于 yǒu kuì yú: ~에 부끄럽다. 有愧于良心 yǒu kuì yú liángxīn : 양심에 부끄럽다.

17) 敢当 gǎndāng: 감당하다.

18) 害羞 hàixiū: 수줍어하다. 부끄러워하다.

19) 心满意足 xīn mǎn yì zú: 마음에 들다. 만족하다. 흡족하다.

5 선물할 때

收送礼物
shōusòng lǐ wù

선물을 주는 것은 "送礼 sònglǐ", 받는 것은 "收礼 shōulǐ"라고 한다. 일반적으로 선물을 주고 받을 때는 서로가 예절과 격식을 갖추기 마련인데, 선물을 하는 입장에서는 "这是我小的心意, 请您收下。zhè shì wǒ xiǎo de xīnyì, qǐng nín shōu xià"(조그만 제 마음의 선물입니다. 받아 주십시오.)라 말하고, 받는 입장에서는 "谢谢你送这么好的礼物。xièxie nǐ sòng zhème hǎode lǐwù"(이렇게 좋은 선물을 주시니 감사합니다.)라고 하거나 "哎呀! 你别太客气。aīyā nǐ bié tài kèqi"(아유, 이러시면 안 되는데.)라고 감사의 뜻을 표하기도 한다.

기 본 대 화

A: 小小礼物不诚敬意, 但这是我的一片心意。
xiǎo xiǎo lǐ wù bù chéng jìng yì dàn zhè shì wǒ de yí piàn xīn yì

B: 谢谢您的礼物, 可以打开看看吗?
xiè xie nín de lǐ wù kě yǐ dǎ kāi kàn kan ma

A: 当然可以, 希望你喜欢。
dāng rán kě yǐ xī wàng nǐ xǐ huan

B: 哇, 是韩国传统的娃娃, 真可爱。
wā shì hán guó chuán tǒng de wá wa zhēn kě ài

A: 你喜欢, 我很高兴。
nǐ xǐ huan wǒ hěn gāo xìng

B: 让您破费了, 谢谢。[1)]
ràng nín pò fèi le xiè xie

A: 보잘것없는 선물이지만 저의 작은 성의입니다.
B: 선물 고맙습니다. 열어봐도 될까요?
A: 물론이지요. 마음에 드셨으면 좋겠습니다.
B: 와, 한국 전통 인형이군요. 너무 귀여워요.
A: 마음에 드신다니 기쁩니다.
B: 저 때문에 돈을 쓰셨군요. 고맙습니다.

여러 가지 활용

Ⅰ. 선물을 줄 때 送礼物时
sòng lǐ wù shí

- 이 선물 받으세요.
  这礼物收下吧。
  zhè lǐ wù shōu xià ba

1) 破费 pòfèi: 돈을 쓰다, 금전적 손해를 끼치다.

- 당신에게 드릴 선물이 있습니다.
  我有件东西要送给你。
  wǒ yǒu jiàn dōng xi yào sòng gěi nǐ

- 좋은 것은 아니지만 받아 주십시오.
  也不是什么好东西, 请收下。
  yě bú shì shén me hǎo dōng xi qǐng shōu xià

- 대단한 건 아니지만 마음에 드셨으면 좋겠습니다.
  虽然不是什么稀世之宝, 但希望你喜欢。
  suī rán bú shì shén me xī shì zhī bǎo dàn xī wàng nǐ xǐ huan

- 작은 선물이지만 당신에 대한 깊은 축복의 표시입니다.
  小小礼物表达我对你的深深祝福。
  xiǎo xiǎo lǐ wù biǎo dá wǒ duì nǐ de shēn shēn zhù fú

- "보내는 선물은 가벼우나 그 담긴 정은 두텁다."
  "千里送鹅毛, 礼轻情意重。"[2)]
  qiān lǐ sòng é máo lǐ qīng qíng yì zhòng

Ⅱ. 선물을 받을 때 接收礼物时

jiē shōu lǐ wù shí

- 이렇게 좋은 선물을 주셔서 고맙습니다.
  谢谢你送这么好的礼物。
  xiè xie nǐ sòng zhè me hǎo de lǐ wù

- 너무 예의를 차리시는군요.
  您太客气了。[3)]
  nín tài kè qi le

- 이런 데까지 다 신경을 쓰셨군요.
  您想的可真周到。[4)]
  nín xiǎng de kě zhēn zhōu dào

▶ 선물을 거절할 때 谢绝礼物时

xiè jué lǐ wù shí

- 죄송하지만 이 선물은 받을 수가 없습니다.
  真对不起, 我不能接受这份礼物。
  zhēn duì bu qǐ wǒ bù néng jiē shòu zhè fèn lǐ wù

---

2) 천리 먼 곳에서 거위털을 보내니 그 선물은 비록 보잘것없으나 선물을 보내는 마음만은 깊고 중하다는 뜻.

3) "그냥 오셔도 되는데..." "뭘 이런 걸 다 사오세요."와 같은 의미를 내포하고 있다.

4) 周到 zhōudào: 일을 처리하는데 있어 매우 세심하거나 주도면밀함을 말함.

- 이렇게 비싼 선물을 받는 것은 금지되어 있습니다.
我们不允许接受这么贵重的礼物。
wǒ men bù yǔn xǔ jiē shòu zhè me guì zhòng de lǐ wù

- 호의는 마음으로 받겠습니다만 이건 받을 수 없습니다.
您的好意我心领了，可我不能接受。[5)]
nín de hǎo yì wǒ xīn lǐng le kě wǒ bù néng jiē shòu

- 이런 뇌물성 선물은 받지 않습니다.
这种贿赂性的礼物我不收。[6)]
zhè zhǒng huì lù xìng de lǐ wù wǒ bù shōu

Ⅲ. 선물을 달라고 할 때 要求礼物时
yāo qiú lǐ wù shí

- 제게 선물 주실 거예요?
有礼物送给我吗?
yǒu lǐ wù sòng gěi wǒ ma

- 장미꽃 한 송이면 충분해요.
送我一朵玫瑰就够了。
sòng wǒ yì duǒ méi guī jiù gòu le

- 내일이 내 생일인데 무슨 선물해 주실 거예요?
明天是我生日，打算送我什么礼物?
míng tiān shì wǒ shēng rì dǎ suàn sòng wǒ shén me lǐ wù

- 오늘 발렌타인데이인데, 나에게 초콜릿 안 주니?
今天是情人节，你不给我巧克力呀?[7)]
jīn tiān shì qíng rén jié nǐ bù gěi wǒ qiǎo kè lì ya

- 와! 누가 나에게 이 인형 하나 선물해 줬으면 정말 좋겠다.
哇! 要有人送我这个可爱的娃娃，我会很高兴。
wā yào yǒu rén sòng wǒ zhè ge kě ài de wá wa wǒ huì hěn gāo xìng

- 나에게 골프 공을 선물해 주면 더 좋았을 텐데.
如果送我一盒高尔夫球，我会更喜欢了。
rú guǒ sòng wǒ yì hé gāo ěr fū qiú wǒ huì gèng xǐ huan le

---

5) 心领 xīnlǐng: 마음으로 받아들이다.
6) 贿赂 huìlù: 뇌물. 뇌물을 주다.
7) 情人节 qíngrénjié: 2월 14일 발렌타인데이. 3월 14일 화이트데이 (白色情人节 báisè qíngrénjié)와 11월 11일 빼빼로데이(光棍节 guānggùnjié)는 아직 많이 알려져 있지 않다.

6 사과할 때

道歉
dàoqiàn

道歉 dàoqiàn의 道 dào는 "말하다"는 뜻이고 "歉 qiàn"은 "歉意 qiànyì" 즉 '미안한 마음' 또는 '유감의 뜻'을 일컫는다. "사과 드립니다"라고 할 때는 "我向您道歉。wǒ xiàng nín dàoqiàn"이라 하면 되고, "용서해 주십시오."라고 할 때는 "请您原谅我。qǐng nín yuánliàng wǒ"라고 하면 된다.

기 본 대 화

A: 真的很对不起，我太大意了。[1)]
zhēn de hěn duì bu qǐ wǒ tài dà yi le

B: 只是你的努力白费了。
zhǐ shì nǐ de nǔ lì bái fèi le

A: 我不想再为自己辩护了。
wǒ bù xiǎng zài wèi zì jǐ biàn hù le

B: 没关系。以后要多注意。
méi guān xi yǐ hòu yào duō zhù yì

A: 我知道了。以后我会注意的，不会再有这样的事情发生的。
wǒ zhī dào le yǐ hòu wǒ huì zhù yì de bú huì zài yǒu zhè yàng de shì qing fā shēng de

---

A: 정말 죄송합니다. 제가 너무 부주의했습니다.
B: 당신의 노력이 헛수고가 되었군요.
A: 더 이상 변명하지 않겠습니다.
B: 괜찮아요. 앞으로는 더욱 주의하세요.
A: 알겠습니다. 앞으로는 주의해서 이런 일이 다시 발생하지 않도록 하겠습니다.

여러 가지 활용

Ⅰ. 사과할 때 道歉时
dào qiàn shí

- 정말 미안합니다.
  很对不起。
  hěn duì bu qǐ

---

1) 大意 dàyi: 여기서는 '부주의하다' '소홀하다'의 뜻으로, 이 때에는 意를 경성으로 읽어야 한다. 원래대로 4성으로 읽으면 '대의' '큰 뜻'의 뜻이 됨.

- 아, 미안해요.
  啊，不好意思。
  ā bù hǎo yì si

- 실례했습니다.
  失礼了。
  shī lǐ le

- 죄송합니다.
  很抱歉。
  hěn bào qiàn

- 진심으로 사과드립니다.
  真心向您道歉。
  zhēn xīn xiàng nín dào qiàn

- 드릴 말씀이 없습니다.
  我无话可说。
  wǒ wú huà kě shuō

- 용서해 주십시오.
  原谅我吧。
  yuán liàng wǒ ba

- 죄송합니다. 저의 실수입니다.
  不好意思，这是我的失误。
  bù hǎo yì si zhè shì wǒ de shī wù

- 어떻게 말씀드려야 좋을지 모르겠습니다.
  不知道该说什么才好。
  bù zhī dào gāi shuō shén me cái hǎo

▶ **약속에 늦었을 때** **迟到时**
chí dào shí

A: 对不起，让你们久等了。
duì bu qǐ ràng nǐ men jiǔ děng le
B: 没关系，正准备开会呢。
méi guān xi zhèng zhǔn bèi kāi huì ne

A: 오래 기다리시게 해서 죄송합니다.
B: 괜찮습니다. 이제 막 회의를 시작하려는 참입니다.

- 늦어서 죄송합니다.
  对不起，我来晚了。
  duì bu qǐ wǒ lái wǎn le

- 오래 기다리게 해서 죄송합니다.
  真不好意思让你等这么久。
  zhēn bù hǎo yì si ràng nǐ děng zhè me jiǔ

- 미안해요, 길이 막혀서 늦었어요
  不好意思, 因为路上堵车所以我迟到了。
  bù hǎo yì si yīn wèi lù shang dǔ chē suǒ yǐ wǒ chí dào le

잘못했을 때 做错事时
zuò cuò shì shí

- 모두 저의 잘못입니다.
  都是我的错。
  dōu shì wǒ de cuò

- 당신에게 깊은 사과의 뜻을 표합니다.
  对你深表歉意。
  duì nǐ shēn biǎo qiàn yì

- 악의는 없었습니다.
  我没有恶意。
  wǒ méi yǒu è yì

- 그런 뜻으로 말한 것은 아니었습니다.
  我说的不是那个意思。
  wǒ shuō de bú shì nà ge yì si

- 고의로 그렇게 한 것은 아닙니다.
  我不是故意那么做的。
  wǒ bú shì gù yì nà me zuò de

- 제가 어리석은 짓을 했습니다.
  是我做了蠢事。[2)]
  shì wǒ zuò le chǔn shì

- 제 생각이 부족했기 때문입니다.
  是我考虑不周的原因。
  shì wǒ kǎo lǜ bù zhōu de yuán yīn

- 사고의 책임은 제게 있습니다.
  事故的责任在于我。
  shì gù de zé rèn zài yú wǒ

- 저를 용서하시고 다시 한번 기회를 주시겠습니까?
  请您原谅我再给我一次机会, 好吗?
  qǐng nín yuán liàng wǒ zài gěi wǒ yí cì jī huì hǎo ma

---

2) 蠢事 chǔnshì: 어리석은 짓, 미련한 짓, 바보짓.

- 결례를 범했습니다. 당신께 사과하고 싶군요.
  是我失礼了。我要给您道歉。
  shì wǒ shī lǐ le wǒ yào gěi nín dào qiàn

- 당신을 다시 볼 면목이 없습니다.
  我没脸再见你了。
  wǒ méi liǎn zài jiàn nǐ le

- 제 실수입니다. 그를 나무라지 마세요.
  是我的失误, 别怪他。[3]
  shì wǒ de shī wù bié guài tā

- 이런 일이 다시 일어나지 않도록 주의하겠습니다.
  我会注意的, 不会再出现这样的事情了。
  wǒ huì zhù yì de bú huì zài chū xiàn zhè yàng de shì qing le

폐를 끼쳤을 때 打扰别人时
dǎ rǎo bié rén shí

- 신경쓰시게 해서 죄송합니다.
  不好意思让你费心了。
  bù hǎo yì si ràng nǐ fèi xīn le

- 바쁘신 걸 알면서도 폐를 끼쳐 죄송합니다.
  知道你忙, 还打扰你, 真不好意思。
  zhī dào nǐ máng hái dǎ rǎo nǐ zhēn bù hǎo yì si

- 매번 도움을 받아 정말 미안합니다.
  每次都让你帮, 真过意不去。[4]
  měi cì dōu ràng nǐ bāng zhēn guò yì bú qù

- 이렇게 늦게 전화드려 죄송합니다.
  对不起, 这么晚打电话给你。
  duì bu qǐ zhè me wǎn dǎ diàn huà gěi nǐ

기타 其他
qí tā

A: 哎呀, 请你走路看清楚一点儿。
āi yā qǐng nǐ zǒu lù kàn qīng chu yì diǎnr

B: 对不起, 有没有受伤?
duì bu qǐ yǒu méi yǒu shòu shāng

---

3) 怪 guài: 나무라다, 책망하다, 원망하다. = 责怪 zéguài.
4) 过意不去 guò yì bú qù: 미안해하다, 죄송하게 생각하다.

A: 没关系，以后注意一点。
méi guān xi yǐ hòu zhù yì yì diǎn

B: 我会的。实在对不起。
wǒ huì de shí zài duì bu qǐ

A: 아야, 앞을 똑바로 좀 보고 걸으세요.

B: 죄송합니다. 다치신 데는 없습니까?

A: 괜찮습니다. 앞으로는 주의하세요.

B: 알겠습니다. 정말 죄송합니다.

- 제가 당신을 화나게 했다면 용서하십시오.
  如果是我惹你生气的话，请你原谅。
  ruó guǒ shì wǒ rě nǐ shēng qì de huà qǐng nǐ yuán liàng

- 제 말이 기분을 상하게 했다면 사과하겠습니다.
  如果我的话使你不开心，那么我向你道歉。
  rú guǒ wǒ de huà shǐ nǐ bù kāi xīn nà me wǒ xiàng nǐ dào qiàn

- 이제야 찾아뵙게 되어 죄송합니다.
  这么久才来拜访您，真不好意思。
  zhè me jiǔ cái lái bài fǎng nín zhēn bù hǎo yì si

- 이렇게 늦게 회답을 드려 죄송합니다.
  这么久才给你答复，真不好意思。
  zhè me jiǔ cái gěi nǐ dá fù zhēn bù hǎo yì si

- 나중에 다시 그에게 사과하겠습니다.
  以后再向他道歉吧。
  yǐ hòu zài xiàng tā dào qiàn ba

- 적어도 미안하다는 말이라도 했어야지요.
  至少你应该说声对不起。
  zhì shǎo nǐ yīng gāi shuō shēng duì bu qǐ

Ⅱ. 사과를 받아들일 때　接受道歉时
jiē shòu dào qiàn shí

- 괜찮아요. 다 잊었습니다.
  没关系，我都忘记了。
  méi guān xi wǒ dōu wàng jì le

- 괜찮아요, 아무렇지 않습니다.
  不要紧，没事的。
  bú yào jǐn méi shì de

- 이 일은 당신과는 상관 없습니다.
  这跟你没关系。
  zhè gēn nǐ méi guān xi

- 너무 깊이 생각하지 마십시오.
  别想太多了。
  bié xiǎng tài duō le

- 다 지난 일인걸요. 잊어버리세요.
  都已经过去了。忘了吧。
  dōu yǐ jing guò qù le wàng le ba

- 별일 아닙니다.
  没什么事。
  méi shén me shì

- 사과하실 것 없습니다.
  不需要道歉。
  bù xū yào dào qiàn

- 피차일반입니다.
  彼此彼此。
  bǐ cǐ bǐ cǐ

- 그 일은 정말 당신 잘못이 아니에요.
  那件事真的不是你的错。
  nà jiàn shì zhēn de bú shì nǐ de cuò

▶ 자신에게도 잘못이 있을 때 自我检讨时
zì wǒ jiǎn tǎo shí

- 아니, 다 제 잘못입니다.
  不, 都是我的错。
  bù dōu shì wǒ de cuò

- 제 잘못이에요. 저에게도 책임이 있습니다.
  是我不对。我也有责任。
  shì wǒ bú duì wǒ yě yǒu zé rèn

- 저의 실수입니다. 미안합니다.
  是我的失误, 对不起。
  shì wǒ de shī wù duì bu qǐ

- 모든 책임은 마땅히 제가 져야 합니다.
  所有的责任都该由我承担。
  suǒ yǒu de zé rèn dōu gāi yóu wǒ chéng dān

Ⅲ. 용서를 구할 때 请求原谅时
qǐng qiú yuán liàng shí

- 절 봐서라도, 한 번만 그를 용서해 주세요.
  看在我的面子上，就原谅他一次吧。
  kàn zài wǒ de miàn zi shang jiù yuán liàng tā yí cì ba

- 제 사과를 받아 주세요. 이런 일 두 번 다시 없을 겁니다.
  请接受我的道歉，这样的事不会再有第二次了。
  qǐng jiē shòu wǒ de dào qiàn zhè yàng de shì bú huì zài yǒu dì èr cì le

- 제가 당신을 오해했었습니다. 용서해 주세요.
  是我误会你了，原谅我吧。
  shì wǒ wù huì nǐ le yuán liàng wǒ ba

- 이번 한 번만 저를 용서해 주세요.
  请饶恕我这一回吧。[5)]
  qǐng ráo shù wǒ zhè yì huí ba

- 이번만큼은 용서하겠어요.
  这回就饶了你。
  zhè huí jiù ráo le nǐ

- 컨닝을 하다니, 절대로 용서할 수 없어요.
  你竟然作弊，绝对不能原谅。
  nǐ jìng rán zuò bì jué duì bù néng yuán liàng

Ⅳ. 변명할 때 找借口时
zhǎo jiè kǒu shí

- 고의로 당신을 속인 것이 아닙니다.
  我不是故意骗你的。
  wǒ bú shì gù yì piàn nǐ de

- 일부러 그런 것은 아니었습니다.
  我不是故意的。
  wǒ bú shì gù yì de

- 그때는 정말 어쩔 수가 없었습니다.
  那时真的没有其他办法了。
  nà shí zhēn de méi yǒu qí tā bàn fǎ le

- 변명의 여지가 조금도 없습니다.
  一点解释的余地也没有。
  yī diǎn jiě shì de yú dì yě méi yǒu

---

5) 饶 ráo: 용서하다, 처벌하지 않다. = 饶恕 ráoshù.

▶ 변명하지 말라고 할 때 不许狡辩时
bù xǔ jiǎo biàn shí

A: 为什么会迟到?
wèi shén me huì chí dào

B: 因为堵车。
yīn wèi dǔ chē

A: 你就不要再狡辩了, 这不是主要原因。[6)]
nǐ jiù bú yào zài jiǎo biàn le zhè bú shì zhǔ yào yuán yīn

A: 왜 지각을 했지?

B: 차가 막혀서요.

A: 자꾸 변명하지 마. 그건 진짜 이유가 아니잖아.

- 더 이상 변명하지 마세요.
  不要再解释了。
  bú yào zài jiě shì le

- 변명은 듣고 싶지 않아.
  我不想听你狡辩。
  wǒ bù xiǎng tīng nǐ jiǎo biàn

- 이번엔 또 어떤 핑계를 대려는 거지?
  这次又找什么借口?
  zhè cì yòu zhǎo shén me jiè kǒu

- 그건 변명에 지나지 않아.
  这只不过是借口。
  zhè zhǐ bú guò shì jiè kǒu

- 지금 말해봐야 이미 늦었어.
  现在说, 已经太迟了。
  xiàn zài shuō yǐ jing tài chí le

- 변명은 필요 없어. 넌 언제나 그랬으니까.
  不需要解释。因为你一向都是那样的。
  bù xū yào jiě shì yīn wèi nǐ yí xiàng dōu shì nà yàng de

- 넌 항상 무슨 이유가 그리 많아!
  你的做法总是有理由!
  nǐ de zuò fǎ zǒng shì yǒu lǐ yóu

6) 狡辩 jiǎobiàn: 궤변, 변명. 狡 jiǎo는 '교활하다, 간사하다'는 뜻.

7 부탁할 때

请求
qǐng qiú

부탁을 하는 입장이라면 좀더 예의를 갖추는 것이 상대의 도움이나 허락을 얻어내는 데 도움이 될 것이다. "부탁 드립니다."라고 할 때는 "拜托您了。bàituō nín le" 라고 하며, "제발 좀 ~해 주세요."라고 간청할 때는 "求求你~。qiú qiu nǐ ~ "라고 한다.

기 본 대 화

A: 对不起, 能不能拜托你一件事?
duì bu qǐ néng bu néng bài tuō nǐ yí jiàn shì

B: 可以呀, 只要我可以做到的, 我一定会帮你的。[1)]
kě yǐ ya zhǐ yào wǒ kě yǐ zuò dào de wǒ yí dìng huì bāng nǐ de

A: 我希望你能帮我修改这个汉语作文。
wǒ xī wàng nǐ néng bāng wǒ xiū gǎi zhè ge hàn yǔ zuò wén

B: 好吧, 我可以帮你看一下。
hǎo ba wǒ kě yǐ bāng nǐ kàn yí xià

A: 谢谢你。
xiè xie nǐ

A: 죄송하지만 부탁 하나 드릴 수 있을까요?
B: 그럼요, 내가 할 수 있는 일이라면 도와드리죠.
A: 이 중국어 작문을 좀 고쳐 주셨으면 해서요.
B: 좋아요. 내가 봐 드릴게요.
A: 감사합니다.

여러 가지 활용

Ⅰ. 부탁하고자 할 때 拜托时
bài tuō shí

- 부탁 하나 드려도 괜찮을까요?
  我可以拜托你一件事吗?
  wǒ kě yǐ bài tuō nǐ yí jiàn shì ma

- 좀 도와주실 수 있겠습니까?
  你可以帮个忙吗?
  nǐ kě yǐ bāng ge máng ma

1) 只要 zhǐyào: ~하기만 하면, 오직(단지) ~이라면.

• 당신의 도움이 필요합니다.
我需要你的帮助。
wǒ xū yào nǐ de bāng zhù

• 개인적인 문제를 부탁드리고 싶은데요.
我想拜托你一件私事。
wǒ xiǎng bài tuō nǐ yí jiàn sī shì

• 제발 저를 도와주십시오.
求求你，帮帮我吧。
qiú qiu nǐ bāng bang wǒ ba

• 한 가지 청이 있는데, 설마 거절하지는 않겠죠?
我求你一件事，你不会拒绝吧?
wǒ qiú nǐ yí jiàn shì nǐ bú huì jù jué ba

• 좀 부탁드릴 일이 있는데요.
我有事想拜托你。
wǒ yǒu shì xiǎng bài tuō nǐ

• 제 청을 들어주시겠습니까?
能接受我的请求吗?
néng jiē shòu wǒ de qǐng qiú ma

▶ 돈을 빌릴 때 借钱时
jiè qián shí

A: 你现在有钱吗? 能不能借我1000元?
nǐ xiàn zài yǒu qián ma néng bu néng jiè wǒ yuán

B: 不好意思，我现在没有。
bù hǎo yì si wǒ xiàn zài méi yǒu

A: 지금 돈 있으세요? 1000위안만 빌려 주시겠습니까?

B: 미안해요. 지금은 돈이 없습니다.

• 돈을 좀 빌리고 싶습니다.
我想借点儿钱。
wǒ xiǎng jiè diǎnr qián

• 지금 돈 있으시면 500위안만 꿔 주시겠습니까?
你要是现在有钱的话，可以借我500元吗?
nǐ yào shì xiàn zài yǒu qián de huà kě yǐ jiè wǒ yuán ma

- 미안하지만 100위안밖에 없는데요.
  对不起，我现在只有100元。
  duì bu qǐ wǒ xiàn zài zhǐ yǒu yuán

- 지금 그런 큰돈은 가지고 있지 않습니다.
  我现在没带那么多钱。
  wǒ xiàn zài méi dài nà me duō qián

- 10일 안에 꼭 갚아 주십시오.
  10天之内必须还钱。
  tiān zhī nèi bì xū huán qián

짐이나 자리를 부탁할 때 请人照看行李或位子时
qǐng rén zhào kàn xíng li huò wèi zi shí

- 미안하지만, 이 짐들을 좀 봐 주시겠습니까?
  对不起，能不能帮我看一下这些行李？[2)]
  duì bu qǐ néng bu néng bāng wǒ kān yí xià zhè xiē xíng li

- 수고스럽겠지만 이 가방 좀 들어 주시겠어요?
  麻烦你，帮我拿一下这个包，好吗？
  má fan nǐ bāng wǒ ná yí xià zhè ge bāo hǎo ma

- 실례지만, 이 좌석에 임자 있습니까?
  请问，这个座位有人吗？
  qǐng wèn zhè ge zuò wèi yǒu rén ma

- 제가 앉아도 됩니까?
  我可以坐吗？
  wǒ kě yǐ zuò ma

- 실례지만 자리를 좀 봐 주십시오.
  麻烦你，帮我看一下这个座位。
  má fan nǐ bāng wǒ kān yí xià zhè ge zuò wèi

~ 하는 김(길)에 顺便拜托时
shùn biàn bài tuō shí

- 돌아오는 길에 담배 한 갑 좀 사다 주시겠습니까?
  你回来时，顺便帮我买一盒烟好吗？
  nǐ huí lái shí shùn biàn bāng wǒ mǎi yì hé yān hǎo ma

- 일어서거든 창문 좀 닫아 주세요.
  你起来的话，顺便帮我关一下窗户吧。
  nǐ qǐ lái de huà shùn biàn bāng wǒ guān yí xià chuāng hu ba

---

2) 看 kān: '보다'의 뜻일 때는 4성이지만, '지키다', '돌보다', '파수하다'의 뜻일 때는 1성으로 발음한다.

- 청소하시는 김에 제 방도 치워 주시겠어요?
  你收拾屋子时, 顺便把我的房间也整理一下, 好吗?
  nǐ shōu shi wū zi shí shùn biàn bǎ wǒ de fáng jiān yě zhěng lǐ yí xià hǎo ma

▶ 기타 其他
qí tā

- 커피 한 잔 타 주세요.
  帮我泡一杯咖啡。
  bāng wǒ pào yì bēi kā fēi
- 내가 없는 동안 아기 좀 돌봐 주세요.
  我不在的时候, 帮我照顾一下我的孩子。
  wǒ bú zài de shí hou bāng wǒ zhào gù yí xià wǒ de hái zi
- 무리한 일을 요구하지는 않겠어요.
  我不会要求你做不合理的事情。
  wǒ bú huì yāo qiú nǐ zuò bù hé lǐ de shì qing
- 이번이 처음이자 마지막입니다.
  这是第一次, 也是最后一次了。
  zhè shì dì yī cì yě shì zuì hòu yí cì le
- 부장님의 부탁이라 거절할 수가 없었어요.
  因为是部长的委托, 所以不敢拒绝。
  yīn wèi shì bù zhǎng de wěi tuō suǒ yǐ bù gǎn jù jué

Ⅱ. 도움을 청할 때 请求帮助时
qǐng qiú bāng zhù shí

A: 小彬, 我有事想请你帮忙。
xiǎo bīn wǒ yǒu shì xiǎng qǐng nǐ bāng máng

B: 什么事?
shén me shì

A: 可以帮我打一下这封信吗?
kě yǐ bāng wǒ dǎ yí xià zhè fēng xìn ma

B: 现在马上要吗?
xiàn zài mǎ shàng yào ma

A: 是的。
shì de

B: 知道了, 我马上给你打一份。
zhī dào le wǒ mǎ shàng gěi nǐ dǎ yí fèn

A: 太谢谢你了。
tài xiè xie nǐ le

B: 不用客气。我随时为您效劳。[3)]
bú yòng kè qi wǒ suí shí wèi nín xiào láo

A: 샤오빈, 도와줘야 할 일이 하나 있는데.
B: 무슨 일인데요?
A: 이 편지를 타이핑해 주겠어요?
B: 지금 당장 해야 되나요?
A: 그래요.
B: 알겠습니다. 바로 해 드리겠습니다.
A: 너무 고마워요.
B: 천만에요. 언제라도 도와드리겠습니다.

- 저를 도와주세요.
  请你帮我吧。
  qǐng nǐ bāng wǒ ba

- 저를 도와주시겠습니까?
  你能帮我吗?
  nǐ néng bāng wǒ ma

- 협조해 주시기 바랍니다.
  希望你能合作。
  xī wàng nǐ néng hé zuò

▶ 기꺼이 도와줄 때 情愿帮忙时
qíng yuàn bāng máng shí

- 문제 없습니다.
  没问题。
  méi wèn tí

- 힘을 다해 보겠습니다.
  我会尽力的。
  wǒ huì jìn lì de

- 최선을 다해 도와드리겠습니다.
  我一定尽力而为。[4)]
  wǒ yí dìng jìn lì ér wéi

---

3) 效劳 xiàoláo: 힘쓰다, 진력하다.
4) 尽力而为 jìn lì ér wéi: 전력을 다해서 이루다.

- 언제라도 도와드리겠습니다.
  不管什么时候，我都会帮你的。
  bù guǎn shén me shí hou wǒ dōu huì bāng nǐ de

- 다소나마 저도 기꺼이 도움이 되고 싶습니다.
  我多少也应该帮你做点儿什么。
  wǒ duō shǎo yě yīng gāi bāng nǐ zuò diǎnr shén me

- 그 일은 제게 맡기십시오.
  那件事交给我吧。
  nà jiàn shì jiāo gěi wǒ ba

- 무슨 일 있으면 언제라도 전화 주십시오.
  有什么事，随时给我打电话吧。
  yǒu shén me shì suí shí gěi wǒ dǎ diàn huà ba

- 당신의 일이라면 무슨 일이든 돕겠습니다.
  只要是你的事，我都会帮你做的。
  zhǐ yào shì nǐ de shì wǒ dōu huì bāng nǐ zuò de

- 그런 일은 제게는 매우 간단한 일입니다.
  那样的事，对我来说太简单了。
  nà yàng de shì duì wǒ lái shuō tài jiǎn dān le

▶ 도움을 사양할 때 谢绝时 (xiè jué shí)

- 괜찮습니다. 관심을 가져 주셔서 감사합니다.
  不用了。谢谢你的关心。
  bú yòng le xiè xie nǐ de guān xīn

- 아닙니다. 제가 스스로 해결하겠습니다.
  不，让我自己解决吧。
  bù ràng wǒ zì jǐ jiě jué ba

- "자신의 일은 자신이 하라"는 말이 있습니다.
  有句话叫"自己的事自己做"。
  yǒu jù huà jiào zì jǐ de shì zì jǐ zuò

▶ 도움에 감사할 때 道谢时 (dào xiè shí)

- 저에게는 아주 큰 도움이 되었습니다.
  对我来说，这是一个很大的帮助。
  duì wǒ lái shuō zhè shì yí ge hěn dà de bāng zhù

- 당신의 도움에 감사드립니다.
  谢谢你的帮助。
  xiè xie nǐ de bāng zhù

- 당신의 도움을 죽을 때까지 잊지 못할 것입니다.
  我终身难忘您的帮助。
  wǒ zhōng shēn nán wàng nín de bāng zhù

- 당신의 은혜를 보답할 길이 없습니다.
  我无法报答您的恩惠。
  wǒ wú fǎ bào dá nín de ēn huì

Ⅲ. 양해를 구할 때 谅解时
liàng jiě shí

A: 对不起, 我可以抽支烟吗?
duì bu qǐ wǒ kě yǐ chōu zhī yān ma

B: 这里禁止吸烟。你可以到卫生间抽烟。
zhè li jìn zhǐ xī yān nǐ kě yǐ dào wèi shēng jiān chōu yān

A: 好的, 谢谢你。
hǎo de xiè xie nǐ

A: 미안합니다만, 담배 좀 피워도 되겠습니까?

B: 이곳은 금연입니다. 화장실에 가서 피우시면 됩니다.

A: 알겠습니다. 감사합니다.

▶ 사전 양해를 구할 때 事前请求时
shì qián qǐng qiú shí

- 창문을 열어도 되겠습니까?
  可以开窗户吗?
  kě yǐ kāi chuāng hu ma

- 라이터 좀 빌려 주시겠습니까?
  借一下打火机行吗?
  jiè yí xià dǎ huǒ jī xíng ma

- 들어가도 되겠습니까?
  我可以进去吗?
  wǒ kě yǐ jìn qù ma

- 여기에 주차해도 되겠습니까?
  我可以在这里停车吗?
  wǒ kě yǐ zài zhè li tíng chē ma

- 화장실을 써도 되겠습니까?
  我可以用一下卫生间吗?
  wǒ kě yǐ yòng yí xià wèi shēng jiān ma

- 전시품을 촬영해도 되겠습니까?
  我可以拍这些展示品吗?
  wǒ kě yǐ pāi zhè xiē zhǎn shì pǐn ma

▶ **물건을 빌릴 때 借东西时**
jiè dōng xi shí

- 실례합니다. 사전 좀 사용할 수 있을까요?
  不好意思, 可以借我词典用用吗?
  bù hǎo yì si kě yǐ jiè wǒ cí diǎn yòng yong ma

- 미안합니다만 전화 좀 빌려도 되겠습니까?
  打扰了, 可以借一下电话吗?
  dǎ rǎo le kě yǐ jiè yí xià diàn huà ma

- 곧바로 돌려드리겠습니다.
  我会很快还你的。
  wǒ huì hěn kuài huán nǐ de

▶ **길을 비켜 달라고 할 때 请求让路时**
qǐng qiú ràng lù shí

- 좀 나가도 되겠습니까?
  我出去一下可以吗?
  wǒ chū qù yí xià kě yǐ ma

- 미안하지만 실례하겠습니다.
  不好意思, 打扰了。
  bù hǎo yì si dǎ rǎo le

- 지나갈 수 있을까요?
  能让我过去吗?
  néng ràng wǒ guò qù ma

- 좀 비켜 주십시오.
  请让一下。
  qǐng ràng yí xià

- 미안합니다, 좀 지나가겠습니다.
  对不起, 过一下。
  duì bu qǐ guò yí xià

- 비켜요!
  躲开![5]
  duǒ kāi

---

5) 躲开 duǒkāi: 躲 duǒ는 '숨다', '피하다', '비키다'라는 뜻을 가진 글자로서, '길을 비켜 달라'고 하거나 '물러나라'고 할 때 쓰인다.

8 오해했을 때

误会
wù huì

"오해를 하다"라는 표현으로는 "误会 wùhuì"와 "误解 wùjiě"가 있다. "误会 wùhuì"가 주로 대인관계에서 빚어지는 감정상의 오해 등을 일컫는 데에 많이 사용된다면, "误解 wùjiě"는 주로 상대의 말이나 뜻을 잘못 이해하는 경우에 많이 사용된다. "그건 오해야."라고 할 때에는 "你误会了。nǐ wùhuì le"라고 하면 되며, 오해하지 말라고 할 때는 "别误会。bié wùhuì"라고 하면 된다.

기본대화

A: 听说你最近遇上了麻烦事。
tīng shuō nǐ zuì jìn yù shàng le má fan shì

B: 别提了! 上回在电梯里, 我想替一个女同事拿下她屁股上的东西, 却被她误会了。
bié tí le shàng huí zài diàn tī li wǒ xiǎng tì yí ge nǚ tóng shì ná xià tā pì gǔ shang de dōng xi què bèi tā wù huì le

A: 什么误会啊! 你真的只有那个想法吗?
shén me wù huì a nǐ zhēn de zhǐ yǒu nà ge xiǎng fǎ ma

B: 你说什么呀? 难道你也把我当成好色之徒?[1)]
nǐ shuō shén me ya nán dào nǐ yě bǎ wǒ dāng chéng hào sè zhī tú

A: 不, 不, 你别误会。我只是在开玩笑而已。
bù bù nǐ bié wù huì wǒ zhǐ shì zài kāi wán xiào ér yǐ

A: 듣자니 너 요즘 난처한 일에 처해 있다며?

B: 말도 마. 며칠 전 엘리베이터에서 여자 동료의 히프에 뭐가 있는 것을 떼어 주려고 했다가 오히려 오해를 샀어.

A: 오해는 무슨! 정말 그 뜻밖에 없었을까?

B: 지금 무슨 말을 하고 있는 거야? 설마 너까지 나를 호색한으로 만들 셈이야?

A: 아냐 아냐. 오해하지 마. 그냥 농담 한 번 해본 거야.

여러 가지 활용

I. 오해가 있을 때 有误会时
yǒu wù huì shí

- 그건 오해야.
  你误会了。
  nǐ wù huì le

1) 好色之徒 hào sè zhī tú: 호색가, 여자를 밝히는 사람.

- 당신이 그를 오해하고 있어요.
  是你误会他了。
  shì nǐ wù huì tā le

- 아마 저에게 무슨 오해가 있으신 것 같습니다.
  您好像对我有什么误会。
  nín hǎo xiàng duì wǒ yǒu shén me wù huì

- 제가 말한 건 그런 뜻이 아닙니다.
  我说的不是那个意思。
  wǒ shuō de bú shì nà ge yì si

- 제가 당신의 뜻을 오해했었군요.
  是我误会了您的意思。
  shì wǒ wù huì le nín de yì si

- 우리들 사이에 뭔가 오해가 있었나 봅니다.
  我们之间好像有点误会。
  wǒ men zhī jiān hǎo xiàng yǒu diǎn wù huì

- 어쩌면 제가 당신 말을 오해했을 수도 있죠.
  也许是我误解了您的话。
  yě xǔ shì wǒ wù jiě le nín de huà

Ⅱ. 오해하지 말라고 할 때 让对方不要误会时
ràng duì fāng bú yào wù huì shí

- 오해하지 마.
  你别误会。
  nǐ bié wù huì

- 오해하지 마세요.
  请不要误会。
  qǐng bú yào wù huì

- 나쁜 쪽으로 생각하지 마세요.
  您不要往坏处想。
  nín bú yào wǎng huài chù xiǎng

- 당신을 해칠 생각은 없었습니다.
  我没有想过要伤害你。
  wǒ méi yǒu xiǎng guo yào shāng hài nǐ

- 오해하지 마세요. 전 악의가 없습니다.
  你不要误会，我没有恶意。
  nǐ bú yào wù huì wǒ méi yǒu è yì

- 편견을 갖지 말고 제 말을 들어 주셨으면 합니다.
  希望你不要带着偏见听我说话。
  xī wàng nǐ bú yào dài zhe piān jiàn tīng wǒ shuō huà

• 앞으로 다시 오해가 없도록 확실히 말해 둡시다.
我们还是说清楚，免得以后再有误会。
wǒ men hái shì shuō qīng chu miǎn de yǐ hòu zài yǒu wù huì

Ⅲ. 착각·혼동했을 때 错觉/混乱时
cuò jué hùn luàn shí

• 도대체 뭐가 뭔지 나는 모르겠네요.
什么乱七八糟的，我不懂。[2)]
shén me luàn qī bā zāo de wǒ bù dǒng

• 아마도 제가 잘못 기억한 것 같습니다.
好像是我记错了。
hǎo xiàng shì wǒ jì cuò le

• 그건 단지 너의 착각일 뿐이야.
那只是你的错觉。
nà zhǐ shì nǐ de cuò jué

• 지금 머리가 너무 혼란스러워요.
我现在脑子很乱。
wǒ xiàn zài nǎo zi hěn luàn

• 성명이 비슷해서 착각을 했습니다.
姓名差不多，所以使我产生了错觉。
xìng míng chà bu duō suǒ yǐ shǐ wǒ chǎn shēng le cuò jué

• 오늘이 금요일인 줄 알았습니다.
我还以为今天是星期五呢。
wǒ hái yǐ wéi jīn tiān shì xīng qī wǔ ne

• 틀림없이 네가 잘못한 걸 거야.
一定是你弄错了。
yí dìng shì nǐ nòng cuò le

• 너 또 잘못 알고 있었지?
你又记错了吧?
nǐ yòu jì cuò le ba

• 너 또 헷갈렸구나. 좀 조심해.
你又犯糊涂了，下次注意点儿。[3)]
nǐ yòu fàn hú tu le xià cì zhù yì diǎnr

---

2) 乱七八糟 luàn qī bā zāo: '엉망진창이다', '어수선하다', '난장판이다'라는 뜻의 성어.
3) 犯 fàn:범하다. 저지르다. 위반하다. 침범하다.
糊涂 hútu: 흐리멍텅하다. 똑똑치 못하다. 어리벙벙하다.

참고 관련 용어

- 열렬하다 热烈 rè liè
- 박수치다 鼓掌 gǔ zhǎng
- 축하하다 祝贺, 恭喜 zhù hè gōng xǐ
- 축복하다 祝福 zhù fú
- 환영하다 欢迎 huānyíng
- 환송하다 欢送 huānsòng
- 어서 오십시오 欢迎光临 huānyíngguāng lín
- 영광이다 荣幸 róngxìng
- 건배하다 干杯 gān bēi
- 행복하다 幸福 xìng fú
- 축 개업 开业大吉 kāi yè dà jí
- 감사 인사를 하다 道谢 dào xiè
- 감사합니다 谢谢, 感谢 xiè xie gǎn xiè
- 천만에요 不客气 bú kè qi
- 마음을 쓰다 费心 fèi xīn
- 칭찬하다 称赞 chēng zàn
- 찬양하다 赞扬 zàn yáng
- 표양하다 表扬 biǎoyáng
- 찬송하다 赞颂 zàn sòng
- 찬탄하다 赞叹 zàn tàn
- 찬미하다 赞美 zàn měi
- 과찬하다 夸奖 kuā jiǎng
- 훌륭하다/좋다 棒 bàng
- 대단하다 了不起 liǎo bu qǐ
- 탄복하다/존경하다 佩服 pèi fú
- 위대하다 伟大 wěi dà
- 격려하다 鼓励 gǔ lì
- 영예롭다 荣誉 róng yù
- 영광이다 光荣 guāngróng
- 선물을 하다 送礼 sòng lǐ
- 선물을 받다 收礼 shōu lǐ
- 선물 礼物 lǐ wù
- 뇌물 贿赂 huì lù
- 사과하다 道歉 dào qiàn
- 유감/사과 歉意 qiàn yì
- 용서하다 原谅 yuánliàng
- 미안합니다 对不起 duì bu qǐ
- 죄송합니다 抱歉 bào qiàn
- 미안하다/염치없다 不好意思 bù hǎo yì si
- 결례하다 失礼 shī lǐ
- 실수하다 失误 shī wù
- 잘못하다 错误 cuò wù
- 용서하다 饶恕 ráo shù
- 변명하다 借口 jiè kǒu
- 궤변하다 狡辩 jiǎo biàn
- 부탁하다 请求 qǐng qiú
- 부탁하다 拜托 bài tuō
- ~하는 김에 顺便 shùnbiàn
- 사절하다 谢绝 xiè jué
- 거절하다 拒绝 jù jué
- 양해하다 谅解 liàng jiě
- 오해하다 误会, 误解 wù huì wù jiě
- 착각하다 错觉 cuò jué
- 혼동하다 混乱 hùn luàn

03 개인신상

个人信息 GEREN XINXI

1 나 이 年龄

2 성 격 性格

3 외 모 外貌

4 가족관계 亲属关系

5 학교관계 学校关系

6 고향 · 거주지 家乡/居住地

7 종교 · 기타 宗教/其他

1 나 이 年龄 niánlíng

중국은 서양과 같이 만으로 나이를 계산하는데, 이렇게 만으로 계산하는 나이를 周岁 zhōusuì라고 한다. 물론 예전에는 우리처럼 태어나면서 바로 1살로 계산하던 관습이 있었는데 이는 虚岁 xūsuì라고 한다. 나이를 묻는 표현으로는 "你多大了? nǐ duōdà le" 또는 "你多大年纪? nǐ duōdà niánjì"등이 있다. "你几岁?"는 어린 아이에게 묻는 표현이므로 어른에게는 쓰지 않는다.

기 본 대 화

A: 请问你多大了?
qǐng wèn nǐ duō dà le

B: 你看我像多大?
nǐ kàn wǒ xiàng duō dà

A: 三十岁左右吧。
sān shí suì zuǒ yòu ba

B: 错了, 我已经四十岁了。
cuò le wǒ yǐ jing sì shí suì le

A: 是吗? 你看起来真年轻。
shì ma nǐ kàn qǐ lái zhēn nián qīng

A: 실례지만 나이가 얼마나 되셨어요?
B: 제가 몇 살로 보이나요?
A: 서른 정도 되신 것 같아요.
B: 아니에요. 벌써 마흔인걸요.
A: 그러세요? 정말 젊어 보이시네요.

여러 가지 활용

Ⅰ. 나이를 물을 때 询问年龄时 xún wèn nián líng shí

A: 你的儿子几岁了?
nǐ de ér zi jǐ suì le

B: 五岁了, 正在上幼儿园。
wǔ suì le zhèng zài shàng yòu ér yuán

A: 당신의 아들은 몇 살입니까?
B: 다섯 살이에요, 유치원에 다니고 있어요.

A: 你的父亲今年多大岁数了?
nǐ de fù qīn jīn nián duō dà suì shu le
B: 今年是我父亲的花甲年。[1]
jīn nián shì wǒ fù qīn de huā jiǎ nián

A: 당신의 아버님께서는 올해 연세가 어떻게 되십니까?
B: 올해가 저의 아버님 환갑이십니다.

- 꼬마야, 몇 살이니?
  小朋友, 你几岁呀?
  xiǎo péng yǒu nǐ jǐ suì ya
- 연세가 어떻게 되셨습니까?
  您多大年纪了?/您多大岁数了?
  nín duō dà nián jì le nín duō dà suì shu le
- 춘추가 어떻게 되십니까?
  您高寿了?[2]
  nín gāo shòu le
- 당신의 나이를 알려 주실 수 있나요?
  能告诉我你的年龄吗?
  néng gào su wǒ nǐ de nián líng ma
- 마흔이 다 되어 갑니다.
  快到四十岁了。
  kuài dào sì shí suì le
- 다음 달이면 서른이 됩니다.
  下个月就是三十岁了。
  xià ge yuè jiù shì sān shí suì le

나이 비교 比较年龄
bǐ jiào nián líng

- 저와 동갑이군요.
  跟我同岁啊。
  gēn wǒ tóng suì a
- 저보다 세 살 많으시네요.
  比我大三岁。
  bǐ wǒ dà sān suì

1) 花甲 huājiǎ: 회갑, 환갑.
2) 高寿 gāoshòu: 연세가 많으신 노인 분에게만 사용한다.

- 저보다 한 살 아래입니다.
  比我小一岁。
  bǐ wǒ xiǎo yí suì

- 그는 당신보다 몇 살 위입니까?
  他比你大几岁?
  tā bǐ nǐ dà jǐ suì

- 저는 3월생입니다. 당신보다 두 달 빠르군요,
  我是三月份生的, 比你大两个月。
  wǒ shì sān yuè fèn shēng de bǐ nǐ dà liǎng ge yuè

▶ **나이 가늠하기** **从外貌上打量年龄**
cóng wài mào shang dǎ liang nián líng

- 스무살 되었나요?
  你有二十了吗?
  nǐ yǒu èr shí le ma

- 아직 서른 안 됐죠?
  不到三十岁吧?
  bú dào sān shí suì ba

- 그 나이 또래처럼 안 보이는데요.
  看起来不像是那个年龄的人。
  kàn qǐ lái bú xiàng shì nà ge nián líng de rén

- 그는 나이가 많이 들어 보여요.
  那个人看起来很苍老。[3)]
  nà ge rén kàn qǐ lái hěn cāng lǎo

- 그녀는 매우 성숙해 보여요
  她看起来很成熟。
  tā kàn qǐ lái hěn chéng shú

- 그녀는 퍼머를 하니까 나이가 들어 보여요.
  她烫发以后很显老。[4)]
  tā tàng fà yǐ hòu hěn xiǎn lǎo

- 머리를 짧게 자르니 훨씬 젊어 보이는군요.
  头发剪短了, 显得很年轻。[5)]
  tóu fà jiǎn duǎn le xiǎn de hěn nián qīng

- 여자의 나이는 정말 짐작할 수 없어요.
  女人的年龄真是无法琢磨。[6)]
  nǚ rén de nián líng zhēn shì wú fǎ zuó mo

---

3) 苍老 cānglǎo: 나이 들어 보이다. (서화의 필체 등이)원숙하다.
4) 显老 xiǎnlǎo: 나이가 들어 보이다, 늙어 보이다.
5) 显得 xiǎnde: 훨씬 ~해 보이다. ~가 두드러지다.

Ⅱ. 생년월일 出生年月
chū shēng nián yuè

A: 你是哪年出生的?
nǐ shì nǎ nián chū shēng de

B: 我是一九七五年生的。
wǒ shì yī jiǔ qī wǔ nián shēng de

A: 당신은 몇 년생이에요?

B: 저는 1975년생입니다.

- 당신의 생일은 몇 월 며칠입니까?
  你的生日是几月几号?
  nǐ de shēng rì shì jǐ yuè jǐ hào
- 당신은 언제 태어났어요?
  你什么时候生的?
  nǐ shén me shí hou shēng de
- 저는 1975년 6월 6일생입니다.
  我是一九七五年六月六日出生的。
  wǒ shì yī jiǔ qī wǔ nián liù yuè liù rì chū shēng de

Ⅲ. 띠 生肖[7)]
shēng xiào

A: 你属什么?
nǐ shǔ shén me

B: 我属马。
wǒ shǔ mǎ

A: 당신은 무슨 띠입니까?

B: 저는 말띠입니다.

- 당신은 무슨 띠입니까?
  你是属什么的?
  nǐ shì shǔ shén me de
- 저는 호랑이띠입니다.
  我是属虎的。
  wǒ shì shǔ hǔ de

6) 琢磨 zuómo: 곰곰이 생각하다, 이리저리 궁리하다.

7) 属相 shǔxiàng 또는 生相 shēngxiàng이라고도 하며, 12가지 띠의 명칭은 다음과 같다.
鼠 shǔ(쥐), 牛 niú(소), 虎 hǔ(호랑이), 兔 tù(토끼), 龙 lóng(용), 蛇 shé(뱀), 马 mǎ(말), 羊 yáng(양), 猴 hóu(원숭이), 鸡 jī(닭), 狗 gǒu(개), 猪 zhū(돼지)

2 성 격 性格 xìng gé

성격은 크게 내향(内向 nèixiàng)적인 성격과 외향(外向 wàixiàng)적인 성격으로 나눌 수 있다. 모두 나름대로의 장점(优点 yōudiǎn)과 단점(缺点 quēdiǎn)이 있기 때문에 장점은 더욱 발전시키고 단점은 극복해 나가는 노력이 필요할 것이다.

기 본 대 화

A: 你觉得你是一个什么样的人?
nǐ jué de nǐ shì yí ge shén me yàng de rén

B: 我不爱说话, 也不爱出门, 有点内向。
wǒ bú ài shuō huà yě bú ài chū mén yǒu diǎn nèi xiàng

A: 不过你做什么事都很认真、很仔细。
bú guò nǐ zuò shén me shì dōu hěn rèn zhēn hěn zǐ xì

B: 您那样说太感谢了。
nín nà yàng shuō tài gǎn xiè le

A: 虽然性格是天生的,但同时也受环境的影响。
suī rán xìng gé shì tiān shēng de dàn tóng shí yě shòu huán jìng de yǐng xiǎng

B: 确实是。所以要不断地克服自己的缺点。
què shí shì suǒ yǐ yào bú duàn de kè fú zì jǐ de quē diǎn

A: 당신은 어떤 형의 사람이라고 생각하세요?
B: 저는 말수가 적고, 외출도 잘 안 하고, 좀 내성적인 편이에요.
A: 하지만 당신은 모든 일에 매우 성실하고 꼼꼼하더군요.
B: 그렇게 말씀해 주시니 고맙습니다.
A: 성격은 타고 나는 거지만 동시에 환경의 영향도 받지요.
B: 확실히 그래요. 그래서 끊없이 자신의 결점을 극복해 나가야 하겠죠.

여러 가지 활용

Ⅰ. 성격의 유형 性格类型
xìng gé lèi xíng

- 당신의 성격은 어떠한가요?
  你的性格怎样?
  nǐ de xìng gé zěn yàng

- 당신은 성격이 밝은 편입니까?
  你比较开朗吗?
  nǐ bǐ jiào kāi lǎng ma

- 언제든지 늘 적극적이십니까?
  什么时候都很积极吗?
  shén me shí hou dōu hěn jī jí ma

- 그는 매우 비관적인 사람이에요.
  他是一个很悲观的人。
  tā shì yí ge hěn bēi guān de rén

- 어떠한 일이 닥치더라도 그는 매우 낙관적이에요.
  无论遇到什么事, 他都很乐观。
  wú lùn yù dào shén me shì tā dōu hěn lè guān

- 좀 그렇게 소극적으로 굴지 마!
  你不要总那么被动嘛!
  nǐ bú yào zǒng nà me bèi dòng ma

- 그는 늘 적극적으로 나서서 어려운 사람들을 돕습니다.
  他总是积极主动的帮助有困难的人。
  tā zǒng shì jī jí zhǔ dòng de bāng zhù yǒu kùn nán de rén

- 그는 일을 하는데 항상 그렇게 우유부단해요.
  他做事总那么优柔寡断。
  tā zuò shì zǒng nà me yōu róu guǎ duàn

- 그는 매우 솔직한 사람이에요.
  他是一个直率的人。[1)]
  tā shì yí ge zhí shuài de rén

Ⅱ. 성격의 장단점 性格的优劣
xìng gé de yōu liè

▶ 장점 优点
yōu diǎn

- 당신의 장점은 무엇입니까?
  你的优点是什么?
  nǐ de yōu diǎn shì shén me

- 그는 무슨 일이든 빈틈없이 처리합니다.
  他处理什么事都很周到。[2)]
  tā chǔ lǐ shén me shì dōu hěn zhōu dao

- 그는 낯선 환경에도 매우 빨리 적응해요.
  他能很快地适应陌生的环境。
  tā néng hěn kuài de shì yìng mò shēng de huán jìng

---

1) 直率 zhíshuài: 말이나 일을 하는데 있어 직선적이고 솔직하다.
2) 周到 zhōudao: 주도면밀하다, 빈틈없다, 세심하다.

- 그녀는 독립심이 매우 강한 여성이에요.
  她是个独立性很强的女人。
  tā shì ge dú lì xìng hěn qiáng de nǚ rén

- 그는 확고한 신념을 가지고 있어요.
  他有明确的信念。
  tā yǒu míng què de xìn niàn

- 그는 일을 하는데 매우 과단성이 있습니다.
  他做事很果断。
  tā zuò shì hěn guǒ duàn

- 그의 장점은 책임감이 아주 강하다는 것입니다.
  他的优点就是责任感很强。
  tā de yōu diǎn jiù shì zé rèn gǎn hěn qiáng

- 그는 참을성이 매우 많은 사람입니다.
  他是忍耐力很强的人。
  tā shì rěn nài lì hěn qiáng de rén

- 그는 어떤 일에나 적극적입니다.
  他对什么事情都很积极。
  tā duì shén me shì qing dōu hěn jī jí

- 그는 우리 부서에서 제일 부지런한 사람입니다.
  他在我们部门是最勤快的人。
  tā zài wǒ men bù mén shì zuì qín kuài de rén

- 그는 책임감이 있고 통솔력도 강합니다.
  他很有责任感，领导能力也很强。
  tā hěn yǒu zé rèn gǎn lǐng dǎo néng lì yě hěn qiáng

▶ 단점 缺点
quē diǎn

- 자신의 단점이 무엇이라고 생각하십니까?
  你觉得自己的缺点是什么？
  nǐ jué de zì jǐ de quē diǎn shì shén me

- 저는 내성적이어서 자주 손해를 보곤 합니다.
  我很内向，所以常常吃亏。[3)]
  wǒ hěn nèi xiàng suǒ yǐ cháng cháng chī kuī

- 변덕스러운 사람은 믿을 수가 없어요.
  我不能相信变化无常的人。
  wǒ bù néng xiāng xìn biàn huà wú cháng de rén

---

3) 吃亏 chīkuī: 손해 보다, 밑지다.

- 책임감이 없는 사람은 성공하기가 매우 어렵습니다.
  没有责任感的人，很难取得成功。
  méi yǒu zé rèn gǎn de rén hěn nán qǔ dé chéng gōng

- 넌 다 좋은데 게으른 게 흠이야.
  你哪里都很好，就是懒了一点儿。
  nǐ nǎ li dōu hěn hǎo jiù shì lǎn le yì diǎnr

- 다른 사람을 배려하지 못하는 사람은 정말 싫어요.
  很难喜欢不会替别人着想的人。[4)]
  hěn nán xǐ huan bú huì tì bié rén zhuó xiǎng de rén

- 그의 단점은 성질이 너무 급하다는 겁니다.
  他的缺点就是太急躁。[5)]
  tā de quē diǎn jiù shì tài jí zào

- 그는 리더의 자질이 부족해요.
  他缺乏领袖的风度。
  tā quē fá lǐng xiù de fēng dù

- 당신은 성격이 조금 나약한 것 같아요
  我觉得你的性格有点儿懦弱。
  wǒ jué de nǐ de xìng gé yǒu diǎnr nuò ruò

호평 好评
hǎo píng

- 그는 이해심이 많은 남자예요.
  他是善解人意的人。
  tā shì shàn jiě rén yì de rén

- 그는 자신감이 넘쳐요.
  他自信心很强。
  tā zì xìn xīn hěn qiáng

- 그는 정의감이 충만한 사람이에요.
  他是一个充满正义感的人。
  tā shì yí ge chōng mǎn zhèng yì gǎn de rén

- 그는 희생정신이 매우 강해요.
  他很有牺牲精神。
  tā hěn yǒu xī shēng jīng shén

- 그녀는 정말 천진난만해요.
  她真的很天真。
  tā zhēn de hěn tiān zhēn

---

4) 着想 zhuóxiǎng: 구어에서는 zháoxiǎng으로 발음하기도 한다.
5) 急躁 jízào: 조급해 하다, 초조해 하다, 조바심을 내다.

- 너 참 순진하구나.
  你很单纯。[6)]
  nǐ hěn dān chún

- 그녀는 말은 날카롭게 해도 마음은 아주 부드러워요.
  她这个人刀子嘴, 豆腐心。[7)]
  tā zhè ge rén dāo zi zuǐ dòu fu xīn

- 그는 천성이 참 친절해요.
  他天生让人觉得亲切。
  tā tiān shēng ràng rén jué de qīn qiè

- 그녀는 아주 차분합니다.
  她很文静。[8)]
  tā hěn wén jìng

- 당신은 정말 좋은 사람이에요.
  你真是个好人。
  nǐ zhēn shì ge hǎo rén

- 당신은 매우 유머가 많은 사람이군요.
  你是很幽默的人。
  nǐ shì hěn yōu mò de rén

- 그는 성실한 사람입니다. / 그는 마음이 아주 착해요.
  他是诚实的人。/ 他心地很善良。
  tā shì chéng shí de rén tā xīn dì hěn shàn liáng

- 나는 그 사람같이 착실하고 듬직한 사람이 좋아요.
  我喜欢像他一样踏实、稳重的人。[9)]
  wǒ xǐ huan xiàng tā yí yàng tā shi wěn zhòng de rén

- 그녀는 아주 부드러워요, 제가 좋아하는 타입이죠.
  她很温柔, 是我喜欢的那一种类型。
  tā hěn wēn róu shì wǒ xǐ huan de nà yì zhǒng lèi xíng

- 그는 비록 돈이 많지만 무척 검소하게 살아요.
  虽然他很有钱, 但是生活过得很俭朴。[10)]
  suī rán tā hěn yǒu qián dàn shì shēng huó guò de hěn jiǎn pǔ

---

6) 单纯 dānchún: 우리말에서 사용되는 것처럼 '단순하다'는 의미가 아니라 '순진하다'는 뜻이다.

7) 刀子嘴, 豆腐心 dāozizuǐ, dòufuxīn: 겉으로는 아주 쌀쌀맞게 말을 하나 속마음은 매우 따뜻하고 부드러움을 일컫는 말.

8) 文静 wénjìng: 조용하고 차분한 성격을 말함.

9) 踏实 tāshi: 성실하다, 착실하다, 차분하다.
   稳重 wěnzhòng: 듬직하다, 점잖다, 중후하다.

10) 俭朴 jiǎnpǔ: 검소하며 소박함.

- 그녀의 남편은 아량이 매우 넓어요.
  她的丈夫是一个心胸宽阔的人。[11]
  tā de zhàng fu shì yí ge xīn xiōng kuān kuò de rén

▶ **악평 批评**
pī píng

- 당신은 유머 감각이 너무 부족해요.
  你太缺乏幽默感了。
  nǐ tài quē fá yōu mò gǎn le

- 그 사람은 너무 재미가 없어, 조금도 웃길 줄을 모른다니까.
  他这个人特没劲，一点儿都不搞笑。
  tā zhè ge rén tè méi jìn yì diǎnr dōu bù gǎo xiào

- 그는 속이 좁은 사람이에요.
  他是心胸狭窄的人。[12]
  tā shì xīn xiōng xiá zhǎi de rén

- 그는 대인관계 면에서 처신을 잘 못합니다.
  在人际关系方面，他处理得不好。
  zì rén jì guān xì fāng miàn tā chǔ lǐ de bù hǎo

- 그는 너무 이기적이에요.
  他太自私了。
  tā tài zì sī le

- 그는 완고한 사람이에요.
  他是顽固不化的人。
  tā shì wán gù bú huà de rén

- 그녀는 깡패보다도 더 난폭해요.
  她比流氓还粗暴。[13]
  tā bǐ liú máng hái cū bào

- 그 여자는 여우보다도 더 교활해요.
  那女人比狐狸还狡猾。
  nà nǚ rén bǐ hú li hái jiǎo huá

- 그 사람은 아주 악독해.
  那个人很恶毒。
  nà ge rén hěn è dú

---

11) 心胸 xīnxiōng: 아량, 도량, 마음, 가슴.
宽阔 kuānkuò: 넓다, 광대하다.
12) 狭窄 xiázhǎi: 좁다, 협소하다.
13) 流氓 liúmáng: 건달, 깡패, 불량배.

- 그 녀석은 악랄한 놈이야.
  那家伙心狠手辣。[14)]
  nà jiā huo xīn hěn shǒu là

- 그는 아주 오만하고 방자해요.
  他很傲慢，也很放肆。[15)]
  tā hěn ào màn yě hěn fàng sì

- 당신은 왜 그렇게 모든 일에 소극적이세요?
  你为什么对所有的事情都那么消极呢?
  nǐ wèi shén me duì suǒ yǒu de shì qing dōu nà me xiāo jí ne

- 그는 사람을 대할 때 늘 차가워요.
  他对人总是很冷淡。
  tā duì rén zǒng shì hěn lěng dàn

- 그는 툭하면 화를 내요.
  他很容易发脾气。
  tā hěn róng yì fā pí qì

- 그는 화를 잘 내요.
  他很爱生气。
  tā hěn ài shēng qì

- 그는 성질이 변덕스러워 가까이 지내려는 사람이 없어요.
  他喜怒无常，所以没有人敢接近他。
  tā xǐ nù wú cháng suǒ yǐ méi yǒu rén gǎn jiē jìn tā

Ⅲ. 행동거지 行为举止
xíng wéi jǔ zhǐ

- 그는 진정한 사나이에요.
  他是真正的男子汉。
  tā shì zhēn zhèng de nán zǐ hàn

- 그의 아내는 현모양처입니다.
  他的妻子很贤惠。
  tā de qī zi hěn xián huì

- 그녀는 아름다울 뿐만 아니라 누구에게나 친절해요。
  她不但漂亮，而且对谁都很热情。
  tā bú dàn piào liang ér qiě duì shéi dōu hěn rè qíng

- 그녀는 전혀 여자답지가 않아요.
  她一点都不像女人。
  tā yì diǎn dōu bú xiàng nǚ rén

---

14) 心狠手辣 xīn hěn shǒu là: 마음이 독살스럽고 하는 짓이 악랄함.
15) 放肆 fàngsì: 방자하다, 멋대로 굴다.

- 그녀는 아주 드센 여자예요.
  她简直是个泼妇。[16)]
  tā jiǎn zhí shì ge pō fù

- 그녀는 영락없는 양가집 규수예요.
  她的确是一个大家闺秀啊![17)]
  tā dí què shì yí ge dà jiā guī xiù a

- 그렇게 쩨쩨하게 굴지 마!
  别那么小气嘛!
  bié nà me xiǎo qì ma

- 저놈은 왜 저렇게 뻔뻔스러워. 정말 두 손 들었다니까.
  那家伙怎么那么厚颜无耻, 真服了他。[18)]
  nà jiā huo zěn me nà me hòu yán wú chǐ zhēn fú le tā

- 참 별의별 사람 다 있군!
  真是什么样的人都有啊!
  zhēn shì shén me yàng de rén dōu yǒu a

- 너 돌았니?
  你疯了?
  nǐ fēng le

개성　个性
gè xìng

- 당신은 스스로 개성이 있다고 생각하십니까?
  你觉得自己有个性吗?
  nǐ jué de zì jǐ yǒu gè xìng ma

- 저 여자 아이는 사내아이처럼 거칠어요.
  那女孩儿粗暴得像个男孩子。[19)]
  nà nǚ háir cū bào de xiàng ge nán hái zi

- 그 사람은 개성이 너무 강해요.
  他的个性太强了。
  tā de gè xìng tài qiáng le

---

16) 泼妇 pōfù: 억척스러운 여자, 드센 여자.
17) 的确 díquè: 확실히, 참으로.
18) 厚颜无耻 hòu yán wú chǐ: 후안무치하다, 파렴치하다, 낯짝이 두꺼워 부끄러운 줄 모르다.
    服 fú: 심복하다. 경복하다.
19) 粗暴 cūbào: 거칠다. 난폭하다.

3 외 모 外貌 wàimào

외모를 칭찬할 경우 여성에게는 "漂亮 piàoliang"(아름답다)을, 남성에게는 "帅 shuài"(잘생기다)라는 표현을 많이 쓴다. 요즘은 너나 할 것 없이 아름다운 몸매를 갖기 위해 减肥 jiǎnféi(다이어트)를 많이 하는데, 날씬하다는 "苗条 miáotiao", 뚱뚱하다는 "胖 pàng", 그리고 말랐다는 "瘦 shòu"라고 표현한다.

기 본 대 화

A: 你平时喜欢穿什么样的衣服?
nǐ píng shí xǐ huan chuān shén me yàng de yī fu

B: 我喜欢休闲一点的, 比如T恤和牛仔裤。
wǒ xǐ huan xiū xián yì diǎn de bǐ rú xù hé niú zǎi kù

A: 这样穿显得很年轻。
zhè yàng chuān xiǎn de hěn nián qīng

B: 谢谢! 你穿西装也挺精神的嘛![1)]
xiè xie nǐ chuān xī zhuāng yě tǐng jīng shen de ma

A: 噢, 是吗? 多谢夸奖!
ò shì ma duō xiè kuā jiǎng

A: 평소에 어떤 스타일의 옷을 즐겨 입으세요?
B: 좀 캐주얼한 것을 좋아해요. 티셔츠와 청바지 같은 거요.
A: 그렇게 입으니 훨씬 젊어 보여요.
B: 고마워요. 당신도 정장을 입으니 아주 활기차 보여요.
A: 아, 그래요? 칭찬해 줘서 고마워요.

여러 가지 활용

Ⅰ. 외모 外貌 wài mào

▶ **외모에 대한 칭찬 对外貌的称赞** duì wài mào de chēng zàn

• 당신 오늘 아주 아름다워!
今天你好漂亮啊!
jīn tiān nǐ hǎo piào liang a

1) 精神 jīngshen: 여기에서는 '정신'이라는 뜻이 아니라 '생기' '원기' '활기' 등을 의미한다. 이때는 神을 경성으로 발음한다.

- 그는 정말 잘생겼어요.
  他长得真帅呀。
  tā zhǎng de zhēn shuài ya

- 아주 젊어 보이네요.
  你看起来很年轻。
  nǐ kàn qǐ lái hěn nián qīng

- 시집 안 간 처녀인 줄 알았어요.
  我以为你是还没结婚的姑娘呢。
  wǒ yǐ wéi nǐ shì hái méi jié hūn de gū niang ne

- 정말 날씬하군요, 비결이 뭐지요?
  你真苗条, 有什么秘诀吗?
  nǐ zhēn miáo tiao yǒu shén me mì jué ma

- 머리를 올리니 더욱 우아하네요.
  你的头发绾起来更典雅。
  nǐ de tóu fa wǎn qǐ lái gèng diǎn yǎ

- 당신이 웃을 때 생기는 보조개가 정말 매력있어요.
  你笑的时候露出来的酒窝真是迷死人了。
  nǐ xiào de shí hou lòu chū lái de jiǔ wō zhēn shì mí sǐ rén le

- 하늘에서 선녀가 내려온 것 같아요. 너무 아름답군요.
  她就像是仙女下凡, 太漂亮了。[2)]
  tā jiù xiàng shì xiān nǚ xià fán tài piào liang le

▶ 화장 化妆
huà zhuāng

- 화장이 아주 자연스럽군요. 안 한 것 같아요.
  你打扮得很自然, 看不出来化妆了。
  nǐ dǎ ban de hěn zì rán kàn bu chū lái huà zhuāng le

- 이 향수 냄새가 아주 좋군요.
  这个香水真香。
  zhè ge xiāng shuǐ zhēn xiāng

- 향수를 너무 많이 뿌렸어요.
  香水喷得太多了。
  xiāng shuǐ pēn de tài duō le

- 화장이 너무 진해요.
  化得太浓了。
  huà de tài nóng le

---

2) 仙女下凡 xiān nǚ xià fán: 선녀가 인간세상으로 내려오다. 여기서 凡 fán은 범속한 세계를 뜻함.

- 땀으로 화장이 다 지워져 버렸어요.
  因为流汗, 化的妆都被擦掉了。
  yīn wèi liú hàn huà de zhuāng dōu bèi cā diào le

- 화장을 고쳐야겠어요.
  要补妆了。
  yào bǔ zhuāng le

- 그렇게 화장을 진하게 하다니, 천박해 보인다.
  化得那么浓, 看起来很俗气。
  huà de nà me nóng kàn qǐ lái hěn sú qì

Ⅱ. 옷차림 穿着
chuān zhuó

▶ 옷차림 취향 穿着习惯
chuān zhuó xí guàn

- 저는 운동복을 즐겨 입습니다.
  我喜欢穿运动服。
  wǒ xǐ huan chuān yùn dòng fú

- 청바지가 실용적이라 즐겨 입어요.
  牛仔裤很实用, 我喜欢穿。
  niú zǎi kù hěn shí yòng wǒ xǐ huan chuān

- 그는 언제나 세련된 옷을 입는답니다.
  他总是穿很洋气的衣服。[3)]
  tā zǒng shì chuān hěn yáng qì de yī fu

- 당신은 항상 단정하게 옷을 입는군요.
  你穿得一向都是那么整齐。
  nǐ chuān de yí xiàng dōu shì nà me zhěng qí

- 제 남편은 옷에는 전혀 신경을 쓰지 않아요.
  我的丈夫从来不在穿着上花费心思。[4)]
  wǒ de zhàng fu cóng lái bú zài chuān zhuó shang huā fèi xīn si

- 그녀는 아주 고상하게 단장을 해요.
  她打扮得很高贵。
  tā dǎ ban de hěn gāo guì

- 그녀는 항상 수수하게 옷을 입어요.
  她一向都穿得很朴素。
  tā yí xiàng dōu chuān de hěn pǔ sù

---

3) 洋气 yángqì: '서양식' '서양풍'이란 뜻으로 여기서는 '세련됨'을 의미한다.
4) 花费 huāfèi: 허비하다, 소모하다, 소비하다.

- 장소에 따라 옷차림도 마땅히 달라져야 합니다.
  到什么样的场合就应该穿什么样的衣服。
  dào shén me yàng de chǎng hé jiù yīng gāi chuān shén me yàng de yī fu

- 유행을 따르는 게 그리 좋은 일은 아니죠.
  赶时髦不是什么好事。[5)]
  gǎn shí máo bú shì shén me hǎo shì

▶ 옷차림에 대한 칭찬　对穿着的赞叹
duì chuān zhuó de zàn tàn

A: 这件衣服怎么样?
zhè jiàn yī fu zěn me yàng

B: 你穿着正合适, 很配你。
nǐ chuān zhe zhèng hé shì hěn pèi nǐ

A: 이 옷 어때요?

B: 당신에게 꼭 맞는군요. 정말 잘 어울립니다.

- 너는 치장을 아주 잘하는구나!
  你很会打扮!
  nǐ hěn huì dǎ ban

- 누군지 몰라볼 뻔했어요.
  我快认不出来了。
  wǒ kuài rèn bu chū lái le

- 당신은 무엇을 입어도 잘 어울리는군요.
  你穿什么都很合适。
  nǐ chuān shén me dōu hěn hé shì

- 그녀는 옷을 고르는 데 있어 안목이 매우 높아요.
  在挑选衣服上, 她很有眼光。
  zài tiāo xuǎn yī fu shang tā hěn yǒu yǎn guāng

- 넥타이와 양복이 아주 잘 어울립니다.
  领带和西装很般配。
  lǐng dài hé xī zhuāng hěn bān pèi

- 뭘 입어도 아주 매력이 있어요.
  穿什么都是那么有魅力。
  chuān shén me dōu shì nà me yǒu mèi lì

---

5) 赶 gǎn: 뒤쫓다, 따라가다, 따라잡다.

- 유행에 맞게 옷을 입었구나.
  穿得真时尚。
  chuān de zhēn shí shàng

- 네가 옷을 잘 맞춰 입는 게 정말 부럽다.
  真羡慕你把服装搭配得这么好。
  zhēn xiàn mù nǐ bǎ fú zhuāng dā pèi de zhè me hǎo

- 누구에게 보이려고 이렇게 예쁘게 치장을 했지?
  打扮得这么漂亮，给谁看啊？
  dǎ ban de zhè me piào liang gěi shéi kàn

▶ **옷차림이 잘못 되었을 때** **穿着不当时**
chuān zhuó bú dàng shí

- 넥타이가 비뚤어졌네요.
  领带歪了。
  lǐng dài wāi le

- 구두끈이 풀렸어요.
  皮鞋带儿松了。
  pí xié dàir sōng le

- 스타킹 올이 나갔어요./스타킹이 뜯어졌어요.
  高筒袜脱丝了。/连裤袜破了。[6)]
  gāo tǒng wà tuō sī le lián kù wà pò le

- 바지 지퍼가 열렸어요./등 뒤 지퍼가 열려 있군요.
  裤子的拉链开了。/你的后背拉锁开了。
  kù zi de lā liàn kāi le nǐ de hòu bèi lā suǒ kāi le

- 셔츠 자락이 밖으로 빠져나와 있군요.
  你的衬衫露出来了。
  nǐ de chèn shān lòu chū lái le

- 단추가 떨어졌어요./단추가 잘못 잠겨 있어요.
  你的扣子掉了。/你的扣子系错了。
  nǐ de kòu zi diào le nǐ de kòu zi jì cuò le

- 옷을 거꾸로 입었어요.
  衣服穿反了。
  yī fu chuān fǎn le

- 옷깃이 잘못됐어, 잘 꺼내 입어.
  你的领子没弄好，赶快翻出来吧！
  nǐ de lǐng zi méi nòng hǎo gǎn kuài fān chū lái ba

---

6) 连裤袜 liánkùwà: 팬티 스타킹. 高筒袜 gāotǒngwà: 스타킹, 밴드 스타킹.

• 소매를 좀 올리세요.
把袖子挽起来。
bǎ xiù zi wǎn qǐ lái

• 머리가 헝클어졌네요. 빨리 잘 빗어요.
你的头发都炸起来了，赶快梳一下吧。
nǐ de tóu fà dōu zhà qǐ lái le gǎn kuài shū yí xià ba

기타 其他
qí tā

• 뭘 입어야 좋을까? / 옷을 갈아입으세요.
穿什么好呢? / 换衣服吧。
chuān shén me hǎo ne huàn yī fu ba

• 옷 좀 단정하게 입을 수 없어요?
你不能穿得整齐点儿吗?
nǐ bù néng chuān de zhěng qí diǎnr ma

• 그녀는 옷 입는 게 너무 촌스러워요.
她穿衣服很土气。
tā chuān yī fu hěn tǔ qì

• 그녀는 정장보다는 캐주얼이 어울려요.
她穿西装，不如穿休闲装。
tā chuān xī zhuāng bù rú chuān xiū xián zhuāng

• 화려한 색보다는 부드러운 색이 잘 어울립니다.
和华丽的颜色相比，还是柔和的颜色比较般配。
hé huá lì de yán sè xiāng bǐ hái shì róu hé de yán sè bǐ jiào bān pèi

• 그 흰색 셔츠에는 이 베이지색 바지가 참 잘 어울립니다.
那件白色衬衫配这件米色裤子一定很合适。
nà jiàn bái sè chèn shān pèi zhè jiàn mǐ sè kù zi yí dìng hěn hé shì

• 귀걸이와 브로치는 반드시 옷에 어울려야 해요.
耳环和胸针一定要和服装般配。
ěr huán hé xiōng zhēn yí dìng yào hé fú zhuāng bān pèi

• 전통 한복은 너무 아름다워요.
传统的韩服真漂亮。
chuán tǒng de hán fú zhēn piào liang

• 한국 속담에 "옷이 날개"란 말이 있지요.
韩国俗话说"衣服是翅膀"。[7]
hán guó sú huà shuō yī fu shì chì bǎng

---

7) 이와 비슷한 중국 속담에는 "人靠依裳，马靠鞍 rén kào yīshang, mǎ kào ān"이 있다.

4 가족 관계

亲属关系
qīn shǔguān xì

강력한 计划生育 jìhuà shēngyù(가족계획)의 영향으로 요즘 신세대는 결혼을 매우 늦게 하거나 자녀를 늦게 낳거나 아예 낳지 않으려는 풍조가 만연되어 있다. 이러한 현상은 중국의 폭발적인 인구증가를 억제시키는 효과를 가져왔지만 그에 따르는 부작용 또한 심각한 것이 사실이다. 사촌은 물론 형제의 개념마저 희박한 환경에서 자라는 아이들이 사랑을 받을 줄만 알고 함께 나누지 못하며 사회에 잘 적응을 하지 못하기 때문이다.

기 본 대 화

A: 您家有几个孩子?
nín jiā yǒu jǐ ge hái zi

B: 有三个。两个儿子, 一个女儿。
yǒu sān ge liǎng ge ér zi yí ge nǚ ér

A: 有三个? 他们都多大了?
yǒu sān ge tā men dōu duō dà le

B: 老大八岁, 老二五岁, 最小的三岁。
lǎo dà bā suì lǎo èr wǔ suì zuì xiǎo de sān suì

A: 大孩子上小学了吧?
dà hái zi shàng xiǎo xué le ba

B: 是啊, 上小学二年级。
shì a shàng xiǎo xué èr nián jí

A: 댁에 자녀가 몇이세요?
B: 셋입니다. 아들 둘, 딸 하나죠.
A: 셋이나요? 모두 몇 살이에요?
B: 첫째는 여덟 살이고, 둘째는 다섯 살, 막내가 세 살이에요.
A: 큰아이는 초등학교에 다니겠네요?
B: 네, 초등학교 2학년이랍니다.

여러 가지 활용

I. 부부 · 부모 夫妻 / 父母
fū qī fù mǔ

▶ **부부** 夫妻
fū qī

• 저는 아내를 아주 사랑합니다.
我很爱妻子。
wǒ hěn ài qī zi

- 부인에게 아주 자상하시네요.
  看来您对夫人很关心。
  kàn lái nín duì fū rén hěn guān xīn

- 우리 집은 집사람이 다 알아서 해요.
  我们家我妻子作主。[1)]
  wǒ men jiā wǒ qī zi zuò zhǔ

- 그녀는 남편을 꽉 잡고 있어요.
  她左右着自己的丈夫。[2)]
  tā zuǒ yòu zhe zì jǐ de zhàng fu

- 저는 공처가예요. / 그는 마누라한테 꽉 잡혀 있어요.
  我很怕妻子。/他是个"气管炎"。[3)]
  wǒ hěn pà qī zi tā shì ge qì guǎn yán

- 제발 바가지 좀 긁지 말아요.
  不要再吭我了。
  bú yào zài kēng wǒ le

부모 · 조부모 父母/祖父母
fù mǔ zǔ fù mǔ

A: 爷爷现在过得怎么样?
yé ye xiàn zài guò de zěn me yàng

B: 看起来很健康, 但毕竟已经上了年纪, 还是有点儿担心。
kàn qǐ lái hěn jiàn kāng dàn bì jìng yǐ jīng shàng le nián jì hái shì yǒu diǎnr dān xīn

A: 할아버님은 요즘 어떻게 지내십니까?

B: 보기에는 건강하시지만 연세가 많으신만큼 좀 걱정입니다.

- 부모님들은 아직 살아 계십니까?
  你的父母还在世吗?
  nǐ de fù mǔ hái zài shì ma

- 부모님과 함께 사세요?
  和父母一起生活吗?
  hé fù mǔ yì qǐ shēng huó ma

---

1) 作主 zuòzhǔ: 어떤 일을 전적으로 알아서 하다. 책임지고 맡아서 하다.
2) 左右 zuǒyòu: 여기서는 방향의 뜻이 아닌 '좌우하다', '조종하다'라는 뜻.
3) 气管炎 qìguǎnyán(기관지염)의 발음이 妻管严 qīguǎnyán과 같은데서 착안한 우스개 소리. 아내의 간섭이나 관리가 매우 엄격하다는 뜻으로 '엄처시하'를 의미한다.

- 어머님하고 함께 삽니다.
  和母亲一起生活。
  hé mǔ qīn yì qǐ shēng huó

- 아버님은 제가 일곱 살 때 돌아가셨습니다.
  父亲在我七岁的时候就去世了。
  fù qīn zài wǒ qī suì de shí hou jiù qù shì le

Ⅱ. 자녀 · 형제 子女/兄弟
zǐ nǚ xiōng dì

▶ 자녀 子女
zǐ nǚ

- 아이들은 몇이나 됩니까?
  您有几个孩子?
  nín yǒu jǐ ge hái zi

- 네 살된 아들 하나가 있습니다.
  有一个四岁的儿子。
  yǒu yí ge sì suì de ér zi

- 딸도 아들 못지않아요, 다 보배이지요.
  女儿也不比儿子差, 都是宝贝。[4)]
  nǚ ér yě bù bǐ ér zi chà, dōu shì bǎo bèi

- 저희는 아직 아이가 없습니다.
  我现在还没有孩子。
  wǒ xiàn zài hái méi yǒu hái zi

- 아이를 가지려고 합니다.
  我们打算要个孩子。
  wǒ men dǎ suàn yào ge hái zi

- 저희는 아이를 원치 않아요.
  我们不要孩子。
  wǒ men bú yào hái zi

▶ 형제 · 자매 兄弟/姐妹
xiōng dì jiě mèi

- 형제가 있습니까?/두 분 자매세요?
  有兄弟吗?/你们俩是姐妹吗?
  yǒu xiōng dì ma nǐ men liǎ shì jiě mèi ma

- 형제가 몇 분이세요?
  你有几个兄弟?
  nǐ yǒu jǐ ge xiōng dì

---

4) 宝贝 bǎobèi: 보배, 보물이란 뜻이면서, 동시에 baby의 음역으로 사용되기도 한다.

- 저는 외아들입니다. / 저는 무남독녀예요.
  我是独生子。/我是独生女。
  wǒ shì dú shēng zǐ / wǒ shì dú shēng nǚ

- 저는 쌍둥이입니다.
  我是双胞胎。
  wǒ shì shuāng bāo tāi

- 당신들은 둘이 꼭 닮았네요.
  你们俩长得一模一样。
  nǐ men liǎ zhǎng de yì mó yí yàng

- 저희 형제는 한 살 터울이에요.
  我们兄弟相差一岁。
  wǒ men xiōng dì xiāng chà yí suì

- 형은(오빠는) 저보다 세 살 위입니다.
  哥哥比我大三岁。
  gē ge bǐ wǒ dà sān suì

- 저는 5형제 중 맏이입니다.
  我是五个兄弟中的老大。
  wǒ shì wǔ ge xiōng dì zhōng de lǎo dà

- 저는 누나(언니)와 여동생이 있습니다.
  我有姐姐和妹妹。
  wǒ yǒu jiě jie hé mèi mei

- 누나(언니)나 여동생이 있었으면 좋겠어요.
  我想有一个姐姐或者妹妹。
  wǒ xiǎng yǒu yí ge jiě jie huò zhě mèi mei

- 형제간에 서로 마음이 맞습니까?
  兄弟之间合得来吗?
  xiōng dì zhī jiān hé de lái ma

Ⅲ. 가정 家庭
jiā tíng

▶ 가족 수 家庭人数
jiā tíng rén shù

A: 你们家有几口人?
nǐ men jiā yǒu jǐ kǒu rén

B: 四口人, 母亲和我们一起生活, 还有一个两
sì kǒu rén, mǔ qīn hé wǒ men yì qǐ shēng huó, hái yǒu yí ge liǎng

岁的儿子。
suì de ér zi

A: 가족은 몇 식구입니까?
B: 네 식구예요. 어머니와 함께 살며 두 살된 아들 하나 있어요.

- 저희 집은 모두 여섯 식구입니다.
  我家一共有六口人。
  wǒ jiā yí gòng yǒu liù kǒu rén

- 우리 부부만 사는데요.
  只有我们夫妻俩。
  zhǐ yǒu wǒ men fū qī liǎ

- 저희는 3대가 함께 사는 대가족입니다.
  我们是三代一起生活的大家庭。
  wǒ men shì sān dài yì qǐ shēng huó de dà jiā tíng

- 우리 집은 4대가 함께 삽니다.
  我们家是四世同堂。[5)]
  wǒ men jiā shì sì shì tóng táng

▶ 가정생활 家庭生活
jiā tíng shēng huó

- 저의 가정은 아주 행복합니다.
  我的家庭很幸福。
  wǒ de jiā tíng hěn xìng fú

- 저는 아들에게 엄격한 편입니다.
  我对儿子比较严格。
  wǒ duì ér zi bǐ jiào yán gé

- 주말은 늘 가족과 함께 보냅니다.
  周末常和家人一起过。
  zhōu mò cháng hé jiā rén yì qǐ guò

- 아이들과 함께 보낼 시간이 없어요.
  我没有时间和孩子们相处。
  wǒ méi yǒu shí jiān hé hái zi men xiāng chǔ

- 고향을 떠나 있으니 특히 가족들이 그립군요.
  离开家乡，特别想念家人。
  lí kāi jiā xiāng tè bié xiǎng niàn jiā rén

---

5) 四世同堂 sì shì tóng táng: 4대가 함께 사는 대가족을 일컫는 성어.

5 학교 관계

学校关系
xuéxiàoguān xì

학교에서 함께 공부하는 친구들을 同学 tóngxué라고 하며, 같은 학교를 졸업한 동창을 "校友 xiàoyǒu", 동창회를 "校友会 xiàoyǒuhuì"라고 한다. 선배는 "学长 xuézhǎng"이라고 하는데 남자 선배를 "学哥 xuégē", "师哥 shīgē", 여자 선배를 "学姐 xuéjiě" 또는 "师姐 shījiě" 라고 한다. 또한 남자 후배는 "师弟 shīdì, 学弟 xuédì"라고 하며, 여자 후배는 "师妹 shīmèi, 学妹 xuémèi"라고 한다.

기 본 대 화

A: 你从哪个大学毕业的?
nǐ cóng nǎ ge dà xué bì yè de

B: 北京师范大学。
běi jīng shī fàn dà xué

A: 是吗? 我也是从那个学校毕业的。
shì ma wǒ yě shì cóng nà ge xué xiào bì yè de

B: 你是学什么专业的?
nǐ shì xué shén me zhuān yè de

A: 我是学中文的。
wǒ shì xué zhōng wén de

B: 哪一级呢?
nǎ yì jí ne

A: 九九级的。
jiǔ jiǔ jí de

B: 噢, 我还是你的师兄呢! 我是八九级对外汉语专业的。
ō wǒ hái shì nǐ de shī xiōng ne wǒ shì bā jiǔ jí duì wài hàn yǔ zhuān yè de

A: 어느 대학교 졸업하셨어요?
B: 베이징사범대학을 졸업했어요.
A: 그래요? 저도 그 학교를 졸업했는데요.
B: 무엇을 전공하셨어요?
A: 중국어를 전공했어요.
B: 몇 학번이세요?
A: 99학번이에요.
B: 아, 그럼 내가 선배네요. 나는 89학번 대외한어를 전공했거든요.

여러 가지 활용

Ⅰ. 출신 학교 母校
mǔ xiào

- 어느 학교를 졸업했습니까?
  你毕业于哪个学校?
  nǐ bì yè yú nǎ ge xué xiào

- 그와는 같은 학교 동창입니다.
  我和他是同一所学校的。
  wǒ hé tā shì tóng yì suǒ xué xiào de

- 우리는 동창이에요.
  我们是校友。
  wǒ men shì xiào yǒu

- 알고 보니 우리가 동문이었군요.
  原来我们是一个学校的。
  yuán lái wǒ men shì yí ge xué xiào de

- 우리는 같은 학교를 다녔습니다.
  我们上过同一所学校。
  wǒ men shàng guo tóng yì suǒ xué xiào

- 그는 이과이고 저는 문과를 공부했습니다.
  他上的是理科, 我上的是文科。
  tā shàng de shì lǐ kē wǒ shàng de shì wén kē

Ⅱ. 선후배 上下届
shàng xià jiè

- 그는 저의 선배님입니다./저는 그의 후배입니다.
  他是我上届的。/我是他下届的。
  tā shì wǒ shàng jiè de wǒ shì tā xià jiè de

- 우리는 같은 전공이지만 학번은 다릅니다.
  我们俩是同一专业的, 但不是一届的。
  wǒ men liǎ shì tóng yī zhuān yè de dàn bú shì yí jiè de

- 저는 그보다 2년 늦게 다녔습니다.
  我比他晚上了两年。
  wǒ bǐ tā wǎn shàng le liǎng nián

- 저와 그는 같은 학년이에요.
  我和他是同一年级的。
  wǒ hé tā shì tóng yī nián jí de

- 제가 까마득한 후배가 되는군요.
  我还是你的小师弟呢。
  wǒ hái shì nǐ de xiǎo shī dì ne

- 동창회에 자주 나오시지요.
  你多参加几次校友会吧。
  nǐ duō cān jiā jǐ cì xiào yǒu huì ba

▶ **재학 중인 학교** **就读院校**
jiù dú yuàn xiào

A: 你在哪里上学?
nǐ zài nǎ li shàng xué

B: 清华大学。
qīng huá dà xué

A: 어느 학교에 다니고 있죠?

B: 칭화대학에 다니고 있습니다.

- 지금 고등학교에 다닙니다.
  现在上高中。
  xiàn zài shàng gāo zhōng

- 고등학교 3학년입니다.
  我上高三。
  wǒ shàng gāo sān

- 아직 대학 재학 중입니다.
  现在还上大学。
  xiàn zài hái shàng dà xué

- 저는 런민대학에서 공부하고 있습니다.
  我在人民大学读书。
  wǒ zài rén mín dà xué dú shū

Ⅲ. 전공 专业
zhuān yè

- 대학에서의 전공은 무엇이었습니까?
  你在大学学的是什么专业?
  nǐ zài dà xué xué de shì shén me zhuān yè

- 무엇을 전공합니까?
  你是学什么专业的?
  nǐ shì xué shén me zhuān yè de

- 저의 전공은 철학입니다.
  我的专业是哲学。
  wǒ de zhuān yè shì zhé xué

- 어떤 학위를 취득했습니까?
  你拿到了什么学位?
  nǐ ná dào le shén me xué wèi

- 문학 석사 학위를 취득했습니다.
  我拿到了文学硕士学位。
  wǒ ná dào le wén xué shuò shì xué wèi

- 저는 지금 박사 과정을 밟고 있습니다.
  我现在读博士。
  wǒ xiàn zài dú bó shì

- 본과에서는 경제학을 전공했고, 대학원에서는 법률을 전공했습니다.
  上本科时我学的是经济学, 读研时就换学法律专业了。[1)]
  shàng běn kē shí wǒ xué de shì jīng jì xué, dú yán shí jiù huàn xué fǎ lǜ zhuān yè le

IV. 기타 其他
qí tā

- 대학생 시절에 무슨 서클 활동을 했습니까?
  在大学参加过什么社团?[2)]
  zài dà xué cān jiā guo shén me shè tuán

- 그는 고등학교 때 퇴학 당했어요.
  他上高中时被开除了。[3)]
  tā shàng gāo zhōng shí bèi kāi chú le

- 그녀는 우수한 성적으로 대학을 졸업했어요.
  她以优异的成绩从那所大学毕业。
  tā yǐ yōu yì de chéng jì cóng nà suǒ dà xué bì yè

- 저는 칭화대학 2002년 졸업생입니다.
  我是清华大学二OO二年的毕业生。
  wǒ shì qīng huá dà xué èr líng líng èr nián de bì yè shēng

---

1) 读研 dúyán: 대학원에 다니다. 대학원은 研究院 yánjiūyuàn, 研究所 yánjiūsuǒ 대학원생은 研究生 yánjiūshēng이라 한다.
2) 社团 shètuán: 서클, 동아리 모임.
3) 开除 kāichú: 제거하다. 제명하다. 해고하다. 내쫓다.

6 고향·거주지

家乡/居住地
jiā xiāng jū zhù dì

北京 běijīng, 上海 shànghǎi, 天津 tiānjīn 등 대도시에는 중국 각 지역에서 교육, 취업 등을 위해 올라 온 사람들이 많이 있다. 따라서 중국 사람들끼리도 서로의 말이 다른 것을 보고는 "你是哪儿人? nǐ shì nǎr rén"(당신은 어디 사람입니까?) 하고 묻는 경우가 많다. 중국은 지역에 따라 말이 통하지 않는 것을 방지하기 위하여 학교 등 공공장소에서는 반드시 普通话 pǔtōnghuà를 쓰도록 적극 권장하고 있지만, 지역성이 강한 일부 지방에서는 방언(方言 fāngyán)을 사용하지 않으면 오히려 배척을 당하는 경우도 있다.

기본대화

A: 你的家乡是哪里?
nǐ de jiā xiāng shì nǎ li

B: 我的家乡是黑龙江省哈尔滨。
wǒ de jiā xiāng shì hēi lóng jiāng shěng hā ěr bīn

A: 离开故乡有多长时间了?
lí kāi gù xiāng yǒu duō cháng shí jiān le

B: 我背井离乡已经十多年了。[1)]
wǒ bèi jǐng lí xiāng yǐ jing shí duō nián le

A: 당신의 고향은 어디세요?
B: 저의 고향은 헤이룽장 성 하얼빈입니다.
A: 고향을 떠난 지 얼마나 되셨어요?
B: 고향을 떠난 지 벌써 10여 년이 되었습니다.

여러 가지 활용

I. 고향 家乡
jiā xiāng

- 당신은 어느 지방 사람입니까?
  你是什么地方人?
  nǐ shì shén me dì fang rén

- 당신은 어디 사람이지요?
  你是哪儿的人?
  nǐ shì nǎr de rén

- 어디에서 오셨습니까?
  你来自哪儿?
  nǐ lái zì nǎr

---

1) 背井离乡 bèi jǐng lí xiāng: 고향을 등지고 떠나다.

- 저는 장쑤 사람입니다.
  我是江苏的。
  wǒ shì jiāng sū de

- 저의 고향집은 윈난에 있습니다.
  我的老家在云南。
  wǒ de lǎo jiā zài yún nán

- 저의 본적은 지린입니다.
  我的籍贯是吉林。
  wǒ de jí guàn shì jí lín

- 저와 그는 동향입니다.
  我和他是老乡。
  wǒ hé tā shì lǎo xiāng

▶ **자란 곳 生长的地方**
shēng zhǎng de dì fang

- 당신은 어디에서 자랐습니까? / 서울에서 자랐습니다.
  你是在哪儿长大的? / 首尔长大的。
  nǐ shì zài nǎr zhǎng dà de shǒu ěr zhǎng dà de

- 저는 순수한 베이징 사람입니다.
  我是地道的北京人。[2)]
  wǒ shì dì dao de běi jīng rén

- 저는 베이징 토박이입니다.
  我是个老北京。
  wǒ shì ge lǎo běi jīng

Ⅱ. 국적 国籍
guó jí

- 당신은 어느 나라 사람입니까?
  你是哪国人?
  nǐ shì nǎ guó rén

- 저는 한국에서 왔습니다.
  我来自韩国。
  wǒ lái zì hán guó

- 저의 부모님은 모두 캐나다로 이민하였습니다.
  我父母都是移民到加拿大。
  wǒ fù mǔ dōu shì yí mín dào jiā ná dà

---

2) 地道 dìdao: 본고장의, 순수한, 순전한. dìdào로 발음할 경우에는 지하도로, 지하통로의 뜻이 된다.

Ⅲ. 거주지 居住地
jū zhù dì

- 댁은 어디십니까?
  您的家在哪儿?
  nín de jiā zài nǎr

- 주소를 알려주시겠습니까?
  能告诉我您的住址吗?
  néng gào su wǒ nín de zhù zhǐ ma

- 저는 야윈춘에 살고 있습니다.
  我住亚运村。[3)]
  wǒ zhù yà yùn cūn

- 저는 이 근처에 살고 있습니다.
  我就住在这附近。
  wǒ jiù zhù zài zhè fù jìn

- 저는 교외의 한 아파트에 살고 있어요.
  我住在一所郊区的公寓。
  wǒ zhù zài yì suǒ jiāo qū de gōng yù

▶ 주위 환경 周围环境
zhōu wéi huán jìng

- 댁의 주변 환경은 어떻습니까?
  你家周围的环境怎么样?
  nǐ jiā zhōu wéi de huán jìng zěn me yàng

- 근처에 지하철역이 있어 아주 편리합니다.
  附近有地铁站, 所以很方便。
  fù jìn yǒu dì tiě zhàn suǒ yǐ hěn fāng biàn

- 집 근처에 공원이 있어 환경이 아주 좋아요.
  我家附近有公园, 所以环境很好。
  wǒ jiā fù jìn yǒu gōng yuán suǒ yǐ huán jìng hěn hǎo

- 집 근처에 버스 정류장이 있어 시끄럽습니다.
  我家附近是车站, 所以很吵。
  wǒ jiā fù jìn shì chē zhàn suǒ yǐ hěn chǎo

- 근처에 은행, 파출소, 우체국 등이 있어 생활이 아주 편리해요.
  附近有银行、派出所、邮局, 生活很方便。
  fù jìn yǒu yín háng pài chū suǒ yóu jú shēng huó hěn fāng biàn

---

3) 亚运村 yàyùncūn: 베이징 아시안게임 때 지어졌던 선수촌아파트.

7 종교 · 기타

宗教/其他
zōngjiào qí tā

중국의 헌법은 개인이 종교를 가질 권리를 보장한다. 그러나 동시에 종교를 갖지 않을 권리도 존중한다. 따라서 타인에게 종교를 강권하는 전교(传教) 활동은 엄격히 금지된다.

기 본 대 화

A: 你信仰宗教吗?
nǐ xìn yǎng zōng jiào ma

B: 我信仰天主教, 你呢?
wǒ xìn yǎng tiān zhǔ jiào nǐ ne

A: 我不信仰宗教。
wǒ bú xìn yǎng zōng jiào

B: 有一种信仰对人做事很有帮助。
yǒu yì zhǒng xìn yǎng duì rén zuò shì hěn yǒu bāng zhù

A: 真的是吗? 那您认为宗教对您有什么帮助?
zhēn de shì ma nà nín rèn wéi zōng jiào duì nín yǒu shén me bāng zhù

B: 它可以让我做事情更加坚定。
tā kě yǐ ràng wǒ zuò shì qing gèng jiā jiān dìng

A: 종교를 가지고 있습니까?
B: 저는 천주교를 믿습니다. 당신은요?
A: 저는 종교가 없어요.
B: 신앙이 있으면 사람을 대하거나 일을 하는데 도움이 돼요.
A: 정말인가요? 그럼 당신은 종교가 당신에게 어떤 도움이 된다고 생각하세요?
B: 저로 하여금 일을 행함에 있어 신념을 갖게 해요.

Ⅰ. 능력 能力
néng lì

▶ 유능하다 有能力
yǒu néng lì

- 그 분야에서는 그와 비길 사람이 없어요.
  在那个领域, 无人能和他相比。
  zài nà ge lǐng yù wú rén néng hé tā xiāng bǐ

- 그는 타고난 음악가예요.
  他是天生的音乐家。
  tā shì tiān shēng de yīn yuè jiā

- 그녀는 누구에게도 지지 않습니다.
  她从不会输给任何人。
  tā cóng bú huì shū gěi rèn hé rén

- 그로 말하자면 그 일은 충분히 해낼 수 있어요.
  对他来说, 那件事是力所能及的。1)
  duì tā lái shuō nà jiàn shì shì lì suǒ néng jí de

- 그는 장래가 촉망되는 청년입니다.
  他是个很有前途的青年。
  tā shì ge hěn yǒu qián tú de qīng nián

- 그는 보기 드문 천재입니다.
  他是罕见的天才。2)
  tā shì hǎn jiàn de tiān cái

- 뛰는 놈 위에 나는 놈 있다.
  天外有天, 人外有人。3)
  tiān wài yǒu tiān rén wài yǒu rén

- 영어에 관한한 너는 그와 비교도 안 돼.
  在英语方面, 你比不上他。
  zài yīng yǔ fāng miàn nǐ bǐ bu shàng tā

▶ **무능하다 无能**
wú néng

- 그는 바보예요./그는 멍청이예요.
  他是个笨蛋。/他是傻瓜。
  tā shì ge bèn dàn tā shì shǎ guā

- 그는 "八"자도 쓸 줄 몰라요.
  他连"八"字都不会写。4)
  tā lián bā zì dōu bú huì xiě

- 그는 아무 쓸모없는 사람이에요.
  他是个没用的人。
  tā shì ge méi yòng de rén

- 그에게는 별다른 재능이 없어요.
  他没有特殊的才能。
  tā méi yǒu tè shū de cái néng

---

1) 力所能及 lì suǒ néng jí: 힘이 미치다. 스스로 할 만한 능력이 있다.
2) 罕见 hǎnjiàn: 罕 hǎn은 '드물다'는 뜻이므로 罕见 hǎnjiàn은 "매우 드물게 보이다"의 뜻.
3) 원뜻은 "하늘 밖에 또 하늘이 있고, 사람 밖에 또 사람이 있다."
4) 우리 속담의 "낫 놓고 기역자도 모른다."에 해당.

- 그에게는 아무 특기도 없어요.
  他没有什么特长。
  tā méi yǒu shén me tè cháng

- 그는 희망이 없는 사람이에요.
  他是一个没有出息的人。[5)]
  tā shì yí ge méi yǒu chū xi de rén

- 이 무능한 사람아, 이렇게 간단한 일도 제때에 처리를 못하나.
  你真没本事, 这么简单的事都不能按时完成。[6)]
  nǐ zhēn méi běn shì zhè me jiǎn dān de shì dōu bù néng àn shí wán chéng

Ⅱ. 신뢰성 信赖性
xìn lài xìng

▶ 믿을 만하다 可靠
kě kào

- 그는 거짓말할 사람이 아니에요.
  他不会说谎的。
  tā bú huì shuō huǎng de

- 그는 아주 성실합니다. / 그는 정말 솔직해요.
  他很诚实。/ 他真的很直率。
  tā hěn chéng shí tā zhēn de hěn zhí shuài

- 그는 믿을 만한 사람입니다.
  他是可以信赖的人。
  tā shì kě yǐ xìn lài de rén

- 이 사람은 믿을 만합니다.
  这个人很可靠。
  zhè ge rén hěn kě kào

- 그가 하는 일은 안심입니다.
  他办事, 我放心。
  tā bàn shì wǒ fàng xīn

- 그가 정직한 사람이라는 것을 제가 보증합니다.
  我可以保证他是正直的人。
  wǒ kě yǐ bǎo zhèng tā shì zhèng zhí de rén

- 그는 사람들로부터 신임을 얻고 있어요.
  他得到了别人的信任。
  tā dé dào le bié rén de xìn rèn

---

5) 出息 chūxi: 발전성, 전도, 전망, 희망.
6) 本事 běnshì: 기능, 능력.

- 그는 신용을 지키는 사람입니다.
  他是守信用的人。
  tā shì shǒu xìn yòng de rén

- 그는 절박한 상황에서도 친구를 배반하지 않을 겁니다.
  即使在迫不得已的情况下，他也不会出卖朋友的。[7]
  jí shǐ zài pò bù dé yǐ de qíng kuàng xià tā yě bú huì chū mài péng you de

▶ **믿을 수 없다　不可靠**
bù kě kào

- 그에게 속았어요. / 그가 나를 속였어요.
  我被他骗了。/ 他蒙了我。
  wǒ bèi tā piàn le　tā mēng le wǒ

- 그는 늘 속임수를 씁니다. / 그는 속이 검어요.
  他经常骗人。/ 他心很黑。
  tā jīng cháng piàn rén　tā xīn hěn hēi

- 그는 거짓말을 밥 먹듯이 합니다.
  他说谎就像家常便饭。
  tā shuō huǎng jiù xiàng jiā cháng biàn fàn

- 그는 변덕스러운 사람입니다.
  他是变化无常的人。
  tā shì biàn huà wú cháng de rén

- 그는 변덕이 심해서 믿을 수가 없어요.
  他太善变了，真是不可靠。
  tā tài shàn biàn le zhēn shì bù kě kào

- 그는 말 뿐이지 실행은 하지 않아요.
  他只会说，不会做。
  tā zhǐ huì shuō bú huì zuò

- 그는 판단력이 떨어집니다.
  他判断力很差。
  tā pàn duàn lì hěn chà

- 그는 얼굴빛 하나 변하지 않고 태연스럽게 거짓말을 해요.
  他说谎时，脸不红，心不跳。[8]
  tā shuō huǎng shí liǎn bù hóng xīn bú tiào

---

7) 迫不得已 pò bù dé yǐ: 절박하여 어쩔 수 없다, 부득이하다.
出卖 chū mài: 팔아먹다, 배반하다, 배신하다.

8) 脸不红，心不跳 liǎn bù hóng, xīn bú tiào: 얼굴도 붉어지지 않고, 심장도 뛰지 않다.

· 그의 말이 사실이라는 걸 저는 믿지 못하겠어요.
我不能相信他说的是事实。
wǒ bù néng xiāng xìn tā shuō de shì shì shí

· 그는 언제나 그렇게 큰소리를 친다니까요.
他总那么大言不惭。[9)]
tā zǒng nà me dà yán bù cán

· 그는 말만 잘하지 실천은 안 해요.
他是一个说话的巨人，行动的矮子。[10)]
tā shì yí ge shuō huà de jù rén xíng dòng de ǎi zi

Ⅲ. 종교 宗教
zōng jiào

· 중국에서 종교를 가진 사람은 극소수입니다.
在中国，信教人数占一小部分。
zài zhōng guó xìn jiào rén shù zhàn yì xiǎo bù fen

· 많은 한국 사람들은 종교를 가지고 있습니다.
很多韩国人都信教。
hěn duō hán guó rén dōu xìn jiào

· 모든 사람은 종교의 자유를 누릴 권리가 있습니다.
每个人都享有宗教自由的权利。
měi ge rén dōu xiǎng yǒu zōng jiào zì yóu de quán lì

▶ 종교가 있을 때 信教时
xìn jiào shí

· 신이 있다고 믿으세요?
你相信有神吗?
nǐ xiāng xìn yǒu shén ma

· 저는 기독교 신자입니다.
我是基督教徒。
wǒ shì jī dū jiào tú

· 저는 불교를 믿고 있습니다.
我信仰佛教。
wǒ xìn yǎng fó jiào

· 일요일마다 저는 예배를 드리러 갑니다.
每到星期天，我都会去做礼拜。
měi dào xīng qī tiān wǒ dōu huì qù zuò lǐ bài

---

9) 大言不惭 dà yán bù cán: 큰소리 치고도 부끄러워하지 않는다.
10) 원뜻은 "말하는 데 있어서는 거인, 행동하는 데 있어서는 난쟁이"이다.

- 그는 목사입니다. / 그는 스님입니다.
  他是牧师。/他是僧人。
  tā shì mù shī tā shì sēng rén

- 이분은 신부이고, 이분은 수녀입니다.
  这位是神父，这位是修女。
  zhè wèi shì shén fù zhè wèi shì xiū nǚ

- 주님의 가호가 있기를 빕니다!
  愿主保佑你!
  yuàn zhǔ bǎo yòu nǐ

▶ **종교가 없을 때 不信教时** bú xìn jiào shí

- 그는 종교가 없습니다. / 저는 무신론자입니다.
  他不信教。/我是无神论者。
  tā bú xìn jiào wǒ shì wú shén lùn zhě

- 그는 신의 존재를 믿지 않아요.
  他不相信有神。
  tā bù xiāng xìn yǒu shén

- 우리는 반드시 미신을 타파해야 합니다.
  我们一定要破除迷信。
  wǒ men yí dìng yào pò chú mí xìn

- "종교는 정신의 아편이다".
  "宗教是精神鸦片"。
  zōng jiào shì jīng shén yā piàn

- 중국에서는 남에게 종교를 강요할 수 없습니다.
  在中国不能强迫人们信教。
  zài zhōng guó bù néng qiáng pò rén men xìn jiào

Ⅳ. 예의범절 礼貌 lǐ mào

▶ **예절이 바르다 知礼** zhī lǐ

- 그녀는 예의가 바릅니다.
  她很有礼貌。
  tā hěn yǒu lǐ mào

- 그는 교양있는 사람이에요.
  他是有教养的人。
  tā shì yǒu jiào yǎng de rén

- 그는 제법 예의 바릅니다.
  他还挺懂礼貌的。
  tā hái tǐng dǒng lǐ mào de

- 제 부모님은 예의범절을 매우 따지십니다.
  我的父母很讲究礼节。
  wǒ de fù mǔ hěn jiǎng jiū lǐ jié

- 그는 연장자에게 매우 예절 바릅니다.
  他对长辈很有礼貌。
  tā duì zhǎng bèi hěn yǒu lǐ mào

- 아무리 친한 사이라 해도 기본적인 예의는 지켜야 합니다.
  再怎么亲, 基本的礼节还是要遵守的。
  zài zěn me qīn jī běn de lǐ jié hái shì yào zūn shǒu de

▶ **무례하다** **无礼**
wú lǐ

- 그는 입이 더러워요.
  他嘴很臭。
  tā zuǐ hěn chòu

- 그는 툭하면 욕을 해요.
  他动不动就骂人。
  tā dòng bu dòng jiù mà rén

- 그는 윗사람을 봐도 인사를 안 해요.
  他看见长辈也不打招呼。
  tā kàn jiàn zhǎng bèi yě bù dǎ zhāo hu

- 그는 인사도 없이 자리를 떴어요.
  他没吭一声就走开了。[11]
  tā méi kēng yì shēng jiù zǒu kāi le

- 그렇게 상대방을 빤히 쳐다보는 것은 아주 실례예요.
  那样盯着对方是很没礼貌的。[12]
  nà yàng dīng zhe duì fāng shì hěn méi lǐ mào de

- 윗사람에게 대드는 것은 너무 무례하지 않아요?
  和长辈顶嘴是不是太没礼貌了?[13]
  hé zhǎng bèi dǐng zuǐ shì bu shì tài méi lǐ mào le

---

11) 吭 kēng: 소리를 내다. 말하다.
12) 盯 dīng: 응시하다. 주시하다. 뚫어지게 쳐다보다.
13) 顶嘴 dǐng zuǐ: 말대꾸하다, 말대답하다.

- 그래 당신은 최소한의 예의도 모릅니까?
  难道你连起码的礼貌都不懂吗?[14]
  nán dào nǐ lián qǐ mǎ de lǐ mào dōu bù dǒng ma

- 그는 다른 사람은 안중에도 없습니다.
  他不把别人放在眼里。
  tā bù bǎ bié rén fàng zài yǎn lǐ

V. 꿈 理想 lǐ xiǎng

A: 你以后想当什么?
nǐ yǐ hòu xiǎng dāng shén me

B: 当一名优秀的科学家。
dāng yì míng yōu xiù de kē xué jiā

A: 너는 장차 무엇이 되고 싶니?

B: 훌륭한 과학자가 되려고 합니다.

- 장래에 대해 무슨 계획이 있습니까?
  你对将来有什么打算吗?[15]
  nǐ duì jiāng lái yǒu shén me dǎ suàn ma

- 인생의 목표을 달성하기 위하여 노력하세요.
  为了实现你的人生目标, 努力吧。
  wèi le shí xiàn nǐ de rén shēng mù biāo nǔ lì ba

- 사람은 누구나 이상이 있어야 합니다.
  人都要有理想。[16]
  rén dōu yào yǒu lǐ xiǎng

- 너의 장래 희망을 말해 줄 수 있겠니?
  你能说一下你的理想吗?
  nǐ néng shuō yí xià nǐ de lǐ xiǎng ma

- 너의 학창 시절의 꿈은 무엇이었어?
  你在学生时期的理想是什么?
  nǐ zài xué shēng shí qī de lǐ xiǎng shì shén me

---

14) 难道 ~ 吗?: 설마 ~이겠는가? 그래 ~란 말인가?
连 lián ~都 dōu ~: ~조차도 ~하다. ~까지도 ~하다.
起码 qǐmǎ: 최저한도의. 최소의. 기본의.

15) 打算 dǎsuàn: ~하려고 하다. ~할 작정이다. ~할 셈이다.

16) 理想 lǐxiǎng: 이상. 희망. 꿈.

참고 관련 용어

- 가정 家庭 jiā tíng
- 부모 父母 fù mǔ
- 자녀 子女 zǐ nǚ
- 형제 兄弟 xiōng dì
- 자매 姐妹 jiě mèi
- 나이 年龄 / 年纪 nián líng nián jì
- 띠 生肖 / 属相 shēngxiào shǔ xiàng
- 생년월일 出生年月 chū shēngnián yuè
- 별자리 星座 xīng zuò
- 외모 外貌 wài mào
- 전공 专业 zhuān yè
- 지도교수 导师 dǎo shī
- 선배 前辈 / 学长 qián bèi xué zhǎng
- 남자선배 师兄 / 学哥 / 师哥 shī xiōng xué gē shī gē
- 여자선배 师姐 / 学姐 shī jiě xué jiě
- 남자후배 师弟 / 学弟 shī dì xué dì
- 여자후배 师妹 / 学妹 shī mèi xué mèi
- 부부 夫妻 fū qī
- 고향 故乡 / 家乡 gù xiāng jiā xiāng
- 출신지 籍贯 jí guàn
- 국적 国籍 guó jí
- 종교 宗教 zōng jiào
- 천주교 天主教 tiān zhǔ jiào
- 기독교 基督教 jī dū jiào
- 불교 佛教 fó jiào
- 이슬람교 伊斯兰教 yī sī lán jiào
- 도교 道教 dào jiào
- 교회 教堂 jiào táng
- 예배 礼拜 lǐ bài
- 미사 弥撒 mí sā
- 미신 迷信 mí xìn
- 좌우명 座右铭 zuò yòu míng
- 이상 理想 lǐ xiǎng
- 희망 希望 xī wàng
- 꿈 梦想 mèngxiǎng
- 목표 目标 mù biāo
- 성격 性格 xìng gé
- 내향적 内向 nèi xiàng
- 외향적 外向 wài xiàng
- 장점 优点 yōu diǎn
- 결점 缺点 quē diǎn
- 약점 弱点 ruò diǎn
- 화장하다 化妆 huà zhuāng
- 날씬하다 苗条 miáo tiao
- 유행하다 流行 liú xíng
- 땀을 흘리다 流汗 liú hàn
- 명랑하다 开朗 kāi lǎng
- 냉담하다 冷淡 lěng dàn
- 나약하다 懦弱 nuò ruò
- 낙관적이다 乐观 lè guān
- 비관적이다 悲观 bēi guān
- 유머 幽默 yōu mò
- 성실하다 诚实/老实 chéng shí lǎo shí
- 부지런하다 勤快/勤勉 qín kuài qín miǎn
- 소박하다 俭朴/朴素 jiǎn pǔ pǔ sù

04 가 사

家 务 JIAWU

1 이 사 搬家

2 청 소 打扫

3 세 탁 洗衣

4 요 리 烹饪

5 수도 · 전기 · 가스 水/电/煤气

6 고장 · 수리 故障/维修

7 가사 도우미 쓰기 雇保姆

8 애완동물 · 화초 宠物/花草

1 이 사

搬家
bān jiā

이사(搬家 bānjiā)는 가사일 중에서도 가장 번거롭고 힘든 노동이다. 이사 갈 집을 고르는 것부터 시작하여 이삿짐을 꾸리고 풀기까지 세심한 신경을 써야만 한다. 더구나 외국에서 집을 얻을 때는 더욱 그러한데 한국인이 많이 살고 있는 중국 대도시에는 한국인이나 중국 동포들이 운영하는 부동산중개소가 있어서 편리하다. 임차의 형식은 전세가 아닌 월세이며, 통상적으로 월세 이외에 1-3개월치에 해당하는 금액을 보증금(押金 yājīn)으로 예치해 두어야 한다.

기 본 대 화

A: 喂, 你好, 世纪房地产。[1)]
wèi nǐ hǎo shì jì fáng dì chǎn

B: 你好, 我想租一套韩国国际学校附近的房子。
nǐ hǎo wǒ xiǎng zū yí tào hán guó guó jì xué xiào fù jìn de fáng zi

A: 您要租几居的?
nín yào zū jǐ jū de

B: 我想租两居的, 月租费大概是多少?
wǒ xiǎng zū liǎng jū de yuè zū fèi dà gài shì duō shao

A: 稍微好一点的房子要五千五百元, 一般的就五千元左右。
shāo wēi hǎo yì diǎn de fáng zi yào wǔ qiān wǔ bǎi yuán yì bān de jiù wǔ qiān yuán zuǒ yòu

B: 我可以先看一下房子吗?
wǒ kě yǐ xiān kàn yí xià fáng zi ma

A: 随时都可以。
suí shí dōu kě yǐ

A: 안녕하세요. 세기 부동산입니다.
B: 안녕하세요. 한국국제학교 근처에 집을 얻으려고 하는데요.
A: 몇 칸짜리 방을 얻으시려고 하세요?
B: 두 칸짜리요. 월세는 대략 얼마나 합니까?
A: 좀 좋은 집은 5,500위안이고요, 일반적인 것은 5,000위안 정도 합니다.
B: 먼저 집을 볼 수 있을까요?
A: 언제라도 가능합니다.

---

1) 부동산중개업소의 정식 명칭은 ○○房地产经纪有限公司 fángdìchǎn jīngjì yǒuxiàn gōngsī이나 흔히 줄여 ○○房地产 fángdìchǎn이라고 한다.

여러 가지 활용

Ⅰ. 이삿짐센터 이용하기 利用搬家公司
lì yòng bān jiā gōng sī

▶ 이사 비용 문의 询问搬家费用
xún wèn bān jiā fèi yòng

- 피아노 운반비를 따로 받나요?
  钢琴的运费是单算吗?
  gāng qín de yùn fèi shì dān suàn ma
- 업라이트 피아노 운송은 200위안입니다. 그랜드 피아노는 500위안이고요.
  立式钢琴的运费是200元。卧式的要500元。[2)]
  lì shì gāng qín de yùn fèi shì yuán wò shì de yào yuán
- 대형 냉장고와 대형 세탁기도 요금이 추가됩니까?
  大型冰箱和大型洗衣机也要加钱吗?
  dà xíng bīng xiāng hé dà xíng xǐ yī jī yě yào jiā qián ma
- 층에 따라 이사 요금이 달라집니까?
  每层的运费都不一样吗?[3)]
  měi céng de yùn fèi dōu bù yí yàng ma
- 집이 5층인데, 운반비는 대략 얼마나 됩니까?
  房间在5层, 运费大概是多少?
  fáng jiān zài céng, yùn fèi dà gài shì duō shao

▶ 포장과 배상 包装与赔偿
bāo zhuāng yǔ péi cháng

- 포장을 잘 해 주세요.
  麻烦您好好儿包装一下。
  má fan nín hǎo hāor bāo zhuāng yí xià
- 깨지는 물건에는 "유리조심"이라고 써 주세요.
  容易碎的东西上写一下"小心轻放"。
  róng yì suì de dōng xi shang xiě yí xià xiǎo xīn qīng fàng
- 만일 파손된 것이 있으면 배상해 주셔야 합니다.
  如果弄坏东西, 一定要赔偿。
  rú guǒ nòng huài dōng xi yí dìng yào péi cháng

---

2) 立式钢琴 lìshì gāngqín: 업라이트 피아노, 卧式钢琴 wòshì gāngqín: 그랜드 피아노.
3) 엘리베이터가 없는 아파트인 경우 층당 10~20위안 정도의 요금이 추가된다.

Ⅱ. 이사 당일에 搬家当天
bān jiā dāng tiān

▶ 이삿짐을 내갈 때 搬走时
bān zǒu shí

• 그거 깨지는 물건이에요. 조심하세요.
那是易碎的东西，搬时小心一点儿。
nà shì yì suì de dōng xi bān shí xiǎo xīn yì diǎnr

• 물건을 좀 살살 다루어 주시겠어요?
轻点儿拿东西好吗?
qīng diǎnr ná dōng xi hǎo ma

• 물건이 망가지지 않도록 조심하세요.
小心损坏东西。
xiǎo xīn sǔn huài dōng xi

• 한 사람은 밖에서 물건을 지켜 주세요.
一个人在外面看着东西吧。
yí ge rén zài wài miàn kān zhe dōng xi ba

• 그것은 안 가져 가는 물건입니다.
那是不拿走的东西。
nà shì bù ná zǒu de dōng xi

• 전등도 모두 떼어 주세요.
灯也都卸下来吧。
dēng yě dōu xiè xià lái ba

▶ 이삿짐을 들일 때 搬进来时
bān jìn lái shí

• 우선 여기에 놓으십시오.
先放在这儿吧。
xiān fàng zài zhèr ba

• 그릇은 모두 주방에 놓으시면 됩니다.
餐具全部放到厨房吧。
cān jù quán bù fàng dào chú fáng ba

• 그 침대는 안방으로 가져 가세요.
那张床搬到里屋吧。
nà zhāng chuáng bān dào lǐ wū ba

• 책상은 저쪽 방으로 운반해 주세요.
桌子搬到那屋去吧。
zhuō zi bān dào nà wū qù ba

- 냉장고는 주방에 놓아 주세요.

冰箱就放在厨房吧。
bīng xiāng jiù fàng zài chú fáng ba

- 이 세탁기가 화장실 안에 들어갈 수 있을까요?

这个洗衣机能进洗手间吗?
zhè ge xǐ yī jī néng jìn xǐ shǒu jiān ma

- 이 피아노가 저 작은 방에 들어갈 수 있을까요?

这架钢琴能放到小屋里吗?
zhè jià gāng qín néng fàng dào xiǎo wū li ma

- 문을 뜯으면 들어갈 수 있을 것 같습니다.

拆门的话, 应该可以进去。
chāi mén de huà yīng gāi kě yǐ jìn qù

▶ 집세 및 기타 비용 결산 清算房费及其他费用
qīng suàn fáng fèi jí qí tā fèi yòng

- 관리 사무소에 연락해서 빨리 수도와 전기 요금을 정산하자고 하세요.

给物业打电话, 让他们快点过来清算一下水电费。
gěi wù yè dǎ diàn huà ràng tā men kuài diǎn guò lái qīng suàn yí xià shuǐ diàn fèi

- 수도, 전기, 가스 요금은 보증금에서 제하고 주시면 됩니다.

水费、电费、煤气费在押金上扣除就可以了。
shuǐ fèi diàn fèi méi qì fèi zài yā jīn shang kòu chú jiù kě yǐ le

- 전기 요금이 아직 100위안 어치가 남아 있습니다.

电费还剩100元。[4)]
diàn fèi hái shèng yuán

- 전화 요금은 다음 달 초에 나오니 그때 건설은행에 가서 다시 정산하면 됩니다.

电话费下个月初会出来, 到时上建设银行支付就可以了。
diàn huà fèi xià ge yuè chū huì chū lái dào shí shàng jiàn shè yín háng zhī fù jiù kě yǐ le

- 아이들이 벽에 낙서를 한 것은 당신이 변상해야 합니다.

孩子们在墙上乱写乱画, 你要赔偿。
hái zi men zài qiáng shang luàn xiě luàn huà nǐ yào péi cháng

---

4) 요즈음 새로 짓는 아파트에는 전기카드, 가스카드를 이용하여 은행이나 관리소에서 일정량씩 구입하여 쓰기 때문에 이사를 할 때는 남은 양만큼의 전기료나 가스료를 되돌려 받아야 하는 경우가 있다.

• 보증금을 그렇게 많이 떼는 것은 부당합니다.
扣那么多押金是不合法的。[5)]
kòu nà me duō yā jīn shì bù hé fǎ de

• 자연적인 마모까지 트집 잡아서 보증금을 안 주는 것은 도리에 어긋납니다.
以自然的磨损为理由, 不给押金是不合理的。
yǐ zì rán de mó sǔn wéi lǐ yóu bù gěi yā jīn shì bù hé lǐ de

▶ 기타 其他
qí tā

• 망치와 드라이버가 어디 있죠?
锤子和改锥在哪儿?
chuí zi hé gǎi zhuī zài nǎr

• 수고하십니다. 음료수 한 잔 드세요.
辛苦了, 喝一杯饮料吧。
xīn kǔ le hē yì bēi yǐn liào ba

• 이사가 점심 전에 끝날 수 있을까요?
在中午之前能搬完吗?
zài zhōng wǔ zhī qián néng bān wán ma

• 포장지는 모두 수거해 가 주세요.
包装纸全部拿走吧。
bāo zhuāng zhǐ quán bù ná zǒu ba

• 사진액자 유리가 깨졌으니, 당신들이 변상해줘야 해요.
相筐的玻璃碎了, 你们应当赔偿。
xiàng kuāng de bō lí suì le nǐ men yīng dāng péi cháng

• 옮길 때 TV가 떨어져 깨졌는데 누가 책임질 거죠?
搬运时电视摔坏了, 谁负责呀?
bān yùn shí diàn shì shuāi huài le shéi fù zé ya

• 곧 비가 올 것 같으니 바깥의 물건들을 잘 덮으세요.
快要下雨了, 把外面的东西盖好吧。
kuài yào xià yǔ le bǎ wài miàn de dōng xi gài hǎo ba

---

5) 많은 한국 사람들이 계약 만기가 되어 이사를 갈 때에도 여러 가지 이유로 보증금 전액을 못 받거나 일부밖에 받지 못하는 경우가 있다. 이를 방지하기 위해서는 집주인의 허락 없이 벽에 못을 박거나 구조를 변경하는 행위를 하지 말아야 하며, 반드시 사전에 주인의 허락을 받은 뒤 하는 것이 좋다.

2 청 소

打扫
dǎ sǎo

매일같이 할 때는 잘 모르지만, 단 하루만 하지 않아도 당장 표가 나는 것이 청소이다. 청소를 한다는 표현에는 打扫dǎsǎo 외에도 搞卫生gǎo wèishēng이라고도 한다. 엄밀히 말하면, 打扫dǎsǎo는 주로 쓸고 닦는 행위를 가리켜 말하는 것이고, 搞卫生gǎo wèishēng은 위생을 고려한 전반적인 청소를 의미한다.

기 본 대 화

A: 今天我们来个大扫除吧。
jīn tiān wǒ men lái ge dà sǎo chú ba

B: 好啊, 正好天气也不错。
hǎo a zhèng hǎo tiān qì yě bú cuò

A: 先把家具移到别的位置, 掸一掸灰尘吧。
xiān bǎ jiā jù yí dào bié de wèi zhì dǎn yi dǎn huī chén ba

B: 好吧! 然后我们再擦一下卧室、客厅和厨房的地板。
hǎo ba rán hòu wǒ men zài cā yí xià wò shì kè tīng hé chú fáng de dì bǎn

A: 오늘 우리 대청소합시다.
B: 좋지요. 마침 날씨도 좋네요.
A: 먼저 가구 위치를 좀 바꾸고 먼지를 털어내죠.
B: 좋아요. 그리고 나서 방, 거실, 주방의 바닥을 닦도록 해요.

여러 가지 활용

Ⅰ. 쓸고 닦기 扫/擦
sǎo cā

▶ 바닥 쓸기 扫地
sǎo dì

- 방을 좀 쓸고 닦아야겠어요.
  这房间要好好儿打扫一下。
  zhè fáng jiān yào hǎo hāor dǎ sǎo yí xià

- 먼저 먼지를 좀 털고 난 뒤에 바닥을 쓸도록 해요.
  先掸掸灰尘, 再扫地吧。
  xiān dǎn dan huī chén zài sǎo dì ba

- 진공청소기를 한 번 돌리세요.
用真空吸尘器扫一遍吧。
yòng zhēn kōng xī chén qì sǎo yí biàn ba

바닥 닦기　擦地 cā dì

- 바닥을 물걸레로 닦으세요.
地板用湿抹布擦一下吧。
dì bǎn yòng shī mā bù cā yí xià ba

- 방은 대걸레[1]로 밀기에 부적당하니 그냥 걸레로 닦으세요.
房间用拖布拖不合适，还是用抹布擦一遍吧。
fáng jiān yòng tuō bù tuō bù hé shì hái shì yòng mā bù cā yí biàn ba

유리 · 가구 닦기　擦玻璃/家具 cā bō lí jiā jù

- 창문이 지저분하네요.
窗户有点儿脏。
chuāng hu yǒu diǎnr zāng

- 창틀을 좀 닦으세요.
擦一下窗框吧。
cā yí xià chuāng kuàng ba

- 피아노, 가구는 마른 걸레로 닦으세요.
钢琴和家具用干抹布擦一下吧。
gāng qín hé jiā jù yòng gān mā bù cā yí xià ba

- 젖은 걸레로 장식품 위의 먼지를 닦아 내세요.
用湿抹布擦一擦装饰品上面的灰尘。
yòng shī mā bù cā yi cā zhuāng shì pǐn shàng miàn de huī chén

- 가구 닦는 걸레와 바닥 닦는 걸레는 구분해서 사용하세요.
擦家具的抹布和擦地的抹布，要分开使用。
cā jiā jù de mā bù hé cā dì de mā bù yào fēn kāi shǐ yòng

기타　其他 qí tā

- 베란다를 좀 정리해야겠어요.
这阳台该整理一下了。
zhè yáng tái gāi zhěng lǐ yí xià le

---

1) 중국 사람들은 무릎을 굽히고 손걸레질하는 것에 익숙치 않으므로 대부분 대걸레를 많이 사용한다.

- 솔을 이용하여 닦아 보세요.
  用刷子刷一下吧。
  yòng shuā zi shuā yí xià ba

- 물로 씻어 내세요.
  用水冲一下吧。
  yòng shuǐ chōng yí xià ba

Ⅱ. 정리 정돈하기 整理和收拾

zhěng lǐ hé shōu shi

▶ 옷 정리하기 收拾衣服

shōu shi yī fu

- 오늘은 옷 좀 정리해 주세요.
  今天整理一下衣服吧。
  jīn tiān zhěng lǐ yí xià yī fu ba

- 겨울옷은 집어넣고 봄옷을 꺼내세요.
  把冬天的衣服收起来，春天的衣服拿出来吧。
  bǎ dōng tiān de yī fu shōu qǐ lái chūn tiān de yī fu ná chū lái ba

- 먼저 윗옷을 한데 넣고, 다음에 바지를 함께 넣으세요.
  先把上衣放在一起，再把裤子放到一起。
  xiān bǎ shàng yī fàng zài yì qǐ zài bǎ kù zi fàng dào yì qǐ

- 여름옷은 정리함 안에 모두 넣어 주세요.
  夏天的衣服放在整理箱里面吧。
  xià tiān de yī fu fàng zài zhěng lǐ xiāng lǐ miàn ba

▶ 책 정리하기 整理书本

zhěng lǐ shū běn

- 책들은 모두 책꽂이에 꽂으세요.
  把书都放在书架上吧。
  bǎ shū dōu fàng zài shū jià shang ba

- 아이들 책과 어른 책을 구별해서 꽂으세요.
  把孩子们的书和大人的书分着插吧。
  bǎ hái zi men de shū hé dà rén de shū fēn zhe chā ba

▶ 기타 其他

qí tā

- 잡동사니들은 한곳에 모아 주세요.
  把杂物放在一块儿吧。
  bǎ zá wù fàng zài yí kuàir ba

- 신문은 테이블 위에 놓아두어요.
  把报纸放在桌子上面。
  bǎ bào zhǐ fàng zài zhuō zi shàng miàn

Ⅲ. 소독하기 消毒 xiāo dú

- 유행성 감기가 유행하고 있으니 소독을 합시다.
  现在流行流感，消一下毒吧。
  xiàn zài liú xíng liú gǎn xiāo yí xià dú ba

- 하수도와 변기를 소독하세요.
  请把下水道和马桶消一下毒。
  qǐng bǎ xià shuǐ dào hé mǎ tǒng xiāo yí xià dú

- 문손잡이와 엘리베이터도 소독을 해야 해요.
  门把手和电梯也要消毒。
  mén bǎ shou hé diàn tī yě yào xiāo dú

- 소독약을 뿌리고 10분 후에 닦아 내세요.
  先喷消毒水，过10分钟后擦一下。
  xiān pēn xiāo dú shuǐ guò fēn zhōng hòu cā yí xià

- 걸레는 반드시 살균 비누로 빨도록 해요.
  抹布一定要用杀菌的肥皂洗。
  mā bù yí dìng yào yòng shā jūn de féi zào xǐ

- 수건과 속내의를 삶으면 살균이 됩니다.
  煮毛巾和内衣可以杀菌。
  zhǔ máo jīn hé nèi yī kě yǐ shā jūn

Ⅳ. 쓰레기 처리 处理垃圾 chǔ lǐ lā jī

- 쓰레기는 날마다 내다 버리세요.
  要天天扔垃圾。
  yào tiān tiān rēng lā jī

- 냄새나지 않도록 매일 한 차례 쓰레기를 버리세요.
  为了防止臭味儿，要每天扔一次垃圾。
  wèi le fáng zhǐ chòu wèir yào měi tiān rēng yí cì lā jī

- 재활용되는 것들은 따로 모으세요.
  可回收的放在另一边吧。
  kě huí shōu de fàng zài lìng yì biān ba

- 병은 재활용함에 넣으세요.
  瓶子放在可回收箱里。
  píng zi fàng zài kě huí shōu xiāng li

3 세 탁

洗衣
xǐ yī

세탁에는 湿洗 shīxǐ(물세탁)와 干洗 gānxǐ(드라이클리닝)의 방법이 있다. 옷감의 종류에 따라 干洗 gānxǐ를 하지 않으면 옷이 줄어들거나(缩水 suōshuǐ), 늘어지거나(变长 biàncháng), 변색(褪色 tuìsè)이 될 수 있고, 옷감의 방수(防水 fángshuǐ), 주름방지(免烫 miǎntàng) 기능이 떨어지게 된다. 그러므로 옷감에 부착된 라벨(标签 biāoqiān)을 잘 확인하여 세탁에 유의하도록 하여야 한다.

기 본 대 화

A: 每次用洗衣机洗衣服, 都觉得不怎么干净。
měi cì yòng xǐ yī jī xǐ yī fu dōu jué de bù zěn me gān jìng

B: 是啊, 衣服看起来都发黄, 所以不得不漂白。
shì a yī fu kàn qǐ lái dōu fā huáng suǒ yǐ bù dé bù piǎo bái

A: 但漂白剂用多了, 衣服会褪色的。1)
dàn piǎo bái jì yòng duō le yī fu huì tuì sè de

B: 嗯, 尽量不用呗! 有斑点的部分多放些洗衣粉搓几下就行了。
èn jǐn liàng bú yòng bei yǒu bān diǎn de bù fēn duō fàng xiē xǐ yī fěn cuō jǐ xià jiù xíng le

A: 매번 세탁기에 옷을 빨으니 별로 깨끗하지 않은 것 같아요.
B: 그래요, 옷들이 누렇게 변해 보여서 표백을 안 할 수가 없네요.
A: 하지만 표백제를 너무 많이 쓰면 색이 바랠 수도 있어요.
B: 네, 되도록 사용하지 말아야죠. 얼룩진 부분은 세제를 좀더 넣고 주무르면 돼요.

여러 가지 활용

I. 손세탁 手洗
shǒu xǐ

▶ **주물러 빨기 搓**
cuō

- 이 옷은 손으로 빨아 주세요.
  这件衣服用手洗吧。
  zhè jiàn yī fu yòng shǒu xǐ ba

- 양말은 손으로 주물은 다음 세탁기에 넣어 돌리세요.
  袜子先用手搓一搓, 再放进洗衣机里洗。
  wà zi xiān yòng shǒu cuō yi cuō zài fàng jìn xǐ yī jī li xǐ

1) 褪色 tuìshǎi: 색이 바래다. 退色라고도 하며 tuìsè 라고도 읽는다.

- 이 옷은 먼저 소매와 목 부분을 주물러 빠세요.
这件衣服,先用手搓一搓袖子和领子。
zhè jiàn yī fu xiān yòng shǒu cuō yi cuō xiù zi hé lǐng zi

▶ 빨래 삶기 煮 zhǔ

- 속내의는 삶아 주세요.
内衣要煮一下。
nèi yī yào zhǔ yí xià

- 흰옷은 일주일에 한 번 정도는 삶아야 합니다.
白色衣服最少一个星期要煮一次。
bái sè yī fu zuì shǎo yí ge xīng qī yào zhǔ yí cì

▶ 울 · 실크 세탁 丝毛制品的洗涤 sī máo zhì pǐn de xǐ dí

- 모직 옷은 울세제를 사용하세요.
洗毛织品衣服,请使用丝毛净。
xǐ máo zhī pǐn yī fu qǐng shǐ yòng sī máo jìng

- 이 실크 스커트는 세탁기에 돌리면 안 됩니다.
这件丝绸裙子不能用洗衣机洗。
zhè jiàn sī chóu qún zi bù néng yòng xǐ yī jī xǐ

▶ 기타 其他 qí tā

- 와이셔츠 깃은 솔로 가볍게 솔질하세요.
衬衫领子要用刷子轻轻地刷。
chèn shān lǐng zi yào yòng shuā zi qīng qīng de shuā

- 모포는 발로 밟아 빨아도 됩니다.
这个毛毯你可以用脚踩着洗。
zhè ge máo tǎn nǐ kě yǐ yòng jiǎo cǎi zhe xǐ

Ⅱ. 드라이클리닝 干洗 gān xǐ

A: 冬季衣服最好先干洗 再保管。
dōng jì yī fu zuì hǎo xiān gān xǐ zài bǎo guǎn

B: 那用不用把皮衣、羽绒服、羊毛衫亲自送到洗衣店呢?
nà yòng bu yòng bǎ pí yī yǔ róng fú yáng máo shān qīn zì sòng dào xǐ yī diàn ne

A: 不用，打个电话他们就会过来拿了。
bú yòng dǎ ge diàn huà tā men jiù huì guò lái ná le

A: 겨울옷은 드라이클리닝을 한 다음 보관하는 것이 좋아요.
B: 그러면 가죽옷, 오리털 옷, 양모로 된 옷들을 다 세탁소에 갖다 주어야겠네요?
A: 그럴 필요 없어요. 세탁소에 전화하면 가지러 올 겁니다.

- 양복은 반드시 드라이클리닝을 해야 해요.
  西装一定要干洗。
  xī zhuāng yí dìng yào gān xǐ

- 실크 제품은 드라이를 해야 해요.
  丝绸制品需要干洗。
  sī chóu zhì pǐn xū yào gān xǐ

- 드라이를 했는데도 얼룩이 빠지지 않았어요.
  已经干洗了，但是斑点还是没洗掉。
  yǐ jīng gān xǐ le dàn shì bān diǎn hái shì méi xǐ diào

- 드라이한 후에는 냄새가 빠지도록 좀 널어 놓으세요.
  干洗以后，为了防止有味儿，应该先晒一会儿。
  gān xǐ yǐ hòu wèi le fáng zhǐ yǒu wèir yīng gāi xiān shài yí huìr

Ⅲ. 빨래 널기와 개기 晾/叠
liàng dié

▶ 빨래 널기 晾
liàng

- 세탁이 다 됐으니 빨래를 좀 널어 주세요.
  已经洗完了，请晾一下吧。
  yǐ jīng xǐ wán le qǐng liàng yí xià ba

- 빨래는 베란다에 널어 주세요.
  衣服晾在阳台上吧。
  yī fu liàng zài yáng tái shang ba

- 빨래줄에 먼지가 끼었으니 좀 닦고 난 뒤에 널으세요.
  晾衣绳上有灰尘，先擦一下，再晾吧。
  liàng yī shéng shang yǒu huī chén xiān cā yí xià zài liàng ba

- 집게로 빨래를 집어 주세요, 바람에 날아가지 않게.
  用夹子夹一下衣服吧，以防被风吹走。
  yòng jiā zi jiā yí xià yī fu ba yǐ fáng bèi fēng chuī zǒu

• 비가 올 것 같으니 빨래 건조대를 안으로 들여 놓으세요.
好像要下雨了，把晾衣架拿到里边吧。
hǎo xiàng yào xià yǔ le bǎ liàng yī jià ná dào lǐ biān ba

▶ **빨래 개기** **叠**
dié

• 빨래가 다 말랐으니 개어 놓으세요.
衣服都干了，叠一下吧。
yī fu dōu gān le dié yí xià ba

• 빨래를 잘 개어 놓으세요, 구겨지지 않게.
衣服要叠好，不要让它出皱。
yī fu yào dié hǎo bú yào ràng tā chū zhòu

Ⅳ. 다림질하기 熨衣服
yùn yī fu

A: 这件衬衫熨过吗?
zhè jiàn chèn shān yùn guo ma
B: 上个星期都熨好了。
shàng ge xīng qī dōu yùn hǎo le
A: 那怎么还是皱皱的。再熨一次吧。
nà zěn me hái shì zhòu zhòu de zài yùn yí cì ba

A: 이 와이셔츠 다린 건가요?
B: 지난주에 다 다려놓은 건데요.
A: 그런데 여전히 구겨져 있네요. 다시 한 번 다려 주세요.

• 이 셔츠 좀 다려 주실래요?
熨一下这件衬衫好吗?
yùn yí xià zhè jiàn chèn shān hǎo ma

• 다림질하는 데도 숙련된 기술이 필요해요.
熨衣服也是一件有技巧工作。
yùn yī fu yě shì yí jiàn yǒu jì qiǎo gōng zuò

▶ **적정 온도** **适宜的温度**
shì yí de wēn dù

• 순면 옷은 고온에서 다려야 잘 다려집니다.
纯棉的衣服要用高温熨，才能熨好。
chún mián de yī fu yào yòng gāo wēn yùn cái néng yùn hǎo

- 합성섬유는 고온에서 다림질하면 안 돼요.
  不能用高温熨合成纤维。
  bù néng yòng gāo wēn yùn hé chéng xiān wéi

- 눈 깜짝할 사이에 옷을 태워 버렸어요.
  一眨眼的工夫就把衣服弄焦了。
  yì zhǎ yǎn de gōng fu jiù bǎ yī fu nòng jiāo le

- 잠깐 전화를 받는 사이에 옷이 눌어 버렸어요.
  接电话的一瞬间，衣服被熨糊了。
  jiē diàn huà de yí shùn jiān yī fu bèi yùn hú le

다림질 시 주의를 줄 때 小心烫伤时
xiǎo xīn tàng shāng shí

- 다림질할 때는 절대 조심하세요.
  熨的时候一定要小心。
  yùn de shí hou yí dìng yào xiǎo xīn

- 전화를 받으러 갈 때는 반드시 코드를 뽑도록 해요.
  去接电话时，一定要拔掉插销。
  qù jiē diàn huà shí yí dìng yào bá diào chā xiāo

- 아이들이 다리미를 만지지 않도록 조심하세요.
  小心不要让孩子们碰到熨斗。
  xiǎo xīn bú yào ràng hái zi men pèng dào yùn dǒu

기타 其他
qí tā

- 이 옷은 다림질 할 필요가 없어요.
  这件衣服不需要熨。
  zhè jiàn yī fu bù xū yào yùn

- 이 옷은 주름 방지 처리가 되어 있어요.
  这件衣服是免熨的。
  zhè jiàn yī fu shì miǎn yùn de

- 바지를 잘 다려 주세요.
  请把裤子熨好。
  qǐng bǎ kù zi yùn hǎo

- 바지 주름이 잘 다려지지 않았네요. 다시 다려 주세요.
  裤子的褶子没熨好，重新熨一次吧。
  kù zi de zhě zi méi yùn hǎo chóng xīn yùn yí cì ba

4 요 리

烹饪
pēng rèn

밥하는 것은 做饭 zuòfàn, 음식을 만드는 것을 做菜 zuòcài라고 한다. 이러한 것을 통틀어 우리는 "요리한다"고 말하는데 중국에서는 料理 liàolǐ란 말을 잘 쓰지 않고 烹饪 pēngrèn 또는 烹调 pēngtiáo라고 한다. 주요 요리법(烹饪法 pēngrènfǎ)에는 炒 chǎo(볶기), 烤 kǎo(굽기), 煎 jiān(부치기), 拌 bàn(무치기), 酱 jiàng(졸이기), 炸 zhá(튀기기), 炖 dùn(삶기) 등이 있다. "당신 요리솜씨가 참 좋군요"라고 할 때는 "你的手艺真棒。" nǐ de shǒuyì zhēn bàng, "내가 제일 자신있게 잘 만드는 것은 ~이다."는 표현은 "我最拿手的是~。" wǒ zuì náshǒu de shì~ 라고 하면 된다.

기 본 대 화

A: 今天晚上做炸酱面吧。
jīn tiān wǎn shang zuò zhá jiàng miàn ba

B: 好啊, 那要买土豆、洋葱、西葫芦、猪肉吧。
hǎo a nà yào mǎi tǔ dòu yáng cōng xī hú lu zhū ròu ba

A: 是的, 买来以后切成小块儿。
shì de mǎi lái yǐ hòu qiē chéng xiǎo kuàir

B: 我来炒吧。
wǒ lái chǎo ba

A: 오늘 저녁은 자장면을 만들어요.
B: 좋아요, 그럼 감자, 양파, 애호박, 돼지고기를 사와야겠네요.
A: 네, 사다가 모두 조그맣게 네모썰기를 해 주세요.
B: 제가 볶을게요.

여러 가지 활용

Ⅰ. 장보기 买菜 mǎi cài

- 오늘 손님을 초대했으니 먼저 장을 봐와야겠군요.
  今天我们要请客, 先去买些菜吧。
  jīn tiān wǒ men yào qǐng kè xiān qù mǎi xiē cài ba

- 장보기 전에 반드시 품목을 적으세요.
  买菜之前, 一定要先列出清单。
  mǎi cài zhī qián yí dìng yào xiān liè chū qīng dān

- 미안하지만, 저 대신 장 좀 봐 주세요.
  麻烦你, 帮我去买菜吧。
  má fan nǐ bāng wǒ qù mǎi cài ba

- 얼른 가서 두부 좀 사오세요.
  快去买块儿豆腐。
  kuài qù mǎi kuàir dòu fu

Ⅱ. 재료 준비하기 准备材料
zhǔn bèi cái liào

다듬고 씻기 洗菜
xǐ cài

껍질 벗기기 去皮
qù pí

- 마늘 좀 까 주세요.
  剥一下蒜皮。
  bāo yí xià suàn pí

- 감자 좀 깎아 주세요.
  削一下土豆皮。
  xiāo yí xià tǔ dòu pí

- 양파 껍질 좀 벗겨 주세요.
  剥一下洋葱皮。
  bāo yí xià yáng cōng pí

- 사과를 깎아서 접시에 담으세요.
  把苹果削成块儿放在碟子里。
  bǎ píng guǒ xiāo chéng kuàir fàng zài dié zi li

씻기 洗
xǐ

- 이 야채들을 씻어 주세요.
  洗洗这些蔬菜。
  xǐ xi zhè xiē shū cài

- 흐르는 물에 씻으세요.
  请用流水洗。
  qǐng yòng liú shuǐ xǐ

- 야채는 씻어서 물에 담가 놓으세요.
  蔬菜洗完了，泡在水里吧。
  shū cài xǐ wán le pào zài shuǐ li ba

- 야채와 과일은 모두 주방세제로 씻어요.
  蔬菜和水果都用洗涤灵洗吧。
  shū cài hé shuǐ guǒ dōu yòng xǐ dí líng xǐ ba

- 포도는 한알 한알 따서 씻어 주세요.
  把葡萄一粒一粒摘下来洗吧。
  bǎ pú táo yí lì yí lì zhāi xià lái xǐ ba

- 딸기는 소금을 약간 넣고 씻어 주세요.
  把草莓放点儿盐洗吧。
  bǎ cǎo méi fàng diǎnr yán xǐ ba

절이기 洒盐 sǎ yán

- 배추는 씻기 전에 먼저 소금을 뿌려 주세요.
  洗白菜之前，先洒点儿盐吧。
  xǐ bái cài zhī qián xiān sǎ diǎnr yán ba

- 깨끗이 씻은 뒤에 소금을 뿌려 놓으세요.
  洗干净以后，洒点儿盐吧。
  xǐ gān jìng yǐ hòu sǎ diǎnr yán ba

썰기 切 qiē

- 당근은 채를 치세요.
  胡萝卜切成丝。
  hú luó bo qiē chéng sī

- 감자는 납작썰기를 해 주세요.
  土豆切成片儿吧。
  tǔ dòu qiē chéng piànr ba

- 카레를 만들거니까 네모나게 썰어 주세요.
  要做咖哩，就切成块儿吧。[1)]
  yào zuò gā lí jiù qiē chéng kuàir ba

- 깍둑썰기를 해 주세요.
  请切成大块儿。
  qǐng qiē chéng dà kuàir

- 생선회를 떠 주세요.
  切成生鱼片儿。
  qiē chéng shēng yú piànr

- 고기를 저며 주세요.
  切肉片儿。
  qiē ròu piànr

---

1) 咖喱 gālí 라고도 쓴다.

▶ 다지기 剁
duò

- 이 고기를 다져 주세요.
把这个肉剁一下吧。
bǎ zhè ge ròu duò yí xià ba

- 이 마늘을 곱게 다져 줄래요?
把这蒜剁碎, 好吗?
bǎ zhè suàn duò suì hǎo ma

- 믹서기로 갈으세요.
用搅拌机搅一下吧。
yòng jiǎo bàn jī jiǎo yí xià ba

▶ 기타

- 생선 비늘을 제거해 주세요.
请把鱼鳞去掉。
qǐng bǎ yú lín qù diào

- 파 좀 다듬어 주세요.
帮我整理一下葱。
bāng wǒ zhěng lǐ yí xià cōng

- 조개는 소금물에 하룻밤 담가 놓으세요.
贝壳要在盐水里泡一夜。
bèi ké yào zài yán shuǐ li pào yí yè

- 채칼을 사용하도록 해요.
请用礤床儿擦吧。
qǐng yòng cǎ chuágr cā ba

Ⅲ. 요리하기 做菜
zuò cài

▶ 굽기 烤
kǎo

- 고기는 타지 않게 구우세요.
肉不要烤焦了。
ròu bú yào kǎo jiāo le

- 생선을 철판에 구우세요.
把鲜鱼放在铁板上烤一下。
bǎ xiān yú fàng zài tiě bǎn shang kǎo yí xià

▶ **볶기** **炒** chǎo

- 오징어를 매콤하게 볶으세요.
  鱿鱼炒得辣一些。
  yóu yú chǎo de là yì xiē

▶ **튀기기** **炸** zhá

- 생선을 튀기세요.
  炸一下鲜鱼。
  zhá yí xià xiān yú

- 야채튀김을 만드세요.
  炸菜团子。
  zhá cài tuán zi

▶ **고으기** **煮/炖**[2] zhǔ dùn

- 소꼬리를 두 근 정도 사다가 푹 고아서 곰탕을 만드세요.
  买两斤牛尾巴来，炖了做骨头汤吧。
  mǎi liǎng jīn niú wěi ba lái dùn le zuò gǔ tou tāng ba

- 고기를 찬물에 넣고 삶기 시작하세요.
  把肉放在凉水中开始煮吧。
  bǎ ròu fàng zài liáng shuǐ zhōng kāi shǐ zhǔ ba

▶ **부치기** **煎** jiān

- 김치전을 부쳐 주세요.
  煎一下泡菜饼。
  jiān yí xià pào cài bǐng

- 해물파전을 부쳐 주세요.
  煎一下海鲜葱饼。
  jiān yí xià hǎi xiān cōng bǐng

- 계란 프라이를 해 주세요.
  做一下煎鸡蛋。[3]
  zuò yí xià jiān jī dàn

---

2) 煮 zhǔ는 물에 넣고 끓여서 익히는 것으로 가장 일반적인 표현이며, 炖 dùn과 熬 áo는 약한 불에 장시간을 끓이는 것을 말하는데 습관상 국을 끓일 때는 炖汤 dùntāng이라 하고, 죽을 끓일 때는 熬粥 áozhōu라고 말한다.

3) 우리 말의 습관상 '鸡蛋煎 jīdànjiān'을 종종 쓰는데 '煎鸡蛋 jiānjīdàn'이 옳다.

▶ **데치기** **烫/焯**
tàng chāo

- 야채를 끓는 물에 살짝 데쳐 주세요.
  蔬菜在热水里过一下。[4]
  shū cài zài rè shuǐ li guò yí xià

- 야채를 데칠 때 소금을 조금 넣으면 더 파래져요.
  烫蔬菜时，放点儿盐的话会变得更绿。
  tàng shū cài shí fàng diǎnr yán de huà huì biàn de gèng lǜ

- 시금치를 살짝 데쳐요.
  焯一下菠菜。
  chāo yí xià bō cài

- 너무 오래 데치지 말아요.
  别焯太久。
  bié chāo tài jiǔ

▶ **무치기** **拌**
bàn

- 시금치를 무치세요.
  拌一下菠菜。
  bàn yí xià bō cài

- 콩나물은 간장과 고추장으로 무치세요.
  豆芽用酱油和辣椒酱拌吧。
  dòu yá yòng jiàng yóu hé là jiāo jiàng bàn ba

- 오이를 새콤달콤하게 무치세요.
  黄瓜拌得酸甜一些。
  huáng guā bàn de suān tián yì xiē

▶ **끓이기** **做汤**
zuò tāng

- 해장국 좀 담백하게 끓여 주세요.
  解酒汤做得清淡一些。[5]
  jiě jiǔ tāng zuò de qīng dàn yì xiē

- 생선찌개를 끓여 주세요.
  给我做鲜鱼汤。
  gěi wǒ zuò xiān yú tāng

- 된장국을 끓이세요.
  做一下大酱汤。
  zuò yí xià dà jiàng tāng

---

4) 끓는 물에 잠깐 넣었다 건진다는 뜻으로 过 guò를 쓰기도 한다.
5) 醒酒汤 xǐngjiǔtāng이라고도 함.

Ⅳ. 설거지하기 洗碗 xǐ wǎn

▶ 헹구기 冲 chōng

- 그릇은 흐르는 물에 헹구세요.
  餐具在流水中冲一下。
  cān jù zài liú shuǐ zhōng chōng yí xià

- 오랫동안 충분히 헹구세요.
  充分地冲一下吧。
  chōng fèn de chōng yí xià ba

- 잔여 세제가 남지 않도록 깨끗이 헹구세요.
  把残余的洗涤灵完全冲干净。[6)]
  bǎ cán yú de xǐ dí líng wán quán chōng gān jìng

▶ 닦기 擦 cā

- 코팅된 프라이팬은 부드러운 행주로 닦으세요.
  不粘锅用软布擦一下。
  bù zhān guō yòng ruǎn bù cā yí xià

- 그릇이 무척 더러워요. 철수세미로 닦으세요.
  餐具很脏, 用铁刷子刷一下吧。
  cān jù hěn zāng yòng tiě shuā zi shuā yí xià ba

- 접시의 뒷부분도 닦아야 해요.
  碟子的后面也要擦。
  dié zi de hòu mian yě yào cā

- 병은 긴 솔로 닦아 주세요.
  把瓶子用长刷子刷一下吧。
  bǎ píng zi yòng cháng shuā zi shuā yí xià ba

▶ 제대로 닦이지 않았을 때 收拾的不干净时 shōu shi de bù gān jìng shí

- 이 그릇은 제대로 닦이지 않았네요.
  这个餐具洗得不干净。
  zhè ge cān jù xǐ de bù gān jìng

---

6) 洁洁灵 jiéjiélíng, 灭害灵 mièhàilíng 등 상품명에 灵 líng이 들어가는 것을 종종 보는데, 여기서 灵 líng은 "효과나 효력이 탁월하다"는 뜻이 있다.

- 수저에 밥풀이 남아 있어요.
  勺子上还有饭粒。
  sháo zi shang hái yǒu fàn lì

- 바로 설거지를 하지 않아 다 말라 붙었네요.
  就是因为没有立刻收拾，所以都干巴了。
  jiù shì yīn wèi méi yǒu lì kè shōu shi suǒ yǐ dōu gān bā le

- 기름 묻은 접시는 먼저 휴지로 닦으세요.
  有油的盘子先用手纸擦一下吧。
  yǒu yóu de pán zi xiān yòng shǒu zhǐ cā yí xià ba

- 그릇에 기름기가 많으니 뜨거운 물로 씻으세요.
  餐具上油渍很多，用热水洗一下吧。
  cān jù shang yóu zì hěn duō yòng rè shuǐ xǐ yí xià ba

V. 요리 도구 厨房用具
chú fáng yòng jù

▶ 칼을 사용할 때 用刀
yòng dāo

- 칼이 안 들어요. / 칼 좀 갈아다 주세요.
  刀不快。/ 去磨一下刀。
  dāo bú kuài qù mó yí xià dāo

- 칼날이 예리하니 베지 않도록 조심해요.
  刀很利，小心切手。[7)]
  dāo hěn lì xiǎo xīn qiē shǒu

- 가위 어디 있어요?
  剪刀在哪儿?
  jiǎn dāo zài nǎr

- 수저와 젓가락 주세요.
  请给我勺子和筷子。
  qǐng gěi wǒ sháo zi hé kuài zi

- 병따개 좀 갖다 주세요.
  帮我拿来起子。
  bāng wǒ ná lái qǐ zi

---

7) 利 lì에는 '이롭다', '편리하다' 는 뜻과 함께 '예리하다', '날카롭다'는 뜻도 있다.

5 수도 · 전기 · 가스

水/电/煤气
shuǐ diàn méi qì

요즘 중국에서 새로 짓는 아파트에는 전기와 가스 계량기가 충전된 전기카드(电卡 diànkǎ)나 가스카드(煤气卡 méiqìkǎ)를 삽입하여 충전시킨 다음 사용하도록 되어 있다. 그러나 이전에 지어진 대부분의 주택에서는 아직도 구식 계량기를 사용하므로 매달 정기검침(查表 chábiǎo)을 하러 나오는데, 만일 전기 검침을 하러 나온 것이라면 검침원(查表员 chábiǎoyuán)은 "我来查电表。" wǒ lái chá diànbiǎo(전기 검침 나왔습니다)라고 설명할 것이다.

기본대화

A: 咦, 怎么突然停电了?
yí zěn me tū rán tíng diàn le

B: 是不是统一停电啊?
shì bu shì tǒng yī tíng diàn a

A: 我去看一看。啊, 别的家都有电!
wǒ qù kàn yi kàn à bié de jiā dōu yǒu diàn

B: 那一定是电卡没电了。
nà yí dìng shì diàn kǎ méi diàn le

我说让你提前买吧, 你还不听。
wǒ shuō ràng nǐ tí qián mǎi ba nǐ hái bù tīng

A: 我忘了, 我明天就去买。
wǒ wàng le wǒ míng tiān jiù qù mǎi

A: 어, 왜 갑자기 정전이지?
B: 전부 다 정전인 거 아니야?
A: 내가 가서 보고 올게요, 다른 집은 다 전기가 들어오는데.
B: 그럼 분명히 전기카드에 전기가 없는 거겠지.
내가 미리 사놓으라고 했는데, 아직도 하지 않았군.
A: 잊어버렸어요. 내일 가서 살게요.

여러 가지 활용

Ⅰ. 수도 自来水
zì lái shuǐ

▶ **수돗물이 샐 때 水管漏时**
shuǐ guǎn lòu shí

· 수도관이 새어 물이 똑똑 떨어지네요.
水管漏了, 一直在掉水滴。
shuǐ guǎn lòu le yì zhí zài diào shuǐ dī

- 수도관이 줄줄 새는데 어떻게 해야 하지요?
  水管漏得很严重, 怎么办啊?
  shuǐ guǎn lòu de hěn yán zhòng zěn me bàn a

- 수도꼭지를 아무리 꼭 잠가도 물이 샙니다.
  水龙头关得再紧也滴水。
  shuǐ lóng tóu guān de zài jǐn yě dī shuǐ

- 수도관이 터진 것 같아요.
  好像水管裂了。
  hǎo xiàng shuǐ guǎn liè le

- 먼저 수도 밸브를 잠가요.
  先把总闸关一下吧。
  xiān bǎ zǒng zhá guān yí xià ba

- 어디선가 수도가 새는 것 같아요.
  好像哪儿漏水。
  hǎo xiàng nǎr lòu shuǐ

- 수도관에 금이 가서 거기서 물이 새고 있어요.
  水管有裂痕, 所以从那里漏水。
  shuǐ guǎn yǒu liè hén suǒ yǐ cóng nà li lòu shuǐ

▶수돗물이 안 나올 때 停水时
tíng shuǐ shí

- 갑자기 수돗물이 안 나오네요.
  突然没水了。
  tū rán méi shuǐ le

- 수돗물이 언제부터 안 나옵니까?
  什么时候没水的?
  shén me shí hou méi shuǐ de

- 언제 수돗물이 나옵니까?
  什么时候才有水呀?
  shén me shí hou cái yǒu shuǐ yā

- 큰일 났어요, 지금 물이 한 방울도 없는데요.
  出大事了, 现在一滴水都没有。
  chū dà shì le xiàn zài yì dī shuǐ dōu méi yǒu

- 빨리 수돗물이 나오게 좀 고쳐 주세요.
  快点儿修一下, 让水管出水吧。
  kuài diǎnr xiū yí xià ràng shuǐ guǎn chū shuǐ ba

• 어디서 수도관을 수리하는가 보지요?
可能是哪里修管道吧?
kě néng shì nǎ li xiū guǎn dào ba

• 사전 예고도 없이 물이 안 나오면 어떻게 해요?
事先不通知一声就停水, 怎么办啊?
shì xiān bù tōng zhī yì shēng jiù tíng shuǐ zěn me bàn a

▶ **수도 검침 및 수도 요금 납부 查水表及交水费**
chá shuǐ biǎo jí jiāo shuǐ fèi

• 이달 수도 요금은 얼마인가요?
这个月的水费是多少?
zhè ge yuè de shuǐ fèi shì duō shao

• 수도 요금이 왜 그렇게 많이 나왔죠?
水费怎么会那么多?
shuǐ fèi zěn me huì nà me duō

• 별로 쓰지도 않았는데, 혹시 계량기가 잘못된 것 아니에요?
也没怎么用啊, 是不是水表坏了?
yě méi zěn me yòng a shì bu shì shuǐ biǎo huài le

• 수도 요금이 또 올랐나요?
水费又涨了?
shuǐ fèi yòu zhǎng le

Ⅱ. 전기 电
diàn

▶ **전기 사기[1) 买电**
mǎi diàn

• 전기를 어디 가서 사나요?
上哪里去买电?
shàng nǎ li qù mǎi diàn

• 공상은행에 가서 사면 됩니다.
去工商银行买就可以了。
qù gōng shāng yín háng mǎi jiù kě yǐ le

• 전기를 다 사용하면 바로 정전이 됩니다.
电用完了, 就会马上停电。[2)
diàn yòng wán le jiù huì mǎ shàng tíng diàn

---

1) 먼저 은행에 가서 필요한 양 만큼의 전기료를 납부하고 전기카드(电卡 diànkǎ)에 충전해 와서 계량기에 꽂으면 된다. 카드를 삽입하는 것을 插卡 chākǎ라고 한다.

2) 충전된 전기를 다 쓰고 나면 바로 전기가 나가게 되어 있다. 대개는 전기의 양이 조금 남아 있을 경우에 빨간 불이 켜지므로 주의해서 확인해 보아야 한다.

- 전기 용량을 수시로 확인해야 합니다.
  要随时确认一下电量。
  yào suí shí què rèn yí xià diàn liàng

- 이 건물은 전기카드를 가지고 전기를 사야 합니다.
  这座楼要用电卡买电。
  zhè zuò lóu yào yòng diàn kǎ mǎi diàn

- 공상은행 카드가 있으면 한밤에도 전기를 살 수 있습니다.
  有工商银行的卡，半夜也可以买电。[3)]
  yǒu gōng shāng yín háng de kǎ bàn yè yě kě yǐ mǎi diàn

- 전기는 미리미리 사두는 것이 좋습니다.
  电还是多预备一些的好。
  diàn hái shì duō yù bèi yì xiē de hǎo

▶ 전기 검침 및 전기 요금 납부 查电表及交电费
chá diàn biǎo jí jiāo diàn fèi

- 전기 검침 왔습니다.
  我是来查电表的。
  wǒ shì lái chá diàn biǎo de

- 전기 계량기가 어디 있습니까?
  电表在哪儿?
  diàn biǎo zài nǎr

▶ 전기가 나갔을 때 停电时
tíng diàn shí

- 전기가 또 나갔어요.
  又停电了。
  yòu tíng diàn le

- 차단기 스위치가 올라갔군요.[4)]
  跳闸了。
  tiào zhá le

- 퓨즈가 나갔어요.
  保险丝烧断了。
  bǎo xiǎn sī shāo duàn le

- 우리 집만 전기가 안 들어옵니다.
  只有我们家没有电。
  zhǐ yǒu wǒ men jiā méi yǒu diàn

---

3) 한밤에 전기가 끊어지는 불편함을 해소하기 위하여 工商银行 gōngshāng yínháng에서는 당행카드 소지자에게 이 서비스를 제공하고 있다.

4) 跳 tiào: '뛰다', '뛰어오르다', '튀어오르다'. 闸 zhá: 스위치, 개폐기, 수문(水门), 여기서는 누전차단기의 스위치를 말함.

- 건물 전체가 다 전기가 나갔나 봐요.
  整幢楼都没电。
  zhěng zhuàng lóu dōu méi diàn

▶ **등을 교환할 때 换灯泡时**
huàn dēng pào shí

- 전구가 나간 것 같아요. 새걸로 교환해 주세요.
  灯泡坏了，换新的吧。
  dēng pào huài le huàn xīn de ba

- 20와트는 너무 어두워요. 40와트로 갈아 주시겠어요?
  20瓦太暗，换40瓦好吗？
  wǎ tài àn huàn wǎ hǎo ma

- 절전형 전구는 전기도 절약되고 오래 쓸 수 있어요.
  节能性灯泡既省电又耐用。5)
  jié néng xìng dēng pào jì shěng diàn yòu nài yòng

Ⅲ. 가스 煤气
méi qì

A: 这里使用煤气罐，还是天然气？
zhè li shǐ yòng méi qì guàn hái shì tiān rán qì

B: 这里都使用天然气。
zhè li dōu shǐ yòng tiān rán qì

A: 여기는 가스통을 사용하나요? 아니면 천연가스를 사용하나요?

B: 여기는 모두 천연가스를 사용합니다.

▶ **가스 검침 检查煤气表**
jiǎn chá méi qì biǎo

- 가스 검침 나왔습니다.
  我来检查煤气表。
  wǒ lái jiǎn chá méi qì biǎo

- 가스 누출 정기 검사 나왔습니다.
  我是定期来检查管道是否漏气的。
  wǒ shì dìng qī lái jiǎn chá guǎn dào shì fǒu lòu qì de

---

5) 여기서 省 shěng은 '아끼다', '절약하다'의 뜻. 예) 省钱 shěngqián(돈을 절약하다), 省时间 shěngshíjiān(시간을 절약하다), 省力 shěnglì(힘을 덜 들이다).

가스가 샐 때 漏煤气时
lòu méi qì shí

- 이게 무슨 냄새야? 가스 냄새 아니에요?
  这是什么味儿啊? 是不是煤气味儿?
  zhè shì shén me wèir ā shì bu shì méi qì wèir

- 주방에 가스 냄새가 나는데, 새는 것 아닐까요?
  厨房有煤气味儿, 是不是漏气了?
  chú fáng yǒu méi qì wèir shì bu shì lòu qì le

- 주방에만 들어오면 가스 냄새가 납니다.
  一进厨房就有煤气味儿。
  yí jìn chú fáng jiù yǒu méi qì wèir

- 무슨 냄새 안 나요? 나는 계속 가스 냄새가 나는데.
  你闻到没有? 我总觉得有煤气味儿。
  nǐ wén dào méi yǒu wǒ zǒng jué de yǒu méi qì wèir

- 가스를 쓰고 난 뒤에는 꼭 잘 잠그도록 해요.
  用完煤气后一定要关好。
  yòng wán méi qì hòu yí dìng yào guān hǎo

- 가스가 새는 것 같아요. 빨리 와 검사해 보세요.
  好像煤气漏了, 快点儿过来检查一下吧。
  hǎo xiàng méi qì lòu le kuài diǎnr guò lái jiǎn chá yí xià ba

- 창문을 열고 환기를 시켜요.
  开开窗户, 换换空气吧。
  kāi kai chuāng hu huàn huan kōng qì ba

- 가스 밸브를 꼭 잠그지 않아서 가스가 새어 나왔어요.
  没有关好煤气阀, 所以漏气了。
  méi yǒu guān hǎo méi qì fá suǒ yǐ lòu qì le

- 우리집 가스 누출 여부를 검사해 주세요.
  检查一下我家的煤气是否漏气。
  jiǎn chá yí xià wǒ jiā de méi qì shì fǒu lòu qì

- 이음새 부분에 비누칠을 해보면 알 수 있어요.
  在裂缝上擦一下肥皂就能知道了。
  zài liè fèng shang cā yí xià féi zào jiù néng zhī dào le

- 비누 거품이 나오고 있네요. 바로 여기에서 새는 거에요.
  出来肥皂泡了, 就是这里漏。
  chū lái féi zào pào le jiù shì zhè li lòu

▶ **가스통을 충전할 때** **灌气**
guàn qì

• 가스가 떨어졌나 봐요.
好像煤气用完了。
hǎo xiàng méi qì yòng wán le

• 가스를 바꿔야겠어요.
要换气了。[6)]
yào huàn qì le

• 여기는 301동 104호인데 가스가 없어요. 충전해 주시겠어요?
这里是301楼104号房间，没有煤气了，能灌一下煤气吗?
zhè li shì lóu hào fáng jiān méi yǒu méi qì le néng guàn yí xià méi qì ma

• 오전에 가스통을 가져오면 오후에 배달이 됩니다.
上午把煤气罐拿来的话，下午就可以送回去了。
shàng wǔ bǎ méi qì guàn ná lái de huà xià wǔ jiù kě yǐ sòng huí qù le

▶ **기타** **其他**
qí tā

• 온수기도 가스를 사용하지요?
热水器也要用煤气吧?
rè shuǐ qì yě yào yòng méi qì ba

• 전기 온수기인가요? 아니면 가스 온수기인가요?
是电热水器，还是煤气热水器?
shì diàn rè shuǐ qì hái shì méi qì rè shuǐ qì

• 도시가스가 가스통을 쓰는 것보다 쌉니다.
用天然气比用煤气便宜。
yòng tiān rán qì bǐ yòng méi qì pián yi

• 개인 난방일 경우 가스비가 훨씬 더 많이 듭니다.
用卡买煤气，煤气费会更多。
yòng kǎ mǎi méi qì méi qì fèi huì gèng duō

---

6) 중국에서는 프로판가스가 떨어지면 바로 충전된 가스통을 가져와 교환해 주는 것이 아니라 빈 가스통을 가져가 거기에 다시 충전을 해서 가져다 주는 곳이 많다. 그러므로 가스를 많이 쓰는 경우라면 여분의 가스통을 준비해 두는 것이 좋다.

6 고장 · 수리

故障/维修
gù zhàng wéi xiū

아파트에 사는 경우라면 집안 내의 시설에 문제가 있을 때에 아파트 관리사무소(物业管理所 wùyè guǎnlǐsuǒ)에 연락하면 바로 수리해 주므로 편리하다. 물론 하자 보수 기간이 끝난 뒤에는 정해진 수리 요금과 부품비를 내야 한다. 수리를 하고 난 후에도 다시 문제가 발생할 수 있으므로 수리 비용에 관한 영수증을 잘 보관해 두면 나중에 유용하게 사용할 수 있다.

기본대화

A: 喂, 你好, 是物业吗?
wèi nǐ hǎo shì wù yè ma

B: 是的, 您有什么事吗?
shì de nín yǒu shén me shì ma

A: 我们家下水道堵了。能快点儿过来修一下吗?
wǒ men jiā xià shuǐ dào dǔ le néng kuài diǎnr guò lái xiū yí xià ma

B: 您在几号楼几号房间?
nín zài jǐ hào lóu jǐ hào fáng jiān

A: 102楼274号房间。
lóu hào fáng jiān

B: 好的, 现在马上派一个修理工过去。
hǎo de xiàn zài mǎ shàng pài yí ge xiū lǐ gōng guò qù

A: 여보세요? 관리사무소죠?
B: 그렇습니다. 무슨 일이십니까?
A: 저희 집 하수도가 막혔어요. 빨리 와서 고쳐 주시겠어요?
B: 몇 동 몇 호이십니까?
A: 102동 274호예요.
B: 알겠습니다. 지금 바로 수리기사를 보내겠습니다.

여러 가지 활용

Ⅰ. 하수도 · 변기가 막혔을 때 下水道/马桶堵塞时
xià shuǐ dào mǎ tǒng dǔ sè shí

▶ **하수도** 下水道
xià shuǐ dào

- 하수도가 막혔어요.
  下水道堵了。
  xià shuǐ dào dǔ le

• 하수도가 막혀 물이 안 내려가요.
排水沟堵住了，水下不去。
pái shuǐ gōu dǔ zhù le shuǐ xià bú qù

• 하수도 물이 역류해 올라와요.
下水道的水逆着流出来。
xià shuǐ dào de shuǐ nì zhe liú chū lái

• 머리카락을 끄집어 내세요.
把头发捡出来吧。
bǎ tóu fa jiǎn chū lái ba

• 수챗구멍 속의 찌꺼기를 꺼내야 해요.
把水池子里的垃圾拿出来吧。
bǎ shuǐ chí zi li de lā jī ná chū lái ba

▶ 변기 马桶
mǎ tǒng

• 변기가 막혔어요.
马桶堵了。
mǎ tǒng dǔ le

• 빨리 와서 수리해 주세요.
快点儿过来修理一下吧。
kuài diǎnr guò lái xiū lǐ yí xià ba

• 변기에는 휴지 외에 다른 것을 버리면 절대 안 돼요.
马桶里除了卫生纸以外其他的什么都不能扔。
mǎ tǒng li chú le wèi shēng zhǐ yǐ wài qí tā de shén me dōu bù néng rēng

• 변기에 담배꽁초를 버리면 안 됩니다.
马桶里不能扔烟蒂。
mǎ tǒng li bù néng rēng yān dì

• 변기가 막혔으니 사용하지 마세요.
马桶堵了，请勿使用。
mǎ tǒng dǔ le qǐng wù shǐ yòng

• 기계로 뚫어야 할 것 같아요.
好像要用机器捅才行。
hǎo xiàng yào yòng jī qì tǒng cái xíng

• 빨리 관리사무소에 전화하세요.
快点儿给物业打电话吧。
kuài diǎnr gěi wù yè dǎ diàn huà ba

Ⅱ. 가전제품이 고장났을 때 家电出故障时

jiā diàn chū gù zhàng shí

에어컨 空调

kōng tiáo

A: 空调不能出冷风。
kōng tiáo bù néng chū lěng fēng

B: 是不是没有氟了?[1)]
shì bu shì méi yǒu fú le

A: 叫人过来看一下吧。
jiào rén guò lái kàn yí xià ba

A: 에어컨에서 찬바람이 안 나와요.

B: 프레온 가스가 없는 것 아닐까요?

A: 사람을 불러서 확인해 봅시다.

- 난방은 되는데 냉방이 안 되네요.
  可以制热, 但是不能制冷。
  kě yǐ zhì rè dàn shì bù néng zhì lěng

- 바람이 너무 약해요.
  风太小了。
  fēng tài xiǎo le

- 프레온 가스가 샌 것 같군요. 가스를 충전하면 됩니다.
  可能是漏氟了, 充氟就行。
  kě néng shì lòu fú le chōng fú jiù xíng

냉장고 冰箱

bīng xiāng

- 냉장고가 냉동이 안 돼요.
  冰箱不能冷冻。
  bīng xiāng bù néng lěng dòng

- 냉장고에 서리가 잔뜩 끼었어요.
  冰箱里有很多霜。
  bīng xiāng li yǒu hěn duō shuāng

- 냉장고 잡음이 너무 큽니다.
  冰箱的杂音很大。
  bīng xiāng de zá yīn hěn dà

---

1) 氟 fú: 氟利昂 fúlì'áng(freon, 프레온)의 준말. 氟 fú는 불소(F; fluorum)를 뜻하기도 한다.

- 냉장고가 냉장이 잘 안 돼요.
  冰箱的冷藏效果不太好。
  bīng xiāng de lěng cáng xiào guǒ bú tài hǎo

- 냉장고가 고장나서 음식이 다 상했어요.
  冰箱坏了，里面的东西也都坏了。
  bīng xiāng huài le lǐ miàn de dōng xi yě dōu huài le

▶ **세탁기 洗衣机**
xǐ yī jī

- 세탁기가 고장나서 작동이 안 돼요.
  洗衣机出故障了，无法启动。
  xǐ yī jī chū gù zhàng le wú fǎ qǐ dòng

- 세탁기가 탈수가 안 됩니다.
  洗衣机不能甩干。
  xǐ yī jī bù néng shuǎi gān

- 세탁기 속의 빨래가 늘 엉킵니다.
  洗衣机里面的衣服总是拧成一团。
  xǐ yī jī lǐ miàn de yī fu zǒng shì níng chéng yì tuán

- 세탁기가 또 고장났네.
  洗衣机又出毛病了。
  xǐ yī jī yòu chū máo bìng le

Ⅲ. 열쇠 · 자물쇠 钥匙/锁
yào shi suǒ

▶ **열쇠를 잃어버렸을 때 丢失钥匙时**
diū shī yào shi shí

- 열쇠가 안 보이니 어떡하지?
  钥匙不见了，怎么办呢?
  yào shi bú jiàn le zěn me bàn ne

- 열쇠를 잃어버렸으니 어쩌면 좋아요?
  丢了钥匙，怎么办才好?
  diū le yào shi zěn me bàn cái hǎo

▶ **문을 열 수 없을 때 打不开门时**
dǎ bù kāi mén shí

- 열쇠가 방안에 있어요.
  钥匙在房间里面。
  yào shi zài fáng jiān lǐ miàn

• 열쇠 수리공을 불러서 문을 열어 봅시다.
叫钥匙修理工过来开门吧。
jiào yào shi xiū lǐ gōng guò lái kāi mén ba

• 열쇠 수리공도 열지를 못하니 문을 뜯어내는 수밖에요.
钥匙修理工都没法开，只好拆门了。
yào shi xiū lǐ gōng dōu méi fǎ kāi zhǐ hǎo chāi mén le

• 열쇠를 통째 새것으로 바꿔 주세요.
这钥匙全部换新的吧。
zhè yào shi quán bù huàn xīn de ba

• 분명히 이 열쇠가 맞는데 왜 안 열리지?
这钥匙没错，怎么就开不了?
zhè yào shi méi cuò zěn me jiù kāi bu liǎo

▶ 열쇠 복제하기 配钥匙
pèi yào shi

• 열쇠를 두 개 더 복제해 둡시다.
再配两把钥匙吧。[2)]
zài pèi liǎng bǎ yào shi ba

• 비상 열쇠 없어요?
有没有备用钥匙?
yǒu méi yǒu bèi yòng yào shi

▶ 기타 其他
qí tā

• 비가 오면 베란다에 물이 샙니다.
下雨时阳台漏水。
xià yǔ shí yáng tái lòu shuǐ

• 화장실 천장에서 물이 떨어집니다.
洗手间的顶上渗水。
xǐ shǒu jiān de dǐng shang shèn shuǐ

• 타일이 떨어졌어요.
磁砖掉下来了。
cí zhuān diào xià lái le

• 마룻바닥이 계속 삐걱삐걱 소리가 나요.
木地板总是咯吱咯吱响。
mù dì bǎn zǒng shì gē zhī gē zhī xiǎng

---

2) 여기서 把 bǎ는 열쇠의 양사(量词 liàngcí)이다.

7 가사 도우미 쓰기

雇保姆
gù bǎo mǔ

중국은 인건비가 매우 싼 편이므로 많은 가정에서 保姆 bǎomǔ(가정부)를 쓰고 있다. 대부분의 경우 외지인(外地人 wàidìrén)들이 도시에 나와 일을 하고 있으므로 신분을 확실히 파악해 두는 것이 좋다. 또한 경우에 따라서는 普通话 pǔtōnghuà(표준중국어)를 제대로 구사하지 못하거나 지방사투리(方言 fāngyán)를 심하게 쓰는 사람도 있으므로 이에 대한 확인도 필요하다.

기 본 대 화

A: 你当过保姆吗?
nǐ dāng guo bǎo mǔ ma

B: 当过。大概两三年了。
dāng guo dà gài liǎng sān nián le

A: 你会不会做韩国菜?
nǐ huì bu huì zuò hán guó cài

B: 我以前在韩国人家干过一年, 基本上能做。
wǒ yǐ qián zài hán guó rén jiā gàn guo yì nián jī běn shang néng zuò

A: 我需要早上8点到晚上6点, 你可以吗?
wǒ xū yào zǎo shang diǎn dào wǎn shang diǎn nǐ kě yǐ ma

B: 可以, 那您需要我做什么呢?
kě yǐ nà nín xū yào wǒ zuò shén me ne

A: 帮我打扫房间、整理衣物、买菜、做饭等等。
bāng wǒ dǎ sǎo fáng jiān zhěng lǐ yī wù mǎi cài zuò fàn děng děng

B: 好吧! 如果有什么不满意的地方, 请多多见谅!
hǎo ba rú guǒ yǒu shén me bù mǎn yì de dì fang qǐng duō duō jiàn liàng

A: 가정부 일 해본 적 있으세요?
B: 해봤습니다. 한 2~3년 됐어요.
A: 한국 음식 할 줄 아세요?
B: 예전에 한국인 집에서 1년 일해 기본적인 것은 할 줄 알아요.
A: 아침 8시부터 오후 6시까지 필요한데 괜찮겠어요?
B: 괜찮아요. 제가 무슨 일들을 해야 합니까?
A: 집안 청소와 물건 정리, 시장 보기, 요리 등이에요.
B: 알겠습니다. 만일 만족스럽지 않은 부분이 있더라도 잘 이해해 주세요.

여러 가지 활용

Ⅰ. 면접할 때 面试
miàn shì

▶ **신분을 확인할 때 确认身份时**
què rèn shēn fèn shí

- 신분증 좀 보여 주시겠습니까?
  能看一下你的身份证吗?
  néng kàn yí xià nǐ de shēn fèn zhèng ma

- 신분증을 복사해 오셨습니까?
  身份证的复印件拿来了吗?
  shēn fèn zhèng de fù yìn jiàn ná lái le ma

- 호적 카드를 보여 주시겠습니까?
  能看一下你的户口本吗?
  néng kàn yí xià nǐ de hù kǒu běn ma

▶ **인적 사항을 물을 때 询问个人情况时**
xún wèn gè rén qíng kuàng shí

- 이력서 가져오셨습니까?
  简历拿来了吗?
  jiǎn lì ná lái le ma

- 어느 지방 사람입니까?
  你是哪里人?
  nǐ shì nǎ li rén

- 올해 나이가 어떻게 됩니까?
  今年多大了?
  jīn nián duō dà le

- 어느 학교를 졸업했습니까?
  哪个学校毕业的?
  nǎ ge xué xiào bì yè de

- 표준어를 구사할 수 있습니까?
  能说普通话吗?
  néng shuō pǔ tōng huà ma

▶ **가정 상황을 물을 때 询问家庭情况时**
xún wèn jiā tíng qíng kuàng shí

- 가족 관계는 어떻습니까?
  家里都有谁?
  jiā li dōu yǒu shéi

- 지금 여기에 혼자 나와 있나요?
  现在你一个人在这里吗?
  xiàn zài nǐ yí ge rén zài zhè li ma

- 결혼은 했습니까? / 아이가 있습니까?
  结婚了没有? / 有孩子吗?
  jié hūn le méi yǒu yǒu hái zi ma

▶ 신체 상황을 물을 때 询问身体情况时
xún wèn shēn tǐ qíng kuàng shí

- 건강 증명서를 가지고 있습니까?
  有没有健康证?
  yǒu méi yǒu jiàn kāng zhèng

- 신체는 건강합니까?
  身体健康吗?
  shēn tǐ jiàn kāng ma

- 어떤 질병은 없습니까?
  没有什么疾病吧?
  méi yǒu shén me jí bìng ba

▶ 근무 경력을 물을 때 询问工作经历
xún wèn gōng zuò jīng lì

- 이전에 파출부로 일한 경험이 있습니까?
  以前做过保姆吗?[1)]
  yǐ qián zuò guo bǎo mǔ ma

- 가정부 일을 얼마나 했습니까?
  做保姆多长时间了?
  zuò bǎo mǔ duō cháng shí jiān le

- 이전에 한국인 집에서 일한 적이 있습니까?
  以前在韩国人家里做过事吗?
  yǐ qián zài hán guó rén jiā li zuò guo shì ma

- 한국 요리를 할 수 있습니까?
  会做韩国菜吗?
  huì zuò hán guó cài ma

---

1) 保母 bǎomǔ라고도 한다. 保姆 bǎomǔ를 호칭할 때는 비교적 젊은 경우에는 小张 xiǎozhāng과 같이 小 xiǎo 뒤에 성을 붙여 부르면 된다. 保姆 bǎomǔ의 나이가 많을 경우에는 张姐 zhāngjiě처럼 姐를 붙여 부르면 된다. 또한 아이들이 保姆 bǎomǔ를 부를 때에는 阿姨 āyí가 가장 무난하다.

- 어떤 요리를 가장 잘할 수 있습니까?
  最拿手的是什么菜?
  zuì ná shǒu de shì shén me cài

근무 조건 및 보수 工作条件及工资
gōng zuò tiáo jiàn jí gōng zī

- 희망하는 월급은 얼마입니까?
  你希望的工资是多少?
  nǐ xī wàng de gōng zī shì duō shao

- 한 달에 1,200위안이면 되겠습니까?
  一个月1,200元可以吗?
  yí ge yuè yuán kě yǐ ma

- 오전 8시부터 저녁 5시까지 일할 수 있습니까?
  从早上8点到晚上5点可以吗?
  cóng zǎo shang diǎn dào wǎn shang diǎn kě yǐ ma

- 저는 오전 반나절만 쓰려고 하는데 괜찮겠습니까?
  我只想用上午半天, 可以吗?
  wǒ zhǐ xiǎng yòng shàng wǔ bàn tiān kě yǐ ma

- 월요일부터 토요일까지 일할 수 있습니까?
  从星期一到星期六可以吗?
  cóng xīng qī yī dào xīng qī liù kě yǐ ma

- 일주일에 세 번만 일해 주시면 됩니다.
  一个星期来三回就可以了。
  yí ge xīng qī lái sān huí jiù kě yǐ le

- 일주일에 두 번만 와 주시면 됩니다.
  一个星期来两天就可以了。
  yí ge xīng qī lái liǎng tiān jiù kě yǐ le

- 시간당 8위안이면 되겠습니까?
  一个小时8块钱可以吗?
  yí ge xiǎo shí kuài qián kě yǐ ma

결정 전에 决定前
jué dìng qián

- 먼저 일주일 일해 보고 다시 결정하도록 합시다.
  先试一个星期, 然后再决定吧。
  xiān shì yí ge xīng qī rán hòu zài jué dìng ba

- 생각을 해 본 뒤에 연락드리겠습니다.
  我想一想, 再给您打电话吧。
  wǒ xiǎng yi xiǎng zài gěi nín dǎ diàn huà ba

- 결정이 되면 바로 연락해 드리겠습니다.
  我决定了，就会马上给您打电话的。
  wǒ jué dìng le jiù huì mǎ shàng gěi nín dǎ diàn huà de

- 연락처를 알려 주세요.
  请告诉我联系方式。
  qǐng gào su wǒ lián xì fāng shì

Ⅱ. 일을 시킬 때 吩咐做事时
fēn fù zuò shì shí

▶ 처음 만났을 때 初次接触时
chū cì jiē chù shí

- 앞으로 잘 부탁합니다.
  以后就拜托了。
  yǐ hòu jiù bài tuō le

- 우리 한 가족처럼 잘 지냅시다.
  我们就像一家人一样好好儿相处吧。
  wǒ men jiù xiàng yì jiā rén yí yàng hǎo hāor xiāng chǔ ba

- 불편하거나 어려운 점이 있으면 나한테 바로 얘기해요.
  有什么不方便的地方就跟我说一声吧。
  yǒu shén me bù fāng biàn de dì fang jiù gēn wǒ shuō yì shēng ba

- 우리 집에서 일하시는 동안은 개인 위생에도 특히 신경 써 주시길 부탁합니다.
  在我们家做事期间，希望你对个人卫生也要特别注意。
  zài wǒ men jiā zuò shì qī jiān xī wàng nǐ duì gè rén wèi shēng yě yào tè bié zhù yì

▶ 언어 소통의 문제 语言障碍
yǔ yán zhàng ài

- 내가 아직 중국어가 서투르니 이해해 주세요.
  我现在汉语说得不怎么好，请你谅解。
  wǒ xiàn zài hàn yǔ shuō de bù zěn me hǎo qǐng nǐ liàng jiě

- 내가 한 말을 잘 못 알아들었을 경우에는 꼭 다시 확인해 주세요.
  如果没有听明白我说的话，一定要再问一次。
  rú guǒ méi yǒu tīng míng bai wǒ shuō de huà yí dìng yào zài wèn yí cì

- 내가 중국말을 할 때 틀린 부분이 있으면 지적해 주세요.
  我说中文时，如果用词不当，要提醒我一声。
  wǒ shuō zhōng wén shí rú guǒ yòng cí bú dāng yào tí xǐng wǒ yì shēng

- 방언을 쓰지 말고 정확한 표준말을 쓰도록 해 주세요.
  不要说方言，请讲标准的普通话。
  bú yào shuō fāng yán qǐng jiǎng biāo zhǔn de pǔ tōng huà

▶ **시정을 요구할 때** **要求改正时**
yāo qiú gǎi zhèng shí

- 이거 지난번에 하라고 한 건데, 어째서 아직도 안 되어 있죠?
  这是我上次让你做的，怎么现在还没弄好?
  zhè shì wǒ shàng cì ràng nǐ zuò de zěn me xiàn zài hái méi nòng hǎo

- 여러 번 이야기했는데도 왜 고쳐지지 않는 거죠?
  已经说了好几次，怎么还是改不了?
  yǐ jīng shuō le hǎo jǐ cì zěn me hái shì gǎi bu liǎo

- 이건 그렇게 하는 것이 아니라 이렇게 하는 거예요.
  这不是那样做的，应该是这样做的。
  zhè bú shì nà yàng zuò de yīng gāi shì zhè yàng zuò de

- 다음부터는 이렇게 하도록 하세요.
  下次开始就这么做吧。
  xià cì kāi shǐ jiù zhè me zuò ba

- 아마도 풍습이 달라서 익숙하지 않은 것 같네요.
  可能是习惯不同，所以还没适应吧。
  kě néng shì xí guàn bù tóng suǒ yǐ hái méi shì yìng ba

- 처음에는 어려워도 나중에는 괜찮아질 거예요.
  刚开始会难一些，以后就没事了。
  gāng kāi shǐ huì nán yì xiē yǐ hòu jiù méi shì le

Ⅲ. 그만두게 할 때 解雇时
jiě gù shí

▶ **이유를 설명할 때** **说明理由时**
shuō míng lǐ yóu shí

- 다음 달에 한국으로 돌아가게 되었어요.
  下个月要回韩国。
  xià ge yuè yào huí hán guó

- 내가 중국어가 너무 부족해서 한족 파출부를 쓸 수가 없군요.
  我的汉语太差了，所以不能雇用汉族保姆。
  wǒ de hàn yǔ tài chà le suǒ yǐ bù néng gù yòng hàn zú bǎo mǔ

- 나는 이제 파출부를 쓰지 않으려고 해요.
  我不想再用保姆了。
  wǒ bù xiǎng zài yòng bǎo mǔ le

• 사정이 있어서 더 이상 사람을 쓸 필요가 없게 되었어요.
因为有点儿事情，所以不需要再用人了。
yīn wèi yǒu diǎnr shì qing suǒ yǐ bù xū yào zài yòng rén le

• 이번 달까지만 우리 집에서 일해 주면 돼요.
在我们家干到这个月底就可以了。
zài wǒ men jiā gàn dào zhè ge yuè dǐ jiù kě yǐ le

▶ **고마움의 표현** **表示感谢**
biǎo shì gǎn xiè

• 그동안 수고 많았어요.
这些日子辛苦你了。
zhè xiē rì zi xīn kǔ nǐ le

• 그동안 나를 도와주어서 정말 고마워요.
谢谢你这段时间对我的帮助。
xiè xie nǐ zhè duàn shí jiān duì wǒ de bāng zhù

• 이미 한 가족같이 지내왔는데 정말 섭섭하군.
我们已经像一家人了，真舍不得你啊。2)
wǒ men yǐ jīng xiàng yì jiā rén le zhēn shě bu de nǐ a

• 처음 중국에 와서 아무 것도 모를 때에 아줌마 도움 많이 받았어요.
我初到中国时什么都不知道，多亏了你的帮助。
wǒ chū dào zhōng guó shí shén me dōu bù zhī dào duō kuī le nǐ de bāng zhù

• 이것은 나의 작은 성의예요. 받으세요.
这是我小小的心意，请你收下吧。
zhè shì wǒ xiǎo xiǎo de xīn yì qǐng nǐ shōu xià ba

• 평생 아줌마를 잊지 못할 거예요.
我一辈子都不会忘了你的。3)
wǒ yí bèi zi dōu bú huì wàng le nǐ de

• 그동안 당신을 섭섭하게 한 것이 있었다면 양해해 주세요.
这段时间有什么委屈你的地方，还请谅解。4)
zhè duàn shí jiān yǒu shén me wěi qū nǐ de dì fang hái qǐng liàng jiě

• 계속 일하기를 원한다면 다른 집을 소개시켜 줄게요.
你想继续做的话，我给你介绍别人家吧。
nǐ xiǎng jì xù zuò de huà wǒ gěi nǐ jiè shào bié rén jiā ba

---

2) 舍不得 shěbude: 아깝다. 아쉽다. 섭섭하다. 서운하다.
3) 一辈子 yíbèizi: 한평생. = 一生 yìshēng.
4) 委屈 wěiqū: 부당한 대우 등을 받아 억울하거나 섭섭함을 이르는 말.

8 애완동물 · 화초

宠物/花草
chǒng wù huā cǎo

취미 또는 여가활동 삼아 애완동물이나 화초 등을 기르는 것을 养 yǎng~라고 한다. 즉, 강아지나 고양이를 기르는 것을 养狗 yǎnggǒu, 养猫 yǎngmāo라고 하며, 화초를 기르는 것을 养花 yǎnghuā라고 한다. 중국에서 가장 사랑받는 애완견으로는 京巴狗 jīngbāgǒu(北京犬 běijīngquǎn이라고도 함)라는 토종개가 있는데 털이 하얗고 눈망울이 큰 것이 특징이다. 예로부터 궁정(宫廷 gōngtíng)에서 많이 길렀다고 한다.

기 본 대 화

A: 这是谁的狗啊?
zhè shì shéi de gǒu a

B: 是我的。我现在开始养狗了。
shì wǒ de wǒ xiàn zài kāi shǐ yǎng gǒu le

A: 我也很喜欢狗, 但是我没养。
wǒ yě hěn xǐ huan gǒu dàn shì wǒ méi yǎng

B: 你为什么不养呢?
nǐ wèi shén me bù yǎng ne

A: 我妈妈不让。她说狗会传播疾病。
wǒ mā ma bú ràng tā shuō gǒu huì chuán bō jí bìng

B: 只要注意卫生, 并且按时打预防针就可以了!
zhǐ yào zhù yì wèi shēng bìng qiě àn shí dǎ yù fáng zhēn jiù kě yǐ le

A: 이건 누구네 개지?
B: 내 거야. 이제부터 개를 기르기로 했거든.
A: 나도 개를 무척 좋아하긴 하지만, 기르지는 않아.
B: 왜 안 기르는데?
A: 우리 엄마가 허락을 안 하셔. 개는 질병을 옮긴다고.
B: 위생에 주의하고, 제때에 예방주사를 맞히면 괜찮아.

여러 가지 활용

Ⅰ. 애완동물 기르기 养宠物
yǎng chǒng wù

▸ **먹이 주기** 饲养
sì yǎng

· 강아지 밥을 주도록 해요.
给小狗喂饭吧。
gěi xiǎo gǒu wèi fàn ba

- 강아지 밥은 하루 두 번만 주세요.
  小狗要一天喂两顿。
  xiǎo gǒu yào yì tiān wèi liǎng dùn

- 고양이 밥은 슈퍼에서 사면 돼요.
  猫食到超市买就可以了。
  māo shí dào chāo shì mǎi jiù kě yǐ le

- 고양이에게 다른 음식은 주지 마세요.
  别让猫吃别的食物。
  bié ràng māo chī bié de shí wù

- 언제나 옆에 신선한 물을 놓아 주세요.
  旁边随时都要放着新鲜的水。
  páng biān suí shí dōu yào fàng zhe xīn xiān de shuǐ

▶ 목욕시키기 洗澡
xǐ zǎo

- 강아지는 이틀에 한 번씩 목욕을 시켜야 해요.
  每隔一天要给小狗洗一次澡。
  měi gé yì tiān yào gěi xiǎo gǒu xǐ yí cì zǎo

- 목욕시킬 때는 전용 샴푸로 시키세요.
  洗澡时要用专用沐浴露。
  xǐ zǎo shí yào yòng zhuān yòng mù yù lù

- 목욕시키고 난 뒤에는 털을 잘 빗질해 주세요.
  洗澡以后，好好儿梳一下毛。
  xǐ zǎo yǐ hòu hǎo hāor shū yí xià máo

- 목욕시킨 후 바로 털을 말려 주세요.
  洗澡以后马上把毛擦干。
  xǐ zǎo yǐ hòu mǎ shàng bǎ máo cā gān

- 감기 걸리지 않도록 따뜻한 곳에서 씻겨요.
  为了不让它感冒，一定要在温暖的地方给它洗澡。
  wèi le bú ràng tā gǎn mào yí dìng yào zài wēn nuǎn de dì fang gěi tā xǐ zǎo

▶ 병이 났을 때 生病时
shēng bìng shí

- 동물병원이 어디 있죠?
  动物医院在哪儿?
  dòng wù yī yuàn zài nǎr

• 이 근처에 동물병원이 있나요?/강아지가 병이 났나 봐요.
这附近有动物医院吗?/小狗好像生病了。
zhè fù jìn yǒu dòng wù yī yuàn ma xiǎo gǒu hǎo xiàng shēng bìng le

• 강아지가 감기가 든 것 같아요./고양이가 설사를 해요.
小狗好像感冒了。/小猫拉肚子了。
xiǎo gǒu hǎo xiàng gǎn mào le xiǎo māo lā dù zi le

• 동물병원에 데려가 봐야겠어요.
要去宠物医院看看了。
yào qù chǒng wù yī yuàn kàn kan le

기타 其他
qí tā

• 광견병 주사를 맞혔나요?
打狂犬疫苗了吗?
dǎ kuáng quǎn yì miáo le ma

• 고양이 예방 주사를 맞혀야 해요.
小猫要打预防针。
xiǎo māo yào dǎ yù fáng zhēn

• 아이들이 있는 집은 애완동물 기르는 게 적합하지 않아요.
有小孩儿的家里不适合养宠物。
yǒu xiǎo háir de jiā li bú shì hé yǎng chǒng wù

• 아이들이 강아지를 너무 좋아해서 할 수 없이 기르고 있어요.
孩子们太喜欢小狗了，所以没办法才养啊。
hái zi men tài xǐ huan xiǎo gǒu le suǒ yǐ méi bàn fǎ cái yǎng a

• 밖에서 돌아오면 반드시 발을 씻겨요.
从外面回来一定要给它洗脚。
cóng wài miàn huí lái yí dìng yào gěi tā xǐ jiǎo

• 한 일주일 여행을 가는데 강아지 좀 맡아 주시겠어요?
我们去旅行一周，能帮忙照顾一下小狗吗?
wǒ men qù lǚ xíng yì zhōu néng bāng máng zhào gù yí xià xiǎo gǒu ma

• 우리 집 흰둥이가 새끼를 낳았는데 기르실 분 안 계세요?
我们家小白生了小崽子，有没有人要养?[1)]
wǒ men jiā xiǎo bái shēng le xiǎo zǎi zi yǒu méi yǒu rén yào yǎng

• 새끼 낳으면 저도 한 마리 주세요.
如果生小狗了，给我一只吧。
rú guǒ shēng xiǎo gǒu le gěi wǒ yì zhī ba

---

1) 小崽子 xiǎozǎizi는 우리나라의 '새끼'라는 말처럼 사람을 욕하는 뜻으로 쓰이기도 한다.

Ⅱ. 물고기 기르기 养观赏鱼
yǎng guān shǎng yú

- 어항의 물은 이틀에 한 번씩 갈아 주세요.
  鱼缸里的水要两天换一次。
  yú gāng li de shuǐ yào liǎng tiān huàn yí cì

- 열대어 기르기는 물의 온도 유지가 아주 중요해요.
  养热带鱼, 维持水温很重要。
  yǎng rè dài yú wéi chí shuǐ wēn hěn zhòng yào

- 수돗물은 해로우니 생수로 갈아 주세요.
  自来水有害, 所以要换纯净水。
  zì lái shuǐ yǒu hài suǒ yǐ yào huàn chún jìng shuǐ

- 어항의 물이 더럽네요. 물을 갈아 줘야겠어요.
  鱼缸里的水很脏, 该换水了。
  yú gāng li de shuǐ hěn zāng gāi huàn shuǐ le

- 물에 산소가 부족하면 물고기가 죽기 쉬워요.
  水里氧气不足的话, 鱼很容易死。
  shuǐ li yǎng qì bù zú de huà yú hěn róng yì sǐ

- 물고기에게 먹이를 많이 주면 절대 안 돼요.
  绝对不能给鱼太多的食物。
  jué duì bù néng gěi yú tài duō de shí wù

Ⅲ. 새 기르기 养鸟
yǎng niǎo

- 우리는 원앙새 한 쌍을 기르고 있어요.
  我们养了一对鸳鸯。
  wǒ men yǎng le yí duì yuān yāng

- 앵무새가 말을 따라 해요.
  鹦鹉跟着人说话。
  yīng wǔ gēn zhe rén shuō huà

- 아침이 되면 새장을 들고 나가서 산책을 한답니다.
  早上, 拎着鸟笼出去散步。[2)]
  zǎo shang līn zhe niǎo lóng chū qù sàn bù

- 새 기르기는 정말 쉽지 않아요.
  养鸟真的很不简单。
  yǎng niǎo zhēn de hěn bù jiǎn dān

---

2) 拎 līn: (손으로) 들다.

Ⅳ. 꽃 가꾸기 养花
yǎng huā

- 화분은 베란다에 놓아 두세요.
  花盆放在阳台上吧。
  huā pén fàng zài yáng tái shang ba

- 매일 아침 화분에 물 주는 것 잊지 마세요.
  别忘了每天早上给花浇水。
  bié wàng le měi tiān zǎo shang gěi huā jiāo shuǐ

- 저녁 때가 되면 화분을 집안에 들여놓아요.
  到了晚上，把花盆搬到屋里吧。
  dào le wǎn shang bǎ huā pén bān dào wū li ba

- 꽃병에 물 좀 갈아 줘요.
  给花瓶换一下水吧。
  gěi huā píng huàn yí xià shuǐ ba

- 와, 꽃이 피었네요./꽃이 다 시들었어요.
  哇，开花了。/花都谢了。
  wā kāi huā le huā dōu xiè le

- 꽃시장에 가서 화분을 몇 개 사와야겠어요.
  得去花卉市场买几个花盆了。
  děi qù huā huì shì chǎng mǎi jǐ ge huā pén le

참고 관련 용어

- 이사하다 搬家 bān jiā
- 이삿짐센터 搬家公司 bān jiā gōng sī
- 포장이사 包装搬家 bāo zhuāng bān jiā
- 운반하다 搬运 bān yùn
- 쓸다 扫 sǎo
- 닦다 擦 cā
- 정리하다 整理，收拾 zhěng lǐ, shōu shi
- 청소하다 打扫 dǎ sǎo
- 비 扫帚 sào zhou
- 걸레 抹布 mā bù
- 먼지떨이 鸡毛掸 jī máo dǎn
- 진공청소기 吸尘器 xī chén qì
- 파출부 保姆 bǎo mǔ
- 아줌마 阿姨 ā yí
- 시간제 파출부 小时工 xiǎo shí gōng
- 신분증 身份证 shēn fèn zhèng
- 아파트 관리사무소 楼房物业公司，物业管理所 lóu fáng wù yè gōng sī, wù yè guǎn lǐ suǒ
- 전기 요금 电费 diàn fèi
- 수도 요금 水费 shuǐ fèi
- 가스 요금 煤气费 méi qì fèi
- 전기 계량기 电表 diàn biǎo

- 수도 계량기 水表 shuǐ biǎo
- 고장 故障 gù zhàng
- 수리 修理 xiū lǐ
- 애프터서비스 售后服务 shòu hòu fú wù
- 절전형 节电型 jié diàn xíng
- 절약하다 节约 jié yuē
- 낭비하다 浪费 làng fèi
- 단수되다 停水 tíng shuǐ
- 정전되다 停电 tíng diàn
- 물이 새다 漏水 lòu shuǐ
- 하수구가 막히다 下水道被堵 xià shuǐ dào bèi dǔ
- 등을 교환하다 换灯 huàndēng
- 전구가 나가다 灯泡坏了 dēng pào huài le
- 퓨즈가 나가다 跳闸 tiào zhá
- 시장 보다 买菜 mǎi cài
- 요리하다 做菜 zuò cài
- 볶다 炒 chǎo
- 부치다 煎 jiān
- 끓이다 炖 dùn
- 푹 끓이다 熬 áo
- 삶다 煮 zhǔ
- 굽다 烤 kǎo
- 튀기다 炸 zhá
- 무치다 拌 bàn
- 날것을 무치다 生拌 shēng bàn
- 데치다 烫 tàng
- 밥을 담다 盛饭 chéng fàn
- 썰다 切 qiē
- 채치다 切丝 qiē sī
- 깍뚝 썰다 切块儿 qiē kuàir
- 다지다 剁 duò
- 납작 썰기하다 切片儿 qiē piànr
- 반죽하다 搅拌 jiǎo bàn
- 설거지하다 洗碗 xǐ wǎn
- 그릇을 깨다 打破了碗 dǎ pò le wǎn
- 빨래하다 洗衣服 xǐ yī fu
- 주물러 빨다 搓衣服 cuō yī fu
- 드라이하다 干洗 gān xǐ
- 표백하다 漂白 piǎo bái
- 담가 놓다 泡 pào
- 다림질하다 熨 yùn
- 걸어놓다 挂 guà
- 빨래를 널다 晾衣服 liàng yī fu
- 빨래를 개다 叠衣服 dié yī fu
- 애완동물 宠物 chǒng wù
- 기르다 养 yǎng
- 화초시장 花卉市场 huā huì shì chǎng
- 꽃병 花瓶 huā píng
- 물을 주다 浇水 jiāo shuǐ
- 개 사료 狗粮 gǒu liáng
- 고양이 사료 猫粮 māoliáng
- 동물병원 动物医院, 宠物医院 dòng wù yī yuàn chǒng wù yī yuàn
- 금붕어 金鱼 jīn yú
- 열대어 热带鱼 rè dài yú
- 관상어 观赏鱼 guānshǎng yú
- 먹이를 주다 喂食 wèi shí
- 물을 갈아주다 换水 huànshuǐ
- 광견병 狂犬病 kuángquǎnbìng

05 감정 표현

情 感 QINGGAN

1 기쁨 · 행복

欢喜/幸福
huān xǐ xìng fú

"기쁘다" "즐겁다"의 가장 일반적인 표현은 高兴 gāoxìng이며, 그 정도가 매우 대단함을 나타낼 때에는 很高兴 hěn gāoxìng, 好高兴 hǎo gāoxìng, 真高兴 zhēn gāoxìng, 太高兴 tài gāoxìng, 高兴极了 gāoxìng jíle, 高兴得不得了 gāoxìng de bùdéliǎo 등 여러 가지로 다양하게 표현할 수 있다. 또한 다른 사람의 행복이나 즐거움을 기원할 때에는 "祝你幸福! zhù nǐ xìngfú"(행복을 기원합니다), "祝你天天快乐 zhù nǐ tiāntiān kuàilè!"(즐거운 나날 되십시오) 등의 표현을 사용하면 된다.

기본대화

A: 小梅, 小梅, 你听我说。
xiǎo méi xiǎo méi nǐ tīng wǒ shuō

B: 你怎么了? 什么事那么高兴?
nǐ zěn me le shén me shì nà me gāo xìng

A: 你知道吗? 今天小清终于对我坦白了。[1]
nǐ zhī dào ma jīn tiān xiǎo qīng zhōng yú duì wǒ tǎn bái le

B: 真的吗? 哇, 你真幸福。
zhēn de ma wā nǐ zhēn xìng fú

A: 没错, 今天是我一生中最高兴的一天。
méi cuò jīn tiān shì wǒ yì shēng zhōng zuì gāo xìng de yì tiān

A: 샤오메이, 샤오메이, 내 말 좀 들어봐.
B: 왜 그래? 무슨 일인데 그렇게 좋아하는 거니?
A: 너 아니? 오늘 샤오칭이 드디어 나에게 고백을 했다고.
B: 정말이야? 와, 너 정말 행복하겠다.
A: 맞아, 오늘은 내 생애 최고로 기쁜 날이야.

여러 가지 활용

I. 기쁨 欢喜
huān xǐ

▶ 기쁠 때 高兴时
gāo xìng shí

• 정말 신난다. / 너무너무 기뻐요.
真高兴。/ 高兴极了。
zhēn gāo xìng gāo xìng jí le

---

1) 坦白 tǎnbái: 솔직하다, 허심탄회하다, 고백하다. 여기서는 상대를 좋아한다는 고백.

• 기뻐서 어쩔 줄을 모르겠어.
高兴得不得了。
gāo xìng de bù dé liǎo

• 너무나 좋아!
太好了!
tài hǎo le

• 와! 짱이다.
哇! 太棒了。
wā tài bàng le

• 이렇게 기쁠 수가!
怎么会这么高兴。
zěn me huì zhè me gāo xìng

• 인생은 정말 너무 아름답구나!
人生真是太美了!
rén shēng zhēn shì tài měi le

• 너무 기뻐서 날아갈 것만 같아!
我简直高兴得快要飞起来了!
wǒ jiǎn zhí gāo xìng de kuài yào fēi qǐ lái le

• 너무 좋아서 미쳐버릴 지경이야.
我快要疯了, 太高兴了。
wǒ kuài yào fēng le tài gāo xìng le

• 너무 기뻐서 눈물이 다 나오려고 해요.
高兴得眼泪都要流出来了。
gāo xìng de yǎn lèi dōu yào liú chū lái le

• 그는 좋아서 어린애처럼 깡충깡충 뛰었어요.
他高兴得像个孩子似的蹦蹦跳跳的。
tā gāo xìng de xiàng ge hái zi shì de bèng bèng tiào tiào de

• 오늘 이렇게 기쁠 줄 상상도 못했어.
没想到我今天会这么高兴。
méi xiǎng dào wǒ jīn tiān huì zhè me gāo xìng

• 내 생애에 이보다 더 기쁜 날은 없을 거야.
我这辈子不会有比现在更高兴的日子了。
wǒ zhè bèi zi bú huì yǒu bǐ xiàn zài gèng gāo xìng de rì zi le

• 오늘 아주 기분 좋아 보이는구나.
看你今天挺高兴的。
kàn nǐ jīn tiān tǐng gāo xìng de

- 정말이지 지금의 심정을 말로는 표현 못하겠어요.
  我简直无法用语言来表达现在的心情。
  wǒ jiǎn zhí wú fǎ yòng yǔ yán lái biǎo dá xiàn zài de xīn qíng

즐거울 때 开心时
kāi xīn shí

- 무슨 일이길래 그렇게 즐거워해?
  有什么事，那么开心？[2)]
  yǒu shén me shì nà me kāi xīn

- 넌 매일 뭐가 그리 즐겁니?
  你为什么每天都那么开心？
  nǐ wèi shén me měi tiān dōu nà me kāi xīn

- 좋은 일 있으면 말해봐, 나도 같이 좀 즐기자.
  有高兴事就说出来，让我也开心一下。
  yǒu gāo xìng shì jiù shuō chū lái ràng wǒ yě kāi xīn yí xià

- 즐거운 일을 생각하다보면 정말로 즐거워질거야.
  想想快乐的事情，真的会高兴起来。
  xiǎng xiang kuài lè de shì qing zhēn de huì gāo xìng qǐ lái

- 나는 늘 즐거운 일들만 생각해.
  我常常想一些开心的事情。
  wǒ cháng cháng xiǎng yì xiē kāi xīn de shì qing

- 뭘 그렇게 고민해? 즐겁게 좀 살아.
  你烦什么呀？开心点儿。
  nǐ fán shén me ya kāi xīn diǎnr

기쁜 소식을 들었을 때 听到好消息时
tīng dào hǎo xiāo xi shí

- 정말이에요? 축하합니다!
  真的吗？祝贺你！
  zhēn de ma zhù hè nǐ

- 이거야 말로 정말 기쁜 일입니다.
  这是很高兴的事情。
  zhè shì hěn gāo xìng de shì qing

- 이 소식은 정말 저를 기쁘게 하는군요.
  这个消息简直太让我高兴了。
  zhè ge xiāo xi jiǎn zhí tài ràng wǒ gāo xìng le

---

2) 开心 kāixīn: 유쾌하다, 즐겁다, 기분을 전환하다, 기분을 유쾌하게 하다의 뜻.

- 이 기쁜 소식을 아내에게 빨리 알리고 싶어요.
  我想尽快告诉我的爱人这件高兴的事。
  wǒ xiǎng jǐn kuài gào su wǒ de ài ren zhè jiàn gāo xìng de shì

- 이 소식을 들으니 저도 정말 기쁩니다.
  听到这个消息我也很高兴。
  tīng dào zhè ge xiāo xi wǒ yě hěn gāo xìng

- 그녀가 들으면 틀림없이 기뻐할 거예요.
  她听了一定很高兴。
  tā tīng le yí dìng hěn gāo xìng

- 그가 들으면 얼마나 기뻐할까?
  他听了, 会有多高兴啊?
  tā tīng le huì yǒu duō gāo xìng a

- 기쁨은 함께 나눠야지요, 제가 다 기쁘군요.
  快乐要一起分享, 我也替你高兴。
  kuài lè yào yì qǐ fēn xiǎng wǒ yě tì nǐ gāo xìng

- 이건 경사스런 일이니, 꼭 한턱 내셔야 해요.
  这是值得庆祝的事情, 一定要请客。
  zhè shì zhí de qìng zhù de shì qing yí dìng yào qǐng kè

Ⅱ. 행복 幸福
xìng fú

▶ 행복할 때 幸福时
xìng fú shí

- 나는 정말 행복해.
  我真幸福。
  wǒ zhēn xìng fú

- 이 순간이 너무나 행복해요.
  在这一瞬间我真幸福。
  zài zhè yí shùn jiān wǒ zhēn xìng fú

- 당신과 같이 있으니 정말 행복해요.
  跟你在一起真幸福。
  gēn nǐ zài yì qǐ zhēn xìng fú

- 행복은 바로 당신 가까이에 있어요.
  幸福就在你身旁。
  xìng fú jiù zài nǐ shēn páng

- 사실 행복은 줄곧 우리의 평범한 생활 속에 있답니다.
  其实幸福一直就在我们平凡的生活中。
  qí shí xìng fú yì zhí jiù zài wǒ men píng fán de shēng huó zhōng

- 행운의 여신이 드디어 내게 온 거야.
  幸运女神终于降临了。
  xìng yùn nǚ shén zhōng yú jiàng lín le

- 이 순간이 영원히 지속되었으면!
  真希望这瞬间永远存在!
  zhēn xī wàng zhè shùn jiān yǒng yuǎn cún zài

- 이대로 언제까지나 있을 수 있다면!
  真希望就这样直到永远!
  zhēn xī wàng jiù zhè yàng zhí dào yǒng yuǎn

- 당신은 나의 행운의 여신이에요.
  你是我的幸运女神。
  nǐ shì wǒ de xìng yùn nǚ shén

- 현재의 행복을 소중히 여기세요.
  你要珍惜现在的幸福。
  nǐ yào zhēn xī xiàn zài de xìng fú

▶ 운이 좋을 때 幸运时
xìng yùn shí

- 와, 오늘 정말 재수가 좋은 걸.
  哇, 今天运气真不错。3)
  wā jīn tiān yùn qi zhēn bú cuò

- 나는 억수로 운 좋은 사나이야.
  我是很幸运的男孩儿。
  wǒ shì hěn xìng yùn de nán háir

- 쟤는 왜 늘 저렇게 운이 좋지?
  他为什么总是那么幸运?
  tā wèi shén me zǒng shì nà me xìng yùn

- 오늘 정말 재수좋다!
  我今天太走运了!4)
  wǒ jīn tiān tài zǒu yùn le

- 체육복권에 1등으로 당첨되었어.
  我中了体彩一等奖。5)
  wǒ zhòng le tǐ cǎi yì děng jiǎng

---

3) 运气 yùnqi: 운, 재수, 운세. 이때는 气를 경성으로 발음해야 한다. yùnqì로 발음하면 '기'를 신체의 어느 부위에 불어 넣는다는 의미가 된다.
4) 走运 zǒuyùn: 운이 좋다. 운수가 트이다. 일이 잘 풀리다.
5) 体彩 tǐcǎi: 体育彩票 tǐyù cǎipiào. 체육복권의 준말.

• 드디어 대박이다! 복권 1등에 당첨이 되었어.
我简直走大运了! 中了头等彩票。
wǒ jiǎn zhí zǒu dà yùn le zhòng le tóu děng cǎi piào

▶ 웃을 때 笑时
xiào shí

• 오늘같이 기쁜 날 한잔 안 하면 언제 해?
今天这么高兴, 今天不喝酒什么时候喝呢?
jīn tiān zhè me gāo xìng jīn tiān bù hē jiǔ shén me shí hòu hē ne

• 하하하! / 허허허! / 헤헤헤!
哈哈哈! / 呵呵呵! / 嘿嘿嘿!
hā hā hā hē hē hē hēi hēi hēi

• 희색이 만면하구나.
看你春光满面啊。
kàn nǐ chūn guāng mǎn miàn a

• 너무 좋아서 입이 다물어지지 않는군요.
高兴得合不拢嘴。
gāo xìng de hé bù lǒng zuǐ

• 그녀는 웃느라 입을 다물지 못했어요.
她笑得嘴都合不拢了。[6]
tā xiào de zuǐ dōu hé bu lǒng le

• 얼굴이 환한 걸 보니 무슨 좋은 일이 있나 보지?
看你笑容满面, 有什么高兴的事吗?
kàn nǐ xiào róng mǎn miàn yǒu shén me gāo xìng de shì ma

• 그렇게 웃지 마.
不要那么笑。
bú yào nà me xiào

• 너무 좋아하지 말라고.
不要太高兴了。
bú yào tài gāo xìng le

• 너의 웃는 모습이 정말 눈부시구나.
你的笑脸真灿烂。
nǐ de xiào liǎn zhēn càn làn

• 그들은 즐거워 함박웃음을 지었어요.
他们高兴得都乐开了花。
tā men gāo xìng de dōu lè kāi le huā

---

6) 合拢 hélǒng: 합치다. 합하다. 닫다.

2 슬픔 · 불행

悲伤/不幸
bēi shāng bú xìng

"슬프다"는 말에는 悲哀 bēi'āi, 悲伤 bēishāng, 悲痛 bēitòng 등이 있으며, 伤心 shāngxīn, 难过 nánguò 또한 "마음 아프다" "괴롭다"라는 뜻이다. 만일 조문을 갔을 때에는 상주를 향하여 "请节哀。qǐng jié'āi" (너무 슬퍼하지 마십시오) 또는 "我表示衷心地哀悼。wǒ biǎoshì zhōngxīn de āi dào"(충심으로 조의를 표합니다.)라고 위로를 하면 된다.

기 본 대 화

A: 小韩, 不要太难过了。
xiǎo hán bú yào tài nán guò le

B: 怎么能不难过呢?
zěn me néng bù nán guò ne

A: 但也不能总这么伤心啊。
dàn yě bù néng zǒng zhè me shāng xīn a

B: 我一直那么信任的朋友背叛了我, 对我打击太大了。
wǒ yì zhí nà me xìn rèn de péng you bèi pàn le wǒ duì wǒ dǎ jī tài dà le

A: 塞翁失马, 焉知非福。一切从头开始嘛。[1)]
sài wēng shī mǎ yān zhī fēi fú yí qiè cóng tóu kāi shǐ ma

B: 谢谢你这么安慰我。
xiè xie nǐ zhè me ān wèi wǒ

A: 因为我也有过这种经历。
yīn wèi wǒ yě yǒu guo zhè zhǒng jīng lì

A: 샤오한, 너무 괴로워하지 마세요.
B: 어떻게 괴로워하지 않을 수가 있어요?
A: 그렇다고 이렇게 상심만 할 수는 없잖아요.
B: 그토록 믿었던 친구가 배신을 하다니, 충격이 너무 크네요.
A: 인생은 새옹지마라 했잖아요. 처음부터 다시 시작하면 돼요.
B: 그렇게 위로해 주니 고마워요.
A: 나도 그런 경험이 있었거든요.

---

1) 塞翁失马 sài wēng shī mǎ: 옛날 변경 지역에 살던 한 노인의 말이 도망쳐 슬퍼하였더니 준마를 이끌고 돌아와 기뻐하였는데 그 아들이 말을 타다가 넘어져서 절름발이가 되어 몹시 슬퍼하였다. 그런데 전쟁이 나서 장정들이 다 끌려나갔으나 그 아들은 낙마 덕분에 전쟁에 끌려가지 않아 목숨을 건질 수 있었다는 고사에서 모든 것은 변화가 많아 인생의 길흉화복을 예측할 수 없다는 뜻이다. 뒤에 오는 焉知非福 yānzhīfēifú는 '어찌 그것이 복이 아님을 알겠는가?'라는 뜻으로 즉, 복이 될지 화가 될지는 알 수 없음을 말한다.

여러 가지 활용

Ⅰ. 슬픔 悲伤
bēi shāng

▶ 슬플 때 悲哀时
bēi āi shí

- 하늘이 무너지는 것 같아요.
  好像天都快要塌下来了。
  hǎo xiàng tiān dōu kuài yào tā xià lái le

- 그 일은 정말 가슴 아프게 생각합니다.
  那件事很让人心痛。
  nà jiàn shì hěn ràng rén xīn tòng

- 앞으로 날더러 어떻게 살라고?
  以后让我怎么活下去啊?
  yǐ hòu ràng wǒ zěn me huó xià qù a

- 살고 싶지 않아요.
  我都不想活了。
  wǒ dōu bù xiǎng huó le

- 내 마음도 갈기갈기 찢어지는 것 같아요.
  我的心都快要被撕碎了。
  wǒ de xīn dōu kuài yào bèi sī suì le

- 그저 울고만 싶군요.
  我只想哭。
  wǒ zhǐ xiǎng kū

- 한바탕 실컷 울 수 있다면 좋겠어요.
  能痛快地哭一场, 就好了。
  néng tòng kuài de kū yì chǎng jiù hǎo le

- 나보다 더 불행한 사람이 있을까?
  有比我更不幸的人吗?
  yǒu bǐ wǒ gèng bú xìng de rén ma

- 이런 재수 없는 일이 왜 하필 나에게 생긴 거야?
  这么倒霉的事为什么偏偏发生在我身上?[2)]
  zhè me dǎo méi de shì wèi shén me piān piān fā shēng zài wǒ shēn shang

- 삶에 아무런 희망도 없어요.
  我觉得生活没有了希望。
  wǒ jué de shēng huó méi yǒu le xī wàng

---

2) 偏偏 piānpiān: 하필이면, 공교롭게도.

▶ 섭섭할 때 难过时
nán guò shí

- 그렇게 말을 하다니 정말 섭섭합니다.
  你那样说，我很难过。[3)]
  nǐ nà yàng shuō wǒ hěn nán guò

- 이렇게 헤어지자니 정말 섭섭하군요.
  真是太舍不得[4)]就这样分开了。
  zhēn shì tài shě bu de jiù zhè yàng fēn kāi le

- 어떻게 나에게 그런 말을 할 수 있어요?
  你怎么能对我说这种话呢?
  nǐ zěn me néng duì wǒ shuō zhè zhǒng huà ne

- 어떻게 나에게 이럴 수가 있어요?
  你怎么能这样对待我?
  nǐ zěn me néng zhè yàng duì dài wǒ

- 당신이 이런 사람이라고는 생각도 못했는데, 정말 실망이군요.
  没想到你是这样的人，真是很让我失望。
  méi xiǎng dào nǐ shì zhè yàng de rén zhēn shì hěn ràng wǒ shī wàng

▶ 우울할 때 忧郁时
yōu yù shí

- 날씨가 안 좋으니 마음도 우울해지는군요.
  这天气真差，让人心情都变的忧郁。
  zhè tiān qì zhēn chà ràng rén xīn qíng dōu biàn de yōu yù

- 그가 떠난 뒤로 제 기분은 계속 아주 엉망이에요.
  自从他走了之后，我的心情一直很糟糕。[5)]
  zì cóng tā zǒu le zhī hòu wǒ de xīn qíng yì zhí hěn zāo gāo

- 저 지금 마음이 몹시 괴로우니 기분 전환 좀 시켜 줘요.
  我现在很烦恼，想个办法让我开心一下。
  wǒ xiàn zài hěn fán nǎo xiǎng ge bàn fǎ ràng wǒ kāi xīn yí xià

▶ 속이 상할 때 伤心时
shāng xīn shí

- 정말 속상해서 죽겠어.
  真是太伤心了。
  zhēn shì tài shāng xīn le

---

3) 难过 nánguò : (마음이) 괴롭다. 슬프다. 지내기 어렵다.
4) 舍不得 shěbude 섭섭하다. 서운하다. 아쉽다. 아깝다.
5) 糟糕 zāogāo: 망치다, 엉망진창이 되다. 아뿔싸, 아차. 제기랄.

- 정말 가슴이 아픕니다.
真是好难过。[6]
zhēn shì hǎo nán guò

- 여자 친구 때문에 너무나 속이 상해.
我的女朋友，让我很伤心。
wǒ de nǚ péng you ràng wǒ hěn shāng xīn

- 요즘 계속 너무 속이 상해요.
这几天我一直都很伤心。
zhè jǐ tiān wǒ yì zhí dōu hěn shāng xīn

- 그녀는 마음에 상처를 잘 받는 여자예요.
她是一个很容易伤心的女孩儿。
tā shì yí ge hěn róng yì shāng xīn de nǚ háir

- 그녀가 상심해 있을 때는 건드리지 않는게 좋아.
在她伤心的时候最好不要烦她。
zài tā shāng xīn de shí hou zuì hǎo bú yào fán tā

Ⅱ. 불행 不幸
bú xìng

▶ 조문을 할 때 哀悼时
āi dào shí

- 슬퍼하지 마십시오.
请节哀。
qǐng jié āi

- 진심으로 조의를 표합니다.
我表示衷心地哀悼。
wǒ biǎo shì zhōng xīn de āi dào

- 다같이 고인을 위해 묵념합시다.
让我们一起为死者默哀。
ràng wǒ men yì qǐ wèi sǐ zhě mò āi

- 기운을 내십시오.
请您振作一点儿。
qǐng nín zhèn zuò yì diǎnr

- 너무 상심하지 마세요.
不要太伤心了。
bú yào tài shāng xīn le

---

6) 好 hǎo: 여기서는 정도가 심함을 나타내는 부사로 쓰였음. 아주, 정말, 참으로.

- 어떻게 위로해 드려야 할지 모르겠습니다.
  不知道该怎么安慰你。
  bù zhī dào gāi zěn me ān wèi nǐ

- 마음을 굳게 하십시오.
  你一定要挺住。[7)]
  nǐ yí dìng yào tǐng zhù

- 힘을 내십시오.
  坚强一点儿!
  jiān qiáng yì diǎnr

- 정말 비통한 일입니다.
  真是一件让人悲痛的事。
  zhēn shì yí jiàn ràng rén bēi tòng de shì

- 호상입니다. 너무 슬퍼하지 마십시오.
  这是喜丧，你不要太难过。[8)]
  zhè shì xǐ sāng nǐ bú yào tài nán guò

- 무슨 말을 해도 소용없겠지만, 충심으로 위로를 표합니다.
  我知道说什么都没用，只能表示衷心的慰问。
  wǒ zhī dào shuō shén me dōu méi yòng zhǐ néng biǎo shì zhōng xīn de wèi wèn

- 그분은 저희의 마음속에 영원히 살아계십니다.
  他会永远活在我们心中。
  tā huì yǒng yuǎn huó zài wǒ men xīn zhōng

▶ 위로할 때 安慰时
ān wèi shí

- 너무 상심하지 마세요.
  你不要太伤心了。
  nǐ bú yào tài shāng xīn le

- 너무 마음 아파하지 마세요.
  你别难过了。
  nǐ bié nán guò le

- 그렇게 슬픈 얼굴 하지 말아요.
  不要那样，一副伤心的样子。
  bú yào nà yàng yí fù shāng xīn de yàng zi

- 진정하세요.
  冷静点儿。
  lěng jìng diǎnr

---

7) 挺 tǐng: 여기서는 '꼿꼿하게 버티어 섬'을 뜻함.

8) 喜丧 xǐsāng: '호상'을 말함. 중국에서는 红白喜事 hóngbái xǐshì라고 하여 결혼과 호상의 두 경사를 함께 일컫기도 함.

- 너무 걱정하면 건강에 해로워요.
  太伤心了会对身体不好。
  tài shāng xīn le huì duì shēn tǐ bù hǎo

- 세월이 지나면 서서히 잊혀질 겁니다. 너무 상심하지 마세요.
  时间久了慢慢会忘记的，不要太伤心了。
  shí jiān jiǔ le màn màn huì wàng jì de bú yào tài shāng xīn le

- 시간이 흐른 뒤 생각해 보면 모든 게 다 지난 일일 거예요.
  过一段时间再想一想，一切都过去了。
  guò yí duàn shí jiān zài xiǎng yi xiǎng yí qiè dōu guò qù le

- 고진감래라고 했으니, 모든 게 다 좋아질 거예요.
  苦尽甘来，一切都会好起来的。[9]
  kǔ jìn gān lái yí qiè dōu huì hǎo qǐ lái de

▶ 울 때 哭时
kū shí

- 흑흑흑... / 앙앙앙...
  呜呜呜... / 哇哇哇...[10]
  wū wū wū wā wā wā

- 얼굴이 눈물범벅이 되었네요.
  泪流满面。
  lèi liú mǎn miàn

- 나도 모르게 눈물이 나옵니다.
  不知不觉地流泪。
  bù zhī bù jué de liú lèi

- 두 줄기 눈물이 볼을 타고 흐르네요.
  两行泪水顺着脸颊流下来了。
  liǎng háng lèi shuǐ shùn zhe liǎn jiá liú xià lái le

- 눈물이 하염없이 흐릅니다.
  眼泪止不住地流。
  yǎn lèi zhǐ bú zhù de liú

- 눈에 눈물이 가득 고여 있군요.
  眼里盈满了泪水。
  yǎn li yíng mǎn le lèi shuǐ

- 금방이라도 울어버릴 것 같군요.
  快要哭出来了。
  kuài yào kū chū lái le

---

9) 苦尽甘来 kǔ jìn gān lái: "고생 끝에 낙이 온다"는 뜻의 성어.
10) 어린이가 우는 소리를 표현함.

- 눈물이 앞을 가려요.
  泪水模糊了视线。[11]
  lèi shuǐ mó hu le shì xiàn

- 한바탕 울고 나니 정말 시원합니다.
  大哭了一场，真痛快。
  dà kū le yì chǎng zhēn tòng kuài

- 너무 울어서 눈이 퉁퉁 부었어요.
  哭了太久，眼睛都肿了。
  kū le tài jiǔ yǎn jing dōu zhǒng le

- 눈시울이 빨개졌어요.
  眼圈发红。
  yǎn quān fā hóng

▶ 달랠 때 哄人时
hǒng rén shí

- 울지 마요./이제 그만 울어요.
  不要哭了。/不要再哭了。
  bú yào kū le bú yào zài kū le

- 운다고 문제가 해결되나요?
  哭能解决问题吗?
  kū néng jiě jué wèn tí ma

- 당신이 자꾸 우니 나도 눈물이 나려고 해요.
  你再哭，我也快要哭了。
  nǐ zài kū wǒ yě kuài yào kū le

- 눈물을 닦아요.
  擦干眼泪吧。
  cā gān yǎn lèi ba

- 이렇게 계속 울고만 있을 거예요?
  你要一直这样哭下去吗?
  nǐ yào yì zhí zhè yàng kū xià qù ma

- 시원하게 실컷 울어요.
  痛痛快快地哭一场吧。
  tòng tòng kuài kuài de kū yì chǎng ba

---

11) 模糊 móhu: 흐릿하다, 모호하다.

3 화 · 비난 · 욕설

生气/批评/责骂
shēng qì pī píng zé mà

누군가에게 화를 내거나, 욕을 하거나, 누구를 비난하는 것은 당연히 피하는 것이 좋다. 물론 살다보면 사람들과 갈등(矛盾 máodùn)이나 언쟁(吵架 chǎojià)이 생길 수도 있겠지만 가능하면 인내하고 양보하여 인화(人和 rénhé)해야 한다. 더구나 외국 땅에서 외국인과 불협화음을 일으키는 것은 개인의 체면(面子 miànzi) 손상을 넘어 교민들에게도 폐를 끼치게 될 뿐 아니라 신변의 안전에도 위협이 될 수 있으므로 가능한 삼가야 한다. 외국에 나가면 누구나 다 민간외교관이라는 말도 있듯이 각자가 개인과 국가의 이미지를 실추시키지 않도록 주의해야 할 것이다.

기 본 대 화

A: 是谁把我的房间弄成这样的?
shì shéi bǎ wǒ de fáng jiān nòng chéng zhè yàng de

B: 对不起, 刚才朋友们过来玩……
duì bu qǐ gāng cái péng you men guò lái wán

A: 不是说过了吗? 谁都不许进我的房间。
bú shì shuō guo le ma shéi dōu bù xǔ jìn wǒ de fáng jiān

B: 收拾一下不就行了吗? 这么点小事, 干嘛那么生气?
shōu shi yí xià bú jiù xíng le ma zhè me diǎn xiǎo shì gàn má nà me shēng qì

A: 如果换成你的话, 能不生气吗?
rú guǒ huàn chéng nǐ de huà néng bù shēng qì ma

B: 你什么都好, 就是太爱发火儿了。
nǐ shén me dōu hǎo jiù shì tài ài fā huǒr le

A: 도대체 누가 내 방을 이렇게 해 놓은 거야?
B: 미안해, 아까 친구들이 놀러왔다가 그만.
A: 내가 말하지 않았니? 누구도 내 방에 들어오지 말라고.
B: 치워주면 될 거 아냐, 이런 사소한 일에 뭘 그렇게 화를 내?
A: 너 같으면 화 안 나겠니?
B: 너는 다 좋은데 단지 화를 잘 내는 게 흠이야.

여러 가지 활용

Ⅰ. 화가 났을 때 生气时
shēng qì shí

- 나 지금 화났어. 말 시키지 마.
  我现在很生气, 不要跟我说话。
  wǒ xiàn zài hěn shēng qì bú yào gēn wǒ shuō huà

- 나 기분 안 좋으니까 건드리지 않는게 좋아.
  我心情不好，最好不要惹我。[1]
  wǒ xīn qíng bù hǎo zuì hǎo bú yào rě wǒ

- 더 이상은 못 참겠어.
  我不能再忍了。
  wǒ bù néng zài rěn le

- 나도 이제 참을 만큼 참았어.
  我已经忍了好久了。
  wǒ yǐ jing rěn le hǎo jiǔ le

- 참는 것도 한계가 있다고.
  我的忍耐是有限的。
  wǒ de rěn nài shì yǒu xiàn de

- 정말 열받네.
  真气人!
  zhēn qì rén

- 정말 사람 열받게 하네.
  真是让人生气。
  zhēn shì ràng rén shēng qì

- 그 사람 보기만 하면 정말 화가 나.
  一看到他，我就生气。
  yí kàn dào tā wǒ jiù shēng qì

- 알고 있니? 네가 한 말이 나를 얼마나 화나게 하는지.
  知道吗? 你说的话让我多生气。
  zhī dào ma nǐ shuō de huà ràng wǒ duō shēng qì

- 너 정말 나 화나게 할래?
  你真的要惹我生气吗?
  nǐ zhēn de yào rě wǒ shēng qì ma

- 당장 꺼져.
  快给我滚。
  kuài gěi wǒ gǔn

- 당장 내 눈 앞에서 사라져.
  马上从我眼前消失。
  mǎ shàng cóng wǒ yǎn qián xiāo shī

- 꺼져! 다시는 꼴도 보기 싫어.
  滚，我不想再见到你。
  gǔn wǒ bù xiǎng zài jiàn dào nǐ

---

1) 惹 rě: 야기하다, 일으키다, 건드리다.

- 그 자식 죽여버리고 말겠어.
  我要杀了那个家伙。
  wǒ yào shā le nà ge jiā huo

- 말리지 마. 더 이상은 못참아.
  不要再劝我了, 我不能再忍了。
  bú yào zài quàn wǒ le wǒ bù néng zài rěn le

- 너 때문에 화가 나서 죽겠어.
  我快要被你气死了。
  wǒ kuài yào bèi nǐ qì sǐ le

- 너 같으면 참을 수 있겠니?
  换成是你的话, 你能忍吗?
  huàn chéng shì nǐ de huà nǐ néng rěn ma

- 좋아, 어디 한번 붙어보자.
  好, 我们来比试一下。
  hǎo wǒ men lái bǐ shì yí xià

- 두고 봐. 내 너를 가만 안 놔둘 테니.
  等着瞧, 我不会放过你的。
  děng zhe qiáo wǒ bú huì fàng guo nǐ de

재수가 없을 때 倒霉时
dǎo méi shí

- 오늘 되게 재수없네.
  今天真倒霉。
  jīn tiān zhēn dǎo méi

- 오늘 운이 정말 안 좋네.
  我今天运气很差。
  wǒ jīn tiān yùn qi hěn chà

- 오늘 왜 이렇게 일이 안 풀리지?
  今天为什么这么倒霉?
  jīn tiān wèi shén me zhè me dǎo méi

- 그런 재수없는 말 하지 마.
  少说那种不吉利的话。
  shǎo shuō nà zhǒng bù jí lì de huà

- 아침부터 재수가 없으려니.
  一大清早, 就这么倒霉。
  yí dà qīng zǎo jiù zhè me dǎo méi

언행이 지나칠 때 言行过分时
yán xíng guò fèn shí

- 입 닥쳐! / 됐으니 그만 좀 해. / 됐어, 그만 말해.
  住嘴! / 好了, 别闹了。/ 好了! 别再说了。
  zhù zuǐ hǎo le bié nào le hǎo le bié zài shuō le

- 너 말 다했어? / 할 말 다했니?
  你说完了吗? / 你说够了吗?
  nǐ shuō wán le ma nǐ shuō gòu le ma

- 너 나를 깔보는 거냐?
  你小看我, 是吗?
  nǐ xiǎo kàn wǒ shì ma

- 너 나 무시했어?
  你看不起我了?
  nǐ kàn bu qǐ wǒ le

- 그걸 말이라고 내뱉는 거니?
  这种话你也说得出口?
  zhè zhǒng huà nǐ yě shuō de chū kǒu

- 목소리를 좀 낮출 수 없어요?
  不要那么大声好不好?
  bú yào nà me dà shēng hǎo bu hǎo

- 한 번만 더 말하면 나도 화낼 거야.
  再说, 我就要生气了。
  zài shuō wǒ jiù yào shēng qì le

- 쓸데없는 소리 작작하라고.
  少说废话。[2)]
  shǎo shuō fèi huà

- 그런 바보 같은 소리 하지 마!
  不要说那种傻话。
  bú yào shuō nà zhǒng shǎ huà

- 말 같지 않은 소리.
  太不像话了。
  tài bú xiàng huà le

- 함부로 지껄이지 마!
  不要乱说!
  bù yào luàn shuō

---

2) 废话 fèihuà: 쓸데없는 말, 허튼 소리.

• 말이라고 그렇게 함부로 하면 되는 줄 알아?
你以为说话可以那么随便吗?
nǐ yǐ wéi shuō huà kě yǐ nà me suí biàn ma

• 네가 어떻게 나에게 이런 말을 할 수 있니?
你怎么能这样对我说话?
nǐ zěn me néng zhè yàng duì wǒ shuō huà

• 너 자꾸 말대꾸할래?
你要一直和我顶嘴吗?[3]
nǐ yào yì zhí hé wǒ dǐng zuǐ ma

간섭을 당할 때 受到干涉时
shòu dào gān shè shí

• 상관하지 마!
不要管我。
bú yào guǎn wǒ

• 이 일에 당신은 간섭하지 마세요.
这件事你不要管。
zhè jiàn shì nǐ bú yào guǎn

• 내 일은 내가 처리할 수 있어요.
我的事我自己能处理。
wǒ de shì wǒ zì jǐ néng chǔ lǐ

• 내 일이야. 너는 참견할 필요 없어.
我的事，你甭管。[4]
wǒ de shì nǐ béng guǎn

• 내 걱정하지 말고, 당신 일이나 잘해.
不用为我操心，好好管管自己吧。
bú yòng wèi wǒ cāo xīn hǎo hǎo guǎn guǎn zì jǐ ba

• 남의 일에 참견 마라.
别多管闲事。[5]
bié duō guǎn xián shì

• 쓸데없이 걱정 좀 하지 마!
别瞎操心。[6]
bié xiā cāo xīn

---

3) 顶嘴 dǐngzuǐ: 말대꾸하다, 말대답하다. = 回嘴 huízuǐ
4) 甭 béng: 不用 búyòng. 필요 없다.
5) 闲事xiánshì: 자기와 상관없는 일. 闲事老 xiánshìlǎo: 남 일에 참견을 잘하는 사람.
6) 瞎 xiā: 본래는 "눈이 멀다"는 뜻이지만 부사로 쓰이면 '무턱대고', '쓸데없이', '함부로' 등의 의미로 쓰인다.

• 나를 좀 내버려 둬요.
你放过我吧。
nǐ fàng guo wǒ ba

• 넌 남의 일에 너무 간섭이 심해.
你太多管闲事了。
nǐ tài duō guǎn xián shì le

• 왜 그래? 네가 상관할 필요 없다니까.
你干嘛啊? 不用你管。[7]
nǐ gàn má a bú yòng nǐ guǎn

• 나도 이제 어린애가 아니에요.
我已经不是小孩子了。
wǒ yǐ jīng bú shì xiǎo hái zi le

• 사적인 일이니 당신이 알 필요 없어요.
这是私事, 你没必要知道。
zhè shì sī shì nǐ méi bì yào zhī dào

▶ 방해를 받을 때 受到打扰时
shòu dào dǎ rǎo shí

• 저를 방해하지 마세요.
不要打扰我。
bú yào dǎ rǎo wǒ

• 업무 중이니까 방해하지 마세요.
我在工作, 你不要打扰我。
wǒ zài gōng zuò nǐ bú yào dǎ rǎo wǒ

• 나를 귀찮게 하지 마세요.
不要烦我。
bú yào fán wǒ

• 나에게 왜 이러는 거예요?
你为什么这样对我?
nǐ wèi shén me zhè yàng duì wǒ

• 쓸데없는 소리 그만 좀 해요.
不要再说废话了。
bú yào zài shuō fèi huà le

• 제발, 나 좀 내버려 둬요.
求你, 放过我吧。
qiú nǐ fàng guo wǒ ba

---

7) 干嘛 gànmá?: = 干吗 gànmá?, 干什么 gànshénme? "무엇을 합니까?"란 뜻으로 여기서는 우리 말의 "왜 그래?" "어째서 그래?"에 해당한다.

- 나 좀 괴롭히지 말아요.
  不要再折磨我了。[8]
  bú yào zài zhé mó wǒ le

- 내 신경 건드리지 마!
  不要惹我。
  bú yào rě wǒ

▶ **화를 참을 때 忍耐时**
rěn nài shí

- 내가 참지.
  我忍吧。
  wǒ rěn ba

- 그래, 내가 참는다.
  好, 我忍。
  hǎo wǒ rěn

- 이번 한 번은 참지만 다음엔 장담 못해.
  这一次我忍, 下回就很难说了。
  zhè yí cì wǒ rěn xià huí jiù hěn nán shuō le

- 여자라서 봐주는 거야.
  看你是女孩子就放过你。
  kàn nǐ shì nǚ hái zi jiù fàng guo nǐ

- 내가 참는다만 사람의 인내심에는 한계가 있는 거야.
  我可以忍, 但是人的忍耐是有限的。
  wǒ kě yǐ rěn dàn shì rén de rěn nài shì yǒu xiàn de

- 한 번 참으면 풍파가 가라앉고, 한 발 물러서면 세상이 넓어진다.
  忍一时风平浪静, 退一步海阔天空。
  rěn yì shí fēng píng làng jìng tuì yí bù hǎi kuò tiān kōng

▶ **화를 못 참을 때 无法忍受时**
wú fǎ rěn shòu shí

- 너무나 화가 나서 도저히 더는 못참겠어.
  太生气了, 无法再忍了。
  tài shēng qì le wú fǎ zài rěn le

- 이번만은 나도 도저히 참을 수가 없어.
  这回我再也不能忍了。
  zhè huí wǒ zài yě bù néng rěn le

---

8) 折磨 zhémó: 괴롭히다, 못살게 굴다, 구박하다, 학대하다.

- 이번엔 정말 참을래야 참을 수가 없어.
  这次我实在忍无可忍了。
  zhè cì wǒ shí zài rěn wú kě rěn le

- 너 나 화나면 어떤 줄 알아? 오늘 본때를 보여 주지.
  你知道我生气会怎么样吗? 今天就让你见识见识。
  nǐ zhī dào wǒ shēng qì huì zěn me yàng ma jīn tiān jiù ràng nǐ jiàn shi jiàn shi

- 가만히 있으니 날 바보로 아나보군?
  老虎不发威, 你当我是病猫啊?[9)]
  lǎo hǔ bù fā wēi nǐ dāng wǒ shì bìng māo a

- 너 죽고 싶어?
  你想死啊?
  nǐ xiǎng sǐ a

▶ **화가 난 이유를 물을 때** **问生气的理由时**
wèn shēng qì de lǐ yóu shí

- 왜 화가 나 있어요?
  为什么生气?
  wèi shén me shēng qì

- 나에게 화났니?
  是生我的气吗?
  shì shēng wǒ de qì ma

- 말을 해, 왜 그렇게 화가 난 거야?
  说话啊, 为什么那么生气?
  shuō huà a wèi shén me nà me shēng qì

- 무슨 일로 그렇게 화가 난 거야?
  什么事使你那么生气?
  shén me shì shǐ nǐ nà me shēng qì

- 설마 나 때문은 아니겠지?
  不会是因为我吧?
  bú huì shì yīn wèi wǒ ba

- 나에게 화가 난 것 같은데, 그렇지?
  你好像在生我的气, 是不是?
  nǐ hǎo xiàng zài shēng wǒ de qì shì bu shì

---

9) 원뜻은 "호랑이가 가만히 있자니까 병든 고양인줄 아나보지?"
发威 fāwēi: 위엄을 부리다, 위세를 부리다, 거만하게 굴다.

▶ 화내지 말라고 할 때 **劝对方不要生气时**
quàn duì fāng bú yào shēng qì shí

- 자, 이제 그만 화내요.
  好了, 别再生气了。
  hǎo le bié zài shēng qì le

- 왜 그렇게 화를 내? 너답지 않게
  为什么那么生气, 真不像你。
  wèi shén me nà me shēng qì zhēn bú xiàng nǐ

- 잊어버려. 화내면 결국 자신만 손해야.
  忘了吧。生气到头来吃亏的是自己。10)
  wàng le ba shēng qì dào tóu lái chī kuī de shì zì jǐ

- 화내면 자신만 더욱 괴로워져.
  生气是拿别人的错误惩罚自己。11)
  shēng qì shì ná bié rén de cuò wù chéng fá zì jǐ

- 이깟 일 가지고 그럴 필요 없잖아?
  这么小的事, 不必那样吧。
  zhè me xiǎo de shì bú bì nà yàng ba

- 그렇게 화낼 필요는 없잖아?
  没必要那么生气吧?
  méi bì yào nà me shēng qì ba

- 내가 볼 때는 대단한 일도 아닌데.
  在我看来, 也不算什么大事。
  zài wǒ kàn lái yě bú suàn shén me dà shì

- 네가 참아. 참는 자가 이기는 거야.
  你忍一忍, 忍者是赢家。
  nǐ rěn yi rěn rěn zhě shì yíng jiā

▶ 화가 나 있음을 설명할 때 **说明现在生气时**
shuō míng xiàn zài shēng qì shí

- 사장님은 지금 몹시 화가 나 있어요.
  经理现在很生气。
  jīng lǐ xiàn zài hěn shēng qì

- 그는 전화를 받은 후부터 줄곧 노발대발하고 있어요.
  他接过电话以后一直在大发脾气。
  tā jiē guò diàn huà yǐ hòu yì zhí zài dà fā pí qì

---

10) 吃亏 chīkuī: 손해를 보다, 밑지다, 불리하다.
11) 화내면 건강에 해로우므로 남의 잘못으로 인해 공연히 자신을 해롭게 한다는 뜻.

- 그는 화를 참지 못하고 크게 분통을 터뜨렸어요.
  他没有忍住怒气，终于发火了。
  tā méi yǒu rěn zhù nù qì zhōng yú fā huǒ le

- 그는 이 일을 듣고 나서 크게 화를 냈어요.
  他听说这件事后便大怒。
  tā tīng shuō zhè jiàn shì hòu biàn dà nù

- 그 사람 지금 당신한테 화가 나 있어요.
  他正在生你的气。
  tā zhèng zài shēng nǐ de qì

- 그는 늘 저렇게 화를 내요.
  他常常这样生气。
  tā cháng cháng zhè yàng shēng qì

- 그 사람 지금 화가 머리끝까지 났어요.
  他正在气头上。
  tā zhèng zài qì tóu shang

- 그 소식을 듣고 나니 너무나 화가 나는군요.
  听了那个消息，我很生气。
  tīng le nà ge xiāo xi wǒ hěn shēng qì

- 그는 지금 화가 나서 부들부들 떨고 있어요.
  他现在气得发抖。
  tā xiàn zài qì de fā dǒu

- 그는 너무나 화가 나서 물건을 다 깨부쉈어요.
  他气得把东西都摔了。
  tā qì de bǎ dōng xi dōu shuāi le

- 그는 화가 나면 닥치는 대로 집어던져요.
  他生气的话，就看什么扔什么。
  tā shēng qì de huà jiù kàn shén me rēng shén me

- 그는 화가 나면 말을 안 해요.
  他生气的话，就不说话。
  tā shēng qì de huà jiù bù shuō huà

Ⅱ. 비난 批评
pī píng

▶ 꾸중할 때 责备时
zé bèi shí

- 도대체 왜 그렇게 말을 안 듣는 거니?
  你为什么那么不听话?
  nǐ wèi shén me nà me bù tīng huà

- 도대체 내가 몇 번이나 말해야 알아듣겠니?
  你让我说几遍, 才听得懂?
  nǐ ràng wǒ shuō jǐ biàn cái tīng de dǒng

- 네가 한 일이니 네가 가장 잘 알 거야.
  你做的事, 你自己最清楚。
  nǐ zuò de shì nǐ zì jǐ zuì qīng chu

- 말을 안 들으면 매를 맞아야지.
  如果不听话, 就要挨打。
  rú guǒ bù tīng huà jiù yào ái dǎ

- 너무 말썽부리지 마라.
  你不要太调皮了![12]
  nǐ bú yào tài tiáo pí le

- 너 미쳤니? 어떻게 그런 짓을 할 수가 있어?
  你疯了? 怎么能做出那种事呢?
  nǐ fēng le zěn me néng zuò chū nà zhǒng shì ne

- 조심해. 또다시 이러면 내가 가만 있지 않겠어.
  小心点儿。你再这样我就不客气了。
  xiǎo xīn diǎnr nǐ zài zhè yàng wǒ jiù bú kè qi le

- 왜 그렇게 아직도 철이 없니?
  你怎么到现在还那么不懂事?
  nǐ zěn me dào xiàn zài hái nà me bù dǒng shì

▶ 꾸중을 들었을 때 受到责备时
shòu dào zé bèi shí

- 제가 도대체 뭘 잘못했나요?
  我到底做错了什么?
  wǒ dào dǐ zuò cuò le shén me

- 그렇게 말씀하지 마세요.
  不要这么说。
  bú yào zhè me shuō

- 일부러 그런 것도 아닌데 왜 그러세요?
  我又不是故意的, 为什么要那样?
  wǒ yòu bú shì gù yì de wèi shén me yào nà yàng

- 왜 나를 탓하는 거예요?
  你为什么怪我?[13]
  nǐ wèi shén me guài wǒ

---

12) 调皮 tiáopí: 장난치다, 까불다, 개구지다, 말을 듣지 않다.
13) 怪 guài: 탓하다, 책망하다, 원망하다.

- 저를 어린애로 보지 마세요.
  不要把我看成小孩子。
  bú yào bǎ wǒ kàn chéng xiǎo hái zi

비난할 때 批评别人时
pī píng bié rén shí

- 너무나 치사하군.
  真小气。
  zhēn xiǎo qi

- 당신같이 비열한 사람은 처음이에요.
  没见过像你这么卑鄙的人。
  méi jiàn guo xiàng nǐ zhè me bēi bǐ de rén

- 당신 정말 돼먹지 않았어.
  你简直太不像话了。[14)]
  nǐ jiǎn zhí tài bú xiàng huà le

- 이런 멍청이, 속임을 당하고도 모르다니.
  你这个傻瓜, 被人骗了还不知道。
  nǐ zhè ge shǎ guā bèi rén piàn le hái bù zhī dào

- 행동 잘해. 한국 사람들 망신시키지 말고.
  好好儿做, 不要给韩国人丢脸。
  hǎo hāor zuò bú yào gěi hán guó rén diū liǎn

- 네가 하는 일이 그렇지.
  你做事就这样。
  nǐ zuò shì jiù zhè yàng

- 넌 너무 뒷일은 생각지도 않고 일을 하는구나.
  你做事也太不考虑后果了。
  nǐ zuò shì yě tài bù kǎo lǜ hòu guǒ le

- 이 자식, 네가 뭘 알아?
  你这家伙, 能知道什么?
  nǐ zhè jiā huo néng zhī dào shén me

- 아무 짝에도 쓸모없는 놈.
  没用的家伙。
  méi yòng de jiā huo

- 넌 아무 짝에도 쓸모가 없어.
  你太没用了!
  nǐ tài méi yòng le

---

14) 不像话 búxiànghuà: 말도 되지 않는 소리, 당치도 않은 말, 돼먹지 않은 말.

• 뻔뻔스럽기 짝이 없군요.
真不要脸。
zhēn bú yào liǎn

• 넌 철면피야.
你是个厚脸皮。
nǐ shì ge hòu liǎn pí

• 넌 낯짝도 두껍구나!
你脸皮真厚!
nǐ liǎn pí zhēn hòu

• 너는 왜 그렇게 우둔하니?
你为什么那么笨?
nǐ wèi shén me nà me bèn

• 나이도 적지 않은데 그렇게 유치하게 굴지 마.
年龄也不小了, 就不要那么幼稚了。
nián líng yě bù xiǎo le jiù bú yào nà me yòu zhì le

• 너는 왜 항상 그 모양이니?
你为什么总是那样?
nǐ wèi shén me zǒng shì nà yàng

▶ **비난을 들었을 때** **受到批评时**
shòu dào pī píng shí

• 너 지금 나한테 하는 소리냐?
你在跟我说话吗?
nǐ zài gēn wǒ shuō huà ma

• 그 사람 말이 너무 심하군. 나도 더 이상은 못참겠어.
他说的太过分了, 我再也忍无可忍了。
tā shuō de tài guò fèn le wǒ zài yě rěn wú kě rěn le

• 넌 네 자신이 아주 잘난 줄 아나 보지?
你觉得自己很了不起吗?
nǐ jué de zì jǐ hěn liǎo bu qǐ ma

• 오십보백보야, 너나 잘해.
五十步笑百步, 你自己先做好吧。
wǔ shí bù xiào bǎi bù nǐ zì jǐ xiān zuò hǎo ba

• 똥 묻은 개가 겨 묻은 개 나무란다더니.
自己都坐了一屁股屎, 还说人家口气臭。[15]
zì jǐ dōu zuò le yí pì gǔ shǐ hái shuō rén jiā kǒu qì chòu

15) 원 뜻은 "자기는 똥 위에 앉아서 도리어 남보고 입냄새 난다고 한다"이다.

- 내 일은 내가 알아서 하니까 상관 말고 당신 일이나 잘해.
  我的事我自己办, 你不要管, 做好自己的事吧。
  wǒ de shì wǒ zì jǐ bàn nǐ bú yào guǎn zuò hǎo zì jǐ de shì ba

- 너 더 이상 나를 모멸하지 마.
  你不要再污蔑我了。[16)]
  nǐ bú yào zài wū miè wǒ le

- 보자 하니 너 못하는 소리가 없구나.
  看来, 你无话不说。
  kàn lái nǐ wú huà bù shuō

- 그래서 어쩌겠다는 거야?
  那你要怎么样?
  nà nǐ yào zěn me yàng

- 너 왜 나 없는 데서 내 말하고 다니니?
  你为什么总在背后说我?
  nǐ wèi shén me zǒng zài bèi hòu shuō wǒ

- 나 원 참, 기가 막혀서.
  天啊, 我简直都哑口无言了。[17)]
  tiān a wǒ jiǎn zhí dōu yǎ kǒu wú yán le

- 너 지금 내가 돈 없다고 깔보는 거니?
  你在小看我没有钱吗?
  nǐ zài xiǎo kàn wǒ méi yǒu qián ma

- 네가 뭐라고 하든 난 상관 안 해.
  你怎么说我也不在乎。[18)]
  nǐ zěn me shuō wǒ yě bú zài hu

- 그런 소리 한 번만 더 들리면 가만 놔두지 않을 테다.
  如果我再听到那样的话, 我不会放过你的。
  rú guǒ wǒ zài tīng dào nà yàng de huà wǒ bú huì fàng guo nǐ de

- 할말 있으면 앞에서 분명히 해. 뒤에서 내 얘기하지 말고.
  有话当面说清楚, 不要在背后说我。
  yǒu huà dāng miàn shuō qīng chu bú yào zài bèi hòu shuō wǒ

- 그게 어때서? 뭐가 잘못됐다는 거야?
  那怎么了? 有什么不对吗?
  nà zěn me le yǒu shén me bú duì ma

---

16) 污蔑 wūmiè: 더럽히다, 모독하다, 중상하다. = 诬蔑 wūmiè.
17) 哑口无言 yǎ kǒu wú yán: 말문이 막히다, 벙어리가 된 듯 말을 못하다.
18) 不在乎 búzàihu: 개의치 않다, 괘념치 않는다, 신경 쓰지 않는다.

- 너 나를 바보로 아니? 경고하는데 조심해.
  你把我当傻瓜啊? 警告你, 小心点儿。
  nǐ bǎ wǒ dāng shǎ guā a jǐng gào nǐ xiǎo xīn diǎnr

증오 憎恨
zēng hèn

- 난 네가 미워.
  我恨你。
  wǒ hèn nǐ
- 넌 교활한 여우야.
  你是只狡猾的狐狸。
  nǐ shì zhī jiǎo huá de hú li
- 네가 날 미워하는 거 잘 알아.
  我知道你很恨我。
  wǒ zhī dào nǐ hěn hèn wǒ
- 내가 그렇게 싫으니?
  你觉得我那么讨厌吗?
  nǐ jué de wǒ nà me tǎo yàn ma

경멸 轻蔑
qīng miè

- 흥, 네까짓게.
  哼, 就你。
  hēng jiù nǐ
- 내 말이 맞지, 제가 어쩌겠어?
  我说的没错吧, 他能怎么样?
  wǒ shuō de méi cuò ba tā néng zěn me yàng
- 네까짓게 아무리 도망가 봤자 내 손바닥 안이라고.
  你再怎么努力也逃不出我的手掌心的。[19]
  nǐ zài zěn me nǔ lì yě táo bu chū wǒ de shǒu zhǎng xīn de
- 그 자식은 돈밖에는 아무 것도 없는 놈이야.
  除了钱, 他是个什么都没有的家伙。
  chú le qián tā shì ge shén me dōu méi yǒu de jiā huo
- 끼어들지 마. 네가 뭘 안다고?
  少插嘴, 你知道什么?
  shǎo chā zuǐ nǐ zhī dào shén me

---

19) 이와 유사한 것으로 孙悟空永远也逃不出如来佛的手掌心. sūnwùkōng yǒngyuǎn yě táobuchū rúláifó de shǒuzhǎngxīn。(부처님 손 안의 손오공)이라는 표현도 있다.

- 제까짓게? 웃기지 말라고 해.
  就他? 别开玩笑了。
  jiù tā bié kāi wán xiào le

▶ **경멸을 당했을 때 受到轻蔑时**
shòu dào qīng miè shí

- 어디 두고 보자, 네가 감히 나를 경멸해?
  你等着瞧, 你还敢轻蔑我?
  nǐ děng zhe qiáo nǐ hái gǎn qīng miè wǒ

- 너 나를 모욕했어?
  你竟然侮辱我?
  nǐ jìng rán wǔ rǔ wǒ

- 너 재미삼아 나를 깔보지 마라.
  你不要拿侮辱我当作乐趣。[20)]
  nǐ bú yào ná wǔ rǔ wǒ dāng zuò lè qù

- 너 지금 나 모욕하는 거니?
  你是在侮辱我吗?
  nǐ shì zài wǔ rǔ wǒ ma

Ⅲ. 욕설 责骂
zé mà

▶ **욕설 责骂**
zé mà

- 이 못된 놈!
  你这个臭小子!
  nǐ zhè ge chòu xiǎo zi

- 가증스러운 놈.
  假惺惺的家伙。
  jiǎ xīng xīng de jiā huo

- 짐승 같은 놈. / 형편없는 놈!
  你这个畜生。/ 孬种![21)]
  nǐ zhè ge chù sheng nāo zhǒng

- 개똥 같은 새끼!
  臭狗屎!
  chòu gǒu shǐ

---

20) 拿 ná: ~로서, ~를 가지고.
当作 dāngzuò: ~로 삼다. ~로 간주하다.

21) 孬 nāo: 나쁘다, 무능하다, 비겁하다.

- 미친 년!
  臭三八![22]/臭婆娘!
  chòu sān bā chòu pó niáng

- 더러운 놈!/못된 놈!
  臭皮囊!/臭小子!
  chòu pí náng chòu xiǎo zi

- 바보 같은 새끼!
  你这个笨蛋!
  nǐ zhè ge bèn dàn

- 쌍놈!/망할 놈!
  浑蛋![23]/王八蛋!
  hún dàn wáng bā dàn

- 이런 뻔뻔한 놈이 다 있나.
  还有这么不要脸的家伙。
  hái yǒu zhè me bú yào liǎn de jiā huo

▶ 욕설에 대한 대응 对责骂的回应
duì zé mà de huí yìng

- 너 말 다했어?
  你说完了吗?
  nǐ shuō wán le ma

- 너 누구한테 한 말이냐?
  你在跟谁说话啊?
  nǐ zài gēn shéi shuō huà a

- 너 이 자식 정말 못됐구나.
  你这家伙真是太不像话了。
  nǐ zhè jiā huo zhēn shì tài bú xiàng huà le

- 좋은 말로 해요. 욕하지 말고.
  好好儿谈, 不要说脏话。
  hǎo hāor tán bú yào shuō zāng huà

- 욕하지 마세요. 남을 존중해야 자기도 존중받는 거예요.
  不要骂人了。尊重别人就等于尊重自己。[24]
  bú yào mà rén le zūn zhòng bié rén jiù děng yú zūn zhòng zì jǐ

---

22) 3월 8일이 妇女节 fùnǚjié(여성의 날)이므로 붙여진 욕설임.
23) 混蛋 húndàn이라고도 함.
24) 원뜻은 "남을 존중하는 것은 자기를 존중하는 것과 같아요."

4 놀라움 · 두려움

惊讶/恐惧
jīng yà kǒng jù

"깜짝 놀라다"라는 표현에는 "吓了一跳。xià le yítiào"나 "吓死我了。xià sǐ wǒ le" 등이 많이 쓰이고, "너무나 두렵다"라는 표현으로는 "太恐怖了。tài kǒngbù le"가 적합하다. 요즘 "테러"에 관한 뉴스(新闻 xīnwén)가 자주 등장하는데 테러를 恐怖 kǒngbù 라고 한다. 또한 테러리즘은 "恐怖主义 kǒngbùzhǔyì", 테러리스트는 "恐怖分子 kǒngbùfènzǐ"라고 한다.

기 본 대 화

A: 清清, 你先进去看看吧。
qīng qīng nǐ xiān jìn qù kàn kan ba

B: 不要, 我也害怕, 我们一起进去吧。
bú yào wǒ yě hài pà wǒ men yì qǐ jìn qù ba

A: 好吧, 嘘! 轻点儿。
hǎo ba xū qīng diǎnr

B: 怎么了? 什么都没有嘛!
zěn me le shén me dōu méi yǒu ma

A: 到底怎么回事? 刚才明明听到了奇怪的声音。
dào dǐ zěn me huí shì gāng cái míng míng tīng dào le qí guài de shēng yīn

B: 胆小鬼, 肯定是你听错了。
dǎn xiǎo guǐ kěn dìng shì nǐ tīng cuò le

A: 칭칭, 네가 먼저 들어가 봐.
B: 싫어, 나도 무섭단 말이야. 우리 같이 들어가자.
A: 좋아. 쉿! 좀 가만히 해.
B: 뭐야, 아무 것도 없잖아.
A: 대체 어떻게 된거지? 아까 분명히 이상한 소리를 들었는데.
B: 이 겁쟁이, 분명히 네가 잘못 들은 걸거야.

여러 가지 활용

I. 놀라움 惊讶
jīng yà

▶ **놀랐을 때 惊讶时**
jīng yà shí

- 어머나! / 저런!
  哎呀! / 唉呦!
  āi yā āi yōu

- 오, 하느님!
  哦, 上帝!
  ò shàng dì

- 저런, 세상에!
  哦, 天哪!
  ò tiān na

- 아이고, 깜짝이야.
  唉呦, 吓死我了。
  āi yōu xià sǐ wǒ le

- 깜짝 놀랐네.
  我吓了一跳。
  wǒ xià le yí tiào

- 저런, 어쩜 좋아.
  哎呀, 怎么办才好。
  āi yā zěn me bàn cái hǎo

- 이게 꿈은 아니겠죠?
  这不是在做梦吧?
  zhè bú shì zài zuò mèng ba

- 이게 생시야? 꿈이야?
  这是真的, 还是在做梦?
  zhè shì zhēn de hái shì zài zuò mèng

- 어떻게 이럴 수가!
  怎么会这样?
  zěn me huì zhè yàng

- 당신은 정말 나를 놀라게 하는군요.
  你真让我惊讶。
  nǐ zhēn ràng wǒ jīng yà

- 놀라서 식은땀이 다 나는군요.
  吓得我出冷汗。
  xià de wǒ chū lěng hàn

- 아유, 하마터면 큰일 날 뻔했네.
  哎呦, 差点儿出大事了。
  āi yōu chà diǎnr chū dà shì le

- 어떻게 이런 일이 있을 수가 있지?
  怎么会有这种事?
  zěn me huì yǒu zhè zhǒng shì

- 정말 믿을 수 없어요.
  真不敢相信。
  zhēn bù gǎn xiāng xìn

- 조금 놀랍군요.
  有点儿惊讶。
  yǒu diǎnr jīng yà

경이로울 때 神奇时
shén qí shí

- 어쩜 이렇게 신기하죠?
  怎么会这么神奇?
  zěn me huì zhè me shén qí

- 와, 정말 굉장하군요.
  哇, 真了不起。
  wā zhēn liǎo bu qǐ

- 너무나 신기해서 믿을 수 없네요.
  太神奇了, 真不敢相信。
  tài shén qí le zhēn bù gǎn xiāng xìn

- 이 이야기는 정말 신기하군요.
  这个故事太神奇了。
  zhè ge gù shi tài shén qí le

- 생명의 탄생은 정말 신비스러워요.
  生命的诞生, 真是好神奇。
  shēng mìng de dàn shēng zhēn shì hǎo shén qí

- 그런 용기가 어디서 나왔니? 정말 다시 봤다.
  那样的勇气从哪儿来的? 真让人另眼相看啊。
  nà yàng de yǒng qì cóng nǎr lái de zhēn ràng rén lìng yǎn xiāng kàn a

상대가 놀랐을 때 对方惊讶时
duì fāng jīng yà shí

- 왜 그렇게 놀라세요?
  为什么那么惊讶?
  wèi shén me nà me jīng yà

- 그렇게 놀랄 것까진 없잖아.
  不用那么惊讶吧。
  bú yòng nà me jīng yà ba

- 어때? 정말 놀랍지?
  怎么样? 吓着了吧?
  zěn me yàng xià zháo le ba

- 너 때문에 나까지 깜짝 놀랐잖아.
  你害我也吓了一跳。
  nǐ hài wǒ yě xià le yí tiào

- 꿈에도 생각 못했지?
  做梦也没有想到吧?
  zuò mèng yě méi yǒu xiǎng dào ba

- 정말 놀라운 소식이군.
  这个消息太让人吃惊了。
  zhè ge xiāo xi tài ràng rén chī jīng le

Ⅱ. 두려움 恐惧
kǒng jù

▶ 무서울 때 害怕时
hài pà shí

- 정말 무서워.
  真害怕。
  zhēn hài pà

- 심장이 멎어버릴 것만 같아.
  心脏快要停止跳动了。
  xīn zàng kuài yào tíng zhǐ tiào dòng le

- 나 지금 떨고 있니?
  我在发抖吗?
  wǒ zài fā dǒu ma

- 무서워 이가 다 떨리네.
  吓得牙齿都在抖。
  xià de yá chǐ dōu zài dǒu

- 난 겁쟁이라고, 놀라게 하지 마.
  我胆子小, 别吓唬我。
  wǒ dǎn zi xiǎo bié xià hu wǒ

- 이 장면은 등골이 다 오싹해지는군.
  这个镜头使我毛骨悚然。
  zhè ge jìng tóu shǐ wǒ máo gǔ sǒng rán

- 무서워서 온몸에 소름이 다 끼쳐요.
  我吓得浑身起鸡皮疙瘩。
  wǒ xià de hún shēn qǐ jī pí gē da

- 무서워 머리카락이 다 주뼛해지는걸.
  吓得我头发都翘起来了。
  xià de wǒ tóu fa dōu qiào qǐ lái le

- 그는 무서워 바들바들 떨고 있어요.
  他被吓得哆哆嗦嗦的。
  tā bèi xià de duō duō suō suō de

- 심장이 다 벌렁거리네.
  心脏都要蹦出来了。
  xīn zàng dōu yào bèng chū lái le

- 무서워. 꼭 안아주세요.
  我害怕, 抱紧我。
  wǒ hài pà bào jǐn wǒ

- 무서워서 꼼짝도 못하겠어요.
  我被吓得都动不了了。
  wǒ bèi xià de dōu dòng bu liǎo le

- 그 생각만 하면 몸서리가 쳐져.
  想起那件事就胆战心惊。1)
  xiǎng qǐ nà jiàn shì jiù dǎn zhàn xīn jīng

- 차라리 악몽이라면 좋을 텐데.
  这要是一场恶梦就好了。
  zhè yào shì yì chǎng è mèng jiù hǎo le

- 너무 무서워 기절해 버리겠어요.
  太可怕了, 快要晕倒了。
  tài kě pà le kuài yào yūn dǎo le

▶ 귀신이 무서울 때 怕鬼时
pà guǐ shí

- 가지 마, 귀신 나오는 거 아냐?
  别走, 会不会有鬼?
  bié zǒu huì bu huì yǒu guǐ

- 그 집에선 귀신이 나온대.
  听说那家有鬼。
  tīng shuō nà jiā yǒu guǐ

- 귀신 우는 소리를 들은 것 같은데?
  我似乎听见了鬼叫声?
  wǒ sì hū tīng jiàn le guǐ jiào shēng

- 이 집에선 밤마다 유령이 나타난다는군.
  我听说这家每天晚上都会有幽灵出现。
  wǒ tīng shuō zhè jiā měi tiān wǎn shang dōu huì yǒu yōu líng chū xiàn

---

1) 胆战心惊 dǎn zhàn xīn jīng: 간담이 서늘해지다.

- 방안이 껌껌한게 어째 좀 으스스한걸.
屋子里一片漆黑使我感到阴森恐怖。
wū zi li yí piàn qī hēi shǐ wǒ gǎn dào yīn sēn kǒng bù

▶ 공포 恐怖
kǒng bù

- 정말 공포의 하루였어.
真是恐怖的一天啊。
zhēn shì kǒng bù de yì tiān a

- 한바탕 악몽을 꾼 것 같아.
好像做了一个恶梦。
hǎo xiàng zuò le yí ge è mèng

- 그런 공포는 처음이라니까.
那样恐怖还是第一次。
nà yàng kǒng bù hái shì dì yī cì

- 공포영화는 질색이야.
我不喜欢看恐怖电影。
wǒ bù xǐ huan kàn kǒng bù diàn yǐng

- 그는 나로 하여금 공포를 느끼게 해.
他使我感到恐怖。
tā shǐ wǒ gǎn dào kǒng bù

- 너무 두려운 나머지 기절하고 말았어요.
太恐怖了，吓得我晕了过去。
tài kǒng bù le xià de wǒ yūn le guò qù

▶ 무섭지 않을 때 不害怕时
bú hài pà shí

- 에이 시시해.
真无聊。
zhēn wú liáo

- 난 또 얼마나 무섭다고?
我还以为有多害怕呢?
wǒ hái yǐ wéi yǒu duō hài pà ne

- 난 조금도 무섭지 않아.
我一点都不怕。
wǒ yì diǎn dōu bú pà

▶ 상대가 무서워할 때 对方害怕时
duì fāng hài pà shí

- 뭐가 무섭다고 그래?
  你怕什么啊?
  nǐ pà shén me a

- 이런 겁쟁이, 당황하지 마!
  你这个胆小鬼，不要慌张。
  nǐ zhè ge dǎn xiǎo guǐ bú yào huāng zhāng

- 무서워할 것 없어.
  没什么可害怕的。
  méi shén me kě hài pà de

- 괜히 지레 겁먹지 마!
  不要自己吓自己!
  bú yào zì jǐ xià zì jǐ

- 내가 있잖아. 무서워할 것 없어.
  有我在，你不用害怕。
  yǒu wǒ zài nǐ bú yòng hài pà

- 뭐가 무서워? 진짜도 아닌데, 영화일 뿐이잖아.
  怕什么? 又不是真的，只是电影而已嘛!
  pà shén me yòu bú shì zhēn de zhǐ shì diàn yǐng ér yǐ ma

- 무섭다고 생각하면 더 무서워져.
  你觉得害怕，就更害怕了。
  nǐ jué de hài pà jiù gèng hài pà le

- 네가 무서워하니까 나까지 무서워지잖아.
  看你害怕，我也觉得害怕了。
  kàn nǐ hài pà wǒ yě jué de hài pà le

- 너 무섭구나! 난 하나도 안 무서운데.
  你害怕呀! 我一点都不怕。
  nǐ hài pà ya wǒ yì diǎn dōu bú pà

- 자꾸 무섭다고 하지 마, 그러면 더 무서워진단 말이야.
  你别总是说害怕，越说越害怕。
  nǐ bié zǒng shì shuō hài pà yuè shuō yuè hài pà

- 너 앞으로는 공포영화 보지 마, 알았지?
  你以后别看恐怖电影，知道了吧?
  nǐ yǐ hòu bié kàn kǒng bù diàn yǐng zhī dào le ba

5 걱정 · 긴장 焦虑/紧张
jiāo lǜ jǐn zhāng

중국인들이 일상생활에서 가장 많이 쓰는 말 중에, "没事儿 méishìr", "别着急 biézháojí", "不要紧 búyàojǐn" 등이 있다. "没事儿"는 '괜찮다', '아무 일 없다'는 뜻이며, "别着急"는 '서두르지 마라, 조급해 하지 마라', 그리고, "不要紧" 역시 '괜찮다, 별 문제 아니다'라는 뜻이다. 모두가 걱정이나 조급함을 덜어주기 위한 말이라 할 수 있겠다.

기 본 대 화

A: 看你脸色不太好, 有什么事吗?
kàn nǐ liǎn sè bú tài hǎo yǒu shén me shì ma

B: 是啊, 连续几天给家里打电话, 都没人接电话。
shì a lián xù jǐ tiān gěi jiā li dǎ diàn huà dōu méi rén jiē diàn huà

A: 不要太担心了, 不会有事的。
bú yào tài dān xīn le bú huì yǒu shì de

B: 妈妈一个人在家, 我能不担心吗?
mā ma yí ge rén zài jiā wǒ néng bù dān xīn ma

A: 可是你担心也没用啊。
kě shì nǐ dān xīn yě méi yòng a

A: 얼굴이 안 좋아 보이는데, 무슨 일 있어?
B: 응, 며칠째 집에 전화를 해 보았는데 계속 전화를 안 받아.
A: 너무 걱정하지 마. 무슨 일이야 있을려고.
B: 어머니 혼자 집에 계시는데, 내가 걱정 안 할 수 있겠어?
A: 하지만 걱정한다고 해도 소용없는 거잖아.

여러 가지 활용

Ⅰ. 걱정 担心
dān xīn

▶ 걱정스러울 때 担心时
dān xīn shí

- 걱정스러워 죽겠어요.
  担心死了。
  dān xīn sǐ le

- 아이 때문에 늘 걱정이에요.
  这孩子总让我担心。
  zhè hái zi zǒng ràng wǒ dān xīn

- 그이의 건강이 걱정스러워요.
我担心他的健康。
wǒ dān xīn tā de jiàn kāng

- 이 밤에 차를 몰고 나갔으니 걱정이 되네요.
这么晚开车出去，不知道会不会有事。
zhè me wǎn kāi chē chū qù bù zhī dào huì bú huì yǒu shì

- 잊어버리려고 하는데 안 되네요.
想忘掉也不行。
xiǎng wàng diào yě bù xíng

- 앞으로의 일이 더 걱정이에요.
以后的事更让我担心。
yǐ hòu de shì gèng ràng wǒ dān xīn

- 그녀에게 무슨 일이 생긴 건 아닐까?
她会不会出了什么事?
tā huì bu huì chū le shén me shì

- 난 정말 자신이 없는데, 어떡한담?
我真的没有把握，怎么办?
wǒ zhēn de méi yǒu bǎ wò zěn me bàn

- 그가 화를 내면 어떡하지?
他生气的话怎么办?
tā shēng qì de huà zěn me bàn

- 집안에 조용한 날이 하루도 없으니 늘 걱정이랍니다.
家里没有一天平静的日子，我总是很担心。
jiā li méi yǒu yì tiān píng jìng de rì zi wǒ zǒng shì hěn dān xīn

- 어젯밤 당신이 걱정이 되어서 한숨도 잠을 못잤어요.
昨天晚上很担心你，我一夜都没睡。
zuó tiān wǎn shang hěn dān xīn nǐ wǒ yí yè dōu méi shuì

- 요즘 늘 아이 걱정으로 매일 잠을 잘 못자요.
最近我总是惦记着孩子，天天睡不好觉。
zuì jìn wǒ zǒng shì diàn jì zhe hái zi tiān tiān shuì bu hǎo jiào

- 이 일은 그렇게 간단하지가 않아요.
我觉得这事没那么简单。
wǒ jué de zhè shì méi nà me jiǎn dān

- 틀림없이 무슨 문제가 생겼을 거야.
一定出了什么事。
yí dìng chū le shén me shì

상대가 걱정을 할 때 对方担心时
duì fāng dān xīn shí

- 걱정하지 마세요. 아무 일 없을 거예요.
不用担心，会没事的。
bú yòng dān xīn huì méi shì de

- 무슨 걱정이라도 있으세요?
有什么担心的事吗?
yǒu shén me dān xīn de shì ma

- 얼굴에 수심이 가득하군요.
愁容满面。
chóu róng mǎn miàn

- 무슨 일인데 그렇게 걱정을 하세요?
什么事，那么担心?
shén me shì nà me dān xīn

- 요즘 항상 초췌해 보여요.
最近我觉得你总是神情焦虑。
zuì jìn wǒ jué de nǐ zǒng shì shén qíng jiāo lǜ

- 너무 걱정 말고 좀 웃어봐요.
别太担心，笑一笑嘛。
bié tài dān xīn xiào yi xiào ma

- 안색이 안 좋아 보이는데, 무슨 일인지 나에게 말해 줄 수 있어요?
看你脸色不太好，什么事能跟我说一下吗?
kàn nǐ liǎn sè bú tài hǎo shén me shì néng gēn wǒ shuō yí xià ma

- 걱정한다고 문제가 해결되는 것도 아니니 그냥 하늘에 맡기세요.
担心也解决不了什么问题，听天由命吧。
dān xīn yě jiě jué bù liǎo shén me wèn tí tīng tiān yóu mìng ba

- 무슨 일인지 나에게 말해요. 내가 해결해 줄 수도 있잖아요.
有什么事跟我说，也许我能帮你解决。
yǒu shén me shì gēn wǒ shuō yě xǔ wǒ néng bāng nǐ jiě jué

- 너는 왜 맨날 우거지상이냐?
你为什么天天哭丧着脸?
nǐ wèi shén me tiān tiān kū sāng zhe liǎn

- 그깟 일 가지고 뭘 그렇게 걱정이야?
那么点儿小事，看你担心成这样?
nà me diǎnr xiǎo shì kàn nǐ dān xīn chéng zhè yàng

• 그런 일들로 고민하지 마세요.
不要为那些事烦恼。
bú yào wèi nà xiē shì fán nǎo

Ⅱ. 불안 不安
bù ān

▶ 마음이 불안할 때 心里不安时
xīn li bù ān shí

• 요즘 왠지 하루하루가 더욱 불안해요.
最近我一天比一天不安了。
zuì jìn wǒ yì tiān bǐ yì tiān bù ān le

• 마음이 불안해서 미쳐버릴 것 같아요.
我觉得心里不安,简直快要疯了。
wǒ jué de xīn li bù ān jiǎn zhí kuài yào fēng le

• 하루도 마음 편한 날이 없군요.
没有一天平静的日子。
méi yǒu yì tiān píng jìng de rì zi

• 앉으나 서나 불안합니다.
我感到坐立不安。
wǒ gǎn dào zuò lì bù ān

• 왜 불안한 마음을 떨쳐버릴 수 없는지 모르겠어요.
不知为什么摆脱不了不安的心情。
bù zhī wèi shén me bǎi tuō bù liǎo bù ān de xīn qíng

• 자꾸만 불길한 예감이 들어요.
我总觉得有种不祥的预感。
wǒ zǒng jué de yǒu zhǒng bù xiáng de yù gǎn

• 여태까지 그의 소식이 없으니 안절부절 아무 일도 할 수가 없어요.
到现在还没有他的消息,我忐忑不安无心干任何事。[1)]
dào xiàn zài hái méi yǒu tā de xiāo xi wǒ tǎn tè bù ān wú xīn gàn rèn hé shì

• 성적 발표를 앞두고 마음이 조마조마합니다.
公布成绩之前,我心里七上八下的。
gōng bù chéng jì zhī qián wǒ xīn li qī shàng bā xià de

---

1) 忐忑 tǎntè: 마음이 불안함, 안절부절함, 가슴이 두근거림. '忐忑不安'의 형태로 많이 쓰인다.

▶ **상대가 불안해 보일 때 看对方不安时**
kàn duì fāng bù ān shí

- 마음을 편히 해요.
  放松一下心情。
  fàng sōng yí xià xīn qíng

- 아무 일도 없을 거예요.
  什么事都不会有的。
  shén me shì dōu bú huì yǒu de

- 너무 불안해하지 마, 다 잘 될 거야.
  不要担心了，一切都会好的。
  bú yào dān xīn le yí qiè dōu huì hǎo de

- 뭐 죄지은 것 있니? 왜 그렇게 불안해 해?
  做了什么亏心事吗？为什么那么不安？
  zuò le shén me kuī xīn shì ma wèi shén me nà me bù ān

Ⅲ. 초조 焦急
jiāo jí

A: 有什么事吗？
yǒu shén me shì ma

B: 没有，为什么这样问我？
méi yǒu wèi shén me zhè yàng wèn wǒ

A: 从刚才到现在，你的腿都一直在抖。
cóng gāng cái dào xiàn zài nǐ de tuǐ dōu yì zhí zài dǒu

B: 是吗？其实我现在心情很焦急。
shì ma qí shí wǒ xiàn zài xīn qíng hěn jiāo jí

A: 为什么啊？
wèi shén me a

B: 我一直等她的电话，但她还没有消息。
wǒ yì zhí děng tā de diàn huà dàn tā hái méi yǒu xiāo xi

A: 무슨 일 있니?
B: 없어. 그런데 왜 묻는 거지?
A: 너 아까부터 줄곧 다리를 떨고 있더라.
B: 그래? 사실은 지금 몹시 초조하거든.
A: 왜?
B: 줄곧 그녀의 전화를 기다리는데 아직도 소식이 없잖아.

▶ **초조할 때** 焦急时
jiāo jí shí

• 초조해서 진땀이 다 납니다.
我急得一直冒汗。
wǒ jí de yì zhí mào hàn

• 지금 뜨거운 솥 위의 개미처럼 마음이 바빠.
我现在急得就像热锅上的蚂蚁。[2)]
wǒ xiàn zài jí de jiù xiàng rè guō shang de mǎ yǐ

• 내일이 수능시험 발표일이라서 초조해 죽겠어요.
明天是高考发榜的日子，我很焦急。[3)]
míng tiān shì gāo kǎo fā bǎng de rì zi wǒ hěn jiāo jí

• 그는 왜 아직도 소식이 없는 거야. 나는 초조해 죽겠는데.
他怎么到现在还没有消息？我都快急死了。
tā zěn me dào xiàn zài hái méi yǒu xiāo xi wǒ dōu kuài jí sǐ le

▶ **긴장할 때** 紧张时
jǐn zhāng shí

• 너무나 긴장이 돼.
太紧张了。
tài jǐn zhāng le

• 손에 땀을 쥐게 하는군.
手里捏了一把汗。
shǒu li niē le yì bǎ hàn

• 너무 긴장한 탓에 할말을 제대로 못했어요.
太紧张了，该说的话都没说。
tài jǐn zhāng le gāi shuō de huà dōu méi shuō

• 대중 앞에서 말을 할 때 몹시 긴장이 돼요.
我在众人面前发言很紧张。
wǒ zài zhòng rén miàn qián fā yán hěn jǐn zhāng

• 너무 떨려서 말이 안 나와요.
紧张得说不出话来。
jǐn zhāng de shuō bu chū huà lái

• 면접 때 긴장하면 어떡하지?
面试的时候紧张的话，怎么办？
miàn shì de shí hou jǐn zhāng de huà zěn me bàn

---

2) 热锅上的蚂蚁 règuō shang de mǎyǐ: 뜨거운 솥 위의 개미란 뜻으로 마음이 매우 바쁘고 초조함을 일컬음.

3) 高考 gāokǎo: 고등학교 3학년생들이 대학을 가기 위해 치러야 하는 시험.

- 나는 긴장이 되면 무슨 말을 해야 할지 다 까먹어 버려요.
  我一紧张就不知道该说什么。
  wǒ yì jǐn zhāng jiù bù zhī dào gāi shuō shén me

- 어찌나 긴장을 했는지 식은땀이 다 나네요.
  太紧张了, 都冒冷汗了。
  tài jǐn zhāng le dōu mào lěng hàn le

상대가 긴장 · 초조해 할 때　对方紧张/焦急时
duì fāng jǐn zhāng jiāo jí shí

- 조급할 것 없어.
  别着急。
  bié zháo jí

- 마음을 느긋하게 해.
  放松心情。
  fàng sōng xīn qíng

- 넌 잘못한 거 없어. 너무 그렇게 초조해 하지 마.
  你没有错, 不要那么担心。
  nǐ méi yǒu cuò bú yào nà me dān xīn

- 모든 일은 서서히 해결이 될 겁니다.
  所有的事都会慢慢解决的。
  suǒ yǒu de shì dōu huì màn màn jiě jué de

- 시간이 다 해결해 줄 거야.
  时间会冲淡一切。[4]
  shí jiān huì chōng dàn yí qiè

- 조금만 더 기다려 봐. 좋은 소식이 있을 테니.
  再等一会儿, 会有好消息的。
  zài děng yí huìr huì yǒu hǎo xiāo xi de

- 긴장하지 마. 긴장하면 오히려 능력을 발휘 못해.
  不要紧张, 紧张的话就不能充分发挥了。
  bú yào jǐn zhāng jǐn zhāng de huà jiù bù néng chōng fèn fā huī le

- 긴장이 되면 숨을 크게 쉬어 봐요.
  紧张的话, 深深的吸一口气。
  jǐn zhāng de huà shēn shēn de xī yì kǒu qì

- 초조해 하지 말고 마음을 느긋이 먹어 봐.
  别着急, 把心再平静一些。
  bié zháo jí bǎ xīn zài píng jìng yì xiē

---

4) 冲淡 chōngdàn: 엷게 하다, 묽게 하다, 약화시키다, 감소시키다.

6 불평 · 불만

不平/不满
bù píng bù mǎn

낙관적인 사고(乐观主义 lèguānzhǔyì)를 가진 사람은 반쯤 찬 술잔을 보고 "술이 아직 반이나 남았구나."(酒还剩一半了。jiǔ hái shèng yíbàn le)하고 행복해 하지만, 비관적인 사고(悲观主义 bēiguānzhǔyì)를 가진 사람은 "술이 절반밖에 안 남았군."(酒只剩一半了。jiǔ zhǐ shèng yíbàn le)하고 슬퍼한다는 말이 있다. 이와같이 우리 주변에는 많은 것을 가지고도 불행한 사람이 있는가 하면, 가진 것이 없어도 행복한 사람이 있다. 늘 불평불만인 사람에게 행복은 요원한 일이다.

기 본 대 화

A: 你真的不听我的话吗?
nǐ zhēn de bù tīng wǒ de huà ma

B: 你又怎么了? 我做错了什么?
nǐ yòu zěn me le wǒ zuò cuò le shén me

A: 我都说了多少遍了? 你用的东西要放到原来的位置上。
wǒ dōu shuō le duō shao biàn le nǐ yòng de dōng xi yào fàng dào yuán lái de wèi zhì shang

B: 又开始了, 你怎么会有那么多的不满?
yòu kāi shǐ le nǐ zěn me huì yǒu nà me duō de bù mǎn

A: 你看这乱七八糟, 我能不说吗?[1)]
nǐ kàn zhè luàn qī bā zāo wǒ néng bù shuō ma

B: 总是那么多不满, 是不是厌倦我了?
zǒng shì nà me duō bù mǎn shì bu shì yàn juàn wǒ le

A: 不是, 是你的做法让我厌倦了。
bú shì shì nǐ de zuò fǎ ràng wǒ yàn juàn le

B: 得了得了, 不和你吵了。
dé le dé le bù hé nǐ chǎo le

A: 당신 정말 내 말을 안 들을 거예요?

B: 또 왜 그래? 내가 뭘 잘못했는데?

A: 내가 몇 번이나 말했어요? 사용한 물건은 항상 제자리에 갖다 놓으라고.

B: 또 시작이군. 당신은 도대체 웬 불만이 그렇게 많아?

A: 이렇게 엉망진창인 꼴을 봐요. 내가 말 안 할 수가 있냐고요?

B: 늘 그렇게 불만이 많은 걸 보니, 내가 싫어진 것 아니야?

A: 아니, 당신 하는 짓이 싫어지게끔 만드는 거죠.

B: 됐어 됐어. 당신과 말싸움하고 싶지 않아.

---

1) 乱七八糟 luànqībāzāo: 엉망진창, 난장판.

여러 가지 활용

I. 불평 不平
bù píng

▶ 짜증이 날 때 厌烦时
yàn fán shí

- 정말 짜증스러워.
  真烦。
  zhēn fán

- 제기랄!
  他妈的!
  tā mā de

- 정말 귀찮게 하는군.
  真让人烦。
  zhēn ràng rén fán

- 다시는 나를 귀찮게 하지 마.
  不要再烦我。
  bú yào zài fán wǒ

- 다른 사람 귀찮게 하지 말고 스스로 해.
  别再烦人家了, 自己做吧。
  bié zài fán rén jia le zì jǐ zuò ba

- 날씨 탓인가? 왜 이렇게 짜증이 나지?
  是天气的关系吗? 为什么这么烦?
  shì tiān qì de guān xì ma wèi shén me zhè me fán

- 나에게 너무 스트레스 주지 마.
  你不要对我施加太大的压力。
  nǐ bú yào duì wǒ shī jiā tài dà de yā lì

- 스트레스가 너무 많아요.
  我的压力太大了。
  wǒ de yā lì tài dà le

- 뭐 신나는 일 없을까? 짜증나 죽겠네.
  没有什么开心的事吗? 烦死了。
  méi yǒu shén me kāi xīn de shì ma fán sǐ le

- 이런 생활 이젠 진절머리가 나.
  这样的生活, 我已经过腻了。[2)]
  zhè yàng de shēng huó wǒ yǐ jīng guò nì le

---

2) 腻 nì: 싫증이 나다, 물리다, 진저리나다.

- 이런 단순한 작업 이젠 지긋지긋해.
  这样单一的工作，令人厌烦。
  zhè yàng dān yī de gōng zuò lìng rén yàn fán

- 하루 종일 놀고 먹기 정말 너무 무료해요.
  一天到晚游手好闲简直太无聊了。[3)]
  yì tiān dào wǎn yóu shǒu hào xián jiǎn zhí tài wú liáo le

- 요즘 왜 툭하면 성질을 내죠?
  你为什么最近爱闹脾气啊?
  nǐ wèi shén me zuì jìn ài nào pí qì a

- 하루 종일 해도 끝이 없는 집안일, 너무 지긋지긋해.
  整天都没完没了地做家务事，太烦人了。[4)]
  zhěng tiān dōu méi wán méi liǎo de zuò jiā wù shì tài fán rén le

- 희망이 없어지니 만사가 다 귀찮아요.
  我失去了希望，事事都烦。
  wǒ shī qù le xī wàng shì shì dōu fán

- 제발 나에게 이래라 저래라 하지 좀 마세요, 네?
  求求你不要再让我做这做那，好吗?
  qiú qiu nǐ bú yào zài ràng wǒ zuò zhè zuò nà hǎo ma

▶ 억울할 때 冤枉时
yuān wang shí

- 정말 억울합니다.
  我真冤啊。
  wǒ zhēn yuān a

- 정말 너무 억울해요.
  真是太冤枉人了。
  zhēn shì tài yuān wang rén le

- 장화홍련보다도 더 억울합니다.
  我简直比窦娥还冤。[5)]
  wǒ jiǎn zhí bǐ dòu é hái yuān

- 방귀 뀐 놈이 성낸다더니.
  恶人反而先告状。[6)]
  è rén fǎn ér xiān gào zhuàng

---

3) 游手好闲 yóu shǒu hào xián: 하는 일 없이 빈둥거리다, 일 하지 않고 놀고 먹다.
4) 没完没了 méi wán méi liǎo: 한도 끝도 없다.
5) 窦娥 dòu'é: 元曲 yuánqǔ(원나라 때의 희곡)의 유명한 작품인 「窦娥冤」 dòu'éyuān에 나오는 여주인공의 이름.
6) 원뜻은 "악인이 도리어 먼저 착한 사람을 고발한다"는 뜻.

• 너무나 억울해서 말도 안 나오네.
太冤了，都说不出话来了。
tài yuān le dōu shuō bu chū huà lái le

• 넌 나를 정말 원통하게 하는구나.
你让我好冤啊。
nǐ ràng wǒ hǎo yuān a

• 너무 억울해서 나도 무슨 말을 해야 좋을지 모르겠다.
太冤枉了，我都不知道该说什么话才好。
tài yuān wang le wǒ dōu bù zhī dào gāi shuō shén me huà cái hǎo

• 모두가 그 결과에 억울해 하고 있어요.
大家对于那个结果都觉得很冤枉。
dà jiā duì yú nà ge jié guǒ dōu jué de hěn yuān wang

Ⅱ. 불만 不满
bù mǎn

▶ 불만일 때 不满意时
bù mǎn yì shí

• 나 당신한테 불만 많아요.
我对你很不满。
wǒ duì nǐ hěn bù mǎn

• 너는 왜 이런 일 하나도 제대로 못하는 거니?
你怎么连这么简单的事都做不好?
nǐ zěn me lián zhè me jiǎn dān de shì dōu zuò bu hǎo

• 내가 뭐 잘못한 것 있어? 왜 맨날 나에게 불만이야?
我做错了什么事? 你为什么天天对我不满?
wǒ zuò cuò le shén me shì nǐ wèi shén me tiān tiān duì wǒ bù mǎn

• 나는 뭐 너에게 불만 없는 줄 알아?
你以为我对你就没有不满了吗?
nǐ yǐ wéi wǒ duì nǐ jiù méi yǒu bù mǎn le ma

• 우리 사장님은 말이 많은 게 흠이라니까.
我们老总的缺点就是说话太啰嗦了。[7)]
wǒ men lǎo zǒng de quē diǎn jiù shì shuō huà tài luō suo le

• 나는 키도 작고 뚱뚱하고, 나의 신체조건이 너무 불만스러워.
我又矮又胖，对自己的身材很不满。
wǒ yòu ǎi yòu pàng duì zì jǐ de shēn cái hěn bù mǎn

---

7) 啰嗦 luōsuo: 말이 많다, 수다스럽다.

▶ 상대가 불만일 때 对方不满时
duì fāng bù mǎn shí

- 왜 그렇게 볼멘 소리야?
你怎么说赌气的话?
nǐ zěn me shuō dǔ qì de huà

- 맨날 불평만 하지 말고 대책을 생각해 봐요.
别天天愤愤不平的, 想想对策吧。
bié tiān tiān fèn fèn bù píng de xiǎng xiang duì cè ba

- 뭐 불만스러운 거 있어요?
有什么不满意的地方吗?
yǒu shén me bù mǎn yì de dì fang ma

- 나에게 불만이 있으면 다 얘기를 해요.
对我有不满, 尽管说出来。
duì wǒ yǒu bù mǎn jǐn guǎn shuō chū lái

- 잔소리 좀 그만 해요.
别再唠叨了。8)
bié zài láo dao le

- 쓸데없이 투덜거리지 마.
别瞎嘟囔了。9)
bié xiā dū nang le

- 허구한 날 찡그리고 있지 마.
你别天天皱眉。
nǐ bié tiān tiān zhòu méi

- 너는 계속 구시렁거리는데 무슨 불만이라도 있니?
你总是嘟嘟囔囔的, 有什么不满吗?
nǐ zǒng shì dū du nāng nāng de yǒu shén me bù mǎn ma

- 불만이 있으면 얘기를 해야지, 그러고 있지 말고.
有什么不满说出来, 不要那样。
yǒu shén me bù mǎn shuō chū lái bú yào nà yàng

- 왜 저를 나무라세요?
为什么要怪我?
wèi shén me yào guài wǒ

- 일할 때마다 죽는 소리를 하는데, 뭐가 불만이지?
你在工作中总是叫苦, 有什么不满意吗?
nǐ zài gōng zuò zhōng zǒng shì jiào kǔ yǒu shén me bù mǎn yì ma

---

8) 唠叨 láodao: 잔소리를 하다, 수다떨다, 시끄럽게 말하다.
9) 嘟囔 dū'nang: 투덜거리다, 군시렁거리다.

7 후회 · 유감

后悔/遗憾
hòu huǐ yí hàn

"늦었다고 후회하는 때가 가장 빠른 때이다"라는 말이 있다. 이 말은 후회하는 그 시점에서라도 잘못을 바로잡아 나가면 얼마든지 다시 잘될 수 있음을 강조하는 말이다. 그런 의미에서 볼 때 "소 잃고 외양간 고친다"는 뜻의 "亡羊补牢 wáng yáng bǔ láo"는 그 우둔함을 탓하는 것이라기 보다는, 이제라도 그 잘못을 바로 잡아 그와 같은 우를 다시는 범하지 말아야 함을 경계하는 성어라고 할 수 있다.

기 본 대 화

A: 我很后悔上学的时候没有好好学习。
wǒ hěn hòu huǐ shàng xué de shí hou méi yǒu hǎo hǎo xué xí

B: 你现在才感受到吗?
nǐ xiàn zài cái gǎn shòu dào ma

A: 那时候好好学习的话, 现在也不会这样了。
nà shí hou hǎo hǎo xué xí de huà xiàn zài yě bú huì zhè yàng le

B: 现在也不晚啊, 从现在开始好好学习也可以啊。
xiàn zài yě bù wǎn a cóng xiàn zài kāi shǐ hǎo hǎo xué xí yě kě yǐ a

A: 现在开始还来得及吗?
xiàn zài kāi shǐ hái lái de jí ma

B: 为时不晚。[1)]
wéi shí bù wǎn

A: 好吧, 为了不让以后后悔, 我现在从头再来吧。
hǎo ba wèi le bú ràng yǐ hòu hòu huǐ wǒ xiàn zài cóng tóu zài lái ba

B: 没错, 失败是成功之母嘛。
méi cuò shī bài shì chéng gōng zhī mǔ ma

A: 학교에 다닐 때 공부를 열심히 하지 않았던게 후회가 돼.
B: 그걸 이제야 깨달은 거야?
A: 그때 열심히 했더라면 지금 이 모양은 아닐 텐데.
B: 지금도 늦지 않았어. 이제부터라도 열심히 공부하면 돼.
A: 지금 시작해도 늦지 않을까?
B: 늦었다고 생각하는 때가 가장 빠른 때야.
A: 좋아, 나중에 더 후회하지 않기 위해 이제라도 처음부터 다시 시작해야겠어.
B: 맞아. 실패는 성공의 어머니잖아.

---

1) 为时不晚 wéi shí bù wǎn: "(지금 시작해도) 아직 때가 늦지 않았다"는 뜻의 성어.

여러 가지 활용

Ⅰ. 후회 后悔
hòu huǐ

▶ 후회할 때 后悔时
hòu huǐ shí

- 내가 왜 그런 짓을 했을까?
  我为什么会做那种事?
  wǒ wèi shén me huì zuò nà zhǒng shì

- 지금 생각하니 몹시 후회가 됩니다.
  现在想一想, 很后悔。
  xiàn zài xiǎng yi xiǎng hěn hòu huǐ

- 그때 그 말은 하지 말았어야 했는데.
  那时候我真不该说那句话。
  nà shí hou wǒ zhēn bù gāi shuō nà jù huà

- 일을 그르치고 나니 후회가 막심해요.
  做错了事, 太后悔了。
  zuò cuò le shì tài hòu huǐ le

- 그때 내가 먼저 사과를 했어야 했는데, 정말 후회스러워.
  那时候我应该先道歉, 真后悔!
  nà shí hou wǒ yīng gāi xiān dào qiàn zhēn hòu huǐ

- 지금 와서 후회한들 무슨 소용이 있겠어?
  现在后悔有什么用?
  xiàn zài hòu huǐ yǒu shén me yòng

- 부모님 살아계실 때 좀더 효도할걸.
  爸妈在的时候, 应该多尽孝心。
  bà mā zài de shí hou yīng gāi duō jìn xiào xīn

- 내가 왜 진작 중국어 공부를 열심히 하지 않았을까?
  我为什么没有及早好好儿学中文?
  wǒ wèi shén me méi yǒu jí zǎo hǎo hāor xué zhōng wén

- 이렇게 후회할 줄 미처 몰랐어요.
  没想到会这么后悔。
  méi xiǎng dào huì zhè me hòu huǐ

- 정말 후회막급입니다.
  我真是追悔莫及啊。
  wǒ zhēn shì zhuī huǐ mò jí a

▶ **후회하는 사람에게** **针对后悔的人**
zhēn duì hòu huǐ de rén

- 지금 후회해 봤자 늦었어.
  你现在后悔也来不及了。
  nǐ xiàn zài hòu huǐ yě lái bu jí le

- 내가 말하지 않았어? 너 분명히 후회할 거라고.
  我不说了吗? 你一定会后悔的。
  wǒ bú shuō le ma nǐ yí dìng huì hòu huǐ de

- 그만 해. 지금 와서 후회해도 소용없어.
  算了吧。现在后悔也没用。
  suàn le ba xiàn zài hòu huǐ yě méi yòng

- 넌 왜 맨날 후회만 하니?
  你怎么天天后悔?
  nǐ zěn me tiān tiān hòu huǐ

- 후회한들 아무런 도움이 안 돼.
  后悔也无济于事了。[2)]
  hòu huǐ yě wú jì yú shì le

- 그것을 선택한다면 틀림없이 후회할걸.
  你选择那个的话, 一定会后悔的。
  nǐ xuǎn zé nà ge de huà yí dìng huì hòu huǐ de

- 그때 그것을 선택했더라도 지금 후회했을 거야.
  假如当初你选那个, 现在也会后悔的。
  jiǎ rú dāng chū nǐ xuǎn nà ge xiàn zài yě huì hòu huǐ de

- 지난 일을 후회하는 것보다 더 어리석은 것은 없어. 잊어버려.
  最蠢的事莫过于后悔过去的事。忘了吧。[3)]
  zuì chǔn de shì mò guò yú hòu huǐ guò qù de shì wàng le ba

- 기죽지 마. 앞으로 그러지 않으면 되는 거 아냐?
  别沮丧了, 以后不要那样不就行了吗?[4)]
  bié jǔ sàng le yǐ hòu bú yào nà yàng bú jiù xíng le ma

- 너는 매번 이래도 후회 저래도 후회, 도대체 왜 그래?
  你总是这也后悔那也后悔, 到底怎么回事?
  nǐ zǒng shì zhè yě hòu huǐ nà yě hòu huǐ dào dǐ zěn me huí shì

---

2) 无济于事 wú jì yú shì: 일에 아무런 도움이 안 되다, 아무 소용없다.
3) 蠢 chǔn: 어리석다, 우둔하다, 미련하다.
   莫过于 mòguòyú: ~보다 더한 것은 없다, ~이상의 것은 없다.
4) 沮丧 jǔsàng: 기가 꺾이다, 기가 죽다, 풀이 죽다.

▶ 기타 其他
qí tā

• 언젠가는 후회할 거야.
总有一天, 你会后悔的。
zǒng yǒu yì tiān nǐ huì hòu huǐ de

• 너 분명히 후회한다.
你一定会后悔的。
nǐ yí dìng huì hòu huǐ de

• 나중에 후회한다 해도 지금은 이럴 수밖에 없어.
以后可能会后悔, 但现在只能这样。
yǐ hòu kě néng huì hòu huǐ dàn xiàn zài zhǐ néng zhè yàng

• 네가 한 말, 후회하지 않겠지?
你说过的话, 不会反悔吧?
nǐ shuō guo de huà bú huì fǎn huǐ ba

• 그렇게 후회를 하고도 아직 정신을 못차리는구나.
那样后悔, 现在还这样执迷不悟。[5)]
nà yàng hòu huǐ xiàn zài hái zhè yàng zhí mí bú wù

Ⅱ. 유감 遗憾
yí hàn

▶ 유감일 때 遗憾时
yí hàn shí

• 아직도 매우 유감입니다.
现在还很遗憾。
xiàn zài hái hěn yí hàn

• 그때는 왜 몰랐을까? 나중에 한이 되리라는 걸.
我那时候为什么不知道以后会遗憾呢?
wǒ nà shí hou wèi shén me bù zhī dào yǐ hòu huì yí hàn ne

• 한스러워. 그때 그녀를 보내지 말았어야 하는건데.
很遗憾, 那时候我不应该让她走。
hěn yí hàn nà shí hou wǒ bù yīng gāi ràng tā zǒu

• 이렇게 미련이 남을 줄 몰랐어요.
没想到现在会这样遗憾。
méi xiǎng dào xiàn zài huì zhè yàng yí hàn

---

5) 执迷不悟 zhí mí bú wù: 미혹함에 사로잡혀 깨닫지 못하다, 잘못을 고집하여 깨닫지 못하다.

- 이렇게 긴 시간이 흘렀는데도 아직 미련이 남아 있어요.
  都这么长时间了，我还是感到很遗憾。
  dōu zhè me cháng shí jiān le wǒ hái shì gǎn dào hěn yí hàn

▶ 애석할 때 可惜时 kě xī shí

- 정말 아깝군, 너무나 근소한 차이였어.
  真可惜啊，就只差那么一点儿。
  zhēn kě xī a jiù zhǐ chà nà me yì diǎnr

- 아쉽지만 여기서 헤어집시다.
  真可惜，但就在这儿分手吧。
  zhēn kě xī dàn jiù zài zhèr fēn shǒu ba

- 더 잘할 수 있었는데, 정말 아쉬워요.
  你可以做得更好，真可惜。
  nǐ kě yǐ zuò de gèng hǎo zhēn kě xī

- 그녀가 조금만 더 친절하면 좋을 텐데.
  她再亲切一点儿就好了。
  tā zài qīn qiè yì diǎnr jiù hǎo le

- 아쉬워도 어쩔 수 없어요.
  再可惜也没有办法。
  zài kě xī yě méi yǒu bàn fǎ

▶ 미련을 갖는 사람에게 劝慰遗憾的人 quàn wèi yí hàn de rén

- 깨끗이 잊어버리라고.
  彻底地忘了吧。
  chè dǐ de wàng le ba

- 더 이상 미련 갖지 마.
  别再遗憾了。
  bié zài yí hàn le

- 됐어, 이제 그만 생각해.
  好了，别再想了。
  hǎo le bié zài xiǎng le

- 그러한 유감스런 일들에 얽매여 있지 마세요.
  你不要总是想着那些让你遗憾的事了。
  nǐ bú yào zǒng shì xiǎng zhe nà xiē ràng nǐ yí hàn de shì le

참고 관련 용어

- 기쁨 欢喜 huān xǐ
- 행복 幸福 xìng fú
- 행운 幸运 xìng yùn
- 기쁘다 高兴 gāo xìng
- 즐겁다 快乐, 开心 kuài lè kāi xīn
- 유쾌하다 愉快 yú kuài
- 통쾌하다 痛快 tòng kuài
- 시원하다 爽快 shuǎng kuài
- 재수 좋다 走运 zǒu yùn
- 불행 不幸 bú xìng
- 슬프다 悲哀, 悲伤 bēi āi bēi shāng
- 비통/비참하다 悲痛/悲惨 bēi tòng bēi cǎn
- 속상하다 伤心 shāng xīn
- 마음이 아프다 难过 nán guò
- 괴롭다 烦恼 fán nǎo
- 고통스럽다 痛苦 tòng kǔ
- 우울하다 忧郁 yōu yù
- 답답하다 郁闷 yù mèn
- 슬픔을 누르다 节哀 jié āi
- 위로하다 安慰 ān wèi
- 달래다 哄 hǒng
- 조문/애도하다 哀悼 āi dào
- 화를 내다 生气 shēng qì
- 화를 참다 憋气 biē qì
- 성질을 내다 发脾气 fā pí qì
- 노발대발하다 大发脾气 dà fā pí qì
- 비평하다 批评 pī píng
- 나무라다 骂 mà
- 재수 없다 倒霉 dǎo méi
- 귀찮다/성가시다 烦 fán
- 괴롭히다 折磨 zhé mó
- 고민하다/괴로워하다 折腾 zhē teng
- 심기를 건드리다 惹 rě
- 떨다 发抖 fā dǒu
- 뻔뻔스럽다 不要脸 bú yào liǎn
- 증오하다 憎恨 zēng hèn
- 싫어하다 讨厌 tǎo yàn
- 경멸하다 轻蔑 qīng miè
- 놀라다 惊讶 jīng yà
- 두려움 恐惧 kǒng jù
- 공포 恐怖 kǒng bù
- 신기하다 神奇 shén qí
- 무섭다 可怕 kě pà
- 무서워하다 害怕 hài pà
- 겁쟁이 胆小鬼 dǎn xiǎo guǐ
- 섬뜩하다/오싹하다 毛骨悚然 máo gǔ sǒng rán
- 소름이 끼치다 起鸡皮疙瘩 qǐ jī pí gē da
- 걱정하다 担心, 惦念, 惦记 dān xīn diàn niàn diàn jì
- 불안하다 不安 bù ān
- 초조하다 焦急 jiāo jí
- 긴장하다 紧张 jǐn zhāng
- 심심하다/무료하다 无聊 wú liáo
- 억울하다 冤枉 yuān wang
- 후회하다 后悔 hòu huǐ
- 섭섭하다 舍不得 shě bu de
- 아쉽다/애석하다 可惜 kě xī

06 의사 표현

表达方法 BIAODA FANGFA

1 의견 제시

提意见
tí yì jiàn

다른 사람에게 의견을 제시하거나 물어볼 때 흔히 "~, 怎么样 zěnmeyàng?"을 많이 사용하는데 이는 "~하면 어떨까요?"라고 상대의 뜻을 물어보는 표현이 된다. 한편 의견을 제시하면서 개인의 사견임을 먼저 밝히고자 할 때에는 "依我个人的想法 yī wǒ gèrén de xiǎngfǎ, ~"(제 개인적인 생각으로는 ~)라고 시작하면 된다.

기 본 대 화

A: 哎, 终于下班了!
āi zhōng yú xià bān le

B: 太好了! 呆会儿你去干什么?
tài hǎo le dāi huìr nǐ qù gàn shén me

A: 时间还早, 我们出去喝一杯, 怎么样?
shí jiān hái zǎo wǒ men chū qù hē yì bēi zěn me yàng

B: 不好意思, 今天晚上我已经约了人, 下次吧!
bù hǎo yì si jīn tiān wǎn shang wǒ yǐ jīng yuē le rén xià cì ba

A: 자, 드디어 퇴근 시간이군요!
B: 좋지요. 퇴근 후에 뭐 하십니까?
A: 일찍 퇴근했으니 우리 나가서 한잔 할까요?
B: 죄송하지만 오늘 저녁엔 선약이 있어요. 다음에 합시다.

여러 가지 활용

Ⅰ. 의견을 말하려 할 때 想要提意见时
xiǎng yào tí yì jiàn shí

- 저에게 발언할 기회를 주시겠습니까?
  请给我发言的机会好吗?
  qǐng gěi wǒ fā yán de jī huì hǎo ma

- 선생님, 저 드릴 말씀이 있습니다.
  先生, 我有话要跟您说。
  xiān sheng wǒ yǒu huà yào gēn nín shuō

- 사실대로 말씀드려도 될까요?
  我可以说实话吗?
  wǒ kě yǐ shuō shí huà ma

- 솔직하게 말씀드리겠습니다.
  我坦白地说吧。
  wǒ tǎn bái de shuō ba

- 단도직입적으로 말씀드리겠습니다.
  我直截了当地说吧。[1)]
  wǒ zhí jié liǎo dàng de shuō ba

- 그 문제에 관해 제 의견을 말씀드리겠습니다.
  关于那个问题，我想说一下我的观点。
  guān yú nà ge wèn tí wǒ xiǎng shuō yí xià wǒ de guān diǎn

- 저의 개인적인 생각을 말씀드리겠습니다.
  我想跟你说一下我个人的看法。
  wǒ xiǎng gēn nǐ shuō yí xià wǒ gè rén de kàn fǎ

- 마지막으로 다시 한 말씀 드리겠습니다.
  我想最后再说一句。
  wǒ xiǎng zuì hòu zài shuō yí jù

▶ **자신의 생각을 말할 때** **表达自己的意见时**
biǎo dá zì jǐ de yì jiàn shí

- 저는 그렇게 생각하지 않습니다.
  我倒不那么认为。[2)]
  wǒ dào bú nà me rèn wéi

- 저는 그게 더 낫다고 생각합니다.
  我想那样会更好。
  wǒ xiǎng nà yàng huì gèng hǎo

- 저는 그게 이것보다 더 좋다고 생각합니다.
  我认为那个比这个好多了。
  wǒ rèn wéi nà ge bǐ zhè ge hǎo duō le

- 이 정도면 이미 충분한 것 같습니다.
  我觉得这个程度已经够了。
  wǒ jué de zhè ge chéng dù yǐ jīng gòu le

- 그 점에 대해서 저는 이렇게 생각합니다.
  我对那一点是这么想的。
  wǒ duì nà yì diǎn shì zhè me xiǎng de

- 그렇게 해도 아무 소용없다고 생각합니다.
  我认为那样做也是没用的。
  wǒ rèn wéi nà yàng zuò yě shì méi yòng de

- 엄격히 말하자면, 그건 정당한 수법이 아닙니다.
  严格地说，那是不正当的手法。
  yán gé de shuō nà shì bú zhèng dāng de shǒu fǎ

---

1) 直截了当 zhí jié liǎo dàng : 단도직입적이다, 간단명료하다, 명쾌하다는 뜻. = 直接了当 zhí jiē liǎo dàng, 直捷了当 zhí jié liǎo dàng
2) 倒 dào: 상대방의 예상이나 기대와는 상반되는 의견을 말하고자 할 때 사용한다.

- 어쨌든 제 생각에는 이렇게 하는 것이 좋을 것 같습니다.
  总的来说，我觉得还是这样做好。
  zǒng de lái shuō wǒ jué de hái shi zhè yàng zuò hǎo

Ⅱ. 제안할 때 提议时
tí yì shí

A: 放学后有事吗?
fàng xué hòu yǒu shì ma
B: 没什么事。
méi shén me shì
A: 那么我们一起到网吧玩会儿。
nà me wǒ men yì qǐ dào wǎng bā wán huìr
B: 我也这么想的。
wǒ yě zhè me xiǎng de

A: 방과 후에 뭐 할꺼니?
B: 별로 할 거 없는데.
A: 그럼 우리 피시방에 가서 조금만 놀자.
B: 나도 그럴 생각이었어.

- 제안이 하나 있는데요.
  我有个提议。
  wǒ yǒu ge tí yì
- 우리 이렇게 하면 어떨까요?
  咱们这样好不好?
  zán men zhè yàng hǎo bu hǎo
- 저에게 좋은 생각이 있습니다.
  我有个好主意。
  wǒ yǒu ge hǎo zhǔ yì
- 다시 한번 시도해 봅시다.
  我们再试一次吧。
  wǒ men zài shì yí cì ba
- 하루 더 기다려 보면 어떨까요?
  你再等一天怎么样?
  nǐ zài děng yì tiān zěn me yàng
- 저는 샤오왕을 총무로 선출할 것을 제안합니다.
  我提议选举小王当总务。
  wǒ tí yì xuǎn jǔ xiǎo wáng dāng zǒng wù

2 확신 · 단언

确信/断言
què xìn duànyán

"틀림이 없다" "틀리지 않다"라는 뜻을 나타내는 단어는 "没错。méicuò"이다. "不错。" búcuò 라는 말은 구어에서 "꽤 좋다", "썩 괜찮다"라는 의미로 많이 사용되므로 잘 구분하여 사용해야 한다.

기 본 대 화

A: 这次比赛我们赢定了。
zhè cì bǐ sài wǒ men yíng dìng le

B: 为什么那么自信啊?
wèi shén me nà me zì xìn a

A: 过去三年的成绩, 足以证明这一切。
guò qù sān nián de chéng jì zú yǐ zhèng míng zhè yí qiè

B: 不要那么自信。
bú yào nà me zì xìn

A: 이번 시합은 우리가 이길게 뻔해.
B: 어째서 그렇게 자신을 하니?
A: 과거 3년간의 전적이 그것을 말해 주거든.
B: 그렇게 자신하지 마.

여러 가지 활용

I. 확신할 때 确信时
què xìn shí

- 물론이죠.
  当然了。
  dāng rán le

- 내 두 눈으로 똑똑히 보았어요.
  是我亲眼见到的。
  shì wǒ qīn yǎn jiàn dào de

- 틀림없어요, 확실합니다.
  没错, 确实是这样。
  méi cuò què shí shì zhè yàng

- 절대로 틀릴 리가 없습니다.
  绝对不会错的。
  jué duì bú huì cuò de

- 이것은 제가 보증합니다.
这个我向你保证。
zhè ge wǒ xiàng nǐ bǎo zhèng

- 저는 당신이 옳다는 것을 믿습니다.
我相信你是对的。
wǒ xiāng xìn nǐ shì duì de

- 그가 결백하다는 것을 증명할 수 있습니다.
我可以证明他是清白的。
wǒ kě yǐ zhèng míng tā shì qīng bái de

- 틀림없이 그 사람입니다.
肯定是他。
kěn dìng shì tā

- 나는 네가 반드시 성공하리라 믿어.
我相信你一定会成功的。
wǒ xiāng xìn nǐ yí dìng huì chéng gōng de

- 그가 머지않아 실패할 것은 기정사실이라니까요.
他早晚会失败的，这是铁定的事了。
tā zǎo wǎn huì shī bài de zhè shì tiě dìng de shì le

- 그가 틀림없이 오리라고 확신합니다.
我确信他一定会来。
wǒ què xìn tā yí dìng huì lái

- 이게 진짜란 것은 제가 보증할 테니, 더 이상 망설이지 마십시오.
我保证这是真的，你不要再犹豫了。
wǒ bǎo zhèng zhè shì zhēn de nǐ bú yào zài yóu yù le

▷ 확신할 수 없을 때 不能确信时
bù néng què xìn shí

- 그럴 수도 있겠지요.
也许是那样吧。
yě xǔ shì nà yàng ba

- 그럴지도 모른다는 생각입니다.
我想也许会那样。
wǒ xiǎng yě xǔ huì nà yàng

- 아마도 그럴 겁니다.
可能就是那样。
kě néng jiù shì nà yàng

- 그것은 대단히 중요할 수도 있고, 조금도 중요하지 않을 수도 있어요.
  也许那非常重要，也许一点儿都不重要。
  yě xǔ nà fēi cháng zhòng yào yě xǔ yì diǎnr dōu bú zhòng yào

- 아무튼 그 소식이 진짜 믿을 만한 것인지는 확신할 수 없습니다.
  总之，我不能确定那个消息是否真实可靠。
  zǒng zhī wǒ bù néng què dìng nà ge xiāo xi shì fǒu zhēn shí kě kào

- 비록 그것이 사실이라 하더라도 저는 믿을 수가 없습니다.
  虽说那件事确实是那样，但我还是不能相信。
  suī shuō nà jiàn shì què shí shì nà yàng dàn wǒ hái shì bù néng xiāng xìn

Ⅱ. 단언할 때 断言时
duàn yán shí

- 그건 뻔하지 않습니까?
  那不是明摆着的事吗？[1)]
  nà bú shì míng bǎi zhe de shì ma

- 그건 당연한 겁니다.
  那是理所当然的。[2)]
  nà shì lǐ suǒ dāng rán de

- 그는 자신이 결백하다고 단언했어요.
  他一口咬定自己是清白的。[3)]
  tā yì kǒu yǎo dìng zì jǐ shì qīng bái de

- 장담하건대 그는 틀림없이 승리할 겁니다.
  我敢保证他一定会赢。
  wǒ gǎn bǎo zhèng tā yí dìng huì yíng

- 그는 틀림없이 성공할 겁니다. 의심의 여지가 없어요.
  他一定会成功，毋庸置疑。[4)]
  tā yí dìng huì chéng gōng wú yōng zhì yí

- 이번에는 기필코 대학에 합격할 겁니다.
  这次我一定能考上大学。
  zhè cì wǒ yí dìng néng kǎo shàng dà xué

- 어떠한 일이 있더라도 이번에는 절대로 실패하지 않을 겁니다.
  无论如何，这次绝不能失败。
  wú lùn rú hé zhè cì jué bù néng shī bài

---

1) 明摆着 míngbǎizhe: 환히 펼쳐져 있다, 뚜렷이 놓여 있다.
2) 理所当然 lǐ suǒ dāng rán: 도리로 보아 당연하다, 당연한 이치이다.
3) 一口咬定 yì kǒu yǎo dìng: 한마디로 잘라 말하다, 단언하다.
4) 毋庸置疑 wú yōng zhì yí: 의심할 바 없다, 의심의 여지가 없다.

3 결심 · 결정

決心/決定
jué xīn jué dìng

자신의 결심을 밝힐 때는 "我下定决心~了。wǒ xià dìng juéxīn~le"(저는 ~을 결심했어요.)라고 하면 된다. 또한 이미 어떤 결정을 내렸음을 말할 때에는 "我已经决定~了。wǒ yǐjing juédìng~le"라고 한다. 물론 상황에 따라서 "我要~。wǒ yào~", "我打算~。wǒ dǎsuàn~" 등으로 표현할 수도 있다.

기 본 대 화

A: 在新年到来之际，大家有什么新决心吗？
zài xīn nián dào lái zhī jì dà jiā yǒu shén me xīn jué xīn ma

B: 首先我要戒烟，然后多做些运动。
shǒu xiān wǒ yào jiè yān rán hòu duō zuò xiē yùn dòng

A: 那么，崔勇你呢？
nà me cuī yǒng nǐ ne

C: 也算不上什么决心，就是想减减肥。
yě suàn bu shàng shén me jué xīn jiù shì xiǎng jiǎn jian féi

B: 希望你如愿以偿。1)
xī wàng nǐ rú yuàn yǐ cháng

A: 我也希望大家今年都万事如意，心想事成。2)
wǒ yě xī wàng dà jiā jīn nián dōu wàn shì rú yì xīn xiǎng shì chéng

A: 새해를 맞이하여 여러분은 어떤 새로운 결심을 하셨습니까?
B: 우선 담배를 끊고 운동을 많이 하려고 합니다.
A: 그럼 추이융 씨는요?
C: 결심이라고까지 할 건 없고, 다이어트를 좀 할 생각이에요.
B: 그 소원이 이루어지기를 빌겠습니다.
A: 모두들 올해는 뜻하시는 모든 일들이 다 이루어지기를 바랍니다.

여러 가지 활용

I. 결심을 밝힐 때 表示决心时
biǎo shì jué xīn shí

- 다가오는 새해에는 어떤 계획들을 세웠습니까?
  新年快要到了，有什么新的打算吗？3)
  xīn nián kuài yào dào le yǒu shén me xīn de dǎ suàn ma

1) 如愿以偿 rú yuàn yǐ cháng: 원하는 바가 이루어지다, 소원성취하다.
2) 万事如意 wàn shì rú yì나 心想事成 xīn xiǎng shì chéng 모두 모든 일이 뜻하는 대로 다 이루어지기를 바란다는 뜻.
3) 打算 dǎsuàn: 생각, 기획, 작정, 기도(企图). 동사로는 ~할 생각이다, ~할 작정이다.

• 술과 담배를 끊기로 결심했습니다.

我决心把烟和酒戒掉。[4]
wǒ jué xīn bǎ yān hé jiǔ jiè diào

• 이번에는 반드시 그 계획을 해내고야 말 겁니다.

这回我一定会把这项计划完成的。
zhè huí wǒ yí dìng huì bǎ zhè xiàng jì huà wán chéng de

• 그를 용서하기로 결심했습니다.

我下决心要原谅他了。
wǒ xià jué xīn yào yuán liàng tā le

• 끝까지 해보기로 결심했습니다.

我决心坚持到底!
wǒ jué xīn jiān chí dào dǐ

• 부모님 말씀을 잘 듣기로 결심했습니다.

我下决心要听父母的话。
wǒ xià jué xīn yào tīng fù mǔ de huà

• 새 학기부터는 공부를 열심히 하기로 결심했습니다.

从新学期开始, 我下定决心要努力学习。
cóng xīn xué qī kāi shǐ wǒ xià dìng jué xīn yào nǔ lì xué xí

▶ 확고한 의지를 말할 때 表示意志坚定时
biǎo shì yì zhì jiān dìng shí

• 무슨 일이 있어도 제 결심을 바꾸지 않을 겁니다.

不管发生什么事, 我都不会改变我的决心。
bù guǎn fā shēng shén me shì wǒ dōu bú huì gǎi biàn wǒ de jué xīn

• 목숨을 바쳐서라도 끝까지 해내겠습니다.

就算牺牲生命, 也要进行到底。
jiù suàn xī shēng shēng mìng yě yào jìn xíng dào dǐ

• 다시는 도박을 하지 않겠다고 맹세합니다.

我发誓再也不赌博了。
wǒ fā shì zài yě bù dǔ bó le

• 앞으로 다시는 담배를 피우지 않겠습니다.

我保证以后不再吸烟了。[5]
wǒ bǎo zhèng yǐ hòu bú zài xī yān le

• 거기는 절대로 안 갈 겁니다.

我绝对不会去那里。
wǒ jué duì bú huì qù nà li

---

4) 掉 diào: 동사 뒤에 쓰여 '~해 버리다'의 뜻을 나타낸다. 예) 吃掉 chīdiào (먹어버리다), 卖掉 màidiào (팔아버리다).

5) 保证 bǎozhèng: 보증하다, 책임지다, 맹세하다.

Ⅱ. 결정을 할 때 决定时

jué dìng shí

A: 小梅, 那件事你到底决定了吗?
xiǎo méi nà jiàn shì nǐ dào dǐ jué dìng le ma

B: 我已经决定了, 我一定会坚持到底的。
wǒ yǐ jīng jué dìng le wǒ yí dìng huì jiān chí dào dǐ de

A: 为什么会突然变得这么坚定呢?
wèi shén me huì tū rán biàn de zhè me jiān dìng ne

B: 我考虑了很久, 觉得只要努力就一定会成功的。
wǒ kǎo lǜ le hěn jiǔ jué de zhǐ yào nǔ lì jiù yí dìng huì chéng gōng de

A: 你能这样想真好, 祝你成功!
nǐ néng zhè yàng xiǎng zhēn hǎo zhù nǐ chéng gōng

A: 샤오메이, 너 그 일 도대체 결정했니?
B: 이미 결정했어요, 반드시 끝까지 해내기로요.
A: 왜 갑자기 그렇게 확고하게 변했지?
B: 곰곰이 생각해 봤는데, 노력만 하면 성공할 수 있겠어요.
A: 그렇게 생각했다니 잘했다. 성공을 빌게.

계획을 밝힐 때 说出计划时

shuō chū jì huà shí

- 휴대용 컴퓨터를 한 대 사려고 합니다.
  我想买一台手提电脑。[6)]
  wǒ xiǎng mǎi yì tái shǒu tí diàn nǎo

- 매 주말을 가족과 함께 보내기로 했습니다.
  我决定每个周末都和家人一起过。
  wǒ jué dìng měi ge zhōu mò dōu hé jiā rén yì qǐ guò

- 이번 주말까지 그 계획을 완성할 작정입니다.
  我打算本周末之前完成那项计划。
  wǒ dǎ suàn běn zhōu mò zhī qián wán chéng nà xiàng jì huà

- 새로 사업을 시작할 생각입니다.
  我想另起一番事业。
  wǒ xiǎng lìng qǐ yì fān shì yè

- 다음 달에 한국 여행을 계획하고 있습니다.
  我准备下个月去韩国旅行。[7)]
  wǒ zhǔn bèi xià ge yuè qù hán guó lǚ xíng

---

6) 手提电脑 shǒutí diànnǎo: 노트북 컴퓨터 = 笔记本电脑 bǐjìběn diànnǎo.
7) 准备 zhǔnbèi: '준비하다'는 뜻 외에도, '~하려고 하다', '~할 작정이다'의 뜻이 있다.

결정을 못했을 때 没有决定时
méi yǒu jué dìng shí

- 아직 최종 결정을 못했습니다.
  还没有作最后的决定呢。
  hái méi yǒu zuò zuì hòu de jué dìng ne

- 한참을 생각했는데도 결정을 못했습니다.
  想了半天也还没决定呢。
  xiǎng le bàn tiān yě hái méi jué dìng ne

- 생각 좀 해보고 결정을 내리겠습니다.
  我想考虑一下再作决定。
  wǒ xiǎng kǎo lǜ yí xià zài zuò jué dìng

- 먼저 다른 사람들 의견을 들어보겠습니다.
  我想先听听大家的意见。
  wǒ xiǎng xiān tīng ting dà jiā de yì jiàn

결정하기가 곤란할 때 很难决定时
hěn nán jué dìng shí

- 정말 결정하기가 어렵군요.
  真的很难决定。
  zhēn de hěn nán jué dìng

- 어떻게 해야 할지 정말 모르겠어요.
  真不知道该怎么办?
  zhēn bù zhī dào gāi zěn me bàn

- 지금 결정하기에는 너무 일러요.
  现在作决定太早了。
  xiàn zài zuò jué dìng tài zǎo le

- 한 번 더 신중하게 고려해 보겠어요.
  我再慎重地考虑一下。
  wǒ zài shèn zhòng de kǎo lǜ yí xià

결정을 보류할 때 保留决定时
bǎo liú jué dìng shí

- 지금은 말하고 싶지 않아요.
  我现在不想说。
  wǒ xiàn zài bù xiǎng shuō

- 상황을 보고 다시 이야기합시다.
  看情况再说吧。
  kàn qíng kuàng zài shuō ba

- 며칠 더 시간을 줄 테니 잘 생각해 보세요.
  再给你几天时间好好儿想想吧。
  zài gěi nǐ jǐ tiān shí jiān hǎo hāor xiǎng xiang ba

- 그럼, 잘 생각한 뒤에 알려 주세요.
  那么, 等你想好了再告诉我。
  nà me děng nǐ xiǎng hǎo le zài gào su wǒ

- 모든 가능성을 고려해 봐야 하겠습니다.
  我要考虑所有的可能性。
  wǒ yào kǎo lǜ suǒ yǒu de kě néng xìng

- 무슨 좋은 수가 없을까요?
  有什么好办法吗?
  yǒu shén me hǎo bàn fǎ ma

- 일의 진전을 지켜본 후에 다시 결정합시다.
  看看事情的发展再作决定吧。
  kàn kan shì qing de fā zhǎn zài zuò jué dìng ba

- 이 일은 여러 각도에서 고려할 필요가 있습니다.
  这件事有必要从各个角度来考虑一下。
  zhè jiàn shì yǒu bì yào cóng gè ge jiǎo dù lái kǎo lǜ yí xià

- 그것은 아직 확정되지 않은 일이므로 당장 결정할 수는 없습니다.
  那是不确定的事情, 因此我不能立刻作出决定。
  nà shì bú què dìng de shì qing yīn cǐ wǒ bù néng lì kè zuò chū jué dìng

▶ 자신에게 결정권이 없을 때 自己没有决定权时
zì jǐ méi yǒu jué dìng quán shí

- 그 일은 제 마음대로 결정할 수가 없습니다.
  那件事我不能自作主张。
  nà jiàn shì wǒ bù néng zì zuò zhǔ zhāng

- 저는 결정할 권한이 없습니다.
  我没有决定的权利。
  wǒ méi yǒu jué dìng de quán lì

- 제게 선택할 권리를 주시겠습니까?
  给我选择的权利好吗?
  gěi wǒ xuǎn zé de quán lì hǎo ma

- 저에게는 최종 결정권이 없습니다.
  我没有最终的决定权。
  wǒ méi yǒu zuì zhōng de jué dìng quán

- 제 마음대로 결정할 수가 없습니다.
  我不能擅自决定。[8)]
  wǒ bù néng shàn zì jué dìng

▶ 결정권이 상대에게 있을 때 决定权在对方时
jué dìng quán zài duì fāng shí

- 모든 것이 당신에게 달려 있어요.
  一切都看你的了。
  yí qiè dōu kàn nǐ de le

- 당신이 결정하세요.
  就由你来决定吧。
  jiù yóu nǐ lái jué dìng ba

- 가든지 말든지 그건 당신의 일이에요.
  去不去那是你自己的事情。
  qù bu qù nà shì nǐ zì jǐ de shì qing

- 당신이 하고 싶은 대로 하세요.
  你想怎么做就怎么做吧。
  nǐ xiǎng zěn me zuò jiù zěn me zuò ba

- 당신이 어떤 결정을 하든 저는 다 지지합니다.
  无论你作什么样的决定，我都会支持你的。
  wú lùn nǐ zuò shén me yàng de jué dìng wǒ dōu huì zhī chí nǐ de

- 당신들의 의견대로 처리합시다.
  就按你们的意思去办吧。
  jiù àn nǐ men de yì si qù bàn ba

- 그 일은 당신에게 넘기겠습니다.
  那件事，我就交给你了。
  nà jiàn shì wǒ jiù jiāo gěi nǐ le

- 결정권은 당신이 쥐고 있습니다.
  决定权掌握在你自己手里。[9)]
  jué dìng quán zhǎng wò zài nǐ zì jǐ shǒu li

▶ 기타 其他
qí tā

- 그럼 일단 이렇게 결정을 합시다.
  那就先这样决定吧。
  nà jiù xiān zhè yàng jué dìng ba

---

8) 擅自 shànzì: 멋대로, 제멋대로, 독단적으로.
9) 掌握 zhǎngwò: 장악하다, 주관하다, 관리하다.

- 정말 어려운 결정을 하셨군요.
  真是作了一个很难的决定啊。
  zhēn shì zuò le yí ge hěn nán de jué dìng a

- 되든 안 되든 일단 해봅시다.
  行不行，先试试看吧。
  xíng bu xíng xiān shì shi kàn ba

- 성공하든 실패하든 일단 부딪쳐 봅시다.
  不管成败与否，还是搏一搏吧。[10)]
  bù guǎn chéng bài yǔ fǒu hái shi bó yi bó ba

- 이제 와서 그런 말을 해봐야 무슨 소용 있어? 이제는 밀고 나가는 수밖에 없어.
  这时候说那种话有什么用，现在只能继续做下去了。
  zhè shí hou shuō nà zhǒng huà yǒu shén me yòng xiàn zài zhǐ néng jì xù zuò xià qù le

- 그것도 어떤 상황인지를 살펴봐야 합니다.
  那也得看是什么情况了。
  nà yě děi kàn shì shén me qíng kuàng le

- 그 일의 최종 결정권이 누구 손에 있지요?
  那件事的最终决定权掌握在谁手里?
  nà jiàn shì de zuì zhōng jué dìng quán zhǎng wò zài shéi shǒu li

- 그 문제에 대해서 우리는 신중하게 생각한 뒤에 결정해야 합니다.
  对那件事，我们应该慎重地考虑一下再作决定。
  duì nà jiàn shì wǒ men yīng gāi shèn zhòng de kǎo lǜ yí xià zài zuò jué dìng

- 그 프로젝트를 실행하기에는 시기상조입니다.
  实施那项研究计划，为时尚早。[11)]
  shí shī nà xiàng yán jiū jì huà wéi shí shàng zǎo

- 그는 일을 하는데 결단력이 전혀 없어요.
  他办事一点儿都不果断。
  tā bàn shì yì diǎnr dōu bù guǒ duàn

- 더 이상 말해 봤자 아무 소용이 없습니다.
  再说下去也没什么意义了。
  zài shuō xià qù yě méi shén me yì yì le

- 다른 의견도 더 들어봅시다.
  再听听别的意见。
  zài tīng ting bié de yì jiàn

---

10) 搏 bó: 치다, 맞서 싸우다, 격투를 벌이다.
11) 为时尚早 wéi shí shàng zǎo: 때가 아직 이르다, 시기상조이다. = 为时过早 wéishíguòzǎo.

4 토론 · 협상

讨论/协议
tǎo lùn xié yì

我们 wǒmen과 咱们 zánmen은 우리 말로는 다같이 "우리"라는 뜻이지만, 특히 咱们 zánmen은 상대방을 포함한 우리를 뜻하므로 훨씬 더 친근감이 있다. 따라서 상대방과 협상을 할 때는 친근감이나 유대감을 나타내기 위하여 我们 wǒmen이라는 말보다 咱们 zánmen이라는 말을 더 많이 쓴다.

기본대화

A: 我想今天谈好这件事情, 不要拖拖拉拉的。
wǒ xiǎng jīn tiān tán hǎo zhè jiàn shì qing bú yào tuō tuō lā lā de

B: 我也是那么想的, 但以现在的条件我要听听经理的意见。
wǒ yě shì nà me xiǎng de dàn yǐ xiàn zài de tiáo jiàn wǒ yào tīng ting jīng lǐ de yì jiàn

A: 那样的话这笔交易就很难谈成。我们互相让一步好吗?
nà yàng de huà zhè bǐ jiāo yì jiù hěn nán tán chéng wǒ men hù xiāng ràng yí bù hǎo ma

B: 那你说说看。
nà nǐ shuō shuo kàn

A: 这样好不好, 我们互相让一步, 就五五开怎么样?
zhè yàng hǎo bu hǎo wǒ men hù xiāng ràng yí bù jiù wǔ wǔ kāi zěn me yàng

B: 真是说不过你, 我输了, 就那样吧。[1)]
zhēn shì shuō bu guò nǐ wǒ shū le jiù nà yàng ba

A: 오늘 이 일을 매듭짓고 싶습니다. 질질 끌 필요가 없거든요.

B: 저도 그렇게 생각합니다만, 지금의 조건으로는 사장님의 의견을 들어봐야 하겠습니다.

A: 그러다가는 거래가 성사되기 어렵습니다. 우리 서로 조금씩 양보하면 어떨까요?

B: 말씀해 보시지요.

A: 이러면 어떻겠습니까? 서로 조금씩 양보하여 5:5로 합시다.

B: 정말 말로는 당신을 이길 수가 없군요. 제가 졌습니다. 그렇게 합시다.

---

1) 동사 뒤에 不过가 오면 '능가하지 못하다', '앞서지 못하다'의 뜻이 된다.
예) 说不过: 말로는 이겨낼 수 없다. 学不过: 아무리 공부해도 능가하지 못하다.

여러 가지 활용

Ⅰ. 토론 讨论
tǎo lùn

- 한잔 하면서 토론합시다.
  我们边喝边谈。[2)]
  wǒ men biān hē biān tán

- 이상의 조건하에 당신의 제안을 받아들이겠습니다.
  在以上的条件下，我们接受你的提案。
  zài yǐ shàng de tiáo jiàn xià wǒ men jiē shòu nǐ de tí àn

- 해결책을 찾을 때까지 계속 토의해 봅시다.
  我们要继续讨论 直至找到解决方案为止。
  wǒ men yào jì xù tǎo lùn zhí zhì zhǎo dào jiě jué fāng àn wéi zhǐ

- 당신이 원하기만 하면 저는 언제든지 상의할 수 있습니다.
  只要您愿意，我什么时候都可以商量。
  zhǐ yào nín yuàn yì wǒ shén me shí hou dōu kě yǐ shāng liang

▶ **재고를 부탁할 때** **要求再考虑时**
yāo qiú zài kǎo lǜ shí

- 다시 한번 생각해 주시면 안 되겠습니까?
  您可不可以再考虑一下?
  nín kě bu kě yǐ zài kǎo lǜ yí xià

- 모두 다함께 신중히 고려하여 결정합시다.
  大家都慎重考虑一下再作决定吧!
  dà jiā dōu shèn zhòng kǎo lǜ yí xià zài zuò jué dìng ba

- 이 점은 한번 더 생각해 볼 필요가 있습니다.
  这点有必要再三考虑一下。
  zhè diǎn yǒu bì yào zài sān kǎo lǜ yí xià

▶ **논점이 빗나갈 때** **跑题时**
pǎo tí shí

- 그것은 별개의 문제에요.
  那又是另一回事了。
  nà yòu shì lìng yì huí shì le

- 지금 당신이 하는 얘기는 우리의 화제와 아무 상관이 없습니다.
  你说的跟我们的话题一点关系都没有。
  nǐ shuō de gēn wǒ men de huà tí yì diǎn guān xi dōu méi yǒu

---

2) 边~边~: ~하면서 (동시에 다른 한편으로) ~하다.

- 그 문제는 잠시 놔두고 우선 본론부터 얘기합시다.
  那件事就先放着，先谈正事吧。
  nà jiàn shì jiù xiān fàng zhe xiān tán zhèng shì ba

- 주제에선 벗어나지만 너에게는 아주 도움이 되는 말이야.
  虽然这是题外话，但它对你也是很有启发的。
  suī rán zhè shì tí wài huà dàn tā duì nǐ yě shì hěn yǒu qǐ fā de

- 빙빙 돌리지 말고 핵심을 얘기해 주시겠습니까?
  不要拐弯抹角的，说重点好吗?3)
  bú yào guǎi wān mò jiǎo de shuō zhòng diǎn hǎo ma

- 그런 문제들은 다 부차적인 것입니다.
  那些问题都是次要的。
  nà xiē wèn tí dōu shì cì yào de

Ⅱ. 협상 协议
xié yì

협상을 이룰 때 达成协议时
dá chéng xié yì shí

- 그들의 제안을 받아들입시다.
  就接纳他们的提案吧。
  jiù jiē nà tā men de tí àn ba

- 드디어 합의를 보았어요.
  协议终于达成一致了。
  xié yì zhōng yú dá chéng yí zhì le

- 드디어 의견이 일치되었군요.
  终于可以谈到一块儿了。
  zhōng yú kě yǐ tán dào yí kuàir le

- 그 방면에서 우리의 의견은 일치합니다.
  在那一方面，我们的意见是一致的。
  zài nà yì fāng miàn wǒ men de yì jiàn shì yí zhì de

- 그 회사는 이미 우리의 조건을 수락하였습니다.
  那家公司已经接受了我们的条件。
  nà jiā gōng sī yǐ jing jiē shòu le wǒ men de tiáo jiàn

- 이번 주 내로 모든 문제가 해결될 것입니다.
  在这个星期内，所有的问题都会得到解决的。
  zài zhè ge xīng qī nèi suǒ yǒu de wèn tí dōu huì dé dào jiě jué de

---

3) 拐弯抹角 guǎi wān mò jiǎo: 빙빙 돌아가다, 이리저리 돌아가다.

- 장기적 이익을 생각하면 이 계획이 양쪽 모두에게 유리합니다.
  从长远利益来看，这项计划对双方都有好处。
  cóng cháng yuǎn lì yì lái kàn zhè xiàng jì huà duì shuāng fāng dōu yǒu hǎo chù

▶ 협상이 순조롭지 못할 때 协议不顺利时
xié yì bú shùn lì shí

- 양측은 아직도 의견이 엇갈립니다.
  双方还是意见不合。
  shuāng fāng hái shi yì jiàn bù hé
- 그 문제는 아직도 합의를 보지 못하였습니다.
  那件事还没有达成协议。
  nà jiàn shì hái méi yǒu dá chéng xié yì
- 아직 타협의 기회는 있습니다.
  还有妥协的机会。
  hái yǒu tuǒ xié de jī huì
- 일주일 안으로 합의를 달성하도록 노력하겠습니다.
  我会努力在一个星期内与他达成协议。
  wǒ huì nǔ lì zài yí ge xīng qī nèi y t dá chéng xié yì

▶ 양보를 요구할 때 要求对方让步时
yāo qiú duì fāng ràng bù shí

- 우리 서로 한 발씩 양보합시다.
  我们互相让一步吧。
  wǒ men hù xiāng ràng yí bù ba
- 우리는 한 치도 양보할 수 없습니다.
  我们一点儿都不能让步。
  wǒ men yì diǎnr dōu bù néng ràng bù
- 우리의 입장을 고수하겠습니다. 결코 양보할 수 없습니다.
  我们要坚持自己的立场，决不会妥协退让的。
  wǒ men yào jiān chí zì jǐ de lì chǎng jué bú huì tuǒ xié tuì ràng de
- 너무 많은 양보는 허락되지 않습니다.
  太多的退让是不允许的。
  tài duō de tuì ràng shì bù yǔn xǔ de
- 우리가 참는 데에도 한계가 있다는 것을 알려줍시다.
  要让他们知道我们的忍耐是有限的。
  yào ràng tā men zhī dào wǒ men de rěn nài shì yǒu xiàn de
- 눈앞의 이익만 살피다 보면 나중에 큰 손해를 입게 됩니다.
  只顾眼前利益，以后一定会吃大亏的。
  zhǐ gù yǎn qián lì yì yǐ hòu yí dìng huì chī dà kuī de

5 충고 · 설득

忠告/说服
zhōnggào shuō fú

"我劝你 wǒ quàn nǐ~"는 "내가 당신에게 권고하는데 ~"라는 뜻이다. 이는 상대방을 위하여 권고 또는 충고를 할 때 사용한다. 만일 상대에게 다시는 그러지 않도록 엄중히 경고를 할 때에는 "我警告你 wǒ jǐnggào nǐ~"라고 하면 된다.

기본대화

A: 真不知道该怎么办才好。
zhēn bù zhī dào gāi zěn me bàn cái hǎo

B: 你难道想半途而废吗?[1]
nǐ nán dào xiǎng bàn tú ér fèi ma

A: 我觉得凭我一个人的力量是绝对不可能实现的。
wǒ jué de píng wǒ yí ge rén de lì liang shì jué duì bù kě néng shí xiàn de

B: 以我的经验来看, 只要努力就一定会成功。
yǐ wǒ de jīng yàn lái kàn, zhǐ yào nǔ lì jiù yí dìng huì chéng gōng

A: 说起来简单, 做起来难。
shuō qǐ lái jiǎn dān, zuò qǐ lái nán

B: 如果放弃的话就意味着永远都不会成功。不管怎么样, 我希望你不要放弃。
rú guǒ fàng qì de huà jiù yì wèi zhe yǒng yuǎn dōu bú huì chéng gōng bù guǎn zěn me yàng, wǒ xī wàng nǐ bú yào fàng qì

A: 谢谢你的忠告。
xiè xie nǐ de zhōng gào

A: 어떻게 해야 좋을지 정말 모르겠습니다.
B: 설마 중도에서 포기할 생각은 아니겠지?
A: 저 혼자의 힘으로는 그것을 실현하기란 도저히 불가능한 것 같습니다.
B: 내 경험으로 보건대, 노력만 하면 반드시 성공할 수 있어.
A: 그게 말은 쉬운데 행동하기가 어렵네요.
B: 만일 포기한다면 그건 영원히 성공할 수 없음을 의미하지. 어떤 일이 있더라도 포기하지 말길 바라네.
A: 충고의 말씀 고맙습니다.

---

1) 半途而废 bàn tú ér fèi: 중도에서 포기하다, 도중에서 그만두다.

여러 가지 활용

Ⅰ. 충고　忠告
zhōng gào

- 내가 충고 한 마디 할게.
  我忠告你一句。
  wǒ zhōng gào nǐ yí jù

- 내가 권고하는데 그렇게 하지 마.
  我劝你不要那样做。
  wǒ quàn nǐ bú yào nà yàng zuò

- 친구의 입장에서 그런 말 해주는 거야.
  从朋友的立场出发，我才说那种话的。
  cóng péng you de lì chǎng chū fā wǒ cái shuō nà zhǒng huà de

- 주제넘을지 모르지만, 충고 한 마디 해주고 싶어.
  也许是过分了点儿，但我还是想给您一句忠告。
  yě xǔ shì guò fèn le diǎnr dàn wǒ hái shi xiǎng gěi nín yí jù zhōng gào

- 제발 그러지 마라.
  你千万别这样。
  nǐ qiān wàn bié zhè yàng

- 잘 생각해 봐.
  你好好儿想一想。
  nǐ hǎo hāor xiǎng yi xiǎng

- 너무 지나치게 하지 마세요.
  不要太过分了。
  bú yào tài guò fèn le

- 언행에 좀 더 주의를 기울이세요.
  要多注意自己的言行举止。
  yào duō zhù yì zì jǐ de yán xíng jǔ zhǐ

- 제일 좋기는 담배와 술을 끊는 겁니다.
  最好把烟和酒都戒了。
  zuì hǎo bǎ yān hé jiǔ dōu jiè le

- 건강도 안 좋으신데 이런 일은 상관하지 마세요.
  您身体不太好，就别管这些了。
  nín shēn tǐ bú tài hǎo jiù bié guǎn zhè xiē le

- 불필요한 일에 돈을 낭비하지 말게.
  不要为没必要的事情浪费金钱。
  bú yào wèi méi bì yào de shì qing làng fèi jīn qián

- 내가 너라면 그녀의 말을 듣겠어.
  如果我是你, 我一定会听她的话。
  rú guǒ wǒ shì nǐ wǒ yí dìng huì tīng tā de huà

- 자네에게 주의 한 마디 하겠네.
  我提醒你一件事。
  wǒ tí xǐng nǐ yí jiàn shì

- 자기가 한 말은 지켜야지.
  要遵守自己的诺言。
  yào zūn shǒu zì jǐ de nuò yán

- 남의 험담은 하지 마세요.
  不要说别人的坏话。
  bú yào shuō bié rén de huài huà

- 사람 놀리지 마라.
  你不要再捉弄人了。
  nǐ bú yào zài zhuō nòng rén le

- 좀 남자답게 처신하세요.
  拿出男子汉的气概好不好?
  ná chū nán zǐ hàn de qì gài hǎo bu hǎo

- 너무 우쭐대지 말라고.
  你不要太骄傲了。
  nǐ bú yào tài jiāo ào le

- 그렇게 경솔하게 결정하지 마세요.
  不要那么草率地作决定。
  bú yào nà me cǎo shuài de zuò jué dìng

- 바보 같은 짓 그만 둬.
  不要做傻事了。
  bú yào zuò shǎ shì le

- 어떤 일이든 겉만 보아서는 안 돼요.
  对于什么事, 都不能光看外表。[2)]
  duì yú shén me shì dōu bù néng guāng kàn wài biǎo

- 어떤 상황에서든 친구와의 신의를 저버려서는 안 됩니다.
  无论什么情况, 都不能背叛朋友之间的信义。
  wú lùn shén me qíng kuàng dōu bù néng bèi pàn péng you zhī jiān de xìn yì

- 너는 자존심이 너무 강한게 탈이야.
  你的缺点就是自尊心太强了。
  nǐ de quē diǎn jiù shì zì zūn xīn tài qiáng le

---

2) 光 guāng: 여기서는 '다만', '단지'의 뜻으로 쓰임. = 只 zhǐ.

• 자업자득이야, 그만 잊어버려.
那是自作自受，就别再想了。
nà shì zì zuò zì shòu jiù bié zài xiǎng le

Ⅱ. 설득 说服
shuō fú

A: 我要向法院投诉，要他赔偿我的损失。
wǒ yào xiàng fǎ yuàn tóu sù yào tā péi cháng wǒ de sǔn shī
B: 那么做不好吧。其实你也有错啊，还是私下解决比较好。[3)]
nà me zuò bù hǎo ba qí shí nǐ yě yǒu cuò a hái shi sī xià jiě jué bǐ jiào hǎo
A: 那是不可能的。
nà shì bù kě néng de
B: 你清醒一点儿，听我说好不好?
nǐ qīng xǐng yì diǎnr tīng wǒ shuō hǎo bu hǎo
A: 不，你听我说，你到底站在哪一边?
bù nǐ tīng wǒ shuō nǐ dào dǐ zhàn zài nǎ yì biān

A: 법원에 고소를 해서 그에게 손해 배상을 하도록 해야겠어.
B: 그러는건 좋지 않아. 사실 너도 잘못이 있잖아. 그러니 조용히 해결하는게 비교적 좋을 것 같다.
A: 그건 불가능해.
B: 정신을 차리고 내 말을 좀 들어.
A: 아니, 너나 내 말을 들어. 넌 대체 누구편이야?

▶ 설득시키려고 할 때 要说服时
yào shuō fú shí

• 이렇게 하면 어떨까요?
这样做怎么样?
zhè yàng zuò zěn me yàng

• 당신이 나서서 그를 설득해 보세요.
你来劝劝他试试。
nǐ lái quàn quan tā shì shi

• 그를 설득해서 비밀을 말하도록 하세요.
你要说服他把秘密说出来。
nǐ yào shuō fú tā bǎ mì mì shuō chū lái

3) 私下 sīxià: 몰래, 살짝, 비공식적으로.

- 우리 제안을 받아들이도록 반드시 그를 설득해야 합니다.
  一定要说服他接受我们的提案。
  yí dìng yào shuō fú tā jiē shòu wǒ men de tí àn

- 그들이 이 연구 프로젝트의 중요성을 알도록 해야 합니다.
  要让他们知道这项研究计划的重要性。
  yào ràng tā men zhī dào zhè xiàng yán jiū jì huà de zhòng yào xìng

▶ **고집을 피울 때** **固执时**
gù zhí shí

- 내 방식대로 하겠어요.
  我要按自己的方式办事。
  wǒ yào àn zì jǐ de fāng shì bàn shì

- 이미 결심을 내렸다니 나도 말리지 않겠다.
  既然你决心已下，我就不拦你了。
  jì rán nǐ jué xīn yǐ xià wǒ jiù bù lán nǐ le

- 너는 늘 자기 생각을 남에게 강요하기를 좋아하는구나.
  你总是喜欢把自己的想法强加于别人。4)
  nǐ zǒng shì xǐ huan bǎ zì jǐ de xiǎng fǎ qiáng jiā yú bié rén

- 자신의 생각을 남에게 강요하지 마세요.
  你不要把自己的想法强加在别人身上。
  nǐ bú yào bǎ zì jǐ de xiǎng fǎ qiáng jiā zài bié rén shēn shang

- 너는 왜 언제나 네 멋대로만 하려고 하니?
  你为什么总那么随心所欲呢?5)
  nǐ wèi shén me zǒng nà me suí xīn suǒ yù ne

- 최선을 다했지만 그를 설득할 수가 없었습니다.
  我已经尽力了，但还是说服不了他。
  wǒ yǐ jīng jìn lì le dàn hái shi shuō fú bu liǎo tā

- 그는 고집이 너무 세요. 당신이 아니면 그를 꺾을 사람이 없습니다.
  他这个人太固执了。除了你，没有人能说服他。
  tā zhè ge rén tài gù zhí le chú le nǐ méi yǒu rén néng shuō fú tā

- 이 고집쟁이야.
  你这个老顽固。
  nǐ zhè ge lǎo wán gù

- 그는 정말 황소고집이에요.
  他真是头倔牛。
  tā zhēn shì tóu juè niú

---

4) 强加 qiángjiā: 강요하다, 강압하다.
5) 随心所欲 suíxīnsuǒyù: 자기 하고 싶은 대로 하다, 제 맘대로 하다.

6 질문 · 답변

提问/回答
tí wèn huí dá

질문을 할 때 가장 일반적인 표현은 "请问 qǐngwèn～"(말씀 좀 묻겠습니다.)으로 시작하는 것이다. 일반적으로 교사가 학생에게 문제를 제기하는 것은 "提问题 tí wèntí"이며, 학생이 교사에게 모르는 것을 물어보는 것은 "问问题 wèn wèntí"라고 한다. 질문에 대한 대답이 맞았을 때에는 "回答正确。huídá zhèngquè" 또는 "答对了。dá duìle"라고 하고, 틀렸을 경우에는 "回答错误。huídá cuòwù" 또는 "答错了。dá cuòle"라고 한다.

기 본 대 화

A: 我有问题想问你。
wǒ yǒu wèn tí xiǎng wèn nǐ

B: 好，请说吧。
hǎo qǐng shuō ba

A: "希望工程"是什么意思?[1)]
xī wàng gōng chéng shì shén me yì si

B: 它就是为扶助失学儿童而开展的一项活动。
tā jiù shì wèi fú zhù shī xué ér tóng ér kāi zhǎn de yí xiàng huó dòng

A: 您能具体地说一下吗?
nín néng jù tǐ de shuō yí xià ma

B: 例如为贫困地区的儿童捐款、捐物、帮助他们建立学校等。[2)]
lì rú wèi pín kùn dì qū de ér tóng juān kuǎn juān wù bāng zhù tā men jiàn lì xué xiào děng

A: 여쭤보고 싶은 게 있어요.
B: 네, 말씀해 보세요.
A: "희망공정"이란 게 무슨 뜻이죠?
B: 그것은 배움의 기회를 잃어버린 아동들을 돕기 위해 전개하고 있는 활동이에요.
A: 구체적으로 설명해 주실 수 있나요?
B: 예를 들자면 빈민 지역의 아동을 위해 돈이나 물건을 기부하거나, 학교를 건립해 주는 것 등이죠.

1) 希望工程 xī wàng gōng chéng: 중국청소년발전기금회에서 운영하는 민간주도의 사회공익사업으로 1989년에 처음 실시된 이래 지금까지 약 1만여 개의 초등학교 건설과 250여만 명의 어린이들에게 학업의 기회를 주었다. 갈수록 빈부격차가 심해지는 중국에서 농촌 및 빈곤지역의 문맹퇴치에 큰 공헌을 하고 있다.

2) 捐 juān: 기부하다, 헌납하다.

여러 가지 활용

Ⅰ. 질문할 때 提问时
tí wèn shí

- 한 가지 질문해도 괜찮습니까?
  可以问你一个问题吗?
  kě yǐ wèn nǐ yí ge wèn tí ma

- 사적인 문제를 물어봐도 될까요?
  可以问私人问题吗?
  kě yǐ wèn sī rén wèn tí ma

- 누구에게 물어봐야 되죠?
  应该问谁呀?
  yīng gāi wèn shéi ya

- 새로운 소식이 없습니까?
  有没有新的消息?
  yǒu méi yǒu xīn de xiāo xi

- 그 일은 대체 어찌되었습니까?
  那件事到底怎么样了?
  nà jiàn shì dào dǐ zěn me yàng le

- 이 글자 어떻게 읽어요?
  这个字怎么读?
  zhè ge zì zěn me dú

- 이 말이 무슨 뜻이에요?
  这句话是什么意思?
  zhè jù huà shì shén me yì si

- 왜 그런 일을 하려고 하는 거죠?
  你为什么要做那种事?
  nǐ wèi shén me yào zuò nà zhǒng shì

- 뭘 알고 싶으시죠?
  你想知道什么?
  nǐ xiǎng zhī dào shén me

- 그건 어떻게 하는 거죠? / 무슨 생각을 하고 있어요?
  那个应该怎么做? / 你在想什么?
  nà ge yīng gāi zěn me zuò / nǐ zài xiǎng shén me

- 지금 거기서 뭐해요?
  你现在在那里干什么?
  nǐ xiàn zài zài nà li gàn shén me

• 당신에게 직접 물어보겠습니다.
我要直接问你。
wǒ yào zhí jiē wèn nǐ

• 한 가지 질문이 더 있습니다.
还有一个问题想问你。
hái yǒu yí ge wèn tí xiǎng wèn nǐ

• 이 말의 뜻이 잘 이해가 안 되어 당신께 물어보고 싶습니다.
这句话的意思我不太明白, 想问问你。
zhè jù huà de yì si wǒ bú tài míng bai xiǎng wèn wen nǐ

▶ 질문이 있나 물을 때 问谁有问题时
wèn shéi yǒu wèn tí shí

• 누구 질문 있습니까?/다른 질문 없어요?
谁有问题吗?/有没有别的问题?
shéi yǒu wèn tí ma yǒu méi yǒu bié de wèn tí

• 질문이 있으신 분은 손을 드십시오.
有疑问的人请举手。
yǒu yí wèn de rén qǐng jǔ shǒu

• 그럼 다음 분 질문해 주십시오.
那就请下一位提问吧。
nà jiù qǐng xià yí wèi tí wèn ba

• 의문이 있으면 물어보세요. 무엇이든 괜찮습니다.
有疑问的话就问, 什么问题都可以。
yǒu yí wèn de huà jiù wèn shén me wèn tí dōu kě yǐ

▶ 의문을 나타낼 때 表示怀疑时
biǎo shì huái yí shí

• 정말이야?
真的吗?
zhēn de ma

• 어떻게 그럴 수가?/그럴 리가?
怎么可能呢?/不会吧?
zěn me kě néng ne bú huì ba

• 그런 일이 생길 리 없겠지요?
不会发生那样的事吧?
bú huì fā shēng nà yàng de shì ba

• 그 일에 대해 다소 의문스러운 점이 있어요.
我对于那件事有点儿疑问。
wǒ duì yú nà jiàn shì yǒu diǎnr yí wèn

- 그것에 대해선 의심할 필요가 없습니다.
  对于那件事，没有什么值得怀疑的。
  duì yú nà jiàn shì méi yǒu shén me zhí de huái yí de

- 당신들의 장부에 문제가 있지 않나 의심스럽습니다.
  我怀疑你们的帐本有问题。
  wǒ huái yí nǐ men de zhàng běn yǒu wèn tí

- 그의 말이 사실이라고 생각합니까?
  你认为他说的是真的吗?
  nǐ rèn wéi tā shuō de shì zhēn de ma

- 당신의 말을 믿을 수가 없습니다.
  你所说的话我无法相信。
  nǐ suǒ shuō de huà wǒ wú fǎ xiāng xìn

Ⅱ. 답변할 때 回答时
huí dá shí

▶ 답변을 요구할 때 要求回答时
yāo qiú huí dá shí

- 간단히 대답해 주세요.
  请简单地回答一下。
  qǐng jiǎn dān de huí dá yí xià

- "예" 또는 "아니오"로 간단히 대답해 주십시오.
  请用"是"或"不是"简单地回答。
  qǐng yòng shì huò bú shì jiǎn dān de huí dá

- 그 일에 대해 명확히 설명해 주셔야 합니다.
  你必须给我解释清楚那件事。
  nǐ bì xū gěi wǒ jiě shì qīng chu nà jiàn shì

- 무슨 일이 있었는지 말씀해 주세요.
  告诉我发生了什么事。
  gào su wǒ fā shēng le shén me shì

- 그 과정을 자세히 설명해 주십시오.
  请详细地说明一下它的过程。
  qǐng xiáng xì de shuō míng yí xià tā de guò chéng

- 이유를 설명해 봐.
  说明一下理由。
  shuō míng yí xià lǐ yóu

- 좀 더 자세하게 설명해 주시겠습니까?
  再仔细地说明一下，好吗?
  zài zǐ xì de shuō míng yí xià hǎo ma

- 좀 더 구체적으로 설명해 주십시오.
  请再具体地说明一下。
  qǐng zài jù tǐ de shuō míng yí xià

▶ **답변할 수 있을 때 提供说明时**
tí gōng shuō míng shí

- 제가 답변해 드리겠습니다. / 제가 설명해 드리겠습니다.
  我来回答。/ 请让我解释一下。
  wǒ lái huí dá qǐng ràng wǒ jiě shì yí xià

- 저의 답변에 만족하십니까?
  您满意我的答案吗?
  nín mǎn yì wǒ de dá àn ma

- 이유를 다시 한 번 설명해 드리죠.
  我再说明一下理由。
  wǒ zài shuō míng yí xià lǐ yóu

- 요컨대, 문제는 바로 여기에 있습니다.
  总而言之, 问题就出在这里。[3]
  zǒng ér yán zhī wèn tí jiù chū zài zhè li

- 이것이 제가 알고 있는 전부입니다.
  这就是我所知道的一切。
  zhè jiù shì wǒ suǒ zhī dào de yí qiè

▶ **답변할 수 없을 때 不能回答时**
bù néng huí dá shí

- 저는 잘 모르겠습니다.
  我不大清楚。
  wǒ bú dà qīng chu

- 실은 저도 잘 모릅니다.
  其实我也不明白。
  qí shí wǒ yě bù míng bai

- 저는 전혀 모릅니다.
  我完全不知道。
  wǒ wán quán bù zhī dào

- 전혀 들어본 적이 없습니다.
  我从来都没听说过。
  wǒ cóng lái dōu méi tīng shuō guo

---

3) 总而言之 zǒng ér yán zhī: 종합적으로 말하면, 한마디로 말하면. = 总之 zǒngzhī.

- 왜 그러한지는 저도 설명할 수가 없습니다.
  到底为什么会那样，我也说不明白。
  dào dǐ wèi shén me huì nà yàng wǒ yě shuō bu míng bai

- 말로는 표현하기 힘들어요.
  用语言很难表达。
  yòng yǔ yán hěn nán biǎo dá

▶ 답변하고 싶지 않을 때 不想回答时
bù xiǎng huí dá shí

- 그것은 제가 관여할 일이 아닙니다.
  那不是我该管的事。
  nà bú shì wǒ gāi guǎn de shì

- 당신이 제기한 질문에는 답변할 수 없군요.
  你提出的问题，我无法回答。
  nǐ tí chū de wèn tí wǒ wú fǎ huí dá

- 말씀드릴 만한 것이 없습니다.
  没什么好说的。
  méi shén me hǎo shuō de

- 그 문제에 관해서는 사장님에게 물어 보세요.
  关于那些问题，你去问老板吧。
  guān yú nà xiē wèn tí nǐ qù wèn lǎo bǎn ba

- 제 입장에서는 그 문제를 설명해 드리기 곤란합니다.
  站在我的立场上，很难说明这些问题。
  zhàn zài wǒ de lì chǎng shang hěn nán shuō míng zhè xiē wèn tí

- 제가 말하고 싶은 것은 전부 말했습니다.
  我想说的已经都说完了。
  wǒ xiǎng shuō de yǐ jīng dōu shuō wán le

- 어떻게 대답해야 좋을지 모르겠군요.
  我不知道该怎么回答。
  wǒ bù zhī dào gāi zěn me huí dá

- 미안하지만 이미 충분히 상세하게 말씀드렸습니다.
  不好意思，我说得已经够详细了。
  bù hǎo yì si wǒ shuō de yǐ jīng gòu xiáng xì le

- 그것에 대해 다 말씀드릴 수 없는 사정이 있습니다.
  关于那件事我有说不清的理由。
  guān yú nà jiàn shì wǒ yǒu shuō bu qīng de lǐ yóu

7 찬성 · 반대 赞成/反对 zànchéng fǎn duì

타인의 의견에 동의 또는 찬성할 때는 "我同意。wǒ tóngyì" 또는 "我赞成。wǒ zànchéng"하면 되고, 동의하지 않거나 반대를 할 때는 "我不同意。wǒ bù tóngyì" 또는 "我反对。wǒ fǎnduì"라고 하면 된다. 만일 찬반의 의사를 보류하거나 좀더 자기 의견을 말하는데 생각할 시간이 필요한 경우에는 "让我再想一想。ràng wǒ zài xiǎng yi xiǎng"(좀더 생각해 보겠습니다.)라고 하거나 "我现在不能答复。wǒ xiànzài bùnéng dáfù"(지금 바로 답변드릴 수는 없습니다.)라고 하면 된다.

기본대화

A: 我觉得那部电影把暴力过度美化了。
wǒ jué de nà bù diàn yǐng bǎ bào lì guò dù měi huà le

B: 我也是这么想的。
wǒ yě shì zhè me xiǎng de

C: 没有啊，我觉得这样才够刺激。
méi yǒu a wǒ jué de zhè yàng cái gòu cì jī

A: 是吗? 我认为暴力和刺激是两码事。
shì ma wǒ rèn wéi bào lì hé cì jī shì liǎng mǎ shì

C: 行了，行了。只是部电影而已。看着有意思就行了。
xíng le xíng le zhǐ shì bù diàn yǐng ér yǐ kàn zhe yǒu yì si jiù xíng le

A: 그 영화는 폭력을 너무 미화한 것 같아.
B: 나도 그렇게 생각해.
C: 아니, 나는 그래야 스릴이 있다고 생각하는데.
A: 그래? 나는 폭력과 스릴은 별개의 문제라고 봐.
C: 됐어, 됐어. 그냥 영화일 뿐이야. 봐서 재미있으면 된 거지.

여러 가지 활용

Ⅰ. 찬성할 때 赞成时 zàn chéng shí

- 저는 이 계획을 찬성합니다.
  我赞成这个计划。
  wǒ zàn chéng zhè ge jì huà

- 전적으로 당신 의견에 찬성합니다.
  我非常赞同您的意见。
  wǒ fēi cháng zàn tóng nín de yì jiàn

- 너무 좋습니다. 두손 들어 찬성합니다.
太棒了，我举双手赞成!
tài bàng le wǒ jǔ shuāng shǒu zàn chéng

- 당신과 같은 생각입니다.
我和您想的一样。
wǒ hé nín xiǎng de yí yàng

- 지당하신 말씀입니다.
您说的很有道理。
nín shuō de hěn yǒu dào lǐ

- 당신의 의견을 따르겠습니다.
我遵照您的意见。
wǒ zūn zhào nín de yì jiàn

- 일리 있는 말입니다.
言之有理。
yán zhī yǒu lǐ

- 정말 좋은 생각입니다.
真是个好主意!
zhēn shì ge hǎo zhǔ yì

동의할 때 同意时
tóng yì shí

A: 这个周末一起去爬山，好吗?
zhè ge zhōu mò yì qǐ qù pá shān hǎo ma

B: 好啊，我也正有此意。
hǎo a wǒ yě zhèng yǒu cǐ yì

A: 이번 주말에 같이 등산이나 갈까?

B: 좋지. 나도 그럴 생각이었어.

- 그 점은 전적으로 동의합니다.
我完全同意那一点。
wǒ wán quán tóng yì nà yì diǎn

- 맞는 말씀입니다.
你说得对。
nǐ shuō de duì

- 저도 당신의 추측과 일치합니다.
我和您的推测一样。
wǒ hé nín de tuī cè yí yàng

- 그 건에 대해서는 전혀 이의가 없습니다.
  我对那件事完全没有意见。
  wǒ duì nà jiàn shì wán quán méi yǒu yì jiàn

▶ **부분적 동의 部分同意**
bù fēn tóng yì

A: 你对他的计划有什么看法?
nǐ duì tā de jì huà yǒu shén me kàn fǎ
B: 虽说他的想法很有创新, 但好像有点儿荒唐。
suī shuō tā de xiǎng fǎ hěn yǒu chuàng xīn dàn hǎo xiàng yǒu diǎnr huāng táng
A: 不过, 我认为他的那种创新精神, 还是值得我们学习的。
bú guò wǒ rèn wéi tā de nà zhǒng chuàng xīn jīng shén hái shì zhí de wǒ men xué xí de
B: 你说的也对。
nǐ shuō de yě duì

A: 그의 프로젝트를 어떻게 보십니까?
B: 생각이 창의적이기는 하나 좀 황당하기도 하군요.
A: 그래도 그런 창의적 정신은 우리가 본받을 만하다고 생각하는데요.
B: 그 말도 맞습니다.

- 당신 말도 일리는 있습니다.
  您说的也有道理。
  nín shuō de yě yǒu dào lǐ
- 그렇게 생각할 수도 있겠네요.
  难免会那么想。
  nán miǎn huì nà me xiǎng
- 그렇게 말할 수도 있겠군요.
  也可以那么说。
  yě kě yǐ nà me shuō
- 어쩌면 당신 말도 맞을 수 있지요.
  或许您说的也对。
  huò xǔ nín shuō de yě duì
- 과히 나쁘지는 않군요.
  也不算太坏。
  yě bú suàn tài huài

- 아마도 그럴 겁니다.
  好像是那样。
  hǎo xiàng shì nà yàng

- 단정할 수는 없지만, 아마도 진짜 그럴 겁니다.
  说不定，也许真的是那样。
  shuō bu dìng yě xǔ zhēn de shì nà yàng

- 쌍수 들어 찬성하는 것은 아니지만 기본적으로 동의합니다.
  虽然不是双手赞成，但基本上还是同意的。
  suī rán bú shì shuāng shǒu zàn chéng dàn jī běn shang hái shì tóng yì de

- 경우에 따라서는 그렇게 말할 수도 있겠지요.
  在某种情况下，也可以这么说。
  zài mǒu zhǒng qíng kuàng xià yě kě yǐ zhè me shuō

▶ 맞장구를 칠 때 打帮腔时
dǎ bāng qiāng shí

- 그러게 말이에요.
  可不是嘛!
  kě bú shì ma

- 누가 아니랍니까.
  谁说不是!
  shéi shuō bú shì

- 맞습니다!
  对呀!
  duì ya

- 그러믄요.
  就是嘛。
  jiù shì ma

- 바로 내가 하려던 말이에요.
  这正是我想说的。
  zhè zhèng shì wǒ xiǎng shuō de

- 나도 꼭 그렇게 생각했던 걸요.
  我也是这样想的。
  wǒ yě shì zhè yàng xiǎng de

- 우리 두 사람 생각이 똑같군요.
  咱们俩想的一样。
  zán men liǎ xiǎng de yí yàng

- 우리가 진짜 약속이라도 한 것 같군요.
  我们真的很默契。[1)]
  wǒ men zhēn de hěn mò qì

- 우린 정말 마음이 서로 통하는군요.
  我们真是心有灵犀啊。[2)]
  wǒ men zhēn shì xīn yǒu líng xī a

Ⅱ. 반대할 때　反对时
fǎn duì shí

A: 我反对那个计划，它太不现实了。
wǒ fǎn duì nà ge jì huà tā tài bú xiàn shí le

B: 我倒不那么想。它一定有成功的可能。
wǒ dào bú nà me xiǎng tā yí dìng yǒu chéng gōng de kě néng

A: 저는 그 프로젝트에 반대합니다. 너무 비현실적이에요.

B: 저는 그렇게 생각 안 합니다. 성공할 가능성이 충분히 있어요.

- 그렇게 하는 것은 반대입니다.
  我反对那么做。
  wǒ fǎn duì nà me zuò

- 저는 그 제안에 반대합니다.
  我反对那个提案。
  wǒ fǎn duì nà ge tí àn

- 저는 결사 반대입니다.
  我坚决反对。
  wǒ jiān jué fǎn duì

- 저는 찬성할 수가 없습니다.
  我不能赞成。
  wǒ bù néng zàn chéng

- 그의 의견은 도저히 지지할 수 없어요.
  我无法支持他的意见。
  wǒ wú fǎ zhī chí tā de yì jiàn

- 그것은 도가 지나칩니다.
  那太过分了。
  nà tài guò fèn le

---

1) 默契 mòqì: 묵계(하다), 묵약(하다), 비밀약속(하다).
2) 心有灵犀 xīn yǒu líng xī: 마음이 서로 통하다. = 心有灵犀一点通 xīn yǒu líng xī yì diǎn tōng.

- 저는 절대로 찬성하지 않을 겁니다.
  我绝对不会赞成的。
  wǒ jué duì bú huì zàn chéng de

- 유감스럽지만 저는 여전히 당신의 견해에 찬성할 수 없습니다.
  真遗憾，我还是不赞成您的观点。
  zhēn yí hàn wǒ hái shi bú zàn chéng nín de guān diǎn

- 저는 그런 불합리한 제의에는 반대합니다.
  我反对那种不合理的提议。
  wǒ fǎn duì nà zhǒng bù hé lǐ de tí yì

- 그런 계획은 통하지 않습니다.
  那个计划是行不通的。[3)]
  nà ge jì huà shì xíng bu tōng de

- 그 계획은 도무지 말도 안 됩니다.
  那计划简直不像话。
  nà jì huà jiǎn zhí bú xiàng huà

- 말도 안 되는 소리!
  太不像话了!
  tài bú xiàng huà le

- 정말 꿈꾸고 있네.
  简直就是在做梦。
  jiǎn zhí jiù shì zài zuò mèng

- 그렇게 말씀하시면 틀립니다.
  那么说就不对了。
  nà me shuō jiù bú duì le

- 우리 둘은 전혀 말이 통하지 않는군요.
  我们俩真是难以沟通啊。
  wǒ men liǎ zhēn shì nán yǐ gōu tōng a

Ⅲ. 동의하지 않을 때 不同意时
bù tóng yì shí

- 저는 그렇게 생각하지 않습니다.
  我不那么想。
  wǒ bú nà me xiǎng

- 그렇게 말할 수는 없습니다.
  不可以那么说。
  bù kě yǐ nà me shuō

---

3) 行不通 xíng bu tōng: 통하지 않다, 통용되지 않다, 실행되지 않다.

- 저는 그 계획에 동의하지 않습니다.
  我不同意那个计划。
  wǒ bù tóng yì nà ge jì huà

- 지금 당장 동의할 수는 없습니다.
  我不能立刻同意。
  wǒ bù néng lì kè tóng yì

- 그건 별로 좋지 않은데요.
  那不太好吧!
  nà bú tài hǎo ba

- 그것은 당신 개인의 생각일 뿐입니다.
  那只是你个人的想法。
  nà zhǐ shì nǐ gè rén de xiǎng fǎ

- 당신이 틀린 것 같습니다.
  好像是您错了。
  hǎo xiàng shì nín cuò le

- 제가 볼 때 그건 좋은 방법이 아닙니다.
  依我看, 那不是好办法。[4]
  yī wǒ kàn nà bú shì hǎo bàn fǎ

- 이런 관점은 너무 터무니 없습니다.
  这种观点太荒谬了。
  zhè zhǒng guān diǎn tài huāng miù le

- 이것은 분명 억지 주장입니다.
  这分明就是强词夺理嘛。[5]
  zhè fēn míng jiù shì qiǎng cí duó lǐ ma

- 이 점에 대해서는 저는 당신과 의견이 다릅니다.
  关于这一点我和你意见不同。
  guān yú zhè yì diǎn wǒ hé nǐ yì jiàn bù tóng

- 분명히 말하자면 현재로선 당신 의견에 동의하지 않습니다.
  确切地说, 我现在不同意您的意见。
  què qiè de shuō wǒ xiàn zài bù tóng yì nín de yì jiàn

▶ 이견이 있을 때 有异见时 (yǒu yì jiàn shí)

- 저에게 또 다른 생각이 있습니다.
  我还有另外一种想法。
  wǒ hái yǒu lìng wài yì zhǒng xiǎng fǎ

---

4) 依 yī: 의지하다, 기대다. 依我看 yī wǒ kàn: 내가 볼 때, 내가 보기에.
5) 强词夺理 qiǎng cí duó lǐ: 억지 주장을 하다, 억지 논리를 펴다.

- 그 방면에서 저는 당신과 다릅니다.
  在那方面，我跟你不合。
  zài nà fāng miàn wǒ gēn nǐ bù hé

- 우리는 마땅히 다른 방면도 고려해야 합니다.
  我们还应考虑另一方面。
  wǒ men hái yīng kǎo lǜ lìng yì fāng miàn

- 당신 뜻은 알겠습니다만, 이 점을 간과하신 것 같습니다.
  我明白您的意思，但你忽略了这一点。[6)]
  wǒ míng bai nín de yì si dàn nǐ hū lüè le zhè yì diǎn

- 제 생각은 여러분들과는 다릅니다.
  我的看法跟大家不同。
  wǒ de kàn fǎ gēn dà jiā bù tóng

- 그 계획은 완벽한 것 같지 않습니다.
  我觉得那个计划不够周全。[7)]
  wǒ jué de nà ge jì huà bú gòu zhōu quán

Ⅳ. 의견을 보류할 때 保留意见时
bǎo liú yì jiàn shí

- 그 건은 잠시 보류하면 어떨까요?
  我们暂时不谈那件事，好吗?
  wǒ men zàn shí bù tán nà jiàn shì hǎo ma

- 의견이 분분하니 다음에 다시 얘기합시다.
  既然意见都不一样，就下回再谈吧。
  jì rán yì jiàn dōu bù yí yàng jiù xià huí zài tán ba

- 현재로선 확실한 대답을 할 수 없군요.
  现在我不能给您明确的答复。
  xiàn zài wǒ bù néng gěi nín míng què de dá fù

- 생각해 보고 다시 정확한 결과를 알려 드리지요.
  让我想想，再给你明确的答复。
  ràng wǒ xiǎng xiang zài gěi nǐ míng què de dá fù

- 좀더 검토해 봅시다.
  再次检讨一下吧。
  zài cì jiǎn tǎo yí xià ba

---

6) 忽略 hūlüè: 소홀히 하다. 등한히 하다.
7) 周全 zhōuquán: 주도면밀하다, 빈틈 없다, 세심하다, 전면적이다.

8 추측 · 판단

推测/判断
tuī cè pànduàn

"也许 yěxǔ" "或许 huòxǔ" "恐怕 kǒngpà"는 모두 "아마(도) ~일 것이다"라는 뜻으로 추측을 나타낼 때 사용되는 부사들이다. 이 중 "恐怕 kǒngpà"는 "恐怕不行了。kǒngpà bùxíng le"(아마도 안 될 것 같습니다)와 같이 주로 좋지 않은 결과가 예상될 때 사용된다. "大约 dàyuē" "大概 dàgài"는 "대략" "대개"의 뜻으로 역시 추측이나 추정을 할 때에 사용된다.

기 본 대 화

A: 这次议员选举谁会被选上啊?
zhè cì yì yuán xuǎn jǔ shéi huì bèi xuǎn shang a

B: 我想一定是张永。
wǒ xiǎng yí dìng shì zhāng yǒng

A: 但是我觉得他根本就不可能被当选。
dàn shì wǒ jué de tā gēn běn jiù bù kě néng bèi dāng xuǎn

B: 不要那么说, 这次选举谁都说不准。
bú yào nà me shuō zhè cì xuǎn jǔ shéi dōu shuō bu zhǔn

A: 이번 의원 선거에서 누가 뽑힐까요?
B: 저는 틀림없이 장융 씨라고 생각하는데요.
A: 하지만 제 생각에 그는 당선 가능성이 전혀 없어요.
B: 그렇게는 말할 수 없죠. 이번 선거는 누구도 장담할 수 없어요.

여러 가지 활용

Ⅰ. 추측할 때 推测时
tuī cè shí

- 내 생각에 오늘은 그가 올 것 같아요.
  我想今天他会来的。
  wǒ xiǎng jīn tiān tā huì lái de

- 아마도 지금쯤 소식이 있을 겁니다.
  也许现在有消息了。
  yě xǔ xiàn zài yǒu xiāo xi le

- 아마 이번 시험은 그다지 어렵지 않을 거야.
  或许这次考试不会太难。
  huò xǔ zhè cì kǎo shì bú huì tài nán

- 대략 얼마나 시간이 더 필요하죠?
  大约还需要多长时间?
  dà yuē hái xū yào duō cháng shí jiān

- 모임에 대충 몇 명이나 참석을 하게 될까요?
  大概会有多少人来参加这个聚会?
  dà gài huì yǒu duō shao rén lái cān jiā zhè ge jù huì

- 틀림없이 그가 말했을 거예요.
  肯定是他说的。
  kěn dìng shì tā shuō de

- 너의 짓이 틀림없어, 안 그래?
  肯定是你弄的, 不是吗?
  kěn dìng shì nǐ nòng de bú shì ma

- 아마도 그는 지금 화가 나 있을 거야.
  恐怕他现在正在发脾气。
  kǒng pà tā xiàn zài zhèng zài fā pí qì

- 그건 단지 추측에 지나지 않아요.
  那只不过是推测而已。
  nà zhǐ bú guò shì tuī cè ér yǐ

- 현재 상황에 미루어 짐작해 볼 수는 있지요.
  我们可以根据现象进行推测。
  wǒ men kě yǐ gēn jù xiàn xiàng jìn xíng tuī cè

Ⅱ. 판단할 때 判断时
pàn duàn shí

- 나는 당신이 틀렸다고 생각합니다.
  我认为你不对。
  wǒ rèn wéi nǐ bú duì

- 어떤게 좋은지 판단을 해 주십시오.
  请您评判一下到底哪个好?
  qǐng nín píng pàn yí xià dào dǐ nǎ ge hǎo

- 옳고 그름은 당신 스스로 판단하세요.
  是与非, 由你自己来判断。
  shì yǔ fēi yóu nǐ zì jǐ lái pàn duàn

- 우리는 사람을 외모로 판단해서는 안 돼요.
  我们不要以貌取人。
  wǒ men bú yào yǐ mào qǔ rén

- 학교 성적만으로 학생의 좋고 나쁨을 판단하지 마세요.
  不要通过学习成绩来判断学生的好坏。
  bú yào tōng guò xué xí chéng jì lái pàn duàn xué shēng de hǎo huài

Ⅲ. 추측 · 판단이 맞았을 때 推测/判断正确时
tuī cè pàn duàn zhèng què shí

- 내 그럴 줄 알았어.
  我就知道会是那样。
  wǒ jiù zhī dào huì shì nà yàng

- 당신 추측이 틀리지 않았군요.
  您推测的没错。
  nín tuī cè de méi cuò

- 당신 판단이 아주 정확했어요.
  你的判断太正确了。
  nǐ de pàn duàn tài zhèng què le

- 결과는 우리가 예상했던 것과 같습니다.
  结果和我们想象的一样。
  jié guǒ hé wǒ men xiǎng xiàng de yí yàng

- 그의 추측은 정확합니다.
  他的推测是正确的。
  tā de tuī cè shì zhèng què de

- 나의 판단은 언제나 정확하다니까.
  我的判断每次都是正确的。
  wǒ de pàn duàn měi cì dōu shì zhèng què de

- 그의 판단은 틀릴 리가 없어요.
  他的判断是不会出错的。
  tā de pàn duàn shì bú huì chū cuò de

- 거봐, 내 추측이 맞았지?
  你看, 我的推测没错吧!
  nǐ kàn wǒ de tuī cè méi cuò ba

Ⅲ. 추측 · 판단이 틀렸을 때 推测/判断失误时
tuī cè pàn duàn shī wù shí

- 그건 뜻밖이군요.
  那是意外。
  nà shì yì wài

- 그것은 미처 생각지 못한 일이었습니다.
  那是意想不到的事情。
  nà shì yì xiǎng bu dào de shì qing

- 당신이 오리라고는 전혀 생각 못했어요.
  真没想到你会来。
  zhēn méi xiǎng dào nǐ huì lái

• 그도 판단을 잘못할 때가 있군요.
原来他也有判断错误的时候。[1]
yuán lái tā yě yǒu pàn duàn cuò wù de shí hou

• 일이 이 지경이 되리라고는 정말 생각도 못했습니다.
真没想到事情会发展到这种地步。
zhēn méi xiǎng dào shì qing huì fā zhǎn dào zhè zhǒng dì bù

• 그 결과는 뜻밖이었어요.
那个结果是出乎我们意料的。[2]
nà ge jié guǒ shì chū hū wǒ men yì liào de

• 그가 성공을 하다니 정말로 믿기 어렵군요.
他成功了，真令人难以置信。[3]
tā chéng gōng le zhēn lìng rén nán yǐ zhì xìn

▶ **추측 · 판단이 어려울 때** **很难推测/判断时**
hěn nán tuī cè pàn duàn shí

• 현재로선 추측할 수 없어요.
现在还无法推测。
xiàn zài hái wú fǎ tuī cè

• 그렇게 쉽게 판단할 수 있는 일이 아닙니다.
那不是轻易就能判定的事。
nà bú shì qīng yì jiù néng pàn dìng de shì

• 그의 생각이 맞는지 틀리는지는 지금은 말할 수 없습니다.
他的想法是对是错，现在还说不准。
tā de xiǎng fǎ shì duì shì cuò xiàn zài hái shuō bu zhǔn

• 구체적인 정황은 아무도 모릅니다.
具体情况，谁都不清楚。
jù tǐ qíng kuàng shéi dōu bù qīng chu

• 그 누구도 미래를 예측할 수 없습니다.
谁也不能预测未来啊。
shéi yě bù néng yù cè wèi lái a

• 내일 무슨 일이 일어날지 아무도 정확히 말할 수 없습니다.
明天会发生什么事情，谁都说不准。
míng tiān huì fā shēng shén me shì qing shéi dōu shuō bu zhǔn

---

1) 原来 yuánlái: '원래', '본래'라는 뜻 외에도 "알고 보니 ~"의 뜻이 있다.
2) 出乎意料 chūhū yìliào: 뜻밖이다, 예상밖이다.
3) 难以置信 nán yǐ zhì xìn: 믿기 어렵다.

9 요구 · 명령 要求/命令 yāo qiú mìnglìng

"听从指挥, 服从命令 tīngcóng zhǐhuī, fúcóng mìnglìng"은 중국의 관료사회나 공안(公安 gōng'ān), 군대(军队 jūnduì) 등 규율이 엄격한 계급사회에서 많이 쓰이는 말로 "지휘에 따르고 명령에 복종한다."라는 뜻이다. 그러나 일상생활에서 일방적으로 지시나 명령을 내리는 경우는 그리 흔치 않으며 대개는 부탁의 형식을 취하는 편이다.

기 본 대 화

A: 那件事进展得怎么样了?
nà jiàn shì jìn zhǎn de zěn me yàng le

B: 对不起, 由于很多原因, 我刚刚完成了一半。
duì bu qǐ yóu yú hěn duō yuán yīn wǒ gāng gāng wán chéng le yí bàn

A: 你要加快速度了! 无论如何都要在这个星期五之前做完。
nǐ yào jiā kuài sù dù le wú lùn rú hé dōu yào zài zhè ge xīng qī wǔ zhī qián zuò wán

B: 没问题! 我一定会按时完成任务的。
méi wèn tí wǒ yí dìng huì àn shí wán chéng rèn wù de

A: 그 일은 잘 되어 가고 있습니까?
B: 죄송합니다. 여러 가지 사유로 겨우 절반 정도 되었습니다.
A: 좀 빨리해 주세요. 어찌됐든 이번 주 금요일까지는 끝내야 합니다.
B: 알겠습니다. 반드시 그때까지 임무를 완성하겠습니다.

여러 가지 활용

Ⅰ. 지시 指示 zhǐ shì

- 나의 지시에 따라 처리하세요.
  就按我的指示去办吧。
  jiù àn wǒ de zhǐ shì qù bàn ba

- 반드시 기일 안에 완성하세요.
  一定要按时完成任务。
  yí dìng yào àn shí wán chéng rèn wù

- 내 뜻을 알겠습니까?
  你明白我的意思了吗?
  nǐ míng bai wǒ de yì si le ma

- 내가 말한 대로 해. 안 그러면 후회할 거야.
  就按我说的去做吧, 要不然你会后悔的。
  jiù àn wǒ shuō de qù zuò ba yào bù rán nǐ huì hòu huǐ de

- 군말 말고 어서 가서 일이나 해요.
  不要说三道四的, 快去做事吧。[1)]
  bú yào shuō sān dào sì de kuài qù zuò shì ba

- 무슨 방법을 쓰든지 5시까지 그 일을 끝내세요.
  不管你用什么方法, 在五点之前必须把那件事做完。
  bù guǎn nǐ yòng shén me fāng fǎ zài wǔ diǎn zhī qián bì xū bǎ nà jiàn shì zuò wán

- 당신은 내가 말하는 대로만 하면 됩니다.
  你按我说的去做就行了。
  nǐ àn wǒ shuō de qù zuò jiù xíng le

- 무슨 수를 써서라도 목적만 달성하면 됩니다.
  不管用什么办法, 只要达到目的就行。
  bù guǎn yòng shén me bàn fǎ zhǐ yào dá dào mù dì jiù xíng

Ⅱ. 명령 命令
mìng lìng

- 이건 명령이야. / 명령대로 해요.
  这是命令。/ 按命令行事。
  zhè shì mìng lìng àn mìng lìng xíng shì

- 떠들지 마 / 조용히 해!
  不要吵了。/ 安静!
  bú yào chǎo le ān jìng

- 다시는 싸움을 하지 마라.
  不要再打架了。[2)]
  bú yào zài dǎ jià le

- 남의 사생활을 함부로 지껄이지 마세요.
  不要随便讨论别人的私事。
  bú yào suí biàn tǎo lùn bié rén de sī shì

- 그곳에서 꼼짝 말고 기다려.
  你就在那儿别动, 等着我。
  nǐ jiù zài nàr bié dòng děng zhe wǒ

---

1) 说三道四 shuō sān dào sì: 이것저것 지껄이다, 제멋대로 지껄이다. 说와 道는 모두 '말하다'는 뜻.

2) 打架 dǎjià: 싸우다, 다투다. 여기서 架 jià는 싸움, 언쟁의 뜻.

- 무슨 일이 있어도 밖에 나가면 안 돼.
  不管发生什么事，你都不要出去。
  bù guǎn fā shēng shén me shì nǐ dōu bú yào chū qù

Ⅱ. 지시 · 명령을 받았을 때 收到命令时
shōu dào mìng lìng shí

- 예, 잘 알겠습니다. / 말씀대로 하겠습니다.
  好，我明白了。/ 我会照您的意思去做。
  hǎo wǒ míng bai le wǒ huì zhào nín de yì si qù zuò

- 무슨 일이든 분부만 하십시오.
  无论什么事，你尽管吩咐。
  wú lùn shén me shì nǐ jǐn guǎn fēn fù

- 어떤 장애가 있더라도 끝까지 고수하겠습니다.
  不管有多大的障碍，我都会坚持到底。
  bù guǎn yǒu duō dà de zhàng ài wǒ dōu huì jiān chí dào dǐ

- 그런 일은 저에게 시키지 마세요.
  那种事情，不要叫我去做。
  nà zhǒng shì qing bú yào jiào wǒ qù zuò

- 전 그런 일 할 수 없어요. 다른 사람 찾아보시죠.
  我不能干那样的事，你找别人吧!
  wǒ bù néng gàn nà yàng de shì nǐ zhǎo bié rén ba

▶ 지시 · 명령을 어겼을 때 违背指令时
wéi bèi zhǐ lìng shí

- 감히 내 명령을 어기다니!
  你敢不听从我的命令!
  nǐ gǎn bù tīng cóng wǒ de mìng lìng

- 왜 내 말대로 하지 않았지?
  为什么你不按照我说的去做?
  wèi shén me nǐ bú àn zhào wǒ shuō de qù zuò

- 내 말이 말 같지 않아?
  你认为我说的不象话吗?
  nǐ rèn wéi wǒ shuō de bú xiàng huà ma

- 명령을 어기면 어떻게 되는 줄 알지?
  你知道违背命令的后果吗?[3]
  nǐ zhī dào wéi bèi mìng lìng de hòu guǒ ma

---

3) 后果 hòuguǒ: 뒤의 결과, 나중의 결과.

10 수락 · 거절

接受/拒绝
jiē shòu jù jué

상대방의 부탁이나 의견을 수락할 때는 "行。xíng" "可以。kěyǐ" "我同意。wǒ tóngyì" 또는 "好吧。hǎoba"라고 하면 된다. 만일 매우 적극적으로 받아들일 때에는 "当然可以。dāngrán kěyǐ" "没问题。méiwèntí"라고 한다. 거절을 하거나 받아들일 수 없을 경우에는 먼저 "对不起。duìbuqǐ" "不好意思。bùhǎoyìsi"나 "真遗憾。zhēn yíhàn" 등으로 미안함이나 유감의 뜻을 나타내면 된다.

기 본 대 화

A: 能帮我一个忙吗?
néng bāng wǒ yí ge máng ma

B: 什么事?
shén me shì

A: 能帮我把这个合同书翻译成中文吗?
néng bāng wǒ bǎ zhè ge hé tong shū fān yì chéng zhōng wén ma

B: 啊, 不好意思。我现在没时间。我有很急的事要做。
ā bù hǎo yì si wǒ xiàn zài méi shí jiān wǒ yǒu hěn jí de shì yào zuò

A: 没关系, 你先忙你的去吧。
méi guān xi nǐ xiān máng nǐ de qù ba

B: 真的很抱歉。有时间一定帮你忙。
zhēn de hěn bào qiàn yǒu shí jiān yí dìng bāng nǐ máng

A: 좀 도와주시겠어요?
B: 무슨 일인데요?
A: 이 계약서를 중국어로 번역해 주시겠습니까?
B: 아, 미안하지만 지금은 시간이 없습니다. 아주 급히 해야 할 일이 있어서요.
A: 괜찮습니다. 어서 가서 일 보세요.
B: 정말 죄송합니다. 틈이 나면 반드시 도와드리겠습니다.

여러 가지 활용

I. 수락할 때 接受时
jiē shòu shí

- 좋습니다. 그거 좋은 생각이군요.
  可以。你的想法很好。
  kě yǐ nǐ de xiǎng fǎ hěn hǎo

- 그거 재미있는 제안이네요. 그렇게 합시다.
  那个提议很有趣，就这么办吧。
  nà ge tí yì hěn yǒu qù jiù zhè me bàn ba

- 기꺼이 당신의 건의를 받아들이겠습니다.
  我非常愿意接受您的建议。
  wǒ fēi cháng yuàn yì jiē shòu nín de jiàn yì

- 말씀하신 대로 하겠습니다.
  我照您说的去做。
  wǒ zhào nín shuō de qù zuò

- 저의 청을 들어주셔서 감사합니다.
  谢谢你能答应我的请求。
  xiè xie nǐ néng dā ying wǒ de qǐng qiú

- 그런 일은 누워서 떡먹기야, 걱정 말고 내게 맡겨.
  那种事小菜一碟，你就放心地交给我吧。[1)]
  nà zhǒng shì xiǎo cài yì dié nǐ jiù fàng xīn de jiāo gěi wǒ ba

Ⅱ. 거절할 때　拒绝时
jù jué shí

- 안 되겠습니다. 도와드릴 수가 없습니다.
  不行，帮不了。
  bù xíng bāng bu liǎo

- 죄송하지만, 제가 급한 일이 있어서요.
  对不起，我有要事在身。
  duì bu qǐ wǒ yǒu yào shì zài shēn

- 죄송하지만, 제가 또 다른 일이 있네요.
  对不起，我还有别的事。
  duì bu qǐ wǒ hái yǒu bié de shì

- 저는 아무런 힘이 없습니다.
  我无能为力。[2)]
  wǒ wú néng wéi lì

- 이번에는 힘이 되어 드릴 수 없습니다.
  这次帮不上忙了。
  zhè cì bāng bu shàng máng le

- 죄송하지만 거절해야만 하겠습니다.
  对不起，我必须拒绝。
  duì bu qǐ wǒ bì xū jù jué

---

1) 小菜一碟 xiǎo cài yì dié: '대수롭지 않은 일'이라는 뜻. 식은 죽 먹기, 누워서 떡먹기.
2) 无能为力 wú néng wéi lì: 힘이 될 만한 능력이 없다, 어찌할 도리가 없다, 무력하다.

- 유감입니다만, 지금은 안 되겠습니다.
  真遗憾, 现在不行。
  zhēn yí hàn xiàn zài bù xíng

- 지금 급히 해결해야 할 일들이 많아서요.
  现在我手上亟待解决的事情太多了。3)
  xiàn zài wǒ shǒu shang jí dài jiě jué de shì qing tài duō le

Ⅲ. 망설일 때 犹豫时
yóu yù shí

A: 麻烦你一件事, 你能当我的担保人吗?
má fan nǐ yí jiàn shì nǐ néng dāng wǒ de dān bǎo rén ma

B: 怎么了?
zěn me le

A: 我想去银行贷款。
wǒ xiǎng qù yín háng dài kuǎn

B: 恐怕我不能立刻回答你。
kǒng pà wǒ bù néng lì kè huí dá nǐ

A: 你不会拒绝我吧?
nǐ bú huì jù jué wǒ ba

B: 还是让我先和我的妻子商量一下吧。
hái shi ràng wǒ xiān hé wǒ de qī zi shāng liang yí xià ba

A: 미안한 부탁인데, 내 보증인이 되어 줄 수 있겠니?

B: 무슨 일인데?

A: 은행에서 대출을 받을까 해서.

B: 지금 당장은 대답할 수가 없겠는데.

A: 설마 거절하지는 않겠지?

B: 그래도 먼저 와이프와 상의를 좀 해봐야 해.

- 좀 생각할 여유를 주십시오.
  给我点儿时间考虑一下。
  gěi wǒ diǎnr shí jiān kǎo lǜ yí xià

- 지금 당장은 대답할 수 없습니다. 검토해 보겠습니다.
  我不能马上回答。我会检讨的。
  wǒ bù néng mǎ shàng huí dá wǒ huì jiǎn tǎo de

- 어떻게 말씀드려야 할지 모르겠습니다.
  不知道该说什么。
  bù zhī dào gāi shuō shén me

---

3) 亟待 jídài: 시급을 요하다. 亟待解决 jídài jiějué 빠른 해결을 요하다.

- 이 일은 좀 곤란하겠는데요.
  这件事有点困难。
  zhè jiàn shì yǒu diǎn kùn nan
- 상황을 보고나서 다시 얘기합시다.
  看情况再说吧。
  kàn qíng kuàng zài shuō ba

참고 관련 용어

- 의견 意见 yì jiàn
- 생각 想法 xiǎng fǎ
- 이견 异见 yì jiàn
- 유감 遗憾 yí hàn
- 발언하다 发言 fā yán
- 솔직하다 坦白 tǎn bái
- 관점 观点 guāndiǎn
- 표현하다 表达 biǎo dá
- 제의하다 提议 tí yì
- 제안하다 提案 tí àn
- 확신하다 确信 què xìn
- 단언하다 断言 duàn yán
- 보증하다, 보장하다 保证 bǎo zhèng
- 증명하다 证明 zhèngmíng
- 결심하다 决心 jué xīn
- 결정하다 决定 jué dìng
- 맹세하다 发誓 fā shì
- 고려하다 考虑 kǎo lǜ
- 준비하다 准备 zhǔn bèi
- 상의하다 商议, 商量 shāng yì, shāngliang
- 타협하다 妥协 tuǒ xié
- 협의하다 协议 xié yì
- 받아들이다 接纳 jiē nà
- 수락하다 接受 jiē shòu
- 거절하다 拒绝 jù jué
- 충고하다 忠告 zhōng gào
- 설득하다 说服 shuō fú
- 권하다 劝 quàn
- 깨우쳐 주다 提醒 tí xǐng
- 질문하다 提问 tí wèn
- 대답하다, 회답하다 回答 huí dá
- 설명하다 说明 shuōmíng
- 찬성하다 赞成 zàn chéng
- 반대하다 反对 fǎn duì
- 동의하다 同意 tóng yì
- 답변하다 答复 dá fù
- 의사소통하다 沟通 gōu tōng
- 보류하다 保留 bǎo liú
- 추측하다 推测 tuī cè
- 판단하다 判断 pàn duàn
- 지시하다 指示 zhǐ shì
- 명령하다 命令 mìng lìng
- 응답하다 答应 dā ying

07 대 화

对 话 DUIHUA

1 대화의 기술 对话的技巧

2 의사 소통 沟通

3 참말 · 거짓말 实话/谎话

4 농담 · 유머 玩笑/幽默

5 소문 · 비밀 传闻/秘密

1 대화의 기술

对话的技巧
duì huà de jì qiǎo

대화는 인격의 반영이며 우리의 삶을 풍요롭게 하기도 하지만, 잘못된 대화로 상처를 주고받기도 하고 인간관계를 망치는 경우도 있다. 우리 속담에 "말 한 마디로 천냥 빚을 갚는다"는 말처럼 인간관계에서 대화를 어떻게 하느냐 하는 것은 아주 중요하다. 상대방이 다른 일에 몰두하고 있을 때 말을 걸거나 무엇을 물어보려면 "打扰了。dǎrǎole"나 "打搅了。dǎjiǎole"라는 표현을 사용하는 것이 좋다. 곧 우리말의 "실례합니다"와 같은 표현이다. 이 말은 또한 대화가 끝난 뒤에 "실례했습니다"와 같이 다시 한번 반복하여 쓸 수도 있다.

기본대화

A: 胡先生, 能问您一个问题吗?
hú xiān sheng néng wèn nín yí ge wèn tí ma

B: 什么问题?
shén me wèn tí

A: 在中国, 外国人要遵守的最基本的是什么?
zài zhōng guó wài guó rén yào zūn shǒu de zuì jī běn de shì shén me

B: 我个人觉得最基本的是要了解彼此在文化习惯上的差异, 以便互相尊重礼节。[1]
wǒ gè rén jué de zuì jī běn de shì yào liǎo jiě bǐ cǐ zài wén huà xí guàn shang de chā yì yǐ biàn hù xiāng zūn zhòng lǐ jié

A: 因为我初次来中国, 所以不知道这儿的习惯。
yīn wèi wǒ chū cì lái zhōng guó suǒ yǐ bù zhī dào zhèr de xí guàn

B: 你以后跟中国朋友多交流, 很快就会知道的。
nǐ yǐ hòu gēn zhōng guó péng you duō jiāo liú hěn kuài jiù huì zhī dào de

---

A: 후 선생님, 한 가지 여쭤봐도 되겠습니까?
B: 무슨 문제죠?
A: 중국에서 외국인이 지켜야 할 가장 기본적인 것은 무엇입니까?
B: 가장 기본적인 것은 서로의 문화관습의 차이를 이해하여 상호 존중하고 예절을 지키는 것이라고 생각해요.
A: 제가 중국에 처음 왔기 때문에 여기 관습을 잘 모르거든요.
B: 앞으로 중국 친구들과 많이 교류하다 보면 금방 알게 될 거예요.

1) 习惯 xíguàn: 관습, 습관, 버릇.

여러 가지 활용

I. 처음 말을 걸 때 初次开口时
chū cì kāi kǒu shí

- 실례하겠습니다.
  对不起, 打扰了。[2)]
  duì bu qǐ dǎ rǎo le

- 지금 시간이 있으세요?
  您现在有时间吗?
  nín xiàn zài yǒu shí jiān ma

- 2, 3분만 시간을 내주실 수 있습니까?
  我能打扰您两三分钟吗?
  wǒ néng dǎ rǎo nín liǎng sān fēn zhōng ma

- 시간을 좀 내줄 수 있습니까?
  能抽点时间吗?[3)]
  néng chōu diǎn shí jiān ma

- 한 가지 부탁해도 될까요?
  能求您一件事吗?
  néng qiú nín yí jiàn shì ma

- 한 가지 의논드릴 일이 있는데요.
  我有事跟你商量。[4)]
  wǒ yǒu shì gēn nǐ shāng liang

- 단독으로 드릴 말씀이 있습니다.
  我有话要跟你单独说。
  wǒ yǒu huà yào gēn nǐ dān dú shuō

- 당신과 한 가지 일을 상의하고 싶습니다.
  我想和你谈点儿事儿。
  wǒ xiǎng hé nǐ tán diǎnr shìr

- 개인적인 일로 좀 상의 드릴까 합니다.
  我想跟你谈点儿私事。
  wǒ xiǎng gēn nǐ tán diǎnr sī shì

---

2) 打扰 dǎrǎo: 방해하다, 훼방하다, 교란하다. 打扰了 dǎrǎole: 다른 사람에게 폐를 끼칠 경우에 인사말로 많이 사용한다. = 打搅了 dǎjiǎole。

3) 抽 chōu: 뽑다, 추출하다. 예) 抽血 chōuxuè: 피를 뽑다. 抽奖 chōujiǎng: 추첨하다.

4) 商量 shāngliang: 상의하다, 의논하다.

▶ 화두를 꺼낼 때 开头语
kāi tóu yǔ

- 최근에 이야기 들으셨어요?
  你最近听说了吗?
  nǐ zuì jìn tīng shuō le ma

- 당신도 이미 알고 계시겠지만.
  大概你也知道了吧。
  dà gài nǐ yě zhī dào le ba

- 당신도 분명 알고 계시리라 생각합니다만.
  我想你应该也知道了。
  wǒ xiǎng nǐ yīng gāi yě zhī dào le

- 그 일은 대충 이렇습니다.
  那件事大概是这样的。
  nà jiàn shì dà gài shì zhè yàng de

Ⅱ. 대화 중에 끼어들 때 插话时
chā huà shí

- 잠깐만요, 그건 바로 이런 거예요.
  等一下, 那件事是这样的。
  děng yí xià nà jiàn shì shì zhè yàng de

- 죄송합니다만, 몇 마디만 말씀드려도 될까요?
  对不起, 我能说几句吗?
  duì bu qǐ wǒ néng shuō jǐ jù ma

- 실례합니다만, 몇 마디 당신께 드릴 말씀이 있습니다.
  打扰了, 我有几句话要对你说。
  dǎ rǎo le wǒ yǒu jǐ jù huà yào duì nǐ shuō

- 급한 일이 있어서 먼저 말씀드려야겠습니다.
  我有急事, 必须先说一下。
  wǒ yǒu jí shì bì xū xiān shuō yí xià

▶ 끼어들지 말라고 할 때 劝不要插话时
quàn bú yào chā huà shí

- 우리들의 대화를 방해하지 마십시오.
  不要打扰我们说话。
  bú yào dǎ rǎo wǒ men shuō huà

- 내가 다른 사람과 말하고 있을 때 함부로 끼어들지 마세요.
  在我与别人说话时, 你不要随便插话。[5)]
  zài wǒ yǔ bié rén shuō huà shí nǐ bú yào suí biàn chā huà

---

5) 随便 suíbiàn: 제멋대로, 마음대로, 자유로이.

- 다른 사람과 얘기할 때 함부로 끼어드는 것은 예의에 어긋납니다.
  在别人谈话时随便插话是很不礼貌的。
  zài bié rén tán huà shí suí biàn chā huà shì hěn bù lǐ mào de

- 너는 정말 끼어들기를 좋아하는구나.
  你这个人太爱随便插话了。
  nǐ zhè ge rén tài ài suí biàn chā huà le

Ⅲ. 말을 수정 · 취소할 때　更正/取消说过的话时

gēng zhèng　qǔ xiāo shuō guo de huà shí

A: 那事故是什么时候发生的?
nà shì gù shì shén me shí hou fā shēng de

B: 上星期一。
shàng xīng qī yī

A: 刚才你不是说星期二吗?
gāng cái nǐ bú shì shuō xīng qī èr ma

B: 哦, 对不起。刚才我说错了, 应该是星期二。
ò duì bu qǐ gāng cái wǒ shuō cuò le yīng gāi shì xīng qī èr

A: 그 사고는 언제 일어났습니까?

B: 지난 월요일입니다.

A: 조금 전에는 화요일이라고 안 했습니까?

B: 아, 죄송해요. 방금 잘못 말했어요. 분명히 화요일이에요.

- 조금전 실수로 잘못 말씀드렸습니다. 지금 정정하겠습니다.
  由于口误, 刚才说错了。现在我要更改一下。6)
  yóu yú kǒu wù gāng cái shuō cuò le xiàn zài wǒ yào gēng gǎi yí xià

- 죄송합니다, 제가 금방 한 말을 취소합니다.
  对不起, 收回我刚才说过的话。7)
  duì bu qǐ shōu huí wǒ gāng cái shuō guo de huà

- 제가 잘못 말했을 수도 있습니다. 저도 기억이 선명치 않아요.
  可能是我说错了, 我也记不太清楚了。
  kě néng shì wǒ shuō cuò le wǒ yě jì bú tài qīng chu le

- 말을 함부로 바꾸지 마세요, 사람 헷갈리게.
  你别随便更改你的话, 让人琢磨不定。8)
  nǐ bié suí biàn gēng gǎi nǐ de huà ràng rén zuó mo bu dìng

---

6) 口误 kǒuwù: 실언하다, 말실수를 하다, 잘못 말하다, 잘못 읽다.

7) 收回 shōuhuí: 거두어들이다.

8) 琢磨 zuómo: '갈다', '다듬다'의 뜻으로 사용할 때는 zhuómó라 발음하고, '곰곰히 생각하다', '궁리하다'의 뜻으로 사용할 때는 zuómo라 발음한다.

- 당신 말을 그가 이미 들었으니 지금 취소한다고 해도 늦었어요.
  他已经听到了你的话, 你现在说取消, 恐怕来不及了。
  tā yǐ jing tīng dào le nǐ de huà nǐ xiàn zài shuō qǔ xiāo kǒng pà lái bu jí le

Ⅳ. 주의를 환기시킬 때 转移注意力时
zhuǎn yí zhù yì lì shí

A: 听我把话说完好吗?
tīng wǒ bǎ huà shuō wán hǎo ma
B: 我不是在听吗? 继续说吧。
wǒ bú shì zài tīng ma jì xù shuō ba
A: 你可以先不看电视吗?
nǐ kě yǐ xiān bú kàn diàn shì ma
B: 没关系, 我一边看一边听着呢!
méi guān xi wǒ yì biān kàn yì biān tīng zhe ne

A: 내 말 좀 끝까지 들어 줄래요?
B: 듣고 있잖아? 말하라고.
A: 텔레비전 좀 안 보면 안 돼?
B: 상관없어. 보면서 듣고 있다고.

- 주의해서 제 말을 들어 주십시오.
  注意听我说。
  zhù yì tīng wǒ shuō
- 제 말을 흘려듣지 마십시오.
  不要把我的话当耳边风。
  bú yào bǎ wǒ de huà dāng ěr biān fēng
- 저의 말을 끝까지 듣고 나서 판단하시겠어요?
  听我说完, 再做判断好吗?
  tīng wǒ shuō wán zài zuò pàn duàn hǎo ma

Ⅴ. 할말이 없을 때 无话可说时
wú huà kě shuō shí

A: 你对这件事有什么看法?
nǐ duì zhè jiàn shì yǒu shén me kàn fǎ
B: 怎么说呢, 我实在不知道该怎么说。
zěn me shuō ne wǒ shí zài bù zhī dào gāi zěn me shuō

A: 이 일에 대해 어떤 생각을 가지고 계셔요?
B: 글쎄요, 어떻게 말씀드려야 할지 저도 정말 모르겠네요.

- 당신과는 할 말이 없습니다.
  我觉得和你已经没什么可说的了。
  wǒ jué de hé nǐ yǐ jīng méi shén me kě shuō de le

- 실은 저도 잘 모릅니다.
  其实我也不太清楚。
  qí shí wǒ yě bú tài qīng chu

- 무슨 말을 해야 좋을지?
  说什么好呢?
  shuō shén me hǎo ne

- 저는 정말 드릴 말씀이 없습니다.
  我实在觉得没什么好说的了。
  wǒ shí zài jué de méi shén me hǎo shuō de le

- 그 일에 관해서는 할 말이 없습니다.
  我对于那件事无话可说。
  wǒ duì yú nà jiàn shì wú huà kě shuō

Ⅵ. 얘기를 재촉할 때 催促说话时
cuī cù shuō huà shí

A: 哎, 你知道吗? 小张他……, 算了, 还是不说了。
āi nǐ zhī dào ma xiǎo zhāng tā suàn le hái shi bù shuō le
B: 怎么了? 你还是快说吧。
zěn me le nǐ hái shi kuài shuō ba
A: 我不想在背后说别人的事。[9)]
wǒ bù xiǎng zài bèi hòu shuō bié rén de shì
B: 到底是什么事呀? 急死我了, 快告诉我吧。[10)]
dào dǐ shì shén me shì ya jí sǐ wǒ le kuài gào su wǒ ba

A: 이봐, 알고 있어? 샤오장이… 아니야. 말 안 할래.
B: 왜 그래? 어서 얘기해 봐.
A: 뒤에서 남 얘기하고 싶지 않아.
B: 도대체 무슨 일인데 그래? 답답해 죽겠네. 빨리 말해 봐.

9) 背后 bèihòu: 뒤에서, 남몰래, 암암리에.
10) 急死了 jísǐle: 몹시 초조할 때, 애가 탈 때, 화급을 다툴 때 사용한다.

- 계속 말씀하세요.
  接着说吧。
  jiē zhe shuō ba

- 빨리 말해 줘요. / 빨리 말을 해.
  你快给我讲啊。/ 你快点儿说啊。
  nǐ kuài gěi wǒ jiǎng a nǐ kuài diǎnr shuō a

- 말 좀 해보라고.
  你倒是说话呀。
  nǐ dào shì shuō huà ya

- 그래서, 결과가 어떻게 됐어?
  那么, 结果怎么样了?
  nà me jié guǒ zěn me yàng le

- 낱낱이 다 알려 주세요.
  请您一五一十地告诉我吧。[11)]
  qǐng nín yī wǔ yī shí de gào su wǒ ba

- 사건의 진상을 알려 주세요.
  请把事情的真相告诉我。
  qǐng bǎ shì qing de zhēn xiàng gào su wǒ

- 우물우물하지 말고 할 말이 있으면 다 얘기해 보세요.
  不要吞吞吐吐的, 有什么话您就直说吧。
  bú yào tūn tūn tǔ tǔ de yǒu shén me huà nín jiù zhí shuō ba

- 꼭 벙어리 같군, 정말 사람 답답해 죽겠네.
  都像哑巴似的, 真是急死人了。
  dōu xiàng yǎ ba shì de zhēn shì jí sǐ rén le

- 여행은 어땠어? 빨리 얘기해 봐.
  旅途怎么样? 赶紧跟我说说吧。
  lǚ tú zěn me yàng gǎn jǐn gēn wǒ shuō shuo ba

- 영화 재미있었어? 빨리 얘기 좀 해봐.
  电影有意思吗? 快跟我说说。
  diàn yǐng yǒu yì si ma kuài gēn wǒ shuō shuo

- 그 사람이 도대체 어떻길래? 왜 말을 안 하는 거야?
  那个人到底怎么样? 你怎么不说话呢?
  nà ge rén dào dǐ zěn me yàng nǐ zěn me bù shuō huà ne

- 무슨 말 못할 사연이라도 있어요?
  有什么难言之隐?[12)]
  yǒu shén me nán yán zhī yǐn

---

11) 一五一十 yīwǔyīshí: 처음부터 끝까지, 낱낱이, 하나하나.
12) 难言之隐 nán yán zhī yǐn: 말하지 못할 사연, 털어놓지 못할 말.

Ⅶ. 요점을 말할 때 说重点时

shuō zhòng diǎn shí

A: 你在看什么书?
nǐ zài kàn shén me shū

B: 我正在看福尔摩斯的小说呢。
wǒ zhèng zài kàn fú ěr mó sī de xiǎo shuō ne

A: 有意思吗?
yǒu yì si ma

B: 他的小说让人读起来津津有味。[13)]
tā de xiǎo shuō ràng rén dú qǐ lái jīn jīn yǒu wèi

A: 能给我介绍一下故事情节吗?
néng gěi wǒ jiè shào yí xià gù shì qíng jié ma

B: 你不要打扰我, 等我读完再给你讲。
nǐ bú yào dǎ rǎo wǒ děng wǒ dú wán zài gěi nǐ jiǎng

A: 你可以先简单地说一下嘛。
nǐ kě yǐ xiān jiǎn dān de shuō yí xià ma

A: 무슨 책을 보고 있니?

B: 홈즈의 소설을 읽고 있어.

A: 재미있니?

B: 그의 소설을 읽자면 흥미진진해.

A: 줄거리 좀 얘기해 줄 수 있겠니?

B: 방해하지 마. 다 읽고 나면 얘기해 줄게.

A: 우선 간단히 얘기해 줄 수 있잖아.

- 간단히 말해 보세요. 요점만 말씀해 주시면 됩니다.
  简单地说一下吧。只说重点就可以了。
  jiǎn dān de shuō yí xià ba zhǐ shuō zhòng diǎn jiù kě yǐ le

- 쓸데없는 얘기 하지 말고 빨리 요점을 말해 주세요.
  不要说那么多废话, 快说重点。
  bú yào shuō nà me duō fèi huà kuài shuō zhòng diǎn

- 그렇게 빙빙 돌리지 말고 간단히 요점만 말하세요.
  不要拐弯抹角, 简单地说一下重点。[14)]
  bú yào guǎi wān mò jiǎo jiǎn dān de shuō yí xià zhòng diǎn

- 제가 하고 싶은 말은 이것입니다.
  我要说的就这些了。
  wǒ yào shuō de jiù zhè xiē le

---

13) 津津有味 jīn jīn yǒu wèi: '흥미진진하다'라는 뜻의 성어.

14) 拐弯抹角 guǎi wān mò jiǎo: 이리저리 돌아가다, 빙빙 돌아가다. 빙빙 돌려 말하다.

- 바꿔 말하면, 이제 그는 더 이상 나를 사랑하지 않는다고.
  换句话说，现在他不再爱我。
  huàn jù huà shuō xiàn zài tā bú zài ài wǒ
- 종합적으로 말하면, 그의 사업은 그래도 매우 성공적입니다.
  总的来说，他的事业还是很成功的。
  zǒng de lái shuō tā de shì yè hái shi hěn chéng gōng de
- 종합해서 볼 때, 이 사람은 그래도 괜찮은 사람이야.
  总的来看，这个人还是不错的。[15)]
  zǒng de lái kàn zhè ge rén hái shi bú cuò de
- 방금 토론한 문제들을 정리해 보겠습니다.
  我总结一下刚才讨论的问题。
  wǒ zǒng jié yí xià gāng cái tǎo lùn de wèn tí
- 이 논문의 중심 사상을 간단히 개괄해 보겠습니다.
  我简单地概括一下这篇论文的中心思想。
  wǒ jiǎn dān de gài kuò yí xià zhè piān lùn wén de zhōng xīn sī xiǎng
- 너무 복잡하게 얘기하지 말고 요점만 말씀하시겠어요?
  别太啰嗦，说重点好不好？[16)]
  bié tài luō suo shuō zhòng diǎn hǎo bu hǎo

Ⅷ. 대화를 마칠 때 结束对话时
jié shù duì huà shí

A: 时间已经不早了，我也该回去了。
shí jiān yǐ jīng bù zǎo le wǒ yě gāi huí qù le

B: 好的，今天玩得开心吗？
hǎo de jīn tiān wán de kāi xīn ma

A: 非常开心！以后有时间我还会来玩的。
fēi cháng kāi xīn yǐ hòu yǒu shí jiān wǒ hái huì lái wán de

B: 好吧，再见！
hǎo ba zài jiàn

A: 시간이 많이 늦었네요. 이제 돌아가야겠어요.

B: 그러시죠. 오늘 즐거우셨는지요?

A: 아주 즐거웠어요. 앞으로 시간 있으면 다시 놀러 올게요.

B: 그래요. 안녕히 가세요.

---

15) 总的来看 zǒng de lái kàn: 종합적으로 볼 때, 전반적으로 볼 때.

16) 啰嗦 luōsuo: 말이 많다, 수다스럽다.

- 이런, 시간이 정말 빠르게 지나가네요.
  哎呀, 时间过得真快呀!
  āi yā shí jiān guò de zhēn kuài ya

- 어머, 이야기하느라 시간 가는 것도 잊었네요.
  哎呀, 聊着聊着就把时间忘了![17)]
  āi yā liáo zhe liáo zhe jiù bǎ shí jiān wàng le

- 오늘 아주 즐거웠습니다.
  今天聊得很尽兴![18)]
  jīn tiān liáo de hěn jìn xìng

- 오늘 정말 감사합니다. 당신의 말씀 제게 많은 도움이 되었습니다.
  今天真的很感谢你, 你的话对我很有启发。[19)]
  jīn tiān zhēn de hěn gǎn xiè nǐ nǐ de huà duì wǒ hěn yǒu qǐ fā

- 귀중한 시간을 내주셔서 감사합니다.
  感谢您给我这么宝贵的时间。
  gǎn xiè nín gěi wǒ zhè me bǎo guì de shí jiān

- 오늘 즐거웠습니다. 감사합니다.
  跟您聊很开心, 谢谢您。
  gēn nín liáo hěn kāi xīn xiè xie nín

▶ 맺음말 结束语
jié shù yǔ

- 끝으로 몇 마디만 말씀드리고 싶습니다.
  最后我只想说几句。
  zuì hòu wǒ zhǐ xiǎng shuō jǐ jù

- 제가 하고 싶은 말은 바로 이것입니다.
  我想说的就是这些。
  wǒ xiǎng shuō de jiù shì zhè xiē

- 제 말은 여기에서 끝맺겠습니다.
  我的话到此结束。
  wǒ de huà dào cǐ jié shù

IX. 기타 其他
qí tā

- 마침 당신에 관해 얘기하고 있던 참이에요.
  我们正在说你呢。
  wǒ men zhèng zài shuō nǐ ne

---

17) 聊 liáo: 이야기하다. 한담하다. 잡담하다.
18) 尽兴 jìnxìng: 흥을 다하다. 마음껏 즐기다.
19) 启发 qǐfā: 계발하다. 깨우치다.

- 호랑이도 제말 하면 온다더니.
  说曹操，曹操就到。[20]
  shuō cáo cāo cáo cāo jiù dào

- 그 일에 대해서는 듣고 싶지 않아요.
  我不想听那件事。
  wǒ bù xiǎng tīng nà jiàn shì

- 당신의 충고를 새겨듣겠습니다.
  我会记住您的忠告的。
  wǒ huì jì zhù nín de zhōng gào de

- 그에 관한 일은 많이 들었습니다.
  他的事，我听多了。
  tā de shì wǒ tīng duō le

- 그의 말을 다 믿으면 안 됩니다.
  不能完全相信他的话。
  bù néng wán quán xiāng xìn tā de huà

- 할 말 있거든 만나서 다시 얘기합시다.
  有什么话，见面再说吧。
  yǒu shén me huà jiàn miàn zài shuō ba

- 그는 저속한 말을 많이 써요.
  他常说那种俗气的话。
  tā cháng shuō nà zhǒng sú qì de huà

- 그의 말은 대단히 감동적이었어요.
  他的话非常有震撼力。[21]
  tā de huà fēi cháng yǒu zhèn hàn lì

- 그의 말에는 많은 뜻이 내포되어 있어요.
  他的话包含着很多含义。
  tā de huà bāo hán zhe hěn duō hán yì

- 당신은 말솜씨가 아주 좋군요.
  你的口才真好。
  nǐ de kǒu cái zhēn hǎo

- 그는 말이 청산유수처럼 술술 끊이지가 않아요.
  真是口若悬河，滔滔不绝啊![22]
  zhēn shì kǒu ruò xuán hé tāo tāo bù jué a

---

20) 원뜻은 "조조를 말하니까 조조가 온다"이다.
21) 震撼 zhènhàn: 진동하다, 뒤흔들다. 震撼力 zhènhànlì: 사람의 마음을 움직이는 힘.
22) 口若悬河 kǒu ruò xuán hé: 말이 흐르는 물처럼 막힘이 없다.
滔滔不绝 tāo tāo bù jué: 끊임없이 '도도히 흐르다'라는 뜻으로 흔히 말이 청산유수와 같다는 표현으로 쓰인다.

• 그는 대중 앞에서는 말을 잘 못해요.
他在众人面前总是不善言辞。
tā zài zhòng rén miàn qián zǒng shì bú shàn yán cí

• 그녀는 수다쟁이예요.
她是很啰嗦的女人。
tā shì hěn luō suo de nǚ rén

• 그의 말에는 일리가 있어요.
他说得很有道理。[23)]
tā shuō de hěn yǒu dào lǐ

• 나에게 그런 말투로 말하는 거 싫어요.
我讨厌你用那种口气和我说话。
wǒ tǎo yàn nǐ yòng nà zhǒng kǒu qì hé wǒ shuō huà

• 그녀가 말하는 것은 모두 진심이에요.
她说的都是真心话。
tā shuō de dōu shì zhēn xīn huà

• 예를 들어보겠습니다.
我举个例子吧。
wǒ jǔ ge lì zi ba

• 제가 알기론 그는 남을 속일 사람이 아닙니다.
据我了解，他不会骗人的。
jù wǒ liǎo jiě tā bú huì piàn rén de

• 다 알다시피 그는 바람둥이예요.
众所周知，他是一个风流倜傥的男人。[24)]
zhòng suǒ zhōu zhī tā shì yí ge fēng liú tì tǎng de nán rén

• 격언에 "젊어서 노력하지 않으면 늙어서 처량해진다"라는 말이 있지요.
正如格言所说："少壮不努力，老大徒伤悲。"[25)]
zhèng rú gé yán suǒ shuō shào zhuàng bù nǔ lì lǎo dà tú shāng bēi

• 속담에 이르기를 "석자 얼음은 하루 추위에 언 것이 아니다."고 했어요.
俗话说："冰冻三尺，非一日之寒。"
sú huà shuō bīng dòng sān chǐ fēi yí rì zhī hán

---

23) 道理 dàolǐ: 도리, 일리, 이치.
24) 众所周知 zhòng suǒ zhōu zhī: 누구나 다 알다시피, 주지하는 바와 같이.
风流倜傥 fēng liú tì tǎng: 풍류를 즐기며 사는 호방함을 뜻함. 대개 폄하의 뜻으로 쓰인다.
25) 少壮 shàozhuàng: 젊고 힘차다. 소장. 少는 '적다'는 뜻일 때는 shǎo, '젊다'는 뜻일 때는 shào로 발음한다. 예) 少数 shǎoshù, 少年shàonián.
徒 tú: 헛되이. 한갓되이.

2 의사 소통

沟通
gōutōng

중국인과 대화를 할 때 잘 못알아 들었거나 이해가 잘 안될 때에는 "刚才我没听明白, 你再说一遍好吗? gāngcái wǒ méi tīng míngbai, nǐ zàishuō yíbiàn hǎoma"(금방 잘 못 알아들었는데 다시 한 번 말씀해 주시겠습니까?)라고 하면 된다. 만일 상대방의 말이 너무 빠를 때에는 "请您说慢点儿。qǐng nín shuō màndiǎnr"(조금 천천히 말씀해 주세요.)라고 부탁한다.

기 본 대 화

A: 你听得懂我说的话吗?
nǐ tīng de dǒng wǒ shuō de huà ma

B: 我不太清楚, 请再说一遍。
wǒ bú tài qīng chu, qǐng zài shuō yí biàn

A: 好, 那我再说慢点儿吧。
hǎo nà wǒ zài shuō màn diǎnr ba

B: 谢谢。
xiè xie

A: 제가 한 말을 알아들으시겠습니까?
B: 잘 모르겠는데요. 다시 한 번 말씀해 주십시오.
A: 좋습니다. 그럼 천천히 다시 말씀드릴게요.
B: 고맙습니다.

여러 가지 활용

I. 알아들었는가를 물을 때 询问是否听明白时
xún wèn shì fǒu tīng míng bai shí

- 지금 내가 하는 말을 이해하시겠습니까?
  您能理解我现在说的话吗?
  nín néng lǐ jiě wǒ xiàn zài shuō de huà ma

- 제가 하고 있는 말을 이해하십니까?
  您能明白我说的话吗?
  nín néng míng bai wǒ shuō de huà ma

- 제 뜻을 이해하시겠습니까?
  您明白我的意思吗?
  nín míng bai wǒ de yì si ma

알아들었을 때 听明白时
tīng míng bái shí

- 네, 알겠습니다. / 이제 알겠습니다.
  哦, 我知道了。/ 总算明白了。
  ò wǒ zhī dào le zǒng suàn míng bai le

- 당신의 뜻을 잘 압니다. / 이해할 수 있습니다.
  我明白你的意思。/ 我能理解。
  wǒ míng bai nǐ de yì si wǒ néng lǐ jiě

- 저도 그렇게 생각합니다. / 저도 다 알고 있습니다.
  我也那么想。/ 我都知道了。
  wǒ yě nà me xiǎng wǒ dōu zhī dào le

- 무슨 말씀을 하시려는지 알겠습니다.
  我知道您要说什么。
  wǒ zhī dào nín yào shuō shén me

- 당신이 무슨 생각을 하고 있는지 압니다.
  我知道你在想什么。
  wǒ zhī dào nǐ zài xiǎng shén me

- 확실히 그렇습니다.
  确实是那样。
  què shí shì nà yàng

- 당연히 이해합니다. 우린 마음이 서로 통하잖아요.
  当然理解了。你和我心灵相通嘛!
  dāng rán lǐ jiě le nǐ hé wǒ xīn líng xiāng tōng ma

- 당신의 심정을 충분히 이해할 수 있습니다.
  我充分理解您的心情。
  wǒ chōng fèn lǐ jiě nín de xīn qíng

못 알아들었을 때 没听明白时
méi tīng míng bai shí

- 저는 중국어를 못 알아듣습니다.
  我听不懂汉语。
  wǒ tīng bu dǒng hàn yǔ

- 잘 못 알아들었습니다.
  我听不清楚。
  wǒ tīng bu qīng chu

- 여기에다 써 주시겠습니까?
  在这里写一下, 好吗?
  zài zhè li xiě yí xià hǎo ma

- 한자로 써 주시겠습니까?
  请用中文写, 好吗?
  qǐng yòng zhōng wén xiě hǎo ma

- 한국말을 할 줄 아는 분 없으세요?
  有没有人会说韩语?
  yǒu méi yǒu rén huì shuō hán yǔ

- 당신이 하는 말을 잘 알아듣지 못했습니다.
  我没有听清楚您说的话。
  wǒ méi yǒu tīng qīng chu nín shuō de huà

- 잠깐만요. 방금 무엇이라 말씀하셨지요?
  等等, 您刚才说什么?
  děng deng nín gāng cái shuō shén me

상대의 뜻을 잘 모를 때 不明白对方的意思时
bù míng bai duì fāng de yì si shí

- 그게 무슨 뜻이죠?/무슨 말을 하는 거야?
  那是什么意思?/你在说什么?
  nà shì shén me yì si nǐ zài shuō shén me

- 여전히 당신의 뜻을 잘 못 알아듣겠습니다.
  我还是没听明白你的意思。
  wǒ hái shi méi tīng míng bai nǐ de yì si

- 전 도저히 이해할 수가 없습니다.
  我无法理解。
  wǒ wú fǎ lǐ jiě

- 도대체 무슨 말씀을 하시려는 건지 정말 모르겠군요.
  我真的不明白您到底想说什么。
  wǒ zhēn de bù míng bai nín dào dǐ xiǎng shuō shén me

- 당신 얘기는 전혀 이치에 맞지 않은 것 같군요.
  您说的太没有道理了。
  nín shuō de tài méi yǒu dào lǐ le

- 정말로 이해하기가 어렵군요.
  真叫人难以理解。
  zhēn jiào rén nán yǐ lǐ jiě

- 당신의 뜻을 모르겠습니다.
  我不懂您的意思。
  wǒ bù dǒng nín de yì si

- 간단한 예를 들어 설명해 주십시오.
  请举个简单的例子说明一下吧。
  qǐng jǔ ge jiǎn dān de lì zi shuō míng yí xià ba

- 좀 더 상세히 말씀해 주시겠습니까?
  请说得再详细一点好吗?
  qǐng shuō de zài xiáng xì yì diǎn hǎo ma

- 도대체 뭘 말하고 싶은 겁니까?
  你到底想说什么?
  nǐ dào dǐ xiǎng shuō shén me

- 돌려 말하지 말고 할 말 있으면 직접 말씀해 주세요.
  不要拐弯抹角, 有什么话就直说吧。
  bú yào guǎi wān mò jiǎo yǒu shén me huà jiù zhí shuō ba

- 누구 얘기를 하고 있는 겁니까?
  你在说谁啊?
  nǐ zài shuō shéi a

- 좀 구체적으로 말씀해 주세요, 무슨 뜻입니까?
  说得具体点儿, 是什么意思?
  shuō de jù tǐ diǎnr shì shén me yì si

Ⅱ. 다시 말해 달라고 할 때 要求再说一遍时
yāo qiú zài shuō yí biàn shí

- 좀 더 천천히 말씀해 주시겠습니까?
  请再说慢点儿好吗?
  qǐng zài shuō màn diǎnr hǎo ma

- 조급해 하지 말고 천천히 말씀하세요.
  别着急, 慢点儿说。
  bié zháo jí màn diǎnr shuō

- 좀 간단히 말씀해 주시겠습니까?
  说得再简单一点儿, 好吗?
  shuō de zài jiǎn dān yì diǎnr hǎo ma

- 다시 한 번 간단히 말씀해 주세요.
  请你再简单地说一遍吧。
  qǐng nǐ zài jiǎn dān de shuō yí biàn ba

- 좀 더 큰 소리로 말씀해 주십시오.
  请再大声点儿。
  qǐng zài dà shēng diǎnr

3 참말 · 거짓말 实话/谎话 shí huà huǎnghuà

중국 TV에 〈实话实说 shí huà shí shuō〉라는 대담 프로가 있다. "사실을 사실대로 말한다"라는 뜻이다. "솔직히 말하자면~" 이라고 서두를 꺼낼 때에는 "说实话, ~ shuō shíhuà, ~"라고 하면 된다. 남이 거짓말을 할 때 "거짓말하지 마라"고 말할 때에는 "不要撒谎。búyào sāhuǎng" 또는 "别说假话。bié shuō jiǎhuà" 등으로 표현한다.

기 본 대 화

A: 求你这次一定相信我。
qiú nǐ zhè cì yí dìng xiāng xìn wǒ

B: 你那么爱说谎, 我怎么信呢?
nǐ nà me ài shuō huǎng wǒ zěn me xìn ne

A: 是真的。这绝对不是假活。
shì zhēn de zhè jué duì bú shì jiǎ huà

B: 你怎么说我都不相信。
nǐ zěn me shuō wǒ dōu bù xiāng xìn

A: 如果我说的是假活, 我不姓王。
rú guǒ wǒ shuō de shì jiǎ huà wǒ bú xìng wáng

A: 제발 이번만은 꼭 나를 믿어줘.
B: 네가 그렇게 거짓말을 잘하는데, 어떻게 믿을 수가 있니?
A: 정말이야. 이건 절대로 거짓말이 아니라고.
B: 네가 뭐라고 해도 난 안 믿어.
A: 만일 내 말이 거짓이라면, 내가 성을 갈겠어.

여러 가지 활용

Ⅰ. 사실대로 말하라고 할 때 要求实话实说时 yāo qiú shí huà shí shuō shí

- 사실을 말씀해 주세요.
  请你说实话。
  qǐng nǐ shuō shí huà

- 일의 자초지종을 말씀해 주세요.
  请把事情的来龙去脉告诉我。[1)]
  qǐng bǎ shì qing de lái lóng qù mài gào su wǒ

---

1) 来龙去脉 lái lóng qù mài: 어떤 일이나 사물의 처음과 끝, 일의 경위.

- 숨김없이 다 털어 놓고 말씀하세요.
  你就打开天窗说亮话吧![2)]
  nǐ jiù dǎ kāi tiān chuāng shuō liàng huà ba

- 나에게 감추지 말고 있는 그대로 얘기하세요.
  不要对我隐瞒, 有什么就说什么吧。
  bú yào duì wǒ yǐn mán yǒu shén me jiù shuō shén me ba

- 그 일에 대해 자세히 설명해 주세요.
  请你对那件事做个详细的解释。
  qǐng nǐ duì nà jiàn shì zuò ge xiáng xì de jiě shì

- 너무 걱정하지 말고 바른대로 말하세요.
  您不用太担心, 就跟我直说吧。
  nín bú yòng tài dān xīn jiù gēn wǒ zhí shuō ba

- 더 고민하지 말고 속 시원히 말하세요.
  不要再考虑了, 痛快地说出来吧。
  bú yào zài kǎo lǜ le tòng kuài de shuō chū lái ba

- 혼자 냉가슴 앓지 말고 할말 있거든 다 털어놓으세요.
  不要一个人闷在心里, 有什么话就说出来吧。[3)]
  bú yào yí ge rén mèn zài xīn li yǒu shén me huà jiù shuō chū lái ba

Ⅱ. 사실대로 말할 때 说实话时
shuō shí huà shí

- 솔직히 말씀드리자면, 사정은 그가 말한 것과 다릅니다.
  说实话, 事情不像他说的那样。
  shuō shí huà shì qing bú xiàng tā shuō de nà yàng

- 제가 말씀드린 것은 다 사실입니다.
  我说的都是实话。
  wǒ shuō de dōu shì shí huà

- 솔직히 저는 정말로 드릴 말씀이 없습니다.
  说实话, 我真的没有什么可说的了。
  shuō shí huà wǒ zhēn de méi yǒu shén me kě shuō de le

- 숨기는 것이 없습니다. 알고 있는 것은 다 말씀드렸습니다.
  我没有隐瞒什么, 已经把我知道的都说了。
  wǒ méi yǒu yǐn mán shén me yǐ jīng bǎ wǒ zhī dào de dōu shuō le

---

2) 打开天窗说亮话 dǎkāi tiānchuāng shuō liànghuà: "하늘로 난 창문을 활짝 열어놓고 밝은 말을 한다"는 뜻으로, "툭 털어놓고 이야기하다"라는 의미이다.

3) 闷 mèn: 날씨의 영향이나 공기가 통하지 않아 갑갑할 때는 1성으로 발음하고, 심리적인 영향으로 인하여 울적하거나 답답할 때는 4성으로 발음한다. 예) 闷热 mēnrè: (날이) 무덥다. 闷死 mēnsǐ: (날씨가) 푹푹 찌다. 闷得慌 mèndehuang: 답답하다.

- 제가 알고 있는 것을 다 알려드리겠습니다.
  我把知道的都告诉你吧。
  wǒ bǎ zhī dào de dōu gào su nǐ ba

- 솔직하게 다 말씀드리지요.
  我还是坦白地说吧。
  wǒ hái shi tǎn bái de shuō ba

- 속에 있는 말을 다 하고 나니 한결 편안해졌습니다.
  把心里的话都说出来, 觉得舒服多了。
  bǎ xīn li de huà dōu shuō chū lái, jué de shū fu duō le

Ⅲ. 믿어 달라고 할 때 希望别人相信自己时
xī wàng bié rén xiāng xìn zì jǐ shí

A: 你知道吗? 小张偷了别人的东西。
nǐ zhī dào ma xiǎo zhāng tōu le bié rén de dōng xi

B: 怎么可能呢?
zěn me kě néng ne

A: 是我亲眼看到的, 信不信由你。
shì wǒ qīn yǎn kàn dào de, xìn bu xìn yóu nǐ

A: 너 아니? 샤오장이 다른 사람 물건을 훔쳤어.

B: 어떻게 그럴 수가?

A: 내 눈으로 직접 봤는걸. 믿고 안 믿고는 너에게 달렸어.

- 저를 믿으세요./저를 한 번만 믿어 주세요.
  你就相信我吧。/你就相信我一次吧。
  nǐ jiù xiāng xìn wǒ ba / nǐ jiù xiāng xìn wǒ yí cì ba

- 내 말은 모두가 사실인데 넌 왜 날 안 믿니?
  我说的都是实话, 你为什么不相信我呢?
  wǒ shuō de dōu shì shí huà, nǐ wèi shén me bù xiāng xìn wǒ ne

- 맹세하건데 제가 말한 건 모두 진실이니 저를 믿으세요.
  我发誓我说的都是真话, 你就相信我吧!
  wǒ fā shì wǒ shuō de dōu shì zhēn huà, nǐ jiù xiāng xìn wǒ ba

Ⅳ. 거짓말을 할 때 说谎时
shuō huǎng shí

A: 他用一句谎话避免了一场争执。
tā yòng yí jù huǎng huà bì miǎn le yì chǎng zhēng zhí

B: 说谎虽然不好, 但也要看在什么情况下, 出于
shuō huǎng suī rán bù hǎo, dàn yě yào kàn zài shén me qíng kuàng xià, chū yú

什么样的目的。
shén me yàng de mù dì

A: 그가 한 마디 거짓말로 한 바탕의 분쟁을 모면했답니다.
B: 거짓말이 나쁘기는 하지만, 어떤 상황, 어떤 의도로 그랬는지 알아봐야겠죠.

- 이 거짓말쟁이!
  你这个骗子!
  nǐ zhè ge piàn zi

- 자신을 속이지 마세요.
  你不要欺骗自己了。[4]
  nǐ bú yào qī piàn zì jǐ le

- 그건 순전히 거짓말이에요. 그에게 속았어요.
  那纯属是谎言。我被他骗了。
  nà chún shǔ shì huǎng yán wǒ bèi tā piàn le

- 진실은 언젠가는 밝혀지게 돼 있어요.
  总有一天会真相大白的。[5]
  zǒng yǒu yì tiān huì zhēn xiàng dà bái de

- 거짓말로 사실을 덮을 수는 없습니다.
  谎言是掩盖不住事实的。[6]
  huǎng yán shì yǎn gài bu zhù shì shí de

- 손바닥으로 하늘을 가릴 수 없습니다. 거짓말은 언젠가는 드러나게 돼 있어요.
  "纸包不住火。"谎言总有一天会被揭穿的。[7]
  zhǐ bāo bu zhù huǒ huǎng yán zǒng yǒu yì tiān huì bèi jiē chuān de

- 거짓말하지 마세요. 난 절대로 당신을 믿지 않습니다.
  别撒谎了! 我是绝对不会相信你的。
  bié sā huǎng le wǒ shì jué duì bú huì xiāng xìn nǐ de

- 더 이상 수작부리지 마. 다시는 너한테 속지 않아.
  不要再耍花招了,我不会再被你骗的。[8]
  bú yào zài shuǎ huā zhāo le wǒ bú huì zài bèi nǐ piàn de

---

4) 欺骗 qīpiàn: 속이다, 기만하다.
5) 真相大白 zhēn xiàng dà bái: 진상이 모두 다 드러나다, 진상이 밝혀지다.
6) 掩盖 yǎngài: 가리다, 덮어씌우다, 감추다.
7) 纸包不住火 zhǐ bāobuzhù huǒ: 원뜻은 "종이로 불을 쌀 수는 없다"이다.
8) 耍花招 shuǎ huāzhāo: 속임수를 쓰다, 교묘히 계략을 쓰다.

- 네 속을 뻔히 알고 있어. 나를 속일 생각일랑 하지 마.
  我已经看透你了，休想再骗我。[9)]
  wǒ yǐ jīng kàn tòu nǐ le xiū xiǎng zài piàn wǒ

- 전 도저히 믿을 수가 없어요.
  我真不敢相信。
  wǒ zhēn bù gǎn xiāng xìn

- 정말 믿기 어렵군요.
  真是难以置信。[10)]
  zhēn shì nán yǐ zhì xìn

- 내가 너의 거짓말에 속을 줄 알아?
  你以为我会被你的谎言所欺骗吗?
  nǐ yǐ wéi wǒ huì bèi nǐ de huǎng yán suǒ qī piàn ma

- 거짓말 좀 하지 마, 알겠니?
  不要说谎，好吗?
  bú yào shuō huǎng hǎo ma

- 너 아직도 나를 속이려 하니?
  你还想骗我?
  nǐ hái xiǎng piàn wǒ

- 그는 눈도 깜짝하지 않고 거짓말을 해요.
  他说谎，眼睛都不眨一下。
  tā shuō huǎng yǎn jing dōu bù zhǎ yí xià

- 늘상 거짓말을 하면 절대 안 돼요.
  经常说谎是绝对不可以的。
  jīng cháng shuō huǎng shì jué duì bù kě yǐ de

- 저는 거짓말을 하면 마음이 불안해집니다.
  我说谎话会觉得心里不安。
  wǒ shuō huǎng huà huì jué de xīn li bù ān

- 거짓말을 하면 양심의 가책을 받게 됩니다.
  说谎会受到良心的谴责。
  shuō huǎng huì shòu dào liáng xīn de qiǎn zé

- 그가 거짓말하고 있는 것을 설마 모르진 않겠죠?
  难道你看不出他在说谎吗?
  nán dào nǐ kàn bu chū tā zài shuō huǎng ma

---

9) 休想 xiūxiǎng: ~할 생각 그만둬라, 단념해라, 쓸데없는 생각 마라.
10) 难以置信 nán yǐ zhì xìn: 믿기 어렵다.

4 농담 · 유머

玩笑/幽默
wánxiào yōu mò

농담하는 것을 开玩笑 kāiwánxiào라고 하며, "농담하지 마."라고 할 때는 "你别开玩笑。nǐ bié kāiwánxiào"라고 한다. 幽默 yōumò는 영어의 humor를 음역한 것으로 "그는 참 유머가 풍부하다"라는 표현을 할 때는 "他真幽默。tā zhēn yōumò"라고 하면 되며, 늘 좌중을 잘 웃기는 사람을 보고는 "他这个人真逗 tā zhè ge rén zhēn dòu"(저 사람 너무 재밌어.)라고 한다.

기 본 대 화

A: 哎呀, 最近真无聊!
āi yā zuì jìn zhēn wú liáo

B: 怎么了?
zěn me le

A: 周末也没地方去玩。
zhōu mò yě méi dì fang qù wán

B: 不会吧! 你身边不是有很多女人陪伴吗?
bú huì ba nǐ shēn biān bú shì yǒu hěn duō nǚ rén péi bàn ma

A: 别开这种玩笑! 让我妻子知道了, 我可就惨了![1)]
bié kāi zhè zhǒng wán xiào ràng wǒ qī zi zhī dào le wǒ kě jiù cǎn le

A: 아유, 요즘 너무 재미없어!
B: 왜 그래?
A: 주말인데 어디 놀러갈 데도 없고 말이야.
B: 그럴 리가. 네 옆에는 늘 여자들이 따라다니잖아?
A: 그런 농담하지 마. 와이프가 알면 난 끝장이라고.

여러 가지 활용

Ⅰ. 농담 玩笑
wán xiào

▶ **농담이라고 생각될 때** 感觉在开玩笑时
gǎn jué zài kāi wán xiào shí

• 지금 농담하는 거죠?
你在开玩笑吧?
nǐ zài kāi wán xiào ba

• 농담하고 있는 건 아니겠죠?
你不是在开玩笑吧?
nǐ bú shì zài kāi wán xiào ba

1) 惨 cǎn: 비참하다, 처참하다, 무참하다.

- 아마 그가 농담하는 걸 거야.
  也许他在开玩笑。
  yě xǔ tā zài kāi wán xiào

- 내 생각에는 그가 농담하는 것 같은데.
  我觉得他在开玩笑。
  wǒ jué de tā zài kāi wán xiào

▶ **농담하지 말라고 할 때** **阻止对方开玩笑时**
zǔ zhǐ duì fāng kāi wán xiào shí

- 나에게 농담하지 마.
  你不要和我开玩笑。
  nǐ bú yào hé wǒ kāi wán xiào

- 그만 좀 시시덕거리라고.
  少跟我嘻嘻哈哈的。2)
  shǎo gēn wǒ xī xī hā hā de

- 너 또 나를 속이려는 거니?
  你是不是又想骗我呀?
  nǐ shì bu shì yòu xiǎng piàn wǒ ya

- 좀 진지해져 볼래?
  正经一点儿好吗?
  zhèng jing yì diǎnr hǎo ma

- 나 놀리지 마.
  不要捉弄我。
  bú yào zhuō nòng wǒ

- 나 가지고 농담하지 마.
  你别拿我开玩笑了。
  nǐ bié ná wǒ kāi wán xiào le

- 농담 좀 그만 해. 정말 웃겨 죽겠어.
  你别开玩笑了, 真是笑死我了。
  nǐ bié kāi wán xiào le zhēn shì xiào sǐ wǒ le

- 너하고 농담하고 싶은 기분 아니야.
  我可没心情和你开玩笑。
  wǒ kě méi xīn qíng hé nǐ kāi wán xiào

- 농담이라도 그런 말은 하면 안 돼!
  就算是开玩笑, 也不能说那种话呀!
  jiù suàn shì kāi wán xiào yě bù néng shuō nà zhǒng huà ya

---

2) 少 shǎo: 명령문에서 '~를 삼가라', '작작 ~해라', '그만 ~해라'의 뜻으로 쓰임.
嘻嘻哈哈 xīxīhāhā: '히히하하', 소리 높여 웃는 모양을 말함.

• 그는 모든 일을 진짜로 여기니까, 그와 농담 안 하는 게 좋아.
他什么事都当真, 所以最好不要和他开玩笑。
tā shén me shì dōu dāng zhēn suǒ yǐ zuì hǎo bú yào hé tā kāi wán xiào

농담이 지나칠 때 玩笑开得过分时
wán xiào kāi de guò fèn shí

• 농담이라도 정도가 너무 지나치면 안 되지.
开玩笑也不要太过分了。
kāi wán xiào yě bú yào tài guò fèn le

• 이런 농담은 너무 저속하군요.
这种玩笑太俗气了。
zhè zhǒng wán xiào tài sú qì le

• 그런 저속한 농담은 삼가 주세요.
少开那种俗气的玩笑。
shǎo kāi nà zhǒng sú qì de wán xiào

• 자칫하면 농담이 악담이 되기도 합니다.
一不小心, 玩笑会变成坏话的。
yí bù xiǎo xīn wán xiào huì biàn chéng huài huà de

• 농담할 때는 때와 장소를 가려야 해요.
开玩笑要分场合。
kāi wán xiào yào fēn chǎng hé

• 이런 장소에서는 농담하는 게 적합지 않아요.
在这些场合, 不适合开玩笑。
zài zhè xiē chǎng hé bú shì hé kāi wán xiào

농담이라고 말할 때 说明在开玩笑时
shuō míng zài kāi wán xiào shí

• 그저 농담으로 말했을 뿐이야.
我只是在开玩笑。
wǒ zhǐ shì zài kāi wán xiào

• 화내지 마. 그냥 해본 말일 뿐이야.
不要生气嘛。我只是说说而已。
bú yào shēng qì ma wǒ zhǐ shì shuō shuo ér yǐ

• 그렇게 진지할 필요는 없잖아.
不要那么认真嘛。
bú yào nà me rèn zhēn ma

• 진담으로 받아들이지 마세요.
你不要当真嘛。
nǐ bú yào dāng zhēn ma

- 휴, 난 또 진담인 줄 알았네.
  哎呀, 我以为是真的。
  āi yā wǒ yǐ wéi shì zhēn de

- 마음에 두지 마세요. 그냥 농담으로 해본 것 뿐이에요.
  你不要放在心上, 就当是和你开玩笑呢。
  nǐ bú yào fàng zài xīn shang jiù dāng shì hé nǐ kāi wán xiào ne

- 농담으로 한 것이니 마음에 두지 마세요.
  我在跟你开玩笑呢, 不要放在心上。
  wǒ zài gēn nǐ kāi wán xiào ne bú yào fàng zài xīn shang

▶ 농담이 아닐 때 说明不是开玩笑时
shuō míng bú shì kāi wán xiào shí

A: 明天老师有事, 所以不上课。
míng tiān lǎo shī yǒu shì suǒ yǐ bú shàng kè

B: 你骗谁啊? 我知道今天是愚人节,
nǐ piàn shéi a wǒ zhī dào jīn tiān shì yú rén jié

A: 谁骗你呢! 是老师刚刚告诉我的。
shéi piàn nǐ ne shì lǎo shī gāng gāng gào su wǒ de

B: 真的吗? 对不起, 我还以为你在开玩笑呢。
zhēn de ma duì bu qǐ wǒ hái yǐ wéi nǐ zài kāi wán xiào ne

A: 내일은 선생님께서 일이 있으셔서 수업을 안 한대.

B: 누굴 속이려고? 오늘이 만우절인 거 알아.

A: 누가 널 속인다는 거야! 선생님이 방금 말씀하셨다고.

B: 정말이야? 미안해. 네가 농담하는 줄 알았어.

- 농담이 아니에요. 정말이라고요.
  我不是开玩笑, 是真的。
  wǒ bú shì kāi wán xiào shì zhēn de

- 뭐가 웃긴다는 거야, 나는 진지한데.
  这有什么好笑的, 我是认真的。
  zhè yǒu shén me hǎo xiào de wǒ shì rèn zhēn de

- 농담으로 받아들이지 마세요. 저는 진지하게 말씀드리는 거예요.
  别以为我在和你开玩笑, 我是跟你说正经事呢。
  bié yǐ wéi wǒ zài hé nǐ kāi wán xiào wǒ shì gēn nǐ shuō zhèng jing shì ne

- 난 농담인 줄 알았어, 미안해.
  我以为是开玩笑呢, 对不起。
  wǒ yǐ wéi shì kāi wán xiào ne duì bu qǐ

- 누가 너랑 농담하재?
  谁跟你开玩笑啊?
  shéi gēn nǐ kāi wán xiào a

- 너 내가 농담하는 거 봤어?
  你看过我开玩笑吗?
  nǐ kàn guo wǒ kāi wán xiào ma

Ⅱ. 유머 幽默
yōu mò

- 당신은 유머가 풍부하군요.
  你真幽默。
  nǐ zhēn yōu mò

- 당신은 정말 재미있군요.
  你这个人真逗。[3)]
  nǐ zhè ge rén zhēn dòu

- 그는 말하는 것이 아주 재미있어요.
  他讲话很风趣。[4)]
  tā jiǎng huà hěn fēng qù

- 매번 당신은 좌중을 즐겁게 하는군요.
  每次你都能让大家开心起来。
  měi cì nǐ dōu néng ràng dà jiā kāi xīn qǐ lái

- 너무 웃어 배 아파요. 그만 좀 웃겨요!
  我们笑得都肚子疼了, 你就别再逗我们了!
  wǒ men xiào de dōu dù zi téng le nǐ jiù bié zài dòu wǒ men le

- 저 사람을 보기만 해도 웃음이 나와요.
  我一看见他就想笑。
  wǒ yí kàn jiàn tā jiù xiǎng xiào

- 당신은 유머가 부족한 게 제일 큰 흠이에요.
  你最大的缺点就是太缺乏幽默感了。
  nǐ zuì dà de quē diǎn jiù shì tài quē fá yōu mò gǎn le

- 그는 우스갯소리를 아주 잘해요.
  他会讲很多的笑话。
  tā huì jiǎng hěn duō de xiào huà

---

3) 逗 dòu: 웃기다. 놀리다. 희롱하다. 어르다.
4) 风趣 fēngqù: 유머, 해학, 말이나 문장이 재미가 있는 것을 말함.

5 소문 · 비밀

传闻/秘密
chuánwén mì mì

소문을 뜻하는 단어에는 传闻 chuánwén, 谣言 yáoyán, 绯闻 fēiwén, 飞语流言 fēiyǔ liúyán, 蜚语 fēiyǔ 등이 있다. 传闻 chuánwén은 비교적 중립성의 단어로서 좋고 나쁜 소문을 다 포함한다. 그러나 谣言 yáoyán, 飞语流言 fēiyǔ liúyán, 蜚语 fēiyǔ는 모두 주로 근거가 없는 헛소문을 뜻하며, 绯闻 fēiwén은 특히 연예계나 유명인사들에 관한 악성 루머를 뜻한다.

기 본 대 화

A: 最近有很多关于张敏的绯闻。
zuì jìn yǒu hěn duō guān yú zhāng mǐn de fēi wén

B: 什么绯闻啊?
shén me fēi wén a

A: 大家都在保密。[1)]
dà jiā dōu zài bǎo mì

B: 保密? 到底是什么?
bǎo mì dào dǐ shì shén me

A: 听说她和一位富商同居了。
tīng shuō tā hé yí wèi fù shāng tóng jū le

B: 不会吧? 这种事就当没听到算了。
bú huì ba zhè zhǒng shì jiù dāng méi tīng dào suàn le

A: 요즘 장민에 대한 소문이 무성하더군요.
B: 어떤 소문인데요?
A: 모두가 쉬쉬하고 있어요.
B: 쉬쉬하다니요? 도대체 뭔데 그래요?
A: 그녀가 한 갑부와 동거를 하고 있대요.
B: 그럴 리가요? 이런 소문은 그냥 안 들은 걸로 합시다.

여러 가지 활용

Ⅰ. 소문 传闻
chuán wén

▶ 소문을 전할 때 传播传闻
chuán bō chuán wén

• 내가 얘기 하나 해줄게, 너 분명히 깜짝 놀랄걸.
我跟你说件事, 你肯定会吓一跳。
wǒ gēn nǐ shuō jiàn shì nǐ kěn dìng huì xià yí tiào

1) 保密 bǎomì = 保守秘密 bǎoshǒu mìmì: 비밀을 지키다.

- 당신에 대한 안 좋은 소문이 떠돌고 있어요.
  外面正流传着关于你的诽闻。
  wài mian zhèng liú chuán zhe guān yú nǐ de fěi wén

- 인사 이동 때마다 꼭 떳떳치 못한 소문들이 나돈답니다.
  每到人事调动，总会出现许多不光彩的传闻。[2)]
  měi dào rén shì diào dòng zǒng huì chū xiàn xǔ duō bù guāng cǎi de chuán wén

- 너 이런 소문 들었니?
  你听过这个传闻吗?
  nǐ tīng guo zhè ge chuán wén ma

- 요즘 온통 사스에 관한 소문들이 판을 쳐요.
  最近关于非典的谣言满天飞。[3)]
  zuì jìn guān yú fēi diǎn de yáo yán mǎn tiān fēi

- 헛소문은 지혜로운 사람에겐 통하지 않아. 그런 소문 믿지 마.
  谣言止于智者，不要相信传言。
  yáo yán zhǐ yú zhì zhě bú yào xiāng xìn chuán yán

소문의 출처 传闻的来历
chuán wén de lái lì

- 누가 그런 말을 하던가요?
  是谁说的那种话?
  shì shéi shuō de nà zhǒng huà

- 그런 얘기 어디서 들었어요?
  那种事，你是在哪儿听说的?
  nà zhǒng shì nǐ shì zài nǎr tīng shuō de

- 우연히 누가 하는 말을 들었어요.
  偶然听别人说的。
  ǒu rán tīng bié rén shuō de

- 그의 동료가 말하는 것을 들었어요.
  我是听他的同事说的。
  wǒ shì tīng tā de tóng shì shuō de

- 근거 없이 떠도는 말을 함부로 전하지 마세요.
  你不要随便传播这种毫无根据的谣言。
  nǐ bú yào suí biàn chuán bō zhè zhǒng háo wú gēn jù de yáo yán

---

2) 调动 diàodòng: 옮기다, 이동하다. 人事调动 rénshì diàodòng: 인사 이동.
光彩 guāngcǎi: 광채, 명예, 영예, 영광스럽다, 영예스럽다.

3) 满天飞 mǎntiānfēi: 하늘 가득 날리다, 이리저리 돌아다니다.

▶ 이미 알고 있을 때 已经得知时
yǐ jīng dé zhī shí

A: 那位记者是怎么知道这个秘密的?
nà wèi jì zhě shì zěn me zhī dào zhè ge mì mì de
B: 那当然是凭记者的第六感了。[4]
nà dāng rán shì píng jì zhě de dì liù gǎn le

A: 그 기자는 이 비밀을 어떻게 알았을까요?
B: 그게 바로 기자의 육감이란 거겠지요.

- 그것은 공공연한 비밀인데 누가 모르겠어요?
  那是公开的秘密, 谁不知道啊?
  nà shì gōng kāi de mì mì shéi bù zhī dào ɑ

- 저는 처음부터 알고 있었어요.
  我从一开始就知道了。
  wǒ cóng yì kāi shǐ jiù zhī dào le

- 그건 세상 사람들이 다 알고 있어요.
  地球人都知道那件事。
  dì qiú rén dōu zhī dào nà jiàn shì

- 그 일은 이미 모두가 알고 있답니다.
  那件事已闹得众人皆知。
  nà jiàn shì yǐ nào de zhòng rén jiē zhī

- 경험에 의해서 알지요.
  根据经验知道的。
  gēn jù jīng yàn zhī dào de

- 그는 내부 사정을 잘 알고 있어요.
  他非常熟悉内部情况。
  tā fēi cháng shú xī nèi bù qíng kuàng

- 저는 그 일을 아주 훤히 알고 있어요.
  我心里非常清楚那件事。
  wǒ xīn li fēi cháng qīng chu nà jiàn shì

▶ 금시초문일 때 未听说过时
wèi tīng shuō guo shí

- 그건 처음 듣는 얘긴데요.
  那是我第一次听说。
  nà shì wǒ dì yī cì tīng shuō

4) 凭 píng: ~에 의존하다, ~에 의거하다, ~에 달리다.

- 아직까지 그런 일은 들어본 적이 없습니다.
  到现在我还没有听说过那件事情。
  dào xiàn zài wǒ hái méi yǒu tīng shuō guo nà jiàn shì qing

- 지금까지 그 일에 대해서는 전혀 모르고 있었어요.
  到现在 我对那件事还是一概不知。[5]
  dào xiàn zài wǒ duì nà jiàn shì hái shi yí gài bù zhī

- 그 일은 들어본 일조차 없습니다.
  那件事, 我连听都没听说过。
  nà jiàn shì wǒ lián tīng dōu méi tīng shuō guo

▶ **소문을 믿기 어려울 때** **无法相信传闻时**
wú fǎ xiāng xìn chuán wén shí

A: 听说, 金永和张敏好像有一腿。[6]
tīng shuō jīn yǒng hé zhāng mǐn hǎo xiàng yǒu yì tuǐ

B: 那种传闻不能相信。我很了解, 他们之间什么都没有。
nà zhǒng chuán wén bù néng xiāng xìn wǒ hěn liǎo jiě tā men zhī jiān shén me dōu méi yǒu

A: 듣자니 진용과 장민이 보통 사이가 아니라던데요.

B: 그런 소문은 믿을 수가 없어요. 내가 잘 알아요, 두 사람 사이에는 아무 일도 없다는 걸.

- 확실합니까? / 그게 사실입니까?
  您确定吗? / 那是事实吗?
  nín què dìng ma nà shì shì shí ma

- 농담하시는 거죠?
  是在开玩笑吧?
  shì zài kāi wán xiào ba

- 정말 믿을 수 없군요.
  真让人无法相信。
  zhēn ràng rén wú fǎ xiāng xìn

- 정말 뜻밖이군요.
  真让人感到意外。
  zhēn ràng rén gǎn dào yì wài

5) 一概 yígài: 일체, 일절, 전혀, 모조리, 전부.
6) 有一腿 yǒuyìtuǐ: (남녀가) 한 몸이 되다.

- 나더러 그런 황당한 일을 믿으라는 겁니까?
你能让我相信那种荒唐的事吗?[7]
nǐ néng ràng wǒ xiāng xìn nà zhǒng huāng táng de shì ma

- 그것이 사실이라 해도 저는 믿기가 어렵습니다.
虽然那是事实, 但是我还是觉得难以置信。
suī rán nà shì shì shí dàn shi wǒ hái shì jué de nán yǐ zhì xìn

Ⅱ. 비밀 秘密
mì mì

A: 昨天我看见小刚和小红正手拉手的在街上溜弯儿。
zuó tiān wǒ kàn jiàn xiǎo gāng hé xiǎo hóng zhèng shǒu lā shǒu de zài jiē shang liù wānr

B: 真的吗? 真不敢相信, 他们两个会在一起!
zhēn de ma zhēn bù gǎn xiāng xìn tā men liǎng ge huì zài yì qǐ

A: 那是我亲眼看见的。不过我们还是先不要对别人说了。
nà shì wǒ qīn yǎn kàn jiàn de bú guò wǒ men hái shi xiān bú yào duì bié rén shuō le

B: 好的, 我会替他们保守秘密的。
hǎo de wǒ huì tì tā men bǎo shǒu mì mì de

A: 어제 샤오강과 샤오홍이 손을 잡고 거리에서 다니는 걸 봤어요.
B: 진짜야? 믿기 어려운데. 그 두 사람이 같이 있다니!
A: 내 눈으로 똑똑히 봤다고. 하지만 아직은 다른 사람에게 말하면 안 돼.
B: 알았어. 그들을 위해 비밀을 지켜 줘야지.

▶ 비밀을 말할 때 告诉秘密时
gào su mì mì shí

- 이 일을 그에게 말하지 마세요.
这件事你不要对他说。
zhè jiàn shì nǐ bú yào duì tā shuō

- 이 일은 우선 그에게는 비밀로 합시다.
这件事, 先对他保密吧。
zhè jiàn shì xiān duì tā bǎo mì ba

- 비밀을 지켜 주시겠습니까?
请您保守秘密, 好吗?
qǐng nín bǎo shǒu mì mì hǎo ma

7) 荒唐 huāngtáng: 황당하다, 터무니없다.

- 어느 누구에게도 말하지 마세요.
  对任何人都不要说。
  duì rèn hé rén dōu bú yào shuō

- 비밀이 조금이라도 새나가면 안 됩니다.
  不可以走漏一点儿风声。[8)]
  bù kě yǐ zǒu lòu yì diǎnr fēng shēng

- 미안하지만 비밀이라 알려드릴 수가 없군요.
  对不起，这是秘密，我不能告诉你。
  duì bu qǐ zhè shì mì mì wǒ bù néng gào su nǐ

▶ 비밀을 약속할 때 保密时
bǎo mì shí

- 알았어, 비밀을 꼭 지킬게.
  知道了，我一定会保密的。
  zhī dào le wǒ yí dìng huì bǎo mì de

- 좋아, 새끼손가락을 걸자.
  好，我们拉勾。
  hǎo wǒ men lā gōu

- 걱정 마, 나는 입이 아주 무겁거든.
  你别担心，我口风儿很严的。[9)]
  nǐ bié dān xīn wǒ kǒu fēngr hěn yán de

- 이 일은 아주 중요해, 꼭 비밀을 지켜줘야 해.
  这件事关系重大，你一定要帮我保密。
  zhè jiàn shì guān xì zhòng dà nǐ yí dìng yào bāng wǒ bǎo mì

- 절대로 소문내지 않을게.
  我不会走漏风声的。
  wǒ bú huì zǒu lòu fēng shēng de

▶ 비밀 누설 泄密
xiè mì

- 이 일을 도대체 누가 누설한거지?
  这件事到底是谁泄的密？
  zhè jiàn shì dào dǐ shì shéi xiè de mì

- 이 일은 너 한 사람만 알고 있으면 돼. 외부에 퍼뜨리지 말고.
  这件事你一个人知道就行了，不要对外宣扬了。
  zhè jiàn shì nǐ yí ge rén zhī dào jiù xíng le bú yào duì wài xuān yáng le

---

8) 走漏风声 zǒu lòu fēng shēng: 소문이나 비밀이 새나가는 것을 뜻하는 성어.
9) 口风儿 kǒufēngr: 말뜻, 말투. 严 yán: 엄밀하다, 엄격하다, (입이) 무겁다.

- 이건 회사의 중요 기밀이므로 누설할 경우 처벌을 받게 됩니다.
  这是公司的重大机密，如果你泄露的话会受到惩罚。
  zhè shì gōng sī de zhòng dà jī mì rú guǒ nǐ xiè lòu de huà huì shòu dào chéng fá

- 속담에 이르길 "낮말은 새가 듣고 밤말은 쥐가 듣는다"는 말도 있잖아.
  俗话说："没有不透风的墙。"10)
  sú huà shuō méi yǒu bú tòu fēng de qiáng

- 이 비밀은 언젠가는 다른 사람이 알게 될 거야.
  这个秘密总有一天会被别人知道的!
  zhè ge mì mì zǒng yǒu yì tiān huì bèi bié rén zhī dào de

참고 관련 용어

- 대화 对话 duì huà
- 한담, 잡담 聊天 liáo tiān
- 화제 话题 huà tí
- 언변, 말재주 口才 kǒu cái
- 말투, 어투 口气 kǒu qì
- 입버릇, 말버릇 口头语, 口头禅 kǒu tóu yǔ, kǒu tóu chán
- 격언 格言 gé yán
- 사실 事实 shì shí
- 정보 信息 xìn xī
- 비밀 秘密 mì mì
- 소문 传闻 chuán wén
- 헛소문 诽闻, 谣言, 蜚语 fěi wén, yáo yán, fēi yǔ
- 참말 实话, 真话 shí huà, zhēn huà
- 거짓말 谎话, 假话 huǎng huà, jiǎ huà
- 착각하다 错觉 cuò jué
- 오해하다 误会 wù huì
- 맞장구를 치다 打帮腔 dǎ bāngqiāng
- 수다스럽다 啰嗦 luō suo
- 농담하다 开玩笑 kāi wánxiào
- 끼어들다 插话 chā huà
- 사실대로 말하다 实话实说 shí huà shí shuō
- 믿다 相信 xiāng xìn
- 거짓말을 하다 说谎, 撒谎 shuōhuǎng, sā huǎng
- 취소하다 取消 qǔ xiāo
- 비밀을 지키다 保密 bǎo mì
- 희롱하다 捉弄 zhuōnòng
- 말문이 막히다 没话可说 méi huà kě shuō
- 화제를 바꾸다 转话题 zhuǎn huà tí

10) 没有不透风的墙 méiyǒu bútòu fēng de qiáng: 이 속담의 원뜻은 "바람이 새나가지 않는 담이란 없다"이다.

08 날씨와 계절

天气与季节 TIANQI YU JIJIE

1 계 절 季节

2 기 후 气候

3 기 상 气象

4 온도 · 습도 温度/湿度

1 계 절

季节
jì jié

우리의 생활은 계절과 날씨에 따라 매우 밀접한 영향을 받는다. 중국은 지역에 따라 차이는 있으나 대부분의 지역이 **春夏秋冬** chūn xià qiū dōng(춘하추동)이 뚜렷한 **大陆性气候** dàlùxìng qìhòu(대륙성기후)이다. 특히 베이징을 비롯한 **华北** huáběi(화베이)지역의 기후는 우리나라 중부지방의 기후와 거의 비슷하므로 갓 중국으로 건너온 사람일지라도 크게 무리없이 적응할 수 있다.

기 본 대 화

A: 韩国也是春夏秋冬四季分明吗?
hán guó yě shì chūn xià qiū dōng sì jì fēn míng ma

B: 是的。春天的百花, 夏天的烈日, 秋天的红叶
shì de chūn tiān de bǎi huā xià tiān de liè rì qiū tiān de hóng yè
和冬天的白雪都很美。
hé dōng tiān de bái xuě dōu hěn měi

A: 可以说受到了大自然的祝福。
kě yǐ shuō shòu dào le dà zì rán de zhù fú

B: 在寒带或热带地区是无法享受到这种美丽
zài hán dài huò rè dài dì qū shì wú fǎ xiǎng shòu dào zhè zhǒng měi lì
的。
de

A: 就是, 但是现在重要的还是怎样将这种美好
jiù shì dàn shì xiàn zài zhòng yào de hái shi zěn yàng jiāng zhè zhǒng měi hǎo
继续下去。
jì xù xià qù

B: 对, 环保也造福子孙后代嘛。[1)]
duì huán bǎo yě zào fú zǐ sūn hòu dài ma

A: 한국도 춘하추동 사계절이 뚜렷한가요?
B: 네, 봄에는 꽃, 여름은 태양, 가을은 단풍, 그리고 겨울은 흰눈이 아주 아름다워요.
A: 대자연의 축복을 받았다고 할 수 있겠군요.
B: 한대나 열대 지방에서는 그 아름다움을 느낄 수 없죠.
A: 그래요. 그러나 지금 중요한 것은 이 아름다움을 어떻게 보전해 나가는가 하는 겁니다.
B: 맞아요. 환경 보호는 후대 자손들에게 행복을 선사하는 일이죠.

1) 造福 zàofú: 행복을 만들다, 행복을 가져오다, 행복하게 하다.

여러 가지 활용

Ⅰ. 봄 春天
chūn tiān

A: 现在已经是阳春三月了。
xiàn zài yǐ jīng shì yáng chūn sān yuè le
B: 是呀。风都暖融融的，树也开始吐新变绿了。
shì ya fēng dōu nuǎn róng róng de shù yě kāi shǐ tǔ xīn biàn lǜ le
A: 刚才我看见迎春花开得漫天遍野的。
gāng cái wǒ kàn jiàn yíng chūn huā kāi de màn tiān biàn yě de

A: 이제 완연한 봄 3월이야.
B: 그래. 바람도 따뜻하고, 나무도 파릇해지기 시작했어.
A: 아까 보니 개나리도 곳곳에 활짝 피었던걸.

- 봄의 따뜻한 햇살은 기분을 즐겁게 해줘요.
春天，暖和的阳光让人心情愉快。
chūn tiān nuǎn huo de yáng guāng ràng rén xīn qíng yú kuài

- 사계절 내내 화창한 봄날 같았으면 좋겠어요.
真希望四季都像阳光明媚的春天。
zhēn xī wàng sì jì dōu xiàng yáng guāng míng mèi de chūn tiān

- "1년의 계획은 봄에 있다"는 말이 있지요.
有句话叫"一年之计在于春"。
yǒu jù huà jiào yì nián zhī jì zài yú chūn

▶ 꽃과 초목 花与草木
huā yǔ cǎo mù

- 봄은 만물이 소생하는 계절입니다.
春天是万物复苏的季节。
chūn tiān shì wàn wù fù sū de jì jié

- 나무마다 싹이 트기 시작했어요.
树木都开始发芽。
shù mù dōu kāi shǐ fā yá

- 벚꽃이 곧 필 거예요.
樱花快要开花了。
yīng huā kuài yào kāi huā le

- 봄은 온갖 꽃이 만발하고, 나무마다 새싹이 돋아 들놀이하기 가장 좋은 시기입니다.

春天，百花争艳，万树吐新，是郊游的好时期。
chūn tiān bǎi huā zhēng yàn wàn shù tǔ xīn shì jiāo yóu de hǎo shí qī

- 개나리, 진달래, 벚꽃 모두 봄에 핀답니다.
  迎春花、杜鹃花、樱花都是在春天开的。
  yíng chūn huā dù juān huā yīng huā dōu shì zài chūn tiān kāi de

- 버들개지가 온 하늘에 날리는게 마치 눈이 내리는 것 같아요.
  柳絮漫天飞舞，就像下雪一样。
  liǔ xù màn tiān fēi wǔ jiù xiàng xià xuě yí yàng

- 난 꽃피는 봄만 되면 꽃가루 알레르기가 생겨요.
  我一到春天花开的时候，就对花粉过敏。[2)]
  wǒ yí dào chūn tiān huā kāi de shí hou jiù duì huā fěn guò mǐn

Ⅱ. 여름 夏天
xià tiān

A: 你最喜欢哪个季节?
nǐ zuì xǐ huan nǎ ge jì jié

B: 我最喜欢夏天。因为可以吃到很多水果，而且还能在沙滩上尽情玩耍。
wǒ zuì xǐ huan xià tiān yīn wèi kě yǐ chī dào hěn duō shuǐ guǒ ér qiě hái néng zài shā tān shang jìn qíng wán shuǎ

A: 我最讨厌天气热的时候，我宁愿选择寒冷的冬天。[3)]
wǒ zuì tǎo yàn tiān qì rè de shí hou wǒ nìng yuàn xuǎn zé hán lěng de dōng tiān

B: 冬天，天那么冷，我都不想动。
dōng tiān tiān nà me lěng wǒ dōu bù xiǎng dòng

A: 넌 어느 계절을 제일 좋아하니?
B: 난 여름을 제일 좋아해. 과일도 많이 먹을 수 있고 물가에서 마음껏 놀 수 있으니까.
A: 난 더운 것은 질색인데. 차라리 추운 겨울을 택하겠어.
B: 겨울에 날이 추우면 난 꼼짝도 하기 싫어.

- 저는 본래 더위를 타지 않아요.
  我从来不怕热。
  wǒ cóng lái bú pà rè

---

2) 过敏 guòmǐn: '알레르기', '과민하다'의 뜻으로, 주로 '对~过敏'의 형태로 쓰인다. 예) 我对青霉素过敏。wǒ duì qīngméisù guòmǐn(저는 페니실린에 알레르기가 있어요.).

3) 宁愿 nìngyuàn: 차라리 ~ 가 낫다. 宁 níng은 '편안하다', '평온하다'의 뜻으로 쓰일 때는 2성이지만, '차라리', '오히려' 등의 뜻으로 쓰일 때는 4성으로 발음한다. 예) 宁静níngjìng(평온하다), 宁日 níngrì(평온한 나날), 宁可 nìngkě(차라리), 宁死不屈 nìng sǐ bù qū(죽을지언정 굽히지 않는다).

- 저는 뜨거운 여름을 가장 좋아해요.
  我最喜欢炎热的夏天。
  wǒ zuì xǐ huan yán rè de xià tiān

- 저는 쉽게 햇볕에 타기 때문에 여름이 싫어요.
  我容易晒黑，所以讨厌夏天。
  wǒ róng yì shài hēi suǒ yǐ tǎo yàn xià tiān

- 날씨가 더우니 모기도 많아졌어요.
  天气热了，蚊子也变多了。
  tiān qì rè le wén zi yě biàn duō le

- 에어컨 너무 세게 틀지 마. 냉방병 걸리기 쉬워.
  空调不要开得太大了，容易得空凋病。[4)]
  kōng tiáo bú yào kāi de tài dà le róng yì dé kōng tiáo bìng

혹서 酷暑
kù shǔ

- 지금은 찌는 듯한 여름입니다.
  现在是炎热的夏天。
  xiàn zài shì yán rè de xià tiān

- 한여름에는 자외선이 강하게 내리쬐요.
  夏天紫外线照射非常强烈。
  xià tiān zǐ wài xiàn zhào shè fēi cháng qiáng liè

- 하늘에 태양이 이글거리니 대기중에 타는 듯한 열기가 가득하군요.
  烈日当空，好像空气里都弥漫着一种烧焦的味道。
  liè rì dāng kōng hǎo xiàng kōng qì li dōu mí màn zhe yì zhǒng shāo jiāo de wèi dào

- 한국에서는 7, 8월이 가장 더운 때예요.
  在韩国，7, 8月份是最热的时候。
  zài hán guó yuè fèn shì zuì rè de shí hou

- 여름 태양이 화로처럼 달아오르니 대지의 식물도 축 늘어져 있군요.
  太阳像火炉一样烤着，大地植物都蔫蔫地歪着脑袋。[5)]
  tài yáng xiàng huǒ lú yí yàng kǎo zhe dà dì zhí wù dōu niān niān de wāi zhe nǎo dài

---

4) 空凋病 kōngtiáobìng: 에어컨의 과다 사용으로 인해 생기는 각종 질병 또는 증상을 말한다.

5) 蔫蔫地 niānniānde: 맥없이, 기운 없이, 의기소침하여, 풀이 죽어.
歪 wāi: 기울다, 비뚤다, 비스듬하다, 옆으로 눕다.

- 내가 더위를 먹었나봐.
我好像中暑了。
wǒ hǎo xiàng zhòng shǔ le

▶ 피서 避暑
bì shǔ

A: 夏天到了，你准备上哪儿度假?
xià tiān dào le nǐ zhǔn bèi shàng nǎr dù jià
B: 我想去夏威夷，那儿的风景很美。
wǒ xiǎng qù xià wēi yí nàr de fēng jǐng hěn měi
A: 那儿还是冲浪的好地方，你真会享受啊。
nàr hái shì chōng làng de hǎo dì fang nǐ zhēn huì xiǎng shòu a
B: 当然了，机会难得，错过了就会遗憾终身的。
dāng rán le jī huì nán dé cuò guò le jiù huì yí hàn zhōng shēn de
A: 是呀。不会休息的人，就不会好好工作嘛。
shì ya bú huì xiū xi de rén jiù bú huì hǎo hǎo gōng zuò ma

A: 여름이 왔는데, 넌 어디로 휴가를 갈 거니?
B: 나는 하와이로 가려고 해. 그곳의 풍경이 매우 아름답잖아.
A: 그리고 파도타기 하기에 좋은 곳이잖아. 넌 정말 즐길 줄 아는구나.
B: 당연하지. 모처럼의 기회인데, 놓치면 평생 후회할 거야.
A: 그래, 놀지 못하는 사람은 일도 잘 못하지.

- 여름철 피서지로 가장 좋은 곳은 바다죠.
夏天避暑的好地方可能就是海了。
xià tiān bì shǔ de hǎo dì fang kě néng jiù shì hǎi le

- 이글거리는 태양 아래 반짝이던 바다를 잊을 수 없어요.
我无法忘记炽热的阳光下波光粼粼的大海。[6)]
wǒ wú fǎ wàng jì chì rè de yáng guāng xià bō guāng lín lín de dà hǎi

- 여름의 해변 경치는 젊음의 피를 끓어오르게 하죠.
夏天的海边景色，会使人更加朝气蓬勃。[7)]
xià tiān de hǎi biān jǐng sè huì shǐ rén gèng jiā zhāo qì péng bó

- 해수욕을 할 때는 자외선 차단제를 발라야지, 안 그러면 피부가 타서 다 벗겨져요.

---

6) 波光粼粼 bō guāng lín lín: 물빛이 맑고 깨끗하다.
7) 朝气 zhāoqì: 생기, 패기, 아침의 신선한 기운. 朝气蓬勃 zhāo qì péng bó: 생기발랄하다, 활기 왕성하다.

到海边游泳要擦防晒霜，要不皮肤都给晒脱皮了。
dào hǎi biān yóu yǒng yào cā fáng shài shuāng yào bù pí fū dōu gěi shài tuō pí le

▶ **여름철 음식 夏天饮食**
xià tiān yǐn shí

- 한국에서는 복날 삼계탕을 먹는답니다.
在韩国三伏天一般吃参鸡汤。[8)]
zài hán guó sān fú tiān yì bān chī shēn jī tāng

- 여름철 냉면을 먹으면 더위가 싹 가셔요.
夏天吃冷面最散热了。
xià tiān chī lěng miàn zuì sàn rè le

- 더위를 이기기 위해 저는 매일 녹두탕을 먹어요.
为了降暑去热，我天天喝绿豆汤。[9)]
wèi le jiàng shǔ qù rè wǒ tiān tiān hē lǜ dòu tāng

- 여름에는 땀을 많이 흘리니 물을 많이 마셔야 해요.
夏天，出汗多了，必须得多喝水。
xià tiān chū hàn duō le bì xū děi duō hē shuǐ

- 여름에 찬 것을 자주 먹으면 배탈 나기 쉬워요.
夏天经常吃凉的东西容易拉肚子。
xià tiān jīng cháng chī liáng de dōng xi róng yì lā dù zi

- 여름에는 아이스크림이 불티나듯 팔려요.
夏天冰淇淋很畅销。
xià tiān bīng qí lín hěn chàng xiāo

Ⅲ. 가을 秋天
qiū tiān

A: 好像秋天已经过半了，树上都飘下落叶了。
hǎo xiàng qiū tiān yǐ jīng guò bàn le shù shang dōu piāo xià luò yè le

B: 可不是吗。连路旁的绿叶都变黄了。
kě bú shì ma lián lù páng de lǜ yè dōu biàn huáng le

---

8) 三伏天 sān fú tiān: 삼복 기간을 말하며, 중국에서는 초복, 중복, 말복을 一伏 yīfú, 二伏 èrfú, 三伏 sānfú이라고 한다.
参鸡汤 shēn jī tāng: 삼계탕. 参은 '참여하다'의 뜻으로 쓰일 때는 cān이나, '인삼'으로 쓰일 때는 shēn이며, 숫자 '3'의 뜻으로 쓰일 때는 sān, 그리고 들쭉날쭉하다의 뜻일 때는 cēn으로 발음한다. 예) 参加 cānjiā(참가하다), 人参 rénshēn(인삼), 参差 cēnci(들쭉날쭉하다).

9) 중국 사람들은 녹두가 냉한 식품이라 하여 여름철에 즐겨 먹으면 더위를 이길 수 있다고 한다.

A: 当我看到落叶的时候，就会想起自己的晚年。
dāng wǒ kàn dao luò yè de shí hou jiù huì xiǎng qǐ zì jǐ de wǎn nián

B: 其实人跟这树叶一样，人生短暂呀!
qí shí rén gēn zhè shù yè yí yàng rén shēng duǎn zàn ya

A: 가을이 벌써 많이 깊었나 봐. 낙엽이 지는 걸 보니.
B: 그러게 말야. 길옆의 푸르던 잎새도 노랗게 물이 들었어.
A: 난 낙엽을 바라볼 때면 나의 말년을 생각하곤 해.
B: 사실 사람이나 나뭇잎이나 다 같지, 인생은 짧은 거야.

- 어느새 벌써 가을이 되었군요. 하늘이 너무나 맑아요.
  不知不觉已经到了秋天。天空分外清朗。
  bù zhī bù jué yǐ jīng dào le qiū tiān tiān kōng fèn wài qíng lǎng

- 가을은 독서의 계절이에요.
  秋天是读书的季节。
  qiū tiān shì dú shū de jì jié

- 가을은 천고마비의 계절입니다.
  秋天是天高气爽的季节。[10)]
  qiū tiān shì tiān gāo qì shuǎng de jì jié

- 어느덧 국화가 만발하는 계절이 되었군요.
  又到了菊花盛开的季节。
  yòu dào le jú huā shèng kāi de jì jié

▶ **단풍 红叶**
hóng yè

- 온 산이 단풍잎으로 붉게 물들었어요.
  整座山都被枫叶染成红色。
  zhěng zuò shān dōu bèi fēng yè rǎn chéng hóng sè

- 한국의 설악산은 울긋불긋 절정이겠는걸.
  韩国的整个雪岳山应该是色彩斑斓绝顶的。
  hán guó de zhěng ge xuě yuè shān yīng gāi shì sè cǎi bān lán jué dǐng de

- 가을철 샹산 산에는 단풍이 울긋불긋해요.
  秋天，香山红叶层林尽染。
  qiū tiān xiāng shān hóng yè céng lín jìn rǎn

---

10) 天高气爽 tiān gāo qì shuǎng: 가을은 하늘이 높고 날씨가 상쾌하다. = 秋高气爽 qiū gāo qì shuǎng.

수확 收获
shōu huò

- 가을은 수확의 계절이에요.
  秋天是收获的季节。
  qiū tiān shì shōu huò de jì jié

- 과수원에 과실이 주렁주렁, 정말 흐뭇합니다.
  果园里硕果累累，甚是喜人。[11]
  guǒ yuán li shuò guǒ léi léi shèn shì xǐ rén

- 황금물결이 바람에 넘실거려요.
  金黄的麦浪随风摇摆起伏。
  jīn huáng de mài làng suí fēng yáo bǎi qǐ fú

Ⅳ. 겨울 冬天
dōng tiān

A: 我不太喜欢冬天，因为树都光秃秃的，看上去很萧条。
wǒ bú tài xǐ huan dōng tiān yīn wèi shù dōu guāng tū tū de kàn shàng qù hěn xiāo tiáo

B: 我不这么认为。冬天的休整正是为来年的茂盛做准备。
wǒ bú zhè me rèn wéi dōng tiān de xiū zhěng zhèng shì wèi lái nián de mào shèng zuò zhǔn bèi

A: 你是不是想说"冬天来了，春天还会远吗?"
nǐ shì bu shì xiǎng shuō dōng tiān lái le chūn tiān hái huì yuǎn ma

B: 当然了。人都应该乐观一点，要不谁都像你一样，那不愁死了?
dāng rán le rén dōu yīng gāi lè guān yì diǎn yào bù shéi dōu xiàng nǐ yí yàng nà bù chóu sǐ le

---

A: 난 겨울이 싫어. 나무들도 모두 벌거벗어서 스산해 보이거든.

B: 난 그렇게 생각 안 해. 겨울의 휴면은 이듬해의 울창함을 위한 준비잖아.

A: 너 "겨울이 오면 봄도 멀지 않으리"란 말을 하려고 그러지?

B: 그래, 사람은 좀 낙관적이어야 해. 누구나 다 너 같으면 우울해서 어디 살겠니?

---

11) 硕果 shuòguǒ: 큰 열매, 큰 과실. 硕果累累 shuòguǒ léi léi: 큰 열매가 주렁주렁 달리다.

- 올 겨울은 예년보다 더 춥군요.
  今年冬天比往年更冷。
  jīn nián dōng tiān bǐ wǎng nián gèng lěng

- 겨울이면 이곳에 눈이 많이 옵니다.
  冬天, 这里下很多雪。
  dōng tiān zhè li xià hěn duō xuě

- 소한은 겨울 중 가장 추운 때예요.
  小寒是冬天最寒冷的时候。
  xiǎo hán shì dōng tiān zuì hán lěng de shí hou

- 밖에 날씨가 굉장히 추워요.
  外边的天气非常冷。
  wài bian de tiān qì fēi cháng lěng

- 고드름이 어는 계절이니 손발도 다 꽁꽁 얼었어요.
  滴水成冰的季节, 手脚都被冻坏了。
  dī shuǐ chéng bīng de jì jié shǒu jiǎo dōu bèi dòng huài le

- 베이징의 겨울은 그리 춥지 않습니다.
  北京的冬天不怎么冷。
  běi jīng de dōng tiān bù zěn me lěng

- 겨울은 스키와 스케이트의 계절이지요.
  冬天是滑雪和滑冰的好季节。
  dōng tiān shì huá xuě hé huá bīng de hǎo jì jié

- 겨울 흰눈이 하얗게 내리면 대지는 폭신한 카펫을 깐 것 같아요.
  冬天白雪皑皑, 大地像铺上了一层厚厚的地毯。
  dōng tiān bái xuě ái ái dà dì xiàng pū shàng le yì céng hòu hòu de dì tǎn

V. 환절기 换季
huàn jì

- 환절기에는 감기에 걸리기 쉬워요.
  换季的时候, 容易感冒。
  huàn jì de shí hou róng yì gǎn mào

- 환절기에는 건강에 조심해야 해요.
  换季的时候, 要注意健康。
  huàn jì de shí hou yào zhù yì jiàn kāng

- 계절이 바뀌는 때가 되면 옷도 따라서 바뀌야 해요.
  到季节转换的时候, 衣服也要跟着换。
  dào jì jié zhuǎn huàn de shí hou yī fu yě yào gēn zhe huàn

2 기 후

气候
qì hòu

중국의 东北 dōngběi(둥베이)지역은 亚寒带气候 yàhándài qìhòu(아한대기후)에 속하며, 华北 huáběi(화베이), 华中 huázhōng(화중)지역은 温带气候 wēndài qìhòu(온대기후), 그리고 华南 huánán(화난)지역은 亚热带气候 yàrèdài qìhòu(아열대기후)에 속한다. 또한 중국의 가장 남쪽에 위치한 海南岛 hǎinándǎo(하이난 섬)의 三亚 sānyà(싼야)는 热带气候 rèdài qìhòu(열대기후)에 속하므로, 중국의 기후는 한대에서 열대에 걸쳐 있음을 알 수 있다.

기 본 대 화

A: 今天真热。
jīn tiān zhēn rè

B: 是啊, 现在是三伏天, 能不热吗?
shì a xiàn zài shì sān fú tiān néng bú rè ma

A: 太热还能接受, 就是又湿又热的浑身粘粘的, 真难受。
tài rè hái néng jiē shòu jiù shì yòu shī yòu rè de hún shēn nián nián de zhēn nán shòu

B: 根据天气预报, 从下周开始可能会凉快一些。
gēn jù tiān qì yù bào cóng xià zhōu kāi shǐ kě néng huì liáng kuài yì xiē

A: 希望那个预报是正确的。
xī wàng nà ge yù bào shì zhèng què de

A: 오늘은 정말 더운데.
B: 그러게 말이야. 지금이 삼복이니 어찌 안 덥겠어?
A: 더운 건 그래도 참겠는데 습하고 더워서 온몸이 끈적끈적한 것은 정말 못 참겠어.
A: 일기 예보에 따르면 다음 주부터는 좀 선선해질 거래.
B: 그 예보가 맞았으면 좋겠구나.

여러 가지 활용

Ⅰ. 날씨를 물을 때 问天气时
wèn tiān qì shí

- 오늘 날씨 어때요?
  今天天气怎么样?
  jīn tiān tiān qì zěn me yàng

- 거기 날씨는 어때?
你那里的天气怎么样?
nǐ nà li de tiān qì zěn me yàng

- 여행 중 날씨는 어땠어요?
你旅行中天气怎么样?
nǐ lǚ xíng zhōng tiān qì zěn me yàng

- 내일은 날씨가 좋아요, 안 좋아요?
明天天气好不好?
míng tiān tiān qì hǎo bu hǎo

- 오늘 일기 예보에서 뭐라 말하던가요?
今天的天气预报怎么说?
jīn tiān de tiān qì yù bào zěn me shuō

- 광둥 지역의 날씨는 어때요?
广东地区的天气怎么样?
guǎng dōng dì qū de tiān qì zěn me yàng

- 장마가 언제까지 지속될까요?
这种连阴雨会持续到什么时候呢?[1)]
zhè zhǒng lián yīn yǔ huì chí xù dào shén me shí hou ne

▶ **날씨가 좋을 때** **天气好时**
tiān qì hǎo shí

- 오늘은 정말 좋은 날씨예요. / 오늘은 날씨가 화창하군요.
今天真是一个好天气。/ 今天天气真怡人。
jīn tiān zhēn shì yí ge hǎo tiān qì　jīn tiān tiān qì zhēn yí rén

- 요즈음은 날씨가 계속 좋군요. / 날씨가 개려나 봅니다.
最近, 天气一直这么好。/ 好像要变晴了。
zuì jìn tiān qì yì zhí zhè me hǎo　hǎo xiàng yào biàn qíng le

- 야, 해가 나왔어요. 날이 개었네요.
哎呀, 太阳出来了, 天晴了。
āi yā tài yáng chū lái le tiān qíng le

- 내일도 날이 좋았으면 좋겠는데.
希望明天也是个好天气。
xī wàng míng tiān yě shì ge hǎo tiān qì

- 어제는 날이 참 좋았었는데.
昨天天气还挺好的呢。
zuó tiān tiān qì hái tǐng hǎo de ne

---

1) 连阴雨 lián yīn yǔ: 장맛비, 연일 계속해서 내리는 비.

- 하늘에 구름 한 점 없어요.
  天上连一朵白云都没有。
  tiān shang lián yì duǒ bái yún dōu méi yǒu

- 이렇게 상쾌한 날은 정말 나들이하기 좋은 때이죠.
  这么凉爽的天，真是去郊游的好时机。
  zhè me liáng shuǎng de tiān zhēn shì qù jiāo yóu de hǎo shí jī

- 맑은 하늘, 찬란한 햇살, 오늘보다 더 좋은 날씨는 없을 겁니다.
  今天晴空万里，阳光灿烂，再没有比今天更好的天气了。
  jīn tiān qíng kōng wàn lǐ yáng guāng càn làn zài méi yǒu bǐ jīn tiān gèng hǎo de tiān qì le

날씨가 나쁠 때 **天气不好时**
tiān qì bù hǎo shí

- 날씨가 정말 안 좋군요.
  天气真不好。
  tiān qì zhēn bù hǎo

- 먹구름이 잔뜩 끼었어요.
  乌云密布。
  wū yún mì bù

- 봄의 날씨는 변화무쌍해요.
  春天的天气是变化无常的。
  chūn tiān de tiān qì shì biàn huà wú cháng de

- 내일은 개일까요?
  明天会晴吗?
  míng tiān huì qíng ma

- 요 며칠 황사가 대단히 심해서 나가기만 하면 흙먼지를 뒤집어 쓰게 돼요.
  这两天沙尘暴非常严重，只要一出门就会灰头土脸的。
  zhè liǎng tiān shā chén bào fēi cháng yán zhòng zhǐ yào yì chū mén jiù huì huī tóu tǔ liǎn de

- 황사가 미치는 범위는 대단히 넓어서 중국만 심각한 피해를 입는 것이 아니라 주변 국가들도 영향을 받습니다.
  沙尘暴波及的范围非常广，不仅中国深受其害，而且周边的国家也受到了影响。
  shā chén bào bō jí de fàn wéi fēi cháng guǎng bù jǐn zhōng guó shēn shòu qí hài ér qiě zhōu biān de guó jiā yě shòu dào le yǐng xiǎng

Ⅱ. 기후 气候
qì hòu

▶ 덥다 炎热
yán rè

- 올해는 특히 덥군요. / 더워 죽겠어요.
  今年特别热。/热死了。
  jīn nián tè bié rè rè sǐ le

- 푹푹 찌는군요. 완전히 찜통 속 같아요.
  火烧火燎的，整个就像一个大火炉。
  huǒ shāo huǒ liáo de zhěng ge jiù xiàng yí ge dà huǒ lú

- 하루가 다르게 더워지네요.
  一天比一天热。
  yì tiān bǐ yì tiān rè

- 땀이 줄줄 흐르는군.
  汗汩汩地往外冒。
  hàn gǔ gǔ de wǎng wài mào

- 그의 옷이 온통 땀으로 흠뻑 젖었어요.
  他整个衣服都被汗浸湿了。
  tā zhěng ge yī fu dōu bèi hàn jìn shī le

- 그는 땀을 특히 많이 흘려요.
  他汗出得特别多。
  tā hàn chū de tè bié duō

- 어젯밤은 정말 살인적인 더위였어요.
  昨晚，真是热得要命。
  zuó wǎn zhēn shì rè de yào mìng

- 선풍기를 제일 세게 틀어 주세요.
  把电风扇开到最大。
  bǎ diàn fēng shàn kāi dào zuì dà

- 정말 덥군, 에어컨 좀 세게 틀어 주세요.
  真热，把空调开大一些吧。
  zhēn rè bǎ kōng tiáo kāi dà yì xiē ba

- 너무 더워서 잠을 못 잤어요.
  太热了，睡不着觉。
  tài rè le shuì bu zháo jiào

- 너무 더워서 아무 것도 하기 싫군요.
  太热，什么都不想做。
  tài rè shén me dōu bù xiǎng zuò

- 오랜 가뭄과 고온으로 땅이 전부 갈라졌어요.
  由于多日的干旱和高温土地都龟裂了。[2)]
  yóu yú duō rì de gān hàn hé gāo wēn tǔ dì dōu jūn liè le

- 길도 마치 녹아버릴 듯 걸을 때 끈적끈적 달라붙는군요.
  路好像都要被烧化了, 走上去粘粘的。
  lù hǎo xiàng dōu yào bèi shāo huà le zǒu shàng qù nián nián de

▶ **춥다 寒冷**
hán lěng

- 오늘은 아주 춥습니다. / 오늘은 제법 춥네요.
  今天很冷。/ 今天怪冷的。[3)]
  jīn tiān hěn lěng jīn tiān guài lěng de

- 올 겨울은 특히 춥군요.
  今年冬天特别冷。
  jīn nián dōng tiān tè bié lěng

- 저는 추위를 몹시 타요.
  我很怕冷。
  wǒ hěn pà lěng

- 추워서 온몸이 떨려요.
  我冻得全身发抖。
  wǒ dòng de quán shēn fā dǒu

- 찬바람이 부니 뼛속까지 시리군요.
  寒风吹来, 刺骨般的冷。
  hán fēng chuī lái cì gǔ bān de lěng

- 어젯밤은 너무 추워 얼음이 두껍게 얼었어요.
  昨晚太冷了, 所以结了厚厚的冰。
  zuó wǎn tài lěng le suǒ yǐ jié le hòu hòu de bīng

- 안으로 들어가시죠. 몸이 다 얼어붙겠어요.
  里边请, 身体快要冻僵了吧。[4)]
  lǐ bian qǐng shēn tǐ kuài yào dòng jiāng le ba

- 오늘은 10년 만에 제일 추운 날씨입니다.
  今天是10年以来最冷的天气。
  jīn tiān shì nián yǐ lái zuì lěng de tiān qì

---

2) 龟裂 jūnliè: 균열하다, 갈라지다. 龟가 '거북이'의 뜻으로 쓰일 때는 guī로 발음하나, '갈라지다'의 뜻으로 쓰일 때는 jūn으로 발음한다.

3) 怪 guài: 여기에서는 '매우', '몹시'라는 뜻으로 쓰임.

4) 僵 jiāng: 뻣뻣하다, 굳다, 경직하다.

- 날이 추워요. 좀 두툼하게 입어요.
  天冷了，穿厚一点吧。
  tiān lěng le chuān hòu yì diǎn ba

- 겨울이 가까우니 나날이 추워지는군요.
  快到冬天了，一天比一天冷。
  kuài dào dōng tiān le yì tiān bǐ yì tiān lěng

- 11월이 되면 아침저녁으로 꽤 춥습니다.
  到了 11月，早晚都挺冷的。
  dào le yuè zǎo wǎn dōu tǐng lěng de

- 바깥 기온은 영하 20도입니다.
  外边气温是零下20度。
  wài bian qì wēn shì líng xià dù

▶ **따뜻하다** **暖和** nuǎn huo

- 오늘은 정말 날씨가 따뜻하군요.
  今天天气真暖和。
  jīn tiān tiān qì zhēn nuǎn huo

- 오늘 오후는 햇살이 따스하군요.
  今天下午阳光明媚。
  jīn tiān xià wǔ yáng guāng míng mèi

- 입춘도 되었으니 날이 점차 따뜻해질 거예요.
  入春了，天气变得越来越暖和。
  rù chūn le tiān qì biàn de yuè lái yuè nuǎn huo

▶ **서늘하다** **凉快** liáng kuài

- 입추가 지나면 아침저녁 날씨가 서늘해요.
  入秋之后，早晚的天气都很凉快。
  rù qiū zhī hòu zǎo wǎn de tiān qì dōu hěn liáng kuài

- 가을이 되니 날씨가 나날이 서늘해지네요.
  秋天了，天气一天比一天凉快。
  qiū tiān le tiān qì yì tiān bǐ yì tiān liáng kuài

- 저는 청량한 가을을 제일 좋아해요.
  我最喜欢清凉的秋天。
  wǒ zuì xǐ huan qīng liáng de qiū tiān

Ⅲ. 기후대 气候带
qì hòu dài

A: 中国属于什么气候带?
zhōng guó shǔ yú shén me qì hòu dài

B: 中国的版图横跨亚寒带、温带、亚热带和热带。
zhōng guó de bǎn tú héng kuà yà hán dài wēn dài yà rè dài hé rè dài

A: 那中国的植被应该很丰富吧。[5)]
nà zhōng guó de zhí bèi yīng gāi hěn fēng fù ba

B: 当然了。气候不同, 植被当然也不同了。
dāng rán le qì hòu bù tóng zhí bèi dāng rán yě bù tóng le

A: 중국은 어떤 기후대에 속하지요?

B: 중국의 영토는 아한대, 온대, 아열대, 그리고 열대 기후에 걸쳐 있습니다.

A: 중국의 식생 또한 풍부하겠군요.

B: 물론입니다. 기후가 다르면 식생도 당연히 다르니까요.

- 중국의 대부분 지역은 여름은 덥고 겨울은 추워요.
  中国大部分地区都是夏热冬冷。
  zhōng guó dà bù fen dì qū dōu shì xià rè dōng lěng

- 중국은 남북의 기후가 확연히 달라요.
  中国南北的气候截然不同。
  zhōng guó nán běi de qì hòu jié rán bù tóng

- 중국 서북부의 기후는 매우 열악해요. 바람 많고, 건조하고, 강우량이 적지요.
  中国西北的气候很差, 风大, 干燥, 降雨量少。
  zhōng guó xī běi de qì hòu hěn chà fēng dà gān zào jiàng yǔ liàng shǎo

- 중국 남부는 비가 많고 습해 아열대 기후에 속합니다.
  中国南方多雨、潮湿, 属于亚热带气候。
  zhōng guó nán fāng duō yǔ cháo shī shǔ yú yà rè dài qì hòu

- 한국은 온대 기후로서 사계절이 뚜렷합니다.
  韩国是温带气候, 四季明显。
  hán guó shì wēn dài qì hòu sì jì míng xiǎn

- 봄은 따뜻하고, 여름은 더우며, 가을은 서늘하고, 겨울은 추워요.
  春天暖和, 夏天炎热, 秋天凉爽, 冬天寒冷。
  chūn tiān nuǎn huo xià tiān yán rè qiū tiān liáng shuǎng dōng tiān hán lěng

---

5) 植被 zhíbèi: 식피, 식생.

3 기 상

气象
qì xiàng

일기 예보는 天气预报 tiānqìyùbào라고 한다. 일기 예보는 주로 뉴스시간을 통하여 들을 수 있지만, 121번으로 전화하면 해당 지역의 气象台 qìxiàngtái(기상대)에서 발표하는 상세한 일기 예보를 들을 수가 있다. 또한 매일의 일기 예보를 휴대폰 문자 메시지로 전달받을 수 있는 서비스도 제공되고 있다.

기 본 대 화

A: 北京的天气不好,去北京的飞机不能按时起飞。
běi jīng de tiān qì bù hǎo qù běi jīng de fēi jī bù néng àn shí qǐ fēi

B: 北京的天气怎么了?
běi jīng de tiān qì zěn me le

A: 现在那边正在下大暴雨。
xiàn zài nà bian zhèng zài xià dà bào yǔ

B: 哎呀,怎么办呀?这都误了我的事了。
āi yā zěn me bàn ya zhè dōu wù le wǒ de shì le

A: 오늘 베이징의 기상이 나빠 베이징행 비행기가 제시간에 못 뜬대요.
B: 베이징의 날씨가 어떠한데?
A: 지금 폭우가 쏟아지고 있다나봐요.
B: 저런, 어떡하지? 내 일을 다 망쳐버렸군.

여러 가지 활용

Ⅰ. 일기 예보 天气预报
tiān qì yù bào

A: 你今天听天气预报了吗?明天的天气怎么样?
nǐ jīn tiān tīng tiān qì yù bào le ma míng tiān de tiān qì zěn me yàng

B: 听说明天会降温。
tīng shuō míng tiān huì jiàng wēn

A: 오늘 일기 예보 들었니? 내일 날씨 어떻대?
B: 내일은 기온이 내려갈 거래.

- 기상 주의보입니다.
这是气象警报。
zhè shì qì xiàng jǐng bào

- 오늘밤 강한 바람과 폭우가 예상됩니다.
  今天晚上会有狂风暴雨。
  jīn tiān wǎn shang huì yǒu kuáng fēng bào yǔ

- 동해안 연안에 이미 해일 경보가 발효되었습니다.
  东海沿岸已经发了海啸警报。
  dōng hǎi yán àn yǐ jīng fā le hǎi xiào jǐng bào

- 태풍이 시속 20km 속도로 북상하고 있습니다.
  台风以每小时20公里的速度向北挺进。[1)]
  tái fēng yǐ měi xiǎo shí gōng lǐ de sù dù xiàng běi tǐng jìn

- 내일은 흐리고 간간이 비가 오겠습니다.
  明天是阴天, 有零星小雨。[2)]
  míng tiān shì yīn tiān yǒu líng xīng xiǎo yǔ

- 주말에는 날이 맑게 개이겠습니다.
  到周末的时候, 天就会变得晴朗起来。
  dào zhōu mò de shí hou tiān jiù huì biàn de qíng lǎng qǐ lái

- 내일 한낮 최고 기온은 30도, 밤 최저 기온은 19도입니다.
  明天白天的最高气温是30度, 晚上的最低气温是19度。
  míng tiān bái tiān de zuì gāo qì wēn shì dù wǎn shang de zuì dī qì wēn shì dù

- 내일 아침에는 안개가 짙게 끼겠습니다.
  明天早上会有浓雾。
  míng tiān zǎo shang huì yǒu nóng wù

- 내일은 오늘보다 5~6도 내려가겠습니다.
  明天会比今天降5~6度。
  míng tiān huì bǐ jīn tiān jiàng dù

- 내일부터는 한파가 물러가겠습니다.
  从明天开始寒流就撤退了。
  cóng míng tiān kāi shǐ hán liú jiù chè tuì le

- 이번 무더위는 금주 내내 계속되겠습니다.
  这种闷热的天气在本周会一直持续下去。
  zhè zhǒng mēn rè de tiān qì zài běn zhōu huì yì zhí chí xù xià qù

- 오늘 비가 내릴 확률은 60%입니다.
  今天的降水概率达到百分之六十。
  jīn tiān de jiàng shuǐ gài lǜ dá dào bǎi fēn zhī liù shí

---

1) 挺进 tǐngjìn: 세차게 나아가다, 전진하다.
2) 零星 língxīng: 소량의, 산발적인, 드문드문.

Ⅱ. 비 雨 yǔ

▶ **비가 올 것 같다** **将要下雨** jiāng yào xià yǔ

- 비가 올 것 같아요.
  好像要下雨。
  hǎo xiàng yào xià yǔ

- 바람이 세군요, 보아하니 폭우가 내릴 모양이에요.
  风好大呀, 看样子是要下暴雨了。
  fēng hǎo dà ya kàn yàng zi shì yào xià bào yǔ le

- 가랑비가 내릴지도 모릅니다.
  可能会下小雨。
  kě néng huì xià xiǎo yǔ

- 비가 올 것 같아요. 빨리 세탁물을 거둬들이세요.
  好像要下雨了, 快把衣服收起来吧。
  hǎo xiàng yào xià yǔ le kuài bǎ yī fu shōu qǐ lái ba

▶ **비가 내리다** **下雨** xià yǔ

A: 你呆呆地看什么呢?
nǐ dāi dāi de kàn shén me ne

B: 我在听雨呢。你听, 雨打在树叶上的声音多好听啊?
wǒ zài tīng yǔ ne nǐ tīng yǔ dǎ zài shù yè shang de shēng yīn duō hǎo tīng a

A: 你还挺有闲情逸致。[3)]
nǐ hái tǐng yǒu xián qíng yì zhì

B: 这么好的雨不欣赏多可惜呀。
zhè me hǎo de yǔ bù xīn shǎng duō kě xī ya

A: 우두커니 뭘 바라보고 있어?

B: 빗소리를 듣고 있어. 들어 봐. 잎사귀에 부딪히는 빗소리가 좋지 않니?

A: 너 아주 감상적이구나.

B: 이렇게 좋은 비를 감상하지 못하면 너무 아깝잖아.

---

3) 闲情逸致 xián qíng yì zhì: 한가로운 정취.

• 비가 내리기 시작했어요.
开始下雨了。
kāi shǐ xià yǔ le

• 이슬비가 내리고 있어요.
下毛毛细雨。
xià máo máo xì yǔ

• 비가 아직도 내리고 있군요.
雨还在下。
yǔ hái zài xià

• 하루 종일 비가 오고 있어요.
一整天都在下雨。
yì zhěng tiān dōu zài xià yǔ

• 이 비가 왜 이렇게 오락가락 하는거지?
这雨怎么一会儿下，一会儿停啊?
zhè yǔ zěn me yí huìr xià yí huìr tíng a

• 비가 억수같이 쏟아지고 있어요.
雨下得真猛。[4)]
yǔ xià de zhēn měng

• 굵은 빗방울이 후두둑 떨어지고 있어요.
豆大的雨滴从天上砸了下来。[5)]
dòu dà de yǔ dī cóng tiān shang zá le xià lái

• 비가 왜 이리 안 그친담?
雨怎么还不停啊?
yǔ zěn me hái bù tíng a

• 올해는 강우량이 정말 많아요.
今年的雨量真大。
jīn nián de yǔ liàng zhēn dà

• 그녀는 비를 피하려고 급히 상점으로 들어갔어요.
她为了避雨，急忙地冲进了一家商店。
tā wèi le bì yǔ jí máng de chōng jìn le yì jiā shāng diàn

• 큰 비로 축구 시합이 중지되었어요.
因为下大雨，足球比赛暂停了。
yīn wèi xià dà yǔ zú qiú bǐ sài zàn tíng le

---

4) 猛 měng: 사납다. 맹렬하다. 돌연히. 급히.
5) 砸 zá: 깨뜨리다. 부수다. 찧다. 으스러뜨리다.

▶ 비를 맞다 **淋雨**
lín yǔ

A: 怎么浑身湿淋淋的?
zěn me hún shēn shī lín lín de
B: 真倒霉, 途中碰到下雨了。
zhēn dǎo méi tú zhōng pèng dào xià yǔ le

A: 왜 이렇게 흠뻑 다 젖었어요?
B: 재수 없게도 도중에 비를 만났어.

- 비를 만나는 바람에 온몸이 흠뻑 젖었어요.
赶上下雨了, 浑身被浇了个透。6)
gǎn shàng xià yǔ le hún shēn bèi jiāo le ge tòu

- 물에 빠진 생쥐처럼 다 젖었어, 진짜 낭패로군.
淋得跟落汤鸡似的, 真是狼狈极了。7)
lín de gēn luò tāng jī shì de zhēn shì láng bèi jí le

- 뇌우를 만나 옷이 다 젖었어요.
赶上大雷雨, 衣服全湿了。
gǎn shàng dà léi yǔ yī fu quán shī le

- 가을날 비를 맞으며 산책하는 것도 낭만적이죠.
秋天一边淋雨, 一边散步也挺浪漫的。
qiū tiān yì biān lín yǔ yì biān sàn bù yě tǐng làng màn de

- 어젯밤 비를 맞은 탓인지 감기에 걸렸어요.
可能是昨天晚上淋雨的关系, 感冒了。
kě néng shì zuó tiān wǎn shang lín yǔ de guān xì gǎn mào le

▶ 비가 멎다 **雨停了**
yǔ tíng le

- 오후에는 개일 것 같아요.
下午可能会晴。
xià wǔ kě néng huì qíng

- 비가 그치거든 가시죠.
等雨停下来了, 再走吧。
děng yǔ tíng xià lái le zài zǒu ba

---

6) 赶上 gǎnshàng: 따라잡다, 따라붙다. 여기서는 '(어떤 상황을) 만나다'의 뜻.
7) 落汤鸡 luòtāngjī: 물에 빠진 닭. = 落水鸡 luòshuǐjī.

- 오전에는 날씨가 안 좋더니 오후는 개는군요.
上午天气不好，但是下午晴了。
shàng wǔ tiān qì bù hǎo dàn shì xià wǔ qíng le

- 하늘가에 아름다운 무지개가 나타났어요.
天边出现了一道美丽的彩虹。
tiān biān chū xiàn le yí dào měi lì de cǎi hóng

- 여름날 폭풍우가 지나간 후에 하늘가에 무지개가 뜨지요.
夏天暴风雨过后，天边会出现彩虹。
xià tiān bào fēng yǔ guò hòu tiān biān huì chū xiàn cǎi hóng

우산 · 우의 雨伞/雨衣
yǔ sǎn yǔ yī

A: 今天有雨呀，你带着雨伞吧。
jīn tiān yǒu yǔ ya nǐ dài zhe yǔ sǎn ba

B: 不用，我已经拿了雨衣了。
bú yòng wǒ yǐ jīng ná le yǔ yī le

A: 오늘 비 온다고 했어요. 우산 가지고 가세요.
B: 필요 없어요. 이미 우의를 챙겼어요.

- 우산 좀 빌려줄 수 있어요?
你能借给我一把雨伞吗?
nǐ néng jiè gěi wǒ yì bǎ yǔ sǎn ma

- 비가 올 것 같으니 우산을 가지고 가세요.
好像要下雨了，带着雨伞走吧。
hǎo xiàng yào xià yǔ le dài zhe yǔ sǎn zǒu ba

- 뇌우를 만나 친구와 함께 우산을 썼어요.
赶上雷雨，所以和朋友撑了一把伞。
gǎn shàng léi yǔ suǒ yǐ hé péng you chēng le yì bǎ sǎn

- 그가 우산을 받쳐 주었어요.
他给我撑雨伞。
tā gěi wǒ chēng yǔ sǎn

- 우산은 입구에 보관하십시오.
雨伞存在入口吧。
yǔ sǎn cún zài rù kǒu ba

- 우산이 새는군요.
这把雨伞漏雨。
zhè bǎ yǔ sǎn lòu yǔ

• 죄송한데 우산 좀 치워 주세요. 바지가 다 젖었어요.
麻烦您把雨伞拿走吧，我的裤子都湿了。
má fan nín bǎ yǔ sǎn ná zǒu ba wǒ de kù zi dōu shī le

• 비가 멎었으니 우산을 접어요.
雨停了，把雨伞收起来吧。
yǔ tíng le bǎ yǔ sǎn shōu qǐ lái ba

• 우산은 비닐 봉투에 넣으세요.
请把雨伞放到塑料袋子里。
qǐng bǎ yǔ sǎn fàng dào sù liào dài zi li

• 거리에 우의를 입고 자전거를 타는 사람이 많네요.
马路上有很多穿着雨衣骑车的人。
mǎ lù shang yǒu hěn duō chuān zhe yǔ yī qí chē de rén

▸ **장마** **雨季**
yǔ jì

• 중국 남부의 우기는 4월부터 시작됩니다.
中国南方的梅雨是从4月份开始的。[8)]
zhōng guó nán fāng de méi yǔ shì cóng yuè fèn kāi shǐ de

• 6월은 강우량이 비교적 많습니다.
6月的降雨量比较大。
yuè de jiàng yǔ liàng bǐ jiào dà

• 비가 벌써 4, 5일째 계속 내리는군요.
这雨已经连续下了四五天了。
zhè yǔ yǐ jīng lián xù xià le sì wǔ tiān le

• 올해는 작년보다 비가 많이 오지요?
今年比去年雨下得多吧?
jīn nián bǐ qù nián yǔ xià de duō ba

• 이 비는 끝내 일주일을 꼬박 내리는군요.
这雨竟然整整下了一个星期。
zhè yǔ jìng rán zhěng zhěng xià le yí ge xīng qī

• 올 장마는 예년보다 빨리 시작된대요.
听说，今年的淫雨开始得比往年早。
tīng shuō jīn nián de yín yǔ kāi shǐ de bǐ wǎng nián zǎo

---

8) 梅雨 méiyǔ: 중국 남부의 아열대 지역에 봄에서 초여름에 걸쳐 계속 내리는 비로, 매실이 익어가는 계절에 내린다 해서 梅雨 méiyǔ라고도 하고, 긴 장마로 곰팡이가 핀다 해서 霉雨 méiyǔ라고도 한다.

▶ **홍수 洪水**
hóng shuǐ

A: 今年，雨下得特别多。
jīn nián yǔ xià de tè bié duō
B: 是啊，听说因下大雨，长江沿岸不少地方严重受灾。
shì a tīng shuō yīn xià dà yǔ cháng jiāng yán àn bù shǎo dì fang yán zhòng shòu zāi
A: 是啊，不仅中国，南美和印度也出现了罕见的洪灾。
shì a bù jǐn zhōng guó nán měi hé yìn dù yě chū xiàn le hǎn jiàn de hóng zāi
B: 这都是我们不注意保护环境造成的恶果啊。
zhè dōu shì wǒ men bú zhù yì bǎo hù huán jìng zào chéng de è guǒ a

A: 금년은 유난히 비가 많이 오네요.
B: 네, 듣자니 큰 비로 창장 강 유역의 여러 지역이 엄청난 피해를 입었다는군요.
A: 그래요. 중국뿐 아니라, 남미와 인도도 보기 드문 수해가 났대요.
B: 이게 다 우리가 환경 보호에 주의하지 않아 생긴 결과지요.

- 일주일이나 계속되는 큰 비로 중부 지역에 홍수가 나겠는걸.
连续一星期的大雨可能会给中部地区造成洪灾。
lián xù yì xīng qī de dà yǔ kě néng huì gěi zhōng bù dì qū zào chéng hóng zāi

- 지난번 홍수로 많은 사람이 집을 잃었어요.
上次发大水使得许多人无家可归。
shàng cì fā dà shuǐ shǐ dé xǔ duō rén wú jiā kě guī

- 이번 홍수로 물질적 손실은 컸지만 인명 피해는 적었습니다.
这次洪灾物质损失很大，不过受伤的人很少。
zhè cì hóng zāi wù zhì sǔn shī hěn dà bú guò shòu shāng de rén hěn shǎo

- 하천이 범람하여 주변의 농작물이 다 잠겼어요.
因为河水上涨，所以岸边的庄稼都被淹没了。
yīn wèi hé shuǐ shàng zhǎng suǒ yǐ àn biān de zhuāng jià dōu bèi yān mò le

▶ **기타 其他**
qí tā

- 비가 오면 시합을 연기합니다.
如果下雨，会延期比赛。
rú guǒ xià yǔ huì yán qī bǐ sài

- 큰 비가 한바탕 쏟아졌으면 좋겠어요.
  真希望下一场大雨。
  zhēn xī wàng xià yì chǎng dà yǔ

Ⅲ. 눈 雪
xuě

- 금방이라도 눈이 올 것 같군요.
  快要下雪了。
  kuài yào xià xuě le

- 눈이 내리기 시작하는군요.
  开始下雪了。
  kāi shǐ xià xuě le

- 아직도 눈이 내리고 있어요.
  还在下雪。
  hái zài xià xuě

- 눈송이가 펄펄 날리고 있어요.
  雪花在飘。
  xuě huā zài piāo

- 올 들어 첫눈이군요.
  这是今年的第一场雪。
  zhè shì jīn nián de dì yi chǎng xuě

- 눈송이가 바람에 흩날리고 있어요.
  雪花被风吹散了。
  xuě huā bèi fēng chuī sàn le

- 눈송이가 내리자마자 녹는군요.
  雪花刚一落地就融化了。
  xuě huā gāng yí luò dì jiù róng huà le

- 바깥이 너무 아름다워. 우리 눈싸움도 하고 눈사람도 만들자.
  外面很美的, 咱们去打雪仗, 堆雪人吧。
  wài mian hěn měi de, zán men qù dǎ xuě zhàng, duī xuě rén ba

- 우리 눈을 치웁시다.
  我们来扫雪吧。
  wǒ men lái sǎo xuě ba

▶ **대설 大雪**
dà xuě

- 큰 눈이 쏟아져요.
  下大雪了。
  xià dà xuě le

- 온 마을이 눈에 갇혀버렸어요.
  整个村子被雪盖住了。
  zhěng ge cūn zi bèi xuě gài zhù le

- 10년에 한 번 있을까 말까 하는 대설이에요.
  是10年才有一次的大雪。
  shì nián cái yǒu yí cì de dà xuě

- 오늘 아침 눈이 내려 교통이 모두 두절되었어요.
  今天早上，因为下雪，交通都中断了。
  jīn tiān zǎo shang yīn wèi xià xuě jiāo tōng dōu zhōng duàn le

- 이런 큰 눈은 제 평생 처음이에요.
  这么大的雪，我平生第一次见到。
  zhè me dà de xuě wǒ píng shēng dì yī cì jiàn dao

- 눈이 10cm나 쌓였어요.
  积雪有10厘米厚。
  jī xuě yǒu lí mǐ hòu

- 어젯밤 눈이 많이 내려 길이 많이 미끄러울 거예요. 조심해요.
  昨晚下了一场大雪，路上肯定很滑，一定要小心。
  zuó wǎn xià le yì chǎng dà xuě lù shang kěn dìng hěn huá yí dìng yào xiǎo xīn

함박눈 鹅毛大雪
é máo dà xuě

- 밖에 함박눈이 펑펑 내리고 있어요.
  外面纷纷扬扬的鹅毛大雪落了下来。
  wài mian fēn fēn yáng yáng de é máo dà xuě luò le xià lái

- 함박눈이 소리 없이 대지에 쌓이고 있어요.
  鹅毛大雪悄无声息地铺满了大地。
  é máo dà xuě qiǎo wú shēng xī de pū mǎn le dà dì

진눈깨비 雨夹雪
yǔ jiā xuě

- 오늘 진눈깨비가 내릴 거래요.
  今天有雨夹雪。
  jīn tiān yǒu yǔ jiā xuě

- 밖에 진눈깨비가 내리고 있으니 미끄러지지 않도록 조심해요.
  现在外边下着雨夹雪，要小心路滑。
  xiàn zài wài bian xià zhe yǔ jiā xuě yào xiǎo xīn lù huá

Ⅳ. 바람 风 fēng

A: 外边刮风了，你穿着大衣吧。
wài bian guā fēng le nǐ chuān zhe dà yī ba

B: 不用了，这点儿小风没多大关系的。
bú yòng le zhè diǎnr xiǎo fēng méi duō dà guān xì de

A: 밖에 바람이 불어요. 외투를 입어요.

B: 괜찮아요. 이 정도 바람쯤이야 상관없어요.

- 큰 바람이 불고 있어요.
  刮大风了。
  guā dà fēng le

- 바람이 멈췄어요.
  风停了。
  fēng tíng le

- 바람이 전혀 불지 않는군요.
  一点风也没有。
  yì diǎn fēng yě méi yǒu

- 바람이 일기 시작했어요.
  开始刮风了。
  kāi shǐ guā fēng le

- 오늘은 바람이 세차게 불어요.
  今天刮风很厉害。
  jīn tiān guā fēng hěn lì hai

- 일기 예보에 내일은 바람이 불 거래요.
  天气预报说明天有风。
  tiān qì yù bào shuō míng tiān yǒu fēng

- 어둠이 내리면서 바람도 잠잠해졌습니다.
  夜幕降临时，风渐渐地停了。
  yè mù jiàng lín shí fēng jiàn jiàn de tíng le

- 우리가 바람을 안고 자전거를 타는군요.
  我们逆着风骑车。
  wǒ men nì zhe fēng qí chē

- 모자가 바람에 날려 갔어요.
  帽子被风刮走了。
  mào zi bèi fēng guā zǒu le

- 창문을 꼭 닫아요. 바람이 들어오지 않도록.
  把窗户关紧了，别让风进来。
  bǎ chuāng hu guān jǐn le bié ràng fēng jìn lái

▶ **태풍 台风**
tái fēng

A: 外边的风把树都吹得东倒西歪的，窗户都咣当咣当的响。
wài bian de fēng bǎ shù dōu chuī de dōng dǎo xī wāi de chuāng hu dōu guāng dāng guāng dāng de xiǎng

B: 是呀。赶紧把窗户关好，要不该吹到屋里的东西了。
shì ya gǎn jǐn bǎ chuāng hu guān hǎo yào bù gāi chuī dào wū li de dōng xi le

A: 밖에 바람이 불어 나무가 나부끼고 창문이 덜컹이고 있어.
B: 그러게. 빨리 창문을 닫아. 안 그러면 물건이 다 날아가겠어.

- 이번 태풍으로 인한 재산 피해는 1억 위안을 넘었어요.
  因这次的台风，财产损失超过一亿元。
  yīn zhè cì de tái fēng cái chǎn sǔn shī chāo guò yí yì yuán

- 이번 태풍으로 2명이 죽고 6명이 실종되었어요.
  这次台风使得两人死亡，六人失踪。
  zhè cì tái fēng shǐ de liǎng rén sǐ wáng liù rén shī zōng

- 바람이 세서 걷지도 못할 정도군요.
  风很大，吹得我都走不动路。
  fēng hěn dà chuī de wǒ dōu zǒu bu dòng lù

- 연해에 큰 회오리바람이 불어 배 한 척이 전복되었대요.
  听说沿海刮了大旋风，把有的船只都打翻了。
  tīng shuō yán hǎi guā le dà xuàn fēng bǎ yǒu de chuán zhī dōu dǎ fān le

- 어젯밤 바람은 정말 무섭더군요. 큰 나무들도 뿌리째 뽑혔답니다.
  昨夜的风太可怕了，许多大树都被连根拔起了。
  zuó yè de fēng tài kě pà le xǔ duō dà shù dōu bèi lián gēn bá qǐ le

- 어제 바람이 귀신 우는 소리 같아서 무서워 잠을 못 잤어.
  昨天外边的风像鬼哭狼嚎一样，吓得我睡不着。[9)]
  zuó tiān wài bian de fēng xiàng guǐ kū láng háo yí yàng xià de wǒ shuì bu zháo

---

9) 鬼哭狼嚎 guǐ kū láng háo: 귀신과 이리의 울음소리, 즉 처량하게 흐느끼는 소리를 말함. = 鬼哭狼号 guǐ kū láng háo.

• 갑자기 회오리바람이 불어 하늘이 온통 먼지로 덮였어요.
突然刮起了大旋风, 漫天灰尘。
tū rán guā qǐ le dà xuàn fēng màn tiān huī chén

▶ **산들바람 微风**
wēi fēng

• 버드나무가 한들거리고 실바람이 얼굴을 어루만지니 정말 기분이 좋구나.
杨柳依依, 微风拂面, 甚是惬意。[10)]
yáng liǔ yī yī wēi fēng fú miàn shèn shì qiè yì

• 시원한 바람이 부는 여름밤, 많은 사람들이 밖에 나와 더위를 식힙니다.
在夏天凉风习习的夜晚, 有许多人外出乘凉。[11)]
zài xià tiān liáng fēng xí xí de yè wǎn yǒu xǔ duō rén wài chū chéng liáng

▶ **찬바람 寒风**
hán fēng

• 겨울 찬바람이 뼛속을 파고드니 온몸이 떨리는군요.
冬天寒风刺骨, 浑身打哆嗦。[12)]
dōng tiān hán fēng cì gǔ hún shēn dǎ duō suo

• 매서운 바람이 쌩쌩 불어 귀가 얼얼해요.
寒风凛冽, 吹得耳朵直发麻。[13)]
hán fēng lǐn liè chuī de ěr duo zhí fā má

• 얼굴에 닿는 바람이 살을 에는 듯하네요.
风刮到脸上就像刀割的一样。
fēng guā dào liǎn shang jiù xiàng dāo gē de yí yàng

• 하루 종일 북풍이 몰아치고 있어요.
一整天都在刮北风。
yì zhěng tiān dōu zài guā běi fēng

---

10) 依依 yīyī: 한들거리다. 하늘거리다.
拂 fú: (바람이) 스쳐 지나다. 털다. 털어내다.
惬意 qièyì: 마음에 들다. 마음에 맞다. 흐뭇하다. 흡족하다.

11) 习习 xíxí: 바람이 살랑이다. 솔솔 불다.
乘凉 chéngliáng: 서늘한 바람을 쐬어 더위를 식히다.

12) 哆嗦 duōsuo: 부들부들 떨다. 덜덜 떨다. 전율하다.

13) 凛冽 lǐnliè: 매섭게 춥다. 살을 에는 듯 춥다.
发麻 fāmá: 얼얼하다. 마비되다. 오싹하다.

V. 기타 其他
qí tā

안개 雾
wù

- 이런, 오늘 왜 이렇게 안개가 자욱하지?
  哎呀, 今天怎么有这么浓的雾呀?
  āi yā jīn tiān zěn me yǒu zhè me nóng de wù ya

- 안개가 자욱해서 앞에 아무것도 보이질 않아.
  雾浓得前面什么也看不见。
  wù nóng de qián mian shén me yě kàn bu jiàn

- 이곳은 늘 안개가 껴요.
  这个地方经常有雾。
  zhè ge dì fang jīng cháng yǒu wù

- 황산 산의 안개는 다른 명산들에 비교할 수 없습니다.
  黄山的雾是其他名山无法相比的。
  huáng shān de wù shì qí tā míng shān wú fǎ xiāng bǐ de

- 안개가 산허리에 자욱하니 마치 선경 같군요.
  雾在山腰弥漫, 恍若人间仙境。[14)]
  wù zài shān yāo mí màn huǎng ruò rén jiān xiān jìng

- 전 안개 속을 산책하는 것을 좋아해요.
  我喜欢在雾中散步。
  wǒ xǐ huan zài wù zhōng sàn bù

- 안개 낀 밤에 고속도로를 달릴 때는 정말 조심해야 해요.
  有雾的晚上, 在高速公路上行车要万分小心。
  yǒu wù de wǎn shang zài gāo sù gōng lù shang xíng chē yào wàn fēn xiǎo xīn

- 베이징에 짙은 안개가 껴서 비행기가 임시로 톈진 공항에 착륙했대요.
  北京浓雾弥漫, 飞机临时在天津机场降落。
  běi jīng nóng wù mí màn fēi jī lín shí zài tiān jīn jī chǎng jiàng luò

서리 霜
shuāng

- 아침에 일어나니 밤새 서리가 내렸더군요.
  早上起来, 我发现昨晚下霜了。
  zǎo shang qǐ lái wǒ fā xiàn zuó wǎn xià shuāng le

- 서리가 내려 창문에 하얗게 끼었네요.
  下霜了, 窗户上白蒙蒙的。
  xià shuāng le chuāng hu shang bái méng méng de

---

14) 恍若 huǎngruò: '마치 ~인 것 같다' = 恍如 huǎngrú.

▶ 우박 冰雹
bīng báo

- 어제 한바탕 우박이 내려 많은 농작물이 피해를 입었어요.
昨天下了一场大冰雹，许多农作物都被打死了。
zuó tiān xià le yì chǎng dà bīng báo xǔ duō nóng zuò wù dōu bèi dǎ sǐ le

- 갑자기 하늘이 깜깜해지더니 우박이 쏟아졌어요.
突然之间天变得异常黑，接着就下冰雹了。
tū rán zhī jiān tiān biàn de yì cháng hēi jiē zhe jiù xià bīng báo le

▶ 천둥 · 번개 雷/电
léi diàn

A: 打雷了，好像马上要下雨。
dǎ léi le hǎo xiàng mǎ shàng yào xià yǔ
B: 那可不一定，说不定这雷是干雷，只打雷不下雨。
nà kě bù yí dìng shuō bu dìng zhè léi shì gān léi zhǐ dǎ léi bú xià yǔ

A: 천둥이 치네, 비가 곧 오려나 봐.
B: 아닐걸, 마른 천둥일 거야. 천둥만 치고 비는 안 올거라고.

- 밤에 우르릉 쾅하는 천둥소리 때문에 잠을 못 잤어.
晚上轰聋聋的雷声让我睡不着觉。[15]
wǎn shang hōng lóng lóng de léi shēng ràng wǒ shuì bu zháo jiào

- 여름에는 자주 천둥이 쳐요.
夏天经常会打雷。
xià tiān jīng cháng huì dǎ léi

- 요란한 천둥소리에 크게 놀랐어요.
天边炸起了响雷，吓了我一大跳。
tiān biān zhà qǐ le xiǎng léi xià le wǒ yí dà tiào

- 천둥 번개가 치는 밤에는 TV를 안 보는 게 좋아요.
电闪雷鸣的晚上最好不要看电视。
diàn shǎn léi míng de wǎn shang zuì hǎo bú yào kàn diàn shì

- '꽝' 하는 소리를 들으니 아마도 뭔가가 벼락을 맞은 것 같군.
只听的'咔嚓'一声，好像什么东西被闪电击中了。[16]
zhǐ tīng de kā cā yì shēng hǎo xiàng shén me dōng xi bèi shǎn diàn jī zhòng le

---

15) 轰聋聋 hōnglónglóng: 요란한 소리, 또는 굉음을 나타내는 의성어
16) 咔嚓 kāchā: 깨지거나 부러지거나 찢어지는 소리를 나타내는 의성어.

4 온도 · 습도

温度/湿度
wēn dù shī dù

중국은 동부와 서부, 그리고 남부와 북부의 날씨가 확연한 차이를 보이고 있다. 동부는 평야가 주를 이루는 습윤지역으로 강수량이 풍부하나, 서부는 지대가 높고 초원과 사막이 주를 이루고 있어 매우 건조하다. 그러나 같은 습윤지역일지라도 长江 chángjiāng(창장 강)을 기준으로 하여 그 이북 지방은 비교적 건조하며, 이남 지방은 훨씬 고온다습하다.

기 본 대 화

A: 今天到底多少度? 热死了。
jīn tiān dào dǐ duō shao dù rè sǐ le

B: 预报说, 今天最高温度达到38度。
yù bào shuō jīn tiān zuì gāo wēn dù dá dào dù

A: 哎呀, 38度? 怪不得路上没有几个人。
āi yā dù guài bu de lù shang méi yǒu jǐ ge rén

B: 是的, 很多人都呆在家里。
shì de hěn duō rén dōu dāi zài jiā li

A: 我一会儿也要回家, 这里太热了。
wǒ yí huìr yě yào huí jiā zhè li tài rè le

B: 好的。我开车送你回去吧。
hǎo de wǒ kāi chē sòng nǐ huí qù ba

A: 오늘 대체 몇 도야? 더워 죽겠어.
B: 예보에 오늘 최고 기온이 38도까지 간다더라.
A: 뭐, 38도? 어쩐지 거리에도 사람이 몇 없더라고.
B: 그래, 사람들이 다 집안에서 꼼짝하지 않는가 봐.
A: 나도 곧 집으로 돌아가야겠어. 여긴 너무 덥군.
B: 그러렴. 내가 차로 바래다 줄게.

여러 가지 활용

Ⅰ. 온도 温度
wēn dù

A: 一天比一天热, 明天会有多少度?
yì tiān bǐ yì tiān rè míng tiān huì yǒu duō shao dù

B: 明天比今天再高两度。
míng tiān bǐ jīn tiān zài gāo liǎng dù

A: 날이 갈수록 더워지는군, 내일은 몇 도나 되려나?
B: 내일은 오늘보다 2도 더 올라갈거래.

- 오늘은 몇 도입니까?
  今天多少度?
  jīn tiān duō shao dù

- 베이징의 평균 기온은 몇 도죠?
  北京的平均气温是多少度?
  běi jīng de píng jūn qì wēn shì duō shao dù

- 한국과 비교해서 기온은 어떻습니까?
  与韩国相比气温怎么样?
  yǔ hán guó xiāng bǐ qì wēn zěn me yàng

- 실내 온도를 23도로 유지해 주세요.
  保持室内温度在23度。
  bǎo chí shì nèi wēn dù zài dù

- 별로 시원하지가 않아. 에어컨을 20도로 조절해 봐.
  不怎么冷, 把空调调到20度。
  bù zěn me lěng bǎ kōng tiáo tiáo dào dù

- 한여름 차 안의 기온은 60도까지도 올라갈 수 있어.
  盛夏, 汽车内的温度会上升到60度。
  shèng xià qì chē nèi de wēn dù huì shàng shēng dào dù

- 이곳 날씨는 아무리 덥다 해도 30도를 넘지는 않아요.
  这里的天气, 怎么热也不会超过30度。
  zhè li de tiān qì zěn me rè yě bú huì chāo guò dù

- 쿤밍은 한해의 온도 변화가 크지 않아요. 일반적으로 18도에서 26도 사이에요.
  昆明一年的气温变化都不大, 一般在18~26度。
  kūn míng yì nián de qì wēn biàn huà dōu bú dà yì bān zài dù

- 베이징에서는 최고 기온이 40도까지 오르기도 해요.
  在北京, 最高气温能达到40度。
  zài běi jīng zuì gāo qì wēn néng dá dào dù

- 그것은 섭씨온도예요, 아니면 화씨온도예요?
  那是摄氏度, 还是华氏度?
  nà shì shè shì dù hái shì huá shì dù

- 지구의 생태계 파손으로 인해 기온의 변화가 심합니다.
  由于全球生态平衡遭到破坏, 气温的变化很大。
  yóu yú quán qiú shēng tài píng héng zāo dào pò huài qì wēn de biàn huà hěn dà

▶ 영하 零下
líng xià

A: 据说, 明天气温降到零下10度。
jù shuō míng tiān qì wēn jiàng dào líng xià dù
B: 真的? 那会不会把水管道冻裂?
zhēn de nà huì bu huì bǎ shuǐ guǎn dào dòng liè

A: 내일 기온이 영하 10도까지 내려간대요.
B: 정말? 그러면 수도관이 얼어서 터지지 않을까?

- 내일은 기온이 영하로 떨어진대.
明天气温将降到零下。
míng tiān qì wēn jiāng jiàng dào líng xià

- 이곳의 기온은 일반적으로 영하로 내려가지 않아.
这里的气温一般不会降到零下。
zhè li de qì wēn yì bān bú huì jiàng dào líng xià

- 오늘 아침은 영하 12도까지 내려갔어요.
今天早上, 降到零下12度。
jīn tiān zǎo shang jiàng dào líng xià dù

▶ 일교차 日温差
rì wēn chā

- 온도 변화가 너무 심해서 감기에 걸리기 쉬워요.
气温变化太大了, 容易得感冒。
qì wēn biàn huà tài dà le róng yì dé gǎn mào

- 중국 서북 지역은 일교차가 아주 큽니다.
中国西北地区一天温差很大。
zhōng guó xī běi dì qū yì tiān wēn chā hěn dà

- 요즘은 일교차가 크지 않아서 밤에도 무척 더워요.
最近温差不太大, 晚上也很热。
zuì jìn wēn chā bú tài dà wǎn shang yě hěn rè

- 밤에는 기온이 많이 떨어질 테니 외투를 가지고 가도록 해.
到了晚上温度会下降的, 你拿着外套吧。
dào le wǎn shang wēn dù huì xià jiàng de nǐ ná zhe wài tào ba

- 한낮에는 기온이 큰 폭으로 올라갈 거야.
中午气温会大幅度的上升。
zhōng wǔ qì wēn huì dà fú dù de shàng shēng

Ⅱ. 습도 湿度
shī dù

A: 你这个上海人到北京还习惯吗?
nǐ zhè ge shàng hǎi rén dào běi jīng hái xí guàn ma

B: 还行, 就是受不了北方的干燥。
hái xíng jiù shì shòu bu liǎo běi fāng de gān zào

A: 你们南方四季都很潮湿, 是吗?
nǐ men nán fāng sì jì dōu hěn cháo shī shì ma

B: 是呀, 因为上海临海又挨着长江, 所以不像内地这么干。[1)]
shì ya yīn wèi shàng hǎi lín hǎi yòu āi zhe cháng jiāng suǒ yǐ bú xiàng nèi dì zhè me gān

A: 넌 상하이 사람인데 베이징에 와서 좀 적응이 되니?
B: 그런대로. 다만 북방의 건조한 기후가 견디기 힘들어.
A: 남부 지방은 사계절이 다 습하지?
B: 응, 상하이는 바다가 가까운데다 창장 강에 접해 있어서 내륙처럼 건조하지 않아.

▶ 습하다 潮湿
cháo shī

- 날이 습해서 몸이 끈적끈적해요.
  天气潮湿, 身上黏糊糊的。[2)]
  tiān qì cháo shī shēn shang nián hū hū de

- 오늘 최대 상대 습도는 80%에 달해요.
  今天的最大相对湿度达到百分之八十。
  jīn tiān de zuì dà xiāng duì shī dù dá dào bǎi fēn zhī bā shí

- 대기 중 습도가 85%가 넘으면 사람들이 불쾌함을 느끼죠.
  空气湿度超过百分之八十五, 人就会感到不舒服。
  kōng qì shī dù chāo guò bǎi fēn zhī bā shí wǔ rén jiù huì gǎn dào bù shū fu

- 대기 중 습도가 높아서 곰팡이 냄새가 나는군요.
  空气湿度很大, 闻着有股霉味儿。[3)]
  kōng qì shī dù hěn dà wén zhe yǒu gǔ méi wèir

---

1) 挨着 āizhe: 가까이 있다. 옆에 붙어있다.
2) 黏糊糊 niánhūhū: 달라붙다. 끈적끈적하다. 차지다.
3) 股 gǔ: 냄새・맛・기체・힘 등을 나타내는 양사. 줄기.

▶ 건조하다 干燥
gān zào

- 북방의 겨울은 춥고 건조합니다.
  北方的冬天又冷又干燥。
  běi fāng de dōng tiān yòu lěng yòu gān zào
- 날이 너무 건조해요, 가습기를 틀어야겠어요.
  天太干，要开加湿器。
  tiān tài gān yào kāi jiā shī qì
- 실내 공기가 건조하면 저는 물을 받아다 방안에 놓아요.
  屋内空气干燥，我接了一盆水放在屋子里。
  wū nèi kōng qì gān zào wǒ jiē le yì pén shuǐ fàng zài wū zi li
- 날씨가 건조하니 등산할 때 산불을 조심해야 해요.
  天气干燥，爬山时要小心山火。
  tiān qì gān zào pá shān shí yào xiǎo xīn shān huǒ
- 공기가 몹시 건조하니 화재를 조심해야 합니다.
  空气很干燥，要小心着火。[4)]
  kōng qì hěn gān zào yào xiǎo xīn zháo huǒ

참고 관련 용어

- 사계절 四季 sì jì
- 봄 春天 chūn tiān
- 여름 夏天 xià tiān
- 가을 秋天 qiū tiān
- 겨울 冬天 dōng tiān
- 이른 봄 早春 zǎo chūn
- 홍수 洪水 hóng shuǐ
- 강우량 降雨量 jiàng yǔ liàng
- 우산 雨伞 yǔ sǎn
- 우의 雨衣 yǔ yī
- 수해 水灾 shuǐ zāi
- 눈이 내리다 下雪 xià xuě
- 늦봄 暮春 mù chūn
- 초여름 初夏 chū xià
- 한여름 盛夏, 仲夏 shèng xià, zhòng xià
- 늦여름 季夏, 暮夏 jì xià, mù xià
- 초가을 早秋, 初秋 zǎo qiū, chū qiū
- 늦가을 深秋, 晚秋 shēn qiū, wǎn qiū
- 초겨울 初冬 chū dōng
- 한겨울 严冬 yán dōng
- 날씨 天气 tiān qì
- 기상 气象 qì xiàng
- 기후 气候 qì hòu
- 일기 예보 天气预报 tiān qì yù bào
- 따뜻하다 暖和 nuǎn huo
- 서늘하다 凉快, 凉爽 liáng kuài, liáng shuǎng

4) 着火 zháohuǒ: 불이 붙다, 불이 나다, 불이 켜지다.

- 덥다 炎热 yán rè
- 무덥다 闷热 mēn rè
- 춥다 寒冷 hán lěng
- 개인 날 晴天 qíng tiān
- 흐린 날 阴天 yīn tiān
- 작열하는 태양 烈日 liè rì
- 먹구름 乌云 wū yún
- 흰구름 白云 bái yún
- 무지개 彩虹 cǎi hóng
- 비가 내리다 下雨 xià yǔ
- 비를 맞다 淋雨 lín yǔ
- 비가 새다 漏雨 lòu yǔ
- 눈송이 雪花 xuě huā
- 함박눈 鹅毛大雪 é máo dà xuě
- 싸락눈 雪糁儿, 雪子儿 xuě shēnr xuě zǐr
- 진눈깨비 雨夹雪 yǔ jiā xuě
- 눈싸움 雪仗 xuě zhàng
- 눈사람 雪人 xuě rén
- 바람이 불다 刮风 guā fēng
- 태풍 台风 tái fēng
- 북풍 北风 běi fēng
- 남풍 南风 nán fēng
- 산들바람 微风 wēi fēng
- 찬바람 寒风 hán fēng
- 황사 沙尘暴 shā chén bào
- 안개 雾 wù
- 우박 冰雹 bīng báo
- 서리 霜 shuāng
- 온도 温度 wēn dù
- 기온 气温 qì wēn
- 섭씨 摄氏 shè shì
- 화씨 华氏 huá shì
- 영하 零下 líng xià
- 습도 湿度 shī dù
- 습하다 潮湿 cháo shī
- 건조하다 干燥 gān zào
- 정전기 静电 jìng diàn
- 단풍 红叶 hóng yè
- 빗방울 雨滴 yǔ dī
- 보슬비 绵绵细雨, 毛毛雨 miánmián xì yǔ máomáo yǔ
- 소나기 阵雨, 急雨, 骤雨 zhèn yǔ jí yǔ zhòu yǔ
- 뇌우 雷雨 léi yǔ
- 천둥 雷 léi
- 천둥치다 打雷 dǎ léi
- 번개 电 diàn
- 번개 치다 闪电 shǎndiàn
- 장마철 雨季 yǔ jì
- 장맛비 阴雨, 淫雨 yīn yǔ yín yǔ
- 피서 避暑 bì shǔ
- 복날 三伏天 sān fú tiān
- 더위를 식히다 散热 sàn rè
- 일사병, 더위 먹다 中暑 zhòng shǔ
- 냉방병 空调病 kōng tiáo bìng
- 기후대 气候带 qì hòu dài
- 한대 寒带 hán dài
- 온대 温带 wēn dài
- 아열대 亚热带 yà rè dài
- 열대 热带 rè dài

09 전 화

电 话 DIANHUA

1 전화 걸 때 打电话

2 전화 받을 때 接电话

3 전화 끊을 때 挂电话

4 잘못 걸린 전화 打错电话

5 전화 메시지 电话留言

6 공중전화 · 휴대폰 公用电话/手机

7 기타 통화 내용 其他通话内容

8 각종 안내 · 신고 전화 各种服务电话

1 전화 걸 때

打电话
dǎ diànhuà

전화를 걸때 식사시간이나 취침시간 등을 피하는 것은 기본 예의이다. 또한 스포츠 빅게임이 진행되거나 중요한 뉴스가 방송되고 있을 때에도 가급적 피하는 것이 좋다. 스포츠나 뉴스에 한창 몰입되어 있을 때 전화벨이 울리면 짜증이 나기 쉬우므로 만일 부탁이나 도움을 청하는 전화일 경우 거절당할 확률도 높아진다. 또한 중국 사람 중에는 점심 식사 후에 낮잠(午休 wǔxiū)을 자는 경우가 있으므로 급한 일이 아니라면 이 시간도 피하는 것이 좋다.

기 본 대 화

A: 喂, 张先生在吗?
wèi zhāng xiān sheng zài ma

B: 我就是。请问您是哪位?
wǒ jiù shì qǐng wèn nín shì nǎ wèi

A: 我是金美英, 从韩国来的。
wǒ shì jīn měi yīng cóng hán guó lái de

B: 啊, 是吗? 你有什么事吗?
ā shì ma nǐ yǒu shén me shì ma

A: 关于我的入学问题, 我想和你谈一谈。
guān yú wǒ de rù xué wèn tí wǒ xiǎng hé nǐ tán yi tán

B: 好的, 随时都欢迎。
hǎo de suí shí dōu huān yíng

A: 여보세요? 장 선생님 계십니까?
B: 전데요, 실례지만 누구십니까?
A: 저는 김미영이라고 합니다. 한국에서 왔어요.
B: 아, 그래요? 무슨 일이죠?
A: 제 입학 문제로 찾아뵙고 상의드리고 싶습니다.
B: 좋습니다. 언제라도 환영합니다.

여러 가지 활용

Ⅰ. 자기가 누구인지 말할 때 说明自己的身份
shuō míng zì jǐ de shēn fèn

A: 喂, 你好! 我是陈莉娜。
wèi nǐ hǎo wǒ shì chén lì nà

B: 噢, 小陈。你好吗?[1)]
ō xiǎo chén nǐ hǎo ma

A: 안녕하세요? 저는 천리나라고 합니다.
B: 아, 샤오천 잘 있었어요?

- 저는 최인화입니다. 후이정의 한국 친구예요.
  我叫崔仁花, 是惠正的韩国朋友。
  wǒ jiào cuī rén huā shì huì zhèng de hán guó péng you

- 어머님, 안녕하세요? 저는 샤오쥐안의 친구예요.
  伯母您好! 我是小娟的朋友。
  bó mǔ nín hǎo wǒ shì xiǎo juān de péng yǒu

- 천 선생님, 안녕하세요? 저는 장석훈이라고 합니다. 사학과 1학년 한국 유학생이에요.
  陈老师, 您好! 我叫张锡勋, 是历史系大一的韩国留学生。
  chén lǎo shī nín hǎo wǒ jiào zhāng xī xūn shì lì shǐ xì dà yī de hán guó liú xué shēng

- 안녕하십니까? 저는 중한전자 총무부의 박철수라고 합니다.
  喂, 你好! 我是中韩电子总务部的朴哲洙。
  wèi nǐ hǎo wǒ shì zhōng hán diàn zǐ zǒng wù bù de piáo zhé zhū

- 이 선생님 안녕하세요? 상하이 출판사 편집부입니다.
  李先生, 您好! 这里是上海出版社的编辑部。
  lǐ xiān sheng nín hǎo zhè li shì shàng hǎi chū bǎn shè de biān jí bù

- 부산현대해운회사에서 온 정은희입니다.
  我是从釜山现代海运公司来的郑恩熙。
  wǒ shì cóng fǔ shān xiàn dài hǎi yùn gōng sī lái de zhèng ēn xī

- 지난주에 한 번 만나 뵈었던 조상호입니다.
  我叫曹相浩, 我们上星期见过一次面。
  wǒ jiào cáo xiāng hào wǒ men shàng xīng qī jiàn guo yí cì miàn

Ⅱ. 상대방을 확인할 때 确认受话人
quèrèn shòu huà rén

A: 你好! 是曹老师吗?
nǐ hǎo shì cáo lǎo shī ma
B: 不是。你找曹老师吗? 等一下, 我帮你叫他。
bú shì nǐ zhǎo cáo lǎo shī ma děng yí xià wǒ bāng nǐ jiào tā

1) 중국에서는 친구나 아랫사람의 이름을 부를 때 대개 小xiǎo를 앞에 붙여서 부르기를 좋아한다. 성 앞에 붙이기도 하고 이름 끝자에 붙이기도 하는데 예를 들면 曹美娟cáoměijuān의 경우 小曹xiǎocáo라 부르기도 하고 小娟xiǎojuān이라 부르기도 한다. 그냥 이름을 부르는 것보다 훨씬 더 정감있고 친밀하게 느껴진다.

A: 안녕하세요? 차오 선생님이십니까?
B: 아닙니다. 차오 선생님 찾으세요? 잠시만요. 불러드리겠습니다.

- 여보세요, 하 선생님 댁입니까?
  喂, 是何先生家吗?
  wéi shì hé xiān sheng jiā ma

- 여보세요. 이 사장님이시죠?
  喂, 你好! 您是李总吧?[2)]
  wèi nǐ hǎo nín shì lǐ zǒng ba

- 거기 번영상점입니까?
  请问是繁荣商店吗?
  qǐng wèn shì fán róng shāng diàn ma

- 여보세요, 난징대학 중문과입니까?
  喂, 您好! 是南京大学中文系吗?
  wèi nín hǎo shì nán jīng dà xué zhōng wén xì ma

- 여보세요, 580-8888입니까?
  喂, 是5808888吗?[3)]
  wèi shì ma

Ⅲ. 전화를 바꿔달라고 할 때　　请对方叫人接电话
qǐng duì fāng jiào rén jiē diàn huà

- 류 선생님과 통화를 하고 싶습니다.
  我想和刘先生通话。
  wǒ xiǎng hé liú xiān sheng tōng huà

- 류 선생님 좀 부탁합니다.
  请刘先生接电话。
  qǐng liú xiān sheng jiē diàn huà

- 류성리 씨 좀 바꿔 주세요.
  请你叫刘胜利接电话。
  qǐng nǐ jiào liú shèng lì jiē diàn huà

---

2) 여기서 "吧 ba"는 추측을 나타내는 어기조사로 긍정의 대답을 기대할 때 쓰인다.
3) 중국 사람들이 가장 선호하는 번호로는 8이 많이 들어가는 번호인데, 이는 8(八 bā)의 발음이 发 fā와 유사하므로 '번영', '발달'의 뜻을 함축하고 있기 때문이다. 이 밖에 9(九 jiǔ)는 久 jiǔ(항구, 영원)의 뜻을 담고 있기 때문에, 그리고 6(六 liù)는 流 liú(물의 흐름처럼 순조롭다)의 뜻을 담고 있으므로 역시 매우 좋아하는 번호이다. 이 밖에 중국에서는 전화번호를 기입할 때 우리나라와 달리 국번과 번호 사이에 "-"(하이픈)을 사용하지 않는다는 것도 알아두면 좋을 듯하다.

- 미스 리 좀 바꿔 주시겠습니까?.

请李小姐接电话好吗?
qǐng lǐ xiǎo jiě jiē diàn huà hǎo ma

- 실례지만, 이 여사님 좀 부탁합니다.

麻烦你找李女士。[4)]
má fan nǐ zhǎo lǐ nǚ shì

- 김 사장님께 전화 좀 받으라고 해 주시겠습니까?

能让金总接一下电话吗?
néng ràng jīn zǒng jiē yí xià diàn huà ma

- 여기는 한국인데요, 최 선생님 좀 바꿔 주세요.

这里是韩国, 请转崔老师。
zhè li shì hán guó qǐng zhuǎn cuī lǎo shī

- 죄송하지만, 영업부의 미스 김 좀 바꿔 주세요.

打扰了, 我找营业部的金小姐。[5)]
dǎ rǎo le wǒ zhǎo yíng yè bù de jīn xiǎo jiě

▶ **전화를 돌려달라고 할 때** **请接转分机**
qǐng jiē zhuǎn fēn jī

- 301호 객실로 돌려주세요.

请转301号房间。
qǐng zhuǎn hào fáng jiān

- 프론트 부탁합니다.

请转前台。
qǐng zhuǎn qián tái

- 내선 번호 333번 부탁합니다.

我要分机号码333号。
wǒ yào fēn jī hào mǎ hào

- 관리과로 연결해 주시겠습니까?

请联系一下管理科好吗?
qǐng lián xì yí xià guǎn lǐ kē hǎo ma

- 죄송하지만 이 전화를 판매부로 돌려주십시오.

麻烦你, 把这个电话转到销售部。
má fan nǐ bǎ zhè ge diàn huà zhuǎn dào xiāo shòu bù

- 이 전화를 102번으로 돌려주십시오.

请把这电话转到102号。
qǐng bǎ zhè diàn huà zhuǎn dào hào

---

4) 麻烦你 máfannǐ 역시 일상생활에서 반드시 습관화되어야 할 표현으로, "귀찮게(번거롭게, 성가시게) 해서 죄송합니다" 라는 뜻이다.

5) 打扰了 dǎrǎole는 실례합니다의 뜻으로서 '방해를 해서 죄송하다'는 의미.

- 이 전화를 다시 교환실로 돌려주시겠습니까?
把这电话转回总机好吗?
bǎ zhè diàn huà zhuǎn huí zǒng jī hǎo ma

Ⅳ. 부적절한 시간에 전화를 걸었을 때 不适当的时候打电话
bú shì dāng de shí hou dǎ diàn huà

- 쉬시는데 방해가 되지 않았는지요?
我打扰你的休息时间了吧?
wǒ dǎ rǎo nǐ de xiū xi shí jiān le ba

- 휴일에 전화 드려서 죄송합니다.
休息日还给你打电话, 真抱歉。
xiū xi rì hái gěi nǐ dǎ diàn huà zhēn bào qiàn

- 휴식 시간을 방해해서 죄송합니다.
休息时间打扰您, 不好意思。
xiū xi shí jiān dǎ rǎo nín bù hǎo yì si

- 혹시 쉬시는데 방해된 건 아닌지요?
不知道是不是休息时间打扰您了?
bù zhī dào shì bu shì xiū xi shí jiān dǎ rǎo nín le

- 갑자기 전화를 드려 정말 실례했습니다.
突然打电话给你, 真是失礼了。
tū rán dǎ diàn huà gěi nǐ zhēn shì shī lǐ le

- 이렇게 불쑥 전화를 드려서 죄송합니다.
对不起, 这么冒昧地给你打这个电话。[6)]
duì bu qǐ zhè me mào mèi de gěi nǐ dǎ zhè ge diàn huà

▶ 너무 늦게 전화를 걸었을 때 打电话太晚的时候
dǎ diàn huà tài wǎn de shí hou

A: 这么晚还打电话给你, 真是很抱歉。
zhè me wǎn hái dǎ diàn huà gěi nǐ zhēn shì hěn bào qiàn
B: 没关系。
méi guān xi

A: 이렇게 밤늦게 전화를 드려 정말 죄송합니다.
B: 괜찮습니다.

- 수면을 방해한 건 아닌지요.
是不是打搅您睡觉了?
shì bu shì dǎ jiǎo nín shuì jiào le

6) 冒昧 màomèi: 외람되다, 당돌하다, 주제넘다.

- 정말 죄송합니다. 이렇게 늦은 시간에 귀찮게 해서요.
  真对不起, 这么晚打搅您。
  zhēn duì bu qǐ zhè me wǎn dǎ jiǎo nín

- 이렇게 늦은 시간에 연락을 드려 정말 죄송합니다.
  这么晚和您联系, 真的很对不起。
  zhè me wǎn hé nín lián xì zhēn de hěn duì bu qǐ

- 이렇게 늦게 전화를 드려 정말 죄송합니다.
  这么晚给您打电话, 真不好意思。
  zhè me wǎn gěi nín dǎ diàn huà zhēn bù hǎo yì si

- 제가 잠을 깨운 건 아닌지요?
  是不是我吵醒你了?
  shì bu shì wǒ chǎo xǐng nǐ le

▶ 너무 일찍 전화를 걸었을 때 打电话太早的时候
dǎ diàn huà tài zǎo de shí hou

A: 对不起, 这么早给你打电话, 因为有急事。
duì bu qǐ zhè me zǎo gěi nǐ dǎ diàn huà yīn wèi yǒu jí shì

B: 没关系, 是什么事?
méi guān xi shì shén me shì

A: 이렇게 일찍 전화 드려서 죄송합니다. 급한 일이 있어서요.

B: 괜찮아요. 무슨 일이에요?

- 이렇게 일찍 전화를 드려 죄송합니다. 류 선생님 일어나셨습니까?
  这么早打电话不好意思, 刘先生起来了吗?
  zhè me zǎo dǎ diàn huà bù hǎo yì si liú xiān sheng qǐ lái le ma

- 죄송합니다. 제가 너무 일찍 전화를 드린 것은 아닌지요?
  打搅了, 我的电话是不是打得太早了?
  dǎ jiǎo le wǒ de diàn huà shì bu shì dǎ de tài zǎo le

- 새벽부터 전화를 다하고 무슨 일이에요?
  这么早打电话, 有什么事吗?
  zhè me zǎo dǎ diàn huà yǒu shén me shì ma

- 아니에요. 벌써 일어났는걸요.
  没关系, 我早就起床了。
  méi guān xi wǒ zǎo jiù qǐ chuáng le

2 전화 받을 때 接电话 jiē diànhuà

"여보세요"라는 뜻의 중국말은 "喂 wèi"이며, 본래 성조가 4성이나 요즘은 2성으로 발음하는 경우가 많다. 2성으로 발음하는 것이 더 부드럽고 친밀감을 느끼게 하기 때문이다. 또한 많은 경우 "喂 wèi"라고 하지 않고 "喂, 你好 wéinǐhǎo!"라고 말하는데 훨씬 친절하고 상냥한 느낌을 준다.

기 본 대 화

A: 喂, 你好, 工商银行。
wèi nǐ hǎo gōng shāng yín háng

B: 你好, 我想和营业部的李庆喜通话。
nǐ hǎo wǒ xiǎng hé yíng yè bù de lǐ qìng xǐ tōng huà

A: 请问, 您是哪位?
qǐng wèn nín shì nǎ wèi

B: 我是从韩国来的, 叫金正植。
wǒ shì cóng hán guó lái de jiào jīn zhèng zhí

A: 请你等一会儿, 我让她接电话。
qǐng nǐ děng yí huìr wǒ ràng tā jiē diàn huà

B: 谢谢。
xiè xie

A: 안녕하세요? 공상은행입니다.
B: 안녕하세요? 영업부 리칭시 씨와 통화하고 싶습니다.
A: 실례지만 누구십니까?
B: 저는 한국에서 온 김정식이라고 합니다.
A: 잠시만 기다리세요. 바꿔 드리겠습니다.
B: 감사합니다.

여러 가지 활용

I. 받는 사람을 말할 때 **自报受话人** zì bào shòu huà rén

▶ **교환실에서 받을 때** **接线员接电话时** jiē xiàn yuán jiē diàn huà shí

- 안녕하세요? 국제무역센터입니다.
  你好! 这里是国际贸易中心。
  nǐ hǎo zhè li shì guó jì mào yì zhōng xīn

- 안녕하세요? 교환입니다. 무엇을 도와드릴까요?
  早上好! 这里是总台。有什么需要服务的吗?
  zǎo shang hǎo zhè li shì zǒng tái yǒu shén me xū yào fú wù de ma

- 안녕하세요? 국제전화국입니다. 몇 번으로 돌려 드릴까요?
  您好! 国际电话服务台, 您要转几号?
  nín hǎo guó jì diàn huà fú wù tái nín yào zhuǎn jǐ hào

- 안녕하세요? 경제연구소입니다. 내선번호를 눌러 주십시오. 번호를 모르실 때는 0번을 눌러 주십시오.
  你好! 这里是经济研究所, 请拨分机号码, 查号请拨 "0"。[1)]
  nǐ hǎo zhè li shì jīng jì yán jiū suǒ qǐng bō fēn jī hào mǎ chá hào qǐng bō

▶ **사무실에서 받을 때** **在办公室里接电话时**
zài bàn gōng shì li jiē diàn huà shí

- 안녕하세요. 리안나입니다.
  您好! 我是李安娜。
  nín hǎo wǒ shì lǐ ān nà

- 안녕하세요. 최 변호사 사무실입니다.
  你好! 崔律师办公室。
  nǐ hǎo cuī lǜ shī bàn gōng shì

- 안녕하세요? 영업부 추이란입니다.
  你好! 我是营业部的崔兰。
  nǐ hǎo wǒ shì yíng yè bù de cuī lán

- 안녕하세요? 수출부입니다.
  下午好! 这里是出口部。
  xià wǔ hǎo zhè li shì chū kǒu bù

Ⅱ. 상대방 및 용건을 물을 때 询问对方身份或事情
xún wèn duì fāng shēn fèn huò shì qing

A: 请问您是谁? 有什么事?
qǐng wèn nín shì shéi yǒu shén me shì

B: 我是平安保险公司的。我想咨询一下。
wǒ shì píng ān bǎo xiǎn gōng sī de wǒ xiǎng zī xún yí xià

A: 누구시죠? 무슨 일이십니까?

B: 평안보험회사인데, 좀 여쭤보려 합니다.

---

1) 일부 회사나 기관에서는 이와 같은 자동 안내 메시지를 사용하고 있다. 처음 들을 때는 무슨 소리인지 당황하기 쉬우므로 익혀두면 편리할 것이다.

- 누구십니까?
  请问你是哪位?
  qǐng wèn nǐ shì nǎ wèi

- 성함이 어떻게 되십니까?
  请问您贵姓?
  qǐng wèn nín guì xìng

- 누구 찾으십니까?/어느 분 찾으십니까?
  请问您找谁?/你找哪一位?
  qǐng wèn nín zhǎo shéi nǐ zhǎo nǎ yí wèi

- 누구 바꿔 드릴까요?
  请问让谁接电话?
  qǐng wèn ràng shéi jiē diàn huà

- 누구와 통화하시겠습니까?
  您要和谁通电话呢?
  nín yào hé shéi tōng diàn huà ne

- 무엇을 도와드릴까요?
  有什么需要帮忙的吗?
  yǒu shén me xū yào bāng máng de ma

- 무슨 일로 전화하셨습니까?
  打电话有什么事吗?
  dǎ diàn huà yǒu shén me shì ma

▶ **찾는 사람의 이름을 물어볼 때** **询问对方要找的人时**
xún wèn duì fāng yào zhǎo de rén shí

- 찾으시는 김 선생님의 이름이 무엇입니까?
  您要找的金先生叫什么名字?
  nín yào zhǎo de jīn xiān sheng jiào shén me míng zi

- 저희 회사에는 장셴 씨가 두 분인데요, 어느 부서 장셴 씨를 찾으십니까?
  我们公司有两位张贤, 您找的张贤是哪一个部门的?
  wǒ men gōng sī yǒu liǎng wèi zhāng xián nín zhǎo de zhāng xián shì nǎ yí ge bù mén de

- 김씨 성을 가진 사람이 여러 명 있습니다. 이름을 말씀해 주십시오.
  姓金的人有好几位, 请您告诉我他的名字。
  xìng jīn de rén yǒu hǎo jǐ wèi qǐng nín gào su wǒ tā de míng zi

- 여기에는 박씨 성을 가진 엔지니어가 두 사람입니다.
  我们这里有两位姓朴的工程师。
  wǒ men zhè li yǒu liǎng wèi xìng piáo de gōng chéng shī

Ⅲ. 전화를 바꿔줄 때 叫人接电话时
jiào rén jiē diàn huà shí

- 잠시만 기다리세요. 전화 바꿔 드릴게요.
  请稍等，我让他接电话。
  qǐng shāo děng wǒ ràng tā jiē diàn huà

- 잠시만 기다리세요. 그를 찾아보겠습니다.
  请等一下，我去找他。
  qǐng děng yí xià wǒ qù zhǎo tā

- 전화 끊지 마세요. 제가 불러오겠습니다.
  您先不要挂电话，我去叫他。
  nín xiān bú yào guà diàn huà wǒ qù jiào tā

- 지금 막 들어오는군요. 전화 바꿔 드리겠습니다.
  正好他回来了，我让他接电话。
  zhèng hǎo tā huí lái le wǒ ràng tā jiē diàn huà

- 기다려 보세요. 제가 가서 그녀가 있나 보겠습니다.
  等一等，我去看看她在不在。
  děng yi děng wǒ qù kàn kan tā zài bu zài

- 전화 끊지 마세요, 제가 나가서 찾아보겠습니다.
  不要挂电话，我到外面去找一找。
  bú yào guà diàn huà wǒ dào wài miàn qù zhǎo yi zhǎo

- 곧 회계사 한 분과 연결시켜 드리겠습니다.
  我马上和您联系一位会计。
  wǒ mǎ shàng hé nín lián xì yí wèi kuài jì

▶ 전화를 돌려줄 때 转电话时
zhuǎn diàn huà shí

- 잠시만 기다리세요. 돌려 드리겠습니다.
  稍微等一下，我帮你转过去。
  shāo wēi děng yí xià wǒ bāng nǐ zhuǎn guò qù

- 기다려 주세요. 판매부로 돌려 드리겠습니다.
  请您等一下，我帮您转到销售部。
  qǐng nín děng yí xià wǒ bāng nín zhuǎn dào xiāo shòu bù

- 전화를 그의 사무실로 돌려 드리겠습니다.
  我把电话转到他的办公室吧。
  wǒ bǎ diàn huà zhuǎn dào tā de bàn gōng shì ba

• 그는 판매부로 옮겼습니다. 전화를 그쪽으로 돌려 드리겠습니다.
他调到销售部了, 我帮您把电话转到那里吧。
tā diào dào xiāo shòu bù le wǒ bāng nín bǎ diàn huà zhuǎn dào nà li ba

▶ 전화를 받으라고 부를 때 叫受话人时
jiào shòu huà rén shí

• 당신 전화예요.
你的电话!
nǐ de diàn huà

• 장거리 전화예요. 전화 받으세요.
是长途电话, 快点儿接吧。
shì cháng tú diàn huà kuài diǎnr jiē ba

• 한국에서 걸려온 거예요. 빨리 전화 받으세요.
是从韩国打来的, 快点儿接电话吧!
shì cóng hán guó dǎ lái de kuài diǎnr jiē diàn huà ba

• 샤오칭, 전화 받아. 너의 엄마에게서 온 전화야.
小青, 接电话, 是你妈妈打来的。
xiǎo qīng jiē diàn huà shì nǐ mā ma dǎ lái de

• 이재원 씨, 한국의 김 선생님 전화입니다.
李在元, 是从韩国金老师那儿打来的。
lǐ zài yuán shì cóng hán guó jīn lǎo shī nàr dǎ lái de

• 미스 김, 11번 당신 전화예요.
金小姐, 11号有您的电话。
jīn xiǎo jiě hào yǒu nín de diàn huà

▶ 전화 받을 사람이 통화 중일 때 受话人在通话时
shòu huà rén zài tōng huà shí

• 그는 지금 통화 중입니다.
他正在通话中。
tā zhèng zài tōng huà zhōng

• 지금 다른 전화를 받고 있는데, 잠시만 기다려 주시겠습니까?
她正在接另一个电话, 您等一下好吗?
tā zhèng zài jiē lìng yí ge diàn huà nín děng yí xià hǎo ma

• 지금 다른 전화를 받고 있는데 곧 끝날 겁니다.
她正在接一个电话, 她应该快讲完了。
tā zhèng zài jiē yí ge diàn huà tā yīng gāi kuài jiǎng wán le

• 죄송하지만 아직도 통화 중인데 조금 더 기다려 주시겠습니까?
对不起, 他还在通话, 请你再等一下好吗?
duì bu qǐ tā hái zài tōng huà qǐng nǐ zài děng yí xià hǎo ma

• 통화가 길어질 것 같은데요. 잠시 후에 다시 걸어 주시겠습니까?
他通话的时间可能会比较长。要不要过一会儿再打?
tā tōng huà de shí jiān kě néng huì bǐ jiào cháng yào bu yào guò yí huìr zài dǎ

▶ 전화 받을 사람이 바쁠 때 受话人忙的时候
shòu huà rén máng de shí hou

• 미안합니다만, 그녀는 지금 손님과 함께 있는데요.
不好意思, 她正跟客人在一起。
bù hǎo yì si tā zhèng gēn kè rén zài yì qǐ

• 죄송하지만 지금 고객을 접대 중입니다.
对不起, 他在接待一个客户。
duì bu qǐ tā zài jiē dài yí ge kè hù

• 지금 너무 바빠서 전화 받을 시간이 없을 겁니다.
他现在很忙, 可能没有时间接电话。
tā xiàn zài hěn máng kě néng méi yǒu shí jiān jiē diàn huà

• 일이 너무 많아서 전화 받을 시간이 없는데, 다른 분 바꿔 드려도 되겠습니까?
他有很多工作要做, 所以没有时间接电话, 我找别人接电话好吗?
tā yǒu hěn duō gōng zuò yào zuò suǒ yǐ méi yǒu shí jiān jiē diàn huà wǒ zhǎo bié rén jiē diàn huà hǎo ma

• 지금 너무 바빠서 전화를 받을 틈이 없는데 다른 분 바꿔 드릴까요?
他现在很忙, 没空儿接电话, 我找另一个人接电话可以吗?
tā xiàn zài hěn máng méi kòngr jiē diàn huà wǒ zhǎo lìng yí ge rén jiē diàn huà kě yǐ ma

Ⅳ. 기다리던 전화가 왔을 때 来了正等候的电话时
lái le zhèng děng hòu de diàn huà shí

A: 您好! 张老师, 我是马志元。
nín hǎo zhāng lǎo shī wǒ shì mǎ zhì yuán

B: 啊! 小马, 我正想要给你打电话呢。
ā xiǎo mǎ wǒ zhèng xiǎng yào gěi nǐ dǎ diàn huà ne

A: 是吗? 太巧了。
shì ma tài qiǎo le

A: 안녕하세요? 장 선생님, 저 마즈위안입니다.
B: 아, 마 군. 지금 막 전화 걸려던 참이었는데.
A: 그렇습니까? 마침 잘 됐군요.

- 당신 전화를 기다리고 있던 중이에요.
  正在等你的电话呢。
  zhèng zài děng nǐ de diàn huà ne

- 내내 전화를 기다리고 있었어요.
  我一直在等你的电话。
  wǒ yì zhí zài děng nǐ de diàn huà

- 전화가 올 것 같은 예감이 들었어요.
  我预料到你会来电话的。
  wǒ yù liào dào nǐ huì lái diàn huà de

- 당신에게 전화 걸려던 참이었어요.
  我正要拨你的电话呢。
  wǒ zhèng yào bō nǐ de diàn huà ne

- 지금 당신 이야기를 하고 있던 중이에요.
  我们正在谈论你。
  wǒ men zhèng zài tán lùn nǐ

- 마침 맞게 전화해 줘서 고마워. 막 나가려던 참이었거든.
  谢谢你及时给我打电话, 我正要准备出去呢。
  xiè xie nǐ jí shí gěi wǒ dǎ diàn huà, wǒ zhèng yào zhǔn bèi chū qù ne

▶ 전화를 받고 반가움을 표할 때 接到电话表示高兴之意
jiē dào diàn huà biǎo shì gāo xìng zhī yì

- 목소리 들으니 정말 반갑네요.
  很高兴听到你的声音。
  hěn gāo xìng tīng dào nǐ de shēng yīn

- 오랫동안 목소리를 듣지 못했군요.
  好久没听到你的声音了。
  hǎo jiǔ méi tīng dào nǐ de shēng yīn le

- 이게 얼마만이야? 정말 반가워요.
  好久没有联系了, 接到你的电话真高兴。
  hǎo jiǔ méi yǒu lián xì le, jiē dào nǐ de diàn huà zhēn gāo xìng

- 당신과 연락이 되어 매우 기쁩니다.
  很高兴能联络到您。
  hěn gāo xìng néng lián luò dào nín

- 당신과 통화하게 되어 정말 기쁩니다.
  真高兴和你通话。
  zhēn gāo xìng hé nǐ tōng huà

Ⅴ. 장난 전화를 받았을 때 接到骚扰电话时
jiē dào sāo rǎo diàn huà shí

- 다시는 전화하지 마세요.
  别再打了。
  bié zài dǎ le

- 다시는 장난 전화 하지 마십시오.
  不要再打骚扰电话了。
  bú yào zài dǎ sāo rǎo diàn huà le

- 경고하는데, 또 걸면 경찰에 신고하겠어요.
  我警告你, 下次我会报警的。
  wǒ jǐng gào nǐ xià cì wǒ huì bào jǐng de

- 한 번만 더 전화하면 가만 놔두지 않겠어요.
  如果再有下一次, 我绝不会放过你。
  rú guǒ zài yǒu xià yí cì wǒ jué bú huì fàng guo nǐ

- 최근에 장난 전화가 자주 걸려 와요.
  最近常有骚扰电话打过来。
  zuì jìn cháng yǒu sāo rǎo diàn huà dǎ guò lái

- 어제 장난 전화를 받아 화가 나서 잠도 제대로 못잤어요.
  昨天接到骚扰电话, 给我气得连觉都没睡好。
  zuó tiān jiē dào sāo rǎo diàn huà gěi wǒ qì de lián jiào dōu méi shuì hǎo

Ⅵ. 다른 사람에게 전화 받으라고 할 때 让别人接电话时
ràng bié rén jiē diàn huà shí

A: 小张, 你可以帮我接一下电话吗?
xiǎo zhāng nǐ kě yǐ bāng wǒ jiē yí xià diàn huà ma

B: 可以呀, 有什么话要转告吗?
kě yǐ ya yǒu shén me huà yào zhuǎn gào ma

A: 是小郑的话, 就请你转告他, 我做完事就给他回电话。
shì xiǎo zhèng de huà jiù qǐng nǐ zhuǎn gào tā wǒ zuò wán shì jiù gěi tā huí diàn huà

B: 哦, 知道了。
ò zhī dào le

A: 샤오장, 전화 좀 받아 줄래요?

B: 그러죠. 뭐라고 전할까요?

A: 샤오정이면 내가 일 끝나고 전화하겠다고 전해 줘요.
B: 네, 알겠습니다.

▶ 전화를 받고 싶지 않을 때 不想接电话时
bù xiǎng jiē diàn huà shí

- 혹시 누가 저를 찾으면 없다고 말해 주세요.
  要是有人找我的话就说我不在。
  yào shì yǒu rén zhǎo wǒ de huà jiù shuō wǒ bú zài
- 샤오왕이 저 찾으면 지금 없다고 말해 주시겠어요?
  如果小王找我, 就说我不在, 好吗?
  rú guǒ xiǎo wáng zhǎo wǒ jiù shuō wǒ bú zài hǎo ma
- 왕 선생님이 아니면, 저를 바꿔주지 마세요.
  不是王老师的话, 就不要叫我接电话。
  bú shì wáng lǎo shī de huà jiù bú yào jiào wǒ jiē diàn huà
- 장 선생님 전화면 저 외출했다고 해 주세요.
  要是张老师来电话的话, 你就说我出去了。
  yào shì zhāng lǎo shī lái diàn huà de huà nǐ jiù shuō wǒ chū qù le
- 영업 시간이 끝난 뒤에는 전화 받지 마세요.
  营业时间结束以后就不要再接电话了。
  yíng yè shí jiān jié shù yǐ hòu jiù bú yào zài jiē diàn huà le

▶ 전화 받기 어려울 때 不方便接电话时
bù fāng biàn jiē diàn huà shí

- 저 대신 좀 받아 주시겠어요?
  可以替我接一下吗?
  kě yǐ tì wǒ jiē yí xià ma
- 전화 좀 받아 주세요. 제가 지금 벗어날 수가 없네요.
  你帮我接一下好吗? 我现在脱不开身。[2)]
  nǐ bāng wǒ jiē yí xià hǎo ma wǒ xiàn zài tuō bù kāi shēn
- 수고스럽지만 저 대신 전화 좀 받아 주세요.
  麻烦你, 帮我接一下电话, 好吗?
  má fan nǐ bāng wǒ jiē yí xià diàn huà hǎo ma
- 지금 다른 사람과 통화 중인데 대신 전화 좀 받아 주세요.
  我正在和别人通话, 请替我接一下电话吧。
  wǒ zhèng zài hé bié rén tōng huà qǐng tì wǒ jiē yí xià diàn huà ba

---

2) 脱不开身 tuō bù kāi shēn: 몸이 매여있어 빠져나올 수가 없다.

3 전화 끊을 때

挂电话
guàdiànhuà

전화를 끊을 때 중국 사람들은 대개 "那就这样。nà jiù zhèyàng"이라는 말로 마무리를 한다. 우리말의 "그럼 이만 끊겠습니다" 정도에 해당한다고 하겠다. 때로 상황에 따른 적절한 인사를 곁들이면 훨씬 부드러워지기도 하는데, 이를테면 연장자와 통화를 했을 경우는 "您多保重。nín duō bǎozhòng"(건강하십시오) 오랜만에 통화를 한 경우에는 "咱们经常联系吧。zánmen jīngcháng liánxì ba"(자주 연락합시다) 등의 표현을 쓰면 좋다. 전화를 끊을 때에는 일반적으로 걸은 사람이 먼저 끊는 것이 예의이나 윗사람과 통화했을 경우는 윗사람이 먼저 끊은 뒤에 끊도록 한다.

기 본 대 화

A: 你好! 我是李军。
nǐ hǎo wǒ shì lǐ jūn

B: 啊! 好久不见了。你还好吗?
ā hǎo jiǔ bú jiàn le nǐ hái hǎo ma

A: 我很好, 你今天什么时候有时间?
wǒ hěn hǎo nǐ jīn tiān shén me shí hou yǒu shí jiān

B: 中午之前都可以。
zhōng wǔ zhī qián dōu kě yǐ

A: 那好, 我11点去找你。
nà hǎo wǒ diǎn qù zhǎo nǐ

哦,对不起, 董事长在叫我, 我要挂电话了。
ǒ duì bu qǐ dǒng shì zhǎng zài jiào wǒ wǒ yào guà diàn huà le

B: 好的, 待会儿再联系。1)
hǎo de dāi huìr zài lián xì

A: 안녕하세요? 저 리쥔이에요.
B: 아, 오랜만이에요. 안녕하셨어요?
A: 네, 잘 있어요. 오늘 언제 시간 있으세요?
B: 점심 전에는 시간 있어요.
A: 좋아요. 제가 11시에 찾아뵐게요.
어, 죄송하지만 이사장님께서 절 부르세요. 전화를 끊어야겠어요.
B: 그래요. 나중에 다시 통화해요.

1) 待会儿 dāihuìr: 이따가. 잠시 후에. 待가 4성일 때는 '기다리다' '접대하다'의 뜻이며, 1성일 때는 '머물다' '체류하다'의 뜻이 된다.

여러 가지 활용

Ⅰ. 맺음 인사하기 电话结束语
diàn huà jié shù yǔ

A: 谢谢你的帮助。
xiè xie nǐ de bāng zhù

B: 不用谢, 你随时可以给我来电话。
bú yòng xiè nǐ suí shí kě yǐ gěi wǒ lái diàn huà

A: 도와주셔서 감사합니다.

B: 고맙기는요, 언제라도 전화 주십시오.

- 그럼 그렇게 하지요. 안녕히 계세요.
  那就这样吧。再见!
  nà jiù zhè yàng ba zài jiàn

- 그럼 끊을게요. 잘 자요!
  那我挂了。祝你晚安!
  nà wǒ guà le zhù nǐ wǎn ān

- 시간 있으면 자주 연락합시다.
  有时间多联系吧。
  yǒu shí jiān duō lián xì ba

- 일 있으면 전화로 연락합시다.
  有事打电话联系吧。
  yǒu shì dǎ diàn huà lián xì ba

- 다음에 또 연락 드리겠습니다.
  下次再跟你联系。
  xià cì zài gēn nǐ lián xì

- 전화 주셔서 감사합니다.
  谢谢你给我打电话。
  xiè xie nǐ gěi wǒ dǎ diàn huà

- 긴 시간 폐를 끼쳐 죄송합니다.
  打扰你这么长时间, 真不好意思。
  dǎ rǎo nǐ zhè me cháng shí jiān zhēn bù hǎo yì si

- 귀한 시간 내 주셔서 감사합니다.
  谢谢你给我这么宝贵的时间。
  xiè xie nǐ gěi wǒ zhè me bǎo guì de shí jiān

Ⅱ. 전화를 끊으려 할 때 要挂电话时
yào guà diàn huà shí

- 전화를 끊어야겠어요.
  我要挂电话了。
  wǒ yào guà diàn huà le

- 바쁜 것 같으니 그만 끊죠.
  看起来你很忙, 那就挂吧。
  kàn qǐ lái nǐ hěn máng nà jiù guà ba

- 통화를 너무 오래 해서 그만 해야겠네요.
  通话时间太长了, 就说到这里吧。
  tōng huà shí jiān tài cháng le jiù shuō dào zhè li ba

- 갑자기 일이 생겨서 전화를 끊어야겠어요.
  突然有点儿急事, 我要挂电话了。
  tū rán yǒu diǎnr jí shì wǒ yào guà diàn huà le

- 지금 사람들이 전화를 걸려고 기다리고 있어서 이만 끊어야 할 것 같습니다.
  现在有很多人等着打电话, 所以就说到这里吧。
  xiàn zài yǒu hěn duō rén děng zhe dǎ diàn huà suǒ yǐ jiù shuō dào zhè li ba

▶ 통화할 시간이 없을 때 没有时间通话时
méi yǒu shí jiān tōng huà shí

- 죄송합니다, 용건만 간단히 말씀해 주세요.
  不好意思, 请把事情简单地说明一下。
  bù hǎo yì si qǐng bǎ shì qing jiǎn dān de shuō míng yí xià

- 시간이 없으니 빨리 얘기해 주시죠.
  我时间紧, 你快点儿说好吗?
  wǒ shí jiān jǐn nǐ kuài diǎnr shuō hǎo mà

- 바쁘신 것 같으니 용건만 말씀드리겠습니다.
  看来你很忙, 我就说几句重点。
  kàn lái nǐ hěn máng wǒ jiù shuō jǐ jù zhòng diǎn

- 1분만 이야기하겠습니다
  我就说1分钟。
  wǒ jiù shuō fēn zhōng

- 5분만 시간을 좀 내 주십시오.
  请再给我5分钟的时间。
  qǐng zài gěi wǒ fēn zhōng de shí jiān

- 2, 3분이면 됩니다.
  2, 3分钟就够了。
  fēn zhōng jiù gòu le

- 카드 요금이 얼마 남지 않아 곧 끊어질 것 같습니다
  我的卡快要没钱了，电话可能要断了。
  wǒ de kǎ kuài yào méi qián le diàn huà kě néng yào duàn le

▶ 곧 다시 걸겠다고 말할 때 告诉对方自己一会儿再打电话时
gào su duì fāng zì jǐ yí huìr zài dǎ diàn huà shí

- 잠시 후에 다시 전화하겠습니다.
  过一会儿我再给你打电话吧。
  guò yí huìr wǒ zài gěi nǐ dǎ diàn huà ba

- 잠시 후에 다시 전화 드릴게요.
  呆一会儿我再给你电话。
  dāi yí huìr wǒ zài gěi nǐ diàn huà

- 잠시 후에 다시 전화 드려도 될까요?
  我等一会儿再给你回电话，好吗?
  wǒ děng yí huìr zài gěi nǐ huí diàn huà hǎo ma

- 먼저 제가 가서 알아본 뒤에 다시 전화 드리겠습니다.
  我先去查看一下，然后再给你打电话。
  wǒ xiān qù chá kàn yí xià rán hòu zài gěi nǐ dǎ diàn huà

- 잡음이 심하니 우선 끊으세요. 제가 다시 걸겠습니다.
  杂音很大，先挂了吧。我再给你打过去。
  zá yīn hěn dà xiān guà le ba wǒ zài gěi nǐ dǎ guò qù

- 전화선이 좀 이상하네요. 제가 다시 걸겠습니다.
  电话线好像出了问题。我再给你打过去。
  diàn huà xiàn hǎo xiàng chū le wèn tí wǒ zài gěi nǐ dǎ guò qù

- 통화 요금이 비싸니 제가 걸도록 하겠습니다.
  电话费很贵的，还是我给你打吧。
  diàn huà fèi hěn guì de hái shi wǒ gěi nǐ dǎ ba

▶ 다시 걸어달라고 할 때 叫对方再给自己打电话时
jiào duì fāng zài gěi zì jǐ dǎ diàn huà shí

- 소리가 잘 안 들리는데 다시 걸어 주시겠습니까?
  声音听不清楚，重新打过来好吗?
  shēng yīn tīng bu qīng chǔ chóng xīn dǎ guò lái hǎo ma

- 이 전화는 돌릴 수가 없으니 200번으로 다시 거십시오.
  这个电话转不了，你再拨一下200号码。
  zhè ge diàn huà zhuǎn bu liǎo nǐ zài bō yí xià hào mǎ

- 제가 지금 좀 바쁜데 나중에 다시 걸어 주시겠습니까?
  我现在很忙，你过一会儿再给我打电话好吗？
  wǒ xiàn zài hěn máng nǐ guò yí huìr zài gěi wǒ dǎ diàn huà hǎo ma

- 지금 자리에 없는데 10분 후에 다시 걸어 보세요.
  现在他不在，10分钟以后你再打过来吧。
  xiàn zài tā bú zài fēn zhōng yǐ hòu nǐ zài dǎ guò lái ba

▶ **전화를 끊지 말라고 할 때** **请求不要挂电话时**
qǐng qiú bú yào guà diàn huà shí

- 전화 끊지 마시고 잠시만 기다려 주십시오.
  请不要挂电话，稍等一会儿。
  qǐng bú yào guà diàn huà shāo děng yí huìr

- 먼저 끊지 마세요. 제 말 아직 안 끝났어요.
  你先别挂，我还没说完。
  nǐ xiān bié guà wǒ hái méi shuō wán

- 성급히 끊으려 하지 마세요. 제가 드릴 말씀이 있어요.
  你先别急着挂电话，我还有事跟你说。
  nǐ xiān bié jí zhe guà diàn huà wǒ hái yǒu shì gēn nǐ shuō

Ⅲ. 전화가 끊어졌을 때 电话挂断时
diàn huà guà duàn shí

- 전화가 끊어졌어요.
  电话挂断了。
  diàn huà guà duàn le

- 전화가 저절로 끊어졌어요.
  电话是自动掉线的。
  diàn huà shì zì dòng diào xiàn de

- 왜 갑자기 전화를 끊었지?
  怎么突然挂了？
  zěn me tū rán guà le

- 저쪽에서 전화를 끊어버렸어요.
  是对方先挂断电话的。
  shì duì fāng xiān guà duàn diàn huà de

- 뭐 이래, 인사도 없이 그냥 끊어버리네.
  怎么可以这样，连声再见都不说就挂了。
  zěn me kě yǐ zhè yàng lián shēng zài jiàn dōu bù shuō jiù guà le

- 카드 금액이 남지 않아 끊어졌어요.
  电话卡上没钱了，所以掉线了。
  diàn huà kǎ shang méi qián le suǒ yǐ diào xiàn le

4 잘못 걸린 전화

打错电话
dǎ cuò diànhuà

우리는 아직 잘못 걸려온 전화에 대해서 친절하지 않은 경우가 많다. "你打错了。nǐ dǎ cuò le"(잘못 걸었어요.) 하고는 퉁명스럽게 끊어버리거나, 다시 잘못 걸려오면 "不对呀! 真烦人。bú duì ya! zhēn fán rén"(아니라니까요! 성가시게.)하고 상대방의 말을 더 이상 듣지 않고 끊어버리는 경우가 많다. 그러나 조금만 인내심을 발휘하여 친절하게 응대해 주면 우리의 생활은 훨씬 따뜻해질 것이다. 아래에서 그러한 표현들을 살펴보기로 한다.

기 본 대 화

A: 你好! 请找一下朴正斌好吗?
nǐ hǎo qǐng zhǎo yí xià piáo zhèng bīn hǎo ma

B: 这里没有您要找的人。
zhè li méi yǒu nín yào zhǎo de rén

A: 是不是98765432?
shì bu shì

B: 不是, 您打错了。
bú shì nín dǎ cuò le

A: 抱歉, 麻烦您了。
bào qiàn má fan nín le

B: 没什么。
méi shén me

A: 안녕하세요, 파오정빈 씨 좀 바꿔 주시겠습니까?
B: 그런 사람 없는데요.
A: 9876-5432 아닙니까?
B: 아닙니다. 잘못 거셨습니다.
A: 죄송합니다. 실례했습니다.
B: 뭘요.

여러 가지 활용

Ⅰ. 전화가 잘못 걸려왔을 때 来错电话时
lái cuò diàn huà shí

A: 早上好! 这里是联合房地产公司。
zǎo shang hǎo zhè li shì lián hé fáng dì chǎn gōng sī

B: 你好! 请找王洋先生接电话。
nǐ hǎo qǐng zhǎo wáng yáng xiān sheng jiē diàn huà

A: 对不起，这儿没有您要找的人。你是不是拨错号码了？
duì bu qǐ zhèr méi yǒu nín yào zhǎo de rén nǐ shì bu shì bō cuò hào mǎ le

B: 他给我的就是这个号码。我得确认一下。打扰了。
tā gěi wǒ de jiù shì zhè ge hào mǎ wǒ děi què rèn yí xià dǎ rǎo le

---

A: 안녕하십니까? 연합부동산회사입니다.
B: 안녕하세요. 왕양 씨 좀 바꿔 주세요.
A: 죄송하지만 여긴 그런 분이 안 계십니다. 번호를 잘못 누르신 거 아닙니까?
B: 그가 알려준 번호인데요. 확인해 봐야겠군요. 실례했습니다.

전화번호가 틀렸을 때 电话号码错误时
diàn huà hào mǎ cuò wù shí

- 잘못 거신 것 아닙니까?
  是不是打错了？
  shì bu shì dǎ cuò le
- 실례지만 몇 번에 거셨습니까?
  请问您拨的号码是多少？
  qǐng wèn nín bō de hào mǎ shì duō shao
- 전화번호가 틀렸습니다.
  你拨错号码了。
  nǐ bō cuò hào mǎ le
- 번호가 틀린 것 같습니다.
  可能号码错了。
  kě néng hào mǎ cuò le

그런 사람이 없을 때 没有要找的人时
méi yǒu yào zhǎo de rén shí

- 저희 회사에는 그런 분은 안 계십니다.
  我们公司没有您要找的那位先生。
  wǒ men gōng sī méi yǒu nín yào zhǎo de nà wèi xiān sheng
- 여기 그런 이름 가진 사람 없습니다.
  这里没有叫这个名字的人。
  zhè li méi yǒu jiào zhè ge míng zi de rén

Ⅱ. 전화를 잘못 걸었을 때 打错电话时
dǎ cuò diàn huà shí

▶ 잘못 걸어 미안하다고 할 때 为拨错电话道歉时
wèi bō cuò diàn huà dào qiàn shí

- 미안합니다. 잘못 걸었습니다.
  对不起，我打错了。
  duì bu qǐ wǒ dǎ cuò le

- 번호를 잘못 눌렀습니다.
  我把号码拨错了。/拨错号码了。
  wǒ bǎ hào mǎ bō cuò le bō cuò hào mǎ le

- 네? 잘못 걸었다고요? 죄송합니다.
  啊？我打错了？对不起。
  á wǒ dǎ cuò le duì bu qǐ

- 전화번호가 바뀐 것 같군요. 미안합니다.
  好像电话号码改变了，不好意思。
  hǎo xiàng diàn huà hào mǎ gǎi biàn le bù hǎo yì si

▶ 번호를 확인해 볼 때 确认拨打的号码时
què rèn bō dǎ de hào mǎ shí

A: 你那里是不是张先生家？
nǐ nà li shì bu shì zhāng xiān sheng jiā

B: 号码是对了，可能您记错了吧。
hào mǎ shì duì le kě néng nín jì cuò le ba

A: 거기 장 선생님 댁 아닙니까?

B: 번호는 맞습니다만, 아마도 잘못 아신 것 같군요.

- 전화번호는 맞는데요.
  电话号码是对的。
  diàn huà hào mǎ shì duì de

- 9876-5432번을 걸었는데요. 거기 한국 유학생 없습니까?
  我打了98765432。那里没有韩国留学生吗？
  wǒ dǎ le nà li méi yǒu hán guó liú xué shēng ma

- 금방 전화 걸었던 사람인데 실례지만 이사 간 집 전화번호를 알 수 있습니까?
  麻烦您我是刚才打过电话的人，可以告诉我刚搬出去的那家的电话号码吗？
  má fan nín wǒ shì gāng cái dǎ guo diàn huà de rén kě yǐ gào su wǒ gāng bān chū qù de nà jiā de diàn huà hào mǎ ma

5 전화 메시지

电话留言
diànhuà liú yán

통화하려고 하는 사람이 부재중일 때, 전화를 건 사람은 그 목적에 따라 필요한 메시지를 부탁할 수 있을 것이다. 이 때에는 "你能不能帮我转告他 nǐ néng bu néng bāng wǒ zhuǎngào tā?"(메시지를 전해주실 수 있습니까?) 라고 물으면 된다. 메시지를 대신 전해 줄 사람은 "当然可以, 请您稍等。dāngrán kěyǐ, qǐng nín shāo děng"(그럼요. 잠시만요.) 라고 하면 된다.

기 본 대 화

A: 请问, 徐总在吗?
qǐng wèn xú zǒng zài ma

B: 对不起, 他现在外出了, 您有什么事吗?
duì bu qǐ tā xiàn zài wài chū le nín yǒu shén me shì ma

A: 是为了广告的事情, 他什么时候回来?
shì wèi le guǎng gào de shì qing tā shén me shí hou huí lái

B: 可能下午回来。有没有要转达的话?
kě néng xià wǔ huí lái yǒu méi yǒu yào zhuǎn dá de huà

A: 请你转告他, 出版社的兰萍找过他。
qǐng nǐ zhuǎn gào tā chū bǎn shè de lán píng zhǎo guo tā

B: 好的, 知道了。我一定会告诉他您来过电话了。
hǎo de zhī dào le wǒ yí dìng huì gào su tā nín lái guo diàn huà le

A: 서 사장님 계십니까?
B: 죄송하지만 지금 외출 중입니다. 무슨 일이십니까?
A: 광고 때문에 그러는데, 언제쯤 들어오세요?
B: 아마 오후에나 돌아오실 텐데요. 전할 말씀 있으세요?
A: 출판사의 란핑이 전화했었다고 전해 주십시오.
B: 네, 알겠습니다. 전화 왔었다고 꼭 전해 드리겠습니다.

여러 가지 활용

I. 부재중이라고 말할 때 告诉他人不在时
gào su tā rén bú zài shí

A: 他去哪儿了?
tā qù nǎr le

B: 他出去工作了, 具体地点我也不是很清楚。
tā chū qù gōng zuò le jù tǐ dì diǎn wǒ yě bú shì hěn qīng chu

A: 그 사람 어디 갔습니까?
B: 일하러 나갔는데 어딘지는 자세히 모르겠습니다.

- 지금 자리에 없습니다.
  他不在。
  tā bú zài

- 금방 자리에 있었는데.
  他刚刚还在。
  tā gāng gāng hái zài

- 일이 있어서 나갔습니다.
  他有事出去了。
  tā yǒu shì chū qù le

- 저런, 방금 나갔습니다.
  太不巧了，他刚刚出去。
  tài bù qiǎo le tā gāng gāng chū qù

- 방금 화장실에 가셨습니다.
  刚去了洗手间。
  gāng qù le xǐ shǒu jiān

- 외출하셨는데 아직 안 돌아오셨습니다.
  他外出还没有回来。
  tā wài chū hái méi yǒu huí lái

- 회의에 간다고 방금 사무실을 나갔습니다.
  他刚离开办公室开会去了。
  tā gāng lí kāi bàn gōng shì kāi huì qù le

- 점심 식사하러 방금 내려갔습니다.
  他刚刚下去吃午饭了。
  tā gāng gāng xià qù chī wǔ fàn le

- 자리에 안 계시는데요, 아마 다른 사무실에 계실 겁니다.
  他不在自己的位子，可能在别的办公室。
  tā bú zài zì jǐ de wèi zi kě néng zài bié de bàn gōng shì

▶ **출근 전, 퇴근 후일 때** **上班前/下班后**
shàng bān qián / xià bān hòu

- 아직 출근을 안 했습니다.
  他还没有上班。
  tā hái méi yǒu shàng bān

- 감기가 걸려서 출근을 안 했습니다.
  他感冒了，所以不来上班了。
  tā gǎn mào le suǒ yǐ bù lái shàng bān le

- Miss 김은 오늘 오후에 출근합니다.
  金小姐是今天下午上班。
  jīn xiǎo jiě shì jīn tiān xià wǔ shàng bān

- 이미 퇴근하셨는데요.
  他已经下班了。
  tā yǐ jīng xià bān le

- 1시간 전에 집으로 가셨습니다.
  他一个小时之前回家了。
  tā yí ge xiǎo shí zhī qián huí jiā le

Ⅱ. 돌아오는 시간을 물을 때 询问要找的人何时回来时
xún wèn yào zhǎo de rén hé shí huí lái shí

A: 他什么时候能回来?
tā shén me shí hou néng huí lái

B: 大概一个小时以后吧。
dà gài yí ge xiǎo shí yǐ hòu ba

A: 언제쯤 돌아오십니까?

B: 아마 한 시간 후에 돌아올 겁니다.

A: 什么时候打电话才能跟他通话?
shén me shí hou dǎ diàn huà cái néng gēn tā tōng huà

B: 不好说，每天回来没有定点。
bù hǎo shuō měi tiān huí lái méi yǒu dìng diǎn

A: 언제쯤 전화하면 그와 통화할 수 있을까요?

B: 글쎄요. 매일 들어오는 시간이 일정치가 않아요.

- 언제쯤 돌아온다고 했습니까?
  他有没有说什么时候回来?
  tā yǒu méi yǒu shuō shén me shí hou huí lái

- 몇 시쯤이면 있을까요?
  他几点钟会在呢?
  tā jǐ diǎn zhōng huì zài ne

- 출장에서 언제 돌아옵니까?
  他出差什么时候才能回来?
  tā chū chāi shén me shí hou cái néng huí lái

- 언제 회사로 옵니까?
  他什么时候来公司?
  tā shén me shí hou lái gōng sī

▶ **돌아올 시간을 알려줄 때** **告诉回来的时间**
gào su huí lái de shí jiān

- 금방 돌아올 겁니다.
  他快要回来了。
  tā kuài yào huí lái le

- 곧 돌아오실 겁니다.
  马上就会回来的。
  mǎ shàng jiù huì huí lái de

- 점심 전에는 돌아올 겁니다.
  中午之前他会回来的。
  zhōng wǔ zhī qián tā huì huí lái de

- 글쎄요, 매일 돌아오는 시간이 불규칙합니다.
  说不好, 他每天说不定什么时候回来。[1)]
  shuō bu hǎo tā měi tiān shuō bu dìng shén me shí hou huí lái

- 늦어도 내일이면 돌아오실 겁니다.
  最晚明天会回来的。
  zuì wǎn míng tiān huì huí lái de

- 저녁 10시경 이후에는 언제나 계십니다.
  晚上10点钟以后都在。
  wǎn shang diǎn zhōng yǐ hòu dōu zài

- 1시간 후면 통화가 될 겁니다. 그때 다시 걸어 주시겠습니까?
  一个小时后就可以通话了。到时你再打好吗?
  yí ge xiǎo shí hòu jiù kě yǐ tōng huà le dào shí nǐ zài dǎ hǎo ma

- 아마 다음 주에나 돌아올 겁니다.
  他可能下周才能回来。
  tā kě néng xià zhōu cái néng huí lái

- 오후 5시쯤 돌아올 예정입니다.
  下午5点左右他会回来的。
  xià wǔ diǎn zuǒ yòu tā huì huí lái de

---

1) '说不好 shuōbuhǎo'나 '说不定 shuōbudìng'은 단정지어 말할 수 없을 때 주로 쓴다.

- 방금 전화 왔었는데 조금 늦게 도착한다는군요.
  他刚来过电话，说是晚一点才能回来。
  tā gāng lái guo diàn huà shuō shì wǎn yì diǎn cái néng huí lái

- 보아하니 오늘은 회사로 돌아오지 않을 것 같습니다.
  看来他今天是不会回公司了。
  kàn lái tā jīn tiān shì bú huì huí gōng sī le

- 내일이면 출근할 겁니다.
  他明天会上班的。
  tā míng tiān huì shàng bān de

돌아왔는지를 물을 때 询问是否已回来
xún wèn shì fǒu yǐ huí lái

A: 你好，张老师回来了吗?
nǐ hǎo zhāng lǎo shī huí lái le ma

B: 张老师还没回来。
zhāng lǎo shī hái méi huí lái

A: 是吗? 那等他回来后麻烦您转告他。我这里是中国银行，他委托的事已经都办好了。
shì ma nà děng tā huí lái hòu má fan nín zhuǎn gào tā wǒ zhè li shì zhōng guó yín háng tā wěi tuō de shì yǐ jīng dōu bàn hǎo le

B: 知道了。他回来的话我一定转告他的。
zhī dào le tā huí lái de huà wǒ yí dìng zhuǎn gào tā de

A: 여보세요. 장 선생님 돌아오셨습니까?
B: 장 선생님은 아직 안 돌아오셨는데요.
A: 그렇습니까? 그럼 돌아오시면 말씀 좀 전해 주시겠습니까? 여기는 중국은행인데 부탁하신 건 잘 처리하였다고 전해 주십시오.
B: 알겠습니다. 돌아오시면 꼭 전해 드리겠습니다.

- 돌아오긴 하셨는데, 일이 있는지 다시 나가셨어요.
  是回来了，可好像有点事又出去了。
  shì huí lái le kě hǎo xiàng yǒu diǎn shì yòu chū qù le

- 아직 안 돌아왔습니까?
  他还没有回来吗?
  tā hái méi yǒu huí lái ma

- 연락도 없고 아직 돌아오지도 않았습니다.
  没有跟我联系，也没有回来。
  méi yǒu gēn wǒ lián xì yě méi yǒu huí lái

Ⅲ. 메시지를 남길 때 留口信
liú kǒu xìn

▶ 메시지를 남길 수 있나 물어볼 때 问对方能否转告
wèn duì fāng néng fǒu zhuǎn gào

- 메시지를 전해 주시겠습니까?
  您可以帮我留言吗?
  nín kě yǐ bāng wǒ liú yán ma
- 메시지를 남길 수 있을까요?
  可以留口信吗?
  kě yǐ liú kǒu xìn ma
- 말씀 좀 전해 주시겠습니까?
  请你转告他几句话, 可以吗?
  qǐng nǐ zhuǎn gào tā jǐ jù huà kě yǐ ma
- 전화 왔었다고 전해 주십시오.
  请转告他, 我来过电话。
  qǐng zhuǎn gào tā wǒ lái guo diàn huà
- 선생님에게 메시지를 남기고 싶습니다.
  我要给老师留言。
  wǒ yào gěi lǎo shī liú yán
- 미안하지만 제 말씀 좀 적어 주시겠습니까?
  麻烦你把我说的话记录一下好吗?
  má fan nǐ bǎ wǒ shuō de huà jì lù yí xià hǎo ma
- 그냥 잘 지내나 궁금해서 전화했다고 전해 주세요.
  请你转告他一下, 我只是想知道他过得好不好。
  qǐng nǐ zhuǎn gào tā yí xià wǒ zhǐ shì xiǎng zhī dào tā guò de hǎo bu hǎo

▶ 나중에 다시 걸겠다고 할 때 请转告再次打电话时
qǐng zhuǎn gào zài cì dǎ diàn huà shí

- 잠시 후에 다시 걸겠다고 전해 주세요.
  转告他过一会儿我再给他打电话。
  zhuǎn gào tā guò yí huìr wǒ zài gěi tā dǎ diàn huà
- 반시간 후에 다시 전화하겠다고 전해 주십시오.
  请转告他我半个小时后会再给他打电话。
  qǐng zhuǎn gào tā wǒ bàn ge xiǎo shí hòu huì zài gěi tā dǎ diàn huà
- 오늘 저녁 8시에 다시 전화 걸겠습니다.
  今天晚上8点我会再给他打电话。
  jīn tiān wǎn shang diǎn wǒ huì zài gěi tā dǎ diàn huà

• 그가 돌아오면 자리를 뜨지 말라고 전해 주십시오.
他回来以后,请你转告他不要离开。
tā huí lái yǐ hòu qǐng nǐ zhuǎn gào tā bú yào lí kāi

▶ **전화 걸어달라고 말할 때** **请转告要找的人回电话**
qǐng zhuǎn gào yào zhǎo de rén huí diàn huà

• 돌아오면 전화 좀 해 달라고 전해 주십시오.
转告他回来就给我回电话。
zhuǎn gào tā huí lái jiù gěi wǒ huí diàn huà

• 제가 꼭 통화 좀 하고 싶다고 전해 주세요.
转告他一下我很想跟他通话。
zhuǎn gào tā yí xià wǒ hěn xiǎng gēn tā tōng huà

• 돌아오면 건설은행으로 전화하라고 전해 주세요.
回来的话就请你告诉他让他打到建设银行。
huí lái de huà jiù qǐng nǐ gào su tā ràng tā dǎ dào jiàn shè yín háng

• 늦어도 상관없으니까 꼭 좀 전화해 달라고 전해 주세요.
请你转告他晚一点也没关系,可一定要给我回电话。
qǐng nǐ zhuǎn gào tā wǎn yì diǎn yě méi guān xi kě yí dìng yào gěi wǒ huí diàn huà

• 꼭 통화하고 싶다고 좀 전해 주세요.
我很想跟他联系,请你转告他。
wǒ hěn xiǎng gēn tā lián xì qǐng nǐ zhuǎn gào tā

• 제 전화번호 좀 적어 주시겠습니까?
可以记一下我的电话号码吗?
kě yǐ jì yí xià wǒ de diàn huà hào mǎ ma

▶ **전할 말이 있나 물어볼 때** **问是否需要转告**
wèn shì fǒu xū yào zhuǎn gào

• 전할 말씀 있으십니까?
你需要转告他吗?
nǐ xū yào zhuǎn gào tā ma

• 제가 뭐라 전해 드릴까요?
我怎么转告他?
wǒ zěn me zhuǎn gào tā

• 무슨 일이라고 전해 드릴까요?
有什么事要转告吗?
yǒu shén me shì yào zhuǎn gào ma

- 전화 왔었다고 전해 드릴까요?
需要跟他说您来过电话吗?
xū yào gēn tā shuō nín lái guo diàn huà ma

- 기다리시겠습니까? 아니면 메시지를 남기시겠습니까?
您要等他呢? 还是要留言?
nín yào děng tā ne hái shi yào liú yán

- 전화번호를 남기시겠습니까?
您要留一下您的号码吗?
nín yào liú yí xià nín de hào mǎ ma

메시지를 전해 주겠다고 말할 때 **答应转告时**
dā yìng zhuǎn gào shí

- 그에게 말씀 전해 드리겠습니다.
我会将您的话转告他的。
wǒ huì jiāng nín de huà zhuǎn gào tā de

- 그가 돌아오면 바로 전화 드리라고 하겠습니다.
他回来就叫他马上给您回电话吧。
tā huí lái jiù jiào tā mǎ shàng gěi nín huí diàn huà ba

- 그가 돌아오면 선생님께서 전화하셨다고 전해 드리겠습니다.
他一回来我就告诉他, 老师来过电话了。
tā yì huí lái wǒ jiù gào su tā lǎo shī lái guo diàn huà le

메시지를 남기지 않을 때 **不需留言时**
bù xū liú yán shí

- 잘 알겠습니다. 나중에 다시 걸겠습니다.
好的, 以后我再给他打电话吧。
hǎo de yǐ hòu wǒ zài gěi tā dǎ diàn huà ba

- 괜찮습니다. 제가 다시 걸겠습니다.
不用了, 我会再给他打电话的。
bú yòng le wǒ huì zài gěi tā dǎ diàn huà de

- 아닙니다. 며칠 후에 제가 다시 걸겠습니다.
没事儿, 过几天我再打电话吧。
méi shìr guò jǐ tiān wǒ zài dǎ diàn huà ba

- 알겠습니다. 1시간 후에 다시 걸겠습니다.
好的, 一个小时后我再给他打电话吧。
hǎo de yí ge xiǎo shí hòu wǒ zài gěi tā dǎ diàn huà ba

Ⅳ. 연락 방법을 물을 때 问联系方法时
wèn lián xì fāng fǎ shí

A: 我该怎么联系他呢?
wǒ gāi zěn me lián xì tā ne
B: 有急事就打他的手机吧。
yǒu jí shì jiù dǎ tā de shǒu jī ba

A: 제가 어떻게 연락을 취할 수 있습니까?
B: 급한 일이시면 핸드폰으로 거십시오.

- 괜찮으시다면 연락할 방법을 알려 주시겠습니까?
  方便的话, 请告诉我他的联系方式好吗?
  fāng biàn de huà qǐng gào su wǒ tā de lián xì fāng shì hǎo ma

- 지금 그가 어디 있는지 아십니까?
  你知道他现在在哪儿吗?
  nǐ zhī dào tā xiàn zài zài nǎr ma

- 그의 전화번호를 좀 알려 주십시오.
  请你告诉我他的电话号码。
  qǐng nǐ gào su wǒ tā de diàn huà hào mǎ

- 그에게 휴대폰이 있습니까? 번호가 몇 번이죠?
  他有手机吗? 号码是多少?
  tā yǒu shǒu jī ma hào mǎ shì duō shao

- 7326-5498로 전화하시면 그와 통화할 수 있습니다.
  您拨73265498就可以跟他通话了。
  nín bō jiù kě yǐ gēn tā tōng huà le

Ⅴ. 자리를 비울 때 要出去时
yào chū qù shí

A: 我不在时, 如果有我的电话, 麻烦你帮我留个条。
wǒ bú zài shí rú guǒ yǒu wǒ de diàn huà má fan nǐ bāng wǒ liú ge tiáo
B: 你大概什么时候回来?
nǐ dà gài shén me shí hou huí lái
A: 有我电话的话, 请你转告他, 我一个小时后会回来的。
yǒu wǒ diàn huà de huà qǐng nǐ zhuǎn gào tā wǒ yí ge xiǎo shí hòu huì huí lái de

A: 제가 없는 동안 전화가 오면 메모 좀 부탁해요.
B: 언제쯤 돌아올 건데요?
A: 누가 전화하면 1시간 후쯤 돌아올 거라고 말해 주세요.

외출할 경우 옆 사람에게 부탁할 때 因外出拜托别人
yīn wài chū bài tuō bié rén

- 한참을 기다려도 전화가 오지 않아서 그냥 나갔다고 전해 주세요.
  请你转告他，我等了好长时间都没来电话，所以就出去了。
  qǐng nǐ zhuǎn gào tā wǒ děng le hǎo cháng shí jiān dōu méi lái diàn huà suǒ yǐ jiù chū qù le

- 김미영 씨한테서 전화 오거든 내가 연락하겠다고 전해 주세요.
  要是金美英小姐来电话的话，请你转告她我会跟她联系的。
  yào shì jīn měi yīng xiǎo jiě lái diàn huà de huà qǐng nǐ zhuǎn gào tā wǒ huì gēn tā lián xì de

- 장 선생님한테서 전화 오면 7시 이후에 집으로 다시 전화해 달라고 전해 주세요.
  要是张老师来电话的话，请你转告他7点以后给我家打电话。
  yào shì zhāng lǎo shī lái diàn huà de huà qǐng nǐ zhuǎn gào tā diǎn yǐ hòu gěi wǒ jiā dǎ diàn huà

- 내일 아침 다시 걸어달라고 좀 해 주세요.
  请你转告他，明天早上再给我打电话。
  qǐng nǐ zhuǎn gào tā míng tiān zǎo shang zài gěi wǒ dǎ diàn huà

- 금방 돌아온다고 해 주세요.
  请你告诉他，我会马上回来的。
  qǐng nǐ gào su tā wǒ huì mǎ shàng huí lái de

- 장 선생님에게서 전화 오거든 반드시 전화번호 좀 적어놓아 주세요.
  张老师来电话的话，请你一定要记下他的电话号码。
  zhāng lǎo shī lái diàn huà de huà qǐng nǐ yí dìng yào jì xià tā de diàn huà hào mǎ

- 저를 찾는 전화가 오면 영업부로 좀 돌려주세요.
  要是有我电话的话，就请你把电话转到营业部。
  yào shì yǒu wǒ diàn huà de huà jiù qǐng nǐ bǎ diàn huà zhuǎn dào yíng yè bù

▶ **외출에서 돌아와 물어볼 때** **外出回来时询问是否有来电**
wài chū huí lái shí xún wèn shì fǒu yǒu lái diàn

- 나한테 전화 온 것 있어요?
有我的电话吗?
yǒu wǒ de diàn huà ma

- 김미영 씨에게서 전화 왔었습니까?
金美英小姐来过电话吗?
jīn měi yīng xiǎo jiě lái guo diàn huà ma

- 저 찾는 전화 없었습니까?
有没有找我的电话?
yǒu méi yǒu zhǎo wǒ de diàn huà

- 장 선생님이 무슨 일로 전화했던가요?
张老师是为了什么事来电话的?
zhāng lǎo shī shì wèi le shén me shì lái diàn huà de

- 김미영 씨가 무슨 말을 했나요?
金美英小姐说什么了吗?
jīn měi yīng xiǎo jiě shuō shén me le ma

- 언제 다시 저에게 걸겠다고 말하던가요?
有没有说什么时候再给我打?
yǒu méi yǒu shuō shén me shí hou zài gěi wǒ dǎ

- 그분 전화번호 적어 놓았습니까?
有没有记他的电话号码?
yǒu méi yǒu jì tā de diàn huà hào mǎ

- 중국은행에서 전화 온 것 없습니까?
有没有中国银行来的电话?
yǒu méi yǒu zhōng guó yín háng lái de diàn huà

- 그분이 무슨 일로 전화했는지 아십니까?
知道他为了什么事给我打电话吗?
zhī dào tā wèi le shén me shì gěi wǒ dǎ diàn huà ma

Ⅵ. 자동응답기를 사용할 때 使用自动留言机
shǐ yòng zì dòng liú yán jī

A: 您好! 我是尹哲洙。本人现外出一会儿, 中午回来。请在听到信号声以后留下您的姓名和口信。我回来后即会回电。谢谢。
nín hǎo wǒ shì yǐn zhé zhū běn rén xiàn wài chū yí huìr zhōng wǔ huí lái qǐng zài tīng dào xìn hào shēng yǐ hòu liú xià nín de xìng míng hé kǒu xìn wǒ huí lái hòu jí huì huí diàn xiè xie

B: 您好, 尹律师。我打了好多次电话给您, 您都不在。不好意思您能给我回电话吗? 我的电话号码是52691748, 我等您的电话。再见。
nín hǎo yǐn lǜ shī wǒ dǎ le hǎo duō cì diàn huà gěi nín nín dōu bú zài bù hǎo yì si nín néng gěi wǒ huí diàn huà ma wǒ de diàn huà hào mǎ shì wǒ děng nín de diàn huà zài jiàn

---

A: 안녕하세요. 윤철수입니다. 잠시 외출하였다가 점심 때 돌아올 예정입니다. 신호음을 들으신 후에 성함과 메시지를 남겨 주십시오. 돌아와 바로 전화 드리겠습니다. 감사합니다.

B: 안녕하십니까? 윤 변호사님, 몇 번 전화를 드렸는데 계속 부재중이시네요. 죄송하지만 저에게 전화 좀 해 주시겠습니까? 저의 전화번호는 5269-1748입니다. 그럼 전화 기다리겠습니다. 안녕히 계십시오.

▶ 자동응답기에 메시지 남길 때 自动留言
zì dòng liú yán

- 진하이옌입니다. 제게 전화 좀 해 주시겠습니까?
  我是金海燕, 请你给我回电话好吗?
  wǒ shì jīn hǎi yàn qǐng nǐ gěi wǒ huí diàn huà hǎo ma

- 두 번째 전화 드리는 거예요. 전화 기다리고 있을게요.
  这是我的第二次电话, 我在等你的电话。
  zhè shì wǒ de dì èr cì diàn huà wǒ zài děng nǐ de diàn huà

- 장 선생님, 저 김미영입니다. 댁에 안 계신 것 같으니 내일 다시 전화 드리겠습니다. 안녕히 계세요.
  张老师, 我是金美英。看你不在家, 我明天再给您打电话吧。再见。
  zhāng lǎo shī wǒ shì jīn měi yīng kàn nǐ bú zài jiā wǒ míng tiān zài gěi nín dǎ diàn huà ba zài jiàn

▶ 기타 其他
qí tā

- 받지 마세요. 자동으로 녹음될 거예요.
  不必接了, 电话会自动留言的。
  bú bì jiē le diàn huà huì zì dòng liú yán de

- 거기 너 있는 것 다 알아. 빨리 전화 받아.
  我知道你在, 快点接电话。
  wǒ zhī dào nǐ zài kuài diǎn jiē diàn huà

6 공중전화 · 휴대폰

公用电话/手机
gōngyòngdiànhuà shǒu jī

중국에서 공중전화를 公用电话 gōngyòng diànhuà라고 한다. 얼마 전까지만 해도 거리나 공공장소에 설치된 카드공중전화 외에도 일반 상점들 앞에서 돈을 내고 사용하는 개인용 공용전화도 아주 많았다. 그러나 이제 휴대폰이 많이 보급됨에 따라 이들 공중전화도 점차 줄어들고 있는 실정이다. 휴대폰이 처음 나왔을 당시에는 휴대폰을 '大哥大 dàgēdà'라고 많이 일컬었으나 지금은 '手机 shǒujī'라 한다. '大哥大 dàgēdà'라는 명칭은 홍콩 영화배우 홍금보(洪金宝 hóngjīnbǎo)가 영화 속에서 휴대폰을 많이 들고 나와 붙여진 이름인데 지금은 거의 사용되지 않고, 다만 구형 핸드폰을 일컬을 때나 쓰인다.

기 본 대 화

A: 喂, 你好!
wèi nǐ hǎo

B: 终于找到你了。你的手机怎么总是打不通呀。
zhōng yú zhǎo dào nǐ le nǐ de shǒu jī zěn me zǒng shì dǎ bu tōng ya

A: 不好意思, 我刚才在乘地铁, 里面没有信号。[1)]
bù hǎo yì si wǒ gāng cái zài chéng dì tiě lǐ miàn méi yǒu xìn hào

B: 那我给你发的信息, 你收到了吗?
nà wǒ gěi nǐ fā de xìn xī nǐ shōu dào le ma

A: 刚刚收到。
gāng gāng shōu dào

B: 对不起, 我的手机就要没电了, 我们过一会儿再联系吧。
duì bu qǐ wǒ de shǒu jī jiù yào méi diàn le wǒ men guò yí huìr zài lián xì ba

A: 好, 我等你的电话。
hǎo wǒ děng nǐ de diàn huà

A: 여보세요.
B: 이제야 겨우 걸렸군. 네 휴대폰은 왜 늘 걸리지가 않니?
A: 미안, 조금 전 지하철을 타고 있었는데, 신호가 울리지 않았어.
B: 그럼 내가 보낸 문자 메시지는 받았니?
A: 방금 받았어.
B: 미안한데, 지금 내 핸드폰의 배터리가 거의 없거든. 조금 뒤에 다시 연락하자.
A: 그래. 네 전화 기다릴게.

---

1) 信号 xìnhào: 신호전파, 휴대폰이 '잘 터진다'는 '信号好', '잘 안 터진다'는 '信号不好'라고 하며, 휴대폰이 아예 터지지 않을 때는 '没有信号'라고 한다.

여러 가지 활용

Ⅰ. 공중전화 公用电话
gōng yòng diàn huà

A: 请问这附近有公用电话吗?
qǐng wèn zhè fù jìn yǒu gōng yòng diàn huà ma

B: 路对面商店就有。
lù duì miàn shāng diàn jiù yǒu

A: 실례지만 이 근처에 공중전화가 있습니까?

B: 길 건너 상점에 있습니다.

- 지금 공중전화 부스에서 거는 거예요.
  我正在公用电话亭里给你打电话。
  wǒ zhèng zài gōng yòng diàn huà tíng li gěi nǐ dǎ diàn huà

- 지금 밖에서 걸고 있어요.
  我在外面给你打电话。
  wǒ zài wài miàn gěi nǐ dǎ diàn huà

▶ **장거리 전화를 할 때** **想打长途电话**
xiǎng dǎ cháng tú diàn huà

A: 这个电话可以打国际长途吗?
zhè ge diàn huà kě yǐ dǎ guó jì cháng tú ma

B: 你要打哪里?
nǐ yào dǎ nǎ li

A: 打到韩国。
dǎ dào hán guó

B: 可以打。但要先付款。
kě yǐ dǎ dàn yào xiān fù kuǎn

A: 이 전화로 국제 전화를 걸 수 있습니까?

B: 어디로 거실 겁니까?

A: 한국으로 걸려고 하는데요.

B: 걸 수 있습니다. 먼저 선불을 내셔야 해요.

- 장거리 전화를 할 수 있습니까?
  可以打长途吗?
  kě yǐ dǎ cháng tú ma

- 미안하지만 이 전화는 장거리 전화를 할 수 없습니다.
  不好意思，这个电话打不了长途。
  bù hǎo yì si zhè ge diàn huà dǎ bu liǎo cháng tú

- 죄송하지만 국제 전화는 쓸 수 없습니다.
  对不起，打不了国际长途。
  duì bu qǐ dǎ bu liǎo guó jì cháng tú

- 어디로 거실 거죠?
  你要打哪里?
  nǐ yào dǎ nǎ li

- 베이징으로 걸려고 합니다.
  我往北京打电话。
  wǒ wǎng běi jīng dǎ diàn huà

- 서울로 걸려면 어떻게 해야 하죠?
  给首尔的电话该怎么打?
  gěi shǒu'ěr de diàn huà gāi zěn me dǎ

- 중국 국가번호가 몇 번입니까?
  中国国家代码是多少?
  zhōng guó guó jiā dài mǎ shì duō shao

- 베이징 지역번호가 몇 번인지 아십니까?
  你知道北京区号是几号?
  nǐ zhī dào běi jīng qū hào shì jǐ hào

전화카드를 살 때 买电话卡时
mǎi diàn huà kǎ shí

- 여기서 전화카드를 파나요?
  这里卖电话卡吗?
  zhè li mài diàn huà kǎ ma

- 얼마짜리 카드가 있습니까?
  都有多少钱的卡?
  dōu yǒu duō shao qián de kǎ

- 국제전화를 걸 수 있는 카드 있습니까?
  有没有打国际长途的电话卡?
  yǒu méi yǒu dǎ guó jì cháng tú de diàn huà kǎ

- 몇 퍼센트 할인해 줍니까?
  打几折优惠?
  dǎ jǐ zhé yōu huì

▶ **전화 걸려고 기다릴 때 等候打电话**
děng hòu dǎ diàn huà

- 실례지만 얼마나 더 기다려야 합니까?
  不好意思还要等多久?
  bù hǎo yì si hái yào děng duō jiǔ

- 통화가 너무 긴 것 아닙니까?
  是不是通话时间太长了?
  shì bu shì tōng huà shí jiān tài cháng le

- 1분이면 되는데, 먼저 걸면 안 될까요?
  一分钟就可以了。可不可以让我先打?
  yì fēn zhōng jiù kě yǐ le kě bù kě yǐ ràng wǒ xiān dǎ

- 전화 좀 빨리 끝내 주시겠습니까?
  能不能快点打完电话?
  néng bu néng kuài diǎn dǎ wán diàn huà

- 너무 오래 쓰시는 것 아닙니까?
  你是不是打电话打得太久了?
  nǐ shì bu shì dǎ diàn huà dǎ de tài jiǔ le

Ⅱ. 휴대폰 手机
shǒu jī

- 제가 주로 밖에 나와 있으니 핸드폰으로 걸어 주세요.
  我经常在外面, 所以还是打我的手机吧。
  wǒ jīng cháng zài wài miàn suǒ yǐ hái shi dǎ wǒ de shǒu jī ba

- 그가 휴대폰 가지고 나갔습니까?
  他拿手机了吗?
  tā ná shǒu jī le ma

- 휴대폰 전화번호를 알려 주시겠습니까?
  可以告诉我手机号码吗?
  kě yǐ gào su wǒ shǒu jī hào mǎ ma

- 지금 배터리가 얼마 남지 않았어요.
  现在电池快用完了。[2)]
  xiàn zài diàn chí kuài yòng wán le

- 여기는 휴대폰이 잘 안 걸리는군요.
  这里手机有点打不通。
  zhè li shǒu jī yǒu diǎn dǎ bu tōng

---

2) 快 ~ 了: 곧(머지않아) ~ 하려 하다.

- 여기에서는 휴대폰이 잘 안 터집니다.
  这里信号不好。
  zhè li xìn hào bù hǎo

- 이곳은 휴대폰 사용이 금지되어 있습니다.
  这个地方禁止使用手机。
  zhè ge dì fang jìn zhǐ shǐ yòng shǒu jī

- 휴대폰을 모두 꺼 주십시오.
  请把手机都关掉。
  qǐng bǎ shǒu jī dōu guān diào

- 휴대폰을 진동으로 해놔야지.
  我把手机调成振动。
  wǒ bǎ shǒu jī tiáo chéng zhèn dòng

Ⅲ. 호출기　BP机[3)]
jī

A: 喂, 你好! 是谁传BP机的?
wèi nǐ hǎo shì shéi chuán jī de

B: 没有人传BP机。
méi yǒu rén chuán jī

A: 여보세요, 삐삐 치신 분이 누구신가요?

B: 삐삐 친 사람 없는데요.

- 저에게 BP를 치세요.
  传我的呼机。
  chuán wǒ de hū jī

- 삐삐를 쳤는데도 연락이 오질 않네요.
  我已经传BP机了, 可还是没有消息。
  wǒ yǐ jīng chuán jī le kě hái shi méi yǒu xiāo xi

- 무슨 일 있으면 저에게 삐삐를 치세요.
  有什么事情就传我的扩机。
  yǒu shén me shì qing jiù chuán wǒ de kuò jī

- 제가 삐삐를 집에 두고 와서 바로 연락을 드리지 못했습니다.
  我把呼机放在家里了, 所以没有即时跟你联系。
  wǒ bǎ hū jī fàng zài jiā li le suǒ yǐ méi yǒu jí shí gēn nǐ lián xì

3) 呼机 hūjī 또는 扩机 kuòjī라고도 한다(扩는 영어 call의 음역). 휴대폰에 밀려 이제는 중국에서도 사용자가 거의 없는 실정이다.

7 기타 통화 내용

其他通话内容
qí tā tōnghuà nèi róng

전화상의 대화는 목소리만으로 이루어지기 때문에 마주 보고 대화할 때보다 전달 효과가 떨어진다. 만일 통화 중에 잘못 알아듣는 경우가 있으면 "对不起, 刚才我没听清楚。请您再说一遍好吗? duìbuqǐ, gāngcái wǒ méi tīng qīngchu。qǐng nín zài shuō yíbiàn hǎo ma"(죄송합니다. 방금 잘 못 알아들었는데 다시 한 번 말씀해 주시겠습니까?)라고 하면 된다.

기 본 대 화

A: 李总, 昨天给你打了一天的电话, 就是没人接。
lǐ zǒng zuó tiān gěi nǐ dǎ le yì tiān de diàn huà jiù shì méi rén jiē

B: 真对不起, 从昨天开始电话号码改了。
zhēn duì bu qǐ cóng zuó tiān kāi shǐ diàn huà hào mǎ gǎi le

A: 原来是那样。
yuán lái shì nà yàng

B: 这是我的新号码, 是27235528。
zhè shì wǒ de xīn hào mǎ shì

A: 等等, 我要记一下。
děng deng wǒ yào jì yí xià

A: 이 사장님, 어제 하루 종일 전화했는데 안 받으시더군요.
B: 정말 미안합니다. 어제부터 전화번호가 바뀌었습니다.
A: 그랬군요.
B: 새 전화번호는 2723-5528입니다.
A: 잠깐만요. 적어야겠네요.

여러 가지 활용

I. 전화 거는 위치를 물을 때 询问打电话的位置时
xún wèn dǎ diàn huà dè wèi zhì shí

A: 如果方便的话, 你可以出来一下吗?
rú guǒ fāng biàn de huà nǐ kě yǐ chū lái yí xià ma

B: 你现在在哪儿打电话?
nǐ xiàn zài zài nǎr dǎ diàn huà

A: 我现在在学校门口的电话亭里。
wǒ xiàn zài zài xué xiào mén kǒu de diàn huà tíng li

B: 知道了。我会马上赶去的。
zhī dào le wǒ huì mǎ shàng gǎn qù de

A: 괜찮다면 잠깐 나올 수 있어요?
B: 지금 어디서 전화하는 건데요?
A: 학교 문 앞의 공중전화 부스예요.
B: 알았어요. 곧 갈게요.

- 지금 어디서 전화 주시는 거죠?
  你现在在哪里给我打电话?
  nǐ xiàn zài zài nǎ li gěi wǒ dǎ diàn huà
- 바로 이 건물 지하 커피숍에서요.
  就在这个大厦的地下咖啡厅。
  jiù zài zhè ge dà shà de dì xià kā fēi tīng
- 지금 걸고 계신 전화의 번호를 알려 주시겠습니까?
  你可以告诉我你正在给我打电话的电话号码吗?
  nǐ kě yǐ gào su wǒ nǐ zhèng zài gěi wǒ dǎ diàn huà de diàn huà hào mǎ ma

Ⅱ. 연락처를 교환할 때 交换联系方式时
jiāo huàn lián xì fāng shì shí

- 이 번호로 걸면 바로 당신과 연결됩니까?
  拨这个号码就可以联系到你吗?
  bō zhè ge hào mǎ jiù kě yǐ lián xì dào nǐ ma
- 제 사무실로 전화하십시오.
  打电话到我办公室就可以了。
  dǎ diàn huà dào wǒ bàn gōng shì jiù kě yǐ le
- 저를 찾으시려면 2723-5528으로 전화하시면 됩니다.
  你想找我的话打27235528就可以了。
  nǐ xiǎng zhǎo wǒ de huà dǎ jiù kě yǐ le
- 이 번호는 늘 통화 중이니 다른 번호로 거십시오.
  这个号码老是占线, 所以拨另一个号码吧。
  zhè ge hào mǎ lǎo shì zhān xiàn suǒ yǐ bō lìng yí ge hào mǎ ba
- 제가 외출을 하게 되면 동료에게 연락처를 남겨 놓겠습니다.
  我要出去的话就会告诉同事我的联络地址的。
  wǒ yào chū qù de huà jiù huì gào su tóng shì wǒ de lián luò dì zhǐ de
- 5월 1일부터 전화번호가 2725-8042로 바뀝니다.
  从5月1号开始电话号码就改为27258042。
  cóng yuè hào kāi shǐ diàn huà hào mǎ jiù gǎi wéi
- 지역번호가 지난주에 바뀌었습니다.
  我们这儿的区号, 上一个星期就换了。
  wǒ men zhèr de qū hào shàng yí ge xīng qī jiù huàn le

- 바뀐 교환번호는 723번입니다.
  新的分机号码是723号。
  xīn de fēn jī hào mǎ shì hào

- 2723-8888로 걸면 교환원이 나옵니다. 그러면 225호를 바꿔 달라고 하십시오.
  拨2723四个8的话，就会有一位服务台小姐接电话，你就跟她说："我找225号"就可以了。[1)]
  bō sì ge de huà jiù huì yǒu yí wèi fú wù tái xiǎo jiě jiē diàn huà nǐ jiù gēn tā shuō wǒ zhǎo hào jiù kě yǐ le

Ⅲ. 전화가 잘 안 들릴 때 电话声音不清晰时

diàn huà shēng yīn bù qīng xī shí

A: 喂！喂！你能听到我的声音吗？
wèi wèi nǐ néng tīng dào wǒ de shēng yīn ma

B: 声音很小，你大声一点好吗？
shēng yīn hěn xiǎo nǐ dà shēng yì diǎn hǎo ma

A: 여보세요, 여보세요. 제 목소리가 들립니까?

B: 소리가 아주 작습니다. 좀 크게 말씀해 주세요.

A: 我刚才没听清楚，您可以再说一遍吗？
wǒ gāng cái méi tīng qīng chu nín kě yǐ zài shuō yí biàn ma

B: 现在怎么样？能听清楚吗？
xiàn zài zěn me yàng néng tīng qīng chu ma

A: 방금 잘 못 들었는데 다시 한 번 말씀해 주시겠습니까?

B: 지금은 어떻습니까? 잘 들리세요?

- 잘 안 들립니다. 크게 말씀해 주세요.
  听不太清楚。请大声说话。
  tīng bú tài qīng chu qǐng dà shēng shuō huà

- 무슨 말인지 하나도 안 들립니다. 천천히 크게 말씀하십시오.
  听不清你在说什么。请慢一点儿，大声说话。
  tīng bu qīng nǐ zài shuō shén me qǐng màn yì diǎnr dà shēng shuō huà

- 죄송하지만 다시 한 번 말씀해 주세요.
  麻烦您，再说一遍。
  má fan nín zài shuō yí biàn

---

1) 같은 숫자가 중첩되어 있을 때는 三个sānge 8(888), 四个sìge 8(8888) 등으로 읽기도 한다.

- 목소리가 잘 들리지 않습니다.
  你的声音不是很清楚。
  nǐ de shēng yīn bú shì hěn qīng chu

- 소리가 들렸다 안 들렸다 합니다.
  你的声音有时听得到, 有时听不到。
  nǐ de shēng yīn yǒu shí tīng de dào yǒu shí tīng bu dào

- 좀 크게 말씀해 주세요.
  请再说大声一点儿。
  qǐng zài shuō dà shēng yì diǎnr

- 전화 감이 좋질 않군요.
  电话接通质量不好。
  diàn huà jiē tōng zhì liàng bù hǎo

▶ 혼선되었을 때 电话串线时
diàn huà chuàn xiàn shí

- 다른 사람의 통화 내용도 들립니다.
  连别人通话的声音都能听到。
  lián bié rén tōng huà de shēng yīn dōu néng tīng dào

- 잡음이 들리네요.
  听到杂音了。
  tīng dào zá yīn le

- 혼선이 되었군요.
  串线了。
  chuàn xiàn le

▶ 감이 좋을 때 电话声音清晰时
diàn huà shēng yīn qīng xī shí

A: 在哪里打的电话?
zài nǎ li dǎ de diàn huà

B: 是首尔, 但声音非常清晰, 就像在跟前打电话。
shì shǒu ěr dàn shēng yīn fēi cháng qīng xī jiù xiàng zài gēn qián dǎ diàn huà

A: 어디서 전화하는 거예요?

B: 서울이에요, 그런데 또렷하게 잘 들리네요. 마치 옆에서 하는 것처럼요.

· 국제전화입니까? 아주 잘 들리네요.
是国际长途电话吗? 声音这么清楚。
shì guó jì cháng tú diàn huà ma shēng yīn zhè me qīng chu

· 시내전화보다 더 똑똑하게 들리네요.
比市内电话听得更清楚。
bǐ shì nèi diàn huà tīng de gèng qīng chu

▶ 목소리를 착각했을 때 听错声音时
tīng cuò shēng yīn shí

A: 怎么, 你没有听出我的声音吗?
zěn me nǐ méi yǒu tīng chū wǒ de shēng yīn ma

B: 没有, 你今天的声音听起来不太一样。
méi yǒu nǐ jīn tiān de shēng yīn tīng qǐ lái bú tài yí yàng

A: 왜 그래, 내 목소리도 못 알아들어요?

B: 네, 오늘은 목소리가 좀 다르게 들리는데요.

· 감기 걸렸니? 목소리를 못 알아들었어. 누군가 했네.
你感冒了? 真没有听出你的声音, 以为是谁呢。
nǐ gǎn mào le zhēn méi yǒu tīng chū nǐ de shēng yīn yǐ wéi shì shéi ne

· 미안해요. 목소리가 샤오화랑 너무 똑같아서 구분을 못했어요.
对不起, 您和小花声音真像, 我都分不清了。
duì bu qǐ nín hé xiǎo huā shēng yīn zhēn xiàng wǒ dōu fēn bu qīng le

▶ 도청 당하는 것 같을 때 感觉被别人偷听时
gǎn jué bèi bié rén tōu tīng shí

· 누가 우리 전화를 도청하고 있는 것 같아요.
好像有人在偷听我们的电话。
hǎo xiàng yǒu rén zài tōu tīng wǒ men de diàn huà

· 혹시 누가 우리 얘기를 엿듣고 있을지도 몰라요.
说不定, 有人在偷听我们说话呢。
shuō bu dìng yǒu rén zài tōu tīng wǒ men shuō huà ne

· 우리의 통화가 도청되고 있어요.
我们的通话被别人偷听了。
wǒ men de tōng huà bèi bié rén tōu tīng le

8 각종 안내 · 신고 전화 各种服务电话

gè zhǒng fú wù diànhuà

19세기 벨(Bell, A. G.)에 의해 발명된 전화는 가히 현대생활을 연 '음(音)의 혁명'이라 할 만하다. 우리 일상생활 속에서의 전화는 단순히 대화뿐만 아니라 각종 불편 해소와 정보를 얻기 위해 문의 또는 안내를 받기도 하고, 긴급한 상황을 당했을 때 신고 · 고발하여 위기를 모면할 수 있는 가장 빠르고 편리한 수단이기도 하다.

기 본 대 화

A: 114台, 为您服务。
tái wèi nín fú wù

B: 北京火车站的电话号码是多少?
běi jīng huǒ chē zhàn de diàn huà hào mǎ shì duō shao

A: 您要订票, 还是要其他服务?
nín yào dìng piào hái shi yào qí tā fú wù

B: 我要订票。
wǒ yào dìng piào

A: 请稍等。请记录, 72351528。
qǐng shāo děng qǐng jì lù

A: 114 안내입니다.
B: 베이징 기차역 전화번호가 몇 번입니까?
A: 표를 예매하실 겁니까? 아니면 다른 서비스를 원하십니까?
B: 표를 예매하려고 합니다.
A: 잠시만 기다려 주십시오. 메모하십시오. 7235-1528입니다.

여러 가지 활용

Ⅰ. 전화 고장 신고 申报电话故障

shēn bào diàn huà gù zhàng

你好! 112服务台。请您输入故障电话号码。(一会儿之后)
nǐ hǎo fú wù tái qǐng nín shū rù gù zhàng diàn huà hào mǎ yí huìr zhī hòu

请输入您的联系电话然后按井键结束。谢谢您的合作。1)
qǐng shū rù nín de lián xì diàn huà rán hòu àn jǐng jiàn jié shù xiè xie nín de hé zuò

1) 중국의 전화 고장 신고는 112이다. 신고를 하면 이들 안내 메시지가 나온다.

안녕하십니까? 112 서비스센터입니다. 고장난 전화의 번호를 입력해 주십시오. (잠시 후)
연락할 전화번호를 입력하신 다음 우물 정 자를 눌러 주십시오.
이용해 주셔서 감사합니다.

- 전화가 고장입니다.
  电话出故障了。
  diàn huà chū gù zhàng le

- 전화가 먹통이에요.
  电话没有声音。
  diàn huà méi yǒu shēng yīn

- 전화벨이 안 울립니다.
  电话铃不响了。
  diàn huà líng bù xiǎng le

- 전화가 계속 끊어집니다.
  电话总是掉线。
  diàn huà zǒng shì diào xiàn

- 전화 접선 상태가 좋지 않습니다.
  电话接通有点不好。
  diàn huà jiē tōng yǒu diǎn bù hǎo

- 전화가 연결이 되었다 안 되었다 합니다.
  电话有时拨得通, 有时拨不通。
  diàn huà yǒu shí bō de tōng yǒu shí bō bu tōng

- 다른 전화로 한번 걸어보십시오.
  你打另外一个电话试试看吧。
  nǐ dǎ lìng wài yí ge diàn huà shì shi kàn ba

- 역시 걸리지 않는군요.
  还是打不通。
  hái shi dǎ bu tōng

- 수화기를 잘 못 놓은 것 같습니다.
  好像话筒没放好。
  hǎo xiàng huà tǒng méi fàng hǎo

- 전화기에서 계속 지글거리는 소리가 나요.
  电话机总有‘吱吱’的声音。
  diàn huà jī zǒng yǒu zhī zhī de shēng yīn

Ⅱ. 114 안내　114 服务台
fú wù tái

A: 这里是114服务台。你想查哪儿?
zhè li shì fú wù tái nǐ xiǎng chá nǎr

B: 请告诉我东方电脑维修站的电话号码。
qǐng gào su wǒ dōng fāng diàn nǎo wéi xiū zhàn de diàn huà hào mǎ

A: 很抱歉, 没有找到您要查询的单位。
hěn bào qiàn méi yǒu zhǎo dào nín yào chá xún de dān wèi

A: 114 안내입니다. 어디를 찾으십니까?

B: 동방컴퓨터A/S센터 좀 알려 주세요.

A: 죄송합니다. 문의하신 기관을 찾지 못했습니다.

Ⅲ. 긴급 전화[2)]　紧急电话
jǐn jí diàn huà

A: 你好! 火警台。
nǐ hǎo huǒ jǐng tái

B: 中心广场前面一栋楼房着火了。
zhōng xīn guǎng chǎng qián miàn yí dòng lóu fáng zháo huǒ le

A: 소방서입니다.

B: 중심광장 앞 한 아파트에 불이 났습니다.

A: 你好! 警察局。
nǐ hǎo jǐng chá jú

B: 这里是综合市场, 这儿有几个人在打架。
zhè li shì zōng hé shì chǎng zhèr yǒu jǐ ge rén zài dǎ jià

快点来吧。
kuài diǎn lái ba

A: 경찰서입니다.

B: 여기는 종합시장인데 사람들이 서로 싸우고 있습니다.
빨리 와 주세요.

---

2) 경찰을 부를 때는 110번 报警 bàojǐng, 불이 났을 때는 119 火警 huǒjǐng, 응급환자 발생시에는 120 急救中心 jíjiù zhōngxīn에 걸면 된다.

A: 你好! 120 为你服务。
nǐ hǎo wèi nǐ fú wù

要救护车请按1, 咨询请按2。[3)]
yào jiù hù chē qǐng àn zī xún qǐng àn

(按1)
àn

B: 喂,这里有需要抢救的患者,快叫救护车。
wèi zhè li yǒu xū yào qiǎng jiù de huàn zhě kuài jiào jiù hù chē

A: 안녕하세요? 120 구급센터입니다.
구급차가 필요하시면 1번을 누르시고, 상담이 필요하시면 2번을 누르세요.
(1번을 누른다.)

B: 여보세요. 여기 아주 급한 환자가 있어요. 빨리 구급차를 불러 주세요.

Ⅳ. 자동 안내 메시지 自动应答
zì dòng yìng dá

- 지금 거신 전화는 없는 번호입니다. 확인해 보신 후 다시 걸어 주십시오.
  您拨的是空号。请查清号码后再拨。
  nín bō de shì kōng hào qǐng chá qīng hào mǎ hòu zài bō

- 지금 거신 전화는 통화 중이오니 잠시 후에 다시 걸어 주십시오.
  您拨打的电话正在通话中,请稍后再拨。
  nín bō dǎ de diàn huà zhèng zài tōng huà zhōng qǐng shāo hòu zài bō

- 이 전화는 사용이 중지되었으므로, 연결시켜 드릴 수 없습니다.
  该电话因故停机,无法接通。[4)]
  gāi diàn huà yīn gù tíng jī wú fǎ jiē tōng

- 상대방이 통화 중입니다. 잠시 후에 다시 걸어 주십시오.
  用户正忙,请稍后再拨。
  yòng hù zhèng máng qǐng shāo hòu zài bō

- 귀하께서는 이 전화번호를 사용하실 수 없습니다.
  您无权使用这个电话号码。[5)]
  nín wú quán shǐ yòng zhè ge diàn huà hào mǎ

---

3) 120을 누르면 이와 같은 자동 안내 메시지가 나온다. 구급차가 필요할 경우 1번을 누르면 바로 상담원과 연결되므로 주소를 알려주면 된다. 응급처치 요령이나 기타 자문을 구하려면 2번을 눌러 상담원에게 필요한 것을 물어보면 된다.

4) 주로 상대편 전화가 전화요금을 내지 않아 사용이 중지되었을 경우에 나오는 메시지이다.

- 지금 거신 전화는 잠시 접속이 불가능하오니 잠시 후에 다시 걸어 주십시오.
  您拨打的用户暂时无法接通，请稍后再拨。
  nín bō dǎ de yòng hù zàn shí wú fǎ jiē tōng qǐng shāo hòu zài bō

- 죄송합니다. 사용자가 지금 서비스 지역을 벗어나 있습니다. 잠시 후에 다시 걸어 주십시오.
  对不起。您拨打的用户不在服务区。请稍后再拨。
  duì bu qǐ nín bō dǎ de yòng hù bú zài fú wù qū qǐng shāo hòu zài bō

- 잔액이 얼마 남지 않았으니 즉시 채워 넣으시기 바랍니다.
  您的余额已不多，请及时充值。6)
  nín de yú é yǐ bù duō qǐng jí shí chōng zhí

중국 주요 도시의 지역번호(보다 자세한 내용은 부록을 참조하십시오.)

- 北京 베이징 010 (běi jīng)
- 上海 상하이 021 (shàng hǎi)
- 天津 텐진 022 (tiān jīn)
- 广州 광저우 020 (guǎngzhōu)
- 重庆 충칭 023 (chóngqìng)
- 成都 청두 028 (chéng dū)
- 延吉 옌지 0433 (yán jí)
- 哈尔滨 하얼빈 0451 (hā ěr bīn)

각종 신고 전화

- 报警台(각종 범죄신고) 110 (bào jǐng tái)
- 障碍台(전화고장 신고) 112 (zhàng ài tái)
- 电话号码查询(전화번호 안내) 114 (diàn huà hào mǎ chá xún)
- 国际长途挂号台(국제전화국) 115 (guó jì cháng tú guò hào tái)
- 时间(시간 안내) 117 (xhì jiān)
- 火警(화재신고) 119 (huǒ jǐng)
- 急救中心(구급신고) 120 (jí jiù zhōng xin)
- 天气预报(일기예보) 121 (tiān qì yù bào)
- 交通事故报警台(교통사고 신고) 122 (jiāo tōng shì gù bào jǐng tái)
- 消费者投诉热线(소비자 고발센터) 12315 (xiāo fèi zhě tóu sù rè xiàn)

관련 용어

- 전화기 电话机 (diàn huà jī)
- 수화기 听筒, 听话筒 (tīng tǒng, tīng huà tǒng)

---

5) 중국에서는 별도로 장거리전화 사용 신청을 해야만 시외전화나 국제전화를 걸 수 있다. 만일 신청이 되어있지 않은 전화번호로 장거리 전화를 걸면 이와 같은 메시지가 나온다.

6) 많은 중국인들이 정액카드를 구입하여 휴대폰을 사용한다. 월 기본료가 없어 비교적 저렴하기 때문이다. 50위안이나 100위안짜리 카드를 구입하여 자신의 휴대폰에 입력하는 것인데 이를 '充值'라 한다. 이용가능 금액이 얼마 남지 않게 되면 바로 이와 같은 음성 메시지가 발송된다.

- 휴대폰 手机, 移动电话 shǒu jī, yí dòng diàn huà
- 호출기 呼机, 传呼机, 扩机, BP机 hū jī, chuán hū jī, kuò jī, jī
- 가정용 전화 家用电话 jiā yòng diàn huà
- 사무실 전화 办公室电话 bàn gōng shì diàn huà
- 공중전화 公用电话 gōng yòng diàn huà
- 무선전화기 无绳电话机 wú shéng diàn huà jī
- 자동응답전화기 自动留言机, 答录机 zì dòng liú yán jī, dá lù jī
- 팩스 传真 chuán zhēn
- 전화번호 电话号码 diàn huà hào mǎ
- 전화번호부 电话号码册, 电话手册 diàn huà hào mǎ cè, diàn huà shǒu cè
- 전화요금 电话费 diàn huà fèi
- 전화카드 电话卡 diàn huà kǎ
- 교환대 总机, 交换台 zǒng jī, jiāo huàn tái
- 교환원 接线员, 话务员 jiē xiàn yuán, huà wù yuán
- 교환번호 分机号码 fēn jī hào mǎ
- 구내전화 内线电话 nèi xiàn diàn huà
- 시내전화 市内电话, 市话 shì nèi diàn huà, shì huà
- 시외전화 市外电话 shì wài diàn huà
- 장거리전화 长途电话 cháng tú diàn huà
- 국제전화 国际电话 guó jì diàn huà
- 직통전화 直通电话 zhí tōng diàn huà
- 안내전화 热线电话 rè xiàn diàn huà
- 화상전화 可视电话 kě shì diàn huà
- 지명통화 叫人电话, 指名电话 jiào rén diàn huà, zhǐ míng diàn huà
- DDD 장거리전화 长途直拨电话 cháng tú zhí bō diàn huà
- 지역번호 区域编号, 区号 qū yù biān hào, qū hào
- 국가번호 国家编号, 国家代码 guó jiā biān hào, guó jiā dài mǎ
- 수신자부담전화 受话人付费电话 shòu huà rén fù fèi diàn huà
- 우체국 邮局 yóu jú
- 우편전신국 邮电局 yóu diàn jú
- 긴급전화 紧急电话 jǐn jí diàn huà
- 3인 통화 三方通话 sān fāng tōng huà
- 단축다이얼 缩位拨号 suō wèi bō hào
- 장난전화 骚扰电话 sāo rǎo diàn huà
- 장난/협박전화추적 追查恶意呼叫 zhuī chá è yì hū jiào
- 통화중 占线, 通话中 zhàn xiàn, tōng huà zhōng
- 누르다 拨打, 按 bō dǎ, àn
- 전화 걸다 打电话 dǎ diàn huà
- 전화 받다 接电话 jiē diàn huà
- 전화를 끊다 挂电话 guà diàn huà
- 전화를 잘못 걸다 打错 dǎ cuò

10 약 속

约 会 YUEHUI

1 시간 · 장소　　时间/地点

2 수락 · 거절　　承诺/拒绝

3 변경 · 취소　　更改/取消

4 확인 · 만남　　确认/见面

5 위약 · 사과　　失约/道歉

1 시간 · 장소 时间/地点
shí jiān dì diǎn

미리 약속을 정하는 것을 예약(预约 yùyuē)이라고 한다. 약속을 신청하는 입장에서는 먼저 상대방에게 편한 시간과 장소를 물어 불편하지 않도록 배려하는 것이 좋다. 상대방의 형편을 고려하지 않고 약속을 청하는 쪽의 일방적인 결정이어서는 안 되며, 서로 착오가 일어나지 않도록 정확히 확인할 필요가 있다. 약속을 신청하려 할 때에는 "我想和您约个时间。wǒ xiǎng hé nín yuē ge shíjiān."(당신과 시간 약속을 하고 싶습니다.) 라고 하거나 "今天晚上, 您有时间吗?" jīntiān wǎnshang nín yǒu shíjiān ma(오늘 저녁에 약속 있습니까?) 라고 물어보면 된다.

기 본 대 화

A: 你好,我是平安保险公司崔明。
nǐ hǎo wǒ shì píng ān bǎo xiǎn gōng sī cuī míng
您是金永先生吗?
nín shì jīn yǒng xiān sheng ma

B: 是的。有什么事吗?
shì de yǒu shén me shì ma

A: 关于保险的事,我想和您商量一下。
guān yú bǎo xiǎn de shì wǒ xiǎng hé nín shāng liang yí xià
您今天有时间吗?
nín jīn tiān yǒu shí jiān ma

B: 对不起, 今天不行。明天晚上可以。
duì bu qǐ jīn tiān bù xíng míng tiān wǎn shang kě yǐ

A: 好的。那我明天晚上7点拜访您, 可以吗?
hǎo de nà wǒ míng tiān wǎn shang diǎn bài fǎng nín kě yǐ ma

B: 可以。没问题。
kě yǐ méi wèn tí

A: 谢谢。那明天见!
xiè xie nà míng tiān jiàn

A: 안녕하세요? 평안 보험회사의 추이밍입니다.
진용 선생님이십니까?

B: 그렇습니다, 무슨 일이십니까?

A: 보험에 관한 일로 선생님과 상의하고 싶습니다.
오늘 시간 있으십니까?

B: 미안하지만 오늘은 안되겠는데요. 내일 저녁은 괜찮습니다.

A: 좋습니다. 그럼 내일 오후 7시에 찾아뵈어도 되겠습니까?

B: 그러세요. 괜찮습니다.

A: 감사합니다. 그럼 내일 뵙겠습니다.

여러 가지 활용

Ⅰ. 약속을 제의할 때 约人时
yuē rén shí

▶ 시간이 있나 물어볼 때 询问对方有没有时间
xún wèn duì fāng yǒu méi yǒu shí jiān

A: 金先生, 您现在有空儿吗?[1)]
jīn xiān sheng nín xiàn zài yǒu kòngr ma

B: 有空儿。你有事吗?
yǒu kòngr nǐ yǒu shì ma

A: 김 선생님, 지금 시간 있으세요?

B: 네 있습니다. 무슨 일입니까?

A: 你明天晚上有什么安排?
nǐ míng tiān wǎn shang yǒu shén me ān pái

B: 没什么特别安排。
méi shén me tè bié ān pái

A: 내일 저녁 무슨 계획 있어요?

B: 별 계획 없는데요.

- 오늘 오전에 시간 있으세요?
  今天上午你有时间吗?
  jīn tiān shàng wǔ nǐ yǒu shí jiān ma

- 오늘 밤에 만나 뵙고 싶은데, 괜찮으세요?
  今天晚上想见你, 可以吗?
  jīn tiān wǎn shang xiǎng jiàn nǐ kě yǐ ma

- 지금 시간 있으세요? 한번 뵙고 싶은데요.
  你现在有没有时间? 我想见你一面。
  nǐ xiàn zài yǒu méi yǒu shí jiān wǒ xiǎng jiàn nǐ yí miàn

- 언제가 편하세요?
  您什么时候方便?
  nín shén me shí hou fāng biàn

---

1) 空: kōng: 하늘, 공중, 헛되이, 부질없이, 비다, 공허하다.
kòng: 틈, 여가, 공백, 비우다, 비어 있다.

- 우리 시간 내서 얼굴 좀 봅시다.
  咱们抽空儿见一面吧。
  zán men chōu kòngr jiàn yí miàn ba

- 점심 때 약속 있어요?
  中午你有约会吗?
  zhōng wǔ nǐ yǒu yuē huì ma

- 시간 되시면 함께 가서 식사나 하실까요?
  有时间我们一起去用餐怎么样?
  yǒu shí jiān wǒ men yì qǐ qù yòng cān zěn me yàng

- 이번 주말에 시간 좀 내실 수 있으십니까?
  这个周末您能抽出时间吗?
  zhè ge zhōu mò nín néng chōu chū shí jiān ma

- 내일 시간 있으세요? 말씀을 좀 나누고 싶습니다.
  您明天有时间吗? 我想和您谈谈。
  nín míng tiān yǒu shí jiān ma wǒ xiǎng hé nín tán tan

- 당신과 의논할 일이 있는데, 내일 시간이 있으십니까?
  我有事要和你谈一谈, 明天你是否有时间?
  wǒ yǒu shì yào hé nǐ tán yi tán míng tiān nǐ shì fǒu yǒu shí jiān

- 여러 가지 일로 상의를 하고 싶은데, 주말에 무슨 계획 있으세요?
  我有很多事要和你商量, 周末你有什么安排?
  wǒ yǒu hěn duō shì yào hé nǐ shāng liang zhōu mò nǐ yǒu shén me ān pái

▶ 간청할 때 请求对方时
qǐng qiú duì fāng shí

- 꼭 드릴 말씀이 있습니다.
  我有话一定要告诉你。
  wǒ yǒu huà yí dìng yào gào su nǐ

- 단 5분이면 됩니다.
  只要5分钟就可以了。
  zhǐ yào fēn zhōng jiù kě yǐ le

- 저에게 시간 좀 내주실 수 있습니까?
  你能给我点儿时间吗?
  nǐ néng gěi wǒ diǎnr shí jiān ma

- 10분만 시간을 좀 내주실 수 없겠습니까?
  你能不能给我10分钟的时间?
  nǐ néng bu néng gěi wǒ fēn zhōng de shí jiān

- 시간을 좀 내주시면 아주 기쁘겠습니다.
  你只要抽出点儿时间, 我就很高兴了。
  nǐ zhǐ yào chōu chū diǎnr shí jiān wǒ jiù hěn gāo xìng le

- 시간 많이 안 뺏을 겁니다. 10분이면 돼요.
  我不会耽误你很久, 十分钟就行。[2)]
  wǒ bú huì dān wù nǐ hěn jiǔ shí fēn zhōng jiù xíng

- 한 번 만나 뵐 수 있는 기회를 주세요.
  请你给我一次见面的机会吧!
  qǐng nǐ gěi wǒ yí cì jiàn miàn de jī huì ba

- 거절하지 마시고 꼭 좀 저를 만나 주십시오.
  请你不要拒绝, 一定要和我见一下面。
  qǐng nǐ bú yào jù jué yí dìng yào hé wǒ jiàn yí xià miàn

Ⅱ. 시간 및 장소를 정할 때 约定时间/地点时
yuē dìng shí jiān dì diǎn shí

A: 今天中午有空儿吗? 一起吃饭吧。
jīn tiān zhōng wǔ yǒu kòngr ma yì qǐ chī fàn ba

B: 正好有空儿。在哪儿吃饭呢?
zhèng hǎo yǒu kòngr zài nǎr chī fàn ne

A: 国际会馆里面的韩餐厅怎么样?
guó jì huì guǎn lǐ miàn de hán cān tīng zěn me yàng

B: 那里是不是太远了, 找一个近点儿的地方吧。
nà li shì bu shì tài yuǎn le zhǎo yí ge jìn diǎnr de dì fang ba

A: 那么, 喜来登饭店怎么样?
nà me xǐ lái dēng fàn diàn zěn me yàng

B: 好的。在2楼中餐厅见面吧。
hǎo de zài lóu zhōng cān tīng jiàn miàn ba

A: 오늘 점심에 시간 있어요? 같이 식사나 합시다.
B: 마침 시간 있습니다. 어디서 식사할까요?
A: 국제 회관 내 한국 식당 어떻습니까?
B: 거기는 너무 먼 것 같은데 좀 가까운 곳으로 하죠.
A: 그러면 쉐라톤 호텔 어떻습니까?
B: 좋습니다. 2층 중국 식당에서 만납시다.

2) 耽误 dānwù: 시간이 걸리다. 지체하다.

▶ 약속 시간 정하기 决定约会时间时
jué dìng yuē huì shí jiān shí

A: 几点见面呢?
jǐ diǎn jiàn miàn ne
B: 都行, 由您来安排吧。[3]
dōu xíng yóu nín lái ān pái ba

A: 몇 시에 만날까요?
B: 전 다 괜찮으니 선생님께서 정하시지요.

A: 你看什么时候好呢?
nǐ kàn shén me shí hou hǎo ne
B: 明天下午六点见面吧!
míng tiān xià wǔ liù diǎn jiàn miàn ba

A: 언제가 좋으십니까?
B: 내일 오후 여섯 시에 만납시다.

A: 上午10点可以吗?
shàng wǔ diǎn kě yǐ ma
B: 可以, 那时候见吧。
kě yǐ nà shí hou jiàn ba

A: 오전 10시 괜찮으세요?
B: 괜찮습니다. 그때 뵙지요.

- 몇 시가 좋으세요? / 몇 시가 적당하세요?
几点好呢? / 几点合适?
jǐ diǎn hǎo ne jǐ diǎn hé shì

- 오후 다섯 시 반 어떻습니까?
下午5点半怎么样?
xià wǔ diǎn bàn zěn me yàng

- 3월 10일이 편하십니까?
3月10号那天你方便吗?
yuè hào nà tiān nǐ fāng biàn ma

- 점심 때 올 수 있어요?
中午可以来吗?
zhōng wǔ kě yǐ lái ma

3) 여기에서 由는 '~에게 맡기다', '~에게 달리다', '~를 따르다'의 의미이다.

- 9시 이전에 제 사무실로 올 수 있습니까?
  9点之前可以到我的办公室吗?
  diǎn zhī qián kě yǐ dào wǒ de bàn gōng shì ma
- 괜찮으시다면 목요일에 찾아뵙고 싶은데요.
  可以的话, 我想星期四去拜访您。
  kě yǐ de huà wǒ xiǎng xīng qī sì qù bài fǎng nín
- 언제쯤 찾아뵙는 게 편하시겠습니까?
  什么时候去拜访您比较方便呢?
  shén me shí hou qù bài fǎng nín bǐ jiào fāng biàn ne
- 그럼 우리 다음 주 월요일에 만나는 것으로 정합시다.
  那我们就说定下个星期一见面吧!
  nà wǒ men jiù shuō dìng xià ge xīng qī yī jiàn miàn ba

약속 장소 정하기 **决定约会地点**
jué dìng yuē huì dì diǎn

A: 什么地方比较合适呢?
shén me dì fang bǐ jiào hé shì ne
B: 你说呢?[4)]
nǐ shuō ne

A: 장소는 어디가 좋을까요?
B: 당신이 말해 봐요.

A: 在哪里见面?
zài nǎ li jiàn miàn
B: 老地方见吧![5)]
lǎo dì fang jiàn ba

A: 어디서 만날까요?
B: 늘 만나는 장소에서 봅시다.

- 난징루에 있는 맥도널드 아세요?
  你知道南京路那家麦当劳吗?
  nǐ zhī dào nán jīng lù nà jiā mài dāng láo ma

---

4) 你说呢? nǐ shuō ne: "당신 생각은요?"라는 뜻으로 상대방의 의견을 물어볼 때 자주 쓰이는 표현이다.

5) 老地方 lǎodìfang: 원래의 곳, 늘 가는 곳. 여기서 '老'는 '늙다'나 '낡다'의 뜻이 아니라 '본래의', '원래의'의 뜻.

- 왕푸징에 있는 KFC(켄터키치킨) 아시죠? 거기 어때요?
  知道王府井的肯德基吧? 那儿怎么样?
  zhī dào wáng fǔ jǐng de kěn dé jī ba nàr zěn me yàng

- 우리 학교 문 앞에 있는 하이비엔 카페 어때요?
  我们学校门口的海边咖啡店怎么样?
  wǒ men xué xiào mén kǒu de hǎi biān kā fēi diàn zěn me yàng

- 괜찮으시다면 여기로 와 주시겠습니까?
  如果可以的话, 您能来我这里吗?
  rú guǒ kě yǐ de huà nín néng lái wǒ zhè li ma

- 내일 점심 때 싼리툰 식당에서 봅시다.
  明天中午在三里屯餐馆见面吧![6]
  míng tiān zhōng wǔ zài sān lǐ tún cān guǎn jiàn miàn ba

- 내일 8시 50분에 수상 공원 정문 앞에서 만납시다.
  明天8点50分在水上公园正门见面吧!
  míng tiān diǎn fēn zài shuǐ shàng gōng yuán zhèng mén jiàn miàn ba

- 제가 묵고 있는 호텔에서 만납시다.
  就在我住的宾馆见面吧。
  jiù zài wǒ zhù de bīn guǎn jiàn miàn ba

- 댁으로 찾아가서 말씀드리고 싶은데요.
  我想到贵府, 和您谈一谈。[7]
  wǒ xiǎng dào guì fǔ hé nín tán yi tán

- 저는 아무 데나 상관없습니다.
  我, 随便。[8]
  wǒ suí biàn

- 장소는 당신이 정하도록 하십시오.
  地点就由你来决定吧。
  dì diǎn jiù yóu nǐ lái jué dìng ba

- 시간과 장소는 선생님께서 정하시면 됩니다.
  时间、地点就由您定好了。
  shí jiān dì diǎn jiù yóu nín dìng hǎo le

- 장소는 제가 정하도록 하겠습니다.
  地点就由我来安排吧。
  dì diǎn jiù yóu wǒ lái ān pái ba

---

6) 三里屯 sānlǐtún: 우리나라 주중대사관이 있는 베이징의 한 지명.
7) 贵府 guìfǔ: 남의 집을 높여 부르는 말. = 贵门 guìmén.
8) 随便 suíbiàn: 격식, 범위, 수량 등에 제한을 받거나 얽매이지 않고 비교적 자유로울 때 쓰이는 표현이다.

2 수락 · 거절

承诺/拒绝
chéngnuò jù jué

약속의 신청을 받아들일 때에는 자신의 스케줄(日程表 rìchéngbiǎo)을 먼저 점검해 보고 가능한 시간을 말해 주어야 한다. 부득이 거절을 할 때에는 상대방의 기분이 상하지 않도록 충분한 이유를 설명해 주거나, 다음 기회로 미루어 두는 정도로 완곡히 거절하는 것도 한 방법이다.

기 본 대 화

A: 金先生, 您好! 我今晚想见您一面, 行吗?
jīn xiān sheng nín hǎo wǒ jīn wǎn xiǎng jiàn nín yí miàn xíng ma

B: 对不起, 今天晚上我要值夜班。
duì bu qǐ jīn tiān wǎn shang wǒ yào zhí yè bān

A: 啊, 真不巧。那, 这个星期六怎么样?
ā zhēn bù qiǎo nà zhè ge xīng qī liù zěn me yàng

B: 真不好意思。星期六也有约会, 最近比较忙。
zhēn bù hǎo yì si xīng qī liù yě yǒu yuē huì zuì jìn bǐ jiào máng

A: 김 선생님, 안녕하세요! 오늘 저녁에 만나 뵙고 싶은데, 괜찮으세요?

B: 미안하지만, 오늘 저녁에는 야간 근무를 해야 합니다.

A: 아, 공교롭게 되었네요. 그러면 이번 주 토요일은 어떻습니까?

B: 정말 미안합니다. 토요일에도 약속이 있습니다. 요즘 좀 바빠서요.

여러 가지 활용

Ⅰ. 약속을 수락할 때 接受约会时
jiē shòu yuē huì shí

▶ **흔쾌히 수락할 때 爽快的答应时**
shuǎng kuài de dā yìng shí

A: 我想明天去拜访您, 您有时间吗?
wǒ xiǎng míng tiān qù bài fǎng nín nín yǒu shí jiān ma

B: 我什么时候都可以。
wǒ shén me shí hou dōu kě yǐ

A: 내일 선생님을 찾아뵙고 싶은데, 시간이 있으십니까?

B: 저는 언제라도 괜찮습니다.

- 좋습니다. 언제 만날까요?
  好吧，什么时候见面？
  hǎo ba shén me shí hou jiàn miàn

- 마침 저도 한 번 만나려고 하던 참입니다.
  正好我也想和你见一面。
  zhèng hǎo wǒ yě xiǎng hé nǐ jiàn yí miàn

- 좋아요. 아무 때라도 시간 날 때 오십시오.
  好，您什么时候有时间就过来吧。
  hǎo nín shén me shí hou yǒu shí jiān jiù guò lái ba

- 저녁 7시 이후에는 다 괜찮습니다.
  晚上7点以后都可以。
  wǎn shang diǎn yǐ hòu dōu kě yǐ

- 저는 하루 종일 사무실에 있습니다. 아무 때나 오십시오.
  我整天都在办公室里，你随时都可以来。
  wǒ zhěng tiān dōu zài bàn gōng shì li nǐ suí shí dōu kě yǐ lái

- 저희 집에 오신 것을 환영합니다.
  欢迎你来我家作客。[1)]
  huān yíng nǐ lái wǒ jiā zuò kè

▶ 조건부로 수락할 때 条件性承诺时
tiáo jiàn xìng chéng nuò shí

A: 星期一早上你可以来这里吗？
xīng qī yī zǎo shang nǐ kě yǐ lái zhè li ma

B: 星期一早上我有事儿，只能下午了。
xīng qī yī zǎo shang wǒ yǒu shìr zhǐ néng xià wǔ le

A: 월요일 아침에 이곳으로 올 수 있으세요?
B: 월요일 아침에는 일이 있습니다. 오후 밖에 안되겠는데요.

- 오늘은 정말 시간이 없는데 다른 날로 하면 안될까요?
  我今天真的没时间，改天行不行？
  wǒ jīn tiān zhēn de méi shí jiān gǎi tiān xíng bu xíng

- 토요일은 시간이 없고, 일요일은 괜찮습니다.
  星期六我没时间，星期天还可以。
  xīng qī liù wǒ méi shí jiān xīng qī tiān hái kě yǐ

- 이번 달은 아주 바쁘니 다음 달 초에 만나기로 합시다.
  这个月我很忙，我们下个月初再见面吧。
  zhè ge yuè wǒ hěn máng wǒ men xià ge yuè chū zài jiàn miàn ba

---

1) 作客 zuòkè는 남의 집에 손님으로 간다는 뜻.

• 내일 오전 9시에 봅시다. 단 30분 정도 밖에 시간이 없습니다.
明天上午9点钟吧，但只有30分钟左右的时间。
míng tiān shàng wǔ diǎn zhōng ba dàn zhǐ yǒu fēn zhōng zuǒ yòu de shí jiān

• 오늘 저녁은 안되겠는데, 내일 낮 12시 반은 어떻겠습니까?
今天晚上不行，明天中午12点半怎么样?
jīn tiān wǎn shang bù xíng míng tiān zhōng wǔ diǎn bàn zěn me yàng

• 오늘은 회의가 있으니 다른 날로 정합시다.
今天要开会，我们另约时间吧。
jīn tiān yào kāi huì wǒ men lìng yuē shí jiān ba

• 오실 때는 먼저 전화를 좀 해 주십시오.
你来的时候先给我打电话吧。
nǐ lái de shí hou xiān gěi wǒ dǎ diàn huà ba

Ⅱ. 약속을 거절할 때 拒绝约会时
jù jué yuē huì shí

▶ 시간이 없을 때 没有时间时
méi yǒu shí jiān shí

A: 明晚我们几个聚在一起看电影，你呢?
míng wǎn wǒ men jǐ ge jù zài yì qǐ kàn diàn yǐng nǐ ne
B: 真可惜! 明晚我没时间。
zhēn kě xī míng wǎn wǒ méi shí jiān

A: 내일 저녁 우리 몇몇 친구들이 모여서 영화 볼 건데, 넌?
B: 정말 아깝다! 난 내일 저녁은 시간이 없어.

• 요 며칠은 진짜 정신없이 바쁩니다. 정말 시간이 없군요.
这几天真是忙昏了头，真的没有时间。[2)]
zhè jǐ tiān zhēn shì máng hūn le tóu zhēn de méi yǒu shí jiān

• 정말 죄송합니다. 도저히 시간을 낼 수가 없군요.
很抱歉，我真的抽不出时间。
hěn bào qiàn wǒ zhēn de chōu bu chū shí jiān

• 월말이면 너무나 바쁩니다. 제 마음대로 할 수가 없군요.
一到月末我就忙得要命。身不由己呀![3)]
yí dào yuè mò wǒ jiù máng de yào mìng shēn bù yóu jǐ ya

---

2) 昏头 hūntóu: 어지럽다. 정신이 없다. 얼빠지다.
3) 身不由己 shēn bù yóu jǐ: 몸이 매여있어 자기 마음대로 할 수 없다.

- 정말 미안합니다. 오늘 하루 종일 시간이 없군요.
  真对不起，今天一整天我都没有时间。
  zhēn duì bu qǐ jīn tiān yì zhěng tiān wǒ dōu méi yǒu shí jiān

▶ **선약이 있을 때** **有约在先时**
yǒu yuē zài xiān shí

A: 中午有约会吗?
zhōng wǔ yǒu yuē huì ma

B: 不好意思，我有约会。
bù hǎo yì si wǒ yǒu yuē huì

A: 점심에 약속 있어요?

B: 미안해요. 약속이 있어요.

- 어떡하지요? 이미 약속이 있는데.
  怎么办? 我已经约了人。
  zěn me bàn wǒ yǐ jīng yuē le rén

- 고맙지만 다른 약속이 있습니다.
  谢谢，我另有约会。
  xiè xie wǒ lìng yǒu yuē huì

- 오늘은 안되겠습니다. 오늘 저녁에 약속이 있거든요.
  今天不行，今晚我有约了。
  jīn tiān bù xíng jīn wǎn wǒ yǒu yuē le

- 저런, 어쩌지요? 오늘은 꼭 만나야 할 사람이 있습니다.
  哎呀，怎么办? 今天我一定要见一个人。
  āi ya zěn me bàn jīn tiān wǒ yí dìng yào jiàn yí ge rén

- 그 날은 이미 다른 사람과 약속이 돼 있습니다.
  那天已经约好别人了。[4)]
  nà tiān yǐ jīng yuē hǎo bié rén le

- 오늘 스케줄이 이미 다 짜여져 있습니다.
  我今天的日程已经排满了。
  wǒ jīn tiān de rì chéng yǐ jīng pái mǎn le

- 죄송합니다만, 이미 한 달 전에 한 약속이라 바꿀 수가 없습니다.
  抱歉，一个月以前就已经约好了，不能改变了。
  bào qiàn yí ge yuè yǐ qián jiù yǐ jīng yuē hǎo le bù néng gǎi biàn le

---

4) 여기서 好는 '좋다'는 의미가 아니라 '완료'의 상태를 나타낸다.

3 변경 · 취소

更改/取消
gēng gǎi qǔ xiāo

약속을 한번 정하면 차질 없이 이행하는 것이 가장 좋겠지만 때로는 부득이한 사정으로 변경이나 취소를 하여야 할 경우가 있다. 이 때에는 즉시 정확하게 전달하여 혼선이 빚어지지 않도록 세심하게 신경을 써야 하며, 상대방이 납득할 수 있도록 상황을 충분히 설명한 뒤에 동의를 구해야 할 것이다.

기본대화

A: 你好，我是小金。
nǐ hǎo wǒ shì xiǎo jīn
我想跟你商量一下今天见面的时间。
wǒ xiǎng gēn nǐ shāng liang yí xià jīn tiān jiàn miàn de shí jiān

B: 怎么啦？有什么变化吗？
zěn me la yǒu shén me biàn huà ma

A: 其实我妻子有身孕了，今天身体有点不舒服。我想把今天的约会改成明天，行吗？
qí shí wǒ qī zi yǒu shēn yùn le jīn tiān shēn tǐ yǒu diǎn bù shū fu wǒ xiǎng bǎ jīn tiān de yuē huì gǎi chéng míng tiān xíng ma

B: 无所谓。你先照顾你的爱人吧。[1)]
wú suǒ wèi nǐ xiān zhào gù nǐ de ài ren ba

A: 好，谢谢。那我明天再跟你联系吧。
hǎo xiè xie nà wǒ míng tiān zài gēn nǐ lián xì ba

B: 好，希望您爱人身体健康。
hǎo xī wàng nín ài ren shēn tǐ jiàn kāng

A: 안녕하세요? 샤오진입니다.
오늘 약속 시간을 상의 드리고 싶어서요.

B: 무슨 일인데요? 변동 사항이라도 있나요?

A: 사실은 제 처가 임신을 했는데 오늘 몸이 좀 불편합니다.
오늘 약속을 내일로 바꾸었으면 하는데, 괜찮으시겠습니까?

B: 저는 상관없어요. 우선 부인을 돌보세요.

A: 감사합니다. 그럼 내일 다시 연락드리겠습니다.

B: 그래요. 부인께서 건강하시길 바랍니다.

---

1) 爱人 àiren: '애인'이라는 뜻 보다는 '남편'이나 '아내'를 지칭하는 경우가 많다.

여러 가지 활용

Ⅰ. 약속을 변경할 때 约会变更时
yuē huì biàn gēng shí

A: 我要改变预约。把约定时间改为7点吧。
wǒ yào gǎi biàn yù yuē bǎ yuē dìng shí jiān gǎi wéi diǎn ba
B: 好，改好了。
hǎo gǎi hǎo le

A: 예약을 변경하려고 합니다. 약속 시간을 7시로 해 주세요.
B: 네, 변경하였습니다.

A: 我们的约会可以改变吗?
wǒ men de yuē huì kě yǐ gǎi biàn ma
B: 恐怕不行。
kǒng pà bù xíng

A: 우리 약속을 변경할 수 있을까요?
B: 아마 안 될 겁니다.

▶ 날짜 · 시간을 변경할 때 更改日期和时间时
gēng gǎi rì qī hé shí jiān shí

A: 今天的约会可以提前吗?
jīn tiān de yuē huì kě yǐ tí qián ma
B: 可以，没问题。
kě yǐ méi wèn tí

A: 오늘 약속을 좀 앞당길 수 있겠습니까?
B: 그러세요. 문제없습니다.

A: 抱歉，可以把约会时间推延一天吗?
bào qiàn kě yǐ bǎ yuē huì shí jiān tuī yán yì tiān ma
B: 当然可以。那明天同一个时间可以吧?
dāng rán kě yǐ nà míng tiān tóng yí ge shí jiān kě yǐ ba

A: 죄송합니다. 약속 시간을 하루 늦춰도 되겠습니까?
B: 그럼요. 그럼 내일 같은 시간으로 하면 되겠지요?

A: 我想把明天的约会延期。
wǒ xiǎng bǎ míng tiān de yuē huì yán qī

B: 对不起, 不能再延期了。
duì bu qǐ bù néng zài yán qī le

A: 내일 약속을 연기하고 싶습니다.

B: 미안합니다. 더는 연기할 수가 없습니다.

- 내일 오후 3시로 변경할 수 있겠습니까?
  可以改成明天下午3点吗?
  kě yǐ gǎi chéng míng tiān xià wǔ diǎn ma

- 너무 늦은 시간인 것 같은데 좀 일찍 만날 수 있을까요?
  那是不是太晚了, 能不能再早一点?
  nà shì bu shì tài wǎn le néng bu néng zài zǎo yì diǎn

- 갑자기 급한 일이 생겼는데, 다른 날로 다시 정할 수 있을까요?
  我突然有点急事, 改天再约好吗?
  wǒ tū rán yǒu diǎn jí shì gǎi tiān zài yuē hǎo ma

- 미안하지만 약속 시간을 내일로 바꿀 수 있겠습니까?
  对不起, 可以把约会时间改为明天吗?
  duì bu qǐ kě yǐ bǎ yuē huì shí jiān gǎi wéi míng tiān ma

- 괜찮으시다면 오늘 약속을 내일로 바꾸면 어떻겠습니까?
  可以的话, 把今天的约会改到明天怎么样?
  kě yǐ de huà bǎ jīn tiān de yuē huì gǎi dào míng tiān zěn me yàng

- 오늘 약속 시간을 조정하면 어떨까요?
  我们调整一下今天的见面时间, 好不好?
  wǒ men tiáo zhěng yí xià jīn tiān de jiàn miàn shí jiān hǎo bu hǎo

- 모임 날짜를 12월 1일에서 12월 10일로 변경하였습니다.
  聚会的日期从12月1日改为12月10日了。
  jù huì de rì qī cóng yuè rì gǎi wéi yuè rì le

▶ 장소를 변경할 때 改换地点时
gǎi huàn dì diǎn shí

A: 听说, 那地方正在下大雪。
tīng shuō nà dì fang zhèng zài xià dà xuě

B: 是吗? 那, 咱们换地点可不可以?
shì ma nà zán men huàn dì diǎn kě bu kě yǐ

A: 듣자니, 그곳에 지금 눈이 많이 온다고 합니다.
B: 그래요? 그럼 장소를 바꾸면 어떨까요?

- 사정이 생겨서 약속 장소를 바꿔야만 하겠습니다.
  因为有点事，我们要换约会地点。
  yīn wèi yǒu diǎn shì wǒ men yào huàn yuē huì dì diǎn

- 좀 복잡한 일이 생겨서 부득이 무역센터 플라자로 옮겨야겠습니다.
  因为有点麻烦的事情，所以只好改在贸易中心广场。
  yīn wèi yǒu diǎn má fan de shì qing suǒ yǐ zhǐ hǎo gǎi zài mào yì zhōng xīn guǎng chǎng

- 모임 장소를 하얏트 호텔에서 쉐라톤 호텔로 바꾸었습니다.
  把地点从凯悦饭店改为喜来登饭店。
  bǎ dì diǎn cóng kǎi yuè fàn diàn gǎi wéi xǐ lái dēng fàn diàn

- 베이징역 광장은 너무 혼잡하니 아무래도 장소를 바꾸는 게 좋겠습니다.
  北京站广场太拥挤，最好换个地点。
  běi jīng zhàn guǎng chǎng tài yōng jǐ zuì hǎo huàn ge dì diǎn

- 그곳은 찾기가 어려우니, 다른 장소로 바꾸는 게 낫겠어요.
  那个地方很难找到，还是换个地方比较好。
  nà ge dì fang hěn nán zhǎo dào hái shì huàn ge dì fang bǐ jiào hǎo

Ⅱ. 약속을 취소할 때 取消约会时
qǔ xiāo yuē huì shí

A: 真抱歉，看来我今天不能赴约了。
zhēn bào qiàn kàn lái wǒ jīn tiān bù néng fù yuē le
B: 有什么事吗？
yǒu shén me shì ma
A: 我要带爱人去医院检查一下。
wǒ yào dài ài ren qù yī yuàn jiǎn chá yí xià
B: 那可不得了，不要担心这里，赶快去吧。
nà kě bù dé liǎo bú yào dān xīn zhè li gǎn kuài qù ba

A: 정말 죄송합니다. 오늘 약속을 지킬 수 없을 것 같습니다.
B: 무슨 일이라도 생겼습니까?
A: 집사람을 병원에 데리고 가 봐야 겠습니다.
B: 큰일이군요. 여기는 신경 쓰지 마시고 어서 가 보세요.

A: 我这儿出了点儿麻烦事, 恐怕不能参加会议了。
wǒ zhèr chū le diǎnr má fan shì kǒng pà bù néng cān jiā huì yì le

B: 不要紧, 先忙你的。[2]
bú yào jǐn xiān máng nǐ de

A: 저에게 좀 복잡한 일이 생겨서 회의에 참석하지 못할 것 같습니다.

B: 괜찮습니다. 어서 일 보십시오.

A: 家里出了点儿想不到的急事, 所以……
jiā li chū le diǎnr xiǎng bú dào de jí shì suǒ yǐ

B: 没事, 等你处理好这件事, 再跟我联系吧。
méi shì děng nǐ chù lǐ hǎo zhè jiàn shì zài gēn wǒ lián xì ba

A: 집에 생각지 못했던 급한 일이 생겨서요...

B: 괜찮아요. 일 잘 처리하고 다시 연락하세요.

A: 我还有点事没办完, 改天再见吧。
wǒ hái yǒu diǎn shì méi bàn wán gǎi tiān zài jiàn ba

B: 没关系, 尽量快一点处理好就出来, 我等着你。
méi guān xi jǐn liàng kuài yì diǎn chù lǐ hǎo jiù chū lái wǒ děng zhe nǐ

A: 아직도 일이 안 끝났는데 다음에 만납시다.

B: 괜찮아요. 빨리 끝내고 나오세요. 기다리고 있을게요.

A: 不好意思, 我想取消3月1日的约会。
bù hǎo yì si wǒ xiǎng qǔ xiāo yuè rì de yuē huì

B: 怎么? 好, 想取消就取消吧。[3]
zěn me hǎo xiǎng qǔ xiāo jiù qǔ xiāo ba

A: 죄송하지만, 3월 1일의 약속을 취소하고 싶습니다.

B: 뭐라고요? 좋아요. 취소하고 싶으시면 취소하세요.

---

2) '不要紧 búyàojǐn' '没事 méishì' '没关系 méiguānxi' 등은 모두 '괜찮아요' '상관없어요'라는 뜻으로 북방 지역에서는 주로 '没事儿 méishìr'를, 남방 지역에서는 주로 '不要紧 búyàojǐn'을 많이 쓴다.

3) 想~ 就~: ~하고 싶은 대로 ~하다.

4 확인 · 만남

确认/见面
què rèn jiànmiàn

현대를 살아가는 우리들은 매우 바쁘고 복잡한 삶을 살아가기 때문에 약속을 해 놓고도 자칫 잊어버리는 수가 많다. 이를 건망증(健忘症 jiànwàngzhèng)으로만 탓할 것이 아니라 늘 메모하는 습관을 익혀 두어야 하며, 중요한 약속을 신청해 놓은 경우라면 하루 전쯤 상대방에게도 전화를 걸어 약속을 확인하는 것이 좋을 것이다.

기 본 대 화

A: 小燕, 今天晚上的聚会没忘吧?
xiǎo yàn jīn tiān wǎn shang de jù huì méi wàng ba

B: 怎么可能忘了呢! 是7点在北京大酒店酒吧, 对吧?
zěn me kě néng wàng le ne shì diǎn zài běi jīng dà jiǔ diàn jiǔ bā duì ba

A: 对。你没有变动吧?
duì nǐ méi yǒu biàn dòng ba

B: 我带一个人去, 行不行?
wǒ dài yí ge rén qù xíng bu xíng

A: 谁? 是男朋友吗?
shéi shì nán péng you ma

B: 也许。
yě xǔ

A: 可以, 那一会儿见!
kě yǐ nà yí huìr jiàn

B: 好, 不见不散![1)]
hǎo bú jiàn bú sàn

A: 샤오옌, 오늘 저녁 약속 잊지 않았겠지?
B: 잊을 리가 있나. 7시에 베이징 호텔 호프 맞지?
A: 맞아. 다른 변동 사항 없지?
B: 한 사람 더 데려가도 돼?
A: 누군데? 남자 친구니?
B: 아마도.
A: 좋아. 그럼 조금 있다 보자.
B: 그래. 만날 때까지 기다리기야!

---

1) 不见不散 bú jiàn bú sàn: '만날 때까지 자리를 떠나지 않는다'는 뜻으로 꼭 만나자는 굳은 약속의 표현이다. 중국 사람들은 이 말을 자주 사용하는데, 신의와 우정을 중시하며, 상대가 늦더라도 끝까지 기다려 주는 넉넉한 마음을 엿볼 수 있다.

여러 가지 활용

Ⅰ. 약속을 확인할 때 确定约会时
què dìng yuē huì shí

A: 今天晚上7点见。别忘了。
jīn tiān wǎn shang diǎn jiàn bié wàng le
B: 不会的。
bú huì de

A: 오늘 저녁 7시입니다. 잊지 마세요.
B: 그럴 리가 있나요.

A: 今天中午的约会还记得吗?
jīn tiān zhōng wǔ de yuē huì hái jì de ma
B: 哦, 我知道。我会准时到的。
ò wǒ zhī dào wǒ huì zhǔn shí dào de

A: 오늘 점심 약속 잊지 않으셨죠?
B: 네, 알고 있습니다. 시간 맞춰 나가겠습니다.

- 확인 좀 하려고요. 오늘 약속 변동 없으시죠?
  我想确认一下, 今天的约会没什么变化吧?
  wǒ xiǎng què rèn yí xià jīn tiān de yuē huì méi shén me biàn huà ba
- 오늘 모임 있는 것 알고 계시죠?
  你知道今天有聚会吧?
  nǐ zhī dào jīn tiān yǒu jù huì ba
- 이따가 회식에 참석할 거죠?
  一会儿你会来参加聚会吧?
  yí huìr nǐ huì lái cān jiā jù huì ba
- 이번 주말 등산 가는데 오실 수 있으세요?
  这周末去爬山, 你能来吗?
  zhè zhōu mò qù pá shān nǐ néng lái ma
- 제가 모시러 갈 테니 호텔 로비에서 기다려 주십시오.
  我去接您, 您就在宾馆大厅等我吧。
  wǒ qù jiē nín nín jiù zài bīn guǎn dà tīng děng wǒ ba

▶ 약속 시간을 상기시킬 때 **提醒对方约定时间时**
tí xǐng duì fāng yuē dìng shí jiān shí

A: 不要迟到啊!
bú yào chí dào a

B: 你放心, 我会守约的。
nǐ fàng xīn wǒ huì shǒu yuē de

A: 늦지 마세요!

B: 안심하세요. 약속 지킬 테니까요.

A: 不要失约!
bú yào shī yuē

B: 别担心。
bié dān xīn

A: 약속 어기면 안돼요!

B: 걱정 마세요.

- 시간을 준수해 주십시오.
  请你遵守时间。
  qǐng nǐ zūn shǒu shí jiān

- 제 시간에 도착해야 돼요.
  要准时到。
  yào zhǔn shí dào

- 시간 맞춰 오세요!
  你可按时到啊!
  nǐ kě àn shí dào a

- 약속 시간 잊으면 안돼요.
  不要忘了约定的时间啊。
  bú yào wàng le yuē dìng de shí jiān a

▶ 확인 전화를 받았을 때 **接到提醒电话时**
jiē dào tí xǐng diàn huà shí

- 반드시 참석하겠습니다.
  我一定会参加的。
  wǒ yí dìng huì cān jiā de

- 당연히 가야죠. 시간에 맞춰 나가겠습니다.
  当然去了，我会准时到的。
  dāng rán qù le wǒ huì zhǔn shí dào de

- 걱정 마세요. 제 시간에 틀림 없이 나가겠습니다.
  你放心好了，我一定准时到。
  nǐ fàng xīn hǎo le wǒ yí dìng zhǔn shí dào

- 토요일 오후 6시, 맞죠?
  是星期六下午6点，没错吧?
  shì xīng qī liù xià wǔ diǎn méi cuò ba

- 전화 주셔서 감사합니다. 하마터면 잊을 뻔했습니다.
  谢谢，你的电话。我差点儿忘了。
  xiè xie nǐ de diàn huà wǒ chà diǎnr wàng le

- 아, 깜박 잊고 있었군요. 알려 주셔서 감사합니다.
  哦，我一时忘了。谢谢你提醒我。
  ò wǒ yì shí wàng le xiè xie nǐ tí xǐng wǒ

- 약간 늦을지도 모르겠습니다.
  说不准，会晚一点儿吧。
  shuō bu zhǔn huì wǎn yì diǎnr ba

- 전화 드리려고 하던 참이었습니다. 사정이 생겨서 나갈 수 없게 되었거든요.
  我正想给您打电话呢，我临时有点儿事不能去了。
  wǒ zhèng xiǎng gěi nín dǎ diàn huà ne wǒ lín shí yǒu diǎnr shì bù néng qù le

Ⅱ. 약속 장소에서 기다릴 때 在约定地点等候时
zài yuē dìng dì diǎn děng hòu shí

A: 金先生怎么还不来呀?
jīn xiān sheng zěn me hái bù lái ya

B: 他说一定要来的。是不是路上堵车呀?
tā shuō yí dìng yào lái de shì bu shì lù shang dǔ chē ya

A: 咱们再等一下吧。要不给他打个电话?
zán men zài děng yí xià ba yào bù gěi tā dǎ ge diàn huà

B: 啊，你看，他来了。他是金先生对吧?
ā nǐ kàn tā lái le tā shì jīn xiān sheng duì ba

A: 김 선생님이 왜 아직도 안 오실까요?

B: 꼭 오신다고 하셨는데. 차가 막히는 걸까요?

A: 조금만 더 기다려 봅시다. 아니면 전화를 드려 볼까요?

B: 아, 저기 오십니다. 김 선생님 맞죠?

▶ 상대방이 아직 안 나왔을 때 **对方还没有来时**
duì fāng hái méi yǒu lái shí

A: 等了半天，怎么还不来呀?
děng le bàn tiān zěn me hái bù lái ya
B: 谁知道啊。他说一定来的。
shéi zhī dào a tā shuō yí dìng lái de

A: 한참이나 기다렸는데 왜 아직 안 올까요?
B: 그러게 말이에요. 꼭 온다고 했는데요.

- 그가 안 올 리가 없어요.
  他不会不来的。
  tā bú huì bù lái de

- 평소에 이렇게 늦는 적이 없었어요.
  平时从来没迟到过啊。
  píng shí cóng lái méi chí dào guo a

- 평소에 그는 약속을 아주 잘 지켰어요.
  平时他很准时的。
  píng shí tā hěn zhǔn shí de

- 그가 왜 아직도 안 오는 걸까요?
  他怎么还没有来呢?
  tā zěn me hái méi yǒu lái ne

- 그가 안 오면 어떻게 하죠?
  如果他不来怎么办?
  rú guǒ tā bù lái zěn me bàn

- 지금쯤이면 도착할 시간인데.
  这个时候他应该到这儿了。
  zhè ge shí hou tā yīng gāi dào zhèr le

- 그에게 무슨 일이 일어난 것 아닐까요?
  他是不是发生什么意外了?
  tā shì bu shì fā shēng shén me yì wài le

▶ 상대방을 좀더 기다릴 때 **延长等候时间时**
yán cháng děng hòu shí jiān shí

A: 不要等他了，咱们走吧。
bú yào děng tā le zán men zǒu ba

B: 别着急，还有时间，咱们再等一会儿吧。
bié zháo jí hái yǒu shí jiān zán men zài děng yí huìr ba

A: 그 사람 기다릴 것 없어요. 우리끼리 갑시다.
B: 조급해 하지 마세요. 아직 시간 있으니 조금만 더 기다려 봐요.

- 10분만 더 기다려 보면 어때요?
  再等十分钟好不好?
  zài děng shí fēn zhōng hǎo bu hǎo

- 그는 안 올 리가 없으니 우리 좀 더 기다려 봅시다.
  他不会不来的，咱们再等一下吧。
  tā bú huì bù lái de zán men zài děng yí xià ba

- 조금만 더 기다립시다. 그는 틀림 없이 올 겁니다.
  再等一会儿吧。他会来的。
  zài děng yí huìr ba tā huì lái de

- 그가 틀림없이 온다고 했으니 그래도 기다려 봅시다.
  他说一定来，我们还是等着吧。
  tā shuō yí dìng lái wǒ men hái shì děng zhe ba

▶ 기다리다 화가 났을 때 **等得不耐烦时**
děng de bú nài fán shí

- 어째서 이렇게 사람을 오래 기다리게 하지?
  怎么让人等这么久?
  zěn me ràng rén děng zhè me jiǔ

- 기다리다 지쳤어요.
  等得都不耐烦了。
  děng de dōu bú nài fán le

- 더 기다릴 수는 없어요. 시간만 낭비할 뿐이에요.
  不能再等下去了，这只是浪费时间。
  bù néng zài děng xià qù le zhè zhǐ shì làng fèi shí jiān

- 시간 관념 없는 사람은 정말 싫어요.
  我最讨厌没有时间观念的人。
  wǒ zuì tǎo yàn méi yǒu shí jiān guān niàn de rén

- 약속을 안 지키는 사람과는 상대하기 싫어요.
  我不喜欢和没有信用的人交往。
  wǒ bù xǐ huan hé méi yǒu xìn yòng de rén jiāo wǎng

▶ **기다리다 전화로 확인해 볼 때** **等候许久不来，打电话确认时**
děng hòu xǔ jiǔ bù lái dǎ diàn huà què rèn shí

A: 喂，小许，你忘了今天的约会吗?
wéi xiǎo xǔ nǐ wàng le jīn tiān de yuē huì ma
现在大家都在餐厅等你呢。
xiàn zài dà jiā dōu zài cān tīng děng nǐ ne
B: 真对不起，快要下班时，韩国方面有急电。
zhēn duì bu qǐ kuài yào xià bān shí hán guó fāng miàn yǒu jí diàn
我可能会晚一点儿，请多包涵。
wǒ kě néng huì wǎn yì diǎnr qǐng duō bāo han
A: 没关系。那什么时候能来?
méi guān xi nà shén me shí hou néng lái
B: 大概30分钟后吧! 你们先用餐吧。我一会儿就到。
dà gài fēn zhōng hòu ba nǐ men xiān yòng cān ba wǒ yí huìr jiù dào

A: 샤오쉬, 오늘 약속 있는 것 잊었어요?
지금 모두 식당에서 당신을 기다리고 있어요.
B: 정말 죄송해요. 막 퇴근하려는데 한국에서 급한 전화가 왔어요. 아마 좀 늦을 것 같아요. 양해해 주세요.
A: 괜찮아요. 그럼 언제쯤 올 수 있을 것 같아요?
B: 한 30분쯤 후에요. 먼저 식사들 하고 계세요. 저도 금방 갈게요.

- 지금 어디쯤 오고 계십니까?
现在你大概到哪儿啦?
xiàn zài nǐ dà gài dào nǎr la

- 언제쯤 도착할 수 있을 것 같습니까?
大概什么时候会到呢?
dà gài shén me shí hou huì dào ne

- 얼마나 더 걸릴 것 같습니까?
还需要多长时间?
hái xū yào duō cháng shí jiān

- 미안합니다. 금방 도착할 겁니다.
对不起，我马上就到。
duì bu qǐ wǒ mǎ shàng jiù dào

- 일이 끝나는 대로 바로 가겠습니다.
  办完事，我马上去。
  bàn wán shì, wǒ mǎ shàng qù

- 8시 전에는 반드시 도착할 겁니다.
  8点之前一定会到那里。
  diǎn zhī qián yí dìng huì dào nà li

- 그에게서 전화가 왔는데 조금 늦는다는군요.
  他给我来过电话，说会晚一点儿到。
  tā gěi wǒ lái guo diàn huà, shuō huì wǎn yì diǎnr dào

Ⅲ. 약속 장소가 어긋났을 때 走错约会地点时

zǒu cuò yuē huì dì diǎn shí

- 저는 저기가 정문인 줄 알고 거기서 한참 기다렸어요.
  我以为那边是正门，在那儿等了很久。
  wǒ yǐ wéi nà biān shì zhèng mén, zài nàr děng le hěn jiǔ

- 여기에 신화서점이 두 군데가 있는 줄 이제야 알았네요.
  我刚刚才知道这里有两个新华书店。
  wǒ gāng gāng cái zhī dào zhè li yǒu liǎng ge xīn huá shū diàn

- 역에 도착했니? 나는 매표소 앞에 있는데 너는?
  你到站了吗？我在售票处，你呢？
  nǐ dào zhàn le ma? wǒ zài shòu piào chù, nǐ ne?

- 저런, 베이징역이 아니고 베이징 서역이야.
  哎呀，不是北京站，而是北京西站。
  āi ya, bú shì běi jīng zhàn, ér shì běi jīng xī zhàn

- 거기서 기다려, 내가 금방 갈게.
  你在那里等着我，我马上过去。
  nǐ zài nà li děng zhe wǒ, wǒ mǎ shàng guò qù

Ⅳ. 약속 장소를 못 찾을 때 没找到约定地点时

méi zhǎo dào yuē dìng dì diǎn shí

A: 现在你在哪里？
xiàn zài nǐ zài nǎ li

B: 我也不知道，都迷路了。
wǒ yě bù zhī dào, dōu mí lù le

A: 지금 어디에 계십니까?

B: 저도 모르겠습니다. 길을 잃었네요.

- 거기서 KFC 간판이 안 보입니까?
  你没看见那个肯德基招牌吗?
  nǐ méi kàn jiàn nà ge kěn dé jī zhāo pái ma
- 지금 어떤 건물이 보이십니까?
  你现在看到的是哪个大楼?
  nǐ xiàn zài kàn dào de shì nǎ ge dà lóu
- 분명히 이 근처인데 어째서 찾을 수가 없지?
  肯定是这附近, 怎么找不到呢?
  kěn dìng shì zhè fù jìn zěn me zhǎo bu dào ne

V. 약속 장소에서 만났을 때 在约会地点见面时
zài yuē huì dì diǎn jiàn miàn shí

A: 先生! 我在这里!
xiān sheng wǒ zài zhè li
B: 哎呀, 您先到了。让您久等了!
āi ya nín xiān dào le ràng nín jiǔ děng le

A: 선생님, 저 여기 있습니다!
B: 저런, 먼저 와 계셨군요. 오래 기다리셨죠?

- 오시느라고 수고하셨죠?
  路上辛苦了吧?
  lù shang xīn kǔ le ba
- 여기 찾는데 힘들지 않으셨습니까?
  这里是不是很难找?
  zhè li shì bu shì hěn nán zhǎo
- 번거롭게 이렇게 멀리 오시라 해서 죄송합니다.
  真是麻烦你了, 这么远赶到这儿来。
  zhēn shì má fan nǐ le zhè me yuǎn gǎn dào zhèr lái
- 길이 막히지는 않았는지요?
  路上堵车了没有?
  lù shang dǔ chē le méi yǒu
- 정말 일찍 나오셨군요.
  您来得真早啊。
  nín lái de zhēn zǎo a
- 한참 기다리셨죠?
  你等半天了吧?
  nǐ děng bàn tiān le ba

5 위약 · 사과

失约/道歉
shī yuē dàoqiàn

약속의 준수 여부는 그 사람의 신용(信用 xìnyòng)과 직결된다고 할 수 있다. 번번이 약속을 지키지 못하는 사람은 성실(诚实 chéngshí)하지 못하고 책임감(责任感 zérèngǎn)이 결여 된 것으로 상대방에게 인식되기 쉽다. 그러나 간혹 뜻하지 않게 이행하지 못하는 경우가 발생하기도 하는데, 이러한 때는 구차한 변명(借口 jièkǒu)보다는 진실한 사과로 상대방의 이해를 구하는 것이 더 효과적이다. 사과의 표현으로는 "对不起 duìbuqǐ"(미안합니다) 보다는 "抱歉 bàoqiàn"(죄송합니다) 이 더 정중한 표현이다.

기 본 대 화

A: 金先生,这么晚才给你打电话,真不好意思。
jīn xiān sheng zhè me wǎn cái gěi nǐ dǎ diàn huà zhēn bù hǎo yì si

B: 小许,昨天有什么事吗?
xiǎo xǔ zuó tiān yǒu shén me shì ma

我在那里等了你一个多小时。
wǒ zài nà li děng le nǐ yí ge duō xiǎo shí

A: 真抱歉。昨天爸爸突然昏过去了,真是吓死我了,都忘了给你打电话了。[1)]
zhēn bào qiàn zuó tiān bà ba tū rán hūn guò qù le zhēn shì xià sǐ wǒ le dōu wàng le gěi nǐ dǎ diàn huà le

B: 哦,原来是这样。没关系。
ò yuán lái shì zhè yàng méi guān xi

A: 谢谢您的谅解。
xiè xie nín de liàng jiě

B: 希望伯父早日康复。
xī wàng bó fù zǎo rì kāng fù

A: 김 선생님, 이렇게 늦게 전화를 드려 죄송합니다.

B: 샤오쉬. 어제 무슨 일 있었어요?
저는 거기서 1시간 이상 기다렸어요.

A: 죄송합니다. 어제 아버지께서 갑자기 쓰러지셔서 너무 놀라는 바람에 전화 드리는 것도 잊었습니다.

B: 아, 그랬군요. 괜찮아요.

A: 이해해 주셔서 고맙습니다.

B: 아버님께서 빨리 회복하시기를 바랍니다.

---

1) 昏 hūn: 정신이 나가다, 의식을 잃다. 昏过去 hūnguòqù: 졸도하다, 까무러치다, 기절하다.

여러 가지 활용

Ⅰ. 사유를 물어볼 때 询问失约原因时
xún wèn shī yuē yuán yīn shí

A: 你到底怎么回事?
nǐ dào dǐ zěn me huí shì

B: 我临时有事, 来晚了。
wǒ lín shí yǒu shì lái wǎn le

A: 도대체 어떻게 된 일이에요?
B: 갑자기 일이 생기는 바람에 늦었습니다.

- 왜 늦게 왔어요?
  你为什么来晚了?
  nǐ wèi shén me lái wǎn le

- 무슨 일이라도 생겼나요?
  出了什么事吗?
  chū le shén me shì ma

- 어제 저녁 왜 약속을 지키지 않았죠?
  你昨天晚上为什么没守约?
  nǐ zuó tiān wǎn shang wèi shén me méi shǒu yuē

- 무슨 일 있어요? 걱정하고 있던 중이에요.
  有事吗? 我正为你担心呢。
  yǒu shì ma wǒ zhèng wèi nǐ dān xīn ne

- 너 또 늦게 왔구나. 왜 이렇게 늦었지?
  你又来晚了。为什么这么晚?
  nǐ yòu lái wǎn le wèi shén me zhè me wǎn

- 너는 왜 맨날 늦게 오는 거니?
  你怎么总是姗姗来迟呀?[2)]
  nǐ zěn me zǒng shì shān shān lái chí ya

- 내가 여기서 얼마나 오래 기다린 줄 알아요?
  你知道我在这里等了多长时间吗?
  nǐ zhī dào wǒ zài zhè li děng le duō cháng shí jiān ma

- 당신 늦게 온 것에 대해서 할말 있어요?
  你对迟到有什么解释吗?
  nǐ duì chí dào yǒu shén me jiě shì ma

---

2) 姗姗来迟 shān shān lái chí: 늑장을 부리며 천천히 오다.

Ⅱ. 사과와 변명 道歉和解释
dào qiàn hé jiě shì

A: 我来晚了，真对不起。你不要生气。
wǒ lái wǎn le zhēn duì bu qǐ nǐ bú yào shēng qì
B: 我等了一个小时，怎能不生气呢？
wǒ děng le yí ge xiǎo shí zěn néng bù shēng qì ne

A: 늦어서 정말 미안해요. 화내지 말아요.
B: 1시간이나 기다렸는데 어떻게 화를 안 내요?

A: 让您久等了，真抱歉。
ràng nín jiǔ děng le zhēn bào qiàn
B: 没关系，我也是刚到的。
méi guān xi wǒ yě shì gāng dào de

A: 오래 기다리시게 해서 죄송합니다.
B: 괜찮아요. 저도 방금 도착했어요.

사과할 때 道歉时
dào qiàn shí

- 늦었습니다. 용서해 주십시오.
  我来晚了，请原谅。
  wǒ lái wǎn le qǐng yuán liàng
- 늦어서 죄송합니다. 식사는 제가 사겠습니다.
  抱歉，来晚了，这顿我请客。
  bào qiàn lái wǎn le zhè dùn wǒ qǐng kè
- 다시는 이런 일 없을 겁니다.
  不会有下次了。
  bú huì yǒu xià cì le
- 어제는 정말 죄송했습니다.
  昨天我很对不起。
  zuó tiān wǒ hěn duì bu qǐ
- 뭐라 말씀드려야 할지 모르겠습니다.
  我不知道该怎么说才好。
  wǒ bù zhī dào gāi zěn me shuō cái hǎo

▶ **변명할 때 辩解时**
biàn jiě shí

- 길이 많이 막혔어요.
路上堵车了。
lù shang dǔ chē le

- 너무 바빠서 시간 가는 것도 몰랐습니다.
太忙了, 把时间都忘了。
tài máng le bǎ shí jiān dōu wàng le

- 서두르는 바람에 차를 잘못 탔습니다.
情急之下上错车了。[3)]
qíng jí zhī xià shàng cuò chē le

- 눈이 너무 많이 와서 운전도 할 수가 없었어요.
雪太大了, 车都开不了了。
xuě tài dà le chē dōu kāi bu liǎo le

- 제가 처음으로 혼자 집을 나서서 길을 모르겠습니다.
我第一次一个人出门, 迷路了。
wǒ dì yī cì yí ge rén chū mén mí lù le

- 약속 시간을 잘못 알고 있었습니다.
记错约定时间了。
jì cuò yuē dìng shí jiān le

- 마침 퇴근 러시아워라 택시를 잡을 수가 없었어요.
正赶上下班的高峰期, 没能拦到出租车。
zhèng gǎn shàng xià bān de gāo fēng qī méi néng lán dào chū zū chē

- 갑자기 회사에 일이 생겨서 어쩔 수가 없었습니다.
公司突然发生点儿事情, 真的没有办法。
gōng sī tū rán fā shēng diǎnr shì qing zhēn de méi yǒu bàn fǎ

- 약속을 지키려고 최선을 다했습니다만 도저히 방법이 없었습니다.
我可尽力守约了, 实在没办法。
wǒ kě jìn lì shǒu yuē le shí zài méi bàn fǎ

▶ **사과의 말을 들었을 때 听到别人解释时**
tīng dào bié rén jiě shì shí

- 뭘요. 늦기는요. 딱 맞게 오셨는데요.
哪里, 不算晚。来的正好。
nǎ li bú suàn wǎn lái de zhèng hǎo

---

3) 情急 qíngjí: 마음이 초조하다, 조급하다, 발끈하다.

- 괜찮습니다. 별로 안 기다렸어요.
  不要客气, 我没等多久。
  bú yào kè qi wǒ méi děng duō jiǔ

- 저도 늦게 왔습니다.
  我也来晚了。
  wǒ yě lái wǎn le

- 괜찮아요. 차가 많이 막혔죠?
  不要紧。路上堵车了吧?
  bú yào jǐn lù shang dǔ chē le ba

- 아무 일 없으셔서 다행입니다.
  只要你没事我就放心了。
  zhǐ yào nǐ méi shì wǒ jiù fàng xīn le

- 변명하지 말고 사실대로 말해요.
  不要解释, 实话实说吧。
  bú yào jiě shì shí huà shí shuō ba

- 됐어요. 핑계대지 말아요.
  行了, 别找借口了。[4)]
  xíng le bié zhǎo jiè kǒu le

- 늘 약속을 지키지 않는군요. 너무 무책임합니다.
  你总失约, 太没责任感了。
  nǐ zǒng shī yuē tài méi zé rèn gǎn le

- 또 약속을 어기다니 정말 화가 납니다.
  你又失约了, 真是让我生气。
  nǐ yòu shī yuē le zhēn shì ràng wǒ shēng qì

▶ 기타 其他
qí tā

- 저 시간 잘 지키죠?
  我很准时吧!
  wǒ hěn zhǔn shí ba

- 저는 약속을 어겨 본 적이 없어요.
  我从来没有失约过。
  wǒ cóng lái méi yǒu shī yuē guo

- 늘 그렇듯이 그녀가 가장 먼저 왔어요.
  和平时一样, 她来得最早。
  hé píng shí yí yàng tā lái de zuì zǎo

---

4) 借口 jièkǒu: 구실, 핑계, 변명.

- 서두르면 제 시간에 도착할 겁니다.
  快点儿, 还来得及。
  kuài diǎnr hái lái de jí

- 차 한 대를 보내겠습니다.
  我会派一辆车过去的.
  wǒ huì pài yí liàng chē guò qù de

- 제가 먼저 가서 기다리고 있겠습니다.
  我先到那里等你吧。
  wǒ xiān dào nà li děng nǐ ba

- 어제 왜 모임에 오지 않았어요?
  昨天你为什么没来参加聚会?
  zuó tiān nǐ wèi shén me méi lái cān jiā jù huì

- 그들은 결국 나타나지 않았어요.
  他们最终还是没有出现。
  tā men zuì zhōng hái shì méi yǒu chū xiàn

- 매번 모일 때마다 그가 제일 늦게 오는 바람에 다른 사람들이 모두 그를 기다려야 해요.
  每次聚会都是他来的最晚, 害得大家都等他。
  měi cì jù huì dōu shì tā lái de zuì wǎn hài de dà jiā dōu děng tā

참고 관련 용어

- 약속 约会, 约定 (yuē huì, yuē dìng)
- 예약 预约 (yù yuē)
- 선약 预先约定 (yù xiān yuē dìng)
- 확인하다 确认 (què rèn)
- 확정하다 确定 (què dìng)
- 지각하다 迟到 (chí dào)
- 기다리다 等 (děng)
- 변명하다 借口 (jiè kǒu)
- 스케줄 日程表, 时间表 (rì chéng biǎo, shí jiān biǎo)
- 약속 시간 约定时间 (yuē dìng shí jiān)
- 약속 장소 约定地点 (yuē dìng dì diǎn)
- 약속을 지키다 守约 (shǒu yuē)
- 약속을 어기다 失约, 负约, 爽约 (shī yuē, fù yuē, shuǎng yuē)
- 약속을 변경하다 改约, 改变约会 (gǎi yuē, gǎi biàn yuē huì)
- 약속을 취소하다 取消约会 (qǔ xiāo yuē huì)
- 연기하다 延期, 拖延 (yán qī, tuō yán)

11 교 통

交 通 JIAOTONG

1	버　　스	公共汽车
2	지하철 · 전철	地铁/城铁
3	기　　차	火车
4	택　　시	出租车
5	자전거 · 오토바이	自行车/摩托车
6	자가용 승용차	私人轿车

1 버 스

公共汽车
gōnggòng qì chē

베이징의 거리에는 다양한 종류의 버스들이 많이 운행되고 있다. 대형 버스(大巴 dàbā)는 물론 중형 버스(中巴 zhōngbā), 소형 버스(小巴 xiǎobā)도 있고, 이층 버스(双层公车 shuāngcéng gōngchē)와 차량 두 대가 연결된 이중 버스도 있으며, 전기로 가는 전차(电车 diànchē)도 있다. 매일 버스를 타고 등하교나 출퇴근을 하는 사람들은 교통카드(交通卡 jiāotōngkǎ)를 끊으면 훨씬 저렴하고도 번거롭지 않게 대중교통을 이용할 수 있다.

기 본 대 화

A: 去世界公园坐哪一路公交车?[1)]
qù shì jiè gōng yuán zuò nǎ yí lù gōng jiāo chē

B: 坐5路和坐12路都可以。[2)]
zuò lù hé zuò lù dōu kě yǐ

A: 往那儿去的车多吗?
wǎng nàr qù de chē duō ma

B: 挺多的, 十分钟左右来一趟。
tǐng duō de shí fēn zhōng zuǒ yòu lái yí tàng

A: 我已经等了半个多小时了。
wǒ yǐ jīng děng le bàn ge duō xiǎo shí le

B: 如果堵车的话, 车就不能按时到达。
rú guǒ dǔ chē de huà chē jiù bù néng àn shí dào dá

A: 噢, 是这样的。
ō shì zhè yàng de

B: 你再等一会儿吧。可能马上会来的。
nǐ zài děng yí huìr ba kě néng mǎ shàng huì lái de

A: 세계 공원 가려면 몇 번 버스를 타야 하죠?
B: 5번을 타셔도 되고, 12번을 타셔도 됩니다.
A: 거기 가는 버스가 많습니까?
B: 제법 많아요, 10분 정도마다 한 대씩 옵니다
A: 저는 이미 30여 분이나 기다렸는데요.
B: 차가 막히면 제 시간에 못 올 수도 있습니다.
A: 아, 그렇군요.
B: 조금만 더 기다리세요. 금방 올 겁니다.

1) 버스는 公共汽车 gōnggòng qìchē, 公交车 gōngjiāochē, 또는 公车 gōngchē라 하기도 하고, BUS를 음역하여 巴士 bāshì라 하기도 한다.
2) 버스의 노선 번호를 路 lù라 한다.

여러 가지 활용

Ⅰ. 운행 시간 运行时间
yùn xíng shí jiān

A: 到天津去的车隔多少分钟来一趟?
dào tiān jīn qù de chē gé duō shao fēn zhōng lái yí tàng

B: 一个小时一趟。
yí ge xiǎo shí yí tàng

A: 直达南京的车几天后能够到达?
zhí dá nán jīng de chē jǐ tiān hòu néng gòu dào dá

B: 大概两天吧。
dà gài liǎng tiān ba

A: 텐진행 버스는 몇 분에 한 대씩 옵니까?

B: 한 시간에 한 대 있습니다.

A: 난징행 직행버스는 며칠 만에 도착합니까?

B: 한 이틀 걸립니다.

- 30분에 한 대 있습니다.
  半个小时一趟。
  bàn ge xiǎo shí yí tàng

- 사람이 다 차면 출발합니다.
  人坐满了, 车才会出发。
  rén zuò mǎn le chē cái huì chū fā

- 거기까지 가는데 얼마나 걸립니까?
  到那里需要多长时间?
  dào nà li xū yào duō cháng shí jiān

- 탕구 가는 버스는 몇 시에 출발하죠?
  去塘沽的汽车几点发车?3)
  qù táng gū de qì chē jǐ diǎn fā chē

- 급행 버스도 있습니까?
  有快车吗?
  yǒu kuài chē ma

- 이 대형 버스는 어디로 가는 겁니까?
  这个大巴是往哪儿去的?
  zhè ge dà bā shì wǎng nǎr qù de

---

3) 塘沽 tánggū: 텐진의 항구(港口 gǎngkǒu)가 있는 곳. 인천과 텐진을 오가는 정기 여객선이 여기서 출항한다.

- 대형 버스가 소형 버스보다 넓고 안락해요.

坐大巴比坐小巴宽松舒适。
zuò dà bā bǐ zuò xiǎo bā kuān sōng shū shì

Ⅱ. 요금 票价
piào jià

▶ 승차 요금을 물을 때 问票价时
wèn piào jià shí

A: 去唐山要多少钱?
qù táng shān yào duō shao qián

B: 50块钱。
kuài qián

A: 탕산행 버스는 얼마입니까?
B: 50위안입니다.

- 왕복표는 한 장에 얼마입니까?

往返票多少钱一张?
wǎng fǎn piào duō shao qián yì zhāng

- 편도 요금은 얼마입니까?

一张单程票多少钱?
yì zhāng dān chéng piào duō shao qián

▶ 표를 살 때 买票时
mǎi piào shí

A: 儿童可以打折吗?
ér tóng kě yǐ dǎ zhé ma

B: 110厘米以下可以免票, 但是没有座位, 就要和大人坐一个座。
lí mǐ yǐ xià kě yǐ miǎn piào dàn shì méi yǒu zuò wèi jiù yào hé dà rén zuò yí ge zuò

A: 어린이는 할인이 됩니까?
B: 110cm 이하는 무료입니다. 그러나 좌석은 없고 어른과 한 자리에 앉아야 합니다.

- 학생표는 반액입니다.

学生票半价优惠。
xué shēng piào bàn jià yōu huì

• 학생증을 보여 주세요.
请给我看一下你的学生证。
qǐng gěi wǒ kàn yí xià nǐ de xué shēng zhèng

• 어린이가 따로 앉으려면 어른 요금을 내야 합니다.
如果儿童要单独坐一个座的话, 就必须买成人票。
rú guǒ ér tóng yào dān dú zuò yí ge zuò de huà jiù bì xū mǎi chéng rén piào

• 군인은 신분증을 제시하면 우대 가격을 받습니다.
军人可凭有效证件享受优惠待遇。
jūn rén kě píng yǒu xiào zhèng jiàn xiǎng shòu yōu huì dài yù

Ⅲ. 버스 정류장에서 在车站
zài chē zhàn

▶ 승강장 위치를 물을 때 询问站台位置时
xún wèn zhàn tái wèi zhì shí

A: 去太原的话, 在哪一个站台上车?[4)]
qù tài yuán de huà zài nǎ yí ge zhàn tái shàng chē
B: 一号站台。
yí hào zhàn tái

A: 타이위엔 가려면 어느 승강장에서 타야 합니까?
B: 1번 승강장입니다.

• 바로 이 자리에서 기다리시면 됩니다.
在这里等就行了。
zài zhè li děng jiù xíng le

▶ 노선을 물을 때 询问路线时
xún wèn lù xiàn shí

A: 如果去天坛公园, 在这里等车可以吗?
rú guǒ qù tiān tán gōng yuán zài zhè li děng chē kě yǐ ma
B: 没有直达的, 你需要在中途换车。
méi yǒu zhí dá de nǐ xū yào zài zhōng tú huàn chē

4) 太原 tàiyuán: 山西省 shānxīshěng(산시성)의 省都 shěngdū(성도).

A: 톈탄 공원을 가려면 여기서 버스를 기다리면 됩니까?
B: 바로 가는 것은 없고, 중간에 갈아타셔야 합니다.

- 만리장성을 가려면 몇 번 버스를 타야 합니까?
去长城, 我要坐哪路车?
qù cháng chéng wǒ yào zuò nǎ lù chē

- 베이징 시청으로 가는 버스가 있습니까?
有没有去北京市政府的车?
yǒu méi yǒu qù běi jīng shì zhèng fǔ de chē

- 거기 가는 차는 많습니다. 아무 거나 타셔도 다 갑니다.
有好多车到那里, 你随便挑一辆就行。
yǒu hǎo duō chē dào nà li nǐ suí biàn tiāo yí liàng jiù xíng

- 바로 한 정류장만 가면 됩니다.
你坐一站地就可以了。
nǐ zuò yí zhàn dì jiù kě yǐ le

- 베이징 대학에 가려면 어떤 버스가 가장 빠릅니까?
到北京大学, 坐哪一辆车最快?
dào běi jīng dà xué zuò nǎ yí liàng chē zuì kuài

- 이 버스 베이징역에 가나요?
这个车到不到北京站?
zhè ge chē dào bu dào běi jīng zhàn

- 길 저쪽으로 가서 타십시오.
到马路那边乘车。
dào mǎ lù nà biān chéng chē

▶ 버스를 오래 기다릴 때 久等公车时
jiǔ děng gōng chē shí

- 30분이나 기다렸는데도 차가 오지 않네요.
我已经等了30分钟, 汽车还没来。
wǒ yǐ jīng děng le fēn zhōng qì chē hái méi lái

- 이렇게 오래 기다리다니. 걸어가도 벌써 도착했겠군요.
等了这么长时间, 要是走路的话, 也已经到了。
děng le zhè me cháng shí jiān yào shì zǒu lù de huà yě yǐ jīng dào le

- 차가 막히는 걸까요? 왜 이렇게 안 오지요?
是不是堵车了? 怎么还不来?
shì bu shì dǔ chē le zěn me hái bù lái

• 버스가 시간을 전혀 안 지키는군요.
公共汽车一点儿都不准时。
gōng gòng qì chē yì diǎnr dōu bù zhǔn shí

• 어째서 이 버스는 매번 늦는 거야?
怎么这路车每次都晚点?
zěn me zhè lù chē měi cì dōu wǎn diǎn

▶ **차 안에서 물을 때 在车上问路时**
zài chē shang wèn lù shí

A: 这个车到市政府吗?
zhè ge chē dào shì zhèng fǔ ma

B: 你坐错车了，到下一站下车，倒10路才能到。[5)]
nǐ zuò cuò chē le dào xià yí zhàn xià chē dǎo lù cái néng dào

A: 이 버스 시청 갑니까?

B: 잘못 타셨습니다. 다음 역에서 내려서 10번으로 갈아 타세요.

• 여기가 어디예요?
这是哪里呀?
zhè shì nǎ li ya

• 베이징 대학 가려면 몇 정류장이나 남았습니까?
到北京大学还几站?
dào běi jīng dà xué hái jǐ zhàn

• 인민병원 가는데, 내릴 때 좀 알려주시겠습니까?
我要去人民医院，到的时候请告诉我一声好吗?
wǒ yào qù rén mín yī yuàn dào de shí hou qǐng gào su wǒ yì shēng hǎo ma

• 국가도서관 아직 멀었습니까?
离国家图书馆还远吗?
lí guó jiā tú shū guǎn hái yuǎn ma

• 왕징신청에 다 왔습니까?
是不是已经到望京新城了?[6)]
shì bu shì yǐ jīng dào wàng jīng xīn chéng le

---

5) 倒车의 倒를 3성으로 발음할 때에는 '차를 갈아타다'의 뜻이나, 4성으로 발음하면 '후진하다' '차를 뒤로 몰다'의 뜻이 된다.

6) 望京新城 wàngjīng xīnchéng: 베이징 차오양취(朝阳区 cháoyángqū)에 새로 개발 중에 있는 대형 아파트타운. 베이징에서 한국인들이 가장 많이 살고 있는 곳이기도 하다.

2 지하철 · 전철

地铁/城铁
dì tiě chéng tiě

베이징시에는 地铁 dìtiě(지하철)과 城铁 chéngtiě(도시 철도)가 있다. 地铁 dìtiě는 말 그대로 지하로 운행되는 전철을 말하며, 城铁 chéngtiě는 지상을 운행하는 전철을 말하는데 轻轨 qīngguǐ(경전철)라고도 하며 지하철과 서로 연계하여 탈 수가 있다. 아직은 모든 호선이 다 완공되지 않아 폭넓게 이용하기에는 다소 불편한 실정이나 건설 중인 모든 호선이 다 완공되면 베이징 시내의 교통 상황이 크게 달라질 것이다.

기 본 대 화

A: 请问, 去西直门怎么走?[1)]
qǐng wèn qù xī zhí mén zěn me zǒu

B: 你可以乘公共汽车, 也可以乘地铁。
nǐ kě yǐ chéng gōng gòng qì chē yě kě yǐ chéng dì tiě

A: 怎么走最便捷?
zěn me zǒu zuì biàn jié

B: 坐地铁又快又方便。
zuò dì tiě yòu kuài yòu fāng biàn

A: 大概多长时间能到?
dà gài duō cháng shí jiān néng dào

B: 20分钟左右。
fēn zhōng zuǒ yòu

A: 地铁站离这儿远吗?
dì tiě zhàn lí zhèr yuǎn ma

B: 不远, 对面红绿灯那儿就是。
bù yuǎn duì miàn hóng lǜ dēng nàr jiù shì

A: 시즈먼에 가려면 어떻게 가야 하죠?
B: 버스를 타도 되고, 지하철을 타도 돼요.
A: 어떻게 가는 것이 제일 빠른가요?
B: 지하철이 빠르고도 편리해요.
A: 대략 시간이 얼마나 걸리는데요?
B: 20분 정도예요.
A: 지하철역이 여기에서 먼가요?
B: 멀지 않아요, 맞은편 신호등 바로 거기예요.

1) 베이징에는 西直门 xīzhímén과 东直门 dōngzhímén이 있는데 두 곳 다 地铁 dìtiě (지하철)과 城铁 chéngtiě (도시 전철)이 만나는 교통의 중심지이다.

여러 가지 활용

Ⅰ. 호선을 물을 때 询问路线时
xún wèn lù xiàn shí

- 베이징역을 가려면 몇 호선을 타야 하죠?
  去北京站坐哪路地铁?
  qù běi jīng zhàn zuò nǎ lù dì tiě

- 왕징에 가려면 어떤 지하철을 타야 합니까?
  去望京坐什么地铁?
  qù wàng jīng zuò shén me dì tiě

- 내부 순환선을 타시면 됩니다.
  你要坐内环线。
  nǐ yào zuò nèi huán xiàn

- 왕징까지 직접 가는 지하철은 없고, 도시 전철이 거기까지 갑니다.
  没有直达望京的地铁, 有城铁可以到那儿。
  méi yǒu zhí dá wàng jīng de dì tiě, yǒu chéng tiě kě yǐ dào nàr

- 1호선을 타도 되고, 4호선을 타도 됩니다.
  你可以坐1号线, 也可以坐4号线。
  nǐ kě yǐ zuò hào xiàn, yě kě yǐ zuò hào xiàn

Ⅱ. 갈아탈 때 换乘
huàn chéng

A: 我要去宣武门, 在哪儿倒地铁?
wǒ yào qù xuān wǔ mén, zài nǎr dǎo dì tiě

B: 在复兴门。
zài fù xīng mén

A: 쉬엔우먼을 가려면 어디서 갈아타야 하죠?

B: 푸싱먼역입니다.

- 도시 전철로 갈아타려면 어디서 내려야 하죠?
  我要是倒城铁的话在哪儿下?
  wǒ yào shì dǎo chéng tiě de huà zài nǎr xià

- 지하철은 편하기는 한데 늘 갈아타는 것이 좀 번거롭더군요.
  乘地铁比较方便, 就是老得倒车比较麻烦。
  chéng dì tiě bǐ jiào fāng biàn, jiù shì lǎo děi dǎo chē bǐ jiào má fan

Ⅲ. 지하철을 기다릴 때 等地铁时
děng dì tiě shí

A: 地铁几分钟来一趟?
dì tiě jǐ fēn zhōng lái yí tàng
B: 5到10分钟。
dào fēn zhōng

A: 지하철은 몇 분마다 있습니까?
B: 5분에서 10분 간격입니다.

- 앞차가 방금 떠났습니다.
前面一趟刚刚才走。
qián miàn yí tàng gāng gāng cái zǒu

- 지하철을 탈 때는 질서를 지켜야 합니다.
乘地铁要有秩序。
chéng dì tiě yào yǒu zhì xù

- 열차가 역에 들어올 때는 위험하니 조심하십시오.
当地铁进站的时候, 要小心一点儿。
dāng dì tiě jìn zhàn de shí hou yào xiǎo xīn yì diǎnr

- 옷이나 물건이 문에 끼이지 않도록 조심하세요.
小心你的衣物被门夹住。
xiǎo xīn nǐ de yī wù bèi mén jiā zhù

- 붐빌 땐 소지품을 잘 관리해 소매치기 당하지 않게 하세요.
拥挤的时候要注意保管好你的财物, 以防小偷浑水摸鱼。[2)]
yōng jǐ de shí hou yào zhù yì bǎo guǎn hǎo nǐ de cái wù yǐ fáng xiǎo tōu hún shuǐ mō yú

- 차를 기다릴 때는 안전선 밖에서 기다려 주세요.
等车的时候要站在安全线以外。
děng chē de shí hou yào zhàn zài ān quán xiàn yǐ wài

Ⅳ. 지하철 안에서 在地铁上
zài dì tiě shang

- 다음 정거장은 무슨 역입니까?
下一站是什么站?
xià yí zhàn shì shén me zhàn

2) 浑水摸鱼 hún shuǐ mō yú: '물이 흐려진 틈을 타서 고기를 잡는다'는 뜻으로, '혼란한 틈을 타서 한몫 보는 것'을 말한다. = 混水摸鱼 hún shuǐ mō yú.

- 저기에 노약자석이 있습니다.
  那里有老弱病残专座。[3)]
  nà li yǒu lǎo ruò bìng cán zhuān zuò

- 신문 좀 접어 주시겠습니까?
  可以合上你的报纸吗?
  kě yǐ hé shang nǐ de bào zhǐ ma

- 지금 막 지나온 역이 무슨 역이죠?
  刚过去的那个站是什么站?
  gāng guò qù de nà ge zhàn shì shén me zhàn

- 오늘은 지하철이 붐벼서 발 디딜 틈도 없군요.
  今天地铁上挤得我都没有立锥之地。[4)]
  jīn tiān dì tiě shang jǐ de wǒ dōu méi yǒu lì zhuī zhī dì

- 동즈먼역이 여기에서 가깝습니까?
  东直门地铁站离这儿近吗?
  dōng zhí mén dì tiě zhàn lí zhèr jìn ma

- 천안문 광장 쪽으로 나가는 출구가 어디입니까?
  到天安门广场的出口在哪儿?
  dào tiān ān mén guǎng chǎng de chū kǒu zài nǎr

▶ 기타 其他
qí tā

- 빨리 가자. 안 그러면 막차를 놓칠지도 몰라.
  快点儿走, 要不就赶不上末班车了。[5)]
  kuài diǎnr zǒu yào bù jiù gǎn bu shàng mò bān chē le

- 고장이 나는 바람에 전철이 늦게 왔어요.
  由于某些故障, 地铁来晚了。
  yóu yú mǒu xiē gù zhàng dì tiě lái wǎn le

- 베이징역까지는 세 정거장 남았어요.
  到北京站还有三站。
  dào běi jīng zhàn hái yǒu sān zhàn

---

3) 老(노인)·弱(허약자)·病(병자)·残(장애인).
专座 zhuānzuò: 전용 좌석.

4) 立锥之地 lì zhuī zhī dì: '송곳을 세울 만한 땅'으로 곧 매우 좁은 공간을 의미한다. 입추의 여지.

5) 要不 yàobù: 그렇지 않으면, ~하든지, ~하거나.

3 기 차

火车
huǒchē

중국에서 기차를 타다 보면 표 검사를 참 많이 한다는 느낌이 든다. 플랫폼으로 들어갈 때, 기차에 오를 때, 기차 안에서, 그리고 목적지 역의 출구에서 다시 한번 표 검사를 받게 된다. 이렇게 표 검사를 엄격히 한다는 것은 상대적으로 무임승차하려는 사람이 많다는 반증일 수도 있겠다. 특히 목적지역 출구를 나갈 때는 주로 어린이 표를 구입하였는가를 집중적으로 검사하므로 110cm가 넘는 아이의 경우 반드시 표를 끊는 것이 좋다.

기 본 대 화

A: 这次春节你回家吗?
zhè cì chūn jié nǐ huí jiā ma

B: 当然回了。可是不知道能不能买到火车票。
dāng rán huí le kě shì bù zhī dào néng bu néng mǎi dào huǒ chē piào

A: 你要赶快去买票啊。
nǐ yào gǎn kuài qù mǎi piào a

B: 可是像我们这样的普通人去买票是很难的。
kě shì xiàng wǒ men zhè yàng de pǔ tōng rén qù mǎi piào shì hěn nán de

A: 那怎么办呢?
nà zěn me bàn ne

B: 如果买不到, 只能找黄牛买票了。[1)]
rú guǒ mǎi bu dào zhǐ néng zhǎo huáng niú mǎi piào le

A: 找黄牛, 那可是违法的呀?
zhǎo huáng niú nà kě shì wéi fǎ de ya

B: 可我们没有其他的办法了。
kě wǒ men méi yǒu qí tā de bàn fǎ le

A: 이번 설에 고향에 가세요?
B: 당연히 가지요. 그런데 기차표를 살 수 있을지 모르겠군요.
A: 어서 가서 예매를 하세요.
B: 우리 같은 보통 사람은 표를 예매하기가 무척 어려워요.
A: 그럼 어떻게 해야 하는데요?
B: 표를 사지 못하면 암표라도 사는 수밖에요.
A: 암표상을 찾는 건 위법이잖아요?
B: 하지만 다른 방법이 없거든요.

---

1) 黄牛 huángniú: 원래는 '황소'라는 뜻이지만, 암표상, 브로커, 거간꾼의 의미도 지니고 있다. 암표상은 票贩子 piàofànzi, 倒票的 dǎopiàode라고도 하며 암표는 黑票 hēipiào라 하기도 한다.

여러 가지 활용

I. 매표소에서 在售票处
zài shòu piào chù

A: 今天晚上有去上海的火车吗?
jīn tiān wǎn shang yǒu qù shàng hǎi de huǒ chē ma

B: 今天的票都卖完了，只剩下无座的票了。
jīn tiān de piào dōu mài wán le zhǐ shèng xia wú zuò de piào le

A: 那么没有办法，只好给我无座的票了。
nà me méi yǒu bàn fǎ zhǐ hǎo gěi wǒ wú zuò de piào le

A: 오늘 밤 상하이 가는 기차가 있습니까?

B: 오늘 표는 다 매진되었고, 입석표만 남아 있습니다.

A: 하는 수 없군요. 입석표라도 주세요.

• 충칭 가는 기차 제일 빠른 게 몇 시 출발입니까?
去重庆的火车，最快的在几点发车?
qù chóng qìng de huǒ chē zuì kuài de zài jǐ diǎn fā chē

• 톈진 가는 마지막 열차는 몇 시에 있습니까?
去天津的末班火车是几点?
qù tiān jīn de mò bān huǒ chē shì jǐ diǎn

• 플랫폼 입장표 하나 주세요.
请给我一张站台票。
qǐng gěi wǒ yì zhāng zhàn tái piào

• 키 110~140cm의 어린이는 반표를 구입할 수 있습니다.
身高110~140厘米的儿童享受半价票。
shēn gāo lí mǐ de ér tóng xiǎng shòu bàn jià piào

• 20인 이상일 경우는 단체표를 구입할 수 있습니다.
20人以上可以订购团体票。
rén yǐ shàng kě yǐ dìng gòu tuán tǐ piào

▶ 대합실에서 在候车室
zài hòu chē shì

• 광저우 가는 기차는 몇 번 대합실로 가야 하지요?
去广州的火车，要去几号候车室?
qù guǎng zhōu de huǒ chē yào qù jǐ hào hòu chē shì

• 고급 침대칸 손님은 귀빈실에서 기다리시면 됩니다.
软卧的乘客可以在贵宾室里等候。
ruǎn wò de chéng kè kě yǐ zài guì bīn shì li děng hòu

기차표를 바꿀 때 换火车票时
huàn huǒ chē piào shí

A: 我要换一下火车票的时间。
wǒ yào huàn yí xià huǒ chē piào de shí jiān

B: 那么就要先退票，然后再买一张。
nà me jiù yào xiān tuì piào rán hòu zài mǎi yì zhāng

A: 可以，就按你说的办吧。
kě yǐ jiù àn nǐ shuō de bàn ba

B: 退票的时候要交20%的手续费。
tuì piào de shí hou yào jiāo de shǒu xù fèi

A: 没有办法，只好那样做了。
méi yǒu bàn fǎ zhǐ hǎo nà yàng zuò le

A: 기차표의 시간을 바꾸려고 하는데요.
B: 그러면 표를 환불하고 다시 사야 합니다.
A: 좋습니다. 그렇게 해 주세요.
B: 수수료 20%를 내셔야 합니다.
A: 할 수 없지요. 그렇게 하겠습니다.

- 이 차표를 모레 날짜 것으로 바꿔 주세요.
请把这张票换成后天的。
qǐng bǎ zhè zhāng piào huàn chéng hòu tiān de

- 뤄양 가는 표를 정저우 가는 표로 바꿔 주세요.
请把去洛阳的票换成去郑州的。
qǐng bǎ qù luò yáng de piào huàn chéng qù zhèng zhōu de

기차표를 환불할 때 退火车票时
tuì huǒ chē piào shí

A: 我要退火车票。
wǒ yào tuì huǒ chē piào

B: 请您去6号的退票窗口。
qǐng nín qù hào de tuì piào chuāng kǒu

A: 기차표를 환불하려고 합니다.
B: 6번 환불 창구로 가세요.

- 기차 출발 전에 환불하면 수수료를 제외한 전액을 돌려받을 수 있습니다.
  火车出发前退票，除了手续费外，你可以拿回所有的钱。
  huǒ chē chū fā qián tuì piào chú le shǒu xù fèi wài nǐ kě yǐ ná huí suǒ yǒu de qián
- 기차가 이미 출발한 뒤에는 환불받을 수 없습니다.
  火车出发后就不可以退票了。
  huǒ chē chū fā hòu jiù bù kě yǐ tuì piào le

Ⅱ. 기차 안에서 在火车上
zài huǒ chē shang

A: 几点可以到达洛阳?
jǐ diǎn kě yǐ dào dá luò yáng

B: 比预定的时间延误了10分钟，所以要在五点十分到达。
bǐ yù dìng de shí jiān yán wù le fēn zhōng suǒ yǐ yào zài wǔ diǎn shí fēn dào dá

A: 몇 시에 뤄양에 도착합니까?

B: 예정보다 10분 늦어져, 5시 10분에 도착하게 됩니다.

- 뜨거운 물은 어디에 있습니까?[2)]
  请问热水在哪里?
  qǐng wèn rè shuǐ zài nǎ li
- 식당은 몇 호 차에 있습니까?
  餐厅在几号车厢?
  cān tīng zài jǐ hào chē xiāng
- 화장실은 열차 칸 맨 끝에 있습니다.
  厕所在车厢的最尾端。
  cè suǒ zài chē xiāng de zuì wěi duān
- 열차가 정지해 있을 때는 화장실 사용을 금합니다.[3)]
  火车在停止时禁止上厕所。
  huǒ chē zài tíng zhǐ shí jìn zhǐ shàng cè suǒ

2) 중국 기차의 모든 차량마다 전기 온수기가 설치되어 있다. 국토가 넓어 2~3일의 장시간 여행이 보편적이고, 여기에 중국인들은 차를 즐겨 마시므로 뜨거운 물은 필수적이기 때문이다.

3) 매 역에 도착할 때가 되면 승무원이 화장실을 잠그고 기차가 출발하면 다시 열어 놓는다.

▶ **기차 안에서 표 끊기** 车上补票
chē shang bǔ piào

- 차표를 끊으실 분은 7호 차로 오시기 바랍니다.
  要补票的乘客请到7号车厢。
  yào bǔ piào de chéng kè qǐng dào hào chē xiāng

- 어린이표를 구입하지 않은 승객은 지금 구입하십시오.
  没有买儿童票的乘客请马上补票。
  méi yǒu mǎi ér tóng piào de chéng kè qǐng mǎ shàng bǔ piào

▶ **물건 사기** 买东西
mǎi dōng xi

- 컵라면 있습니까?/도시락 1개 주세요.
  这里有方便面吗?/请给我一盒盒饭。
  zhè li yǒu fāng biàn miàn ma qǐng gěi wǒ yì hé hé fàn

- 꽈즈 1봉지 주세요.
  请给我一袋瓜子。[4)]
  qǐng gěi wǒ yí dài guā zǐ

- 다음 역에 내려서 먹을 것을 좀 사야겠어.
  到下一站我去买一些东西。
  dào xià yí zhàn wǒ qù mǎi yì xiē dōng xi

Ⅲ. 개찰할 때 检票时
jiǎn piào shí

- 표를 검사하겠습니다.
  现在开始检票。
  xiàn zài kāi shǐ jiǎn piào

- 당신 아이는 어린이표 샀습니까?
  你的小孩买儿童票了吗?
  nǐ de xiǎo hái mǎi ér tóng piào le ma

- 일행이 모두 몇 명입니까?
  你们一行有几个人?
  nǐ men yì xíng yǒu jǐ ge rén

- 어린이표를 구입하지 않으셨으면 여기서 구입하십시오.
  没有买票的儿童可以在这里补票。
  méi yǒu mǎi piào de ér tóng kě yǐ zài zhè li bǔ piào

---

4) 瓜子 guāzǐ: 해바라기씨, 수박씨, 호박씨 등 먹는 씨앗을 일컫는다.

4 택　시　出租车 chū zū chē

중국 본토에서는 택시를 出租车 chūzūchē라고 가장 많이 일컬으며, 出租汽车 chūzūqìchē 또는 计程车 jìchéngchē라고도 한다. 또한 택시를 음역한 的士 dīshì는 홍콩 등지에서 많이 사용하는데, 본토에서도 택시를 잡는다고 말할 때에는 "打的 dǎdī"라고 한다. 중국에는 택시의 공급이 수요보다 많기 때문에 아파트나 주요 건물 등에서 손님을 기다리는 긴 택시행렬을 볼 수 있고, 따라서 합승이란 거의 없는 상황이다.

기 본 대 화

A: 先生, 您去哪儿?
xiān sheng nín qù nǎr

B: 北京大学。
běi jīng dà xué

A: 您走哪条路?
nín zǒu nǎ tiáo lù

B: 走三环路。
zǒu sān huán lù

A: 那边正在堵车, 您不如走四环路。
nà bian zhèng zài dǔ chē nín bù rú zǒu sì huán lù

B: 你认为四环路更近吗?
nǐ rèn wéi sì huán lù gèng jìn ma

A: 不是更近, 但是现在要比三环路节省时间。[1]
bú shì gèng jìn dàn shì xiàn zài yào bǐ sān huán lù jié shěng shí jiān

B: 好的, 走四环路吧。
hǎo de zǒu sì huán lù ba

A: 손님, 어디로 모실까요?
B: 베이징대학이요.
A: 어느 길로 가시겠습니까?
B: 싼환루로 갑시다.
A: 그쪽은 지금 차가 막혀서, 쓰환루로 가는 것보다 못합니다.
B: 쓰환루가 더 가깝습니까?
A: 더 가까운건 아니지만 지금 싼환루보다는 시간이 절약됩니다.
B: 좋아요. 쓰환루로 갑시다.

---

1) 节省 jiéshěng: 절약하다. 아끼다.

여러 가지 활용

Ⅰ. 택시를 잡을 때 打的时
dǎ dī shí

A: 在上海打的容易吗?
zài shàng hǎi dǎ dī róng yì ma
B: 在中国任何地方打的都挺方便的。
zài zhōng guó rèn hé dì fang dǎ dī dōu tǐng fāng biàn de

A: 상하이에선 택시 잡기가 쉽나요?
B: 중국에서는 어느 지역이든 택시 잡기가 비교적 편해요.

- 이렇게 늦었는데, 택시를 잡을 수 있을까요?
  这么晚了, 还能打的吗?
  zhè me wǎn le hái néng dǎ dī ma
- 여긴 택시가 없어요. 택시를 잡으려면, 큰길로 나가야 해요.
  这里没有出租车, 要打的的话, 得去大马路上。
  zhè li méi yǒu chū zū chē yào dǎ dī de huà děi qù dà mǎ lù shang
- 택시들이 문 밖에 줄을 서서 기다리고 있어요.
  出租车在门外排队等候。
  chū zū chē zài mén wài pái duì děng hòu
- 한국에서는 택시 잡기가 아주 힘들어요.
  在韩国打的很难。
  zài hán guó dǎ dī hěn nán
- 차종에 따라 택시 요금이 다릅니다.
  按车种的不同, 的费也不同。
  àn chē zhǒng de bù tóng dī fèi yě bù tóng

▶ **택시를 부를 때** **叫出租车时**
jiào chū zū chē shí

A: 你能帮我叫一辆出租车过来吗?
nǐ néng bāng wǒ jiào yí liàng chū zū chē guò lái ma
B: 好的, 我马上给您叫一辆。
hǎo de wǒ mǎ shàng gěi nín jiào yí liàng

A: 택시를 한 대 불러 주시겠습니까?
B: 알겠습니다. 바로 보내 드리겠습니다.

A: 喂, 您是张师傅吗?[2)]
wèi nín shì zhāng shī fu ma

B: 是的, 您是哪位?
shì de nín shì nǎ wèi

A: 我是昨天坐您的车, 从机场到王府井的。[3)]
wǒ shì zuó tiān zuò nín de chē cóng jī chǎng dào wáng fǔ jǐng de

B: 啊, 您是金先生吧?
ā nín shì jīn xiān sheng ba

A: 是的, 我现在急着要出去, 您马上来好吗?
shì de wǒ xiàn zài jí zhe yào chū qù nín mǎ shàng lái hǎo ma

B: 好的, 我马上过去。
hǎo de wǒ mǎ shàng guò qù

A: 여보세요 장 기사님입니까?
B: 그렇습니다. 누구십니까?
A: 어제 공항에서 왕푸징으로 갔던 사람입니다.
B: 아, 김 선생님이시죠?
A: 네, 지금 급하게 외출을 하려는데 와 주시겠습니까?
B: 알겠습니다. 바로 그리로 가겠습니다.

Ⅱ. 승하차 乘/下车
chéng xià chē

▶ 행선지를 말할 때 告诉目的地时
gào su mù dì dì shí

A: 请问, 你去哪儿?
qǐng wèn nǐ qù nǎr

B: 去韩国驻华大使馆。
qù hán guó zhù huá dà shǐ guǎn

A: 어디 가십니까?
B: 한국 대사관으로 갑시다.

• 이 메모를 보세요, 이 주소로 가려고 해요.
请你看一下这条子, 我要去这个地址。
qǐng nǐ kàn yí xià zhè tiáo zi wǒ yào qù zhè ge dì zhǐ

2) 운전기사는 司机 sījī이지만, 우리가 흔히 기사님이라 부르듯이 중국에서도 师傅 shīfu라 높여 부르는 경우가 많다. 师傅 shīfu는 '스승', '사부'를 지칭하기도 하지만, '기능이나 기술이 매우 숙달된 사람'을 가리키기도 한다.

3) 王府井 wángfǔjǐng: 베이징에서 가장 번화한 거리.

- 여기서 제일 가까운 지하철역으로 데려다 주세요.
  请你把我送到离这里最近的地铁站。
  qǐng nǐ bǎ wǒ sòng dào lí zhè li zuì jìn de dì tiě zhàn

- 공항이요, 시간 없으니 빨리 가 주세요.
  去机场。我赶时间, 请您快点儿。
  qù jī chǎng wǒ gǎn shí jiān qǐng nín kuài diǎnr

▶ 짐을 실을 때 放行李时
fàng xíng li shí

- 기사님, 자전거를 트렁크에 실어 주세요.
  师傅, 请把我的自行车放在后备箱里。
  shī fu qǐng bǎ wǒ de zì xíng chē fàng zài hòu bèi xiāng li

- 이 가방을 트렁크에 실어 주시겠습니까?
  我能把我的包放在后备箱里吗?
  wǒ néng bǎ wǒ de bāo fàng zài hòu bèi xiāng li ma

- 죄송하지만 트렁크를 열어 주세요.
  麻烦你打开后备箱。
  má fan nǐ dǎ kāi hòu bèi xiāng

- 이 짐을 앞자리에 놓을 수 있을까요?
  我能把我的包放在前面的座位上吗?
  wǒ néng bǎ wǒ de bāo fàng zài qián miàn de zuò wèi shang ma

▶ 짐을 내릴 때 下车拿行李时
xià chē ná xíng li shí

- 제가 가방을 꺼내 드리겠습니다.
  我来帮你拿这个包。
  wǒ lái bāng nǐ ná zhè ge bāo

- 물건 잃어버리지 말고 잘 챙기세요.
  不要丢下您的东西。
  bú yào diū xià nín de dōng xi

- 짐을 빠뜨리지 마세요.
  不要落下您的行李。[4)]
  bú yào là xià nín de xíng li

- 제 짐이 너무 많군요, 고맙습니다.
  我的行李太多了, 谢谢您。
  wǒ de xíng li tài duō le xiè xie nín

---

4) 落: '떨어지다', '내리다'의 뜻일 때는 luò로 발음하지만 '놓아두고 잊어버리다'의 뜻일 때는 là로 발음한다.

Ⅲ. 택시 안에서 在车上
zài chē shang

▶ 시간에 쫓길 때 赶时间时
gǎn shí jiān shí

A: 到韩国驻华大使馆需要多长时间?
dào hán guó zhù huá dà shǐ guǎn xū yào duō cháng shí jiān

B: 现在是下班高峰期, 起码需要一个小时。[5)]
xiàn zài shì xià bān gāo fēng qī qǐ mǎ xū yào yí ge xiǎo shí

A: 주중 한국 대사관까지 얼마나 걸리죠?

B: 지금 퇴근 러시아워라서 적어도 한 시간은 걸릴 것 같습니다.

- 10분이면 도착합니다.
  十分钟就可以到了。
  shí fēn zhōng jiù kě yǐ dào le

- 좀 빨리 갈 수 없을까요?
  您能不能再快一点?
  nín néng bu néng zài kuài yì diǎn

- 시간이 없는데 좀더 빨리 갈 수 있을까요?
  我赶时间, 您能再快一点儿吗?
  wǒ gǎn shí jiān nín néng zài kuài yì diǎnr ma

▶ 요금을 물을 때 询问车费时
xún wèn chē fèi shí

A: 请问您到哪儿?
qǐng wèn nín dào nǎr

B: 我到王朝饭店。
wǒ dào wáng cháo fàn diàn

A: 好的。
hǎo de

B: 到那儿多少钱?
dào nàr duō shao qián

A: 计价器上会有显示。
jì jià qì shang huì yǒu xiǎn shì

B: 好, 开车吧!
hǎo kāi chē ba

5) 起码 qǐmǎ: 적어도, 최소한.

A: 到了, 28块钱。找你两块。
dào le kuài qián zhǎo nǐ liǎng kuài

B: 不用找了。
bú yòng zhǎo le

A: 어디로 모실까요?
B: 다이너스티 호텔로 갑시다.
A: 알겠습니다.
B: 거기까지 얼마입니까?
A: 미터기에 표시가 될 겁니다.
B: 좋습니다. 갑시다.
A: 다 왔습니다. 28위안입니다. 거스름돈 2위안입니다.
B: 거스름돈은 됐습니다.

A: 从这里到机场大概需要多少钱?
cóng zhè li dào jī chǎng dà gài xū yào duō shao qián

B: 大概100块。
dà gài kuài

A: 공항까지 대략 얼마나 나옵니까?
B: 100위안 정도 나옵니다.

- 기사님, 미터기를 꺾고 갑시다.
  师傅, 请您打一下表。
  shī fu qǐng nín dǎ yí xià biǎo

- 공항까지 80위안에 될까요?
  从这里到机场80元可以吗?
  cóng zhè li dào jī chǎng yuán kě yǐ ma

- 고속도로로 가시겠습니까? 고속도로 이용 요금은 손님이 내셔야 합니다.
  你要走高速公路吗? 高速公路的费用需要你自己支付。
  nǐ yào zǒu gāo sù gōng lù ma gāo sù gōng lù de fèi yòng xū yào nǐ zì jǐ zhī fù

가는 길을 알려줄 때 指路时
zhǐ lù shí

- 다음 사거리에서 우회전하세요.
请您在下一个十字路口向右转。
qǐng nín zài xià yí ge shí zì lù kǒu xiàng yòu zhuǎn

- 저 앞 고가도로를 타야 합니다.
要上前面的立交桥。
yào shàng qián miàn de lì jiāo qiáo

- 난징루로 갑시다.
我们走南京路吧。
wǒ men zǒu nán jīng lù ba

- 저 앞 신호등에서 유턴하세요.
在前面的红绿灯处调头。6)
zài qián miàn de hóng lǜ dēng chù diào tóu

지름길로 가자고 할 때 要求走近路时
yāo qiú zǒu jìn lù shí

- 내가 지름길을 알려 드릴테니 그리로 갑시다.
我告诉您一条最近的路，我们走这条路吧。
wǒ gào su nín yì tiáo zuì jìn de lù wǒ men zǒu zhè tiáo lù ba

- 돌아가지 말고 지름길로 가 주세요.
您不要绕路，请走最近的路。
nín bú yào rào lù qǐng zǒu zuì jìn de lù

- 이 길로 가면 먼데 왜 여기로 가는 거죠?
这条路比较绕远，您为什么要走这条路呢?
zhè tiáo lù bǐ jiào rào yuǎn nín wèi shén me yào zǒu zhè tiáo lù ne

- 이 길이 조금 멀긴 하지만 막히지 않아 시간이 절약됩니다.
这条路虽然比较远，但是不堵车，比较省时间。
zhè tiáo lù suī rán bǐ jiào yuǎn dàn shì bù dǔ chē bǐ jiào shěng shí jiān

잠시 세워 달라고 할 때 要求途中停车时
yāo qiú tú zhōng tíng chē shí

- 저 아파트 앞에 잠시 세워 주세요. 한 사람을 태워야 해요.
在那个公寓前停一下车，我要接一个人。
zài nà ge gōng yù qián tíng yí xià chē wǒ yào jiē yí ge rén

---

6) 调头 diàotóu: 차의 방향을 바꾸다, 차를 돌리다. = 掉头 diàotóu.

- 저 앞에 있는 슈퍼에서 잠시 세워 주시겠어요?
  您可以在前面那个超市停一下吗?
  nín kě yǐ zài qián miàn nà ge chāo shì tíng yí xià ma

- 잠시만 기다려 주세요. 물건을 놓고 왔어요.
  麻烦您等一下, 我忘了拿一件东西。
  má fan nín děng yí xià wǒ wàng le ná yí jiàn dōng xi

- 10분 이내에 돌아올 겁니다.
  我可以在10分钟之内回来。
  wǒ kě yǐ zài fēn zhōng zhī nèi huí lái

▶ **목적지에 도착했을 때** **到达目的地时**
dào dá mù dì dì shí

A: 先生, 到了。
xiān sheng dào le
B: 谢谢, 请您帮我拿一下后备箱里的东西。
xiè xie qǐng nín bāng wǒ ná yí xià hòu bèi xiāng li de dōng xi

A: 손님, 다 왔습니다.
B: 고맙습니다. 트렁크의 물건 좀 꺼내 주세요.

- 됐습니다. 이 근처에서 세워 주세요.
  好了, 你就在这个附近给我停车吧。
  hǎo le nǐ jiù zài zhè ge fù jìn gěi wǒ tíng chē ba

- 지하철역에서 세워 주시겠습니까?
  你可以在地铁站停车吗?
  nǐ kě yǐ zài dì tiě zhàn tíng chē ma

- 여기서 내리겠습니다.
  我就在这里下车吧。
  wǒ jiù zài zhè li xià chē ba

- 코너를 돌아서 세워 주시면 됩니다.
  请您在拐弯儿后停车就可以了。[7)]
  qǐng nín zài guǎi wānr hòu tíng chē jiù kě yǐ le

- 아파트 안으로 들어갑시다.
  请您开进公寓里吧。
  qǐng nín kāi jìn gōng yù li ba

---

7) 拐弯儿 guǎiwānr: 굽이를 돌다. 커브를 돌다.

▶ 요금을 낼 때 付车费时
fù chē fèi shí

- 요금이 어째서 평소보다 많이 나왔죠?
  这次的车费为什么比平时的多呢?
  zhè cì de chē fèi wèi shén me bǐ píng shí de duō ne

- 어제는 50위안이었는데 오늘은 왜 20위안이나 더 나왔지요?
  昨天还是50元, 今天怎么就多了20元呢?
  zuó tiān hái shì yuán jīn tiān zěn me jiù duō le yuán ne

- 밤 12시 이후에는 요금이 할증됩니다.
  晚上12点以后需要增加费用。
  wǎn shang diǎn yǐ hòu xū yào zēng jiā fèi yong

- 중국은 도시마다 기본요금이 다릅니다.
  中国每个城市起价都不一样。[8)]
  zhōng guó měi ge chéng shì qǐ jià dōu bù yí yàng

- 고속도로 요금 포함해서 50원입니다.
  包括高速公路费一共50元。
  bāo kuò gāo sù gōng lù fèi yí gòng yuán

▶ 기타 其他
qí tā

- 중국에는 자가용으로 영업을 하는 사람들이 아주 많아요.
  在中国用私人轿车拉客的人很多。[9)]
  zài zhōng guó yòng sī rén jiào chē lā kè de rén hěn duō

- 불법 영업 택시는 위험하니 절대 타지 마세요.
  黑车太危险了, 千万不能坐。[10)]
  hēi chē tài wēi xiǎn le qiān wàn bù néng zuò

- 차에서 내릴 때는 꼭 영수증을 달라고 하세요.
  下车时一定索要发票。[11)]
  xià chē shí yí dìng suǒ yào fā piào

- 영수증을 주세요.
  请给我发票吧。
  qǐng gěi wǒ fā piào ba

---

8) 起价 qǐjià: 택시 기본요금.
9) 拉客 lākè: 손님을 끌다. 호객 행위를 하다. 손님을 실어 나르다.
10) 黑车 hēichē: 영업 허가를 받지 않고 불법으로 영업을 하는 차량.
11) 索要 suǒyào: 요구하다. 얻어 내다.

5 자전거 · 오토바이

自行车/摩托车
zì xíng chē mó tuō chē

중국의 가장 대중적인 교통수단이라면 역시 자전거를 들 수가 있겠다. 서민들이 구입하기에 가장 부담이 없으며, 비좁은 공간에서도 주차가 가능할 뿐 아니라, 때로는 택시 뒤에 실을 수도 있어 매우 편리하다. 비가 오면 어느새 형형색색의 우비를 입고 달리는가 하면, 거친 황사(沙尘暴 shāchénbào) 바람 속에서도 스카프로 얼굴을 가리고 출퇴근하는 행렬은 매우 인상적이다.

기 본 대 화

A: 你坐什么上下班?
nǐ zuò shén me shàng xià bān

B: 我骑车。[1)]
wǒ qí chē

A: 是吗? 还可以锻炼身体。
shì ma hái kě yǐ duàn liàn shēn tǐ

B: 是呀, 早上骑车是令人愉快的。
shì ya zǎo shang qí chē shì lìng rén yú kuài de

A: 무엇을 타고 출퇴근하세요?
B: 자전거를 타고 다녀요.
A: 그렇습니까? 신체도 단련되겠군요.
B: 네, 아침에 자전거를 타면 기분도 유쾌해져요.

여러 가지 활용

Ⅰ. 자전거 自行车
zì xíng chē

- 나는 아직 자전거를 탈 줄 몰라요.
  我还不会骑车。
  wǒ hái bú huì qí chē

- 나는 관절이 아파서 자전거를 못 타요.
  我关节不好, 不能骑车。
  wǒ guān jié bù hǎo bù néng qí chē

- 자전거 자물쇠 채웠니?
  你锁自行车了吗?
  nǐ suǒ zì xíng chē le ma

1) 骑 qí: 말이나 당나귀 또는 자전거처럼 두 다리를 벌려 타는 것을 말한다. 예) 骑马 qímǎ(말을 타다), 骑驴 qílǘ(나귀를 타다).

- 내 자전거를 잃어버렸어.
  我的自行车丢了。
  wǒ de zì xíng chē diū le

- 어라? 여기다 세워 둔 자전거가 어디로 갔지?
  咦, 我刚才停在这里的自行车哪里去了?
  yí wǒ gāng cái tíng zài zhè li de zì xíng chē nǎ li qù le

- 뒤에 타, 내가 태워 줄게.
  你坐后面, 我带你回去。
  nǐ zuò hòu miàn wǒ dài nǐ huí qù

바람 넣기 打气
dǎ qì

- 자전거 바람이 다 빠졌잖아.
  自行车没气了。
  zì xíng chē méi qì le

- 자전거 타이어가 납작해졌어.
  自行车的车胎瘪了。[2)]
  zì xíng chē de chē tāi biě le

- 이 근처에 바람 넣는 데 없을까?
  这附近有没有打气的?
  zhè fù jìn yǒu méi yǒu dǎ qì de

- 뒷바퀴 타이어가 자꾸 바람이 빠져요.
  后面的轮胎总是没气。
  hòu miàn de lún tāi zǒng shì méi qì

- 바람을 넣으니 자전거가 아주 잘 나가는데.
  打了气, 车就走得很快。
  dǎ le qì chē jiù zǒu de hěn kuài

Ⅱ. 오토바이 摩托车
mó tuō chē

A: 哇, 你新买了一辆摩托车。
wā nǐ xīn mǎi le yí liàng mó tuō chē

B: 是啊, 我终于拥有一辆自己的摩托车了。
shì a wǒ zhōng yú yōng yǒu yí liàng zì jǐ de mó tuō chē le

A: 太酷了! 你能带我吗?[3)]
tài kù le nǐ néng dài wǒ ma

---

2) 瘪 biě: 납작하다. 오그라들다. 쭈글쭈글하다. 예) 瘪鼻子 biěbízi(납작코), 瘪嘴儿 biězuǐr(합죽이).

3) 酷 kù: 본래는 '혹독하다', '잔혹하다'는 형용사와 '매우', '몹시'라는 부사의 뜻이 있

B: 好啊，你上车吧。
hǎo a nǐ shàng chē ba

A: 와, 너 오토바이 새로 샀구나.
A: 응, 드디어 내 오토바이를 갖게 되었어.
A: 아주 멋지구나. 나 좀 태워 줄래?
B: 좋아, 타라구.

- 오토바이 탈 때는 헬멧을 꼭 써야 해.
  开摩托车的时候一定要戴头盔。
  kāi mó tuō chē de shí hou yí dìng yào dài tóu kuī

- 오토바이 뒤에 타는 사람도 헬멧을 쓰지 않으면 안돼.
  坐在后面的人不戴头盔也是不行的。
  zuò zài hòu miàn de rén bú dài tóu kuī yě shì bù xíng de

- 오토바이는 매우 위험해. 조심해야 한다구.
  开摩托车太危险了，一定要小心。
  kāi mó tuō chē tài wēi xiǎn le yí dìng yào xiǎo xīn

- 너무 세게 달리지 마. 안전이 최고야.
  你不要开得太快了，安全第一。
  nǐ bú yào kāi de tài kuài le ān quán dì yī

- 요즘 많은 젊은이들이 오토바이를 타고 폭주를 하는데 정말 위험합니다.
  现在的许多年轻人开摩托车飙车是很危险的。[4)]
  xiàn zài de xǔ duō nián qīng rén kāi mó tuō chē biāo chē shì hěn wēi xiǎn de

- 나는 폭주족들이 너무 부러워, 얼마나 신이 날까?
  我很羡慕那些开摩托车飙车的人，多过瘾呀![5)]
  wǒ hěn xiàn mù nà xiē kāi mó tuō chē biāo chē de rén duō guò yǐn ya

- 중국에 오토바이가 나날이 많아지는 것 같아요.
  我觉得在中国摩托车越来越多。
  wǒ jué de zài zhōng guó mó tuō chē yuè lái yuè duō

으나, 최근에는 영어 'cool'의 외래어 표기로 젊은이들 사이에 '쿨하다'의 뜻으로 많이 쓰이고 있다.

4) 飙车 biāochē: 飙 biāo는 '회오리바람' 또는 '폭풍'의 뜻으로, 飙车 biāochē는 '폭주', '질주'를 뜻한다.

5) 过瘾 guòyǐn: 瘾 yǐn은 '중독이 되다', '인이 박히다'의 뜻이며, 광적인 취미나 기호를 뜻하기도 한다. 여기서 过瘾는 자신의 욕구나 욕망을 실현하여 만족하는 것을 가리킨다.

차가 막힐 때는 택시보다 영업용 오토바이가 더 빨라요.
堵车时坐摩的比打的更快。[6)]
dǔ chē shí zuò mó dī bǐ dǎ dī gèng kuài

Ⅲ. 인력거 人力车[7)]
rén lì chē

A: 我要去综合市场多少钱呀?
wǒ yào qù zōng hé shì chǎng duō shao qián ya

B: 就三块钱。
jiù sān kuài qián

A: 很近的, 可以便宜一点儿吗?
hěn jìn de kě yǐ pián yi yì diǎnr ma

B: 都是这个价钱, 不能再便宜了。
dōu shì zhè ge jià qián bù néng zài pián yi le

A: 两块得了, 我每次坐都两块。
liǎng kuài dé le wǒ měi cì zuò dōu liǎng kuài

B: 行, 行, 上车吧。
xíng xíng shàng chē ba

A: 종합시장에 가려는데 얼마예요?

B: 3위안입니다.

A: 아주 가까운데, 좀 싸게 안돼요?

B: 다 이 가격이에요. 더 싸게는 안됩니다.

A: 2위안으로 합시다. 매번 2위안에 가는 걸요.

B: 좋아요 좋아, 타세요.

- 거기는 비교적 가까우니 우리 인력거 타고 가요.
  那儿比较近, 我们坐人力车吧!
  nàr bǐ jiào jìn wǒ men zuò rén lì chē ba

- 거기는 인력거가 들어가지 못할 거야.
  那里好像不许人力车进入。
  nà li hǎo xiàng bù xǔ rén lì chē jìn rù

- 다리가 너무 아파. 우리 삼륜차 타고 가자.
  我腿酸了, 我们坐三轮车吧。
  wǒ tuǐ suān le wǒ men zuò sān lún chē ba

---

6) 摩的 módī: 摩托车 mótuōchē (오토바이)와 的士 dīshì (택시)의 합성어로 '영업용 오토바이'를 말한다. 택시보다 요금이 싸고 길이 막혀도 싸게 갈 수 있다는 장점이 있으나 규격에 맞는 헬멧 등이 제대로 갖춰지지 않은 게 많아 다소 위험한 단점이 있다.

7) 人力车 rénlìchē: 중국에는 아직 인력거가 대중 교통수단의 하나로 남아 있는데, 주로 삼륜자전거 뒤에 두 세 사람이 앉을 수 있게 자리를 마련한 것을 말한다.

6 자가용 승용차

私人轿车
sī rén jiàochē

중국의 자동차 가격은 중국의 물가에 비해 무척 비싼 편이다. 중국에서 생산되고 있는 索纳塔 suǒnàtǎ(소나타)의 가격만 비교해 보아도 우리나라의 판매가격 보다 훨씬 비싸다. 그럼에도 불구하고 중국의 많은 사람들은 汽车梦 qìchēmèng(마이카 꿈)을 실현하기 위해 열심히 저축을 한다. 고급 주택 단지에는 이미 주차 문제가 심각할 정도로 중국도 마이카 시대에 접어든 것이다.

기 본 대 화

A: 为什么要让我停车?
wèi shén me yào ràng wǒ tíng chē

B: 您超速了。请出示一下您的驾驶证。
nín chāo sù le qǐng chū shì yí xià nín de jià shǐ zhèng

A: 抱歉, 由于我有急事, 所以超速了, 请原谅我一次吧。
bào qiàn yóu yú wǒ yǒu jí shì suǒ yǐ chāo sù le qǐng yuán liàng wǒ yí cì ba

B: 不行, 你违反了交通法规, 必须受到处罚。
bù xíng nǐ wéi fǎn le jiāo tōng fǎ guī bì xū shòu dào chǔ fá

A: 왜 저보고 차를 세우라고 하셨습니까?
B: 속도를 위반하셨습니다. 면허증을 보여 주십시오.
A: 죄송합니다. 급한 일이 있어서 과속을 했습니다. 한 번만 봐주십시오.
B: 안됩니다. 교통법규를 위반했으면 반드시 처벌을 받아야 합니다.

여러 가지 활용

Ⅰ. 자동차를 살 때 购买轿车
gòu mǎi jiào chē

· 중고차를 사는게 좋을까, 새차를 사는게 좋을까?
买旧车好, 还是买新车好呢?
mǎi jiù chē hǎo hái shì mǎi xīn chē hǎo ne

· 외제차를 살까, 아니면 국산차를 살까?
买进口车呢, 还是买国产车呢?
mǎi jìn kǒu chē ne hái shì mǎi guó chǎn chē ne

· 수동을 살까, 오토매틱을 살까?
买手动档的呢, 还是买自动档的呢?
mǎi shǒu dòng dǎng de ne hái shì mǎi zì dòng dǎng de ne

• Off-road차가 좋을까, 아니면 봉고차가 좋을까?
买越野车呢, 还是买面包车呢?[1)]
mǎi yuè yě chē ne hái shì mǎi miàn bāo chē ne

Ⅱ. 보험에 가입할 때 上汽车保险时
shàng qì chē bǎo xiǎn shí

A: 我要上汽车保险。
wǒ yào shàng qì chē bǎo xiǎn

B: 你需要上哪一种?
nǐ xū yào shàng nǎ yì zhǒng

A: 我需要上一份全面的汽车保险。
wǒ xū yào shàng yí fèn quán miàn de qì chē bǎo xiǎn

B: 你要上的保险需要在什么时候生效呢?[2)]
nǐ yào shàng de bǎo xiǎn xū yào zài shén me shí hou shēng xiào ne

A: 现在。
xiàn zài

A: 자동차 보험에 가입하려고 하는데요.
B: 어떤 종류를 원하십니까?
A: 전부 보장되는 보험을 원합니다.
B: 보험은 언제부터 유효하도록 할까요?
A: 지금 바로요.

• 보험은 언제부터 유효합니까?
这份保险从什么时候开始生效?
zhè fèn bǎo xiǎn cóng shén me shí hou kāi shǐ shēng xiào

• 최고 보상금은 얼마나 됩니까?
最高的补偿金是多少?
zuì gāo de bǔ cháng jīn shì duō shao

• 차를 도난당했을 때도 보상을 받을 수 있습니까?
如果车子丢了, 也可以得到补偿吗?
rú guǒ chē zi diū le yě kě yǐ dé dào bǔ cháng ma

---

1) 越野车 yuèyěchē: 越野 yuèyě는 '들을 넘어가다', '들을 가로지르다'는 뜻, 곧 Off- road car를 말한다.
面包车 miànbāochē: 차의 모양이 마치 面包 miànbāo(식빵)처럼 생겼다 해서 붙여진 이름.
2) 生效 shēngxiào: 发生效力 fāshēng xiàolì, 효력이 발생하다.

Ⅲ. 차를 운전할 때 开车时
kāi chē shí

A: 你是不是太累了? 我们可以轮流开车。[3]
nǐ shì bu shì tài lèi le wǒ men kě yǐ lún liú kāi chē

B: 我有点儿困了。在下一个休息站换你来开车吧。
wǒ yǒu diǎnr kùn le zài xià yí ge xiū xi zhàn huàn nǐ lái kāi chē ba

A: 당신 너무 피곤하지 않아요? 우리 교대로 운전해요.
B: 약간 졸음이 오는데요. 다음 휴게소에서 교대합시다.

▶ 길을 잘 모를 때 走生路时[4]
zǒu shēng lù shí

- 이런, 길을 잘못 든 것 같은데.
  哎呀, 我好像走岔了路。[5]
  āi ya wǒ hǎo xiàng zǒu chà le lù

- 방금 갈림길에서 길을 잘못 든 것 같아요.
  我们可能在刚才那个岔路口走错了路。[6]
  wǒ men kě néng zài gāng cái nà ge chà lù kǒu zǒu cuò le lù

- 여기가 도대체 어디지? 지난번 거기가 아닌 것 같은데.
  这儿到底是哪儿? 好像不是以前的那个地方。
  zhèr dào dǐ shì nǎr hǎo xiàng bú shì yǐ qián de nà ge dì fang

- 길을 잘못 들었나봐. 후진해 나가야겠는걸.
  好像我走错路了, 我们需要倒车回去。
  hǎo xiàng wǒ zǒu cuò lù le wǒ men xū yào dào chē huí qù

- 앞에 사거리에서 어느 방향으로 가야 하지?
  在前面那个十字路口, 我们应该向哪个方向走?
  zài qián miàn nà ge shí zì lù kǒu wǒ men yīng gāi xiàng nǎ ge fāng xiàng zǒu

- 어느 방향으로 가야 하는지 미리 알려 주세요.
  你提前和我说一下我们要向哪个方向走。
  nǐ tí qián hé wǒ shuō yí xià wǒ men yào xiàng nǎ ge fāng xiàng zǒu

- 교통 지도를 좀 봐 주세요.
  你帮我看看交通地图。
  nǐ bāng wǒ kàn kan jiāo tōng dì tú

---

3) 轮流 lúnliú: 돌아가면서 하다, 교대로 하다.
4) 生路 shēnglù: 여기서 生 shēng은 陌生 mòshēng(생소하다)의 뜻으로 生路는 '낯선 길'을 뜻한다.
5) 岔 chà: '길이 엇갈리다', '길을 잘못 들다'의 뜻.
6) 岔路口 chàlùkǒu: 갈림길. = 岔口儿 chàkǒur, 岔道儿 chàdàor.

- 우리가 지금 이 지도상에서 어디에 있는 거죠?
  我们现在在地图上的哪个位置?
  wǒ men xiàn zài zài dì tú shang de nǎ ge wèi zhì

- 우리가 가는 길이 맞는지 지도를 좀 봐 주세요.
  你在地图上看一下我们现在走的路线对不对。
  nǐ zài dì tú shang kàn yí xià wǒ men xiàn zài zǒu de lù xiàn duì bu duì

- 내려서 다른 사람에게 어떻게 가야 하는지 물어봅시다.
  我们停下来问问别人该怎么走吧。
  wǒ men tíng xià lái wèn wen bié rén gāi zěn me zǒu ba

- 이 길로 쭉 가면 중심 광장이 나옵니까?
  请问一直走可以到达中心广场吗?
  qǐng wèn yì zhí zǒu kě yǐ dào dá zhōng xīn guǎng chǎng ma

과속할 때 超速时
chāo sù shí

- 너무 빨리 달리는군요.
  车开得太快了。
  chē kāi de tài kuài le

- 과속을 하다가는 경찰에 잡힐 거예요.
  如果我们超速就会被警察拦住。
  rú guǒ wǒ men chāo sù jiù huì bèi jǐng chá lán zhù

- 속도를 줄여요, 저 앞에 레이더 속도 측정기가 있어요.
  小心减一下速, 前面有雷达测速器。
  xiǎo xīn jiǎn yí xià sù qián miàn yǒu léi dá cè sù qì

- 조심해요, 앞에 교통경찰이 있을지도 몰라요.
  小心, 前面也许有交警。[7)]
  xiǎo xīn qián miàn yě xǔ yǒu jiāo jǐng

- 제한 속도를 초과하지 마세요.
  你不要超过规定的速度。
  nǐ bú yào chāo guò guī dìng de sù dù

- "10분을 기다릴지언정 1초를 다투지 않는다."
  "宁等10分钟, 不抢1秒钟。"[8)]
  nìng děng fēn zhōng bù qiǎng miǎo zhōng

---

7) 交警 jiāojǐng: 交通警察 jiāotōng jǐngchá(교통경찰)의 준말.

8) 宁 nìng: 차라리 ~ 하는 것이 낫다. 차라리 ~할지언정 = 宁愿 nìngyuàn, 宁肯 nìngkěn.
抢 qiǎng: 앞을 다투다, 급히 서두르다, 빼앗다.

- "운전자의 술 한 모금, 가족들의 두 줄기 눈물."
  "司机一滴酒，亲人两行泪。"
  sī jī yì dī jiǔ qīn rén liǎng háng lèi

▶ 빨리 가자고 재촉할 때 催促加速时
cuī cù jiā sù shí

- 좀 더 빨리 갈 수 없나요?
  你能不能开快一点儿?
  nǐ néng bu néng kāi kuài yì diǎnr

- 전속력으로 달립시다.
  你尽量开到最快。[9)]
  nǐ jǐn liàng kāi dào zuì kuài

- 너무 천천히 가는 것 아니에요?
  你是不是开得太慢了?
  nǐ shì bu shì kāi de tài màn le

▶ 태워다 줄 때 开车送人时
kāi chē sòng rén shí

A: 上车，我开车送你吧。
shàng chē wǒ kāi chē sòng nǐ ba

B: 谢谢，辛苦你了。
xiè xie xīn kǔ nǐ le

A: 타시죠. 제가 태워 드리겠습니다.

B: 고맙습니다. 수고를 끼치게 되었군요.

- 제가 그곳까지 데려다 줄게요.
  我把你送到那里吧。
  wǒ bǎ nǐ sòng dào nà li ba

- 집까지 데려다 줄게요.
  我送你回家。
  wǒ sòng nǐ huí jiā

- 타시죠. 같은 방향인데.
  你坐吧，我们顺路。[10)]
  nǐ zuò ba wǒ men shùn lù

---

9) 尽量 jǐnliàng: 될 수 있는 대로, 최대한, 가능한한.

10) 顺路 shùnlù: 가는(오는) 길, 지나는 길.

- 고맙습니다만, 저는 그냥 버스 타고 가겠습니다.
  谢谢你，但是我还是坐公共汽车吧。
  xiè xie nǐ dàn shì wǒ hái shi zuò gōng gòng qì chē ba

- 고맙습니다만, 곧 사람이 차를 가지고 마중 나오기로 했습니다.
  谢谢，一会儿有人开车来接我。
  xiè xie yí huìr yǒu rén kāi chē lái jiē wǒ

- 차로 좀 데려다 주시겠습니까?
  你能开车送我吗?
  nǐ néng kāi chē sòng wǒ ma

- 전철역까지만 좀 태워다 줄 수 있으세요?
  你能把我送到地铁站吗?
  nǐ néng bǎ wǒ sòng dào dì tiě zhàn ma

▶ 탈 공간이 있는지를 물을 때 询问有没有座位时
xún wèn yǒu méi yǒu zuò wèi shí

A: 车里还可以坐一个人吗?
chē li hái kě yǐ zuò yí ge rén ma

B: 后面可以坐三个人，你上来吧。
hòu miàn kě yǐ zuò sān ge rén nǐ shàng lái ba

A: 한 사람 더 탈 수 있습니까?

B: 뒤에 세 사람 탈 수 있어요. 타세요.

- 저도 탈 수 있어요?
  我也可以坐吗?
  wǒ yě kě yǐ zuò ma

- 우리가 다 한 차에 탈 수 있을까요?
  我们能坐在同一辆车里吗?
  wǒ men néng zuò zài tóng yí liàng chē li ma

- 잠깐이면 되니 좀 끼어서 갑시다.
  一会儿就到了，我们挤一下吧。
  yí huìr jiù dào le wǒ men jǐ yí xià ba

▶ 출발하려 할 때 准备出发时
zhǔn bèi chū fā shí

- 빨리 타세요!
  赶快上车!
  gǎn kuài shàng chē

- 모두 탔습니까?
  都上来了吗?
  dōu shàng lái le ma

- 자, 출발합니다.
  好, 我们出发。
  hǎo wǒ men chū fā

Ⅳ. 안전 수칙 安全规则
ān quán guī zé

▶ 안전벨트 安全带
ān quán dài

A: 你系了安全带吗?[11)]
nǐ jì le ān quán dài ma
B: 当然了, 这是最基本的。
dāng rán le zhè shì zuì jī běn de

A: 안전벨트 맸어요?
B: 그럼요, 그건 기본이죠.

- 차에 타면 꼭 안전벨트를 매세요.
  上车一定要系安全带。
  shàng chē yí dìng yào jì ān quán dài

- 특히 앞 좌석에 앉은 사람은 꼭 안전벨트를 매야 해요.
  尤其是坐在前面的人必须要系安全带。
  yóu qí shì zuò zài qián miàn de rén bì xū yào jì ān quán dài

- 고속도로에서는 반드시 안전벨트를 착용해야 합니다. 이건 의무예요.
  高速公路上一定要系安全带, 这是义务。
  gāo sù gōng lù shang yí dìng yào jì ān quán dài zhè shì yì wù

- 안전벨트 덕분에 지난번 교통사고에서 화를 면했어요.
  上次交通事故中, 由于我系了安全带所以没有受伤。
  shàng cì jiāo tōng shì gù zhōng yóu yú wǒ jì le ān quán dài suǒ yǐ méi yǒu shòu shāng

11) 系: 계열(系列 xìliè), 계통(系统 xìtǒng)을 뜻할 때는 xì로 발음하나, 매다 · 묶다의 뜻으로 사용될 때는 jì로 발음한다.

▶ **자동차 문 · 창문 车门/车窗**
chē mén chē chuāng

- 문이 잘 안 닫혔어요. 다시 닫아 주세요.
门没有关好，请你再关一下。
mén méi yǒu guān hǎo qǐng nǐ zài guān yí xià

- 문을 잠가요, 아이가 열지 못하게.
把门锁上吧! 防止小孩儿开门。
bǎ mén suǒ shang ba fáng zhǐ xiǎo háir kāi mén

- 이봐요! 당신 차 뒷문이 열려 있어요.
哎! 你的车后门开了。
āi nǐ de chē hòu mén kāi le

- 문에 기대지 마세요. 위험해요.
你别靠着车门，很危险的。
nǐ bié kào zhe chē mén hěn wēi xiǎn de

- 고개를 창밖으로 내밀지 말아요.
你不要把头伸到窗外。
nǐ bú yào bǎ tóu shēn dào chuāng wài

- 손을 창밖으로 내놓는 것은 정말 위험합니다.
把手伸到窗外很危险。
bǎ shǒu shēn dào chuāng wài hěn wēi xiǎn

- 잠시 후면 터널을 지나니 창문을 닫으세요.
等一下要过隧道，把窗户关上吧。
děng yí xià yào guò suì dào bǎ chuāng hu guān shang ba

▶ **음주 운전 酒后驾车**
jiǔ hòu jià chē

A: 你喝醉了，不能开车。
nǐ hē zuì le bù néng kāi chē
B: 不要紧，我只喝了一点儿。[12)]
bú yào jǐn wǒ zhǐ hē le yì diǎnr

A: 당신 취했으니, 운전할 수 없어요.
B: 괜찮아, 조금 밖에 안 마셨다구.

12) 不要紧 búyàojǐn: 긴장할 것 없다는 뜻으로 '괜찮다', '문제없다'라고 할 때 많이 씀.

- 요즘 교통경찰들이 음주 운전을 엄격히 단속하고 있어요.
  最近交警正在严厉打击酒后驾车。
  zuì jìn jiāo jǐng zhèng zài yán lì dǎ jī jiǔ hòu jià chē

- 술을 마셨을 때는 절대 운전하지 말아요.
  如果你喝了酒千万不要开车。
  rú guǒ nǐ hē le jiǔ qiān wàn bú yào kāi chē

조심 · 주의 小心/注意
xiǎo xīn zhù yì

- 조심해서 운전하세요.
  你小心开车呀。
  nǐ xiǎo xīn kāi chē ya

- 무단 횡단하는 아이들을 주의하세요.
  你要注意穿过马路的小孩儿。13)
  nǐ yào zhù yì chuān guò mǎ lù de xiǎo háir

- 저런, 빨간등이 켜졌어요, 조심해요.
  哎呀! 红灯亮了, 我们要小心。
  āi ya hóng dēng liàng le wǒ men yào xiǎo xīn

- 조심해요. 뒤에 큰 차가 따라오고 있어요.
  小心, 我们后面跟着一辆大车。
  xiǎo xīn wǒ men hòu miàn gēn zhe yí liàng dà chē

- 중국에서 운전할 때는 특히 자전거를 조심해야 해요.
  在中国开车时要特别注意自行车。
  zài zhōng guó kāi chē shí yào tè bié zhù yì zì xíng chē

- 오토바이가 갈수록 많아져 더욱 조심해야겠어요.
  摩托车越来越多, 我们要多加注意。
  mó tuō chē yuè lái yuè duō wǒ men yào duō jiā zhù yì

- 여기는 무단 횡단하는 행인이 많으니 더욱 조심해요.
  这里穿行的行人多, 要多加小心。
  zhè li chuān xíng de xíng rén duō yào duō jiā xiǎo xīn

차에 이상이 있을 때 车出问题时
chē chū wèn tí shí

- 어, 왜 갑자기 시동이 안 걸리지?
  咦, 车怎么突然不能发动了呢?
  yí chē zěn me tū rán bù néng fā dòng le ne

---

13) 穿过 chuān guò: 관통하다, 뚫고 지나가다. 穿过马路 chuān guò mǎlù: 무단횡단하다.

- 요즘 자동차에서 이상한 소리가 나요.
  最近车子老发出奇怪的声音。
  zuì jìn chē zi lǎo fā chū qí guài de shēng yīn

- 휘발유가 새는 것 같아요.
  车子好像漏油了。
  chē zi hǎo xiàng lòu yóu le

- 배터리가 방전되었나 봐요.
  电池可能没电了。
  diàn chí kě néng méi diàn le

- 갑자기 시동이 꺼졌어요.
  发动机突然停下来了。
  fā dòng jī tū rán tíng xià lái le

- 미등 하나가 나갔어요.
  一个尾灯不亮了。
  yí ge wěi dēng bú liàng le

- 어떻게 된 거야? 차가 펑크가 나다니.
  怎么回事儿? 轮胎爆了。
  zěn me huí shìr lún tāi bào le

V. 주차 停车
tíng chē

주차장에서 在停车场
zài tíng chē chǎng

A: 停车费每小时多少钱?
tíng chē fèi měi xiǎo shí duō shao qián

B: 每小时3块。
měi xiǎo shí kuài

A: 주차료가 시간당 얼마입니까?

B: 1시간에 3위안입니다.

- 여기는 무료 주차장입니다.
  这个停车场是免费的。
  zhè ge tíng chē chǎng shì miǎn fèi de

- 이 주차장은 고객 전용 주차장입니다.
  这个停车场是顾客专用的。
  zhè ge tíng chē chǎng shì gù kè zhuān yòng de

- 주차장이 꽉 찼어요.
  停车场已经满了。
  tíng chē chǎng yǐ jīng mǎn le

- 저 앞에 주차할 수 있는 공간이 있어요.
  前面有个地方可以停车。
  qián miàn yǒu ge dì fang kě yǐ tíng chē

- 저 차가 나가려나 봐요. 저기에 주차해요.
  好像那个车要走了，我们可以停在那里。
  hǎo xiàng nà ge chē yào zǒu le wǒ men kě yǐ tíng zài nà li

- 여기 주차권 있습니다.
  这里有停车票。
  zhè li yǒu tíng chē piào

- 100위안 이상의 구매 영수증이 있으면 무료입니다.
  如果有100元以上的购物凭证就可以免费停车。
  rú guǒ yǒu yuán yǐ shàng de gòu wù píng zhèng jiù kě yǐ miǎn fèi tíng chē

- 누가 내 자리에 주차를 했지?
  谁占了我的停车位?
  shéi zhàn le wǒ de tíng chē wèi

- 주차장이 비어 있어요.
  停车场是空着的。
  tíng chē chǎng shì kòng zhe de

- 주차장에 이미 빈 자리가 없군요.
  停车场已经没有空位了。
  tíng chē chǎng yǐ jīng méi yǒu kòng wèi le

- 지하 주차장에 주차하시면 됩니다.
  你可以停在地下停车场。
  nǐ kě yǐ tíng zài dì xià tíng chē chǎng

- 차를 뒤로 좀 빼 주시겠어요?
  你能倒一下你的车吗?
  nǐ néng dào yí xià nǐ de chē ma

- 차를 앞으로 조금만 빼 주세요.
  麻烦你向前挪一下你的车。[14)]
  má fan nǐ xiàng qián nuó yí xià nǐ de chē

- 뒤로, 더, 더. 됐어요, 스톱.
  倒，倒，倒，好了，停。
  dào dào dào hǎo le tíng

---

14) 挪 nuó: 옮기다. 운반하다. 일반적으로 짧은 거리의 이동을 말함.

주차 금지 禁止停车
jìn zhǐ tíng chē

A: 我能在这里停车吗?
wǒ néng zài zhè li tíng chē ma
B: 不行, 这里禁止停车。
bù xíng zhè li jìn zhǐ tíng chē

A: 여기에 주차할 수 있습니까?
B: 안 됩니다. 여기는 주차 금지입니다.

- 이곳은 주차 금지 구역입니다.
  这个地方是禁止停车的地区。
  zhè ge dì fang shì jìn zhǐ tíng chē de dì qū
- 여기다 주차하시면 안 됩니다.
  你不能在这里停车。
  nǐ bù néng zài zhè li tíng chē
- 여기다 주차하면 바로 견인됩니다.
  如果你停在这里, 就会马上被拖走。
  rú guǒ nǐ tíng zài zhè li jiù huì mǎ shàng bèi tuō zǒu
- 어? 내 차 어디로 갔지?
  咦! 我的车哪去了?
  yí wǒ de chē nǎ qù le
- 여기다 주차하면 딱지를 떼게 됩니다.
  如果停在这里, 你就会被开罚单。
  rú guǒ tíng zài zhè li nǐ jiù huì bèi kāi fá dān

Ⅵ. 기타 其他
qí tā

세차 洗车
xǐ chē

- 세차를 좀 해 주세요.
  请帮我洗一下车。
  qǐng bāng wǒ xǐ yí xià chē
- 세차도 해 주시고, 엔진 오일도 갈아 주세요.
  请帮我洗车, 再加点儿润滑油。
  qǐng bāng wǒ xǐ chē zài jiā diǎnr rùn huá yóu

• 오늘 비 온대요. 세차하지 말아요.
今天有雨，你就不要洗车了。
jīn tiān yǒu yǔ nǐ jiù bú yào xǐ chē le

• 하필 막 세차를 하고 나니까 비가 오는군.
不巧，我刚洗完车就下雨了。
bù qiǎo wǒ gāng xǐ wán chē jiù xià yǔ le

▶ **운전면허증** **驾驶证**
jià shǐ zhèng

• 운전면허증이 있습니까?
你有驾驶证吗?
nǐ yǒu jià shǐ zhèng ma

• 국제 운전면허증이 있습니다.
我有国际驾驶证。
wǒ yǒu guó jì jià shǐ zhèng

• 필기시험은 이미 통과했는데 주행에서 떨어졌어요.
我已经通过了笔试，但是上车没过关。
wǒ yǐ jing tōng guò le bǐ shì dàn shì shàng chē méi guò guān

• 드디어 운전면허증을 취득했어요.
我终于拿到了驾驶证。
wǒ zhōng yú ná dào le jià shǐ zhèng

▶ **도난/훼손** **丢失/损坏**
diū shī sǔn huài

• 여기에 잠깐 차를 주차해 놓았는데 없어졌어요.
我刚把车停在这儿一会儿，就丢了。
wǒ gāng bǎ chē tíng zài zhèr yí huìr jiù diū le

• 누가 내 차를 부수고 오디오를 훔쳐 갔어요.
谁撬开了我的车，偷走了我的音响。[15)]
shéi qiào kāi le wǒ de chē tōu zǒu le wǒ de yīn xiǎng

• 밤 사이 누군가가 내 차를 들이받았어요.
谁在夜里撞坏了我的车?[16)]
shéi zài yè li zhuàng huài le wǒ de chē

---

15) 撬 qiào: 칼이나 송곳 등을 구멍에 넣어 억지로 문을 여는 것을 말함. 예) 钥匙丢了 yàoshi diū le, 只好撬门进去了 zhǐhǎo qiào mén jìnqù le。(열쇠를 잃어버려서 문을 부수고 들어갔어요.)

16) 撞 zhuàng: 세게 부딪히거나 충돌하는 것을 말함. 예) 撞车事故 zhuàngchē shìgù: 자동차 충돌사고.

- 누군가가 고의로 펑크를 냈어요.
  谁故意扎了我的轮胎。[17)]
  shéi gù yì zhā le wǒ de lún tāi

- 차 안에 놓아 둔 노트북이 없어졌어요.
  我放在车里的笔记本电脑不见了。
  wǒ fàng zài chē li de bǐ jì běn diàn nǎo bú jiàn le

Ⅶ. 주유소에서　在加油站

zài jiā yóu zhàn

A: 你要加多少钱的油?
nǐ yào jiā duō shao qián de yóu

B: 我要加100元的。
wǒ yào jiā yuán de

A: 얼마치 넣어 드릴까요?

B: 100위안어치 넣어 주세요.

- 가득 채워 주세요.
  给我加满了。
  gěi wǒ jiā mǎn le

- 20리터만 넣어 주세요.
  给我加20升。
  gěi wǒ jiā shēng

- 엔진을 꺼 주십시오.
  麻烦你把车熄火。[18)]
  má fan nǐ bǎ chē xī huǒ

- 무연휘발유로 넣어 주세요.
  我要不含铅的汽油。
  wǒ yào bù hán qiān de qì yóu

- 엔진오일도 좀 넣어주세요.
  润滑油也要加点儿。
  rùn huá yóu yě yào jiā diǎnr

---

17) 故意 gùyì: 일부러, 고의로 = 成心 chéngxīn, 有意 yǒuyì.
扎 zhā: 찌르다. 예) 扎手 zhāshǒu(손을 찔리다), 扎耳朵 zhā ěrduǒ(귀에 거슬리다).

18) 熄火 xīhuǒ: 불을 끄다. 불이 꺼지다. 시동을 끄다. 熄火器 xīhuǒqì(소화기).

참고 관련 용어

- 지하철 地铁 dì tiě
- 도시 철도 城铁 chéng tiě
- 경전철 轻轨铁路 qīng guǐ tiě lù
- 기차 火车 huǒ chē
- 기차역 火车站 huǒ chē zhàn
- 지하철역 地铁站 dì tiě zhàn
- 버스 公共汽车 gōnggòng qì chē, 公交车 gōng jiāo chē, 公车 gōng chē, 巴士 bā shì
- 택시 出租车 chū zū chē, 出租汽车 chū zū qì chē, 计程车 jì chéng chē, 的士 dī shì
- 승용차 轿车 jiào chē
- 자가용 승용차 私人轿车 sī rén jiào chē
- 불법영업택시 黑车 hēi chē
- 자전거 自行车 zì xíng chē
- 오토바이 摩托车 mó tuō chē
- 헬멧 头盔 tóu kuī
- 택시를 잡다 打的 dǎ dī
- 차를 타다 乘车 chéng chē
- 차에서 내리다 下车 xià chē
- 운전하다 开车 kāi chē
- 자전거 타다 骑车 qí chē
- 인력거 人力车 rén lì chē
- 정류장 车站 chē zhàn
- 교통 카드 交通卡 jiāo tōng kǎ
- 매표소 售票处 shòupiào chù
- 왕복표 往返票 wǎng fǎn piào
- 편도표 单程票 dān chéng piào
- 입석표 无座票 wú zuò piào
- 대합실 候车室 hòu chē shì
- 대형 버스 大巴 dà bā
- 중형 버스 中巴 zhōng bā
- 소형 버스 小巴 xiǎo bā
- 이층 버스 双层公车 shuāngcénggōng chē
- 전차 电车 diàn chē
- 정기권 月票 yuè piào
- 장거리 버스 长途汽车 cháng tú qì chē
- 갈아타다 倒车 dǎo chē
- 후진하다 倒车 dào chē
- 트렁크 后备箱 hòu bèi xiāng
- 과속 超速 chāo sù
- 교통경찰 交警 jiāo jǐng
- 신호등 红绿灯 hóng lǜ dēng
- 안전벨트 安全带 ān quán dài
- 음주 운전 酒后驾车 jiǔ hòu jià chē
- 주차 停车 tíng chē
- 주차장 停车场 tíng chē chǎng
- 세차 洗车 xǐ chē
- 운전면허증 驾驶证 jià shǐ zhèng
- 주유하다 加油 jiā yóu
- 주유소 加油站 jiā yóu zhàn
- 스티커 罚单 fá dān
- 벌금, 과태료 罚款 fá kuǎn

12 사교와 모임

社交与宴会 SHEJIAO YU YANHUI

1	초대 · 회답	邀请/答复
2	방문 · 접대	拜访 /接待
3	각종 모임	各种宴会
4	사교 예절	社交礼节
5	헤어질 때	散场

1 초대 · 회답

邀请/答复
yāoqǐng dá fù

손님을 초대하는 것을 "请客 qǐngkè"라고 하며, "오늘 저희 집에서 함께 식사하시죠"는 "我请你到我家吃顿饭。" wǒ qǐng nǐ dào wǒjiā chī dùn fàn이라고 한다. 请客 qǐngkè에는 한턱 낸다는 의미도 있어 "한턱 내라"할 때는 "你请客吧。" nǐ qǐngkè ba, "오늘 내가 한턱 낼게요"는 "今天我来请客。" jīntiān wǒ lái qǐngkè라고 한다. 한편 "招待 zhāodài"라는 말은 주로 "접대하다"라는 의미로 많이 쓰이며, "招待所 zhāodàisuǒ"는 기관이나 관공서 등의 간이 숙박소를 말한다.

기본대화

A: 星期五晚上，我想请你们上我家吃顿饭。[1)]
xīng qī wǔ wǎn shang wǒ xiǎng qǐng nǐ men shàng wǒ jiā chī dùn fàn

B: 有什么好事吗?
yǒu shén me hǎo shì ma

A: 没什么，只是想请你们吃饭。
méi shén me zhǐ shì xiǎng qǐng nǐ men chī fàn

B: 那太荣幸了。我一定去。
nà tài róng xìng le wǒ yí dìng qù

A: 금요일 저녁에 우리 집으로 식사를 초대하고 싶습니다.
B: 무슨 좋은 일이라도 있어요?
A: 아니오, 그냥 함께 식사나 할까 하구요.
B: 영광입니다. 꼭 가겠습니다.

여러 가지 활용

I. 초청하기 邀请
yāo qǐng

- 오늘 저녁 연회에 참석할 수 있으십니까?
  你能参加今天晚上的宴会吗?
  nǐ néng cān jiā jīn tiān wǎn shang de yàn huì ma

- 오늘 저녁 저희 집에서 함께 식사하시지요.
  今天晚上去我家吃饭好吗?
  jīn tiān wǎn shang qù wǒ jiā chī fàn hǎo ma

1) 여기서 顿 dùn은 한 끼, 두 끼 등 식사의 횟수를 말하는 양사(量词 liàngcí)이다. 打了一顿 dǎle yídùn(한 방 때렸다), 骂了一顿 màle yídùn(한 차례 꾸짖었다) 등과 같이 질책, 권고, 매도 등의 양사로도 쓰인다.

- 금요일 저녁 파티에 꼭 오셔야 해요.
  周五晚上的宴会你一定要来啊。
  zhōu wǔ wǎn shang de yàn huì nǐ yí dìng yào lái a

- 금요일 저녁에 댄스파티가 있습니다.
  星期五晚上开舞会。
  xīng qī wǔ wǎn shang kāi wǔ huì

- 오늘 오후에 저희 집에서 한 잔 하시죠.
  今天下午上我家喝一杯吧。
  jīn tiān xià wǔ shàng wǒ jiā hē yì bēi ba

- 모레 집들이 하니까 꼭 오세요.
  我后天要开乔迁宴，你们一定要来。[2)]
  wǒ hòu tiān yào kāi qiáo qiān yàn nǐ men yí dìng yào lái

- 내일 저녁 당신 가족을 식사에 초대하고 싶습니다.
  明天晚上我想请你们一家人吃饭。
  míng tiān wǎn shang wǒ xiǎng qǐng nǐ men yì jiā rén chī fàn

- 당신을 위해 송별회를 열려고 합니다.
  我想为你开个欢送会。
  wǒ xiǎng wèi nǐ kāi ge huān sòng huì

- 오늘 연회에 오실 수 있어요?
  今天的宴会你能来吗?
  jīn tiān de yàn huì nǐ néng lái ma

- 이번 연회에 참석해 주시기 바랍니다.
  希望你能参加这次的宴会。
  xī wàng nǐ néng cān jiā zhè cì de yàn huì

▶ **청첩장 请帖**[3)]
qǐng tiě

刘庆彬和李向娜兹定于5月1日在山河酒店结婚，欢迎到时光临。
liú qìng bīn hé lǐ xiàng nà zī dìng yú yuè rì zài shān hé jiǔ diàn jié hūn huān yíng dào shí guāng lín

리우칭빈씨와 리샹나씨가 5월 1일 싼허호텔에서 결혼식을 올립니다. 참석해 주시기 바랍니다.

2) 乔迁宴 qiáoqiānyàn: 집들이. 乔迁 qiáoqiān은 더 좋은 곳으로 이사를 가는 것을 말한다.

3) 请帖 qǐngtiě와 请柬 qǐngjiǎn은 모두 '초청장' '초대장'의 뜻이며, 청첩장도 이에 포함된다. 빨간색이 吉(길)하다고 여기는 중국인들은 경사의 초대장이나 세배돈·축의금 등의 봉투로 빨간색을 많이 사용한다.

Ⅱ. 참석 여부 통지 答复
dá fù

▶ 초대에 응할 때 答应邀请时
dā ying yāo qǐng shí

• 좋습니다. 가겠습니다.
好，我去。
hǎo wǒ qù

• 꼭 가도록 하겠습니다.
我一定会去的。
wǒ yí dìng huì qù de

• 집사람과 함께 참석하겠습니다.
我会带着妻子一起参加的。
wǒ huì dài zhe qī zi yì qǐ cān jiā de

• 무슨 일이 있더라도 가겠습니다.
不管发生什么事，我都会去的。
bù guǎn fā shēng shén me shì wǒ dōu huì qù de

• 영광입니다. 그때 뵙겠습니다.
很荣幸，到时再见吧。
hěn róng xìng dào shí zài jiàn ba

• 될 수 있는 대로 참석하겠습니다.
我尽量参加吧。
wǒ jǐn liàng cān jiā ba

▶ 초대에 응하지 못할 때 拒绝邀请时
jù jué yāo qǐng shí

• 죄송합니다. 선약이 있습니다.
对不起，我有约会。
duì bu qǐ wǒ yǒu yuē huì

• 죄송합니다. 갑자기 일이 생겨서 갈 수 없게 되었습니다.
对不起，突然发生了一点事情，我去不了啦。
duì bu qǐ tū rán fā shēng le yì diǎn shì qing wǒ qù bu liǎo la

• 하필이면 오늘 저녁에 급한 일이 있어서 못갈 것 같습니다.
真不巧，今晚我正好有急事不能去。[4)]
zhēn bu qiǎo jīn wǎn wǒ zhèng hǎo yǒu jí shì bù néng qù

---

4) 巧 qiǎo는 원래 '기묘하다'는 뜻으로써, 真巧 zhēnqiǎo는 '때마침', 혹은 '마침 맞게 일이 이루어지다'는 의미이며, 真不巧 zhēnbuqiǎo는 '공교롭게도' 또는 '하필이면 일이 어긋나다'는 뜻으로 사용된다.

• 처음 초대해 주셨는데 거절하게 되어 정말 미안합니다.
初次邀请就要拒绝，真不好意思。
chū cì yāo qǐng jiù yào jù jué zhēn bù hǎo yì si

▶ **다음 기회로 미룰 때** **推到下次时**
tuī dào xià cì shí

• 오늘 저녁 모임에는 참석 못할 것 같습니다. 양해해 주세요.
今晚的宴会我不能参加，请原谅。
jīn wǎn de yàn huì wǒ bù néng cān jiā qǐng yuán liàng

• 오늘은 너무 바빠서요, 다음 기회에 다시 봅시다.
今天我很忙，下次有机会再说吧。
jīn tiān wǒ hěn máng xià cì yǒu jī huì zài shuō ba

• 아마도 못가게 될 것 같습니다. 다음 기회에 가보도록 하지요.
我可能去不了了，下次有机会再去吧。
wǒ kě néng qù bu liǎo le xià cì yǒu jī huì zài qù ba

• 이번에는 도저히 못가겠습니다. 다음에 꼭 참석토록 하지요.
这次真的没法去。下次一定参加。
zhè cì zhēn de méi fǎ qù xià cì yí dìng cān jiā

▶ **기타** **其他**
qí tā

• 저는 아직 일이 좀 남아 있으니 먼저들 가시죠. 저는 좀 늦게 가겠습니다.
我还有点儿事，你们先去吧，我晚点儿过去。
wǒ hái yǒu diǎnr shì nǐ men xiān qù ba wǒ wǎn diǎnr guò qù

• 저를 기다리지는 마세요. 못 갈지도 모릅니다.
不要等我了，也可能去不了。
bú yào děng wǒ le yě kě néng qù bu liǎo

• 네가 가야만 나도 갈래.
除非你去，我才去。[5)]
chú fēi nǐ qù wǒ cái qù

• 너희들이 안가면 나도 안갈테야.
你们不去的话，我也不去。
nǐ men bú qù de huà wǒ yě bú qù

---

5) 除非 chúfēi는 '반드시 ~하여야 한다', '오직 ~하여야만 한다'는 뜻으로 대체로 뒤에 才 cái, 不 bù, 否则 fǒuzé, 不然 bùrán 등이 온다.

2 방문 · 접대

拜访/接待
bài fǎng jiē dài

중국 사람들은 초대한 사람이나 초대받은 사람이나 체면치레를 많이 한다. 초대한 사람은 계속 이것 저것 권유를 하며 음식이 먹고 남도록 풍성하게 차려낸다. 또한 초대받은 사람은 너무 게걸스럽게 먹지 않으며 주인이 음식을 더 권할 때에도 일단 사양을 하고 보는 경향이 많다. 이러한 관습은 남방 지역보다는 북방 지역에 아직 더 많이 남아 있다고 한다.

기 본 대 화

A: 您好, 是伯母吗?[1] 我是成勋, 是小华的朋友。
nín hǎo shì bó mǔ ma wǒ shì chéng xūn shì xiǎo huá de péng you

B: 成勋, 快请进, 小华正在等你呢。
chéng xūn kuài qǐng jìn xiǎo huá zhèng zài děng nǐ ne

A: 那就打扰了。
nà jiù dǎ rǎo le

B: 小华, 快出来吧。成勋来了。
xiǎo huá kuài chū lái ba chéng xūn lái le

C: 成勋, 快来, 我正等着你呢。
chéng xūn kuài lái wǒ zhèng děng zhe nǐ ne

A: 안녕하세요? 어머님이시죠? 저 샤오화 친구 청쉰입니다.
B: 청쉰, 어서 와요. 그렇지 않아도 샤오화가 기다리던데.
A: 예, 그럼 실례하겠습니다.
B: 샤오화, 빨리 나와 보렴. 청쉰이 왔다.
C: 청쉰, 어서 와. 기다리고 있었어.

여러 가지 활용

Ⅰ. 방문할 때 拜访时
bài fǎng shí

▶ **방문시의 예절** 访问时的礼节
fǎng wèn shí de lǐ jié

- 식사에 초대해 주셔서 감사합니다.
  谢谢你请我吃饭。
  xiè xie nǐ qǐng wǒ chī fàn

1) 伯父 bófù, 伯母 bómǔ는 큰아버지, 큰어머니의 뜻 외에도, 부모님 연배의 아저씨 아주머니를 높여서 부르는 말로 사용된다. 한편 큰아버지는 大伯 dàbó, 二伯 èrbó, 三伯 sānbó 등으로, 큰어머니는 大妈 dàmā, 二妈 èrmā, 三妈 sānmā 등으로 부른다.

- 파티에 초대해 주셔서 감사합니다.
  谢谢你邀请我参加这个宴会。
  xiè xie nǐ yāo qǐng wǒ cān jiā zhè ge yàn huì

- 생일 파티에 초청해 주셔서 아주 기쁩니다.
  请我参加你的生日宴会，我很高兴。
  qǐng wǒ cān jiā nǐ de shēng rì yàn huì wǒ hěn gāo xìng

- 오늘 밤 초대해 주셔서 감사합니다.
  谢谢您今天晚上邀请我。
  xiè xie nín jīn tiān wǎn shang yāo qǐng wǒ

- 초대를 받아서 정말 영광입니다.
  能得到您的邀请，真是太荣幸了。
  néng dé dào nín de yāo qǐng zhēn shì tài róng xìng le

- 제가 너무 일찍 왔나 봐요.
  我来得太早了吧。
  wǒ lái de tài zǎo le ba

- 죄송합니다. 조금 늦었습니다.
  对不起，我来晚了。
  duì bu qǐ wǒ lái wǎn le

▶ 선물 전달 赠送礼物
zèng sòng lǐ wù

A: 请收下，不知道您会不会喜欢。
qǐng shōu xià bù zhī dào nín huì bu huì xǐ huan

B: 谢谢，真的很漂亮。
xiè xie zhēn de hěn piào liang

A: 받아 주십시오. 마음에 드실지 모르겠습니다.

B: 감사합니다. 아주 예쁘네요.

- 이거 받아 주십시오. / 약소하지만 받아 주십시오.
  这个请收下吧。/ 虽然不是很贵重，但请你收下。
  zhè ge qǐng shōu xià ba suī rán bú shì hěn guì zhòng dàn qǐng nǐ shōu xià

- 저의 조그만 성의입니다. 거절하지 말아 주세요.
  这是我一点儿心意，请不要拒绝。
  zhè shì wǒ yì diǎnr xīn yì qǐng bú yào jù jué

- 저희 몇 사람이 함께 준비했습니다. 사양하지 말고 받으십시오.
  这是我们几个一起准备的，请不要客气，收下吧。
  zhè shì wǒ men jǐ ge yì qǐ zhǔn bèi de qǐng bú yào kè qi shōu xià ba

▶ **선물을 받으며 收礼物**
shōu lǐ wù

- 고맙습니다. 소중히 간직하겠습니다.
谢谢，我一定会珍惜的。
xiè xie wǒ yí dìng huì zhēn xī de

- 아니, 그냥 오시지 않고, 뭘 이런걸 가지고 오셨어요?
哎呀，来就可以了，还带什么东西呀?
āi ya lái jiù kě yǐ le hái dài shén me dōng xi ya

- 그냥 오시라고 몇번이나 말씀드렸잖아요.
说了几遍，只要你人过来就可以了。
shuō le jǐ biàn zhǐ yào nǐ rén guò lái jiù kě yǐ le

Ⅱ. 손님을 맞이할 때 迎接客人
yíng jiē kè rén

▶ **문 앞에서 在门口**
zài mén kǒu

- 어서 들어오십시오. 기다리고 있었습니다.
快请进。正在等你呢。
kuài qǐng jìn zhèng zài děng nǐ ne

- 꼭 오실 줄 알고 있었습니다.
我就知道你一定会来的。
wǒ jiù zhī dào nǐ yí dìng huì lái de

- 거실로 들어 가실까요?
去客厅好吗?
qù kè tīng hǎo ma

▶ **거실에서 在客厅**
zài kè tīng

- 앉으세요. / 어서 앉으세요.
请坐。/ 快请坐。
qǐng zuò kuài qǐng zuò

- 편하게 앉으세요.
随便坐。
suí biàn zuò

- 소파에 앉으시죠.
请坐在沙发上吧。
qǐng zuò zài shā fā shang ba

- 어려워하지 마십시오
  请不要介意。[2)]
  qǐng bú yào jiè yì

- 코트는 저에게 주세요.
  请给我外套。
  qǐng gěi wǒ wài tào

Ⅲ. 식사를 대접할 때　请吃饭时
qǐng chī fàn shí

▶ 음식 권하기　招呼客人
zhāo hu kè rén

A: 不要客气，随便吃。
bú yào kè qi suí biàn chī

B: 那我就不客气了。
nà wǒ jiù bú kè qi le

A: 사양하지 마시고 편하게 드세요.

B: 예, 그럼 잘 먹겠습니다.

- 차린 것은 없지만 많이 드세요.
  没什么菜，请多吃点儿。
  méi shén me cài qǐng duō chī diǎnr

- 식사가 다 준비되었습니다. 모두 편히들 드세요.
  饭都准备好了，大家随便吃。
  fàn dōu zhǔn bèi hǎo le dà jiā suí biàn chī

- 천천히 드십시오.
  请慢用。
  qǐng màn yòng

- 제가 손수 만든 김치예요.
  这是我自己做的泡菜。
  zhè shì wǒ zì jǐ zuò de pào cài

- 이것이 바로 한국 전통 요리 불고기입니다. 한 번 드셔 보세요.
  这就是韩国的传统菜－烤肉，大家来尝一下。
  zhè jiù shì hán guó de chuán tǒng cài kǎo ròu dà jiā lái cháng yí xià

---

2) 介意 jièyì는 '개의하다', '신경쓰다', '마음 속에 품다'라는 뜻으로서 일반적으로 不要介意 búyào jièyì는 남의 집에 왔다고 너무 어려워 하지 말고 편히 하라는 뜻이다.

- 집에서 만든 만두입니다. 맛이 어떤지 드셔 보세요.
  这是在家做的饺子，尝尝味道怎么样。[3]
  zhè shì zài jiā zuò de jiǎo zi cháng chang wèi dào zěn me yàng
- 집사람이 만든 전골입니다. 많이들 드세요.
  这是我太太做的火锅，大家多吃点儿。[4]
  zhè shì wǒ tài tai zuò de huǒ guō dà jiā duō chī diǎnr
- 이것들은 전형적인 한국 반찬입니다.
  这些是典型的韩国小菜。
  zhè xiē shì diǎn xíng de hán guó xiǎo cài

▶ 음식에 관한 대화 关于菜的话题
guān yú cài de huà tí

A: 泡菜的味道怎么样?
pào cài de wèi dào zěn me yàng
B: 有点儿辣，还有点儿酸，但很好吃。
yǒu diǎnr là hái yǒu diǎnr suān dàn hěn hǎo chī

A: 김치 맛이 어때요?
B: 조금 맵고 시긴 하지만 아주 맛있네요.

- 음식이 다 맛있습니다.
  这些菜都好吃。
  zhè xiē cài dōu hǎo chī
- 아주 맛있습니다. / 정말 맛있습니다.
  很好吃。/ 真香。
  hěn hǎo chī zhēn xiāng
- 무슨 요리인데 이렇게 맛있습니까?
  这叫什么菜? 这么好吃啊?
  zhè jiào shén me cài zhè me hǎo chī a

---

3) 우리가 말하는 만두, 즉 만두피에 고기, 야채 등의 소를 넣은 것을 중국 사람들은 다음과 같이 다양하게 일컫는다. 만두 모양이 반달형태로 피가 매우 얇은 것을 饺子 jiǎozi라 하며, 水饺 shuǐjiǎo(물만두)와 蒸饺 zhēngjiǎo(찐만두) 등이 있다. 만두 모양이 크고 둥글며 피가 두꺼운 것은 包子 bāozi라 하는데 肉包 ròubāo(고기만두)와 蔬菜包 shūcàibāo(야채만두)가 있다. 이 밖에 锅贴 guōtiē는 프라이팬에 기름을 두르고 구운 군만두를 말하며, 피가 매우 얇고 만두 크기도 아주 작은 물만두는 馄饨 húntun이라 한다. 한편 중국어의 馒头 mántou는 소가 없는 찐빵을 말한다.

4) 火锅 huǒguō는 중국 사람들이 즐겨먹는 요리 중의 하나로서 우리나라의 전골, 신선로와 같은 것이라고 볼 수 있다. 먼저 물을 끓인 뒤에 미리 준비해 둔 갖가지 야채와 고기 등 자기가 먹고 싶은 음식을 조금씩 넣어 익혀서 양념장에 찍어 먹는다.

- 어떻게 요리하셨길래 비린내가 하나도 안 나지요?
  怎么做的? 一点儿腥味都没有。
  zěn me zuò de yì diǎnr xīng wèi dōu méi yǒu

- 이렇게 맛있는 비결이 무엇입니까?
  这么好吃的秘诀是什么?
  zhè me hǎo chī de mì jué shì shén me

- 요리 솜씨가 아주 좋으십니다.
  手艺真不错。
  shǒu yì zhēn bú cuò

- 제가 정말 먹을 복이 있나 봅니다.
  我真有口福。
  wǒ zhēn yǒu kǒu fú

- 이렇게 훌륭한 요리들은 처음 먹어 봅니다.
  头一次吃到这么好吃的菜。
  tóu yí cì chī dào zhè me hǎo chī de cài

- 약간 싱거운 것 같습니다. 소금 좀 넣으면 되겠지요.
  稍微淡了一点儿, 再放点儿盐就可以了。
  shāo wēi dàn le yì diǎnr zài fàng diǎnr yán jiù kě yǐ le

- 조금 달군요. 애들이 아주 잘 먹을 것 같습니다.
  有点儿甜。孩子们一定很喜欢吃。
  yǒu diǎnr tián hái zi men yí dìng hěn xǐ huan chī

▶ 배가 부를 때 已经吃饱时
yǐ jīng chī bǎo shí

- 배가 부릅니다.
  我的肚子饱了。
  wǒ de dù zi bǎo le

- 이미 배가 부른걸요.
  我已经吃饱了。
  wǒ yǐ jīng chī bǎo le

- 됐습니다. 많이 먹었어요.
  好了, 吃得够多了。
  hǎo le chī de gòu duō le

- 너무 많이 먹었어요.
  吃得太多了。
  chī de tài duō le

- 너무 배불러서 숨도 못쉬겠어요.
  肚子太饱了，快要喘不过气了。
  dù zi tài bǎo le kuài yào chuǎn bu guò qì le

- 너무 많이 먹어서 배가 나온걸요.
  吃得太多，肚子都胀了。
  chī de tài duō dù zi dōu zhàng le

Ⅳ. 술 대접하기[5] 设酒席
shè jiǔ xí

A: 老师，我敬您一杯。[6]
lǎo shī wǒ jìng nín yì bēi
B: 啊，谢谢。
à xiè xie

A: 선생님 제가 한 잔 올리겠습니다.
B: 아, 고마워요.

▶ 술을 권할 때 敬酒时
jìng jiǔ shí

- 제가 술 한 잔 따르지요./술 한 잔 받으십시오.
  我给您倒一杯吧。/我敬您一杯。
  wǒ gěi nín dào yì bēi ba wǒ jìng nín yì bēi

- 한 번에 다 비우기입니다.
  一口干了它。
  yì kǒu gān le tā

- 딱 한 잔만 더합시다.
  最后再喝一杯吧。
  zuì hòu zài hē yì bēi ba

- 오늘은 마음껏 취하십시다.
  今天就一醉方休。
  jīn tiān jiù yí zuì fāng xiū

5) 우리나라와 중국의 음주 문화는 다소 차이가 있다. 우리나라에서는 첨잔을 하지 않고 반드시 잔을 비운 뒤에 따르지만, 중국에서는 상대방의 술잔이 비어 있으면 대접을 잘 못하는 것으로 간주한다. 그러므로 상대의 잔이 비어 있지 않도록 자주 따라 주어야 한다. 또한 우리나라에서는 상하관계가 비교적 엄격하여 어른 앞에서는 고개를 돌리고 마셔야 하지만 중국에서는 그럴 필요가 없으며, 술잔을 돌리지 않고 각자 자신의 잔으로만 마신다.

6) 敬 jìng은 아랫사람이 윗사람에게 술이나 차를 따라 올리는 것을 말한다. 윗사람이 아랫사람에게 따라줄 때는 그냥 倒 dào를 쓴다

- 잔 비우세요, 제가 한 잔 따르겠습니다.
  把口杯里的酒干了，我给您倒一杯。
  bǎ kǒu bēi li de jiǔ gān le wǒ gěi nín dào yì bēi

술잔을 받을 때 接酒时
jiē jiǔ shí

- 술맛이 아주 좋습니다.
  这酒味道真不错。
  zhè jiǔ wèi dào zhēn bú cuò

- 오늘은 술이 아주 잘 받습니다.
  今天酒怎么这么甜啊。[7)]
  jīn tiān jiǔ zěn me zhè me tián a

- 조금만 따라 주십시오.
  就倒一点儿吧。
  jiù dào yì diǎnr ba

- 죄송합니다. 저는 술을 잘 못합니다.
  对不起，我不会喝酒。
  duì bu qǐ wǒ bú huì hē jiǔ

- 이미 많이 마셨습니다. 더 마시면 안됩니다.
  我已经喝多了，再喝就不行了。
  wǒ yǐ jīng hē duō le zài hē jiù bù xíng le

과음을 말릴 때 劝不要再喝时
quàn bú yào zài hē shí

- 이미 취하셨습니다. 그만 하시죠.
  你已经喝醉了，不要再喝了。
  nǐ yǐ jīng hē zuì le bú yào zài hē le

- 오늘은 그만 드십시다.
  今天就喝到这儿吧。
  jīn tiān jiù hē dào zhèr ba

- 과음은 해로우니 적당히 하시죠.
  喝多了对身体不好，少喝点儿吧。
  hē duō le duì shēn tǐ bù hǎo shǎo hē diǎnr ba

- 술은 그만하시고 음식을 좀 드십시오.
  别再喝了，吃点儿东西吧。
  bié zài hē le chī diǎnr dōng xi ba

---

7) 甜은 원래 '달다'는 뜻이지만 여기서는 기분좋게 마시는 술을 의미한다.

▶ **건배하기 干杯**
gān bēi

A: 我们一起举杯, 干杯!
wǒ men yì qǐ jǔ bēi gān bēi

B: 干杯!
gān bēi

A: 우리 다함께 술잔을 들고 건배합시다!

B: 건배!

- 이렇게 기쁜 날 우리 모두 함께 축배를 듭시다!
  这么高兴的日子, 我们一起举杯吧。
  zhè me gāo xìng de rì zi wǒ men yì qǐ jǔ bēi ba

- 새해를 맞이하여 모두 건배합시다!
  为了迎接新年, 我们来干杯!
  wèi le yíng jiē xīn nián wǒ men lái gān bēi

- 선생님의 생신을 축하하며, 건배합시다!
  祝老师生日快乐, 干杯!
  zhù lǎo shī shēng rì kuài lè gān bēi

- 두 사람의 행복한 결혼을 위하여 건배!
  为了两位幸福的结婚, 干杯!
  wèi le liǎng wèi xìng fú de jié hūn gān bēi

- 우리들의 우정을 위하여 건배!
  为了我们的友谊, 干杯!
  wèi le wǒ men de yǒu yì gān bēi

V. 다과 접대하기 茶点
chá diǎn

▶ **차 권하기 敬茶**
jìng chá

A: 有龙井茶、铁观音、茉莉花茶, 你要哪个?
yǒu lóng jǐng chá tiě guān yīn mò lì huā chá nǐ yào nǎ ge

B: 我喜欢淡一点儿的。
wǒ xǐ huan dàn yì diǎnr de

A: 那你喝龙井茶吧。
nà nǐ hē lóng jǐng chá ba

A: 롱징차, 티에관인, 모리화차 등이 있습니다. 어떤 걸로 하시겠어요?
B: 저는 좀 연한 차가 좋습니다.
A: 그럼 롱징차로 드시죠.

- 뭘로 드시겠습니까? / 무슨 음료 드시겠어요?
  你想喝点儿什么? / 你要喝什么饮料?
  nǐ xiǎng hē diǎnr shén me nǐ yào hē shén me yǐn liào

- 항저우에서 가져온 위첸차에요. 드셔 보세요.
  这是从杭州带回来的雨前茶, 您来品尝一下。8)
  zhè shì cóng háng zhōu dài huí lái de yǔ qián chá nín lái pǐn cháng yí xià

- 중국의 유명한 우롱차입니다. 맛이 아주 좋아요.
  这是中国有名的乌龙茶, 味道很不错。
  zhè shì zhōng guó yǒu míng de wū lóng chá wèi dào hěn bú cuò

- 홍차 드시겠어요, 아니면 커피 드시겠어요?
  您喝红茶还是咖啡?
  nín hē hóng chá hái shì kā fēi

- 커피 한 잔 어떻습니까?
  喝杯咖啡怎么样?
  hē bēi kā fēi zěn me yàng

- 커피에 설탕 넣으십니까?
  咖啡里放糖吗?
  kā fēi li fàng táng ma

- 뜨거울 때 드십시오.
  趁热喝吧。
  chèn rè hē ba

▶ 차를 달라고 할 때 点饮料时
diǎn yǐn liào shí

- 모리화차를 주시겠습니까?
  给我茉莉花茶好吗?
  gěi wǒ mò lì huā chá hǎo ma

---

8) 청명(清明 qīngmíng, 양력 4월 5일경) 이전에 딴 찻잎으로 만든 롱징차(龙井茶 lóngjǐngchá)를 명전차(明前茶 míngqiánchá)라 하고, 곡우(谷雨 gǔyǔ, 양력 4월 20일경) 이전에 딴 찻잎으로 만든 것을 우전차(雨前茶 yǔqiánchá)라 한다. 명전차와 우전차는 갓 돋아난 여린 찻잎으로 만들었기 때문에 최상품으로 친다.

- 커피만 주시면 됩니다.
  我只要咖啡。
  wǒ zhǐ yào kā fēi

- 프림, 설탕 다 넣어 주십시오.
  伴侣和白糖都放吧。
  bàn lǚ hé bái táng dōu fàng ba

- 커피에 프림을 좀 넣어 주세요.
  咖啡里加点儿伴侣。
  kā fēi li jiā diǎnr bàn lǚ

- 오렌지 주스 주세요.
  我要喝橙汁。
  wǒ yào hē chéng zhī

- 아무거나 주십시오.
  随便。
  suí biàn

▶ 차를 사양할 때 谢绝喝茶时
xiè jué hē chá shí

- 됐습니다. 배가 불러서요. 안 마시겠습니다.
  好了，我吃饱了，不喝了。
  hǎo le wǒ chī bǎo le bù hē le

- 그냥 물이나 한 잔 주십시오.
  就来一杯水吧。
  jiù lái yì bēi shuǐ ba

▶ 후식 餐后点心
cān hòu diǎn xīn

- 과일 좀 드세요. / 사과 한 쪽 드세요.
  请吃水果。[9] / 请吃一块儿苹果。
  qǐng chī shuǐ guǒ qǐng chī yí kuàir píng guǒ

- 오늘 사온 포도가 정말 좋네요.
  今天买的葡萄真好。
  jīn tiān mǎi de pú táo zhēn hǎo

---

9) 중국 사람들 집에 초대받아 가면 과일을 통째로 칼과 함께 내놓으면서 먹으라고 주는 경우가 있는데 이는 문화의 차이로 이해하면 된다. 예를 들면 중국 사람들은 배(梨 lí)의 경우 나누어 먹지 않는 관습이 있는데 이는 바로 分梨 fēnlí(배를 나누다)와 分离 fēnlí(헤어지다)가 발음이 같기 때문이다.

3 각종 모임

各种宴会
gè zhǒng yàn huì

각종 축하 모임에 참석을 할 때는 "恭喜恭喜 gōngxǐ gōngxǐ", "祝贺您 zhùhènín", "祝福你 zhùfúnǐ" 등으로 인사하면 된다. 생일잔치에 초대받아 갔을 경우에는 "祝你生日快乐 zhùnǐ shēngrì kuàilè"(생일 축하합니다)가 가장 무난하고, 연세가 많으신 분의 경우에는 "寿比南山 shòu bǐ nán shān"(오래오래 사십시오) 등으로 축수를 하면 된다. 결혼식에서는 "恭喜你 gōngxǐ nǐ" "恭喜你们俩 gōngxǐ nǐmenliǎ" 등으로 축하하며 미리 준비해간 红包 hóngbāo(축의금)를 전달한다.

기 본 대 화

A: 老师，祝您生日快乐，这是我们给你准备的礼物。
lǎo shī zhù nín shēng rì kuài lè zhè shì wǒ men gěi nǐ zhǔn bèi de lǐ wù

B: 谢谢你们，干吗还要这么破费，准备礼物啊？
xiè xie nǐ men gàn má hái yào zhè me pò fèi zhǔn bèi lǐ wù a

A: 希望您能喜欢，打开看一下吧。
xī wàng nín néng xǐ huan dǎ kāi kàn yí xià ba

C: 老师打开的时候，我们一起唱生日快乐歌吧。
lǎo shī dǎ kāi de shí hou wǒ men yì qǐ chàng shēng rì kuài lè gē ba

所有人：祝你生日快乐，祝你生日快乐，我们大家来祝福，祝你生日快乐。
suǒ yǒu rén zhù nǐ shēng rì kuài lè zhù nǐ shēng rì kuài lè wǒ men dà jiā lái zhù fú zhù nǐ shēng rì kuài lè

B: 哇！这么漂亮的画，我真是太喜欢了，谢谢大家。
wā zhè me piào liang de huà wǒ zhēn shì tài xǐ huan le xiè xie dà jiā

A: 선생님, 생신을 축하드립니다. 이거 저희들이 마련한 선물이에요.

B: 모두들 고마워요. 뭐하러 이렇게 돈을 들여 선물을 다 준비했어요?

A: 선생님 맘에 들었으면 좋겠어요. 한 번 열어 보세요.

C: 열어 보시는 동안 우리 다함께 생일축하 노래 불러 드릴게요.

다함께: 생일 축하합니다. 생일 축하합니다. 사랑하는 선생님의 생일 축하합니다.

B: 와! 아주 멋있는 그림이로군요. 정말 너무 맘에 들어요. 고마워요, 여러분.

여러 가지 활용

Ⅰ. 생일 잔치 生日宴会
shēng rì yàn huì

▶ 생일 축하하기 祝贺生日
zhù hè shēng rì

- 자기야, 생일 축하해.
  亲爱的，祝你生日快乐。
  qīn ài de zhù nǐ shēng rì kuài lè

- 어머니, 생신 축하드려요. 건강하세요.
  妈妈，祝您生日快乐，身体健康。
  mā ma zhù nín shēng rì kuài lè shēn tǐ jiàn kāng

- 생일 축하합니다. 행복하세요.
  祝你生日快乐，永远幸福。
  zhù nǐ shēng rì kuài lè yǒng yuǎn xìng fú

- 아기가 벌써 돌이군요. 아주 똘똘하게 생겼네요.
  宝宝这么快就一岁了，看起来真聪明。
  bǎo bao zhè me kuài jiù yí suì le kàn qǐ lái zhēn cōng míng

- 벌써 7살 생일이네. 무럭무럭 자라거라.
  已经七岁了。希望能健康成长。
  yǐ jīng qī suì le xī wàng néng jiàn kāng chéng zhǎng

▶ 회갑 · 고희 花甲/古稀
huā jiǎ gǔ xī

- 건강하시기를 빕니다.
  祝您身体健康。
  zhù nín shēn tǐ jiàn kāng

- 생신 축하드리러 왔습니다.
  我是来给您祝寿的。
  wǒ shì lái gěi nín zhù shòu de

- 이렇게 자손이 많으시니 복도 많으십니다.
  有这么多的子孙，真有福气。
  yǒu zhè me duō de zǐ sūn zhēn yǒu fú qì

- 만수무강 하시길 기원합니다.
  祝您福如东海、寿比南山。[1)]
  zhù nín fú rú dōng hǎi shòu bǐ nán shān

---

1) 원뜻은 "동해바다처럼 복을 누리고 남산처럼 장수하다"는 성어이다.

- 백살까지 장수하십시오.
祝您长命百岁。
zhù nín cháng mìng bǎi suì

- 만사가 형통하고 큰복을 누리시길 바랍니다.
祝您万事如意，洪福齐天。[2)]
zhù nín wàn shì rú yì, hóng fú qí tiān

- 해마다 오늘같은 날이 있으시기를 바랍니다.
祝您年年有今日，岁岁有今朝。
zhù nín nián nián yǒu jīn rì, suì suì yǒu jīn zhāo

- 자식들이 이렇게 훌륭하게 컸으니 기쁘시겠습니다.
孩子们都这么有出息，一定很高兴吧。
hái zi men dōu zhè me yǒu chū xi, yí dìng hěn gāo xìng ba

- 예로부터 일흔까지 살기는 드문 일이라고 하였는데 이렇게 건강하시니 복이 많으십니다.
自古人生七十古来稀，看您这么健康，真是有福气啊。[3)]
zì gǔ rén shēng qī shí gǔ lái xī, kàn nín zhè me jiàn kāng, zhēn shì yǒu fú qì a

▶ 생일 선물을 전달할 때 送生日礼物时
sòng shēng rì lǐ wù shí

- 저의 작은 정성입니다.
这是我小小的心意。
zhè shì wǒ xiǎo xiǎo de xīn yì

- 마음에 드실지 모르겠네요.
不知道您喜不喜欢。
bù zhī dào nín xǐ bu xǐ huan

- 이것이 너에게 꼭 필요할 꺼라 생각했어.
我想这个你一定会很需要。
wǒ xiǎng zhè ge nǐ yí dìng huì hěn xū yào

- 뭘 사야 할지 몰라서 상품권을 준비했습니다. 맘에 드는 것으로 사십시오.
不知道该买什么好，所以准备了购物券。您就买自己喜欢的吧。
bù zhī dào gāi mǎi shén me hǎo, suǒ yǐ zhǔn bèi le gòu wù quàn. nín jiù mǎi zì jǐ xǐ huan de ba

---

2) 洪福齐天 hóng fú qí tiān: 더할 수 없이 크나큰 행복.

3) 두보(杜甫 dùfǔ)의 시 <曲江 qūjiāng>에서 "人生七十古来稀 rénshēng qīshí gǔláixī"(사람이 일흔까지 사는 것은 드문 일)이라고 읊은 데서 70세를 '古稀 gǔxī'라 하였다.

- 이건 어르신에 대한 제 마음입니다.
  这是我对您老人家的一份心意。[4]
  zhè shì wǒ duì nín lǎo rén jiā de yí fèn xīn yì

- 특별히 당신을 위해서 준비한 거예요.
  这是特地为你准备的。
  zhè shì tè dì wèi nǐ zhǔn bèi de

Ⅱ. 집들이 乔迁宴
qiáo qiān yàn

A: 快请进, 这里不好找吧?
kuài qǐng jìn zhè li bù hǎo zhǎo ba

B: 哇! 真漂亮。恭贺乔迁之喜。
wā zhēn piào liang gōng hè qiáo qiān zhī xǐ

C: 室内装饰真优雅, 是谁设计的呀?
shì nèi zhuāng shì zhēn yōu yǎ shì shéi shè jì de ya

A: 都是我设计的, 你们说漂亮我就放心了。
dōu shì wǒ shè jì de nǐ men shuō piào liang wǒ jiù fàng xīn le

---

A: 어서 들어 오세요. 여기 찾느라 고생하셨지요?

B: 와! 정말 멋지네요. 이사를 축하드립니다.

C: 인테리어가 정말 우아하군요. 누가 설계하셨나요?

A: 다 제가 설계했어요. 멋있다니 다행입니다.

▶ 집들이 선물 乔迁礼物
qiáo qiān lǐ wù

- 한국에서는 보통 집들이 선물로 휴지와 세제를 선호합니다.
  韩国人在别人乔迁时一般送手纸和洗涤灵。
  hán guó rén zài bié rén qiáo qiān shí yì bān sòng shǒu zhǐ hé xǐ dí líng

- 중국에서는 꽃병을 많이 선물해요.
  中国人一般送花瓶。[5]
  zhōng guó rén yì bān sòng huā píng

---

4) 노인 분들에게 선물할 때 시계(钟 zhōng)를 선물하는 것은 절대 삼가야 한다. 시계를 선물하는 것을 '送钟 sòngzhōng'이라 하는데 이는 '送终 sòngzhōng'(장례를 치르다, 임종을 지키다)과 발음이 일치하기 때문이다.

5) 중국 친구들을 집들이에 초대해 본 사람이라면 화병 하나쯤은 다 받아보았을 것이다. 중국 사람들이 화병을 즐겨 선물하는 이유는 花瓶 huāpíng의 瓶 píng이 和平 hépíng(평화), 平安 píng'ān(평안) 의 平 píng과 발음이 일치하기 때문에 가정의 평화와 평안을 기원하는 마음에서이다.

▶ 집에 관한 대화　关于房子的话题
guān yú fáng zi de huà tí

- 집안을 좀 둘러봐도 될까요?
  看一下房子可以吗?[6)]
  kàn yí xià fáng zi kě yǐ ma

- 이 빌라는 아주 아름답군요.
  这别墅真漂亮。
  zhè bié shù zhēn piào liang

- 이 아파트는 설계가 아주 독특하네요.
  这座楼房的设计很别致。[7)]
  zhè zuò lóu fáng de shè jì hěn bié zhì

- 집이 모두 몇 평방미터입니까?
  这房子一共多少平米?
  zhè fáng zi yí gòng duō shao píng mǐ

- 방이 모두 몇 개입니까?
  有几个房间?
  yǒu jǐ ge fáng jiān

- 한 달에 관리비는 얼마나 나옵니까?
  一个月管理费多少钱?
  yí ge yuè guǎn lǐ fèi duō shao qián

- 모두 얼마에 구입하셨나요?
  一共多少钱买的?
  yí gòng duō shao qián mǎi de

▶ 집 소개　介绍房子
jiè shào fáng zi

- 여기가 바로 제 방입니다.
  这就是我的房间。
  zhè jiù shì wǒ de fáng jiān

- 여기는 아이들 방입니다.
  这里是孩子们的房间。
  zhè li shì hái zi men de fáng jiān

- 베란다에서는 강을 볼 수 있어요.
  在阳台可以看见小河。
  zài yáng tái kě yǐ kàn jiàn xiǎo hé

---

6) 房子 fángzi는 '집' '주택' '가옥' 등을 말하며, 房间 fángjiān은 '방'을 말한다.

7) 아파트의 이름은 흔히 ～公寓 gōngyù(Apartment), ～花园 huāyuán(Garden), ～别墅 biéshù(Villa), ～城 chéng(City) 등으로 지어지는데 이러한 다층 주택을 통털어 楼房 lóufáng이라고 한다. 반면에 단층주택은 平房 píngfáng이라고 하는데 현재는 도시 개발 사업으로 인하여 점차 사라져가는 추세이다.

- 여기는 침실이구요. 모두 아내가 설계하였답니다.
  这就是卧室, 都是我老婆设计的。[8)]
  zhè jiù shì wò shì dōu shì wǒ lǎo po shè jì de

Ⅲ. 결혼 피로연[9)] 婚宴
hūn yàn

A: 祝贺你们, 哇, 新娘子真漂亮。
zhù hè nǐ men wā xīn niáng zi zhēn piào liang

B: 谢谢你们。
xiè xie nǐ men

A: 新郎, 也祝贺你。祝两位幸福。
xīn láng yě zhù hè nǐ zhù liǎng wèi xìng fú

A: 두 분 축하해요. 와, 신부가 너무 아름다워요.

B: 감사합니다.

A: 신랑도 축하해요. 두 분 행복하세요.

▶ 결혼 축하 祝贺结婚
zhù hè jié hūn

- 두 분 너무나 잘 어울립니다. 정말 하늘이 맺어준 짝이에요.
  你们俩真般配, 简直是天生一对呀。
  nǐ men liǎ zhēn bān pèi jiǎn zhí shì tiān shēng yí duì ya
- 축하합니다. 늙어서 흰머리 될 때까지 한 마음으로 맺어지세요.
  祝你们白头到老, 永结同心。
  zhù nǐ men bái tóu dào lǎo yǒng jié tóng xīn
- 아들 딸 많이 낳고 영원히 행복하십시오.
  祝你们儿孙满堂, 永远幸福。
  zhù nǐ men ér sūn mǎn táng yǒng yuǎn xìng fú
- 빨리 귀한 아들 낳으세요.
  祝你们早生贵子。
  zhù nǐ men zǎo shēng guì zǐ

---

8) 老婆 lǎopo: '마누라' '집사람' 단 이 때는 婆를 경성으로 발음하는 것에 주의해야 한다. 老婆婆 lǎopópo, 老婆儿 lǎopór, 老婆子 lǎopózi는 할머니를 일컫는 말로서 그 차이는, 老婆婆 lǎopópo는 할머니를 높여 부르는 '할머님'의 뜻이며, 老婆儿 lǎopór은 할머니를 친근하게 부를 때, 또는 노부부간에 남편이 아내를 부르는 '할멈'의 뜻이며, 老婆子 lǎopózi는 다소 혐오적인 표현으로 '할망구', '할멈' 등의 의미를 지닌다. 물론 할머니를 일컫는 가장 흔한 표현은 奶奶 nǎinai이다.

9) 중국에서 결혼식은 대개 큰 음식점에서 피로연과 함께 이루어진다. 우리와 같은 결혼전문예식장은 없다. 시간도 낮시간보다는 저녁시간에 많이 행해진다.

- 행복한 가정 이루기를 축원합니다.
  祝愿你们能有一个幸福的家庭。
  zhù yuàn nǐ men néng yǒu yí ge xìng fú de jiā tíng

- 우리 몇 사람이 준비한 결혼 선물입니다.
  这是我们几个人的结婚贺礼。
  zhè shì wǒ men jǐ ge rén de jié hūn hè lǐ

- 결혼 축의금입니다.
  这是红包。[10)]
  zhè shì hóng bāo

- 신랑, 축하술 한 잔 받아요.
  新郎, 我敬你一杯。
  xīn láng wǒ jìng nǐ yì bēi

- 새신랑 새신부 함께 노래 한 곡 불러봐요.
  新郎、新娘一起唱一首歌吧。
  xīn láng xīn niáng yì qǐ chàng yì shǒu gē ba

기념 촬영 摄影留念
shè yǐng liú niàn

- 모두 함께 기념 촬영을 하겠습니다.
  大家一起摄影留念吧。
  dà jiā yì qǐ shè yǐng liú niàn ba

- 신랑 신부의 친구분들은 모두 앞으로 나오십시오.
  新郎 新娘的朋友们, 请都站到前面来吧。
  xīn láng xīn niáng de péng you men qǐng dōu zhàn dào qián miàn lái ba

- 신부님, 고개를 신랑쪽으로 약간 기울이십시오.
  新娘, 把头稍微靠近新郎。
  xīn niáng bǎ tóu shāo wēi kào jìn xīn láng

기타 其他
qí tā

A: 今天新娘扔的花谁接到了?
jīn tiān xīn niáng rēng de huā shéi jiē dào le

B: 新娘的好朋友金艺花接了。
xīn niáng de hǎo péng you jīn yì huā jiē le

---

10) 红包 hóngbāo는 설날의 세뱃돈이나 기타 축의금을 말한다. 이 때에는 대개 돈을 붉은 봉투에 넣어 주는데, 빨간색은 '타오르는 불처럼 번성한다'는 (红火 hónghuo)라는 의미와 '귀신을 물리친다'(防魔去鬼 fáng mó qù guǐ)는 의미가 있기 때문이다.

A: 오늘 신부가 던진 부케는 누가 받았지?
B: 신부의 단짝 친구인 진이화씨가 받았어요.

- 담배 한 대 피우시죠.
  请吸一根烟吧。[11)]
  qǐng xī yì gēn yān ba

- 사탕 드세요.
  请吃块儿喜糖。[12)]
  qǐng chī kuàir xǐ táng

- 신혼여행은 어디로 가십니까?
  上哪儿去度蜜月?
  shàng nǎr qù dù mì yuè

- 두 사람은 어떻게 처음 만났지요?
  你们俩是怎么认识的?
  nǐ men liǎ shì zěn me rèn shi de

- 결혼 후에 어디서 사세요?
  结婚以后, 住在哪儿?
  jié hūn yǐ hòu zhù zài nǎr

Ⅳ. 무도회 舞会[13)]
wǔ huì

A: 请跟我跳个舞, 好吗?
qǐng gēn wǒ tiào ge wǔ hǎo ma
B: 好的。
hǎo de

A: 저와 춤추지 않으시겠습니까?
B: 좋아요.

11) 吸烟 xīyān(담배 피우다)과 喜宴 xǐyàn(즐거운 잔치)이 발음이 같으므로 즐거운 잔치를 축하하는 의미에서 중국에서는 결혼식 전에 축하객들과 신랑이 함께 담배를 피우는 풍습이 있다.

12) 사탕처럼 달콤한 결혼 생활이 되기를 기원하는 의미에서 축하객들에게 사탕을 선물한다.

13) 중국에서는 사교춤이 보편화되어 있다. TV에서도 댄스 교습 프로그램이 있고, 아침 공원에서는 중노년층의 사람들이 모여 사교춤을 추는 광경을 심심치 않게 볼 수 있다.

파트너를 부탁할 때 邀请舞伴时
yāo qǐng wǔ bàn shí

- 당신과 춤을 추고 싶습니다.
  我想和你跳舞。
  wǒ xiǎng hé nǐ tiào wǔ

- 당신에게 춤을 청해도 되겠습니까?
  可以请你跳个舞吗?
  kě yǐ qǐng nǐ tiào ge wǔ ma

- 다음 곡은 저와 춤을 추실까요?
  下一首曲, 能跟我跳吗?
  xià yì shǒu qǔ néng gēn wǒ tiào ma

요청을 받아들일 때 接受邀请时
jiē shòu yāo qǐng shí

- 감사합니다. 그럼 한 곡 추죠.
  谢谢, 那就跳一曲吧。
  xiè xie nà jiù tiào yì qǔ ba

- 제가 춤을 잘 못추는데 괜찮겠습니까?
  我不会跳舞, 没关系吗?
  wǒ bú huì tiào wǔ méi guān xi ma

- 저도 당신과 함께 춤을 추고 싶었어요.
  我也正想和你跳舞呢。
  wǒ yě zhèng xiǎng hé nǐ tiào wǔ ne

요청을 거절할 때 拒绝邀请时
jù jué yāo qǐng shí

A: 对不起, 我有点儿累, 想休息一下。
duì bu qǐ wǒ yǒu diǎnr lèi xiǎng xiū xi yí xià

A: 真遗憾。
zhēn yí hàn

B: 죄송해요. 지금 좀 피곤해서 쉬고 싶어요.

B: 유감입니다.

- 다른 사람을 찾아보시겠습니까?
  找别人好吗?
  zhǎo bié rén hǎo ma

- 저는 춤을 잘 못추는데요.
  我跳得不好。
  wǒ tiào de bù hǎo

- 정말 죄송해요. 방금 춤을 추고 자리로 돌아온걸요.
  真抱歉，我刚跳完舞回到座位。
  zhēn bào qiàn wǒ gāng tiào wán wǔ huí dào zuò wèi

춤 추면서 대화 跳舞中的对话
tiào wǔ zhōng de duì huà

- 오래 전부터 당신과 춤을 추고 싶었습니다.
  很早就想和你跳舞。
  hěn zǎo jiù xiǎng hé nǐ tiào wǔ

- 춤을 정말 잘 추시는군요.
  你跳得真好。
  nǐ tiào de zhēn hǎo

- 너무 아름다우십니다.
  你真美。
  nǐ zhēn měi

- 발을 밟았군요. 미안합니다.
  踩了你的脚，真不好意思。
  cǎi le nǐ de jiǎo zhēn bù hǎo yì si

기타 其他
qí tā

- 오늘은 마음껏 춥시다.
  今天就跳个够吧。
  jīn tiān jiù tiào ge gòu ba

- 이런데 와서 내숭은 왜 떠니?
  上这种地方，装什么装哪?
  shàng zhè zhǒng dì fang zhuāng shén me zhuāng na

- 일할 때는 열심히 일하고 놀 때는 신나게 노는거야.
  工作的时候好好儿工作，玩的时候就该尽情地玩。
  gōng zuò de shí hou hǎo hāor gōng zuò wán de shí hou jiù gāi jìn qíng de wán

4 사교 예절

社交礼节
shèjiāo lǐ jié

중국은 공산주의 과정과 문화혁명을 거치면서 전통적인 예의범절이 많이 사라지고, 남녀 노소 간에도 평등화가 많이 이루어진 편이다. 따라서 사교 모임에 있어서나 기타 대인관계에 있어서 엄격한 격식이나 예의를 따지기 보다는 친절하고 격의없는 진솔한 대화를 나누기를 좋아한다. 중국에서는 상사와 부하직원, 선생님과 제자, 혹은 아버지와 아들이 맞담배를 피우거나 맞술을 마시는 것이 결례되는 것이 아니라, 오히려 두 사람간의 돈독한 관계를 말해주는 것이라 할 수 있다.

기 본 대 화

A: 她是谁?
tā shì shéi

B: 你说的是……
nǐ shuō de shì

A: 现在站在会长旁边笑着的, 穿黄色礼服的人。
xiàn zài zhàn zài huì zhǎng páng biān xiào zhe de chuān huáng sè lǐ fú de rén

B: 哦, 她就是会长的女儿。
ò tā jiù shì huì zhǎng de nǚ ér

A: 저 사람은 누구지?
B: 네가 말하는 사람이......
A: 지금 회장님 옆에 서서 웃고 있는 노란색 드레스 입은 사람 말이야.
B: 아, 그녀는 바로 회장님 딸이야.

여러 가지 활용

Ⅰ. 참석 복장 出席服装
chū xí fú zhuāng

A: 今天的晚会要穿什么样的服装?
jīn tiān de wǎn huì yào chuān shén me yàng de fú zhuāng

B: 穿正装会好一些。
chuān zhèng zhuāng huì hǎo yì xiē

A: 오늘 만찬회에 어떤 옷을 입어야 하지요?
B: 정장을 하는 것이 좋을 것 같군요.

- 나비 넥타이를 매어야 할까요?
要带蝶形领带吗?
yào dài dié xíng lǐng dài ma

- 아무 옷이나 입어도 상관없겠죠?
穿便装也没有关系吗?
chuān biàn zhuāng yě méi yǒu guān xi ma

- 청바지에 운동화도 괜찮을까요?
可以穿牛仔裤和运动鞋吗?
kě yǐ chuān niú zǎi kù hé yùn dòng xié ma

- 반드시 정장을 해야 합니다.
必须要穿正装。
bì xū yào chuān zhèng zhuāng

- 이 옷 입으면 너무 화려하지 않을까?
穿这件衣服会不会太华丽?
chuān zhè jiàn yī fu huì bu huì tài huá lì

Ⅱ. 레이디 퍼스트 女士优先
nǚ shì yōu xiān

- 먼저 들어가시지요.
你们先进去吧。
nǐ men xiān jìn qù ba

- 여성분들 먼저 타십시오.
女士们先乘吧。
nǚ shì men xiān chéng ba

- 레이디 퍼스트입니다. 여기 앉으세요.
女士优先, 请坐这儿。
nǚ shì yōu xiān qǐng zuò zhèr

Ⅲ. 상대방에 대한 찬사 赞扬对方的话
zàn yáng duì fāng de huà

- 오늘 밤 너무 아름다우십니다.
今晚你真美。
jīn wǎn nǐ zhēn měi

- 오늘 너무 우아하십니다.
你今天真文雅。
nǐ jīn tiān zhēn wén yǎ

- 오늘 아주 딴 사람 같아 보이는군요.
今天好像换了一个人。
jīn tiān hǎo xiàng huàn le yí ge rén

- 오늘 파티 분위기에 잘 어울리십니다.
  今天你很适合这个宴会的气氛。
  jīn tiān nǐ hěn shì hé zhè ge yàn huì de qì fēn

- 오늘 모인 사람 중에서 가장 돋보이십니다.
  你在这个聚会的人群中最耀眼。
  nǐ zài zhè ge jù huì de rén qún zhōng zuì yào yǎn

Ⅳ. 참석자에 대한 관심 对在场人的关心
duì zài chǎng rén de guān xīn

A: 那边胖胖的、带眼镜的先生是谁?
nà biān pàng pàng de dài yǎn jìng de xiān sheng shì shéi

B: 是我们部门的科长, 给你介绍一下吗?
shì wǒ men bù men de kē zhǎng gěi nǐ jiè shào yí xià ma

A: 저기 뚱뚱하고 안경 쓴 남자는 누구야?

B: 우리 부서 과장님이셔. 소개시켜 줄까?

- 저기 흰색 드레스를 입은 부인이 누군지 아니?
  你知道那边穿白色礼服的夫人是谁吗?
  nǐ zhī dào nà biān chuān bái sè lǐ fú de fū rén shì shéi ma

- 저 두 사람은 어떤 사이지?
  他们俩有什么关系吗?
  tā men liǎ yǒu shén me guān xì ma

- 방금 여기를 지나간 사람이 누구지?
  刚才从这里走过去的人是谁?
  gāng cái cóng zhè li zǒu guò qù de rén shì shéi

- 저 사람 어디서 본 듯 해요.
  那个人好像在哪儿见过。
  nà ge rén hǎo xiàng zài nǎr jiàn guò

- 저 여자가 바로 이전에 네가 늘 말하던 그 사람이니?
  她就是你以前跟我常提起的人吗?
  tā jiù shì nǐ yǐ qián gēn wǒ cháng tí qǐ de rén ma

- 만난 적은 있지만 말을 해본 적은 없어.
  跟她见过面, 可是没有说过话。
  gēn tā jiàn guo miàn kě shì méi yǒu shuō guo huà

- 이리와 봐. 내가 우리 선생님을 소개시켜 줄게.
  你过来, 我给你介绍一下我的老师。
  nǐ guò lái wǒ gěi nǐ jiè shào yí xià wǒ de lǎo shī

V. 파티의 분위기 宴会的气氛
yàn huì de qì fēn

▶ 분위기가 좋을 때 气氛好时
qì fēn hǎo shí

- 파티 분위기가 갈수록 무르익는군요.
  宴会的气氛越来越好了。
  yàn huì de qì fēn yuè lái yuè hǎo le
- 오늘 참석한 사람 모두가 아주 즐거워 보입니다.
  今天来参加的人看起来都挺高兴的。
  jīn tiān lái cān jiā de rén kàn qǐ lái dōu tǐng gāo xìng de
- 오늘 파티는 아주 훌륭합니다. 안 왔더라면 평생 후회할 뻔 했어요.
  今天的宴会很精彩, 不来真是要后悔一辈子了。
  jīn tiān de yàn huì hěn jīng cǎi bù lái zhēn shì yào hòu huǐ yí bèi zi le
- 파티가 아주 성공적입니다.
  宴会开得很圆满。
  yàn huì kāi de hěn yuán mǎn
- 오늘 파티 분위기가 아주 좋습니다.
  今天的宴会气氛很好。
  jīn tiān de yàn huì qì fēn hěn hǎo
- 오늘 파티의 분위기는 처음부터 끝까지 아주 좋았어요.
  今天宴会的气氛始终都很好。
  jīn tiān yàn huì de qì fēn shǐ zhōng dōu hěn hǎo

▶ 분위기가 좋지 않을 때 气氛不好时
qì fēn bù hǎo shí

- 파티 분위기가 나에게는 정말 어색했어.
  晚会的气氛, 对我来说很尴尬。
  wǎn huì de qì fēn duì wǒ lái shuō hěn gān gà
- 나는 그런 분위기에는 익숙하지가 않아.
  我很难适应那种气氛。
  wǒ hěn nán shì yīng nà zhǒng qì fēn
- 그는 언제나 파티의 분위기를 망친다니까.
  他总是破坏晚会的气氛。
  tā zǒng shì pò huài wǎn huì de qì fēn
- 파티 분위기가 이상해서 어떻게 해야 좋을지 모르겠군요
  因为宴会的气氛有点儿奇怪, 所以不知道该怎么办才好。
  yīn wèi yàn huì de qì fēn yǒu diǎnr qí guài suǒ yǐ bù zhī dào gāi zěn me bàn cái hǎo

5 헤어질 때

散场
sànchǎng

"再见。" zàijiàn은 모든 헤어짐의 마당에서 쓸 수 있는 인사표현이다. 이 밖에 방문했던 손님이 돌아갈 때에는 "慢走。" mànzǒu(안녕히 가세요, 살펴 가세요)를 많이 사용한다. 남방 지역에서는 "好走。" hǎozǒu라고 하기도 한다. 주인이 멀리까지 나와 전송하려할 때 방문자의 입장에서 만류할 때는 "请留步。" qǐng liúbù(나오지 마십시오) 또는 "不用送了。" búyòng sòng le(나오실 것 없습니다) 등으로 말하면 된다. 또 주인이 손님을 어느 지역까지 배웅한 뒤에 이제 잘 가시라고 인사하고 돌아가려 할 때에는 "我就送到这里吧。" wǒ jiù sòngdào zhèli ba(그럼 여기까지 배웅해 드리겠습니다)라고 인사하면 된다.

기 본 대 화

A: 已经9点多了，我们该回去了。
yǐ jīng diǎn duō le wǒ men gāi huí qù le

B: 现在才9点，你急什么？再呆一会儿吧。
xiàn zài cái diǎn nǐ jí shén me zài dāi yí huìr ba

A: 不，该走了，聊着聊着都忘记时间了。
bù gāi zǒu le liáo zhe liáo zhe dōu wàng jì shí jiān le

B: 那好，下次再过来玩儿吧。
nà hǎo xià cì zài guò lái wánr ba

A: 今天很开心，再见。
jīn tiān hěn kāi xīn zài jiàn

A: 벌써 9시가 넘었네요. 돌아가봐야 겠습니다.
B: 이제 겨우 9시인데 뭐가 급하세요? 조금만 더 있다 가세요.
A: 아뇨, 가봐야죠. 이야기하다 보니 시간 가는 줄도 몰랐군요.
B: 그래요 그럼. 다음에 또 놀러 오세요.
A: 오늘 아주 즐거웠습니다. 안녕히 계세요.

여러 가지 활용

Ⅰ. 참석자의 인사 예절 出席者的礼节
chū xí zhě de lǐ jié

▶ 초대에 대한 감사 感谢邀请
gǎn xiè yāo qǐng

• 오늘 저녁 이렇게 후하게 대접해 주셔서 감사합니다.
感谢你今天晚上的盛情款待。
gǎn xiè nǐ jīn tiān wǎn shang de shèng qíng kuǎn dài

- 오늘 저녁 너무 맛있게 먹었습니다
  晚饭吃得很香。
  wǎn fàn chī de hěn xiāng

- 정말 잘 먹었습니다.
  真的吃饱了。
  zhēn de chī bǎo le

- 저를 위해 이렇게 산해진미를 차려 주셔서 뭐라 감사드려야 할지 모르겠습니다.
  为我准备这么多山珍海味, 真不知道该怎么感谢你。
  wèi wǒ zhǔn bèi zhè me duō shān zhēn hǎi wèi zhēn bù zhī dào gāi zěn me gǎn xiè nǐ

- 오늘 저녁 아주 즐거웠습니다. 초대 고맙습니다.
  今天晚上很高兴。谢谢你的邀请。
  jīn tiān wǎn shang hěn gāo xìng xiè xie nǐ de yāo qǐng

- 다음에는 제가 한 번 초대하겠습니다.
  下次我再请你吃饭。
  xià cì wǒ zài qǐng nǐ chī fàn

- 다음에 저희 집에 꼭 한 번 놀러 오십시오.
  下次一定要上我家来玩。
  xià cì yí dìng yào shàng wǒ jiā lái wán

▶ 파티에 대한 소감 对宴会的感受
duì yàn huì de gǎn shòu

- 아주 훌륭한 파티였어요.
  是很精彩的宴会。
  shì hěn jīng cǎi de yàn huì

- 이런 멋진 파티에 초대해 주셔서 감사합니다.
  谢谢你让我参加这么精彩的宴会。
  xiè xie nǐ ràng wǒ cān jiā zhè me jīng cǎi de yàn huì

- 정말 아주 즐거웠습니다.
  真是玩得很开心。
  zhēn shì wán de hěn kāi xīn

- 정말 잊지 못할 파티였습니다.
  真是一次难忘的宴会。
  zhēn shì yí cì nán wàng de yàn huì

- 다음에도 이런 모임 있으면 꼭 불러 주십시오.
  下次再有这样的晚会, 一定要叫我。
  xià cì zài yǒu zhè yàng de wǎn huì yí dìng yào jiào wǒ

▶ 돌아가겠다고 할 때 离开时
lí kāi shí

- 이만 가봐야겠습니다.
  我该走了。[1)]
  wǒ gāi zǒu le

- 가보겠습니다.
  我要走了。
  wǒ yào zǒu le

- 너무 오래 있었습니다.
  呆的时间太长了。[2)]
  dāi de shí jiān tài cháng le

- 오늘은 그럼 이만 가보겠습니다.
  今天就先告辞了。
  jīn tiān jiù xiān gào cí le

▶ 중간에 빠져나올 때 失陪时
shī péi shí

- 제가 사실은 바쁜 일이 좀 있어서요. 먼저 실례하겠습니다.
  其实我有急事，所以先告辞了。
  qí shí wǒ yǒu jí shì suǒ yǐ xiān gào cí le

- 먼저 자리를 떠서 죄송합니다.
  对不起，我先失陪了。
  duì bu qǐ wǒ xiān shī péi le

- 먼저 가겠습니다. 다른 사람에겐 나중에 말해 주세요.
  我先走了，一会儿再告诉别人吧。
  wǒ xiān zǒu le yí huìr zài gào su bié rén ba

- 나오실 것 없습니다. 들어가십시오.
  别送了，你回去吧。
  bié sòng le nǐ huí qù ba

- 그냥 계십시오.
  请您留步。
  qǐng nín liú bù

---

1) '我该走了。wǒ gāi zǒu le'는 마땅히 돌아가야만 할 시간이 되었거나 가봐야 할 일이 있을 때 주로 사용되지만 '我要走了。wǒ yào zǒu le'에는 반드시 그런 의미는 내포되어 있지 않다.

2) '呆 dāi'는 '呆子 dāizi'(바보, 멍청이), 痴呆 chīdāi(치매)와 같이 어리석다는 뜻이지만, 이처럼 '머무르다' '체재하다'의 뜻으로도 쓰인다.

Ⅱ. 초대자의 인사 예절 邀请者的礼节
yāo qǐng zhě de lǐ jié

방문 · 참석에 대한 감사 感谢拜访/出席
gǎn xiè bài fǎng chū xí

- 바쁘신데도 왕림해 주셔서 정말 고맙습니다.
  那么忙还过来，真是太感谢你了。
  nà me máng hái guò lái zhēn shì tài gǎn xiè nǐ le
- 일부러 축하해 주러 오셔서 정말 고맙습니다.
  您特地来祝贺，真是太谢谢了。
  nín tè dì lái zhù hè zhēn shì tài xiè xie le
- 귀한 선물을 이렇게 많이 가져오시다니 정말 황송합니다.
  你们来还带这么多贵重的礼物，真觉得不好意思。
  nǐ men lái hái dài zhè me duō guì zhòng de lǐ wù zhēn jué de bù hǎo yì si
- 접대가 소홀한 점, 많이 양해해 주세요.
  招待不周的地方，还请你多多见谅。
  zhāo dài bù zhōu de dì fang hái qǐng nǐ duō duō jiàn liàng
- 오시라고 해놓고 잘 대접을 못한 것 같아 송구스럽습니다.
  也没什么好招待的，就让你过来，我挺过意不去的。
  yě méi shén me hǎo zhāo dài de jiù ràng nǐ guò lái wǒ tǐng guò yì bú qù de

만류할 때 挽留时
wǎn liú shí

- 조금 더 놀다 가세요.
  再多玩一会儿吧。
  zài duō wán yí huìr ba
- 전 조금도 번거롭지 않습니다.
  我一点儿都不麻烦。
  wǒ yì diǎnr dōu bù má fan
- 좀 더 계세요. 함께 식사 한 끼 하기도 쉽지 않은데요.
  多呆一会儿吧，跟你吃一顿饭也不容易。
  duō dāi yí huìr ba gēn nǐ chī yí dùn fàn yě bù róng yì
- 아직 이른데, 이렇게 일찍 가서 뭐하시려고요?
  现在还早，这么早回去干什么呀?
  xiàn zài hái zǎo zhè me zǎo huí qù gàn shén me ya

▶ 배웅할 때 送客时
sòng kè shí

A: 我送你到车站吧。
wǒ sòng nǐ dào chē zhàn ba

B: 不用了。这么冷，您快点儿回去吧。
bú yòng le zhè me lěng nín kuài diǎnr huí qù ba

A: 好。那我不送你了。路上小心!
hǎo nà wǒ bú sòng nǐ le lù shang xiǎo xīn

A: 정류장까지 바래다 드리겠습니다.

B: 필요 없습니다. 날씨도 추운데 어서 들어가십시오.

A: 예, 그럼 안나가겠습니다. 조심해서 가세요.

- 안녕히 가십시오.
  慢走!/走好!
  màn zǒu zǒu hǎo
- 문 앞까지 바래다 드리겠습니다.
  我送你到门口。
  wǒ sòng nǐ dào mén kǒu
- 부모님께 안부 전해 주세요.
  向你父母问好。
  xiàng nǐ fù mǔ wèn hǎo
- 며칠 뒤에 다시 봅시다.
  过几天再见吧。
  guò jǐ tiān zài jiàn ba
- 시간 있으면 놀러 오세요.
  有时间，过来玩吧。
  yǒu shí jiān guò lái wán ba
- 시간이 나면 자주 놀러와 주시겠어요?
  有空儿常来玩儿，好吗?
  yǒu kòngr cháng lái wánr hǎo ma
- 근처에 오시면 우리 집에 들르세요.
  来附近的话，就上我们家坐会儿吧。
  lái fù jìn de huà jiù shàng wǒ men jiā zuò huìr ba
- 밖이 깜깜하니 조심해서 돌아가십시오.
  外边很黑，回去时小心点儿。
  wài biān hěn hēi huí qù shí xiǎo xīn diǎnr

- 차로 모셔다 드리겠습니다.
  我用车送你回去吧。
  wǒ yòng chē sòng nǐ huí qù ba

참고 **관련 용어**

- 사교 社交 shè jiāo
- 사교모임 社交聚会 shè jiāo jù huì
- 사교장 社交场所 shè jiāo chǎng suǒ
- 송년회 送年会 sòng nián huì
- 신년회 新年晚会 xīn nián wǎn huì
- 동창회 同学聚会 tóng xué jù huì
- 결혼식 피로연 结婚宴 jié hūn yàn
- 돌잔치 周岁宴 zhōu suì yàn
- 백일잔치 百日宴 bǎi rì yàn
- 회갑 잔치 花甲宴会 huā jiǎ yàn huì
- 칠순 잔치 七十大寿 qī shí dà shòu
- 생일잔치 生日宴会 shēng rì yàn huì
- 다과회 茶点会 chá diǎn huì
- 무도회 舞会 wǔ huì
- 집들이 乔迁宴 qiáo qiān yàn
- 회식 会餐 huì cān
- 파티 宴会 yàn huì
- 초청 邀请 yāo qǐng
- 초대 招待 zhāo dài
- 접대 接待 jiē dài
- 초청장 邀请信 yāo qǐng xìn
- 청첩장 请帖, 请柬 qǐng tiě qǐng jiǎn
- 방문 访问, 拜访 fǎng wèn bài fǎng
- 선물 礼物 lǐ wù
- 답례 还礼 huán lǐ
- 축의금 贺礼, 红包 hè lǐ hóng bāo
- 기념 촬영 摄影留念 shè yǐng liú niàn
- 요리 菜 cài
- 차 茶 chá
- 간식 点心 diǎn xīn
- 후식 餐后点心 cān hòu diǎn xīn
- 손님 客人 kè rén
- 만류하다 挽留 wǎn liú
- 손님 마중 迎接客人 yíng jiē kè rén
- 손님 배웅 送客人 sòng kè rén
- 분위기 气氛 qì fēn
- 파트너 舞伴 wǔ bàn
- 한턱 내다 请客 qǐng kè
- 인간관계 人际关系 rén jì guān xì
- 대인 관계 对人关系 duì rén guān xì
- 원만하다 圆满 yuán mǎn
- 사교성이 좋다 社交性强 shè jiāo xìng qiáng
- 사교성이 없다 社交性弱 shè jiāo xìng ruò

13 식사와 음주

用餐与饭酒 YONGCAN YU YINJIU

1	식사 제의	提议用餐
2	자리 예약	预订座位
3	음식 주문	点菜
4	식사할 때	用餐
5	술을 마실 때	喝酒
6	계산할 때	结账
7	음식에 관한 화제	有关饮食的话题

1 식사 제의

提议用餐
tí yì yòngcān

"人是铁, 饭是钢 rén shì tiě, fàn shì gāng"이라는 말이 있다. 무쇠(铁 tiě)가 강철(钢 gāng)보다 무른 것에 비유해서 식사의 중요성을 일깨우는 말로서, 바로 우리 나라의 "금강산도 식후경"에 해당된다. "식사하셨습니까?" 라고 물을 때는 "你吃饭了吗? nǐ chī fàn le ma"라고 하면 되고, "식사 같이 합시다."하고 제의할 때에는 "咱们一起吃饭吧。zánmen yìqǐ chī fàn ba"라고 하면 된다.

기 본 대 화

A: 快到中午了, 一起去吃饭怎么样?
kuài dào zhōng wǔ le yì qǐ qù chī fàn zěn me yàng

B: 好啊, 有什么好地方吗?
hǎo a yǒu shén me hǎo dì fang ma

A: 从这大道一直往前走, 有家餐厅, 那里的蛋炒饭味道不错。
cóng zhè dà dào yì zhí wǎng qián zǒu yǒu jiā cān tīng nà li de dàn chǎo fàn wèi dào bú cuò

B: 我也喜欢那家的炒饭, 快点儿走吧。
wǒ yě xǐ huan nà jiā de chǎo fàn kuài diǎnr zǒu ba

A: 점심 때가 다 되었는데 함께 식사하러 갈까?

B: 좋아. 어디 좋은 곳 있어?

A: 이 큰길로 쭉 가면 식당 하나가 있는데 계란 볶음밥이 맛있더라구.

B: 나도 그 집 볶음밥을 좋아하는데, 어서 가자.

여러 가지 활용

I. 식사 제의 提议吃饭
tí yì chī fàn

- 함께 식사하러 갑시다.
  一起去吃饭吧。
  yì qǐ qù chī fàn ba

- 우리 점심 식사 합시다.
  咱们吃午饭吧。
  zán men chī wǔ fàn ba

- 식사 시간 다 됐어요. 같이 갑시다.
  快到吃饭时间了, 一起去吧。
  kuài dào chī fàn shí jiān le yì qǐ qù ba

- 점심에 같이 식사할까요?
  中午一块儿吃怎么样?
  zhōng wǔ yí kuàir chī zěn me yàng

- 저녁 약속 있어요? 없으면 나랑 같이 해요.
  晚上有安排吗? 没有的话和我一起吃饭吧。[1]
  wǎn shang yǒu ān pái ma méi yǒu de huà hé wǒ yì qǐ chī fàn ba

- 먹어야 힘이 나서 일하지요. 식사 먼저 합시다.
  吃饱了才有力气工作嘛, 先去吃饭吧。
  chī bǎo le cái yǒu lì qi gōng zuò ma xiān qù chī fàn ba

- 사람은 먹는게 제일이라구, 안 먹고 어떡하려고 그래?
  民以食为天嘛, 不吃饭怎么行呢?[2]
  mín yǐ shí wéi tiān ma bù chī fàn zěn me xíng ne

- 금강산도 식후경이에요, 한 끼라도 안 먹으면 배고파서 못살죠.
  人是铁, 饭是钢, 一顿不吃饿得慌。
  rén shì tiě fàn shì gāng yí dùn bù chī è de huāng

- 오늘은 월급도 탔으니 맛있는 것 좀 먹읍시다.
  今天发薪水, 去吃点儿好吃的吧。
  jīn tiān fā xīn shuǐ qù chī diǎnr hǎo chī de ba

- 도시락 먹읍시다.
  吃盒饭吧。
  chī hé fàn ba

- 우리 나가서 간단히 먹읍시다.
  我们出去简单地吃一点儿吧。
  wǒ men chū qù jiǎn dān de chī yì diǎnr ba

- 마침 식사하러 나가려던 참인데 함께 갑시다.
  我正想出去吃点儿东西呢, 一起去吧。
  wǒ zhèng xiǎng chū qù chī diǎnr dōng xi ne yì qǐ qù ba

- 우리 먹으면서 이야기합시다.
  我们边吃边谈工作。[3]
  wǒ men biān chī biān tán gōng zuò

---

1) 安排 ānpái: '안배하다', '배분하다', '정하다' 뜻의 동사와 '안배', '배치', '조치' 등의 명사로도 쓰임. 여기서는 스케줄이나 계획을 말함.

2) 民以食为天 mín yǐ shí wéi tiān: "백성들은 양식을 하늘처럼 여긴다"라는 뜻으로 본래는 농업이나 식량의 중요성을 의미하였지만, 현대에 와서는 곧잘 식사의 중요성을 이르는 말로 쓰여지고 있다.

3) 边 biān~边 biān~: ~하면서 (동시에) ~하다.

Ⅱ. 한 턱 낼 때 请客时
qǐng kè shí

A: 今晚我请你吃饭。
jīn wǎn wǒ qǐng nǐ chī fàn
B: 什么事啊?
shén me shì a
A: 我涨工资了，请你吃顿饭。
wǒ zhǎng gōng zī le qǐng nǐ chī dùn fàn

A: 오늘 저녁 내가 한 턱 낼게요.
B: 무슨 일이에요?
A: 월급이 올랐거든요, 밥 한 끼 사겠습니다.

- 오늘은 내가 살게요.
  今天我买单。
  jīn tiān wǒ mǎi dān
- 오늘은 내가 한 턱 낼게요.
  今天我做东。[4]
  jīn tiān wǒ zuò dōng
- 점심은 제가 살게요.
  午饭由我来请吧。
  wǔ fàn yóu wǒ lái qǐng ba
- 오늘은 제가 살 차례입니다.
  今天该我请客了。
  jīn tiān gāi wǒ qǐng kè le
- 다음은 내 차례군. 반드시 크게 한 턱 내지.
  下回轮到我了，一定请你们大吃一顿。
  xià huí lún dào wǒ le yí dìng qǐng nǐ men dà chī yí dùn

Ⅲ. 식당을 찾을 때 打听餐厅时
dǎ tīng cān tīng shí

- 어디 가서 점심을 먹을까?
  到哪儿吃中午饭呢?
  dào nǎr chī zhōng wǔ fàn ne
- 여기에 맛도 좋고 값도 싼 식당 없나요?
  这儿有没有味美价廉的餐厅?
  zhèr yǒu méi yǒu wèi měi jià lián de cān tīng

4) 东 dōng: 주인 또는 주최자를 의미함. 房东 fángdōng: 집주인. 股东 gǔdōng: 주주.

- 이 근처에 한국 식당은 없습니까?
  这附近有没有韩国餐馆?
  zhè fù jìn yǒu méi yǒu hán guó cān guǎn

- 이 근처에 패스트푸드점이 있습니까?
  这附近有快餐厅吗?
  zhè fù jìn yǒu kuài cān tīng ma

- 취엔쥐더 오리 구이집이 어디 있습니까?
  全聚德烤鸭店在哪里?[5)]
  quán jù dé kǎo yā diàn zài nǎ li

- 그 음식점은 집처럼 아늑해서 좋아요.
  那家餐厅有一种家的温馨, 我很喜欢。
  nà jiā cān tīng yǒu yì zhǒng jiā de wēn xīn wǒ hěn xǐ huan

- 불고기라면 이 근처에서는 그 집만한 데가 없어요.
  要说烧烤, 这附近没有比得上那家的。[6)]
  yào shuō shāo kǎo zhè fù jìn méi yǒu bǐ de shàng nà jiā de

▶ 배달을 시킬 때 订餐时
dìng cān shí

- 좀 빨리 배달해 주세요.
  请尽快送过来。
  qǐng jǐn kuài sòng guò lái

- 음식을 배달해 줍니까?
  你们有送餐的服务吗?
  nǐ men yǒu sòng cān de fú wù ma

- 위샹러우스와 티에반니우러우를 배달해 주세요.
  我订一盘鱼香肉丝和一盘铁板牛柳, 请你送过来。[7)]
  wǒ dìng yì pán yú xiāng ròu sī hé yì pán tiě bǎn niú liǔ qǐng nǐ sòng guò lái

▶ 도시락을 먹을 때 吃盒饭时
chī hé fàn shí

- 도시락 싸왔어요?
  你带盒饭了吗?[8)]
  nǐ dài hé fàn le ma

---

5) 全聚德烤鸭 quánjùdé kǎoyā: 베이징에서 가장 전통있는 오리 구이 전문점.
6) 比得上 bǐdeshàng: 비할 만하다. 比不上 bǐbushàng: 비교도 안되다. 어림도 없다.
7) 鱼香肉丝 yúxiāngròusī: 채를 썬 닭고기와 각종 야채를 매콤 달콤하게 볶은 요리.
铁板牛柳 tiěbǎnniúliǔ: 소고기와 양파, 피망 등을 철판에 볶아 담아낸 것으로 우리나라 사람들의 구미에도 잘 맞는다.
8) 盒饭 héfàn은 도시락에 담은 밥을 말하며, 饭盒 fànhé는 도시락 용기를 말한다. 一次性饭盒 yícìxìng fànhé: 일회용 도시락.

- 저는 매일 도시락을 싸가지고 와요.
  我天天带盒饭。
  wǒ tiān tiān dài hé fàn

- 우리 같이 도시락 먹읍시다.
  我们一起吃盒饭吧。
  wǒ men yì qǐ chī hé fàn ba

- 도시락은 각자가 준비해요.
  盒饭自备。
  hé fàn zì bèi

Ⅳ. 음식 종류를 정할 때 选择菜系时
xuǎn zé cài xì shí

A: 吃西餐还是中餐?
chī xī cān hái shì zhōng cān

B: 还是中餐吧。
hái shì zhōng cān ba

A: 서양 요리를 드시겠어요? 중국 요리를 드시겠어요?

B: 중국 요리로 합시다.

- 점심에는 뭘 먹지?
  中午吃什么呀?
  zhōng wǔ chī shén me ya

- 해물을 좋아하세요?
  你喜欢吃海鲜吗?
  nǐ xǐ huan chī hǎi xiān ma

- 김치가 정말 먹고 싶군요.
  真想吃辣白菜啊![9]
  zhēn xiǎng chī là bái cài a

- 이 고장에서 유명한 음식은 뭐죠?
  这个地方有名的菜是什么?
  zhè ge dì fang yǒu míng de cài shì shén me

- 이 식당의 특별 요리는 무엇입니까?
  这家餐厅的特色菜是什么?
  zhè jiā cān tīng de tè sè cài shì shén me

- 어떤 요리를 제일 잘합니까?
  什么菜最拿手?
  shén me cài zuì ná shǒu

---

9) 김치를 泡菜 pàocài 또는 咸菜 xiáncài라고도 한다.

2 자리 예약

预订座位
yù dìng zuò wèi

손님을 대접한다든가 또는 인원이 많을 때는 식당을 미리 예약해 두는 것이 좋다. 특히 독립된 공간의 룸(包厢 bāoxiāng)을 이용하려면 더욱 그러하다. 중국 식당의 경우 包厢 bāoxiāng을 이용하려면 얼마 이상의 매상 조건이 붙어 있는 경우도 있으므로 미리 확인을 해둘 필요가 있다.

기본대화

A: 喂, 是夜来香酒家吗?
wèi shì yè lái xiāng jiǔ jiā ma

B: 是的, 请讲。
shì de qǐng jiǎng

A: 我想预订晚上用餐的包间。
wǒ xiǎng yù dìng wǎn shang yòng cān de bāo jiān

B: 请问几位?
qǐng wèn jǐ wèi

A: 大约10人左右。
dà yuē rén zuǒ yòu

B: 您估计什么时间能到?
nín gū jì shén me shí jiān néng dào

A: 晚上七点以前应该能到。
wǎn shang qī diǎn yǐ qián yīng gāi néng dào

B: 请留下您的联系电话。
qǐng liú xià nín de lián xì diàn huà

A: 我的手机号是1361-111-2222。
wǒ de shǒu jī hào shì

B: 好的, 晚上见。
hǎo de wǎn shang jiàn

A: 여보세요. 예라이샹 음식점입니까?
B: 네, 말씀하십시오.
A: 저녁에 룸을 예약할려고 합니다.
B: 몇 분이세요?
A: 10사람 정도예요.
B: 몇 시쯤 도착할 수 있으세요?
A: 저녁 7시 전에는 도착할 겁니다.
B: 연락처를 남겨 주십시오.
A: 저의 휴대폰 번호는 1361-111-2222입니다.
B: 네, 알겠습니다. 저녁에 뵙겠습니다.

여러 가지 활용

Ⅰ. 예약할 때 预订时
yù dìng shí

A: 你快点儿打电话预订吧。
nǐ kuài diǎnr dǎ diàn huà yù dìng ba

B: 我早就订好了。
wǒ zǎo jiù dìng hǎo le

A: 빨리 전화해서 예약하세요.

B: 벌써 예약해 두었어요.

- 오늘 저녁 예약을 하고 싶습니다.
  我想今晚预约。
  wǒ xiǎng jīn wǎn yù yuē
- 오늘 저녁 6시에 4인석을 예약하고 싶은데요.
  想订今晚6点的四人席。
  xiǎng dìng jīn wǎn diǎn de sì rén xí
- 창가 쪽 테이블로 주세요.
  请给我靠窗的桌子。
  qǐng gěi wǒ kào chuāng de zhuō zi
- 바깥 경치를 바라볼 수 있는 자리로 예약해 주세요.
  请帮我预订能看见外景的座位。
  qǐng bāng wǒ yù dìng néng kàn jiàn wài jǐng de zuò wèi
- 룸이 있습니까?
  有包厢吗?
  yǒu bāo xiāng ma
- 분위기 있는 방으로 주세요.
  来一个格调雅致的包厢。
  lái yí ge gé diào yǎ zhì de bāo xiāng

▶ **예약의 필요 需要预订**
xū yào yù dìng

- 그 집은 항상 손님이 많으니 예약을 해두는 것이 좋아요.
  那家餐厅总是人很多, 所以最好预订。
  nà jiā cān tīng zǒng shì rén hěn duō suǒ yǐ zuì hǎo yù dìng

• 예약을 하지 않으면 자리가 없을 수도 있어요.
不预订的话，也许会没有座位啊。
bú yù dìng de huà yě xǔ huì méi yǒu zuò wèi a

• 미리 자리를 예약해 두는 것이 좋을 겁니다.
最好是事先订好位子。
zuì hǎo shì shì xiān dìng hǎo wèi zi

▶ **예약을 취소 · 변경할 때 取消/更改预订时**
qǔ xiāo gēng gǎi yù dìng shí

• 원래 4인석을 예약했는데 지금 6인석으로 바꿀 수 있습니까?
我原来订了4人座位，现在能改到6人吗?
wǒ yuán lái dìng le rén zuò wèi xiàn zài néng gǎi dào rén ma

• 오늘 밤 7시 예약을 취소하고 싶습니다.
我想取消今晚7点的预订。
wǒ xiǎng qǔ xiāo jīn wǎn diǎn de yù dìng

• 오늘 예약을 내일로 변경하고 싶은데, 괜찮겠습니까?
我想把今天的预订改到明天，可以吗?
wǒ xiǎng bǎ jīn tiān de yù dìng gǎi dào míng tiān kě yǐ ma

Ⅱ. 식당에서 在餐馆
zài cān guǎn

▶ **예약을 해놓았을 때 已经预订时**
yǐ jīng yù dìng shí

A: 您预约了吗?
nín yù yuē le ma

B: 昨天在电话里预约了。
zuó tiān zài diàn huà li yù yuē le

A: 예약하셨습니까?

B: 어제 전화로 예약했습니다.

• 7시 10인석의 룸을 예약했는데요.
我订了7点10人座的包厢。
wǒ dìng le diǎn rén zuò de bāo xiāng

• 오늘 저녁 6시 2인석 테이블을 예약했습니다.
我订了今晚6点2人座的餐桌。
wǒ dìng le jīn wǎn diǎn rén zuò de cān zhuō

▶ **예약을 안했을 경우** **没预订时**
méi yù dìng shí

A: 欢迎光临，您预约了吗？
huān yíng guāng lín nín yù yuē le ma
B: 没有，有五人座的餐桌吗？
méi yǒu yǒu wǔ rén zuò de cān zhuō ma
A: 对不起，现在已满座了，请稍等一会儿吧。
duì bu qǐ xiàn zài yǐ mǎn zuò le qǐng shāo děng yí huìr ba

A: 어서 오십시오. 예약하셨습니까?
B: 안했는데요. 5인석 테이블이 있습니까?
A: 죄송합니다. 지금 자리가 다 찼는데 조금만 기다리십시오.

- 예약을 하지 않았는데 4인 테이블이 있는지 모르겠네요?
  我没有预订，不知还有没有四人餐桌？
  wǒ méi yǒu yù dìng bù zhī hái yǒu méi yǒu sì rén cān zhuō
- 자리 있어요? 좀 조용한 장소가 필요한데요.
  有座吗？我们要一个安静点儿的地方。
  yǒu zuò ma wǒ men yào yí ge ān jìng diǎnr de dì fang
- 여덟 명이니 넓은 방으로 주세요.
  我们有八个人，请找一间宽敞的房间。[1)]
  wǒ men yǒu bā ge rén qǐng zhǎo yì jiān kuān chǎng de fáng jiān

▶ **자리를 바꾸고 싶을 때** **提出换位**
tí chū huàn wèi

- 자리를 바꿔도 되겠습니까?
  我可以换个位子吗？
  wǒ kě yǐ huàn ge wèi zi ma
- 창가 자리를 원합니다.
  我要靠窗的座位。
  wǒ yào kào chuāng de zuò wèi
- 흡연석을 원하는데요.
  我要可以吸烟的地方。
  wǒ yào kě yǐ xī yān de dì fang

---

1) 宽敞 kuānchǎng: 넓다. 널찍하다. 탁 트이다.

- 화장실 옆자리라 좋지 않은데요.
  座位挨着洗手间不太好。
  zuò wèi āi zhe xǐ shǒu jiān bú tài hǎo

- 좀 더 큰 테이블은 없습니까?
  没有再大一点儿的餐桌吗?
  méi yǒu zài dà yì diǎnr de cān zhuō ma

- 저쪽의 밝은 룸으로 옮기고 싶어요.
  我想换那间亮一点儿的包厢。
  wǒ xiǎng huàn nà jiān liàng yì diǎnr de bāo xiāng

대기할 때 等座时
děng zuò shí

A: 请问您几位?
qǐng wèn nín jǐ wèi
B: 一共十个人。
yí gòng shí ge rén
A: 不好意思, 现在已经没位子了, 稍等好吗?
bù hǎo yì si xiàn zài yǐ jīng méi wèi zi le shāo děng hǎo ma

A: 일행이 몇 분이십니까?
B: 모두 10사람입니다.
A: 죄송하지만 지금은 자리가 없습니다. 잠시만 기다려 주시겠어요?

- 곧 자리가 날까요?
  一会儿有座吗?
  yí huìr yǒu zuò ma

- 얼마나 기다려야 합니까?
  要等多久啊?
  yào děng duō jiǔ a

- 자리가 날 때까지 기다리지요.
  我会一直等到有空座。
  wǒ huì yì zhí děng dào yǒu kòng zuò

- 여기서 잠시 기다려 주십시오. 자리가 나면 말씀드리겠습니다.
  您在这里等一会儿, 有地方我会叫您的。
  nín zài zhè li děng yí huìr yǒu dì fang wǒ huì jiào nín de

3 음식 주문

点菜
diǎn cài

중국 식당의 테이블은 대부분이 원탁이며 그 가운데에는 음식을 돌아가게 할 수 있는 원판이 놓여 있다. 둥그런 식탁은 함께 식사하는 사람들이 서로 얼굴을 보며 대화하기에 좋을 뿐 아니라 음식을 돌려 가면서 함께 나누어 먹기에도 편리하다. 그러므로 화기애애한 분위기에서 식사를 할 수 있으며 화제 또한 음식만큼 풍성해진다. 다만 음식을 여러 사람이 함께 나누어 먹는 것인 만큼 위생을 고려하여 최근에는 公筷 gōngkuài(공용 젓가락)과 公勺 gōngsháo(공용 숟가락)의 사용을 많이 권장하고 있다.

기본대화

A: 您好! 您想要点儿什么?
nín hǎo nín xiǎng yào diǎnr shén me

B: 李先生, 你要吃什么?
lǐ xiān sheng nǐ yào chī shén me

C: 我什么都可以, 你随意。
wǒ shén me dōu kě yǐ nǐ suí yì

B: 那, 先来两份牛排。
nà xiān lái liǎng fèn niú pái

A: 好, 两份牛排。还来点儿别的吗?
hǎo liǎng fèn niú pái hái lái diǎnr bié de ma

B: 来份海鲜煲, 香菇油菜和炸馒头。[1]
lái fèn hǎi xiān bāo xiāng gū yóu cài hé zhá mán tóu

A: 您还要凉拌菜吗?
nín hái yào liáng bàn cài ma

B: 加一个泡菜和凉拌黄瓜, 就要这些吧。[2]
jiā yí ge pào cài hé liáng bàn huáng guā jiù yào zhè xiē ba

A: 好的。您稍等。
hǎo de nín shāo děng

A: 안녕하세요. 무엇을 주문하시겠습니까?
B: 이 선생님, 무엇을 드시겠습니까?
C: 저는 다 괜찮습니다. 알아서 하시죠.
B: 그럼 우선 소갈비 2인분 주시구요.
A: 네, 소갈비 2인분이요, 또 다른 음식은요?
B: 하이시엔바오, 샹구여우차이, 그리고 쟈만터우를 주세요.
A: 무침 요리도 필요하십니까?
B: 김치와 오이무침을 추가합시다. 이 정도 하지요.
A: 알겠습니다. 잠시만 기다리세요.

여러 가지 활용

Ⅰ. 메뉴 보기 浏览菜单
liú lǎn cài dān

A: 我想点菜。
wǒ xiǎng diǎn cài

B: 好的, 这是我们的菜单。
hǎo de zhè shì wǒ men de cài dān

A: 只看菜单, 不太了解什么菜比较好。
zhǐ kàn cài dān bú tài liǎo jiě shén me cài bǐ jiào hǎo

麻烦你介绍一下你们这里的特色菜, 好吗?
má fan nǐ jiè shào yí xià nǐ men zhè li de tè sè cài hǎo ma

A: 주문 받으세요.

B: 네, 여기 저희 메뉴판입니다.

A: 메뉴판만 보아서는 어느 음식이 좋은지 잘 모르겠군요.
미안하지만 이 집의 특별 요리를 소개해 주시겠습니까?

- 메뉴판이 있습니까?
有菜单吗?
yǒu cài dān ma

- 메뉴를 보여 주시겠습니까?
可以看一下菜单吗?
kě yǐ kàn yí xià cài dān ma

- 한글로 된 메뉴판이 있습니까?
有用韩语写的菜谱吗?
yǒu yòng hán yǔ xiě de cài pǔ ma

▶ **스페셜 메뉴** 特色菜
tè sè cài

- 오늘의 특별 메뉴는 무엇입니까?
今天的特色菜是什么?
jīn tiān de tè sè cài shì shén me

---

1) 海鲜煲 hǎixiānbāo: 뚝배기 같은 데에 각종 해물을 넣고 끓인 요리. 煲 bāo는 도기나 토기로 된 옴폭한 그릇을 말함.
香菇油菜 xiānggū yóucài: 표고버섯과 여우차이(청경채)를 함께 볶은 요리.
炸馒头 zhámántou: 만터우(소가 없는 빵)를 튀긴 것으로 연유에 찍어 먹는다.

2) 凉拌黄瓜 liángbàn huánggua: 오이를 새콤달콤하게 무친 것.

- 이 집의 특별 요리는 무엇입니까?
你们餐馆的特色菜有哪些?
nǐ men cān guǎn de tè sè cài yǒu nǎ xiē

- 오늘의 특별 요리를 주세요.
就要今天的特色菜吧。
jiù yào jīn tiān de tè sè cài ba

▶ **가장 잘하는 요리** **拿手菜**
ná shǒu cài

- 이 집의 제일 잘하는 요리는 무엇입니까?
这家店的拿手菜是什么?[3)]
zhè jiā diàn de ná shǒu cài shì shén me

- 처음이라 뭐가 맛있는지 잘 모르겠으니 몇 가지 좀 추천해 주시죠.
第一次来, 不知道哪些菜好吃, 你帮我推荐几个吧。
dì yī cì lái bù zhī dào nǎ xiē cài hǎo chī nǐ bāng wǒ tuī jiàn jǐ ge ba

- 이 밖에 또 무엇이 맛있습니까?
除了这些, 还有什么好吃的?
chú le zhè xiē hái yǒu shén me hǎo chī de

- 이 집에서 가장 유명한 것은 무엇입니까?
这家最有名的菜是什么?
zhè jiā zuì yǒu míng de cài shì shén me

▶ **요리에 대한 문의** **关于菜的提问**
guān yú cài de tí wèn

- 이건 어떤 요리죠?
这是什么菜?
zhè shì shén me cài

- 저 요리는 이름이 뭐죠?
那道菜叫什么名字?
nà dào cài jiào shén me míng zi

- 맛은 어떻습니까?
这道菜味道怎么样?
zhè dào cài wèi dào zěn me yàng

---

3) 拿手 náshǒu: 가장 잘하는, 가장 능숙한. 拿手菜 náshǒucài: 가장 잘하는 요리, 가장 자신있는 요리.

- 이 요리는 어떻게 먹죠?
这菜怎么个吃法啊?
zhè cài zěn me ge chī fǎ a

- 이것은 어떤 맛입니까?
这个是什么风味的?
zhè ge shì shén me fēng wèi de

- 어떤 요리가 제일 인기가 있죠?
什么菜最受欢迎?
shén me cài zuì shòu huān yíng

- 이 두 음식은 어떤 차이가 있죠?
这两道菜有什么区别?
zhè liǎng dào cài yǒu shén me qū bié

- 음식 몇 가지 추천할 수 있습니까?
你能推荐几个菜吗?
nǐ néng tuī jiàn jǐ ge cài ma

- 어떤 음식이 빨리 되죠?
哪个菜做起来快一点儿?
nǎ ge cài zuò qǐ lái kuài yì diǎnr

- 어떤 음식이 비교적 담백하죠?
哪个菜比较清淡一点儿?[4)]
nǎ ge cài bǐ jiào qīng dàn yì diǎnr

- 이것은 맵지 않습니까?
这个不辣吗?
zhè ge bú là ma

- 1인분 양은 어느 정도 입니까?
一份菜量是多少?
yí fèn cài liàng shì duō shao

- 이것은 해물류입니까? 고기류입니까?
这道菜是海鲜还是肉类?
zhè dào cài shì hǎi xiān hái shì ròu lèi

- 세트 요리도 있습니까?
有套餐吗?
yǒu tào cān ma

- 요리를 너무 달게 하지 마세요.
我要的菜不要太甜。
wǒ yào de cài bú yào tài tián

---

4) 清淡 qīngdàn: 자극적이지 않으며 담백한 것을 말함.

Ⅱ. 일행에게 의사를 물을 때 征询同伴的意见

zhēng xún tóng bàn de yì jiàn

A: 张先生, 您想来点什么?
zhāng xiān sheng nín xiǎng lái diǎn shén me

B: 我要烤鳗鱼。你要点什么?
wǒ yào kǎo màn yú nǐ yào diǎn shén me

A: 我要红烧鱼, 李先生呢?[5)]
wǒ yào hóng shāo yú lǐ xiān sheng ne

C: 我要西芹百合。[6)]
wǒ yào xī qín bǎi hé

A: 那, 来点儿什么饮料?
nà lái diǎnr shén me yǐn liào

B: 我们都喝绿茶吧。
wǒ men dōu hē lǜ chá ba

A: 장 선생님, 무엇을 드시겠습니까?

B: 저는 장어구이 먹겠습니다. 당신은요?

A: 저는 홍사오위로 하겠어요. 이 선생님은요?

C: 저는 시친바이허를 시키겠습니다.

A: 그럼, 음료수는 무엇으로 할까요?

B: 녹차를 마시도록 하지요.

- 무얼 시키면 좋을까요?
  我们点什么好啊?
  wǒ men diǎn shén me hǎo a

- 저는 아무거나 괜찮습니다.
  我随便。
  wǒ suí biàn

- 그럼 저도 같은 것으로 하죠.
  那我要跟你一样的。
  nà wǒ yào gēn nǐ yí yàng de

- 오늘은 다른 것 좀 먹어 봅시다.
  今天换换口味。
  jīn tiān huàn huan kǒu wèi

---

5) 红烧鱼 hóngshāoyú: 생선을 기름, 간장, 설탕 등으로 볶아내는 요리.

6) 西芹百合 xīqínbǎihé: 셀러리와 백합의 뿌리를 볶은 요리.

- 저는 개운한 음식을 먹겠어요.
  我要爽口的菜。
  wǒ yào shuǎng kǒu de cài

- 저는 당신의 입맛에 따르겠습니다.
  我随您的口味。
  wǒ suí nín de kǒu wèi

- 전부 다 맛있어 보여 결정하기가 어렵네요.
  看起来什么都好吃, 真难决定啊。
  kàn qǐ lái shén me dōu hǎo chī zhēn nán jué dìng a

Ⅲ. 주문할 때 点菜时
diǎn cài shí

- 종업원, 여기요.
  服务员, 这里。
  fú wù yuán zhè li

- 여기 주문 받으세요.
  我们要点菜。
  wǒ men yào diǎn cài

- (메뉴를 보면서) 이것을 주세요.
  (指着菜单) 来这道菜吧。
  zhǐ zhe cài dān lái zhè dào cài ba

- 같은 것을 3인분 주세요.
  一样的来三份。
  yí yàng de lái sān fèn

- 밥을 좀 많이 주시겠어요?
  米饭多来点好吗?
  mǐ fàn duō lái diǎn hǎo ma

- 디저트로 아이스크림을 주세요.
  餐后点心要冰淇淋。
  cān hòu diǎn xin yào bīng qí lín

- 비빔냉면 하나요.
  要一碗拌冷面。
  yào yì wǎn bàn lěng miàn

- 뜨거운 두유 한 잔 주세요.
  要一杯热豆浆。
  yào yì bēi rè dòu jiāng

주문시 요구 사항 点菜时的要求
diǎn cài shí de yāo qiú

A: 肉要烤到什么程度呢?
ròu yào kǎo dào shén me chéng dù ne

B: 把肉烤熟烤透。[7)]
bǎ ròu kǎo shú kǎo tòu

C: 我要半生半熟的。
wǒ yào bàn shēng bàn shú de

A: 고기를 어느 정도 구울까요?

B: 고기를 완전히 익혀 주세요.

C: 저는 절반만 익혀 주세요.

- 잘 구워 주세요.
  烤得好一点儿。
  kǎo de hǎo yì diǎnr

- 고기를 태우지 마세요.
  别把肉烤糊了。
  bié bǎ ròu kǎo hú le

- 완전히 익혀 주세요.
  要熟透的。
  yào shú tòu de

- 살짝 구우면 돼요. 너무 오래 굽지 말구요.
  烤一下就行了, 不要烤太久了。
  kǎo yí xià jiù xíng le bú yào kǎo tài jiǔ le

- 너무 맵지 않게 하세요.
  不要太辣。
  bú yào tài là

- 소금을 너무 많이 넣지 마세요.
  盐不要放得太多。
  yán bú yào fàng de tài duō

- 우리가 시킨 음식은 맵거나 달지 않게 해 주세요.
  我们点的菜不要辣的、甜的。
  wǒ men diǎn de cài bú yào là de tián de

7) 구어(口语 kǒuyǔ)에서는 熟 shú를 shóu로 발음하는 경우가 많다.

음료수 饮料
yǐn liào

A: 请问要什么饮料?
qǐng wèn yào shén me yǐn liào

B: 冰咖啡和冰红茶各来一杯。
bīng kā fēi hé bīng hóng chá gè lái yì bēi

A: 음료수는 무엇으로 하시겠습니까?

B: 냉커피와 냉 홍차 한 잔씩 주세요.

- 마실 것 좀 주세요.
  来点儿喝的吧。
  lái diǎnr hē de ba

- 뜨거운 커피 한 잔 주세요.
  要杯热咖啡。
  yào bēi rè kā fēi

- 광천수 한 병 주세요.
  来瓶矿泉水。
  lái píng kuàng quán shuǐ

디저트 点心
diǎn xin

- 디저트는 어떤 걸로 드릴까요?
  点心来点儿什么?
  diǎn xin lái diǎnr shén me

- 디저트는 좀 있다가 시킬게요.
  点心呆会儿再说吧。
  diǎn xin dāi huìr zài shuō ba

- 디저트는 생략하겠습니다.
  点心就不要了。
  diǎn xin jiù bú yào le

- 아이스크림과 레몬차를 주세요.
  来冰淇淋和柠檬茶吧。
  lái bīng qí lín hé níng méng chá ba

- 과일이 좋겠네요.
  再来点儿水果。
  zài lái diǎnr shuǐ guǒ

▶ **술 酒**
jiǔ

• 마오타이주 한 병 주세요.
来一瓶茅台酒。
lái yì píng máo tái jiǔ

• 오늘 밤은 우량예로 하면 어때요?
今天晚上喝五粮液怎么样?
jīn tiān wǎn shang hē wǔ liáng yè zěn me yàng

• 뭐니뭐니해도 바이주가 최고예요.
不管怎么说, 还是白酒最好啊。
bù guǎn zěn me shuō hái shì bái jiǔ zuì hǎo a

• 어떤 맥주들이 있지요?
都有什么啤酒?
dōu yǒu shén me pí jiǔ

• 생맥주도 있습니까?
有生啤吗?
yǒu shēng pí ma

• 적포도주 1병 부탁해요.
来一瓶干红葡萄酒。[8)]
lái yì píng gān hóng pú táo jiǔ

Ⅳ. 음식을 재촉할 때 催促上菜
cuī cù shàng cài

A: 为什么还不上菜?
wèi shén me hái bú shàng cài

B: 抱歉, 您稍等, 菜马上就好。
bào qiàn nín shāo děng cài mǎ shàng jiù hǎo

A: 我赶时间, 快点儿好吗?
wǒ gǎn shí jiān kuài diǎnr hǎo ma

A: 음식이 왜 아직도 안 나와요?
B: 죄송합니다. 잠시만 기다리십시오. 금방 됩니다.
A: 시간이 없으니 빨리 주세요.

• 왜 이렇게 음식이 늦게 나와요?
为什么上菜这么慢?
wèi shén me shàng cài zhè me màn

8) 干红 gānhóng: 적포도주. 干白 gānbái: 백포도주.

- 벌써 30분이 지났는데 왜 안 나와요?
  都已经三十分钟了,菜怎么还不来?
  dōu yǐ jīng sān shí fēn zhōng le cài zěn me hái bù lái

- 아직도 얼마나 더 걸릴까요?
  还需要多长时间呢?
  hái xū yào duō cháng shí jiān ne

- 제가 주문한 요리는 다 되었습니까?
  我要的菜做好了吗?
  wǒ yào de cài zuò hǎo le ma

- 주문한 음식이 언제 됩니까?
  我点的菜什么时候能好?
  wǒ diǎn de cài shén me shí hou néng hǎo

- 한참을 기다렸는데 왜 아직도 안 나와요?
  等了好长时间了,菜怎么还不上啊?
  děng le hǎo cháng shí jiān le cài zěn me hái bú shàng a

- 홍차를 주문한지 한참 되었는데요.
  我的红茶已经点了好长时间了。
  wǒ de hóng chá yǐ jīng diǎn le hǎo cháng shí jiān le

V. 주문한 음식이 다를 때　上错菜时
shàng cuò cài shí

A: 服务员,麻烦你过来一下。[9]
fú wù yuán má fan nǐ guò lái yí xià

B: 有什么需要服务的吗?
yǒu shén me xū yào fú wù de ma

A: 这道菜和我点的不一样。
zhè dào cài hé wǒ diǎn de bù yí yàng

B: 真对不起,您点的是什么?
zhēn duì bu qǐ nín diǎn de shì shén me

A: 我要的是炸虾。[10]
wǒ yào de shì zhá xiā

B: 对不起,马上给您换一下。
duì bu qǐ mǎ shàng gěi nín huàn yí xià

A: 종업원, 이리 좀 와 보세요.

B: 뭐 필요한 것 있으세요?

---

9) 服务员 fúwùyuán: 손님께 서비스를 제공하는 종업원을 말함. 服务 fúwù: 서비스

10) 炸 zhá는 '튀기다'는 뜻일 때는 2성이나 '폭발하다'는 뜻일 때는 4성으로 발음한다. 예) 油炸 yóuzhá(기름에 튀기다), 炸酱面 zhájiàngmiàn(자장면), 爆炸 bàozhà(폭발하다)。

A: 음식이 제가 주문한 것과 다른데요.
B: 정말 죄송합니다. 무엇을 주문하셨습니까?
A: 제가 주문한 것은 새우튀김이에요.
B: 죄송합니다. 바로 바꿔 드리겠습니다.

- 이것은 주문 안했는데요.
  我没有点这个啊!
  wǒ méi yǒu diǎn zhè ge a

- 이 음식은 여기서 안 시켰는데요.
  这道菜不是这里点的。
  zhè dào cài bú shì zhè li diǎn de

- 제가 시킨 건 뜨거운 커피가 아니고 냉커피입니다.
  我要的不是热咖啡, 是冰咖啡。
  wǒ yào de bú shì rè kā fēi shì bīng kā fēi

- 이것은 내가 시킨 요리가 아닌데요.
  这不是我要的菜。
  zhè bú shì wǒ yào de cài

- 잘못 가져온 것 같군요.
  你上错了吧。
  nǐ shàng cuò le ba

VI. 음식에 문제가 있을 때 投诉菜的质量
tóu sù cài de zhì liàng

▶ 조리 상태가 나쁠 때 菜做得不好时
cài zuò de bù hǎo shí

- 고기가 덜 구워졌어요. 다시 구워 주세요.
  这肉没烤熟, 再烤一下吧。[11)]
  zhè ròu méi kǎo shú zài kǎo yí xià ba

- 고기가 너무 질겨서 씹을 수가 없어요.
  这肉太硬了, 嚼不动。
  zhè ròu tài yìng le jiáo bu dòng

- 생선찌개에 비린내가 나서 못먹겠어요.
  鱼汤有点儿腥, 真难吃啊。
  yú tāng yǒu diǎnr xīng zhēn nán chī a

---

11) 熟 shú: 구어에서는 shóu 라고 많이 발음한다.

- 감자가 설컹거려요.
  这土豆有点儿夹生。
  zhè tǔ dòu yǒu diǎnr jiā shēng

- 갈비가 너무 탔어요, 바꿔 주세요.
  牛排太糊了, 给我换一份。
  niú pái tài hú le gěi wǒ huàn yí fèn

▶ **이물질이 들어 있을 때 菜里有杂物时**
cài li yǒu zá wù shí

A: 服务员, 过来一下。
fú wù yuán guò lái yí xià
B: 需要点儿什么?
xū yào diǎnr shén me
A: 这菜里面有蟑螂。
zhè cài lǐ miàn yǒu zhāng láng
B: 对不起, 我们马上再重做一份。请稍等。
duì bu qǐ wǒ men mǎ shàng zài chóng zuò yí fèn qǐng shāo děng

A: 종업원, 이리 좀 오세요.
B: 손님, 부르셨습니까?
A: 이 요리에 바퀴벌레가 들어 있잖아요.
B: 대단히 죄송합니다. 곧 다시 요리해 드릴테니 잠시만 기다리세요.

- 이 국에 왜 머리카락이 들어 있어요?
  这汤里面怎么有头发呀?
  zhè tāng lǐ miàn zěn me yǒu tóu fa ya

- 된장국에 왜 철 수세미 조각이 들어 있어요?
  这酱汤里怎么有清洁球的碎屑呢?
  zhè jiàng tāng li zěn me yǒu qīng jié qiú de suì xiè ne

- 밥 속에 돌이 있어요. 다른 걸로 바꿔 주세요.
  米饭里有小石子, 给我换一碗。
  mǐ fàn li yǒu xiǎo shí zi gěi wǒ huàn yì wǎn

- 이 음식 속에 벌레가 있으니 어떻게 된 일입니까?
  这菜里居然有虫子, 怎么回事啊?
  zhè cài li jū rán yǒu chóng zi zěn me huí shì a

▶ **음식이 상했을 때 菜变质时**
cài biàn zhì shí

- 이 고기 상한 것 같아요, 이상한 냄새가 나요.
  这肉好像坏了, 有一股怪味儿。
  zhè ròu hǎo xiàng huài le yǒu yì gǔ guài wèir

- 이 생선찜에서 상한 냄새가 납니다.
  这清蒸鱼有腥臭味儿啊。
  zhè qīng zhēng yú yǒu xīng chòu wèir a

- 오렌지 주스가 변했어요.
  橙汁变味儿了。
  chéng zhī biàn wèir le

- 우유의 유통기한이 지난 것 같아요.
  牛奶好像过期了。
  niú nǎi hǎo xiàng guò qī le

- 사과가 썩었군요.
  这苹果都烂了。
  zhè píng guǒ dōu làn le

- 빵이 너무 말라서 돌처럼 딱딱해요.
  这面包太干了，像石头一样硬。
  zhè miàn bāo tài gān le xiàng shí tóu yí yàng yìng

▶ 기타 其他
qí tā

- 어느 분이 헤이쟈오니우파이를 주문하셨습니까?
  哪位点黑椒牛排了?[12)]
  nǎ wèi diǎn hēi jiāo niú pái le

- 아, 제가 시킨 겁니다.
  哦，是我点的。
  ò shì wǒ diǎn de

- 김밥은 어느 분이 시키셨죠?
  这紫菜卷饭是谁订的?
  zhè zǐ cài juǎn fàn shì shéi dìng de

- 생선회는 이쪽이에요.
  生鱼片是这里要的。
  shēng yú piàn shì zhè li yào de

- 천천히 드세요.
  请慢用。[13)]
  qǐng màn yòng

---

12) 黑椒牛排 hēijiāoniúpái: 소스에 검은 후추를 듬뿍 뿌려 매콤한 맛이 일품인 스테이크.

13) 음식을 내어 놓으며 하는 인사로, 우리말의 "천천히 드십시오," "맛있게 드십시오"에 해당한다.

4 식사할 때

用餐
yòngcān

식사 도중 필요한 것이 있어서 종업원을 부를 때에는 "小姐 xiǎojiě"(아가씨) 또는 "服务员 fúwùyuán"(종업원)이라고 하면 된다. 부탁을 할 때에는 "麻烦你 máfan nǐ~"이라든가, "帮我 bāng wǒ~"등의 표현을 앞에 사용하면 훨씬 부드러워진다. "麻烦你"는 '귀찮게 해서 미안하다'는 뜻이고 "帮我"에는 '나를 좀 도와서'라는 뜻이다.

기 본 대 화

A: 对不起, 我把筷子掉地上了, 请再拿一副好吗?
duì bu qǐ wǒ bǎ kuài zi diào dì shang le qǐng zài ná yí fù hǎo ma

B: 哦, 知道了, 马上给您送过来。
ò zhī dào le mǎ shàng gěi nín sòng guò lái

A: 再麻烦你拿餐巾纸来。
zài má fan nǐ ná cān jīn zhǐ lái

B: 好的, 您还需要其他的服务吗?
hǎo de nín hái xū yào qí tā de fú wù ma

A: 能再帮我加一些茶水吗?
néng zài bāng wǒ jiā yì xiē chá shuǐ ma

B: 当然可以, 您稍等。
dāng rán kě yǐ nín shāo děng

A: 미안합니다. 젓가락을 바닥에 떨어뜨렸어요. 다시 주시겠어요?
B: 네, 알겠습니다. 곧 갖다 드릴게요.
A: 그리고 냅킨도 좀 갖다 주세요.
B: 네, 더 필요한 것 있으십니까?
A: 찻물도 좀 더 따라 주세요.
B: 알겠습니다. 잠시만 기다리세요.

여러 가지 활용

Ⅰ. 요리 품평 品菜
pǐn cài

▶ **맛을 보라고 할 때 叫人品菜**
jiào rén pǐn cài

A: 味道怎么样?
wèi dào zěn me yàng

B: 好香啊。
hǎo xiāng a

A: 맛이 어떻습니까?
B: 아주 좋습니다.

- 맛있어요?
  好吃吗?
  hǎo chī ma

- 무슨 맛이에요?
  什么味道啊?
  shén me wèi dào a

- 이 불고기 맛 좀 보세요.
  来尝一下这烤肉。
  lái cháng yí xià zhè kǎo ròu

- 자, 맛 좀 봐요. 짠지 안 짠지?
  来, 尝一下, 咸不咸?
  lái cháng yí xià xián bu xián

- 맛이 좀 이상해요, 평소와 다른 것 같아요.
  味道有点儿怪, 和平常不太一样。
  wèi dào yǒu diǎnr guài hé píng cháng bú tài yí yàng

▶ **맛이 있다** **好吃**
hǎo chī

- 먹어보니 참 맛있네요.
  吃起来挺香的。
  chī qǐ lái tǐng xiāng de

- 정말이지 너무 맛있어요.
  实在是太好吃了。
  shí zài shì tài hǎo chī le

- 과연 소문대로입니다.
  果然名不虚传啊。
  guǒ rán míng bù xū chuán a

- 이렇게 맛있는 음식은 처음 먹어봐요.
  这么好吃的东西, 我还是头一回吃啊。
  zhè me hǎo chī de dōng xi wǒ hái shì tóu yì huí chī a

- 고기가 참 연하네요. 어떻게 만드신 거예요?
  这肉真嫩, 你用什么方法做的呀?
  zhè ròu zhēn nèn nǐ yòng shén me fāng fǎ zuò de ya

맛이 없다 不好吃
bù hǎo chī

- 맛이 별로예요.
味道不怎么样。
wèi dào bù zěn me yàng

- 맛이 보통인데요.
味道一般。
wèi dào yì bān

- 제 입맛에는 안 맞아요.
不合我的口味。
bù hé wǒ de kǒu wèi

- 별 맛은 없지만 그런대로 먹을 만해요.
没什么特别的，还能凑合。
méi shén me tè bié de hái néng còu he

- 이 음식은 정말 너무 맛이 없어요.
这道菜真是太难吃了。
zhè dào cài zhēn shì tài nán chī le

- 감기가 들어 무슨 맛인지 모르겠어요.
我感冒了，尝不出什么味儿。
wǒ gǎn mào le cháng bu chū shén me wèir

- 이 탕에서 비린내가 나는군요.
这汤有一股腥味儿。
zhè tāng yǒu yì gǔ xīng wèir

- 보기에는 먹음직스러운데 먹어보니 뭐가 좀 부족한 것 같아요.
看起来挺好的，但吃起来好像少了点儿什么。
kàn qǐ lái tǐng hǎo de dàn chī qǐ lái hǎo xiàng shǎo le diǎnr shén me

맛있어 보일 때 色鲜味美
sè xiān wèi měi

- 냄새가 기가 막히는데.
气味儿真香。
qì wèir zhēn xiāng

- 맛있는 음식 냄새가 코를 찌르는데.
一股饭菜的香味儿扑鼻而来。
yì gǔ fàn cài de xiāng wèir pū bí ér lái

- 히야~, 굉장히 맛있는 냄새가 나는군요.
哎呀，这菜闻起来就很香。
āi ya zhè cài wén qǐ lái jiù hěn xiāng

- 냄새만 맡아도 군침이 도는군요.
一闻到香味儿就要流口水。
yì wén dào xiāng wèir jiù yào liú kǒu shuǐ

- 냄새를 맡으니 먹고 싶어지네요.
闻着味道就想尝一口。
wén zhe wèi dào jiù xiǎng cháng yì kǒu

- 이 냄새는 정말 식욕을 자극하는데.
这味道真是刺激食欲啊。
zhè wèi dào zhēn shì cì jī shí yù a

- 그 동과하이미탕이 아주 맛있어 보이는데요.
那冬瓜海米汤闻着好像很好吃啊。
nà dōng guā hǎi mǐ tāng wén zhe hǎo xiàng hěn hǎo chī a

- 이 요리는 고기와 채소가 어우러져 보기만 해도 식욕이 당기네요.
这菜荤素搭配，让人一看就有食欲。[1)]
zhè cài hūn sù dā pèi ràng rén yí kàn jiù yǒu shí yù

Ⅱ. 여러 가지 맛 各种味道
gè zhǒng wèi dào

▶ 달다 甜
tián

- 이 탕추위 정말 맛있네요. 새콤달콤한게 그만이에요.
这糖醋鱼真不错，酸甜的味道都做出来了。
zhè táng cù yú zhēn bú cuò suān tián de wèi dào dōu zuò chū lái le

- 떡볶기 먹어 보았니? 난 매콤달콤한게 좋더라.
你吃过炒年糕吗？我很喜欢那甜辣的味道。
nǐ chī guo chǎo nián gāo ma wǒ hěn xǐ huan nà tián là de wèi dào

- 펑리수의 달콤한 맛이 정말 좋아요.
凤梨酥甜甜的，味道很好。[2)]
fèng lí sū tián tián de wèi dào hěn hǎo

- 탕추리지가 좀 너무 달군요.
糖醋里脊有点儿过甜了。[3)]
táng cù lǐ ji yǒu diǎnr guò tián le

---

1) 荤素 hūnsù: 荤 hūn은 고기, 생선 등의 육류를, 素 sù는 야채 등의 채소류를 말한다.
2) 酥 sū: 밀가루에 기름과 설탕을 섞어 바삭하게 구운 빵.
3) 糖醋里脊 tángcùlǐji: 흔히 우리가 말하는 탕수육으로 糖醋 tángcù는 새콤달콤하게 만드는 요리법 중의 하나이며, 里脊 lǐji는 안심살을 말한다.

▶ **쓰다** **苦**
kǔ

- 맥주를 마실 때 뒷맛이 좀 씁쓸해요.
喝啤酒的时候，后味有点儿苦。
hē pí jiǔ de shí hou hòu wèi yǒu diǎnr kǔ

- 이 쿠과차오러우는 너무 쓰군요.
这苦瓜炒肉太苦了。[4)]
zhè kǔ guā chǎo ròu tài kǔ le

▶ **시다** **酸**
suān

- 김치가 시어 죽겠어요.
这泡菜酸死了。
zhè pào cài suān sǐ le

- 레몬차가 너무 시어요. 설탕 좀 더 넣으세요.
柠檬茶太酸了，再放一点儿糖。
níng méng chá tài suān le zài fàng yì diǎnr táng

- 우유가 시큼해 졌어요.
这牛奶变酸了。
zhè niú nǎi biàn suān le

- 오이무침이 너무 시어요.
拌黄瓜太酸了。
bàn huáng guā tài suān le

▶ **맵다** **辣**
là

- 앗, 겨자를 먹었나봐. 매워 죽겠어.
哎呀，我好像吃了芥茉了，辣死我了。
āi ya wǒ hǎo xiàng chī le jiè mò le là sǐ wǒ le

- 김치가 좀 맵군요.
这泡菜有点儿辣。
zhè pào cài yǒu diǎnr là

- 이 라즈지딩은 너무 맵군요.
这辣子鸡丁太辣了。[5)]
zhè là zi jī dīng tài là le

---

4) 苦瓜炒肉 kǔguāchǎoròu: 쿠과와 돼지고기를 함께 볶은 요리. 쿠과는 매우 쓴 맛이 나는 박의 일종. 여름철 더위를 이기게 해주는 음식이라고 한다.
5) 辣子鸡丁 làzijīdīng: 닭고기와 고추 등 야채를 네모썰기하여 볶은 것.

▶ **짜다** **咸**
xián

• 아유, 이게 무슨 음식이야? 왜 이렇게 짜?
哎呀, 这是什么菜呀? 怎么这么咸?
āi ya zhè shì shén me cài ya zěn me zhè me xián

• 국이 좀 짭짤하네요.
这汤味道有点儿咸。
zhè tāng wèi dào yǒu diǎnr xián

▶ **싱겁다** **淡**
dàn

• 간이 안 맞네요. 좀 싱거워요.
味儿没调好。有点儿淡。
wèir méi tiáo hǎo yǒu diǎnr dàn

• 이 음식은 좀 싱겁군요. 소금을 더 넣어야 겠어요.
这菜有点儿淡了, 再加点儿盐。
zhè cài yǒu diǎnr dàn le zài jiā diǎnr yán

• 이 술은 아주 순해요.
这酒味道很淡。
zhè jiǔ wèi dào hěn dàn

▶ **떫은 맛** **涩**
sè

• 이 감은 좀 떫어요.
这柿子有点儿涩。
zhè shì zi yǒu diǎnr sè

• 감이 떫어서 도저히 못먹겠어요.
柿子涩得我都咽不下去。
shì zi sè de wǒ dōu yàn bu xià qù

▶ **기타** **其他**
qí tā

• 이 밥은 찰져서 참 맛이 있군요.
这米饭吃着粘粘的, 我觉得挺好吃。[6)]
zhè mǐ fàn chī zhe nián nián de wǒ jué de tǐng hǎo chī

---

6) 粘은 붙다, 붙이다, 달라붙다 등으로 쓰일 때는 zhàn이라 발음하고, 차지다, 끈적끈적하다, 찐득하다 등의 뜻으로 쓰일 때는 nián으로 발음한다. 그러나 경우에 따라서는 혼용되는 경우도 더러 있다. 예) 粘贴 zhàntiē(붙이다. niántiē라고도 발음됨).

- 고기가 살살 녹는 것이 정말 맛있어요.
  这肉吃起来口感嫩滑，实在不错。
  zhè ròu chī qǐ lái kǒu gǎn nèn huá shí zài bú cuò

- 해장에는 역시 콩나물국이 최고예요.
  解酒还是豆芽汤最好。
  jiě jiǔ hái shì dòu yá tāng zuì hǎo

- 오향을 너무 많이 넣어, 냄새가 좀 진하네요.
  五香粉放得太多了，有点儿冲。
  wǔ xiāng fěn fàng de tài duō le yǒu diǎnr chòng

- 이 음식에 샹차이 맛이 너무 강해서 저는 못먹겠어요.
  这菜里香菜味儿太重了，我吃不了。
  zhè cài li xiāng cài wèir tài zhòng le wǒ chī bu liǎo

Ⅲ. 필요한 것을 부탁할 때　需要服务时
xū yào fú wù shí

- 물수건 두 개만 갖다 주세요.
  麻烦你拿两条湿毛巾。
  má fan nǐ ná liǎng tiáo shī máo jīn

- 냅킨 좀 많이 주세요.
  多拿点儿餐巾纸。[7)]
  duō ná diǎnr cān jīn zhǐ

- 빈 그릇 하나 더 주세요.
  加一个空碗。
  jiā yí ge kōng wǎn

- 갈비를 덜어 먹도록 접시를 몇 개 주세요.
  来几个碟子，好盛牛排吃。[8)]
  lái jǐ ge dié zi hǎo chéng niú pái chī

- 젓가락이 바닥에 떨어졌어요. 다시 갖다 주세요.
  筷子掉地上了，再添一副。
  kuài zi diào dì shang le zài tiān yí fù

- 젓가락이 부러졌어요. 한 쌍 다시 주세요.
  卫生筷折断了，给一双新的吧。
  wèi shēng kuài zhé duàn le gěi yì shuāng xīn de ba

---

7) 냅킨을 口纸 kǒuzhǐ라고도 한다.

8) 盛은 '용기에 담다'라는 뜻으로 쓰일 때는 chéng으로 발음하고, '흥성하다, 번성하다' 등의 뜻으로 쓰일 때는 shèng으로 발음한다. 예) 盛饭 chéngfàn(밥을 담다), 盛不下 chéngbuxià(다 담지 못하다), 盛大 shèngdà(성대한), 太平盛世 tài píng shèng shì(태평성세).

▶ 옆사람에게 对同伴
duì tóng bàn

- 미안하지만 소금 좀 건네 주십시오.
  麻烦您递一下盐。
  má fan nín dì yí xià yán

- 샤오장, 거기 식초 좀 줘요.
  小张, 来点儿你那边的醋。
  xiǎo zhāng lái diǎnr nǐ nà biān de cù

- 너 먼저 후추를 치고 나에게 좀 전해 줘.
  你先用胡椒粉, 然后再给我吧。
  nǐ xiān yòng hú jiāo fěn rán hòu zài gěi wǒ ba

▶ 더 달라고 할 때 要求再来一点儿
yāo qiú zài lái yì diǎnr

- 밥 한 그릇 더 주시겠어요?
  再来一碗米饭吧。
  zài lái yì wǎn mǐ fàn ba

- 반찬을 좀 더 갖다 주세요.
  再来一点儿凉菜。
  zài lái yì diǎnr liáng cài

- 갈비탕이 좀 싱거워요. 소금 좀 주세요.
  排骨汤有点儿淡, 来一点儿盐。
  pái gǔ tāng yǒu diǎnr dàn lái yì diǎnr yán

- 커피를 한 잔 더 주세요.
  再来一杯咖啡。
  zài lái yì bēi kā fēi

- 냉 홍차를 좀 더 따라 주시겠습니까?
  再给我倒一杯冰红茶好吗?
  zài gěi wǒ dào yì bēi bīng hóng chá hǎo ma

▶ 기타 其他
qí tā

- 그릇 좀 치워 주시겠어요?
  请收拾一下餐具。
  qǐng shōu shi yí xià cān jù

- 음악이 너무 시끄러워요. 좀 작게 해 주시겠어요?
  音乐太吵了, 能小点儿声吗?
  yīn yuè tài chǎo le néng xiǎo diǎnr shēng ma

- 아직 다 안 먹었으니 좀 있다 치우세요.
  我们还没吃完呢，等一下再收拾吧。
  wǒ men hái méi chī wán ne děng yí xià zài shōu shi ba

- 이 접시 이가 빠졌어요. 바꿔 주세요.
  这碟子都有豁口了，给我换一下。
  zhè dié zi dōu yǒu huō kǒu le gěi wǒ huàn yí xià

- 찻잔에 금이 갔어요. 새 것을 가져다 주시겠어요?
  茶杯都有裂缝了，再拿个新的好吗?
  chá bēi dōu yǒu liè fèng le zài ná ge xīn de hǎo ma

- 필요한 것 있으시면 이 벨을 눌러 주십시오.
  有什么需要服务的，就按这个铃。
  yǒu shén me xū yào fú wù de jiù àn zhè ge líng

Ⅳ. 식사 중의 에티켓 用餐礼节

yòng cān lǐ jié

- 국을 먹을 때는 소리가 나지 않도록 하세요.
  喝汤的时候不要发出声音。
  hē tāng de shí hou bú yào fā chū shēng yīn

- 음식을 씹을 때는 짭짭 소리가 나지 않도록 하세요.
  嚼东西的时候不要吧叽吧叽地响。
  jiáo dōng xi de shí hou bú yào bā jī bā jī de xiǎng

- 음식이 뜨겁다고 후후 불지 마세요.
  食物很烫的时候不要噗噗地吹。
  shí wù hěn tàng de shí hou bú yào pū pū de chuī

- 입 안에 음식이 든 채로 말을 하지 마세요.
  不要嘴里含着东西跟别人说话。[9)]
  bú yào zuǐ li hán zhe dōng xi gēn bié rén shuō huà

- 어른과 식사를 할 때는 다리를 꼬고 앉지 마세요.
  和长辈吃饭的时候不要跷着二郎腿。[10)]
  hé zhǎng bèi chī fàn de shí hou bú yào qiào zhe èr láng tuǐ

- 식사 후 식탁에서 이쑤시개를 사용하지 마세요.
  吃饭后不要在饭桌上用牙签。
  chī fàn hòu bú yào zài fàn zhuō shang yòng yá qiān

---

9) 含 hán: 입에 물다. 머금다. 함유하다. (생각.느낌)을 품다. 띄다.

10) 跷 qiào: (손가락을) 세우다, (다리를) 들다, 꼬다.
二郎腿 èrlángtuǐ: 한쪽 다리위에 다른 한쪽 다리를 포개어 얹은 자세를 말한다.

- 식사 중에 머리카락을 긁적이지 마세요.
  吃饭的时候不要挠头。[11)]
  chī fàn de shí hou bú yào náo tóu

- 여성은 립스틱이 컵에 묻지 않도록 조심하세요.
  女性要小心口红沾在杯子上边。
  nǚ xìng yào xiǎo xīn kǒu hóng zhān zài bēi zi shàng bian

- 재채기나 기침을 할 때 사람을 향해 하지 마세요.
  打喷嚏或咳嗽时不要正面朝着别人。[12)]
  dǎ pēn tì huò ké sou shí bú yào zhèng miàn cháo zhe bié rén

- 중국 사람들은 식사할 때 '차는 적당히, 술은 가득히' 따라야 한다고 합니다.
  中国人在饭桌上讲究'浅茶满酒'。[13)]
  zhōng guó rén zài fàn zhuō shang jiǎng jiū qiǎn chá mǎn jiǔ

- 손님에게 술이나 차를 따를 때는 두 손으로 해야 해요.
  给客人敬酒或敬茶的时候要用双手。
  gěi kè rén jìng jiǔ huò jìng chá de shí hou yào yòng shuāng shǒu

- 술을 마실 때는 손님의 술잔에 계속 가득 채워줘야 합니다.
  喝酒时要经常给客人斟满酒杯。[14)]
  hē jiǔ shí yào jīng cháng gěi kè rén zhēn mǎn jiǔ bēi

- 초대를 했을 때는 손님에게 계속 음식을 권해야 합니다.
  招待的时候要经常给客人夹菜。[15)]
  zhāo dài de shí hou yào jīng cháng gěi kè rén jiā cài

---

11) 挠头 náotóu: 머리를 긁다. 긁적이다. 헝클어뜨리다. 이 밖에 애를 먹이다. 골머리를 앓게하다. 난처하다. 귀찮다의 뜻도 있다.

12) 朝는 '아침'의 뜻으로 쓰일 때는 zhāo로 발음하지만, '~를 향하다' 또는 '조정' 등의 뜻으로 쓰일 때는 cháo로 발음한다. 예) 朝夕 zhāoxī(아침저녁), 朝日 zhāorì(아침 해), 朝向 cháoxiàng(~로 향하다), 王朝 wángcháo(왕조).

13) 浅茶满酒 qiǎn chá mǎn jiǔ: 차나 술을 대접할 때 차는 찻잔의 7부 정도로 채우고, 술은 술잔에 가득 차게 따라야 한다.

14) 우리나라는 술잔에 아직 술이 남아 있을 경우 첨잔을 하는 것을 기피하지만, 중국에서는 손님의 술잔이 비어 있지 않도록 계속 따라 주는 것을 예의로 생각한다.

15) 夹菜 jiācài: (젓가락으로) 음식을 집다. 여기서는 손님의 접시에 음식을 놓아주는 것을 말한다.

5 술을 마실 때

喝酒
hē jiǔ

중국의 명주(名酒 míngjiǔ) 가운데는 40도 이상의 술이 많으며, 60도까지 나가는 것도 있다. 그리고 중국인들은 점심 때에도 낮술을 즐겨 하기도 한다. 그러나 실제로 거리에서 술에 취해 비틀거리거나 난동을 부리는 사람은 그다지 많지 않다. 이는 음주로 인하여 실수하는 것을 극히 꺼리는 민족성 때문이 아닐까 생각된다. 술을 좋아하고 잘 마시는 사람을 酒鬼 jiǔguǐ 또는 海量 hǎiliàng이라 부르는데, 酒鬼 jiǔguǐ가 "술귀신"으로 다소 부정적 의미를 지니는 반면, 海量 hǎiliàng은 주로 긍정적 의미로 쓰이는데 "주량이 바다와 같다"는 뜻이니 번역하자면 "술고래" 또는 "말술" 정도 되지 않을까 한다.

기 본 대 화

A: 您要什么酒啊?
nín yào shén me jiǔ a

B: 都有什么酒?
dōu yǒu shén me jiǔ

A: 有白酒、洋酒、啤酒等。[1)]
yǒu bái jiǔ yáng jiǔ pí jiǔ děng

B: 就来啤酒吧, 还有什么下酒菜?
jiù lái pí jiǔ ba hái yǒu shén me xià jiǔ cài

A: 这是菜单。您看一下。
zhè shì cài dān nín kàn yí xià

B: 就要花生米和爆米花吧。
jiù yào huā shēng mǐ hé bào mǐ huā ba

A: 好的, 您稍等。
hǎo de nín shāo děng

A: 어떤 술을 드시겠습니까?
B: 어떤 술들이 있죠?
A: 바이주, 양주, 맥주 등이 있습니다.
B: 맥주로 주세요. 그리고 안주는 뭐가 있죠?
A: 여기 메뉴입니다. 한 번 보십시오.
B: 땅콩하고 팝콘을 주세요.
A: 네, 잠시만 기다리세요.

1) 白酒 báijiǔ: 흔히 배갈, 고량주라고 일컫는 중국의 유명한 증류주. 茅台酒 máotáijiǔ, 五粮液 wǔliángyè 등이 이에 속한다.

여러 가지 활용

Ⅰ. 술자리를 제의할 때 请喝酒时
qǐng hē jiǔ shí

A: 小彬, 今晚去喝一杯怎么样?
xiǎo bīn jīn wǎn qù hē yì bēi zěn me yàng

B: 好啊, 正好我也想喝酒。
hǎo ɑ zhèng hǎo wǒ yě xiǎng hē jiǔ

A: 샤오빈, 오늘 저녁 한 잔 어때요?

B: 좋지요. 그러지 않아도 술 생각이 나던 참인데.

- 오늘 밤 한 잔 하시죠.
  今晚去喝一杯吧。
  jīn wǎn qù hē yì bēi bɑ
- 한 잔 하고 갑시다.
  喝一杯再走吧。
  hē yì bēi zài zǒu bɑ
- 저희 집에 가서 한 잔 하시죠.
  去我家喝一杯吧。
  qù wǒ jiā hē yì bēi bɑ
- 술은 근육을 풀고 혈액을 돌게 하므로 백약의 으뜸이랍니다.
  酒能舒筋活血, 是百药之一。2)
  jiǔ néng shū jīn huó xuè shì bǎi yào zhī yī
- 술을 조금씩 마시면 건강에 좋아요.
  少喝一点儿酒对身体有好处。
  shǎo hē yì diǎnr jiǔ duì shēn tǐ yǒu hǎo chù
- 나흘 간의 연휴야, 밤새워 마셔 보자구.
  放四天假呢, 去喝个通宵吧。3)
  fàng sì tiān jià ne qù hē ge tōng xiāo bɑ
- 식사 전에 한 잔 하시죠.
  饭前喝一杯吧。
  fàn qián hē yì bēi bɑ

---

2) 舒筋活血 shū jīn huó xuè: 근육을 이완시켜 주고 혈액의 순환을 좋게 하다.

3) 放假 fàngjià: 假 jià는 '방학', '휴가'를 가리키며, 放假 fàngjià는 '방학하다', '휴가로 쉬다'의 뜻.
通宵 tōngxiāo: 宵 xiāo는 '밤'을 가리키며, 通宵 tōngxiāo는 '밤을 새우다'는 뜻.

Ⅱ. 술을 시킬 때 点酒时
diǎn jiǔ shí

- 음료 메뉴를 좀 볼까요?
  看一下酒水单吧。
  kàn yí xià jiǔ shuǐ dān ba

- 저도 같은 걸로 하겠습니다.
  我要和他一样的。
  wǒ yào hé tā yí yàng de

- 저는 콩푸쟈주를 마시고 싶군요.
  我想喝孔府家酒。[4)]
  wǒ xiǎng hē kǒng fǔ jiā jiǔ

- 저는 얼궈터우를 하겠어요.
  我要二锅头。[5)]
  wǒ yào èr guō tóu

- 저는 칵테일 한 잔 하겠습니다.
  我要一杯鸡尾酒。[6)]
  wǒ yào yì bēi jī wěi jiǔ

- 이 청주를 차게 해 주십시오.
  把这清酒帮我凉一下。
  bǎ zhè qīng jiǔ bāng wǒ liáng yí xià

- 이 술을 데워 주십시오.
  把这酒热一下。
  bǎ zhè jiǔ rè yí xià

- 맥주 한 병 더 주세요.
  再来一瓶啤酒。
  zài lái yì píng pí jiǔ

- 포도주에 얼음을 타 주세요.
  在葡萄酒里加点冰块儿吧。
  zài pú táo jiǔ li jiā diǎn bīng kuàir ba

- 펀주는 도수가 높은가요?
  汾酒度数很高吗?
  fén jiǔ dù shù hěn gāo ma

---

4) 孔府家酒 kǒngfǔjiājiǔ: 중국에서 소비량 1위의 술이며, 따라서 가짜도 가장 많이 생산된다는 술이다.

5) 二锅头 èrguōtóu: 오랜 전통을 가지고 있고 가격도 저렴하여, 베이징을 비롯한 북방의 서민들에게 가장 사랑받는 술이다.

6) 鸡尾酒 jīwěijiǔ: cocktail, 즉 cock(수탉, 公鸡 gōngjī)과 tail(꼬리, 尾巴 wěibā)을 의역한 것임. 鸡尾酒会 jīwěijiǔhuì : 칵테일 파티.

- 시바스 리갈은 독한가요?
  芝华士很辣吗?
  zhī huá shì hěn là ma

- 이 맥주를 찬 것으로 바꿔 주세요.
  把这啤酒换成冰镇的。
  bǎ zhè pí jiǔ huàn chéng bīng zhèn de

- 큰 병으로 주세요.
  要大瓶的。
  yào dà píng de

▶ **술안주 下酒菜**
xià jiǔ cài

- 어떤 안주들이 있습니까?
  都有什么下酒菜?
  dōu yǒu shén me xià jiǔ cài

- 이 낙지볶음이 술안주로 끝내 주는군.
  这炒墨鱼做下酒菜再好不过了。
  zhè chǎo mò yú zuò xià jiǔ cài zài hǎo bú guò le

- 술안주는 땅콩과 소시지를 주세요.
  下酒菜就来炒花生米和香肠吧。
  xià jiǔ cài jiù lái chǎo huā shēng mǐ hé xiāng cháng ba

Ⅲ. 술을 권할 때 敬酒时
jìng jiǔ shí

A: 再来一杯吧。
zài lái yì bēi ba

B: 哦, 够了, 我酒量不大。
ò gòu le wǒ jiǔ liàng bú dà

A: 한 잔 더 드시지요.

B: 아니, 됐습니다. 저는 주량이 크질 않습니다.

- 술 한 잔 어떻습니까?
  喝一杯酒怎么样?
  hē yì bēi jiǔ zěn me yàng

- 조금 더해도 괜찮으시죠?
  再喝点儿也没事吧?
  zài hē diǎnr yě méi shì ba

- 우리 한 잔 더 합시다.
  我们再去喝一杯吧!
  wǒ men zài qù hē yì bēi ba

- 제가 한 잔 따르지요.
  我给你倒一杯。
  wǒ gěi nǐ dào yì bēi

- 제가 여러분께 술 한 잔 올리겠습니다.
  我敬大家一杯酒。
  wǒ jìng dà jiā yì bēi jiǔ

- 원샷 합시다.
  来一口干了吧。
  lái yì kǒu gān le ba

- 한 번에 다 마시기로 하죠.
  一口把它喝完了吧。
  yì kǒu bǎ tā hē wán le ba

- 자, 이 맥주잔 다 비워!
  来, 把这杯啤酒干了!
  lái bǎ zhè bēi pí jiǔ gān le

술을 받을 때 接酒时
jiē jiǔ shí

A: 再给您倒一杯吧。
zài gěi nín dào yì bēi ba

B: 不了, 不用了。
bù le bú yòng le

A: 今朝一别不知何时再见啊, 咱们再最后干一杯!
jīn zhāo yì bié bù zhī hé shí zài jiàn a zán men zài zuì hòu gān yì bēi

B: 好吧。为了我们的情谊干杯!
hǎo ba wèi le wǒ men de qíng yì gān bēi

A: 한 잔 더해.

B: 아니, 이젠 됐어.

A: 이제 헤어지면 언제 다시 만날지도 모르는데, 우리 마지막으로 건배하자구!

B: 좋아, 우리들의 우정을 위하여 건배!

- 그럼 아주 조금만 주세요.
  那就来一点点吧。
  nà jiù lái yì diǎn diǎn ba

- 이것이 마지막 잔입니다.
  这是最后一杯了。
  zhè shì zuì hòu yì bēi le

▶ **사양할 때 拒绝时**
jù jué shí

- 진짜 더 이상은 못 마시겠습니다.
  我实在是不能再喝了。
  wǒ shí zài shì bù néng zài hē le

- 저는 전혀 못 마십니다.
  我一点儿都不能喝。
  wǒ yì diǎnr dōu bù néng hē

- 저는 술 냄새만 맡아도 어지럽습니다.
  我一闻到酒味就晕。
  wǒ yì wén dào jiǔ wèi jiù yūn

- 이전에 술을 너무 많이 마셔 몸을 망치는 바람에 끊었습니다.
  以前喝太多的酒伤身体了，所以戒了。
  yǐ qián hē tài duō de jiǔ shāng shēn tǐ le suǒ yǐ jiè le

- 더 마시면 술 주정을 부릴 것 같습니다.
  再喝就要耍酒疯了。[7)]
  zài hē jiù yào shuǎ jiǔ fēng le

Ⅳ. 건배 제의 提议干杯
tí yì gān bēi

A: 祝大家身体健康，干杯!
zhù dà jiā shēn tǐ jiàn kāng gān bēi

B: 干杯!
gān bēi

A: 여러분의 건강을 위하여 건배!

B: 건배!

---

7) 耍 shuǎ: 놀다, 가지고 놀다, 휘두르다, 드러내 보이다.

- 내일의 성공을 위하여 건배!
  为了明天的成功，干杯!
  wèi le míng tiān de chéng gōng gān bēi

- 오늘의 승리를 축하하며 건배!
  为了今天的胜利，干杯。
  wèi le jīn tiān de shèng lì gān bēi

- 미래의 성공을 기원하며 건배!
  预祝未来的成功，干杯!
  yù zhù wèi lái de chéng gōng gān bēi

- 신랑 신부를 축복하며 건배!
  祝福新郎新娘，干杯!
  zhù fú xīn láng xīn niáng gān bēi

- 우리 두 사람의 미래를 위하여 건배!
  为了我们两个人的未来，干杯!
  wèi le wǒ men liǎng ge rén de wèi lái gān bēi

- 우리들의 우정을 위하여 건배!
  为了我们的友谊，干杯!
  wèi le wǒ men de yǒu yì gān bēi

- 우리의 만남을 위하여 건배!
  为了我们的相逢，干杯!
  wèi le wǒ men de xiāng féng gān bēi

- 선생님의 건강을 위하여 건배!
  祝老师身体健康，干杯!
  zhù lǎo shī shēn tǐ jiàn kāng gān bēi

V. 기호 嗜好
shì hào

A: 你喜欢喝啤酒吗?
nǐ xǐ huan hē pí jiǔ ma

B: 当然喜欢。
dāng rán xǐ huan

A: 너 맥주 좋아하니?

B: 좋아하다마다.

- 저는 생맥주를 좋아합니다.
  我喜欢生啤酒。
  wǒ xǐ huan shēng pí jiǔ

- 미지근한 맥주는 맛이 없어요.
  不凉的啤酒不好喝。
  bù liáng de pí jiǔ bù hǎo hē

- 겨울에는 따끈한 청주가 최고지요.
  冬天还是热乎乎的清酒好。
  dōng tiān hái shì rè hū hū de qīng jiǔ hǎo

- 저는 독한 술을 좋아합니다.
  我喜欢度数高的酒。
  wǒ xǐ huan dù shù gāo de jiǔ

- 포도주는 약간 달아야 맛이 좋아요.
  葡萄酒还是甜一点儿才好喝。
  pú táo jiǔ hái shì tián yì diǎnr cái hǎo hē

- 샤워 후에 시원한 맥주 한 잔 들이키면 신선이 따로 없어요.
  洗澡后，来一杯冰镇啤酒，真是赛过神仙啊。[8]
  xǐ zǎo hòu lái yì bēi bīng zhèn pí jiǔ zhēn shì sài guò shén xiān a

▶ 기타 其他
qí tā

- 이 소주는 정말 독하군요.
  这烧酒真辣。[9]
  zhè shāo jiǔ zhēn là

- 찌엔난주의 도수는 60도예요, 독주에 속하지요.
  剑南酒的度数达到60度，属于烈酒。[10]
  jiàn nán jiǔ de dù shù dá dào dù shǔ yú liè jiǔ

- 이 포도주는 맛이 아주 진하군요.
  这葡萄酒味儿很浓。
  zhè pú táo jiǔ wèir hěn nóng

- 바로 이렇듯 나는 듯한 기분이 나를 유혹한다구.
  就是这种轻飘飘的感觉，引诱我喝酒。[11]
  jiù shì zhè zhǒng qīng piāo piāo de gǎn jué yǐn yòu wǒ hē jiǔ

---

8) 赛 sài: ~에 필적하다, 견주다, ~보다 낫다.

9) 辣 là: 원래는 맵다는 뜻이지만 여기서는 독한 술이 목구멍을 넘어갈 때의 강렬한 자극을 가리킨다.

10) 烈酒 lièjiǔ: 도수가 높아 매우 자극적인 술을 말한다.

11) 轻飘飘 qīngpiāopiāo: 가볍다, 경쾌하다, 하늘거리다.
引诱 yǐnyòu: 유인하다. 유혹하다.

Ⅵ. 주량 酒量
jiǔ liàng

▶ 주량이 세다 酒量大
jiǔ liàng dà

- 평소에 자주 술을 마십니까?
  你平时常喝酒吗?
  nǐ píng shí cháng hē jiǔ ma

- 주량이 이전보다 크게 늘었군요.
  你的酒量比以前大多了。
  nǐ de jiǔ liàng bǐ yǐ qián dà duō le

- 저도 예전에 비해 잘 마셔요.
  我也比以前能喝了。
  wǒ yě bǐ yǐ qián néng hē le

- 그는 술독에 빠져 살아요.
  他可是酒桶啊。
  tā kě shì jiǔ tǒng a

- 그는 술을 물 마시듯 해요.
  他喝酒就像喝水似的。
  tā hē jiǔ jiù xiàng hē shuǐ shì de

- 그는 술을 봤다 하면 손에서 놓질 못해요.
  他一看见酒, 就爱不释手。[12)]
  tā yí kàn jiàn jiǔ jiù ài bú shì shǒu

- 맥주는 아무리 마셔도 취하지 않아요.
  啤酒喝多少也不醉。
  pí jiǔ hē duō shao yě bú zuì

▶ 주량이 적다 酒量不大
jiǔ liàng bú dà

- 저는 술이 약합니다.
  我酒量小。
  wǒ jiǔ liàng xiǎo

- 이따금씩 맥주 한 잔 합니다.
  我偶尔喝一点儿啤酒。
  wǒ ǒu ěr hē yì diǎnr pí jiǔ

---

12) 爱不释手 ài bú shì shǒu: 매우 아껴서 손을 떼지 못하다, 잠시도 손에서 놓지 않다.

- 저는 술을 그다지 좋아하지 않습니다.
  我不太喜欢喝酒。
  wǒ bú tài xǐ huan hē jiǔ

- 저는 맥주 한 잔만 마셔도 취해 버려요.
  我喝一杯啤酒就醉了。
  wǒ hē yì bēi pí jiǔ jiù zuì le

- 저는 이제 술을 끊었습니다.
  我已经戒酒了。
  wǒ yǐ jīng jiè jiǔ le

- 알콜이 들어간 것은 한 방울도 입에 못댑니다.
  只要是含酒精的，我滴口不沾。
  zhǐ yào shì hán jiǔ jīng de wǒ dī kǒu bù zhān

- 저는요, 소주 한 잔이면 벌써 어지러워요.
  我呀，一杯烧酒就晕了。
  wǒ ya yì bēi shāo jiǔ jiù yūn le

Ⅶ. 과음했을 때 喝多时
hē duō shí

A: 小黄，你喝醉了。
xiǎo huáng nǐ hē zuì le

B: 不，我一点儿都没醉，来，再来一杯。
bù wǒ yì diǎnr dōu méi zuì lái zài lái yì bēi

A: 샤오황, 너 많이 취했어.

B: 아니, 하나도 안 취했는걸. 자아, 한 잔 더 하자구.

▶ 과음하다 喝多了
hē duō le

- 저 너무 많이 마셨어요.
  我喝多了。
  wǒ hē duō le

- 너무 과음하는 것 아녜요?
  你是不是喝得太多了？
  nǐ shì bu shì hē de tài duō le

- 술을 많이 마시면 몸에 해로워요.
  酒喝多了，会伤身体的。
  jiǔ hē duō le huì shāng shēn tǐ de

- 술은 조금 마시면 괜찮지만, 지나치면 몸에 해로워요.
  酒，喝一点儿没什么，但过量对人体不好。
  jiǔ hē yì diǎnr méi shén me dàn guò liàng duì rén tǐ bù hǎo

- 밤새 술을 마시다니 정말 미쳤군.
  竟然喝了一个晚上，真是疯了。
  jìng rán hē le yí ge wǎn shang zhēn shì fēng le

- 몸을 생각해야지.
  你得顾着点儿身体啊。
  nǐ děi gù zhe diǎnr shēn tǐ a

- 날마다 이렇게 마시다가는 알콜 중독이 되고 말거야.
  如果天天这样喝的话，总有一天会酒精中毒的。
  rú guǒ tiān tiān zhè yàng hē de huà zǒng yǒu yì tiān huì jiǔ jīng zhòng dú de

▶ 술에 취하다 喝醉了 hē zuì le

- 그는 몹시 취했군요.
  他醉得厉害。
  tā zuì de lì hai

- 취했다 해도 정신은 아직 말짱해요.
  就算醉了，头脑还是很清醒。
  jiù suàn zuì le tóu nǎo hái shì hěn qīng xǐng

- 그는 술버릇이 나빠요.
  他喝酒的习惯不太好。
  tā hē jiǔ de xí guàn bú tài hǎo

- 그녀는 취하기만 하면 울어요.
  她一喝醉就哭。
  tā yì hē zuì jiù kū

- 술을 너무 많이 마셔 눈동자가 다 풀어졌어요.
  酒喝得太多了，眼珠都不动弹了。
  jiǔ hē de tài duō le yǎn zhū dōu bú dòng tán le

- 그는 고주망태로 취했어요.
  他喝得醉醺醺的。
  tā hē de zuì xūn xūn de

- 술을 많이 마셔서 걸음이 비틀비틀해요.
  他喝多了，走路都晃悠悠的。
  tā hē duō le zǒu lù dōu huàng yōu yōu de

- 그는 술만 취하면 쓸데없는 소리를 늘어 놓아요.
  他一喝醉，就废话连篇。
  tā yì hē zuì jiù fèi huà lián piān

- 그가 술이 깨면 돌아갑시다.
  等他酒醒了再回去吧。
  děng tā jiǔ xǐng le zài huí qù ba

- 취해서 걸음도 못 걷겠어요.
  我醉了，连路都走不了。
  wǒ zuì le lián lù dōu zǒu bu liǎo

- 제가 조금 취했습니다.
  我有点儿醉了。
  wǒ yǒu diǎnr zuì le

- 그는 취해서 제정신이 아닙니다.
  他醉得神智不清。
  tā zuì de shén zhì bù qīng

- 그는 취하면 기분이 아주 좋아져요.
  他一喝醉，心情就特别好。
  tā yì hē zuì xīn qíng jiù tè bié hǎo

- 그가 취했을 때에는 내버려 두는게 상책이에요.
  他喝醉的时候最好不要管他。
  tā hē zuì de shí hou zuì hǎo bú yào guǎn tā

- 걸음조차 똑바로 걷지를 못하는군요.
  走路都走不直了。
  zǒu lù dōu zǒu bù zhí le

- 아직도 제가 술이 안깬 것 같아요.
  好像我的酒还没醒呢。
  hǎo xiàng wǒ de jiǔ hái méi xǐng ne

- 아유, 술냄새. 웬 술을 이렇게 많이 마셨어요.
  哎呀，浑身酒气，你喝了那么多酒啊。
  āi ya hún shēn jiǔ qì nǐ hē le nà me duō jiǔ a

▶ **속이 거북하다 反胃**
fǎn wèi

- 토할 것 같아요.
  我想吐。
  wǒ xiǎng tù

- 위가 안 좋아요.
  胃不太舒服啊。
  wèi bú tài shū fu a

- 어제 저녁 과음을 해서 밤새 고생했어요.
  昨天晚上喝醉了，折腾了一个晚上。[13)]
  zuó tiān wǎn shang hē zuì le zhē teng le yí ge wǎn shang

- 빈속에 과음하다니 너 미쳤구나.
  你空腹喝酒简直是疯了。
  nǐ kōng fù hē jiǔ jiǎn zhí shì fēng le

기타 其他
qí tā

- 아직도 다리가 후들거려요.
  到现在腿还直打哆嗦呢。
  dào xiàn zài tuǐ hái zhí dǎ duō suo ne

- 속담에 취중진담이란 말이 있지요.
  俗话说，酒后吐真言。
  sú huà shuō jiǔ hòu tǔ zhēn yán

- 술을 많이 마시면 그 사람의 본성이 드러납니다.
  酒喝多了，人的本性也就出来了。
  jiǔ hē duō le rén de běn xìng yě jiù chū lái le

- 그는 술주정하는 버릇을 좀처럼 고치지 못합니다.
  他总是改不了酗酒的习惯。[14)]
  tā zǒng shì gǎi bu liǎo xù jiǔ de xí guàn

- 음주 운전은 정말 위험해요.
  酒后驾车是很危险的。
  jiǔ hòu jià chē shì hěn wēi xiǎn de

- 그는 홧김에 술을 마셨어요.
  他一气之下就喝了酒。
  tā yí qì zhī xià jiù hē le jiǔ

- 이 맥주는 김이 다 빠졌군요.
  这啤酒气儿都跑了。
  zhè pí jiǔ qìr dōu pǎo le

---

13) 折腾 zhēteng: 뒤척이다, 되풀이하다, 고민하다, 괴로워하다, 고생하다.
14) 酗酒 xùjiǔ: 주정하다, 주책을 부리다.

6 계산할 때

结账
jié zhàng

음식점 등에서 계산을 하는 것을 "结账 jiézhàng"이라고 하는데, 요즘에는 "买单 mǎidān"이란 말을 자주 쓰기도 한다. 买单 mǎidān이란 처음 광둥지역에서 시작된 말로서, "계산서를 사다"는 뜻이니 즉 금액을 지불하겠다는 뜻이다. 중국에서는 특별히 한 사람이 자신이 사겠다고 하지 않으면 대개는 AA制 zhì(Dutch pay)이다.

기 본 대 화

A: 服务员，买单。
fú wù yuán mǎi dān

B: 有单据吗?
yǒu dān jù ma

A: 有，给你。
yǒu gěi nǐ

B: 一共390元。这是找您的零钱。
yí gòng yuán zhè shì zhǎo nín de líng qián

A: 不用了，算是给你的小费吧。
bú yòng le suàn shì gěi nǐ de xiǎo fèi ba

A: 종업원, 계산합시다.
B: 계산서는요?
A: 여기 있어요.
B: 모두 390위안입니다. 여기 잔돈 있습니다.
A: 필요 없어요. 팁으로 주는 거예요.

여러 가지 활용

Ⅰ. 계산할 때 结账时
jié zhàng shí

- 어디서 계산하죠?
  在哪里付钱?
  zài nǎ li fù qián

- 아가씨, 얼마인지 계산해 주세요.
  小姐，帮我算一下多少钱。
  xiǎo jiě bāng wǒ suàn yí xià duō shao qián

- 신용카드 됩니까?
  可以用信用卡吗?
  kě yǐ yòng xìn yòng kǎ ma

- 이 금액에 봉사료도 포함되어 있습니까?
  这些钱包括服务费吗?
  zhè xiē qián bāo kuò fú wù fèi ma

- 영수증을 주시겠습니까?
  可以给我发票吗?
  kě yǐ gěi wǒ fā piào ma

- 계산을 하겠으니 계산서 좀 갖다 주시겠어요?
  我想结帐, 给我看一下账单好吗?[1)]
  wǒ xiǎng jié zhàng gěi wǒ kàn yí xià zhàng dān hǎo ma

- 죄송합니다만, 저희는 선불제입니다.
  对不起, 这里要先付钱后上菜。
  duì bu qǐ zhè li yào xiān fù qián hòu shàng cài

▶ 자신이 낼 때 自己结账时
zì jǐ jié zhàng shí

- 오늘은 제가 내겠습니다.
  今天就由我来结账吧。
  jīn tiān jiù yóu wǒ lái jié zhàng ba

- 오늘은 제가 사는 겁니다.
  今天我来买单。
  jīn tiān wǒ lái mǎi dān

- 오늘은 제가 낼 차례입니다.
  这回该我请的。
  zhè huí gāi wǒ qǐng de

- 오늘은 제가 내겠으니 다음에 내십시오.
  今天我付账, 下次你请我吧。
  jīn tiān wǒ fù zhàng xià cì nǐ qǐng wǒ ba

▶ 각자 낼 때 各付各的时
gè fù gè de shí

- 더치페이로 합시다.
  还是AA制吧。
  hái shì zhì ba

- 반반씩 냅시다.
  各掏一半吧。
  gè tāo yí bàn ba

---

1) 账单 zhàngdān: 계산서, 명세서. 帐单이라고도 한다.

- 제가 얼마 내면 되지요?
  我应该出多少钱?
  wǒ yīng gāi chū duō shao qián

- 제 몫은 제가 낼게요.
  我那份, 我自己来付。
  wǒ nà fèn wǒ zì jǐ lái fù

▶ **팁을 줄 때 给小费时**
gěi xiǎo fèi shí

A: 我来结账, 小费你付。
wǒ lái jié zhàng xiǎo fèi nǐ fù
B: 噢! 比你也不少啊。
ō bǐ nǐ yě bù shǎo ā

A: 술값은 내가 낼테니 너는 아가씨 팁이나 줘라.
B: 야, 술값보다 팁이 더 많겠다.

- 이건 팁이에요.
  这是给你的小费。
  zhè shì gěi nǐ de xiǎo fèi

- 잔돈은 거스를 필요 없습니다.
  零钱不用找了。
  líng qián bú yòng zhǎo le

- 팁은 전체 금액의 15%입니다.
  服务费是总账的百分之十五。
  fú wù fèi shì zǒng zhàng de bǎi fēn zhī shí wǔ

- 팁은 내가 줄게.
  我来付小费。
  wǒ lái fù xiǎo fèi

▶ **계산서를 확인할 때 确认结账单时**
què rèn jié zhàng dān shí

- 팁이 포함된 건가요?
  包括小费吗?
  bāo kuò xiǎo fèi ma

- 계산 틀리지 않겠지요?
  没有算错吧?
  méi yǒu suàn cuò ba

- 잔돈 거슬러 주세요.
  给我找零钱。
  gěi wǒ zhǎo líng qián

- 계산이 틀린 것 같은데요.
  好像算错了。
  hǎo xiàng suàn cuò le

- 계산서 좀 다시 봅시다.
  我再看一下账单。
  wǒ zài kàn yí xià zhàng dān

- 이건 우리 계산서가 아니네요.
  这不是我的账单。
  zhè bú shì wǒ de zhàng dān

Ⅱ. 고마움을 표할 때 表示谢意时
biǎo shì xiè yì shí

- 여기 음식이 정말로 맛있습니다.
  你们这里的菜很好吃。
  nǐ men zhè li de cài hěn hǎo chī

- 정말 잘 먹었습니다.
  吃得真香。
  chī de zhēn xiāng

- 정말 훌륭한 식사였습니다.
  真是一顿丰盛的饭菜。
  zhēn shì yí dùn fēng shèng de fàn cài

- 아주 배불리 먹었습니다.
  吃得真饱啊。
  chī de zhēn bǎo a

- 후히 대접해 주셔서 감사합니다.
  谢谢您的盛情款待。
  xiè xie nín de shèng qíng kuǎn dài

- 친절한 서비스 고마워요.
  感谢您的热心服务。
  gǎn xiè nín de rè xīn fú wù

- 오늘 너무 많이 쓰셨습니다. 정말 고맙습니다.
  今天让您破费了，非常感谢。
  jīn tiān ràng nín pò fèi le fēi cháng gǎn xiè

7 음식에 관한 화제

有关饮食的话题
yǒuguān yǐn shí de huà tí

맛있는 요리를 먹으면서 거기에 풍성한 화제가 더해진다면 식사의 즐거움이 배가될 것이다. 중국어에서 "요리(料理 liàolǐ)"란 "음식"의 뜻이 아니라 "처리하다" "정리하다"의 뜻인데, 우리나라와 일본으로부터 "韩国料理 hánguó liàolǐ", "日本料理 rìběn liàolǐ"의 단어가 역수입 되어 이제는 고유명사처럼 쓰이기도 한다. 중국 요리는 그 종류와 맛의 다양함으로 인해 세계적인 명성을 얻고 있는데 지역적 특징에 따라 北京菜 běijīngcài(베이징요리), 上海菜 shànghǎicài(상하이요리), 广东菜 guǎngdōngcài(광둥요리), 四川菜 sìchuāncài(쓰촨요리)를 중국 4대 요리로 손꼽고 있다.

기본대화

A: 这就是你常说的烤鸭店吗?
zhè jiù shì nǐ cháng shuō de kǎo yā diàn ma

B: 是的, 这家的烤鸭, 风味独特。
shì de zhè jiā de kǎo yā fēng wèi dú tè

A: 您是这里的常客吧。
nín shì zhè li de cháng kè ba

B: 一个月来两三次。你尝尝这个。
yí ge yuè lái liǎng sān cì nǐ cháng chang zhè ge

A: 谢谢。哦, 真是味道不错。
xiè xie ò zhēn shì wèi dào bú cuò

A: 여기가 바로 네가 늘 얘기하던 오리 구이집이니?
B: 응, 이 집 오리고기는 맛이 독특하여 소문이 자자해.
A: 넌 여기 단골이겠네.
B: 한 달에 두 세번 와. 이거 한 번 먹어봐.
A: 고마워. 아, 정말 맛이 좋은데.

여러 가지 활용

Ⅰ. 음식점에 관해 关于餐馆
guān yú cān guǎn

- 여기 자주 오세요?
  您经常来这里吗?
  nín jīng cháng lái zhè li ma

- 이 집은 항상 붐벼요.
  这家总是这么热闹。
  zhè jiā zǒng shì zhè me rè nao

- 이 부근에서 제일 잘 되는 데가 바로 이 집이에요.
  这附近最火的就是这家。[1)]
  zhè fù jìn zuì huǒ de jiù shì zhè jiā

- 이 음식점은 한국 손님이 대부분이에요.
  这家餐馆韩国客人居多。[2)]
  zhè jiā cān guǎn hán guó kè rén jū duō

- 이 집의 해물 요리는 천하제일이라고 할 수 있어요.
  这家的海鲜可称得上是天下第一呀。[3)]
  zhè jiā de hǎi xiān kě chēng de shàng shì tiān xià dì yī ya

- 어떤 때에는 줄을 서있어야 해요.
  有时还要排队。
  yǒu shí hái yào pái duì

- 반드시 미리 예약을 해야지 그렇지 않으면 아예 자리가 없어요.
  必须提前预订，否则根本没座。
  bì xū tí qián yù dìng fǒu zé gēn běn méi zuò

- 이 집의 한국 요리는 아주 맛있어요.
  这家店的韩国料理很好吃。
  zhè jiā diàn de hán guó liào lǐ hěn hǎo chī

- 전에 친구랑 같이 한 번 여기 왔었어요.
  以前和朋友来过一次。
  yǐ qián hé péng you lái guo yí cì

- 여기서는 50위안어치면 잘 먹을 수 있어요.
  在这里花五十块钱就可以吃得好。
  zài zhè li huā wǔ shí kuài qián jiù kě yǐ chī de hǎo

- 이 식당은 이 지역에서 꽤 고급스런 식당이에요
  这家餐厅在这附近算是比较高档的。
  zhè jiā cān tīng zài zhè fù jìn suàn shì bǐ jiào gāo dàng de

- 이 집에 비할 만한 식당이 없어요.
  别的没一家能比得上这里。
  bié de méi yì jiā néng bǐ de shàng zhè li

---

1) 火 huǒ: 일어나는 불길처럼 '왕성하다'는 뜻으로, 여기서는 '장사가 잘되다' '성업중이다'의 뜻.

2) 居多 jūduō: 다수를 차지하다.

3) ~得上 deshàng: ~할 수 있다, ~할 만하다. 보어로 쓰여 동작이 성취 또는 실현될 수 있음을 나타낸다. 반대는 ~不上 bushàng.

Ⅱ. 식성 口味
kǒu wèi

▶ 좋아하는 음식 喜欢吃的菜
xǐ huan chī de cài

- 저는 좀 매운 것을 좋아해요.
  我喜欢辣一点儿的。
  wǒ xǐ huan là yì diǎnr de

- 저는 단 음식을 좋아해요.
  我喜欢甜品。
  wǒ xǐ huan tián pǐn

- 저는 싱거운 것을 좋아합니다.
  我喜欢淡一点儿的食品。
  wǒ xǐ huan dàn yì diǎnr de shí pǐn

- 저는 느끼한 것보다는 담백한 것을 좋아합니다.
  比起油腻的菜, 我还是喜欢清淡一点儿的。
  bǐ qǐ yóu nì de cài, wǒ hái shì xǐ huan qīng dàn yì diǎnr de

- 처우떠우푸는 냄새는 고약하지만 먹어보면 아주 맛있어요.
  臭豆腐闻起来很刺鼻, 但是吃着很香。[4)]
  chòu dòu fu wén qǐ lái hěn cì bí, dàn shì chī zhe hěn xiāng

▶ 싫어하는 음식 不喜欢吃的菜
bù xǐ huan chī de cài

- 저는 음식이 짠 것을 싫어해요.
  我不喜欢饭菜过咸。
  wǒ bù xǐ huan fàn cài guò xián

- 조미료가 많이 들어간 요리를 싫어해요.
  我不要调料太重的菜。
  wǒ bú yào tiáo liào tài zhòng de cài

- 저는 기름진 음식은 좋아하지 않습니다.
  我不喜欢油腻的食品。
  wǒ bù xǐ huan yóu nì de shí pǐn

▶ 음식을 가리다 挑食
tiāo shí

- 너는 음식을 많이 가리는 것 같구나.
  你好像很挑食。[5)]
  nǐ hǎo xiàng hěn tiāo shí

---

4) 臭豆腐 chòudòufu: 湖南 húnán을 비롯한 江南 jiāngnán 지방의 향토음식으로 두부를 발효시켜 튀긴 음식.

• 그는 편식이 굉장히 심해요.
他偏食偏得很厉害。
tā piān shí piān de hěn lì hai

• 그는 음식에 대해서 몹시 신경을 씁니다
他对饮食非常讲究。
tā duì yǐn shí fēi cháng jiǎng jiū

▶ 음식을 안 가리다 **不挑食**
bù tiāo shí

• 저는 무엇이나 다 잘 먹습니다.
我什么都爱吃。
wǒ shén me dōu ài chī

• 저는 음식을 별로 가리지 않습니다.
我不怎么挑食。
wǒ bù zěn me tiāo shí

• 저는 특별히 편식하는 것은 없습니다.
我在饮食方面没有特别的偏好。
wǒ zài yǐn shí fāng miàn méi yǒu tè bié de piān hào

• 네가 좋아하는 걸로 시켜, 난 다 괜찮아.
你爱吃什么就点什么吧, 我什么都可以。
nǐ ài chī shén me jiù diǎn shén me ba wǒ shén me dōu kě yǐ

Ⅲ. 식욕 食欲
shí yù

▶ 식욕이 좋다 **胃口好**
wèi kǒu hǎo

A: 不要吃得太多了, 这样下去会发胖的。
bú yào chī de tài duō le zhè yàng xià qù huì fā pàng de
B: 怎么办呀, 我还想再吃点儿。
zěn me bàn ya wǒ hái xiǎng zài chī diǎnr

A: 너무 많이 먹지 마. 그러다가 뚱보된다.
B: 어떡하지? 그래도 더 먹고 싶은걸.

• 그는 식사량이 아주 많아요.
他的饭量非常大。
tā de fàn liàng fēi cháng dà

5) 挑食 tiāoshí: 음식을 가리다, 편식하다.

- 너무 먹을 욕심을 부리지 마.
  不要太贪吃了。
  bú yào tài tān chī le

- 조금만 더 주세요.
  再给我来一点儿。
  zài gěi wǒ lái yì diǎnr

- 많이 먹은 것 같은데 아직도 배가 안 부르네요.
  好像吃很多了，但还是不太饱。
  hǎo xiàng chī hěn duō le dàn hái shì bú tài bǎo

- 너는 정말 게걸스럽게 잘도 먹는구나.
  你吃东西简直就是狼吞虎咽。6)
  nǐ chī dōng xi jiǎn zhí jiù shì láng tūn hǔ yàn

- 그는 항상 그렇게 빨리 먹어요.
  他总是吃得那么快。
  tā zǒng shì chī de nà me kuài

- 그는 갈비 세 접시를 순식간에 먹어 치웠어요.
  那三盘排骨不一会儿就被他吃完了。
  nà sān pán pái gǔ bù yí huìr jiù bèi tā chī wán le

- 의사가 매일 소식을 하라고 권합니다.
  大夫嘱咐我每日要少餐。
  dài fu zhǔ fù wǒ měi rì yào shǎo cān

▶ **식욕이 없다 食欲不振**
shí yù bú zhèn

- 지금은 아무것도 먹고 싶지 않아요.
  我现在什么都不想吃。
  wǒ xiàn zài shén me dōu bù xiǎng chī

- 지금은 먹고 싶은 생각이 없어요.
  我现在没胃口。
  wǒ xiàn zài méi wèi kǒu

- 너무 더우니까 뭘 먹어도 맛있지가 않아요.
  太热了，吃什么都不香。
  tài rè le chī shén me dōu bù xiāng

- 최근 식욕이 좋질 않아요.
  我最近食欲不太好。
  wǒ zuì jìn shí yù bú tài hǎo

---

6) 狼吞虎咽 láng tūn hǔ yàn: 늑대나 호랑이가 먹이를 꿀꺽 삼켜버리다. 즉 게걸스럽게 먹음을 비유하는 말. 狼咽虎吞 láng yàn hǔ tūn이라고도 함.

• 요 며칠 밥이 먹기가 싫어요.
这几天我有点儿厌食。
zhè jǐ tiān wǒ yǒu diǎnr yàn shí

• 저는 매번 먹는 게 아주 적어요.
我每顿吃的都很少。
wǒ měi dùn chī de dōu hěn shǎo

▶ **배고프다** **饥饿**
jī è

A: 我快饿死了。
wǒ kuài è sǐ le

B: 现在才十点半啊。
xiàn zài cái shí diǎn bàn a

A: 我从早上开始什么都没吃呢, 肚子咕噜咕噜直响。
wǒ cóng zǎo shang kāi shǐ shén me dōu méi chī ne dù zi gū lū gū lū zhí xiǎng

B: 那早点儿去吃饭吧。
nà zǎo diǎnr qù chī fàn ba

A: 배고파 죽겠어요.
B: 이제 겨우 열시 반인데요.
A: 아침부터 아무 것도 안 먹었더니 배에서 쪼르륵 소리가 계속 나요.
B: 그럼 좀 일찍 가서 식사하세요.

• 배가 너무 고파 참을 수가 없어요.
实在太饿了, 真受不了。
shí zài tài è le zhēn shòu bu liǎo

• 벌써 배고파요?
这么快就饿了?
zhè me kuài jiù è le

• 무척 배가 고픈 모양이군요.
你好像非常饿的样子。
nǐ hǎo xiàng fēi cháng è de yàng zi

• 점심을 안 먹었더니 배고파서 기운이 하나도 없어요.
我还没吃中午饭, 饿得都没劲儿了。
wǒ hái méi chī zhōng wǔ fàn è de dōu méi jìnr le

• 어제 저녁부터 지금까지 아무 것도 안 먹었어요.
从昨天晚上到现在什么都没吃呢。
cóng zuó tiān wǎn shang dào xiàn zài shén me dōu méi chī ne

• 배가 고프니 뭐든 다 맛있네요. 많이 먹어야 겠어요.
饿了什么都好吃，我要多吃点儿。
è le shén me dōu hǎo chī wǒ yào duō chī diǎnr

• 배가 고프면 무엇이든 다 맛있어요.
饿了什么都是香的。7)
è le shén me dōu shì xiāng de

▶ **배부르다** **吃饱**
chī bǎo

• 배가 부릅니다.
我吃饱了。
wǒ chī bǎo le

• 배가 터지도록 먹었어요.
我都吃撑着了。8)
wǒ dōu chī chēng zhe le

• 진짜 너무 많이 먹었어요.
我吃得实在太多了。
wǒ chī de shí zài tài duō le

• 과식하지 마세요. 잘못하면 배탈나기 쉬워요.
不要吃太多了，搞不好会闹肚子的。
bú yào chī tài duō le gǎo bu hǎo huì nào dù zi de

• 이렇게 많이 남겨서 정말 죄송합니다.
剩这么多菜，真不好意思。
shèng zhè me duō cài zhēn bù hǎo yì si

Ⅳ. 식사 습관 吃饭习惯
chī fàn xí guàn

A: 中国人的主食有什么?
zhōng guó rén de zhǔ shí yǒu shén me

B: 南方人喜欢吃米饭，北方人喜欢吃面食。9)
nán fāng rén xǐ huan chī mǐ fàn běi fāng rén xǐ huan chī miàn shí

---

7) 우리나라의 '시장이 반찬이다'와 같은 표현.

8) 撑 chēng: 가득 채우다. 잔뜩 틀어넣다. 쑤셔넣다. 팽팽하게 당기다.

9) 중국은 长江 chángjiāng(양자강)을 기준으로 그 이북을 北方 běifāng, 이남을 南方 nánfāng이라 하는데 북부에서는 주로 밀을 재배하므로 饺子 jiǎozi(만두), 面条 miàn

A: 중국 사람들의 주식은 무엇입니까?
B: 남부 사람들은 쌀밥을 즐겨 먹고, 북부 사람들은 밀가루 음식을 즐겨 먹습니다.

- 한국 사람들은 단 하루도 김치를 안 먹으면 안됩니다.
韩国人一天不吃泡菜都不行。
hán guó rén yì tiān bù chī pào cài dōu bù xíng

- 중국인은 볶음 요리를 좋아해요.
中国人喜欢吃炒菜。
zhōng guó rén xǐ huan chī chǎo cài

- 제 생각에 중국 음식은 대부분 기름진 것 같아요.
我认为中国菜大部分好像都很油腻。
wǒ rèn wéi zhōng guó cài dà bù fen hǎo xiàng dōu hěn yóu nì

- 아침은 빵 한 조각에 우유 한 컵이면 됩니다.
早上一杯牛奶, 一块儿面包就行了。
zǎo shang yì bēi niú nǎi yí kuàir miàn bāo jiù xíng le

- 저는 기름기 많은 음식을 삼가고 있어요.
我现在忌吃油腻的东西。
wǒ xiàn zài jì chī yóu nì de dōng xi

- 점심은 집에서 싸온 도시락을 즐겨 먹어요.
我爱吃家里做的盒饭。
wǒ ài chī jiā li zuò de hé fàn

- 저는 좀 연한 커피를 좋아해요.
我喜欢喝淡一点儿的咖啡。
wǒ xǐ huan hē dàn yì diǎnr de kā fēi

- 술과 담배가 몸에 해롭다기에 끊었습니다.
酒和烟都对身体有害, 所以戒了。
jiǔ hé yān dōu duì shēn tǐ yǒu hài suǒ yǐ jiè le

- 오이는 껍질을 벗기지 않고 그대로 먹습니다.
黄瓜一般不削皮就直接吃。
huáng guā yì bān bù xiāo pí jiù zhí jiē chī

---

tiáo(국수) 등을 주식으로 하고, 쌀의 주산지인 남부에서는 米饭 mǐfàn(쌀밥)을 주식으로 하고 있다.

▶ 외식 在外就餐
zài wài jiù cān

A: 小李，你一个星期吃几次外餐啊？
xiǎo lǐ nǐ yí ge xīng qī chī jǐ cì wài cān ɑ

B: 我每个星期去两三次。
wǒ měi ge xīng qī qù liǎng sān cì

A: 常在外面吃，容易伤胃口。
cháng zài wài miàn chī róng yì shāng wèi kǒu

B: 一个星期才两三次，没有多大关系的。
yí ge xīng qī cái liǎng sān cì méi yǒu duō dà guān xì de

A: 不怕一万，就怕万一，你还是注意一点儿。
bú pà yí wàn jiù pà wàn yī nǐ hái shì zhù yì yì diǎnr

A: 샤오리, 일주일에 몇 번이나 외식을 해?

B: 일주일에 두세 번 정도해.

A: 늘 밖에서 먹는 사람은 위가 상하기 쉬워.

B: 일주일에 겨우 두세 번인데 뭐 별 상관 있을려구.

A: 만일을 생각해야지, 그래두 조심하라구.

- 일이 바빠서 아침 지을 시간이 없기 때문에 밖에서 아침 식사를 해요.
  因为工作忙，经常来不及做早饭，所以我在外面吃早餐。
  yīn wèi gōng zuò máng jīng cháng lái bu jí zuò zǎo fàn suǒ yǐ wǒ zài wài miàn chī zǎo cān

- 나는 아침은 대충 먹어. 콩국 한 그릇과 여우티아오 한 개면 돼.
  我一般吃早饭不那么讲究，一碗豆浆和一根油条就行了。[10]
  wǒ yì bān chī zǎo fàn bú nà me jiǎng jiū yì wǎn dòu jiāng hé yì gēn yóu tiáo jiù xíng le

▶ 다이어트 减肥
jiǎn féi

- 저는 다이어트 중입니다.
  我正在减肥呢。
  wǒ zhèng zài jiǎn féi ne

---

10) 豆浆 dòujiāng: 콩국, 두유. 油条 yóutiáo: 발효시킨 밀가루 반죽을 길쭉한 모양으로 만들어 기름에 튀겨낸 식품.

• 저는 벌써 체중이 3kg나 줄었어요.
我已经减掉三公斤了。
wǒ yǐ jīng jiǎn diào sān gōng jīn le

• 요즘 밥을 좀 많이 먹었더니 2kg가 늘었어요.
最近吃饭多了点儿，果然胖了两公斤。
zuì jìn chī fàn duō le diǎnr guǒ rán pàng le liǎng gōng jīn

• 운동량이 많아지니, 식욕도 늘어났어요.
运动量多了，食欲也就增加了。
yùn dòng liàng duō le shí yù yě jiù zēng jiā le

• 체중이 3킬로나 늘어서 단 것을 안 먹고 있어요.
我都胖了三公斤了，所以不吃甜食。
wǒ dōu pàng le sān gōng jīn le suǒ yǐ bù chī tián shí

기타 其他
qí tā

• 한국 요리는 이번이 처음입니다.
这是我第一次吃韩国菜。
zhè shì wǒ dì yī cì chī hán guó cài

• 당신은 미각이 참 예민하군요.
你的味觉真是灵敏。
nǐ de wèi jué zhēn shì líng mǐn

• 오늘 저녁이 빨리 오기를 기대합니다.
真希望今天晚上早点儿到来。
zhēn xī wàng jīn tiān wǎn shang zǎo diǎnr dào lái

• 비타민이 풍부한 음식을 많이 드셔야 합니다.
你应该多吃一些含维生素的食物。
nǐ yīng gāi duō chī yì xiē hán wéi shēng sù de shí wù

• 여름에는 특히 음식 위생에 주의해야 합니다.
夏天，要特别注意饮食卫生。
xià tiān yào tè bié zhù yì yǐn shí wèi shēng

• 식사 다 하셨으면 담배 한 대 피우시겠어요?
吃完饭了，你想抽支烟吗？
chī wán fàn le nǐ xiǎng chōu zhī yān ma

참고 관련 용어

- 식당 餐馆, 餐厅 cān guǎn cān tīng
- 메뉴 菜单, 菜谱 cài dān cài pǔ
- 중식 中餐 zhōng cān
- 한식 韩餐 hán cān
- 양식 西餐 xī cān
- 뷔페 自助餐 zì zhù cān
- 패스트푸드 快餐 kuài cān
- 특별 요리 特色菜 tè sè cài
- 오리 구이 烤鸭 kǎo yā
- 구이 烧烤 shāo kǎo
- 해물 海鲜 hǎi xiān
- 작은 접시 碟子 dié zi
- 접시 盘子 pán zi
- 공기 小碗 xiǎo wǎn
- 숟가락 小勺 xiǎo sháo
- 젓가락 筷子 kuài zi
- 포크 叉子 chā zi
- 육류용 포크 肉叉子 ròu chā zi
- 소채용 포크 小叉子 xiǎo chā zi
- 국자 汤勺 tāng sháo
- 음료수 饮料 yǐn liào
- 커피 咖啡 kā fēi
- 디저트 餐后点心 cān hòu diǎn xin
- 냅킨 餐巾纸 cān jīn zhǐ
- 술자리 酒席 jiǔ xí
- 아침 식사 早餐, 早点 zǎo cān zǎo diǎn
- 점심 식사 午餐, 午饭 wǔ cān wǔ fàn
- 저녁 식사 晚饭, 晚餐 wǎn fàn wǎn cān
- 도시락 盒饭 hé fàn
- 주량 酒量 jiǔ liàng
- 포장하다 打包 dǎ bāo
- 식사하다 吃饭 chī fàn
- 대기하다 等待 děng dài
- 추천하다 推荐 tuī jiàn
- 계산하다 结账, 买单 jié zhàng mǎi dān
- 전화로 예약하다 电话预约 diàn huà yù yuē
- 식당을 예약하다 订座 dìng zuò
- 예약을 취소하다 取消预约 qǔ xiāo yù yuē
- 예약을 변경하다 更改预约 gēng gǎi yù yuē
- 음식을 주문하다 点菜 diǎn cài
- 고기를 굽다 烤肉 kǎo ròu
- 음식을 가리다 挑食, 偏食 tiāo shí piān shí
- 술 酒 jiǔ
- 술에 취하다 喝醉 hē zuì
- 독주 烈酒 liè jiǔ
- 과실주 果酒 guǒ jiǔ
- 병맥주 瓶酒 píng jiǔ
- 캔맥주 罐酒 guàn jiǔ
- 안주 酒菜, 下酒菜 jiǔ cài xià jiǔ cài
- 해장국 解酒汤 jiě jiǔ tāng

14 이성 교제

异性交际 YIXING JIAOJI

1	관 심	关心
2	만 남	相识
3	데 이 트	约会
4	사 랑	相爱
5	청혼 · 약혼	求婚/订婚
6	갈 등	矛盾
7	이 별	分手

1 관 심 关心 guān xīn

성인이 된 남녀에게 이성에 대한 관심은 매우 자연스런 일일 것이다. 동서고금을 막론하고 사랑(爱情 àiqíng)은 인류의 영원한 주제가 아닌가. 사랑을 느끼는 데는 어쩌면 언어가 필요 없을지도 모르겠다. 그러나 그 관계를 발전시키고, 또한 거기서 파생되는 여러 가지 문제들을 해결하는 데는 더욱 섬세한 언어적 표현이 필요할 것이라 생각한다.

기 본 대 화

A: 最近有什么烦恼的事吗?
zuì jìn yǒu shén me fán nǎo de shì ma

B: 我们系的一个女生让我动心。
wǒ men xì de yí ge nǚ shēng ràng wǒ dòng xīn

A: 那一起去喝杯茶, 聊聊吧。
nà yì qǐ qù hē bēi chá, liáo liao ba

B: 我也想啊, 但不知道她会怎么想。
wǒ yě xiǎng a, dàn bù zhī dào tā huì zěn me xiǎng

A: 요즘 무슨 고민거리 있니?
B: 우리 과 여학생 한 명에게 자꾸 마음이 끌려.
A: 그럼 같이 차 한잔 하면서 이야기해보지 그래.
B: 나도 그러고 싶지만 그녀가 어떻게 생각할지 몰라서 말야.

여러 가지 활용

I. 이성에 대한 관심 对异性的关心 duì yì xìng de guān xīn

A: 那个女生是哪所大学的?
nà ge nǚ shēng shì nǎ suǒ dà xué de

B: 怎么, 对她有意思?[1)]
zěn me, duì tā yǒu yì si

A: 저 여학생은 어느 대학교 학생이지?
B: 왜, 저 여학생 맘에 들어?

1) 有意思 yǒuyìsi는 주로 '재미있다', '흥미있다'는 뜻으로 쓰이지만, 여기에서는 '마음에 들다', '관심이 있다'는 의미이다.

- 그 여자 남자 친구 있니?
  她有男朋友吗?
  tā yǒu nán péng you ma

- 저 사람 누구 친구야?
  他是谁的朋友?
  tā shì shéi de péng you

- 저 남자애 너무 멋있다. 키도 아주 큰데.
  那个男孩儿太帅了, 个子也高。
  nà ge nán háir tài shuài le gè zi yě gāo

- 저 여자애 너무 아름다운 걸. 몸매 정말 끝내 주는데.
  那女孩儿太漂亮了, 身材真是没的说。[2)]
  nà nǚ háir tài piào liang le shēn cái zhēn shì méi de shuō

Ⅱ. 좋아하는 타입 喜欢的类型
xǐ huan de lèi xíng

A: 你喜欢什么样的女孩儿?
nǐ xǐ huan shén me yàng de nǚ háir

B: 我喜欢个子高, 身材苗条, 又漂亮, 而且还特别聪明的。
wǒ xǐ huan gè zi gāo shēn cái miáo tiáo yòu piào liang ér qiě hái tè bié cōng míng de

A: 世上哪有那么十全十美的人啊?
shì shàng nǎ yǒu nà me shí quán shí měi de rén a

A: 넌 어떤 타입의 여자를 좋아하니?

B: 키도 크고, 늘씬하고, 예쁘고, 그리고 아주 똑똑한 여자.

A: 세상에 그렇게 완벽한 사람이 어디 있어?

▶ 여성 女性
nǚ xìng

- 나는 조용하면서도 지혜로운 여자가 좋아.
  我喜欢那种文静、聪明的女孩儿。
  wǒ xǐ huan nà zhǒng wén jìng cōng míng de nǚ háir

- 나는 건강하고 활발한 여자가 좋아.
  我喜欢健康活泼的女孩儿。
  wǒ xǐ huan jiàn kāng huó pō de nǚ háir

---

2) 没的说 méideshuō: (더 이상) 말할 것이 없다. = 没得说.

- 나는 이지적인 여성이 좋아.
  我喜欢知书达礼的女性。[3)]
  wǒ xǐ huan zhī shū dá lǐ de nǚ xìng

- 나는 외모에는 관심 없어. 중요한 것은 내적인 아름다움이지.
  我不在乎外貌, 重要的是内在美。
  wǒ bú zài hū wài mào zhòng yào de shì nèi zài měi

- 그녀가 애교 부리는게 너무 귀여운거 있지.
  她很爱撒娇, 我觉得很可爱。
  tā hěn ài sā jiāo wǒ jué de hěn kě ài

▶ **남성 男性**
nán xìng

- 나는 예의가 있는 남자가 좋더라.
  我喜欢有礼貌的男生。
  wǒ xǐ huan yǒu lǐ mào de nán shēng

- 난 마음이 바다같이 넓은 남자를 좋아해.
  我喜欢心胸宽阔的男生。[4)]
  wǒ xǐ huan xīn xiōng kuān kuò de nán shēng

- 나는 고상한 인품의 남자가 좋아.
  我喜欢品德高尚的男人。
  wǒ xǐ huan pǐn dé gāo shàng de nán rén

- 나는 신체 건강하고 쾌활한 남자가 좋아.
  我喜欢身体健壮、性格开朗的男人。
  wǒ xǐ huan shēn tǐ jiàn zhuàng xìng gé kāi lǎng de nán rén

- 난 유머가 풍부한 남자가 좋아.
  我喜欢幽默的男人。
  wǒ xǐ huan yōu mò de nán rén

- 나는 경제 능력이 있는 성공한 남성이 좋아.
  我喜欢有一定经济基础的成功男士。
  wǒ xǐ huan yǒu yí dìng jīng jì jī chǔ de chéng gōng nán shì

- 나는 성숙하며 중후한 남자가 좋아.
  我喜欢成熟稳重的男人。
  wǒ xǐ huan chéng shú wěn zhòng de nán rén

---

3) 知书达礼 zhī shū dá lǐ: 지성과 교양을 겸비함.

4) 男生 nánshēng에는 '남학생'과 '젊은 남성'의 두 가지 의미가 있다. 남학생을 지칭할 때의 生 shēng은 学生 xuéshēng(학생)의 의미이지만, 일반적인 남성을 지칭할 때는 先生 xiānsheng(Mister)의 의미이다.

Ⅲ. 싫어하는 타입 不喜欢的类型
bù xǐ huan de lèi xíng

A: 你周六相亲了, 是吗?
nǐ zhōu liù xiāng qīn le shì ma

B: 是阿, 本来挺期望, 可是见了不怎么样。
shì a běn lái tǐng qī wàng kě shì jiàn le bù zěn me yàng

A: 我很纳闷, 详细地说一下吧?
wǒ hěn nà mèn xiáng xì de shuō yí xià ba

B: 一句话, 是我最讨厌的类型。
yí jù huà shì wǒ zuì tǎo yàn de lèi xíng

A: 너 토요일에 선 봤다며?
B: 그래, 기대했는데 별로였어.
A: 궁금하다. 자세히 말해 봐.
B: 한마디로 내가 제일 싫어하는 타입이야.

여성 女性
nǚ xìng

- 그녀는 내가 좋아하는 타입이 아니야.
  她不是我喜欢的那种类型。
  tā bú shì wǒ xǐ huan de nà zhǒng lèi xíng
- 술집 여자같은 타입은 딱 질색이야.
  最烦像酒吧小姐一样的人。[5)]
  zuì fán xiàng jiǔ bā xiǎo jiě yí yàng de rén
- 멋만 부릴줄 아는 여자는 싫어.
  不喜欢只会打扮的女人。
  bù xǐ huan zhǐ huì dǎ bàn de nǚ rén
- 무뚝뚝하고 상냥하지 않은 타입은 싫어.
  我不喜欢死板不温柔的女人。[6)]
  wǒ bù xǐ huan sǐ bǎn bù wēn róu de nǚ rén
- 난 자기 주장이 센 여자는 감당 못해.
  我无法忍受自以为是的女人。[7)]
  wǒ wú fǎ rěn shòu zì yǐ wéi shì de nǚ rén

---

5) 酒吧 jiǔbā의 吧 bā는 영어의 bar를 음역한 것이며, 술을 파는 곳이라는 뜻에서 酒 jiǔ를 덧붙인 것이다. 중국 거리를 가다보면 网吧 wǎngbā라 쓰여진 것을 많이 볼 수 있는데, 이것은 internet의 net를 의역한 것으로 곧 '컴퓨터방'을 말한다.
6) 일을 행함에 있어 융통성이 없고 경직된 경우에도 '死板 sǐbǎn'이란 말을 사용한다.
7) 自以为是 zì yǐ wéi shì는 '자기만이 옳다고 주장하는 사람', 또는 '매우 독선적인 사

남성 男性
nán xìng

- 나는 변덕이 죽끓는 듯하는 남자는 싫어.
  我最讨厌朝三暮四的男人。[8)]
  wǒ zuì tǎo yàn zhāo sān mù sì de nán rén

- 나는 책임감 없는 남자는 싫어.
  我不喜欢没有责任心的男人。
  wǒ bù xǐ huan méi yǒu zé rèn xīn de nán rén

- 비겁한 남자는 밥맛 없어.
  卑鄙的男人，让人倒胃口。[9)]
  bēi bǐ de nán rén ràng rén dǎo wèi kǒu

- 여자 밝히는 남자를 누가 좋아해.
  花心的男人，没人喜欢。[10)]
  huā xīn de nán rén méi rén xǐ huan

- 나는 여자라면 사족을 못쓰는 남자 싫어.
  我可不喜欢对女人心软的男人。
  wǒ kě bù xǐ huan duì nǚ rén xīn ruǎn de nán rén

- 나는 겉으로 강한 체 하는 남자는 싫어.
  我可不喜欢逞强的男人。[11)]
  wǒ kě bù xǐ huan chěng qiáng de nán rén

- 그는 플레이보이야, 연애는 할 수 있지만 결혼은 안돼.
  他是个花花公子，玩玩儿可以，但不能结婚。[12)]
  tā shì ge huā huā gōng zǐ wán wánr kě yǐ dàn bù néng jié hūn

---

람'을 가리킬 때 사용한다.

8) 송(宋sòng)나라 저공(狙公 jūgōng)이 자신이 기르는 원숭이들에게 상수리를 아침에 세 개, 저녁에 네 개씩 주겠다고 하자 원숭이들이 화를 내었다. 그러자 저공이 그러면 아침에 네 개, 저녁에 세 개씩 주겠다고 하니 원숭이들이 좋아하였다. 이 고사에서 바로 朝三暮四 zhāo sān mù sì 성어가 유래되는데, 흔히 얕은 꾀로 남을 농락하거나 이랬다 저랬다 변덕스러울 때, 또는 결과가 같음을 모르고 눈앞의 이익만 챙길 때에 사용한다.

9) 倒胃口 dǎo wèi kǒu: 비위에 거슬리다, 비위가 상하다, 구역질나다.

10) 花心 huāxīn: 이성에 대한 애정이 한 사람에게 오래 머물지 못하고 자꾸 변함을 이르는 말.

11) 逞强 chěngqiáng: 강한체하다, 과시하다.

12) 花花公子 huāhuāgōngzǐ는 플레이보이, 난봉꾼, 귀공자 등의 뜻으로, 주로 '사생활이 방탕한 남자'에게 쓰인다.

2 만 남 相识 xiāng shí

우리는 특히 남녀간의 만남에는 "缘分 yuánfèn"(연분, 인연)이 있어야 한다고 한다. 결혼을 전제로한 만남이라면 더욱 그렇다. 부부는 하늘이 맺어주는 것이라고 하지 않는가. 그러나 운명적인 만남에도 그 형태는 가지각색이다. 첫눈에 반하여 사랑하는 경우가 있는가 하면, 오랜 시간을 두고 미운정 고운정이 다 들은 후에야 그것이 사랑임을 알게 되는 경우도 있다. 중국에서는 전자의 경우를 "一见钟情 yí jiàn zhōng qíng"이라 하며, 후자의 경우를 "日久钟情 rì jiǔ zhōng qíng"이라고 한다.[1)]

기 본 대 화

A: 你有女朋友吗?
nǐ yǒu nǚ péng you ma

B: 还没有, 怎么, 要给我介绍一个?
hái méi yǒu zěn me yào gěi wǒ jiè shào yí ge

A: 你喜欢哪种类型的?
nǐ xǐ huan nǎ zhǒng lèi xíng de

B: 我喜欢温柔漂亮、善解人意的。[2)]
wǒ xǐ huan wēn róu piào liang shàn jiě rén yì de

A: 知道了, 我去打听打听。[3)]
zhī dào le wǒ qù dǎ ting dǎ ting

B: 那就拜托了。事成之后我请客。
nà jiù bài tuō le shì chéng zhī hòu wǒ qǐng kè

A: 好的, 如果不成怎么办?
hǎo de rú guǒ bù chéng zěn me bàn

B: 这种事随缘吧。
zhè zhǒng shì suí yuán ba

A: 너 여자 친구 있니?
B: 아직 없어. 왜? 한 명 소개시켜 줄래?
A: 어떤 타입을 좋아하는데?
B: 부드럽고, 예쁘고, 그리고 이해심이 많은 여자.
A: 알았어. 내가 알아볼게.
B: 그럼 부탁해. 잘 되면 한턱 낼게.
A: 좋아, 그런데 만약에 잘못되면 어떡하지?
B: 이런 일은 인연이 따라야 하는 거야.

---

1) 钟情 zhōngqíng: 여기서 钟은 '쏟다', '기울이다', '한데 모으다'의 뜻으로, 钟情은 곧 '사랑을 쏟다' '애정을 기울이다'.

2) 善解人意 shàn jiě rén yì: 여기서 善은 '잘하다', '능숙하다'의 뜻으로 善解는 곧 '잘

여러 가지 활용

Ⅰ. 이성 친구 소개하기 介绍异性朋友
jiè shào yì xìng péng you

▶ 소개시켜 주려할 때 要给别人介绍时
yào gěi bié rén jiè shào shí

- 제가 좋은 사람 한 명 소개시켜 드릴까요?
  我给你介绍一个不错的人, 好吗?
  wǒ gěi nǐ jiè shào yí ge bú cuò de rén hǎo ma

- 아주 딱 어울릴 만한 사람이 있는데 만나 보시겠어요?
  有一个和你很般配的人, 要不要见一面?
  yǒu yí ge hé nǐ hěn bān pèi de rén yào bu yào jiàn yí miàn

- 나이도 있는데 한 번 선을 보세요.
  年龄也已经差不多了, 去相一下亲吧。
  nián líng yě yǐ jīng chà bu duō le qù xiāng yí xià qīn ba

- 부담 갖지 말고 그냥 한 번 만나 보세요.
  不要紧张, 去见一面, 看看吧。
  bú yào jǐn zhāng qù jiàn yí miàn kàn kan ba

- 제 친구 한 명 소개시켜 줄까요?
  要不要给你介绍一个我的朋友?
  yào bu yào gěi nǐ jiè shào yí ge wǒ de péng you

- 너도 이제 가정을 이뤄야지. 평생 홀아비로 살래?
  你也该成家了, 想打一辈子光棍儿吗?[4)]
  nǐ yě gāi chéng jiā le xiǎng dǎ yí bèi zi guāng gùnr ma

▶ 소개를 부탁할 때 请求介绍时
qǐng qiú jiè shào shí

- 적당한 사람 골라서 소개 좀 시켜 주세요.
  有合适的人选, 给我介绍一下吧。
  yǒu hé shì de rén xuǎn gěi wǒ jiè shào yí xià ba

- 너만 사귀지 말고, 나도 한 명 소개시켜 줘.
  不要只顾你自己, 给我也介绍一个吧。
  bú yào zhǐ gù nǐ zì jǐ gěi wǒ yě jiè shào yí ge ba

이해하다', '이해를 잘하다'는 뜻. 人意: 사람의 마음

3) 打听 dǎting: '탐문하다', '수소문하다', '알아보다'의 뜻.

4) 중국어에서 儿 ér의 사용은 매우 중요하다. 단지 습관상의 儿化 érhuà 뿐 아니라 때로는 단어의 의미에도 변화가 생기기 때문이다. 光棍 guānggùn은 '무뢰한', '악당', '부랑자' 등의 의미이지만, 光棍儿 guānggùnr은 '남자 독신자', '홀아비'를 뜻한다.

- 좋은 사람 있으면 나한테 좀 소개해줘요.
  有不错的人, 给我介绍一下吧。
  yǒu bú cuò de rén gěi wǒ jiè shào yí xià ba

Ⅱ. 만남의 자리에서 相见时
xiāng jiàn shí

▶ 사귀는 사람이 있나 물어볼 때 询问有没有对象
xún wèn yǒu méi yǒu duì xiàng

- 마음에 둔 사람 있어요?
  有心上人吗?
  yǒu xīn shàng rén ma
- 지금 남자 친구 있어요?
  现在有男朋友吗?
  xiàn zài yǒu nán péng you ma
- 결혼할 사람 있어요?
  你有结婚对象吗?
  nǐ yǒu jié hūn duì xiàng ma

▶ 사귀는 사람이 없을 때 没有对象时
méi yǒu duì xiàng shí

- 아직 특별히 사귀는 남자 친구는 없습니다.
  我还没有男朋友。
  wǒ hái méi yǒu nán péng you
- 지금 찾고 있는 중이랍니다.
  现在正在找呢。
  xiàn zài zhèng zài zhǎo ne

▶ 재회 신청 想再次约会
xiǎng zài cì yuē huì

- 제가 다시 연락 드려도 되겠습니까?
  再和你联系可以吗?
  zài hé nǐ lián xì kě yǐ ma
- 우리 다시 만날 수 있겠지요?
  我们可以再见面吗?
  wǒ men kě yǐ zài jiàn miàn ma
- 다시 또 만나기를 바래요.
  我盼望和你再次见面。
  wǒ pàn wàng hé nǐ zài cì jiàn miàn

- 다음에 연락드릴게요. 전화번호 좀 알려 주시겠어요?
  下次再和你联系，留个电话号码，好吗？
  xià cì zài hé nǐ lián xì liú ge diàn huà hào mǎ hǎo ma

- e메일 주소를 나에게 알려 주시겠어요?
  是否可以把你的伊妹儿地址告诉我？5)
  shì fǒu kě yǐ bǎ nǐ de yī mèir dì zhǐ gào su wǒ

- 전화 기다리고 있을게요.
  我等你的电话。
  wǒ děng nǐ de diàn huà

- 오늘 만나서 반가웠어요. 다음에 또 뵙겠습니다.
  很高兴今天能够见到你。下回再见吧。
  hěn gāo xìng jīn tiān néng gòu jiàn dào nǐ xià huí zài jiàn ba

▶ 만남의 결과를 물을 때 询问相亲结果
xún wèn xiāng qīn jié guǒ

A: 昨天那人怎么样？
zuó tiān nà rén zěn me yàng

B: 看起来还可以，但现在还不清楚。
kàn qǐ lái hái kě yǐ dàn xiàn zài hái bù qīng chu

A: 어제 그 사람 어땠어?

B: 사람은 좋아 보였는데, 아직 잘 모르겠어요.

- 어제 만난 사람, 맘에 들어요?
  昨天见的人，你还满意吗？
  zuó tiān jiàn de rén nǐ hái mǎn yì ma

- 그녀가 무슨 말을 하던가요?
  她说什么了吗？
  tā shuō shén me le ma

- 다음에 또 만날거니?
  下次还见面吗？
  xià cì hái jiàn miàn ma

- 그 쪽에서도 만족하던가요?
  对方也满意吗？
  duì fāng yě mǎn yì ma

---

5) 伊妹儿 yīmèir은 E-mail을 음역한 것이며, 电邮 diànyóu는 의역한 것이다.

만남의 결과를 보고할 때 告诉相亲结果
gào su xiāng qīn jié guǒ

- 그저 그랬어요.
  就那样。
  jiù nà yàng

- 아주 괜찮은 것 같아요.
  看起来很不错。
  kàn qǐ lái hěn bú cuò

- 저와는 성격이 안 맞아요.
  跟我的性格不般配。
  gēn wǒ de xìng gé bù bān pèi

- 좋은 사람을 소개시켜 줘서 고마워요.
  谢谢你给我介绍这么好的人。
  xiè xie nǐ gěi wǒ jiè shào zhè me hǎo de rén

- 그쪽에서 저를 마음에 안들어 하는 것 같아요.
  对方好像不喜欢我。
  duì fāng hǎo xiàng bù xǐ huan wǒ

첫인상 第一印象
dì yī yìn xiàng

- 첫인상이 아주 좋았어요.
  第一印象很好。
  dì yī yìn xiàng hěn hǎo

- 첫인상이 별로 였어요.
  第一印象不怎么样。
  dì yī yìn xiàng bù zěn me yàng

- 첫눈에 반했어요./첫눈에 그에게 반했어요.
  一见钟情。/我对他一见钟情。
  yí jiàn zhōng qíng wǒ duì tā yí jiàn zhōng qíng

이상형 梦中情人
mèng zhōng qíng rén

- 그녀야말로 내가 찾던 이상적인 여성이에요.
  她就是我要找的理想的女性。
  tā jiù shì wǒ yào zhǎo de lǐ xiǎng de nǚ xìng

- 드디어 나의 반쪽을 찾았어요.
  终于找到我的另一半了。
  zhōng yú zhǎo dào wǒ de lìng yí bàn le

- 드디어 나의 백마 탄 왕자님을 만났어요.
  我终于遇见了我的白马王子。
  wǒ zhōng yú yù jiàn le wǒ de bái mǎ wáng zǐ

- 그 사람이야말로 꿈에 그리던 사람이에요.
  他才是我的梦中情人。
  tā cái shì wǒ de mèng zhōng qíng rén

- 나는 아직도 나의 이상형을 만나지 못했어요.
  我还没有找到我的梦中情人。
  wǒ hái méi yǒu zhǎo dào wǒ de mèng zhōng qíng rén

- 이상적인 배우자를 찾는다는 것은 정말 쉽지 않아요.
  想找个理想的伴侣, 可真不容易啊。
  xiǎng zhǎo ge lǐ xiǎng de bàn lǚ kě zhēn bù róng yì a

▶ **천생연분 天生一对**
tiān shēng yí duì

- 짚신도 다 제 짝이 있다구.
  天上金童配玉女, 地下瘸骡配破车。[6]
  tiān shàng jīn tóng pèi yù nǚ dì xià qué luó pèi pò chē

- 두 사람 정말 천생연분이군요.
  你们俩真是天生一对啊。
  nǐ men liǎ zhēn shì tiān shēng yí duì a

- 그 두 사람이야말로 하늘이 맺어준 짝이에요.
  他们俩才是天作之合。
  tā men liǎ cái shì tiān zuò zhī hé

- 둘이 너무나 잘 어울려요. / 하늘이 맺어 준 커플이에요.
  真是郎才女貌![7] / 是天造地设的一对。
  zhēn shì láng cái nǚ mào shì tiān zào dì shè de yí duì

- 결혼은 연분이 있어야만 하는 거에요.
  要结婚, 得要有缘分。
  yào jié hūn děi yào yǒu yuán fèn

- 인연이 있으면 천리를 떨어져 있어도 만나게 된다.
  有缘千里来相会。
  yǒu yuán qiān lǐ lái xiāng huì

---

6) 원뜻은 "하늘에는 선남선녀가 서로 짝을 이루고, 땅에는 절룩발 나귀와 고물 수레가 짝을 이룬다"이다.

7) "남자는 재능이 있고, 여자는 아름답다"는 뜻으로 둘이 아주 잘 어울릴 때에 사용한다.

3 데 이 트

约会
yuē huì

중국의 젊은이들은 어떤 방식으로 데이트를 할까? 대체로 우리와 다를 바 없다. 만나서 함께 영화를 보러 가기도 하고, 놀이 공원에 놀러가기도 하며, 즐겁게 식사를 하기도 한다. "我今天有约会 wǒ jīntiān yǒu yuēhuì"는 "나는 오늘 약속이 있어요"라는 뜻이지만 대개의 경우 이성과의 데이트가 있다는 뜻이 된다.

기 본 대 화

A: 我有两张电影票, 我们一起去看吧?
wǒ yǒu liǎng zhāng diàn yǐng piào wǒ men yì qǐ qù kàn ba

B: 你是不是想和我谈恋爱啊?
nǐ shì bu shì xiǎng hé wǒ tán liàn ài a

A: 谁说的? 你这么丑, 我怕你吓倒我。
shéi shuō de nǐ zhè me chǒu wǒ pà nǐ xià dǎo wǒ

B: 好吧, 我没空。你自己去吧。
hǎo ba wǒ méi kòng nǐ zì jǐ qù ba

A: 啊? 你生气了, 不过你生气的样子很好看!
ā nǐ shēng qì le bú guò nǐ shēng qì de yàng zi hěn hǎo kàn

B: 去你的, 别理我!
qù nǐ de bié lǐ wǒ

A: 都是开玩笑嘛! 我们快点儿走吧!
dōu shì kāi wán xiào ma wǒ men kuài diǎnr zǒu ba

A: 내게 영화표가 두 장 있는데, 함께 영화 보러 갈래?
B: 너 나랑 데이트하고 싶은 거지?
A: 누가 그렇대? 너같이 못생긴 애하고, 끔찍해라.
B: 좋아, 나 시간 없어. 너 혼자 가서 봐.
A: 어, 화났어? 화내니까 더 예쁜데!
B: 저리 꺼져. 상관하지 말고!
A: 다 농담이야. 빨리 가자.

여러 가지 활용

Ⅰ. 데이트를 신청할 때 请求约会
qǐng qiú yuē huì

- 시간 있습니까?
  你有时间吗?
  nǐ yǒu shí jiān ma

- 당신과 약속하고 싶은데요.
  我想约你。
  wǒ xiǎng yuē nǐ

- 우리 커피 한 잔 합시다.
  我们喝杯咖啡吧。
  wǒ men hē bēi kā fēi ba

- 당신과 데이트하고 싶습니다.
  我想和你约会。
  wǒ xiǎng hé nǐ yuē huì

- 얘기 좀 하고 싶은데요.
  我想和你聊聊天儿。
  wǒ xiǎng hé nǐ liáo liáo tiānr

- 저랑 사귀고 싶지 않으세요?
  你不想和我交往吗?
  nǐ bù xiǎng hé wǒ jiāo wǎng ma

- 제가 남자 친구로 괜찮다고 생각지 않으세요?
  你觉得我做你男朋友合适吗?
  nǐ jué de wǒ zuò nǐ nán péng you hé shì ma

▶ 약속 시간 및 장소 정하기　约定时间/地点
yuē dìng shí jiān dì diǎn

- 오늘 저녁 함께 식사할까요?
  今天晚上一起去吃饭吧。
  jīn tiān wǎn shang yì qǐ qù chī fàn ba

- 내일 저녁 7시에 영화 보러 갑시다.
  明天晚上7点我们去看电影吧。
  míng tiān wǎn shang diǎn wǒ men qù kàn diàn yǐng ba

- 우리 이번 주말에 베이하이공원에 놀러 갈까요?
  这个周末我们去北海公园, 怎么样?
  zhè ge zhōu mò wǒ men qù běi hǎi gōng yuán zěn me yàng

- 우리 함께 강변 드라이브나 할까요?
  我们一起去河边兜风, 好不好?
  wǒ men yì qǐ qù hé biān dōu fēng hǎo bu hǎo

- 이번 주 일요일 우리 함께 외출할까요?
  这个星期天我们一块儿出去, 好吗?
  zhè ge xīng qī tiān wǒ men yí kuàir chū qù hǎo ma

Ⅱ. 데이트의 기대감 期待约会

qī dài yuē huì

A: 你干嘛打扮得这么漂亮?
nǐ gàn má dǎ ban de zhè me piào liang

B: 今天我跟周强约会。
jīn tiān wǒ gēn zhōu qiáng yuē huì

A: 和他约会挺开心的嘛!
hé tā yuē huì tǐng kāi xīn de ma

A: 왜 그렇게 예쁘게 화장했어?

B: 오늘 저우창과 약속이 있거든.

A: 그 사람과 데이트하는게 아주 좋은가 보구나!

- 그가 전화를 했는데 오늘 저녁 데이트하재. 너무 행복해!
  他打电话说, 今天晚上约我, 我好幸福啊!
  tā dǎ diàn huà shuō jīn tiān wǎn shang yuē wǒ wǒ hǎo xìng fú a

- 오늘 그와 약속이 있어. 너무 신나는 거 있지.
  今天和他约会, 我真是太兴奋了。
  jīn tiān hé tā yuē huì wǒ zhēn shì tài xīng fèn le

- 오늘 마치 꿈을 꾸는 것만 같아.
  今天好像在做梦。
  jīn tiān hǎo xiàng zài zuò mèng

- 가슴이 다 두근거려.
  我的心都快跳出来了。[1)]
  wǒ de xīn dōu kuài tiào chū lái le

Ⅲ. 데이트할 때 谈恋爱

tán liàn ài

- 우리 오늘 뭐할까요?
  今天我们干什么好呢?
  jīn tiān wǒ men gàn shén me hǎo ne

- 뭐 먹고 싶어요? 내가 맛있는 것 사줄게요.
  想吃什么? 我给你买好吃的。
  xiǎng chī shén me wǒ gěi nǐ mǎi hǎo chī de

- 우리 같이 볼링 치러 갈까요?
  我们去打保龄球怎么样?
  wǒ men qù dǎ bǎo líng qiú zěn me yàng

---

1) 快 kuài ~了 le: 곧 ~하려 하다.

- 오늘 우리가 만난 지 100일째 되는 날이에요.
  今天是我们相识一百天。
  jīn tiān shì wǒ men xiāng shí yì bǎi tiān

- 오늘 너에게 장미꽃을 사주고 싶어.
  今天我想给你买一束玫瑰花。
  jīn tiān wǒ xiǎng gěi nǐ mǎi yí shù méi guī huā

Ⅳ. 헤어질 때 分别 fēn bié

- 오늘 데이트 즐거웠어요.
  今天我很开心。
  jīn tiān wǒ hěn kāi xīn

- 오늘 나와 주어서 정말 고마워요.
  谢谢你今天能来。
  xiè xie nǐ jīn tiān néng lái

- 오늘 즐거웠는지 모르겠네요?
  不知道今天你开不开心?
  bù zhī dào jīn tiān nǐ kāi bu kāi xīn

- 다음에 또 연락 드릴게요.
  改天再给你打电话吧。
  gǎi tiān zài gěi nǐ dǎ diàn huà ba

▶ 바래다 주기 送回家 sòng huí jiā

- 내가 집에 바래다 줄게요.
  我送你回家吧。
  wǒ sòng nǐ huí jiā ba

- 내가 차로 태워다 줄게요.
  我用车送你吧。
  wǒ yòng chē sòng nǐ ba

- 우리 집에 잠깐 들렀다 갈래요?
  要不要到我家去坐一坐?
  yào bu yào dào wǒ jiā qù zuò yi zuò

Ⅴ. 애인에 관한 대화 关于情人的话题 guān yú qíng rén de huà tí

A: 你和他交往多久了?
nǐ hé tā jiāo wǎng duō jiǔ le

B: 我们恋爱已经好多年了。
wǒ men liàn ài yǐ jīng hǎo duō nián le

A: 看起来像老夫老妻。
kàn qǐ lái xiàng lǎo fū lǎo qī

B: 是吗? 我们明年春天结婚。
shì ma wǒ men míng nián chūn tiān jié hūn

A: 두 사람은 사귄지 얼마나 됐어요?

B: 우리는 연애한 지 이미 오래 됐어요.

A: 마치 부부같아 보여요.

B: 그래요? 내년 봄에 결혼할거예요.

질문 提问
tí wèn

- 너희 둘은 어떻게 알게 되었니?
  你们是怎么认识的?
  nǐ men shì zěn me rèn shi de

- 그 사람과 잘 되어 가니?
  你和他进展得怎么样?
  nǐ hé tā jìn zhǎn de zěn me yàng

- 그 사람의 어디가 좋아?
  你喜欢他哪一点?
  nǐ xǐ huan tā nǎ yì diǎn

- 그 사람과 언제부터 사귀기 시작했어?
  你和他是什么时候开始的?
  nǐ hé tā shì shén me shí hou kāi shǐ de

- 그 사람 어떻게 생각해?
  你觉得他怎么样?
  nǐ jué de tā zěn me yàng

- 어때? 그 여자 맘에 들어?
  怎么样? 你喜欢她吗?
  zěn me yàng nǐ xǐ huan tā ma

- 너와 그 사람은 무슨 관계니?
  你和他是什么关系?
  nǐ hé tā shì shén me guān xì

▶ **대답** 回答
huí dá

- 지금까지는 아주 잘 돼 가.
  到现在为止一切都顺利。
  dào xiàn zài wéi zhǐ yí qiè dōu shùn lì

- 우리는 그냥 보통의 친구일 뿐이야.
  我们只是普通朋友而已。
  wǒ men zhǐ shì pǔ tōng péng you ér yǐ

- 나와 그녀는 그저 좋은 친구일 뿐이에요.
  我和她只是好朋友而已。
  wǒ hé tā zhǐ shì hǎo péng you ér yǐ

- 그녀는 나를 좋아하지 않는 것같아.
  看起来她不喜欢我。
  kàn qǐ lái tā bù xǐ huan wǒ

- 그 사람 나에게 아주 만족하는 것 같아.
  他好像对我很满意。
  tā hǎo xiàng duì wǒ hěn mǎn yì

- 그는 나에게는 정말 특별한 사람이야.
  他对我来说是一个很特别的人。
  tā duì wǒ lái shuō shì yí ge hěn tè bié de rén

- 뭐든지 예쁜 것만 보게 되면 그녀에게 사주고 싶어.
  我碰到有什么好看的东西就想给她买。
  wǒ pèng dào yǒu shén me hǎo kàn de dōng xi jiù xiǎng gěi tā mǎi

- 그녀에게 홀딱 반했어.
  我被她迷住了。[2]
  wǒ bèi tā mí zhù le

- 그 사람 정말 괜찮은 것같아.
  我觉得他很不错。
  wǒ jué de tā hěn bú cuò

- 나는 그의 인품에 반했어요.
  我被他的人品迷住了。
  wǒ bèi tā de rén pǐn mí zhù le

- 나와 그의 관계는 매우 특별해요.
  我和他的关系很特别。
  wǒ hé tā de guān xi hěn tè bié

---

2) 迷住 mízhù는 '홀리다', '미혹하다'라는 뜻으로, 被 bèi와 호응하여 '~에 홀리다', '~에 반하다'라는 뜻이 된다.

4 사 랑

爱情
ài qíng

중국 젊은이들의 애정 표현은 상당히 개방적이고 적극적이다. 공공장소나 캠퍼스 안에서도 남의 눈을 의식하지 않고 자유로이 애정 표현을 한다. 때로는 그 정도가 좀 심하여 보기 민망한 경우도 있다. 또한 도시의 결혼 적령기 남녀들 중에는 결혼 전 단계로 동거를 하는 경우도 매우 흔한 현상이다.

기 본 대 화

A: 你真的很爱我吗?
nǐ zhēn de hěn ài wǒ ma

B: 海可枯, 石可烂, 我对你的真心永远不会改变!
hǎi kě kū shí kě làn wǒ duì nǐ de zhēn xīn yǒng yuǎn bú huì gǎi biàn

A: 酸不酸呀![1)]
suān bu suān ya

B: 你不信, 我可以对天发誓。
nǐ bú xìn wǒ kě yǐ duì tiān fā shì

A: 知道了。谢谢。
zhī dào le xiè xie

B: 亲爱的, 我们永远在一起, 好吗?
qīn ài de wǒ men yǒng yuǎn zài yì qǐ hǎo ma

A: 好, 只要有你在我的身边, 全世界我都可以放弃。
hǎo zhǐ yào yǒu nǐ zài wǒ de shēn biān quán shì jiè wǒ dōu kě yǐ fàng qì

A: 너 정말로 날 사랑하니?
B: 바닷물이 마르고, 바위가 닳아도, 너에 대한 진심은 영원히 변치 않을 거야.
A: 좀 느끼하지 않니?
B: 못 믿겠다면 하늘에 맹세할 수 있어.
A: 알았어. 고마워.
B: 자기야, 우리 영원히 함께 있을 거지?
A: 그럼. 너만 내 곁에 있다면 이 세상도 포기할 수 있어.

1) 우리가 '느끼하다'고 하는 표현을 중국어에서는 '酸 suān'(시다)라고 표현한다.

여러 가지 활용

Ⅰ. 사랑의 감정 恋爱的感受
liàn ài de gǎn shòu

사랑을 느꼈을 때 感受爱情时
gǎn shòu ài qíng shí

- 이런게 바로 사랑이란 걸까?
  难道这就是爱情吗?[2)]
  nán dào zhè jiù shì ài qíng ma

- 이런 느낌은 처음이야.
  这样的感觉是第一次。
  zhè yàng de gǎn jué shì dì yī cì

- 하루만 안 봐도 오랫동안 안 본 것 같아요.
  一日不见, 如隔三秋。[3)]
  yí rì bú jiàn rú gé sān qiū

- 그녀만 생각하면 가슴이 설렙니다.
  一想到她, 就很激动。
  yì xiǎng dào tā jiù hěn jī dòng

사랑에 빠졌을 때 坠入爱河
zhuì rù ài hé

- 나는 사랑의 올가미에 걸렸어요.
  我坠入情网了。
  wǒ zhuì rù qíng wǎng le

- 당신에게 첫눈에 반해 버렸어요.
  我一眼就被你迷住了。
  wǒ yì yǎn jiù bèi nǐ mí zhù le

- 그녀의 아름다움에 반했어요.
  我被她的美貌迷住了。
  wǒ bèi tā de měi mào mí zhù le

- 그녀의 착한 마음씨에 끌렸어요.
  我被她的善良吸引住了。
  wǒ bèi tā de shàn liáng xī yǐn zhù le

---

2) 难道 nándào는 '설마'라는 뜻으로서 보통 끝에 吗 ma?를 붙여 반문의 형식을 취한다.
3) 如隔三秋 rú gé sān qiū: 3년이나 떨어져 있는 것 같다. 즉 매우 오랜 시간이 지난 것처럼 느껴질 때 사용하는 표현.

행복을 느낄 때 感到幸福时
gǎn dào xìng fú shí

- 자기와 함께 있으면 너무 행복해.
  和你在一起真幸福。
  hé nǐ zài yì qǐ zhēn xìng fú

- 당신과 함께 있으면 정말 너무 행복해요.
  和你在一起真是太幸福了。
  hé nǐ zài yì qǐ zhēn shì tài xìng fú le

- 온 세상을 다 얻은 것같아.
  好像得到了全世界。
  hǎo xiàng dé dào le quán shì jiè

- 시간을 이대로 멈출 수 있다면 얼마나 좋을까!
  时间要是停在这一刻,那该多好啊!
  shí jiān yào shì tíng zài zhè yí kè nà gāi duō hǎo a

- 이대로 영원히 너와 함께 있고 싶어.
  我真希望像现在一样永远和你在一起。
  wǒ zhēn xī wàng xiàng xiàn zài yí yàng yǒng yuǎn hé nǐ zài yì qǐ

- 당신이 없다면 얼마나 외로울까.
  没有你我会多么寂寞。
  méi yǒu nǐ wǒ huì duō me jì mò

그리울 때 想念时
xiǎng niàn shí

- 당신이 보고 싶어 죽겠어요.
  我想死你啦!
  wǒ xiǎng sǐ nǐ la

- 당신이 그리워서 미쳐버릴 것 같아요.
  我想你想得快要发疯了。
  wǒ xiǎng nǐ xiǎng de kuài yào fā fēng le

- 정말 자나 깨나 당신 생각뿐이에요.
  我对你,真是朝思暮想啊。
  wǒ duì nǐ zhēn shì zhāo sī mù xiǎng a

- 내 머리 속에는 온통 당신의 모습뿐이에요.
  我的脑子里面全是你的影子。
  wǒ de nǎo zi lǐ miàn quán shì nǐ de yǐng zi

- 어젯밤 꿈에 당신을 보았어요.
  昨晚我梦见你了。
  zuó wǎn wǒ mèng jiàn nǐ le

▶ 사랑의 고백 爱情告白
ài qíng gào bái

- 당신을 너무 사랑해요.
  我真的好爱你。
  wǒ zhēn de hǎo ài nǐ

- 나에게는 당신밖에 없어요.
  我只在乎你。[4)]
  wǒ zhǐ zài hu nǐ

- 당신은 영원한 나의 유일한 사랑이에요.
  你永远都是我的唯一。
  nǐ yǒng yuǎn dōu shì wǒ de wéi yī

- 내가 제일 사랑하는 사람은 당신이에요.
  我最爱的人是你。
  wǒ zuì ài de rén shì nǐ

- 잠시도 당신과 떨어질 수 없어요.
  我时刻也离不开你。
  wǒ shí kè yě lí bu kāi nǐ

- 당신을 너무 사랑해요. 당신 없이는 못살아요.
  我太爱你了，我不能没有你。
  wǒ tài ài nǐ le wǒ bù néng méi yǒu nǐ

- 당신은 나의 생명이에요.
  你是我的生命。
  nǐ shì wǒ de shēng mìng

- 당신은 내가 유일하게 사랑하는 사람이에요.
  你是我唯一爱的人。
  nǐ shì wǒ wéi yī ài de rén

- 아마도 당신을 사랑하고 있는 것 같아요.
  我好像爱上你了。
  wǒ hǎo xiàng ài shang nǐ le

Ⅱ. 사랑의 맹세 爱情承诺
ài qíng chéng nuò

A: 我爱你，是真心的。
wǒ ài nǐ shì zhēn xīn de

B: 真的吗?
zhēn de ma

---

4) 在乎 zàihu는 '마음에 두다', '염두에 두다', '개의하다'의 뜻이다.

A: 真的，我可以发誓。
zhēn de wǒ kě yǐ fā shì
B: 好了，我知道了。
hǎo le wǒ zhī dào le

A: 사랑해, 진심이야.
B: 정말이에요?
A: 정말이야. 맹세할게.
B: 됐어요. 나도 알아요.

- 한 평생 오로지 당신만을 사랑해요.
  这一生我只爱你一个人。
  zhè yì shēng wǒ zhǐ ài nǐ yí ge rén

- 하늘 땅 끝까지라도 당신과 함께 하겠어요.
  走到天崖海角，也要和你在一起。
  zǒu dào tiān yá hǎi jiǎo yě yào hé nǐ zài yì qǐ

- 내 일생 다하여 당신을 사랑하겠어요.
  我会用我的一生来爱你。
  wǒ huì yòng wǒ de yì shēng lái ài nǐ

- 약속해요, 오로지 나만을 사랑하겠노라고.
  你发誓，只爱我一个。
  nǐ fā shì zhǐ ài wǒ yí ge

- 하늘에 맹세해요, 우리의 사랑은 영원히 변치 않을 것이라고.
  对天发誓，我们的爱情永不变。
  duì tiān fā shì wǒ men de ài qíng yǒng bú biàn

- 그 누구도 우리를 갈라놓을 수 없어요.
  谁也不能把我们分开。
  shéi yě bù néng bǎ wǒ men fēn kāi

- 우리들의 사랑은 영원할 거예요.
  我们的爱是永恒的。
  wǒ men de ài shì yǒng héng de

- 나는 영원히 당신을 사랑할 거예요.
  我将永远爱你。
  wǒ jiāng yǒng yuǎn ài nǐ

- 이 세상 다하도록 당신을 사랑할 것을 맹세합니다.
  我发誓我会爱你到天荒地老。[5)]
  wǒ fā shì wǒ huì ài nǐ dào tiān huāng dì lǎo

Ⅲ. 상대에 대한 찬사 赞美对方
zàn měi duì fāng

▶ 여성에 대한 찬사 对女人的赞美
duì nǚ rén de zàn měi

- 당신은 정말 아름다워요.
  你好美啊!
  nǐ hǎo měi a

- 당신은 정말 자상하군요.
  你真体贴。
  nǐ zhēn tǐ tiē

- 오늘 밤 당신 정말 섹시해.
  今晚你真性感。
  jīn wǎn nǐ zhēn xìng gǎn

- 오늘 밤 당신 너무 아름다워요.
  今晚你真是太美了。
  jīn wǎn nǐ zhēn shì tài měi le

- 내 일찍이 당신과 같은 미인은 본 적이 없어요.
  我从来都没见过像你这样的美人。
  wǒ cóng lái dōu méi jiàn guo xiàng nǐ zhè yàng de měi rén

- 당신은 정말 매력이 철철 넘쳐요.
  你真是魅力无穷。
  nǐ zhēn shì mèi lì wú qióng

- 당신처럼 부드러운 여자는 처음이에요.
  第一次见到像你这样温柔的女人。
  dì yī cì jiàn dào xiàng nǐ zhè yàng wēn róu de nǚ rén

▶ 남성에 대한 찬사 对男人的称赞
duì nán rén de chēng zàn

- 당신과 함께 있으면 너무 든든해요.
  和你在一起, 很有安全感。
  hé nǐ zài yì qǐ hěn yǒu ān quán gǎn

- 당신의 넓은 어깨에 기대고 싶어요.
  我想靠在你宽厚的肩膀上。
  wǒ xiǎng kào zài nǐ kuān hòu de jiān bǎng shang

- 당신처럼 이렇게 멋있는 남자는 처음이에요.

---

5) 天荒地老 tiān huāng dì lǎo는 오랜 시간이 흐르거나, 긴긴 세월이 지나는 것을 뜻한다.

头一次见到像你这样棒的男人。
tóu yí cì jiàn dào xiàng nǐ zhè yàng bàng de nán rén

- 당신은 정말 매력적인 사람이에요.
  你是个很有魅力的人。
  nǐ shì ge hěn yǒu mèi lì de rén

- 당신의 강렬한 눈빛이 나를 끌어 당겨요.
  你那强烈的目光吸引了我。
  nǐ nà qiáng liè de mù guāng xī yǐn le wǒ

- 오늘 당신 너무 멋있어요.
  今天你真帅。
  jīn tiān nǐ zhēn shuài

Ⅳ. 사랑의 행위 爱情行为
ài qíng xíng wéi

▶ 신체 접촉 身体接触
shēn tǐ jiē chù

A: 我们去人少一点儿的地方吧。
wǒ men qù rén shǎo yì diǎnr de dì fang ba
B: 干吗?[6)]
gàn má
A: 我想和你接吻。
wǒ xiǎng hé nǐ jiē wěn

A: 우리 사람들이 좀 적은 곳으로 갈까?
B: 왜?
A: 너와 키스하고 싶어.

- 우리 손 잡고 걸어요./팔짱을 껴봐요.
  我们牵着手走吧。/挽着胳膊吧。
  wǒ men qiān zhe shǒu zǒu ba wǎn zhe gē bo ba

- 내 어깨에 손을 얹어요./내 어깨에 기대요.
  搂住我的肩膀。/靠在我肩膀上。
  lǒu zhù wǒ de jiān bǎng kào zài wǒ jiān bǎng shang

- 내 허리를 껴안아요.
  搂住我的腰。
  lǒu zhù wǒ de yāo

6) 干吗 gànmá?는 일상생활에서 대단히 많이 쓰는 표현으로 '뭐해?' '뭐하고 있어?' '왜 그래?' '뭣 때문에?' 등등의 뜻을 지니고 있다.

- 뽀뽀하자. / 눈 감아. 내가 뽀뽀해 줄게.
  亲一下。/ 闭上眼睛，我亲你一口。
  qīn yí xià bì shàng yǎn jing wǒ qīn nǐ yì kǒu

- 나를 안아 줘요. / 꼭 껴안아 주세요.
  抱抱我。/ 抱紧我。
  bào bao wǒ bào jǐn wǒ

▶ **섹스 做爱**
zuò ài

- 우리 섹스할까?
  我们做爱吧。
  wǒ men zuò ài ba

- 오늘밤 당신과 함께 자고 싶어요.
  今晚我想和你住一起。
  jīn wǎn wǒ xiǎng hé nǐ zhù yì qǐ

- 결혼 전에는 절대 안돼요.
  结婚之前，绝对不行。
  jié hūn zhī qián jué duì bù xíng

- 결혼 전에는 순결을 지켜야 해요.
  结婚前要保持纯洁。
  jié hūn qián yào bǎo chí chún jié

▶ **동거 同居**
tóng jū

- 우리 동거해요.
  我们同居吧。
  wǒ men tóng jū ba

- 우리 별거해요.
  我们分居吧。
  wǒ men fēn jū ba

- 결혼 전에 동거를 해 보는 것도 괜찮다 생각해요.
  结婚之前，试试同居生活也不错。
  jié hūn zhī qián shì shi tóng jū shēng huó yě bú cuò

- 부모님이 결혼을 반대하시지만 우리는 여전히 동거하고 있어요.
  父母反对这桩婚事，但我们还是同居了。
  fù mǔ fǎn duì zhè zhuāng hūn shì dàn wǒ men hái shì tóng jū le

V. 기타 其他
qí tā

짝사랑 单相思
dān xiāng sī

- 나 아무래도 상사병에 걸린 것같아.
  我好像得了相思病。
  wǒ hǎo xiàng dé le xiāng sī bìng

- 말도 못하고 혼자 짝사랑을 하고 있어요.
  也不能表达，只能单相思。
  yě bù néng biǎo dá zhǐ néng dān xiāng sī

- 그는 선생님을 몰래 사랑하고 있어요.
  他暗恋老师。
  tā àn liàn lǎo shī

- 그녀는 그를 몰래 사랑한지 오래 되었어요.
  她暗恋他很久了。
  tā àn liàn tā hěn jiǔ le

기타 其他
qí tā

- 그녀는 유부남을 사랑하고 있어요.
  她爱上了有妇之夫。
  tā ài shang le yǒu fù zhī fū

- 그녀가 유부녀인 줄 알면서도 계속 만나고 있어요.
  知道她是有丈夫的人，但还是和她来往。
  zhī dào tā shì yǒu zhàng fu de rén dàn hái shì hé tā lái wǎng

- 그는 10살 연상의 여성과 사랑에 빠졌어요.
  他和比自己大10岁的女人相爱了。
  tā hé bǐ zì jǐ dà suì de nǚ rén xiāng ài le

- 그녀는 아버지같은 사람과 사귀고 있어요.
  她在跟她爸爸年龄差不多的人交往。
  tā zài gēn tā bà ba nián líng chà bu duō de rén jiāo wǎng

- 저 두 사람은 동성연애자래요.
  他们俩是同性恋。
  tā men liǎ shì tóng xìng liàn

- 저 사람은 변태야.
  他是个变态。
  tā shì ge biàn tài

5 청혼 · 약혼

求婚/订婚
qiú hūn dìnghūn

爱情到底是什么? àiqíng dàodǐ shì shénme?(사랑이란 무엇일까?) 둘이서 오래도록 함께 있고 싶은 것. 방금 헤어졌는데도 또 보고 싶은 것. 그(녀)가 좋아하는 것을 해주고 싶은 것. 슬픔과 기쁨을 함께 나누고 싶은 것 ...... 그래서 사랑하는 사람끼리 앞으로의 인생을 함께 하기 위해 결혼을 선택한다. 여기서는 결혼 전 단계인 청혼과 약혼에 관한 여러 표현들을 살펴보기로 한다.

기 본 대 화

A: 你喜欢什么样的老公。
nǐ xǐ huan shén me yàng de lǎo gōng

B: 长得帅, 有学识, 有幽默感, 还要永远爱我。
zhǎng de shuài yǒu xué shí yǒu yōu mò gǎn hái yào yǒng yuǎn ài wǒ

A: 天哪, 这不就是我吗?
tiān na zhè bu jiù shì wǒ ma

B: 别臭美了, 你以为你长得很帅吗?
bié chòu měi le nǐ yǐ wéi nǐ zhǎng de hěn shuài ma

A: 一般般啦! 但是我敢保证我会爱你一万年!
yì bān bān la dàn shì wǒ gǎn bǎo zhèng wǒ huì ài nǐ yì wàn nián

B: 你不会又拿我开玩笑吧?
nǐ bú huì yòu ná wǒ kāi wán xiào ba

A: 不会的, 这次是我的真情告白。
bú huì de zhè cì shì wǒ de zhēn qíng gào bái

亲爱的, 嫁给我吧!
qīn ài de jià gěi wǒ ba

B: 啊, 我终于听到了这句话, 好感动啊!
ā wǒ zhōng yú tīng dào le zhè jù huà hǎo gǎn dòng a

A: 넌 어떤 타입의 남편감을 원하니?
B: 잘 생기고, 학식도 있고, 유머도 있고, 또 영원히 나를 사랑해야 해.
A: 맙소사, 그건 바로 나잖아?
B: 잘난 체 하지마, 넌 네가 잘생긴 줄 아나보지?
A: 보통이지 뭐. 하지만 영원히 너를 사랑한다고 맹세할 수 있어.
B: 또 농담하는 거 아니겠지?
A: 아니야. 이번은 나의 진정한 고백이라구.
자기야, 우리 결혼하자.
B: 오, 드디어 이 말을 듣게 되다니, 감격스러워.

여러 가지 활용

Ⅰ. 청혼 求婚
qiú hūn

▶ 청혼할 때 求婚时
qiú hūn shí

• 나랑 결혼하자.
跟我结婚吧。
gēn wǒ jié hūn ba

• 나의 아내가 되어 줘요.
你做我的妻子吧。
nǐ zuò wǒ de qī zi ba

• 내게 시집 올래?
你嫁给我吧。[1)]
nǐ jià gěi wǒ ba

• 당신과 결혼하고 싶어요.
我想和你结婚。
wǒ xiǎng hé nǐ jié hūn

• 저의 일생의 반려자가 되어 주세요.
你做我的终生伴侣吧。
nǐ zuò wǒ de zhōng shēng bàn lǚ ba

• 우리 함께 손잡고 한평생 살아 갑시다.
让我们携手共度人生吧。[2)]
ràng wǒ men xié shǒu gòng dù rén shēng ba

• 나와 결혼 생각해 보았니?
你没想过和我结婚吗?
nǐ méi xiǎng guo hé wǒ jié hūn ma

• 우리 인생의 기쁨과 슬픔을 함께 나눠요!
我们一起分享人生的快乐和悲伤吧!
wǒ men yì qǐ fēn xiǎng rén shēng de kuài lè hé bēi shāng ba

• 저의 인생은 당신에게 달려 있어요.
我的人生是属于你的。
wǒ de rén shēng shì shǔ yú nǐ de

---

1) 嫁 jià는 여자가 '시집가다', '출가하다'라는 뜻으로 你嫁给我吧。nǐ jià gěi wǒ ba는 나에게 시집와 달라는 뜻이다. 이 말은 남자가 여자에게 청혼할 때에만 쓴다.

2) 共度 gòngdù: (시간을) 함께 보내다.

· 이제부터 우리 행복한 둘만의 세계를 만들어요.
从现在起，我们就建立一个幸福的二人世界吧。
cóng xiàn zài qǐ, wǒ men jiù jiàn lì yí ge xìng fú de èr rén shì jiè ba

· 당신의 부모님을 만나 뵙고 당신을 달라고 말씀드리겠어요.
我要去见你的父母，请求他们把你嫁给我。
wǒ yào qù jiàn nǐ de fù mǔ, qǐng qiú tā men bǎ nǐ jià gěi wǒ

▶ 청혼을 받아들일 때 接受求婚时
jiē shòu qiú hūn shí

· 당신의 청혼을 받아들이겠어요.
我接受你的爱。
wǒ jiē shòu nǐ de ài

· 이 순간을 얼마나 기다려 왔는지 몰라요.
不知道为了这时刻等了多久。
bù zhī dào wèi le zhè shí kè děng le duō jiǔ

· 당신의 아내가 될 수 있다면 저는 정말 행복할 거에요.
能成为你的爱人，我会很幸福的。
néng chéng wéi nǐ de ài ren, wǒ huì hěn xìng fú de

▶ 청혼을 거절할 때 拒绝求婚时
jù jué qiú hūn shí

· 미안해요. 저에게 생각할 시간을 좀 더 주세요.
对不起，给我点儿时间想想吧。
duì bu qǐ, gěi wǒ diǎnr shí jiān xiǎng xiang ba

· 전 결혼은 생각 안해 보았어요.
我没想过结婚。
wǒ méi xiǎng guo jié hūn

· 지금은 대답을 할 수가 없어요. 생각 좀 해보구요.
我现在不能马上回答，让我再考虑一下吧。
wǒ xiàn zài bù néng mǎ shàng huí dá, ràng wǒ zài kǎo lǜ yí xià ba

Ⅱ. 약혼 订婚
dìng hūn

▶ 약혼 제의 提出订婚
tí chū dìng hūn

· 우리 약혼해요.
我们订婚吧。
wǒ men dìng hūn ba

- 이 반지는 약혼의 증표입니다.
  这戒指是定情物。[3]
  zhè jiè zhi shì dìng qíng wù

- 당장 결혼할 수 없으면 먼저 약혼을 합시다.
  既然不能马上结婚, 那先订婚吧。
  jì rán bù néng mǎ shàng jié hūn nà xiān dìng hūn ba

▶ **파혼 解除婚约**
jiě chú hūn yuē

- 우리 파혼해요.
  我们取消婚约吧。
  wǒ men qǔ xiāo hūn yuē ba

- 우리 약혼은 없었던 것으로 해요.
  就当我们没有订婚。
  jiù dāng wǒ men méi yǒu dìng hūn

- 죄송해요. 당신과 결혼할 수 없어요.
  抱歉, 我不能和你结婚。
  bào qiàn wǒ bù néng hé nǐ jié hūn

- 우리는 이미 약혼을 파기했어요.
  我们已经撕毁了婚约。[4]
  wǒ men yǐ jīng sī huǐ le hūn yuē

▶ **약혼자 订婚者**
dìng hūn zhě

- 제 약혼자입니다.
  这是我的对象。[5]
  zhè shì wǒ de duì xiàng

- 그 사람은 저의 약혼자예요.
  他是我的未婚夫。
  tā shì wǒ de wèi hūn fū

- 제 약혼녀는 지금 한국에 있어요.
  我的未婚妻现在在韩国。
  wǒ de wèi hūn qī xiàn zài zài hán guó

- 전 이미 약혼자가 있어요.
  我已经有对象了。
  wǒ yǐ jīng yǒu duì xiàng le

---

3) 定情物 dìngqíngwù: 남녀가 결혼을 약속하며 서로 주고받는 물건.
4) 撕毁 sīhuǐ: (계약 · 약속 등을) 파기하다.
5) 对象 duìxiàng: 여기서는 '애인' '결혼 상대자'를 의미한다.

6 갈 등 矛盾 máodùn

사랑(爱情 àiqíng)과 미움(憎恨 zēnghèn)은 종이의 양면과 같다 한다. 사랑하기 때문에 미움의 감정도 생길 수 있다. 그래서 사랑의 반대말은 미움이 아니라 무관심(漠不关心 mò bù guān xīn)이라고 하지 않는가. 두 사람 사이에 갈등이 생기는 것을 흔히 矛盾 máodùn이라고 한다.

기 본 대 화

A: 你最近好像变了。
nǐ zuì jìn hǎo xiàng biàn le

B: 什么?
shén me

A: 以前你常常给我打电话, 动不动就说爱我, 可现在不是了。[1]
yǐ qián nǐ cháng cháng gěi wǒ dǎ diàn huà dòng bu dòng jiù shuō ài wǒ kě xiàn zài bú shì le

B: 最近有点儿忙, 你不要生气了。
zuì jìn yǒu diǎnr máng nǐ bú yào shēng qì le

A: 당신 요즘 변한 것 같아요.
B: 뭐라고?
A: 예전에는 전화도 자주 하고 사랑한단 말도 자주 하더니 요새는 안 그러잖아요.
B: 요즘 일이 바빠서 그래. 화내지 마.

여러 가지 활용

Ⅰ. 오해 误会 wù huì

A: 你怎么了, 生气了?
nǐ zěn me le shēng qì le

B: 只不过是同事, 干吗对她那么亲切?
zhǐ bú guò shì tóng shì gàn má duì tā nà me qīn qiè

A: 我只是打招呼而已。难道你吃醋了吗?[2]
wǒ zhǐ shì dǎ zhāo hu ér yǐ nán dào nǐ chī cù le ma

1) 动不动 dòngbudòng: 걸핏하면, 툭하면. 대개 就와 함께 연용된다.
2) 우리 말에도 '초 친다', '김칫국 마신다'라는 말이 전혀 다른 뜻을 의미하듯이 중국어에서도 '吃醋 chīcù'는 '식초를 먹는다'라는 뜻이 아니라 '질투하다', '시기하다'라는 뜻으로 사용된다.

B: 你说呢? 我能不生气吗?[3)]
nǐ shuō ne wǒ néng bù shēng qì ma

A: 왜 그래? 화났어?
B: 직장 동료라면서 뭣땜에 그녀와 그렇게 다정해?
A: 그냥 인사한 것 뿐인데, 설마 질투하는 건 아니겠지?
B: 말해 보라구, 내가 지금 화 안나게 생겼어?

해명할 때 解释时
jiě shì shí

- 오해하지 마. 그 애는 내 여동생이야.
你不要误会, 她是我妹妹。
nǐ bú yào wù huì tā shì wǒ mèi mei

- 그 사람은 내 오빠야. 너 내가 다른 남자 있는 줄 알았니?
他是我哥哥, 你是不是以为我有别的男朋友了?
tā shì wǒ gē ge nǐ shì bu shì yǐ wéi wǒ yǒu bié de nán péng you le

- 맹세할게. 그 애와는 정말 그냥 보통의 친구 사이라니까.
我可以发誓, 我跟他真的只是普通朋友而已。
wǒ kě yǐ fā shì wǒ gēn tā zhēn de zhǐ shì pǔ tōng péng you ér yǐ

- 그녀와 만나서 차 한 잔도 마신 적 없다구.
我跟她连茶都没一起喝过。
wǒ gēn tā lián chá dōu méi yì qǐ hē guo

- 정말이야. 딱 한 번 식사 한 끼 했을 뿐이야.
真的, 只是吃过一顿饭而已。
zhēn de zhǐ shì chī guo yí dùn fàn ér yǐ

- 그냥 예전에 좀 알고 지냈던 것 뿐이야.
只不过以前认识而已。
zhǐ bú guò yǐ qián rèn shi ér yǐ

- 하하, 너무 웃긴다. 우리 아빠를 보고 남자 친구인줄 알았다고?
哈哈, 太好笑了, 竟然把我爸爸当成我的男朋友?[4)]
hā ha tài hǎo xiào le jìng rán bǎ wǒ bà ba dāng chéng wǒ de nán péng you

---

3) 你说呢 nǐshuōne?는 "당신 생각은?"이라는 뜻으로 여기서는 "당신이라면 질투 안하겠는가"라는 뜻이 된다.

4) 竟然 jìngrán은 '뜻밖의, 상상밖의' 등으로 의외의 사실들을 말할 때 쓰인다. 이와 비슷한 단어로는 居然 jūrán이 있으나 竟然 jìngrán 보다는 어감이 조금 가볍다.

• 사촌 오빠를 내 남자 친구인줄 알았다구?
原来你把我表哥当成我的男朋友了，是吗?
yuán lái nǐ bǎ wǒ biǎo gē dāng chéng wǒ de nán péng you le shì ma

▶ **오해가 풀어졌을 때 解除误会时**
jiě chú wù huì shí

• 오해였다면 미안해. 정말 화가 났었어.
如果是误会，对不起。可我真的生气了。
rú guǒ shì wù huì duì bu qǐ kě wǒ zhēn de shēng qì le

• 그랬었구나. 내가 널 오해했었네.
原来如此，是我误会你了。[5)]
yuán lái rú cǐ shì wǒ wù huì nǐ le

• 내가 괜히 당신을 탓했었군. 사과할게.
是我错怪你了，我向你道歉。
shì wǒ cuò guài nǐ le wǒ xiàng nǐ dào qiàn

• 제발 부탁인데 다음부턴 내가 오해하게 하지 마.
求你以后不要再让我误会你了。
qiú nǐ yǐ hòu bú yào zài ràng wǒ wù huì nǐ le

▶ **질투 嫉妒**
jí dù

A: 你的嫉妒心怎么那么强?
nǐ de jí dù xīn zěn me nà me qiáng
B: 你现在才知道啊? 所以你最好不要让我生气。
nǐ xiàn zài cái zhī dào a suǒ yǐ nǐ zuì hǎo bú yào ràng wǒ shēng qì

A: 너는 왜 그렇게 질투심이 강하니?
B: 그거 이제 알았어? 그러니까 나 화나게 하지 마.

• 무슨 남자가 질투를 하고 그래?
男孩子嫉妒什么呀?
nán hái zi jí dù shén me ya

• 하여튼 여자들은 질투를 잘한다니까.
反正女人就是爱嫉妒。
fǎn zhèng nǚ rén jiù shì ài jí dù

5) 原来如此 yuánlái rúcǐ는 "알고보니 그렇구나" 라는 뜻으로 사정의 전모를 명확히 파악하였을 때에 주로 사용한다.

- 질투하지 마. 그 애는 단지 초등학교 동창일 뿐이야.
  不要嫉妒, 她只是我小学同学罢了。[6)]
  bú yào jí dù tā zhǐ shì wǒ xiǎo xué tóng xué bà le

- 왜 이렇게 물고 늘어져? 내가 몇 번 얘기했어? 그냥 친구의 여동생이라잖아.
  你怎么没完没了, 我说过多少次了, 只是朋友的妹妹而已。[7)]
  nǐ zěn me méi wán méi liǎo wǒ shuō guo duō shao cì le zhǐ shì péng you de mèi mei ér yǐ

Ⅱ. 변심 变心
biàn xīn

A: 你是不是有了别的男人?
nǐ shì bu shì yǒu le bié de nán rén

B: 对不起, 我终于找到一个真心爱我的人, 我不能放弃他。
duì bu qǐ wǒ zhōng yú zhǎo dào yí ge zhēn xīn ài wǒ de rén wǒ bù néng fàng qì tā

A: 你怎么会这样呢?
nǐ zěn me huì zhè yàng ne

A: 나 말고 또 다른 남자 생긴 것 아니니?
B: 미안해. 드디어 나를 진짜 사랑해 주는 사람을 만났어. 그를 놓칠 수 없어.
A: 네가 어떻게 이럴 수 있어?

▶ 상대의 마음이 변했을 때 对方变心时
duì fāng biàn xīn shí

- 당신 변했어. / 그가 변심했어요.
  你变了。/ 他变心了。
  nǐ biàn le tā biàn xīn le

- 당신 옛날과 비교해 보면 정말 전혀 딴사람 같아.
  你跟以前相比真是判若两人啊。[8)]
  nǐ gēn yǐ qián xiāng bǐ zhēn shì pàn ruò liǎng rén a

---

6) 罢了 bàle와 而已 éryǐ는 모두 '~일 뿐'이라는 뜻이다. 앞에 只是 zhǐshì가 오면 '다만 ~일 뿐이다', 只不过是 zhǐbúguòshì가 오면 '다만 ~에 지나지 않는다' 라는 뜻.

7) 没完没了 méi wán méi liǎo: '해도해도 끝이 없다'.

8) 判若两人 pàn ruò liǎng rén: 사람의 언행이 완전히 달라 전혀 다른 사람같을 때 쓰는 성어이다.

• 당신은 이미 예전의 열정이 전혀 없어요.
你现在已经完全没有以前的热情了。
nǐ xiàn zài yǐ jīng wán quán méi yǒu yǐ qián de rè qíng le

• 그는 옛날처럼 나를 사랑하는 것 같지 않아.
他好像没以前那么爱我了。
tā hǎo xiàng méi yǐ qián nà me ài wǒ le

• 그녀는 나에게 매우 쌀쌀해.
她对我特别冷淡。
tā duì wǒ tè bié lěng dàn

▶ 내 마음이 변했을 때 自己变心时
zì jǐ biàn xīn shí

• 당신이 싫어졌어요.
我不喜欢你了。
wǒ bù xǐ huan nǐ le

• 당신이 미워지기 시작했어요.
我开始讨厌你了。
wǒ kāi shǐ tǎo yàn nǐ le

• 당신에 대한 사랑이 이미 완전히 식었어요.
我对你的爱已经完全消失了。
wǒ duì nǐ de ài yǐ jīng wán quán xiāo shī le

• 이제는 당신을 사랑하지 않아요.
我已经不爱你了。
wǒ yǐ jīng bú ài nǐ le

• 더 이상 당신을 만나고 싶지 않아요.
我不想再见到你了。
wǒ bù xiǎng zài jiàn dào nǐ le

▶ 제삼자가 생겼을 때 爱上第三者时
ài shang dì sān zhě shí

• 다른 여자가 생긴 것 아니에요?
是不是有了别的女人?
shì bu shì yǒu le bié de nǚ rén

• 그녀와 옛정이 다시 살아난 것 아니에요?
你是不是跟她旧情复发了。
nǐ shì bu shì gēn tā jiù qíng fù fā le

- 다른 사람을 사랑하게 되었어요.

  我爱上别人了。
  wǒ ài shang bié rén le

- 미안해요. 나에게 다른 여자가 생겼어요.

  对不起, 我有了别的女人。
  duì bu qǐ wǒ yǒu le bié de nǚ rén

Ⅲ. 권태기 厌倦 yàn juàn

A: 恋爱的时间长了, 现在什么感觉都没有了。
liàn ài de shí jiān cháng le xiàn zài shén me gǎn jué dōu méi yǒu le

B: 但是他还是很关心你啊。
dàn shì tā hái shì hěn guān xīn nǐ ɑ

A: 那倒也是, 但有时候觉得那样也挺烦的。
nà dào yě shì dàn yǒu shí hòu jué de nà yàng yě tǐng fán de

A: 연애를 오래 하다보니 이젠 어떤 느낌도 없어.

B: 그래도 그 사람은 너에게 아주 잘해 주잖아.

A: 그건 그래. 하지만 때로는 그것도 귀찮게 느껴지거든.

- 이제 이런 생활이 지긋지긋해요.

  我已经厌倦这种生活了。
  wǒ yǐ jīng yàn juàn zhè zhǒng shēng huó le

- 당신은 이제 나에게 아무 매력도 없어.

  你对我来说已经没有吸引力了。
  nǐ duì wǒ lái shuō yǐ jīng méi yǒu xī yǐn lì le

- 당신을 보기만 해도 밥맛이 없어져.

  我一看到你就没胃口。
  wǒ yí kàn dào nǐ jiù méi wèi kǒu

- 나는 이제 당신을 봐도 아무런 느낌도 없어.

  我现在看到你也没有什么感觉了。
  wǒ xiàn zài kàn dào nǐ yě méi yǒu shén me gǎn jué le

- 당신 행동 하나하나가 미워 죽겠어요.

  你的一举一动, 真让我讨厌。[9)]
  nǐ de yì jǔ yí dòng zhēn ràng wǒ tǎo yàn

---

9) 讨厌你 tǎoyànnǐ: 여기서는 진정으로 밉다는 뜻으로도 쓰였지만 때로는 정말로 미워서가 아니라 '자기 미워'라는 애교스런 표현으로 쓰이기도 한다.

- 당신한테 더 이상 흥미 없어요.
  我对你已经没有兴趣了。
  wǒ duì nǐ yǐ jīng méi yǒu xìng qù le

- 당신을 보면 괴로워요.
  我一看你就烦。
  wǒ yí kàn nǐ jiù fán

- 당신을 보기만 해도 마음 상해요.
  看见你都觉得伤心。
  kàn jiàn nǐ dōu jué de shāng xīn

- 지금 당신에 대한 내 느낌은 '안봐야 속이 편하다'는 거예요.
  我现在对你的感觉是"眼不见心不烦"。
  wǒ xiàn zài duì nǐ de gǎn jué shì yǎn bú jiàn xīn bù fán

- 당신은 이미 나를 좋아하지 않아요. 그렇죠?
  你已经不喜欢我了, 是吗?
  nǐ yǐ jīng bù xǐ huān wǒ le shì ma

- 싫으면 사실대로 얘기해요.
  不喜欢就直说吧。
  bù xǐ huan jiù zhí shuō ba

Ⅳ. 성격 차이　性格差异
xìng gé chā yì

A: 你这个人怎么这么奇怪啊。
nǐ zhè ge rén zěn me zhè me qí guài a

B: 我怎么了?
wǒ zěn me le

A: 竟然为了这么点儿事情就大发脾气?
jìng rán wèi le zhè me diǎnr shì qing jiù dà fā pí qi

B: 你现在才知道吗?
nǐ xiàn zài cái zhī dào ma

A: 당신이란 사람 참 별나기도 하군요.
B: 내가 뭘 어째서?
A: 그까짓 것 가지고 뭘 그렇게 노발대발 해요?
B: 그걸 이제야 알았어?

- 그는 나와 안맞아.
  他不适合我。
  tā bú shì hé wǒ

• 우리는 성격이 너무 안 맞아.
我们俩性格差得太远了。
wǒ men liǎ xìng gé chà de tài yuǎn le

• 그와는 대화가 통하질 않아.
我觉得很难和他沟通。
wǒ jué de hěn nán hé tā gōu tōng

• 그는 언제나 자기만 옳다고 해.
他太自以为是了。
tā tài zì yǐ wéi shì le

• 그 사람 갈수록 성질을 부려.
他的脾气越来越大了。[10)]
tā de pí qi yuè lái yuè dà le

• 그녀는 변덕이 심한 여자야.
她是个善变的女人。[11)]
tā shì ge shàn biàn de nǚ rén

• 그녀는 너무 지조가 없어.
她是个水性杨花的女人。[12)]
tā shì ge shuǐ xìng yáng huā de nǚ rén

• 우리는 만나도 대화가 없어요.
我们见面连话都不说了。
wǒ men jiàn miàn lián huà dōu bù shuō le

V. 기타 其他
qí tā

▶ 실망 失望
shī wàng

• 당신에게 정말 실망했어요.
我对你很失望。
wǒ duì nǐ hěn shī wàng

• 당신한테 속았어요. 당신이 한 말은 모두 거짓말이야.
你骗了我。你说的全是谎言。
nǐ piàn le wǒ nǐ shuō de quán shì huǎng yán

---

10) 越来越~ yuè lái yuè~: '갈수록 ~하다'. 예) 越来越好 yuè lái yuè hǎo (갈수록 좋아진다), 越来越大 yuè lái yuè dà. (갈수록 커진다)

11) 여기에서의 善 shàn은 '잘하다'라는 뜻. 예) 善忘 shànwàng (잘 잊어버리다), 善动 shàndòng (잠시도 가만히 있지를 못하고 움직이다)

12) 水性杨花 shuǐ xìng yáng huā: "물은 아무대로나 흘러가고 버드나무는 바람부는 대로 흔들린다"는 뜻으로 여자가 지조가 없이 행동하는 것을 말한다.

- 당신은 내가 상상했던 그런 사람이 아니에요.
  你根本不是我想象的那种人。
  nǐ gēn běn bú shì wǒ xiǎng xiàng de nà zhǒng rén

▶ 삼각관계 三角关系
sān jiǎo guān xì

- 그들은 삼각관계에 놓여 있어요.
  他们处在三角关系上。
  tā men chù zài sān jiǎo guān xì shang

- 삼각관계는 사람을 정말 괴롭게 해요.
  三角恋太让人苦恼了。
  sān jiǎo liàn tài ràng rén kǔ nǎo le

▶ 기타 其他
qí tā

- 우리 관계는 지금 위기야. 그는 언제나 날 무시해.
  我们的关系出现危机了，他总是看不起我。
  wǒ men de guān xì chū xiàn wēi jī le tā zǒng shì kàn bu qǐ wǒ

- 요즘 그가 자꾸 나를 피해.
  最近他总是躲着我。
  zuì jìn tā zǒng shì duǒ zhe wǒ

- 그는 나를 진지하게 생각 안하는 것 같아.
  他对我好像不是认真的。
  tā duì wǒ hǎo xiàng bú shì rèn zhēn de

- 그는 금세 식었다 뜨거웠다 그래. 갈피를 못 잡겠어.
  他对我总是忽冷忽热的，让人捉摸不透。
  tā duì wǒ zǒng shì hū lěng hū rè de ràng rén zhuō mō bú tòu

- 우리들의 관계를 지속시켜 나간다는게 더 이상 의미가 없어요.
  我们的关系再维持下去也没有多大意思了。
  wǒ men de guān xì zài wéi chí xià qù yě méi yǒu duō dà yì si le

- 여자 마음은 종잡을 수가 없어.
  女人的心总是让人摸不透。
  nǚ rén de xīn zǒng shì ràng rén mō bu tòu

- 그 두 사람 틀림없이 문제가 있어.
  他俩一定有问题。
  tā liǎ yí dìng yǒu wèn tí

7 이 별

分手
fēn shǒu

중국어에 "이별하다" "헤어지다" "떠나가다"를 뜻하는 단어로는 离别 líbié, 别离 biélí, 离开 líkāi 등 여러 가지가 있지만, 남녀간의 이별에 있어서는 "서로 갈라지다"는 의미의 "分手 fēnshǒu"가 가장 많이 쓰인다. 중국은 예로부터 인연을 매우 중히 여기는 전통이 있었는데 지금은 달라져서 남녀가 서로 만나고 헤어지는 일이 그다지 심각하지 않아 보인다.

기 본 대 화

A: 我们分手吧。
wǒ men fēn shǒu ba

B: 好吧, 好聚好散。1)
hǎo ba hǎo jù hǎo sàn

A: 让我们只记住友好的回忆吧。
ràng wǒ men zhǐ jì zhù yǒu hǎo de huí yì ba

B: 希望你能找到好对象。
xī wàng nǐ néng zhǎo dào hǎo duì xiàng

A: 우리 헤어져요.
B: 그래. 좋게 헤어지자구.
A: 우리 서로 좋은 추억만을 간직해요.
B: 좋은 사람 만나길 바랄게.

여러 가지 활용

I. 이별 제의 提出分手
tí chū fēn shǒu

- 우리 깨끗하게 헤어집시다.
  我们干脆分手吧。2)
  wǒ men gān cuì fēn shǒu ba

- 우리 각자 자기의 길을 가도록 해요.
  咱们各走各的路吧。
  zán men gè zǒu gè de lù ba

- 우리는 이렇게 완전히 끝났어요.
  我们就这样彻底结束了。
  wǒ men jiù zhè yàng chè dǐ jié shù le

1) 好聚好散 hǎo jù hǎo sàn: "좋게 만났으니 좋게 헤어지자"는 뜻.
2) 干脆 gāncuì: 어떤 일을 '시원하게', '깨끗하게' 처리하는 것을 말한다.

- 다시는 나를 괴롭히지 말아요.
  不要再折磨我了。[3)]
  bú yào zài zhé mó wǒ le

- 우리는 이미 어떤 관계도 아니에요.
  我们已经完全没有关系了。
  wǒ men yǐ jīng wán quán méi yǒu guān xì le

- 다시는 당신을 만나고 싶지 않아요.
  我再也不想见到你了。
  wǒ zài yě bù xiǎng jiàn dào nǐ le

- 다시는 내 앞에 나타나지 말아 주세요.
  你最好别在我面前出现。
  nǐ zuì hǎo bié zài wǒ miàn qián chū xiàn

- 더 이상 당신을 사랑하지 않아요. 나를 잊어버려요.
  我已经不再爱你了。忘了我吧。
  wǒ yǐ jīng bú zài ài nǐ le wàng le wǒ ba

- 이제는 당신을 행복하게 해줄 자신이 없어요.
  我现在已经没有给你幸福的自信了。
  wǒ xiàn zài yǐ jīng méi yǒu gěi nǐ xìng fú de zì xìn le

▶ 헤어지는데 동의할 때 同意分手时
tóng yì fēn shǒu shí

- 좋아요. 나도 더 이상 이렇게 당신과 살아가고 싶지 않아요.
  好, 我也不想继续和你这样下去了。
  hǎo wǒ yě bù xiǎng jì xù hé nǐ zhè yàng xià qù le

- 그래요. 이 참에 아주 헤어지자구요.
  也好, 趁现在我们就分手吧。
  yě hǎo chèn xiàn zài wǒ men jiù fēn shǒu ba

- 갈테면 가라구요. 누가 붙잡을까봐요?
  你想走就走吧, 谁会求你不成?
  nǐ xiǎng zǒu jiù zǒu ba shéi huì qiú nǐ bù chéng

- 나도 이젠 지쳤어요. 헤어져요.
  我也累了, 分手吧。
  wǒ yě lèi le fēn shǒu ba

- 바로 내가 하고 싶었던 말이에요.
  这也是我想说的。
  zhè yě shì wǒ xiǎng shuō de

---

3) 折磨 zhémó: '못살게 굴다', '구박하다', '학대하다'는 의미이다.

헤어지기를 원치 않을 때 不愿分手时
bú yuàn fēn shǒu shí

- 당신과 떨어질 수 없어요.
  我不能离开你。
  wǒ bù néng lí kāi nǐ

- 지금도 난 여전히 당신을 사랑해요.
  现在我依然爱着你。
  xiàn zài wǒ yī rán ài zhe nǐ

- 당신과 함께 있고 싶어요.
  我要跟你在一起。
  wǒ yào gēn nǐ zài yì qǐ

- 우리 다시 새로 시작해 봐요.
  让我们从新开始吧。
  ràng wǒ men cóng xīn kāi shǐ ba

- 당신이 없으면 내가 무슨 의미로 살아 가겠어요?
  没有你, 我活着还有什么意思?
  méi yǒu nǐ wǒ huó zhe hái yǒu shén me yì si

- 정말이지 당신과 헤어지고 싶지 않아요.
  我真的不想和你分手。
  wǒ zhēn de bù xiǎng hé nǐ fēn shǒu

- 더 이상 내 마음 아프게 하지 말아요.
  请你不要再让我伤心了。
  qǐng nǐ bú yào zài ràng wǒ shāng xīn le

- 지금 결정하기는 정말 어려워요.
  现在下决心, 很难。
  xiàn zài xià jué xīn hěn nán

- 우리 좀 냉정히 잘 생각해 본 뒤에 다시 얘기해요.
  我们都各自冷静一下, 好好儿想想, 以后再说吧。
  wǒ men dōu gè zì lěng jìng yí xià hǎo hāor xiǎng xiang yǐ hòu zài shuō ba

일방적으로 차였을 때 被甩时
bèi shuǎi shí

- 나한테 싫증이 났나봐.
  他抛弃我了。
  tā pāo qì wǒ le

- 그가 나를 차버렸어. / 그에게 차였어.
  他把我甩了。/ 我被他给甩了。
  tā bǎ wǒ shuǎi le wǒ bèi tā gěi shuǎi le

- 이제 와서 헤어지자고 말을 해?
已经到了这一步，还要说分手?
yǐ jīng dào le zhè yí bù hái yào shuō fēn shǒu

Ⅱ. 실연 失恋
shī liàn

A: 最近，你怎么总是无精打采的啊?
zuì jìn nǐ zěn me zǒng shì wú jīng dǎ cǎi de a
B: 我失恋了。她说要跟我分手。
wǒ shī liàn le tā shuō yào gēn wǒ fēn shǒu
A: 怎么了? 你们俩不是挺好的吗?
zěn me le nǐ men liǎ bú shì tǐng hǎo de ma
B: 可能是找到了比我更好的人吧。
kě néng shì zhǎo dào le bǐ wǒ gèng hǎo de rén ba

A: 요즘 왜 그렇게 풀이죽어 있니?
B: 실연 당했어. 그녀가 헤어지자고 하더라.
A: 왜? 너희 둘은 사이가 아주 좋았잖아?
B: 아마 나보다 더 좋은 사람이 생겼나봐.

- 그는 실연당하고 나서 완전히 폐인이 돼 버렸어.
他自从失恋以后，就成了废人。
tā zì cóng shī liàn yǐ hòu jiù chéng le fèi rén

- 아직도 실연의 충격을 이겨내지 못하고 있어요.
现在还无法承受失恋的打击。
xiàn zài hái wú fǎ chéng shòu shī liàn de dǎ jī

- 첫사랑을 잊지 못해 아직도 혼자랍니다.
因为忘不了初恋，所以现在还是孤身一人。
yīn wèi wàng bu liǎo chū liàn suǒ yǐ xiàn zài hái shì gū shēn yì rén

- 그는 그녀를 잊기 위해 매일같이 술을 마신답니다.
他为了忘掉她，天天喝酒。
tā wèi le wàng diào tā tiān tiān hē jiǔ

▶ 실연한 사람을 위로 할 때 安慰失恋的人
ān wèi shī liàn de rén

- 틀림없이 그 사람보다 더 좋은 사람 만나게 될 거예요.
你一定能找到比他更好的人。
nǐ yí dìng néng zhǎo dào bǐ tā gèng hǎo de rén

- 시간이 지나면 괜찮아질 거예요.
  过一段时间，就会没事了。
  guò yí duàn shí jiān jiù huì méi shì le

- 사람은 함께 있지 않으면 마음도 저절로 멀어지게 돼요.
  人不在一起，心也会跟着疏远的。
  rén bú zài yì qǐ xīn yě huì gēn zhe shū yuǎn de

- 더 이상 그 사람을 생각하지 마세요.
  别再想他了。
  bié zài xiǎng tā le

- 그 사람 잊어 버려요.
  忘了他吧。
  wàng le tā ba

- 여자와 버스는 이번에 놓치면 다음에 또 온다니까!
  女人和客车一样，这次错过了，还有下一趟呢!
  nǚ rén hé kè chē yí yàng zhè cì cuò guò le hái yǒu xià yí tàng ne

- 세상에 여자가 그녀 하나만 있는 것도 아닌데.
  又不是世上只有她一个女人。
  yòu bú shì shì shàng zhǐ yǒu tā yí ge nǚ rén

- 사람이 한 나무에 매달려서 죽을 수는 없잖아.
  人不能吊死在一棵树上。[4)]
  rén bù néng diào sǐ zài yì kē shù shang

▶ 기타 其他
qí tā

- 우리 헤어져도 계속 친구하기로 해요.
  我们分手以后还是朋友。
  wǒ men fēn shǒu yǐ hòu hái shì péng you

- 나는 그와 벌써 헤어졌어.
  我跟他早就拜拜了。[5)]
  wǒ gēn tā zǎo jiù bài bài le

- 나와 그는 아무 관계도 아니야.
  我跟他什么关系都没有了。
  wǒ gēn tā shén me guān xì dōu méi yǒu le

---

4) 이 말은 어떤 사람이 한 가지 일에 목매달고 있을 때 주로 만류하기 위해 쓴다.
5) 拜拜 bàibài: 영어의 bye bye!를 한자로 표현한 것.

참고 관련 용어

- 남자 친구 男朋友 nán péng you
- 여자 친구 女朋友 nǚ péng you
- 데이트 约会 yuē huì
- 사랑 爱情 ài qíng
- 첫사랑 初恋 chū liàn
- 풋사랑 早恋 zǎo liàn
- 짝사랑 单恋 dān liàn
- 동성연애 同性恋 tóngxìng liàn
- 삼각관계 三角关系 sān jiǎo guān xì
- 약혼자 未婚夫 wèi hūn fū
- 약혼녀 未婚妻 wèi hūn qī
- 연인 恋人 liàn rén
- 애인 爱人 ài ren
- 대상 对象 duì xiàng
- 청혼 求婚 qiú hūn
- 약혼 订婚 dìng hūn
- 결혼 结婚 jié hūn
- 파혼 解除婚约 jiě chú hūn yuē
- 헤어지다 分手 fēn shǒu
- 사귀다 交往 jiāo wǎng
- 사랑하다 爱 ài
- 섹스하다 做爱 zuò ài
- 뽀뽀하다 亲嘴 qīn zuǐ
- 키스하다 接吻 jiē wěn
- 포옹하다 拥抱 yōng bào
- 손을 맞잡다 手拉手 shǒu lā shǒu
- 팔짱을 끼다 挽着胳膊 wǎn zhe gē bo
- 헤어지다 分手 fēn shǒu
- 동거하다 同居 tóng jū
- 다투다 吵架 chǎo jià
- 반하다 迷住 mí zhù
- 첫눈에 반하다 一见钟情 yí jiàn zhōngqíng
- 소개하다 介绍 jiè shào
- 연애하다 谈恋爱 tán liàn ài
- 중매하다 做媒 zuò méi
- 맞선을 보다 相亲 xiāng qīn
- 절교하다 绝交 jué jiāo
- 그리워하다 想念 xiǎngniàn
- 서로 사랑하다 相爱 xiāng ài
- 유혹하다 勾引 gōu yǐn
- 사모하다 爱慕 ài mù
- 바람맞다 受骗 shòupiàn
- 실연하다 失恋 shī liàn
- 인연 缘分 yuán fèn
- 천생연분 天生一对 tiān shēng yí duì
- 상사병 相思病 xiāng sī bìng
- 색골 色鬼 sè guǐ
- 변태 变态 biàn tài
- 성희롱 性骚扰 xìng sāo rǎo
- 성폭력 性暴力 xìng bào lì
- 성감 性感 xìng gǎn
- 강간 强奸 qiáng jiān
- 질투 嫉妒 jí dù

15 쇼 핑

购 物 GOUWU

1 쇼핑 제의 및 정보 购物提议及信息

2 각종 매장에서 在各种专卖店

3 가격 흥정 讨价还价

4 대금 지불 付款

5 포장 · 배달 包装/送货

6 반품 · 교환 换/退货

7 쇼핑 화제 购物话题

1 쇼핑 제의 및 정보

购物提议及信息
gòu wù tí yì jí xìn xī

백화점을 百货商店 bǎihuò shāngdiàn이나 百货大楼 bǎihuò dàlóu라고 하는데 실제로는 商场 shāng chǎng, ~商城 shāngchéng, ~购物中心 gòuwù zhōngxīn 또는 ~大厦 dàshà 등으로 많이 일컫는다. 베이징의 비교적 유명한 쇼핑센터로는 燕莎商城 yànshā shāngchéng, 蓝岛商场 lándǎo shāngchǎng 등을 들 수 있으며, 家乐福 jiālèfú(Carrefour), 普尔斯马特 pǔ'ěrsī mǎtè(Price mart), 京客隆 jīngkèlóng 등의 대형 할인 매장도 있다.

기 본 대 화

A: 麻烦您一下，我听说这附近有家电促销活动。[1)]
má fan nín yí xià wǒ tīng shuō zhè fù jìn yǒu jiā diàn cù xiāo huó dòng

B: 不好意思，这里没有促销的。好像中心广场有大甩卖的，我也不清楚。[2)]
bù hǎo yì si zhè li méi yǒu cù xiāo de hǎo xiàng zhōng xīn guǎng chǎng yǒu dà shuǎi mài de wǒ yě bù qīng chu

A: 哦，是吗？
ò shì ma

B: 但你要当心点儿，听说那里有很多假冒产品。[3)]
dàn nǐ yào dāng xīn diǎnr tīng shuō nà li yǒu hěn duō jiǎ mào chǎn pǐn

A: 我会注意的，谢谢。
wǒ huì zhù yì de xiè xie

A: 실례합니다. 이 근처에 가전제품 판촉 행사가 있다고 들었는데요.
B: 죄송하지만 여기는 판촉 세일을 하지 않습니다. 중심광장에서 대할인 판매가 있는 것같긴 한데 저도 잘은 모릅니다.
A: 아, 그렇습니까?
B: 하지만 조심하셔야 합니다. 거기에는 가짜 상품이 많다고 하더군요.
A: 주의하겠습니다. 감사합니다.

---

1) 促销活动 cùxiāo huódòng: 판촉 활동을 말하는데 대체로 할인, 혹은 증정 등의 행사를 벌인다.
2) 大甩卖 dàshuǎimài: 대할인 판매, 대처분.
3) 当心 dāngxīn: 조심하다, 주의하다. = 小心 xiǎoxīn.
假冒 jiǎmào: 가장하다, 사칭하다. ~인 체하다.

여러 가지 활용

I. 쇼핑 제의 购物提议
gòu wù tí yì

A: 咱们去逛街好不好?[4)]
zán men qù guàng jiē hǎo bu hǎo

B: 北京最繁华的商业街在哪儿?
běi jīng zuì fán huá de shāng yè jiē zài nǎr

A: 王府井和西单。坐地铁就能到。
wáng fǔ jǐng hé xī dān zuò dì tiě jiù néng dào

A: 우리 쇼핑이나 하러 갈까요?

B: 베이징에서 가장 번화한 거리가 어디죠?

A: 왕푸징과 시단이에요. 지하철 타면 갈 수 있어요.

- 심심한데 우리 아이쇼핑이나 하러 갑시다.
  反正也无聊, 我们去闲逛一下吧。[5)]
  fǎn zhèng yě wú liáo wǒ men qù xián guàng yí xià ba

- 듣자니, 이번 주에 옌사백화점에서 경품 행사가 있다는데, 우리 한 번 가봅시다.
  听说, 这个星期燕莎商城有抽奖活动, 我们去看一下吧。[6)]
  tīng shuō zhè ge xīng qī yàn shā shāng chéng yǒu chōu jiǎng huó dòng wǒ men qù kàn yí xià ba

- 요즘 국제백화점에서 증정 행사를 하는데, 우리 한 번 가봅시다.
  最近在国际商场进行赠品活动, 我们去看看吧。
  zuì jìn zài guó jì shāng chǎng jìn xíng zèng pǐn huó dòng wǒ men qù kàn kan ba

- 야시장이 아주 재미있다던데, 주말에 한 번 가봅시다.
  听说, 夜市很有意思。周末我们去瞧瞧吧。[7)]
  tīng shuō yè shì hěn yǒu yì si zhōu mò wǒ men qù qiáo qiao ba

- 나와 함께 쇼핑하러 가지 않을래요?
  你要不要跟我一起去逛街?
  nǐ yào bu yào gēn wǒ yì qǐ qù guàng jiē

---

4) 逛街 guàngjiē: 거리를 거닐다, 거리를 구경하다. 단순한 거리 구경을 뜻하기도 하지만 일반적으로 쇼핑할 의사가 담겨있는 경우가 많다.

5) 闲逛 xiánguàng: 한가하게 돌아다니다. 특별한 볼일 없이 돌아다니는 것을 말함.

6) 抽奖 chōujiǎng: 추첨을 통하여 경품을 증정하는 것을 말한다. 抽: 뽑다, 빼다, 꺼내다.

7) 瞧 qiáo: 보다, 구경하다.

Ⅱ. 쇼핑 정보 교환 交换购物信息
jiāo huàn gòu wù xìn xī

A: 最近有举办促销活动的商场吗?
zuì jìn yǒu jǔ bàn cù xiāo huó dòng de shāng chǎng ma
B: 听说友谊商场今天开业十周年, 所以大减价。
tīng shuō yǒu yì shāng chǎng jīn tiān kāi yè shí zhōu nián suǒ yǐ dà jiǎn jià

A: 요즘 판촉 행사를 하고 있는 백화점이 있습니까?
B: 여우이 백화점이 오늘 개업 10주년인데 할인을 많이 한다는 군요.

판촉 행사에 관한 정보 关于促销活动的信息
guān yú cù xiāo huó dòng de xìn xī

- 언제까지 할인을 하죠?
  打折到什么时候?[8)]
  dǎ zhé dào shén me shí hou
- 판촉 기간이 언제까지입니까?
  促销期有多长?
  cù xiāo qī yǒu duō cháng
- 이번 주에 재고 정리 대할인을 하나요?
  本周要进行清理存货大减价吗?
  běn zhōu yào jìn xíng qīng lǐ cún huò dà jiǎn jià ma
- 경품 행사가 있습니까?
  有没有抽奖活动?
  yǒu méi yǒu chōu jiǎng huó dòng
- 증정 행사가 언제까지 계속되죠?
  "买一赠一"活动持续多少天?[9)]
  mǎi yī zèng yī huó dòng chí xù duō shao tiān
- 어느 백화점이 세일하고 있죠?
  有哪家百货商店在打折?
  yǒu nǎ jiā bǎi huò shāng diàn zài dǎ zhé

---

8) 打折 dǎzhé: 할인하다. 10% 할인하다는 '打9折', 20% 할인하다는 '打8折'이다. 흔히 중국에서는 '8.8折'(12% 할인)를 많이 하는데 이는 '8'이라는 숫자를 좋아하기 때문이다.

9) 중국 상점 등에서 "买一赠一 mǎi yī zèng yī"라는 문구를 흔히 볼 수 있는데 이는 "하나를 구입하면 하나를 덤으로 준다"는 뜻이다.

- 혹시 어디서 판촉 행사가 있는지 아십니까?
  您知道哪里有促销活动吗?
  nín zhī dào nǎ li yǒu cù xiāo huó dòng ma

Ⅲ. 매장을 찾을 때 寻找商店时
xún zhǎo shāng diàn shí

A: 我想去看一下数码相机, 到哪里最好?
wǒ xiǎng qù kàn yí xià shù mǎ xiàng jī dào nǎ li zuì hǎo

B: 好像哪家商店都卖。
hǎo xiàng nǎ jiā shāng diàn dōu mài

A: 不过我想去专卖店。
bú guò wǒ xiǎng qù zhuān mài diàn

B: 如果是那样的话, 您得打车去中关村。[10)]
rú guǒ shì nà yàng de huà nín děi dǎ chē qù zhōng guān cūn

A: 디지털 카메라를 좀 보고 싶은데 어디가 제일 좋죠?
B: 아마 백화점마다 다 팔거예요.
A: 하지만 저는 전문 매장에 가보고 싶은데요.
B: 그러시다면 택시를 타고 중관촌으로 가셔야 합니다.

- 이 근처에 슈퍼가 있나요?
  这附近有没有超市?[11)]
  zhè fù jìn yǒu méi yǒu chāo shì

- 상하이에서 가장 큰 백화점이 어디입니까?
  上海最大的百货商店在哪儿?
  shàng hǎi zuì dà de bǎi huò shāng diàn zài nǎr

- 어디에 가야 중고책들을 살 수 있을까요?
  到哪儿可以买到旧书?
  dào nǎr kě yǐ mǎi dào jiù shū

- 디지털 TV를 한 대 사고 싶은데, 어디 가면 수입품을 살 수 있을까요?
  我想买一台数码电视, 去哪儿能买进口的?
  wǒ xiǎng mǎi yì tái shù mǎ diàn shì qù nǎr néng mǎi jìn kǒu de

- 주방용품을 사려고 하는데 어디에서 살 수 있죠?
  我想买些餐具, 在哪里能买到?
  wǒ xiǎng mǎi xiē cān jù zài nǎ li néng mǎi dào

---

10) 中关村 zhōng guān cūn: 베이징 하이디엔취(海淀区 hǎidiànqū)에 위치한 과학기술단지. 중국의 '실리콘밸리'라 불리는 곳으로 컴퓨터 및 각종 소프트웨어를 생산・판매하는 업체들이 밀집해 있다.
11) 超市 chāoshì: 超级市场 chāojí shìchǎng, 즉 Super Market의 음역을 줄여서 사용한다.

▶ **백화점 안에서 판매 코너를 찾을 때** **在商场里找销售区时**
zài shāng chǎng li zhǎo xiāo shòu qū shí

A: 请问, 几楼是卖儿童服装的?
qǐng wèn jǐ lóu shì mài ér tóng fú zhuāng de
B: 在三楼。您下了电梯往右拐就到了。[12)]
zài sān lóu nín xià le diàn tī wǎng yòu guǎi jiù dào le

A: 말씀 좀 묻겠습니다. 몇 층에서 어린이 옷을 팝니까?
B: 3층입니다. 에스컬레이터에서 내려서 오른쪽으로 가시면 됩니다.

- 전기용품은 몇 층에 있습니까?
  电器产品在几楼?
  diàn qì chǎn pǐn zài jǐ lóu

- 어디에서 장난감을 팔아요?
  哪有卖玩具的?
  nǎ yǒu mài wán jù de

- 문구류를 사려 하는데 몇 층에서 팝니까?
  我想买文具, 几楼有卖的?
  wǒ xiǎng mǎi wén jù jǐ lóu yǒu mài de

- 양복 파는 데가 어디입니까?
  卖西服的地方在哪儿?
  mài xī fú de dì fang zài nǎr

- 어디에서 담배를 살 수 있습니까?
  在哪儿可以买到烟?
  zài nǎr kě yǐ mǎi dào yān

▶ **백화점 안에서 편의 시설을 찾을 때** **在商场里找方便设施**
zài shāng chǎng li zhǎo fāng biàn shè shī

- 안내소가 어디에 있습니까?
  咨询处在哪儿?
  zī xún chù zài nǎr

- 엘리베이터는 각 층마다 모두 섭니까?
  电梯在每层都停吗?
  diàn tī zài měi céng dōu tíng ma

---

12) 에스컬레이터는 원래 '电动扶梯 diàndòngfútī' '自动楼梯 zìdònglóutī'이나 거의 쓰이지 않고, 엘리베이터와 구별없이 그냥 '电梯 diàntī'라고 한다.

- 스낵 코너는 몇 층에 있습니까?
  小吃部在几楼?[13)]
  xiǎo chī bù zài jǐ lóu

- 이 백화점에 휴게실이 있습니까?
  这个百货商店有休息室吗?
  zhè ge bǎi huò shāng diàn yǒu xiū xi shì ma

- 휴게실은 어디에 있습니까?
  休息室在什么地方?
  xiū xi shì zài shén me dì fang

- 흡연실이 있습니까?
  有吸烟室吗?
  yǒu xī yān shì ma

- 물건 담을 바구니가 어디에 있습니까?
  哪儿有购物用的筐?
  nǎr yǒu gòu wù yòng de kuāng

- 쇼핑카는 어디에 있습니까?
  手推车在什么地方?
  shǒu tuī chē zài shén me dì fang

Ⅳ. 영업시간 营业时间

yíng yè shí jiān

A: 你们营业到几点?
nǐ men yíng yè dào jǐ diǎn

B: 营业时间是从早晨9点到下午5点。
yíng yè shí jiān shì cóng zǎo chén diǎn dào xià wǔ diǎn

A: 몇 시까지 영업해요?

B: 영업시간은 아침 9시부터 오후 5시까지입니다.

A: 你们几点关门?
nǐ men jǐ diǎn guān mén

B: 我们二十四小时营业。
wǒ men èr shí sì xiǎo shí yíng yè

A: 몇 시에 문 닫아요?

B: 저희는 24시간 영업합니다.

---

13) "小吃 xiǎochī"와 비슷한 말로는 "点心 diǎnxīn"이 있으며, 모두 양이 적고 값이 싼 간단한 음식을 말한다.

- 몇 시에 문 열어요?
  几点开门?
  jǐ diǎn kāi mén

- 막 문 닫으려던 참이에요.
  正要关门呢。
  zhèng yào guān mén ne

- 저희 상점은 10시에 문을 닫습니다.
  我们商店是10点关门。
  wǒ men shāng diàn shì diǎn guān mén

- 저 상점은 휴일에는 문 안 열어요.
  那家商店节假日不开门。
  nà jiā shāng diàn jié jià rì bù kāi mén

- 그 상점은 지금 영업하지 않고 있어요.
  那家商店现在停业了。
  nà jiā shāng diàn xiàn zài tíng yè le

기타 其他
qí tā

- 상품권을 사용할 수 있습니까?
  可以使用商品券吗?
  kě yǐ shǐ yòng shāng pǐn quàn ma

- 품질이 제일 좋은 데가 어디인지 아십니까?
  你知道质量最好的是哪一家吗?
  nǐ zhī dào zhì liàng zuì hǎo de shì nǎ yì jiā ma

- 그 백화점은 직원들 서비스가 너무 불친절해요.
  那家百货店, 职员的服务态度不好。
  nà jiā bǎi huò diàn zhí yuán de fú wù tài du bù hǎo

- 물건이 제일 많은 데는 아마 까르푸일거예요.
  品种最多的, 可能是家乐福吧。
  pǐn zhǒng zuì duō de kě néng shì jiā lè fú ba

- 거긴 교통편이 너무 나빠요.
  那里的交通很不好。
  nà li de jiāo tōng hěn bù hǎo

- 거긴 주차하기가 너무 불편해요.
  那里停车很不方便。[14]
  nà li tíng chē hěn bù fāng biàn

---

14) 停车 tíngchē: 주차하다. 주차장은 停车场 tíngchēchǎng이라고 한다.

2 각종 매장에서

在各种专卖店
zài gè zhǒng zhuān mài diàn

중국에서 쇼핑을 할 때에는 가짜 상품(假冒商品 jiǎmào shāngpǐn)에 특히 주의를 기울여야 한다. 중국 정부도 이미 대대적으로 가짜 상품과의 전쟁을 벌인 바 있지만 그 기세는 아직도 수그러들지 않고 있다. 특히 주류(酒类 jiǔlèi), 담배(香烟 xiāngyān)와 외국 유명브랜드 상품의 경우는 더욱 그러하다. 그러므로 속지 않고 사려면 일단 믿을만한 대형 매장에서 제 값을 주고 사는 것이 안전하다.

기 본 대 화

A: 欢迎光临。您要买什么?
huān yíng guāng lín nín yào mǎi shén me

B: 我想买一台显示器。
wǒ xiǎng mǎi yì tái xiǎn shì qì

A: 您要什么款式的?
nín yào shén me kuǎn shì de

B: 我要买17寸的液晶显示器。
wǒ yào mǎi cùn de yè jīng xiǎn shì qì

A: 您看这一款怎么样? 这是最新上市的型号。[1]
nín kàn zhè yì kuǎn zěn me yàng zhè shì zuì xīn shàng shì de xíng hào

B: 好的, 它的价格是多少?
hǎo de tā de jià gé shì duō shao

A: 最低价格5,500元。
zuì dī jià gé yuán

B: 好吧, 我就买这一台了。
hǎo ba wǒ jiù mǎi zhè yì tái le

A: 어서 오세요. 뭐 사시려고 하세요?
B: 모니터 한 대 사려고 합니다.
A: 어떤 모델을 원하세요?
B: 17인치 액정 모니터를 사려고 해요.
A: 이런 것은 어때요? 이건 최근에 나온 모델이에요.
B: 좋군요, 가격은 얼마예요?
A: 최저가로 5,500위안입니다.
B: 좋아요. 이걸로 사지요.

---

1) 上市 shàngshì: 출시되다, 출하되다, 주식이 증권거래소에 상장되다.

여러 가지 활용

Ⅰ. 의류 코너에서 在服装店
zài fú zhuāng diàn

A: 我想要颜色淡一点的连衣裙。
wǒ xiǎng yào yán sè dàn yì diǎn de lián yī qún

B: 您有特别喜欢的吗?
nín yǒu tè bié xǐ huan de ma

A: 我想要能吸汗的, 穿起来凉快的。
wǒ xiǎng yào néng xī hàn de chuān qǐ lái liáng kuai de

B: 那这套怎么样? 是丝绸的。
nà zhè tào zěn me yàng shì sī chóu de

A: 这个样式没有别的颜色吗?
zhè ge yàng shì méi yǒu bié de yán sè ma

B: 只剩这一件了。喜欢可以试一下。试衣间在那边。
zhǐ shèng zhè yí jiàn le xǐ huan kě yǐ shì yí xià shì yī jiān zài nà biān

---

A: 좀 연한색의 원피스 하나 사려 하는데요.

B: 특별히 좋아하는 거 있으세요?

A: 땀도 잘 흡수하고, 입어서 시원했으면 좋겠어요.

B: 그럼 이거 어때요? 실크예요.

A: 이런 디자인으로 다른 색은 없나요?

B: 딱 이 한 벌 남았습니다. 맘에 드시면 입어 보세요. 탈의실은 저쪽입니다.

(1) 옷의 특성 服装的特点
fú zhuāng de tè diǎn

A: 这衣服用熨吗?
zhè yī fu yòng yùn ma

B: 这个布料是免烫的。
zhè ge bù liào shì miǎn tàng de

A: 이 옷 다려 입어야 하나요?

B: 이 옷감은 다림질이 필요없습니다.

옷의 특성을 물을 때 询问衣服的特点
xún wèn yī fu de tè diǎn

- 이것은 어떤 옷감인가요?
  这是什么布料的?
  zhè shì shén me bù liào de
- 물에 줄어 들지는 않나요?
  会不会缩水啊?
  huì bu huì suō shuǐ a
- 이런 옷감은 물에 빨면 줄어 드나요?
  这种布料缩水吗?
  zhè zhǒng bù liào suō shuǐ ma
- 이 뜨개질옷 한 번 빨면 늘어지는거 아니에요?
  这手织品不会一洗就变大了吧?
  zhè shǒu zhī pǐn bú huì yì xǐ jiù biàn dà le ba
- 세탁기에 빨아도 될까요?
  可以机洗吗?
  kě yǐ jī xǐ ma
- 울스웨터는 꼭 드라이클리닝을 해야 하나요?
  羊绒衫必须干洗吗?
  yáng róng shān bì xū gān xǐ ma
- 쉽게 때가 타나요?
  容易脏吗?
  róng yì zāng ma

옷의 특성을 설명할 때 说明衣服的特点
shuō míng yī fu de tè diǎn

- 이 오리털 잠바는 겨울에 방한 기능이 탁월합니다.
  这羽绒服冬天防寒能力特别强。
  zhè yǔ róng fú dōng tiān fáng hán néng lì tè bié qiáng
- 이 옷은 비에 잘 젖지 않습니다.
  这衣服不会轻易被雨淋湿。
  zhè yī fu bú huì qīng yì bèi yǔ lín shī
- 오래 입어도 늘 새 옷 같습니다.
  穿久了也像新衣服似的。
  chuān jiǔ le yě xiàng xīn yī fu shì de
- 바느질이 아주 꼼꼼하게 되었어요.
  针织的非常精密。
  zhēn zhī de fēi cháng jīng mì

- 이것은 면과 나일론의 혼방입니다.
这个是棉和尼龙混合的。
zhè ge shì mián hé ní lóng hùn hé de

- 마제품은 바람이 잘 통하지만 너무 잘 구겨져요.
麻制的虽然通风好, 但特别爱出褶儿。
má zhì de suī rán tōng fēng hǎo dàn tè bié ài chū zhěr

(2) 색상과 디자인 颜色与款式[2)]
yán sè yǔ kuǎn shì

A: 灰色穿上去, 是不是显得有点儿老?[3)]
huī sè chuān shàng qù shì bu shì xiǎn de yǒu diǎnr lǎo

B: 那你试试这红色的吧, 穿起来特显年轻。
nà nǐ shì shi zhè hóng sè de ba chuān qǐ lái tè xiǎn nián qīng

A: 회색을 입으니까 좀 늙어 보이지 않아요?

B: 그럼 이 빨간 것을 입어 보세요. 아주 젊어 보이실거예요.

▶ 색상 颜色
yán sè

- 색상이 너무 밝은 것 같아요.
颜色好像太亮了。
yán sè hǎo xiàng tài liàng le

- 색이 좀 어두워요.
这颜色有点儿暗。
zhè yán sè yǒu diǎnr àn

- 이것보다 좀 은은한 색 없어요?
没有比这个更淡一点的颜色吗?
méi yǒu bǐ zhè ge gèng dàn yì diǎn de yán sè ma

- 색이 너무 튀는 것 아니에요?
这颜色是不是太艳了?[4)]
zhè yán sè shì bu shì tài yàn le

- 나같은 연령대엔 잘 안 어울리잖아요?
我这个年龄不太好吧?
wǒ zhè ge nián líng bú tài hǎo ba

2) 款式 kuǎnshì와 样式 yàngshì는 형태의 디자인을 말하며 图案 tú'àn은 무늬의 디자인을 뜻한다.
3) 显老 xiǎn lǎo는 '늙어 보이다'이고, 显年轻 xiǎn niánqīng은 '젊어 보이다'의 뜻.
4) 艳 yàn: 색이 매우 선명하고 고와서 화려한 느낌을 주는 것을 말한다.

- 내 나이에는 좀 옅은 색이 어울리지 않을까요?
  我这个年龄是不是适合淡一点的?
  wǒ zhè ge nián líng shì bu shì shì hé dàn yì diǎn de

- 초록색이 굉장히 활력있게 보이네요.
  这种绿色使你更有活力。
  zhè zhǒng lǜ sè shǐ nǐ gèng yǒu huó lì

- 검은색을 입으니까 아주 날씬해 보여요.
  你穿黑色, 看起来很瘦。
  nǐ chuān hēi sè, kàn qǐ lái hěn shòu

- 내게 어떤 색이 잘 어울리겠어요?
  你觉得我适合穿什么颜色的?
  nǐ jué de wǒ shì hé chuān shén me yán sè de

▶ **디자인** **款式**
kuǎn shì

A: 这里有没有直筒牛仔裤?5)
zhè li yǒu méi yǒu zhí tǒng niú zǎi kù

B: 有, 进来看一下。都是今年流行的。
yǒu jìn lái kàn yí xià dōu shì jīn nián liú xíng de

A: 여기 힙합 청바지 있어요?

B: 네, 들어와서 보세요. 모두 올해 유행하는 것들이에요.

- 이런 디자인으로 빨간색 있나요?
  这种图案的, 有红色的吗?
  zhè zhǒng tú àn de, yǒu hóng sè de ma

- 소매 없는 윗도리는 없나요?
  没有不带袖的上衣吗?
  méi yǒu bú dài xiù de shàng yī ma

- 이 옷 속에 받쳐입을 탑탱크 있나요?
  有没有可以配这件衣服的背心?6)
  yǒu méi yǒu kě yǐ pèi zhè jiàn yī fu de bèi xīn

- 최신 유행하는 9부 골반 청바지입니다.
  这是最新流行的9分低腰牛仔裤。
  zhè shì zuì xīn liú xíng de fēn dī yāo niú zǎi kù

---

5) 直筒 zhítǒng: 일자형 바지. 牛仔裤 niúzǎikù: 청바지. 카우보이(牛仔)들이 즐겨 입었기 때문에 붙여진 이름.

6) 背心 bèixīn: 조끼, 소매가 없는 속에 받쳐 입는 옷.

- 손님이 찾으시는 모델은 이미 유행이 지난 겁니다.
  您找的款式已经过时了。
  nín zhǎo de kuǎn shì yǐ jīng guò shí le

- 이건 어때요? 무늬가 아주 고상하죠?
  这个怎么样? 图案非常淡雅?
  zhè ge zěn me yàng tú àn fēi cháng dàn yǎ

- 유행하는 디자인이에요. 입으면 아주 세련돼 보여요.
  这种款式很时髦的, 穿起来很洋气。
  zhè zhǒng kuǎn shì hěn shí máo de chuān qǐ lái hěn yáng qì

- 이런 디자인 맘에 안 드세요?
  这种款式, 您不喜欢吗?
  zhè zhǒng kuǎn shì nín bù xǐ huan ma

- 요새는 이 디자인이 아주 잘 팔리고 있어요.
  最近这种款式卖得特别快。
  zuì jìn zhè zhǒng kuǎn shì mài de tè bié kuài

- 이 디자인은 자수를 놓아서 매우 중국적이에요.
  这种款式因为刺了绣, 所以很有中国风格。
  zhè zhǒng kuǎn shì yīn wèi cì le xiù suǒ yǐ hěn yǒu zhōng guó fēng gé

- 이 디자인은 너무 촌스러워요.
  这种款式太土气了。
  zhè zhǒng kuǎn shì tài tǔ qì le

- 내 나이에 이런 디자인은 안 어울려요.
  我这年龄不适合穿那种款式的。
  wǒ zhè nián líng bú shì hé chuān nà zhǒng kuǎn shì de

(3) 사이즈 大小[7]
dà xiǎo

A: 您喜欢可以试一下。你穿多大号?
nín xǐ huan kě yǐ shì yí xià nǐ chuān duō dà hào

B: 有中号吗? 我想试一下。
yǒu zhōng hào ma wǒ xiǎng shì yí xià

B: 肩膀这边很合适, 不过腰附近松了一点。
jiān bǎng zhè bian hěn hé shì bú guò yāo fù jìn sōng le yì diǎn

A: 那个可以给你缩小一点。别的地方好像都很合适。
nà ge kě yǐ gěi nǐ suō xiǎo yì diǎn bié de dì fang hǎo xiàng dōu hěn hé shì

7) 중국 옷의 사이즈는 小 xiǎo(S), 中 zhōng(M), 大 dà(L), 加大 jiādà(XL) 등으로 나뉘어져 있다.

A: 맘에 드시면 한 번 입어 보세요. 몇 사이즈 입으시죠?
B: M 사이즈 있어요? 한 번 입어 볼게요.
B: 어깨는 맞는데 허리가 좀 크네요.
A: 거기는 줄여 드리겠습니다. 다른 데는 다 잘 맞는 것 같아요.

- 이것보다 더 작은 것 없어요?
  没有比这更小的吗?
  méi yǒu bǐ zhè gèng xiǎo de ma

- 한 치수 작은 것 있어요?
  还有小一号的吗?
  hái yǒu xiǎo yí hào de ma

- 이 색으로 좀 큰 것 있어요?
  这种颜色有没有大一点的?
  zhè zhǒng yán sè yǒu méi yǒu dà yì diǎn de

- 이런 디자인으로 특대 사이즈 있어요?
  这种款式的还有加大号吗?
  zhè zhǒng kuǎn shì de hái yǒu jiā dà hào ma

- 이 상의 길이를 좀 줄일 수 있어요?
  这件上衣能缩短一下长度吗?
  zhè jiàn shàng yī néng suō duǎn yí xià cháng dù ma

바지 길이 조절 调整裤子的长短
tiáo zhěng kù zi de cháng duǎn

A: 裤子的长短不合适，我们可以负责缝边儿。
kù zi de cháng duǎn bù hé shì wǒ men kě yǐ fù zé féng biānr
B: 那好，就要这件吧。改边儿需要几天?
nà hǎo jiù yào zhè jiàn ba gǎi biānr xū yào jǐ tiān
A: 稍等一会儿就好了。给您量一下尺寸吧。
shāo děng yí huìr jiù hǎo le gěi nín liàng yí xià chǐ cùn ba

A: 바지 기장이 맞지 않으면, 저희가 단을 조절해 드립니다.
B: 그럼, 이걸로 주세요. 바지 단을 수선하는 데는 며칠이나 걸립니까?
A: 잠깐이면 됩니다. 제가 치수를 재어 보겠습니다.

- 너무 짧게 줄였어요, 다시 밖으로 좀 낼 수 있을까요?
  改得有点短了。能不能再往外放一块儿?
  gǎi de yǒu diǎn duǎn le néng bu néng zài wǎng wài fàng yí kuàir

▶ **입어보기** **试穿**
shì chuān

A: 怎么样? 穿上舒服吗?
zěn me yàng chuān shàng shū fu ma

B: 有点儿短。
yǒu diǎnr duǎn

A: 那再试试大一号的。
nà zài shì shi dà yí hào de

A: 어떠세요? 입어보니 편하십니까?

B: 조금 짧아요.

A: 그럼 한 사이즈 큰 걸로 입어 보시죠.

- 앞 품이 너무 큰 것 같아요.
  前面好像太松了。[8)]
  qián miàn hǎo xiàng tài sōng le

- 입으니까 예쁘기는 한데 품이 좀 커요.
  这件穿着挺漂亮的, 就是肥了点。
  zhè jiàn chuān zhe tǐng piào liang de jiù shì féi le diǎn

- 상의가 너무 끼어서 불편하네요.
  这个上衣太紧了, 不得劲。[9)]
  zhè ge shàng yī tài jǐn le bù dé jìn

- 저런, 힙 부분이 좀 끼는 것 같아요.
  哎呀, 臀部好像太紧了一点。
  āi ya tún bù hǎo xiàng tài jǐn le yì diǎn

- 입으니까 가슴이 끼어서 불편해요.
  穿上胸部有点儿紧, 不舒服。
  chuān shàng xiōng bù yǒu diǎnr jǐn bù shū fu

- 내가 입으니 너무 길어요.
  我穿着特别长。
  wǒ chuān zhe tè bié cháng

---

8) 입어서 옷이 클 경우는 '大了 dàle', '松了 sōngle', '肥了 féile' 등으로 표현하고, 옷이 작을 경우는 '小了 xiǎole', '紧了 jǐnlle', '瘦了 shòule' 등으로 말하면 된다.

9) 不得劲: 구어에서는 bùděijìnr로 많이 발음한다.

- 어울리기는 하는데 좀 긴 것 같아요.
  合适倒是合适，就是长了点儿。
  hé shì dào shì hé shì jiù shì cháng le diǎnr

- 소매가 조금 짧네요.
  袖子有点儿短。
  xiù zi yǒu diǎnr duǎn

- 입어보니 좀 짧은 것 같아요.
  试穿一下，感觉短了点儿。
  shì chuān yí xià gǎn jué duǎn le diǎnr

- 약간 뚱뚱하신 편이니까 오히려 꼭 맞는 옷을 입으셔야 해요.
  就因为有点儿胖，所以更要穿紧身的衣服。
  jiù yīn wèi yǒu diǎnr pàng suǒ yǐ gèng yào chuān jǐn shēn de yī fu

(4) 코디 搭配
dā pèi

A: 觉得合适吗?
jué de hé shì ma

B: 真的很好看。和您的整体风格很般配。
zhēn de hěn hǎo kàn hé nín de zhěng tǐ fēng gé hěn bān pèi

A: 잘 어울려요?

B: 정말 너무 예뻐요. 손님의 전체 분위기와 잘 맞아요.

- 좀 안 어울리지 않아요?
  是不是有点儿别扭?
  shì bu shì yǒu diǎnr biè niu

- 이 상의에는 이 바지가 잘 어울립니다.
  这件上衣很配这条裤子。
  zhè jiàn shàng yī hěn pèi zhè tiáo kù zi

- 이 두 옷이 너무 잘 어울리네요.
  这两件衣服搭配得太合适了。
  zhè liǎng jiàn yī fu dā pèi de tài hé shì le

- 여기에 체크무늬 넥타이를 하시면 더 멋있겠어요.
  如果再配一条小格的领带会更神气的。
  rú guǒ zài pèi yì tiáo xiǎo gé de lǐng dài huì gèng shén qì de

- 이 갈색 상의에는 아이보리 스커트가 잘 어울리겠네요.
  这件棕色的上衣可以配一条米色的裙子。
  zhè jiàn zōng sè de shàng yī kě yǐ pèi yì tiáo mǐ sè de qún zi

• 이 색상의 셔츠는 이 양복에는 안 어울리네요.
这颜色的衬衫不适合这件西服。
zhè yán sè de chèn shān bú shì hé zhè jiàn xī fú

Ⅱ. 신발 코너에서 在鞋店
zài xié diàn

A: 能看一下那双皮鞋吗?
néng kàn yí xià nà shuāng pí xié ma

B: 好的。您是说那个棕色的吗?
hǎo de nín shì shuō nà ge zōng sè de ma

A: 是的, 就是那双。看起来很好。
shì de jiù shì nà shuāng kàn qǐ lái hěn hǎo

B: 你穿几号鞋?
nǐ chuān jǐ hào xié

A: 我穿38码的。[10)]
wǒ chuān mǎ de

A: 저 구두 좀 보여 주시겠어요?
B: 예, 저 갈색 말씀이십니까?
A: 네, 바로 그거요. 좋아보이는군요.
B: 몇 호를 신으시죠?
A: 38마를 신어요.

▶ 종류 种类
zhǒng lèi

A: 这里有没有增高鞋?
zhè li yǒu méi yǒu zēng gāo xié

B: 在那个角落。
zài nà ge jiǎo luò

A: 여기 키높이 구두 있어요?
B: 저쪽 코너에 있습니다.

• 샌들은 어떤 종류들이 있어요?
凉鞋都有什么样的?
liáng xié dōu yǒu shén me yàng de

10) 중국에서는 신발의 치수로 '码 mǎ'를 많이 쓰는데, 대략 38码 mǎ의 경우 240mm 정도가 된다.

- 끈 안 매는 신발 있어요?

有不带带儿的鞋子吗?[11]
yǒu bú dài dàir de xié zi ma

- 오래 신어도 발이 아프지 않은 구두 있어요?

有没有穿久了, 脚也不疼的皮鞋?
yǒu méi yǒu chuān jiǔ le jiǎo yě bù téng de pí xié

- 굽이 좀 낮은 슬리퍼를 주세요.

请给我跟儿低一点儿的拖鞋。
qǐng gěi wǒ gēnr dī yì diǎnr de tuō xié

- 이 상점에는 각양각색의 구두가 다 있어요.

这家店有各种各样的皮鞋。
zhè jiā diàn yǒu gè zhǒng gè yàng de pí xié

- 디자인을 골라 보세요. 올해 새로 나온 디자인이 몇 종류 있으니까요.

你选一款吧, 今年最新款式有这几种。
nǐ xuǎn yì kuǎn ba jīn nián zuì xīn kuǎn shì yǒu zhè jǐ zhǒng

▶ **재질** **鞋料**
xié liào

- 이 구두는 뭘로 만든 것이죠?

这鞋是用什么制成的?
zhè xié shì yòng shén me zhì chéng de

- 이 구두는 쇠가죽이에요? 양가죽이에요?

这鞋是牛皮, 还是羊皮?
zhè xié shì niú pí hái shì yáng pí

- 이것 진짜 가죽이에요?

这是真皮的吗?
zhè shì zhēn pí de ma

- 부드러운 양가죽으로 만든 여성 구두 있습니까?

有软羊皮的女鞋吗?
yǒu ruǎn yáng pí de nǚ xié ma

- 이것은 인조피혁입니다.

这是人造革。
zhè shì rén zào gé

---

11) 앞의 带 dài는 '매다'의 뜻이며, 뒤의 带儿 dàir은 '끈'의 뜻이다.

- 좀 가벼운 신발 있습니까?
  有稍微轻点儿的鞋吗?
  yǒu shāo wēi qīng diǎnr de xié ma

- 통기가 잘 되는 것은 어떤 거예요?
  透气好的是哪一种的呀?
  tòu qì hǎo de shì nǎ yì zhǒng de ya

▶ **사이즈** 尺寸
chǐ cùn

A: 你要多大号的?
nǐ yào duō dà hào de

B: 260厘米的。
lí mǐ de

A: 어떤 치수를 찾으세요?

B: 260mm 짜리요.

- 편하십니까?
  得劲儿吗?[12)]
  dé jìnr ma

- 맞아요, 안 맞아요?
  合不合适?
  hé bu hé shì

- 좋아요, 꼭 맞아요.
  好, 正合适。
  hǎo zhèng hé shì

- 볼이 너무 좁아요.
  鞋太窄了。
  xié tài zhǎi le

- 조금 헐거워요.
  有点儿肥。
  yǒu diǎnr féi

- 뒤가 좀 끼네요.
  后跟儿有点儿紧。
  hòu gēnr yǒu diǎnr jǐn

---

12) 得劲儿 déjìnr: 편안하다, 기분이 좋다.

- 예쁘긴 한데 조금 작네요.
  很好看，就是小了点儿。
  hěn hǎo kàn jiù shì xiǎo le diǎnr

- 한 치수 작은 것으로 주세요.
  给我拿再小一号的鞋。
  gěi wǒ ná zài xiǎo yí hào de xié

- 구두 굽이 좀 높지 않으세요?
  鞋跟儿是不是有点儿高？
  xié gēnr shì bu shì yǒu diǎnr gāo

- 이 하이힐은 너무 높아서 좀 불편해요.
  这高跟儿鞋实在太高了，有点儿不舒服。
  zhè gāo gēnr xié shí zài tài gāo le yǒu diǎnr bù shū fu

▶ 기타 其他
qí tā

- 구둣주걱 좀 주세요.
  给我鞋拔子吧。
  gěi wǒ xié bá zi ba

- 구두 좀 닦아 주시겠어요?
  请给我擦鞋好吗？
  qǐng gěi wǒ cā xié hǎo ma

Ⅲ. 가전제품 코너에서 在家电商场
zài jiā diàn shāng chǎng

A: 这DVD是最新款的吧？有哪些新的功能？
zhè shì zuì xīn kuǎn de ba yǒu nǎ xiē xīn de gōng néng

B: 我先给您说明一下使用方法。
wǒ xiān gěi nín shuō míng yí xià shǐ yòng fāng fǎ

A: 也有练歌功能吗？
yě yǒu liàn gē gōng néng ma

B: 当然有，而且跟以前的款式相比故障率也低。
dāng rán yǒu ér qiě gēn yǐ qián de kuǎn shì xiāng bǐ gù zhàng lǜ yě dī

A: 이 DVD 신모델인가요? 어떤 새로운 기능들이 있나요?
B: 제가 먼저 사용 방법을 설명해 드리겠습니다.
A: 노래방 기능도 있습니까?
B: 물론 있습니다. 또한 기존 모델보다 고장률도 적습니다.

A: 哪个公司的空调比较便宜, 而且品质也好呀?
nǎ ge gōng sī de kōng tiáo bǐ jiào pián yi ér qiě pǐn zhì yě hǎo ya
B: LG产品最好卖。海尔产品也不错。
chǎn pǐn zuì hǎo mài hǎi ěr chǎn pǐn yě bú cuò

A: 어느 회사 에어컨이 비교적 저렴하고 품질도 좋습니까?
B: LG 제품이 제일 잘 나갑니다. 하이얼 제품도 좋구요.

A: 纯屏彩电是哪个公司的产品最有名气?
chún píng cǎi diàn shì nǎ ge gōng sī de chǎn pǐn zuì yǒu míng qì
B: 三星的产品绝对第一。
sān xīng de chǎn pǐn jué duì dì yī

A: 평면 컬러 TV는 어느 회사 제품이 가장 유명합니까?
B: 삼성 제품이 단연 제일입니다.

A: 这个冰箱的保修期是几年?
zhè ge bīng xiāng de bǎo xiū qī shì jǐ nián
B: 保修期是3年。而且在一年内产品出故障的话,也包换。
bǎo xiū qī shì nián ér qiě zài yì nián nèi chǎn pǐn chū gù zhàng de huà yě bāo huàn

A: 이 냉장고의 품질보증 기간은 몇 년입니까?
B: 보증기간은 3년입니다. 1년 안에 제품이 고장날 경우에는 교환해 드립니다.

A: 这是今年新款的洗衣机吧。我第一次见到。
zhè shì jīn nián xīn kuǎn de xǐ yī jī ba wǒ dì yī cì jiàn dào
B: 对, 今年最新生产的。
duì jīn nián zuì xīn shēng chǎn de

A: 이것은 올해 새로 나온 세탁기인가봐요. 처음 보네요.
B: 맞습니다. 올해 최신 제품입니다.

A: 它比一般的电暖气好在哪里呢?
tā bǐ yì bān de diàn nuǎn qì hǎo zài nǎ li ne
B: 这电暖气是节能型的。
zhè diàn nuǎn qì shì jié néng xíng de

A: 이게 일반 전기히터보다 좋은 점이 무엇이죠?
B: 이 전기히터는 절전형입니다.

A: 这个跟普通的冰箱有什么区别?
zhè ge gēn pǔ tōng de bīng xiāng yǒu shén me qū bié
B: 由于冷冻室是抽屉型的, 所以保管方便, 温度变化也小。
yóu yú lěng dòng shì shì chōu ti xíng de suǒ yǐ bǎo guǎn fāng biàn wēn dù biàn huà yě xiǎo

A: 이 냉장고는 일반 냉장고와 어떤 차이가 있습니까?
B: 냉동실이 서랍식으로 되어 있어 보관이 편리하고 온도 변화가 적습니다.

- 이 전기 압력 밥솥 좀 볼 수 있을까요?
能看一下这个电高压锅吗?
néng kàn yí xià zhè ge diàn gāo yā guō ma

- 이 전자레인지 좀 볼 수 있을까요?
能看一下这台微波炉吗?
néng kàn yí xià zhè tái wēi bō lú ma

- 이 선풍기에 타이머기능이 있습니까?
这台电风扇有定时功能吗?
zhè tái diàn fēng shàn yǒu dìng shí gōng néng ma

- 애프터 서비스 기간은 몇 년이죠?
售后服务是几年?
shòu hòu fú wù shì jǐ nián

- 기능이 많을수록 고장이 잘 나는 것은 아닐까요?
不会是功能越多, 出故障的越大吧?
bú huì shì gōng néng yuè duō chū gù zhàng de yuè dà ba

Ⅳ. 식품 코너에서 在食品店
zài shí pǐn diàn

▶ 생선 코너에서 在鱼类店
zài yú lèi diàn

A: 这叫什么鱼?
zhè jiào shén me yú

B: 这是鲷鱼，那是三文鱼。都是刚打来的，特别新鲜。
zhè shì diāo yú nà shì sān wén yú dōu shì gāng dǎ lái de tè bié xīn xiān

A: 可以做汤吗?
kě yǐ zuò tāng ma

B: 当然，也可以生着吃，也可以烤着吃，味道很不错。
dāng rán yě kě yǐ shēng zhe chī yě kě yǐ kǎo zhe chī wèi dào hěn bú cuò

A: 이게 무슨 생선이에요?

B: 이건 도미이고, 저건 연어입니다. 모두 금방 잡아서 아주 싱싱해요.

A: 찌개 끓여도 돼요?

B: 물론이죠. 날로 드셔도 되고, 구워 드셔도 돼요. 정말 맛이 좋습니다.

- 갈치 한 마리 주세요. 비늘 제거하고 몇 토막으로 잘라 주세요.
  我要一条带鱼。把鱼鳞清理一下，再切成几块儿好吗?
  wǒ yào yì tiáo dài yú bǎ yú lín qīng lǐ yí xià zài qiē chéng jǐ kuàir hǎo ma

- 내장은 다 빼 주세요. 생선 머리는 필요하고, 꼬리는 필요 없어요.
  内脏都挖出来吧。要鱼头，尾巴不要了。
  nèi zàng dōu wā chū lái ba yào yú tóu wěi ba bú yào le

- 비린내가 심하게 나는데 상한 것 아닌가요?
  腥味儿这么大，是不是坏了?
  xīng wèir zhè me dà shì bu shì huài le

▶ 정육 코너에서 在肉店
zài ròu diàn

A: 来一斤牛肉吧。
lái yì jīn niú ròu ba

B: 您要哪个部位?
nín yào nǎ ge bù wèi

A: 要做排骨汤，就来点儿牛排吧。
yào zuò pái gǔ tāng jiù lái diǎnr niú pái ba

这肉的颜色有点儿黑，是不是坏的呀?
zhè ròu de yán sè yǒu diǎnr hēi shì bu shì huài de ya

B: 这是今天早上刚拿的，绝对没问题。
zhè shì jīn tiān zǎo shang gāng ná de jué duì méi wèn tí

A: 쇠고기 한 근 주세요.

B: 어느 부위로 드릴까요?

A: 갈비탕 끓일거니까 갈비로 주세요.
이 고기 색이 좀 검은데 상한 것 아니에요?

B: 오늘 아침 바로 가져온 거예요. 절대 문제 없습니다.

A: 有羊肉片儿吗?
yǒu yáng ròu piànr ma

B: 您是在找做火锅的吧?[13)]
nín shì zài zhǎo zuò huǒ guō de ba

A: 양고기 얇게 썬 것 있습니까?

B: 훠궈용 찾으시는 거죠?

- 순 살코기로만 주세요.
只要纯瘦肉。
zhǐ yào chún shòu ròu

- 비계는 다 빼 주세요.
肥肉全不要。
féi ròu quán bú yào

- 소꼬리 있습니까?
有牛尾吗?
yǒu niú wěi ma

- 고기를 좀 갈아 주세요.
把这肉搅一下吧。
bǎ zhè ròu jiǎo yí xià ba

- 삼겹살은 한 근에 얼마입니까?
五花肉一斤多少钱?
wǔ huā ròu yì jīn duō shao qián

13) 火锅 huǒguō: 중국식 모듬전골. 냄비에 육수를 끓인 뒤 얇게 썬 쇠고기나 양고기, 각종 야채 등을 넣어 데친 후 양념장을 찍어 먹는 요리.

과일 코너에서 在水果店
zài shuǐ guǒ diàn

A: 不知道这西瓜有没有熟。
bù zhī dào zhè xī guā yǒu méi yǒu shú

B: 别担心。这是砂糖西瓜。
bié dān xīn zhè shì shā táng xī guā

A: 这西瓜太大了，能给我来一半吗?
zhè xī guā tài dà le néng gěi wǒ lái yí bàn ma

A: 이 수박 잘 익었나 모르겠네요.

B: 걱정 마세요. 설탕 수박입니다.

A: 수박이 너무 큰데 절반만 살 수 있어요?

A: 这菠萝是进口的吗?
zhè bō luó shì jìn kǒu de ma

B: 是国产的。从南方进来的。
shì guó chǎn de cóng nán fāng jìn lái de

A: 给我削一个吧。[14)]
gěi wǒ xiāo yí ge ba

A: 이 파인애플 수입품인가요?

B: 국산이에요. 남쪽에서 올라온 겁니다.

A: 하나 깎아 주세요.

- 먹어봐도 돼요?
  可以尝一下吗?
  kě yǐ cháng yí xià ma

- 맛 좀 볼 수 있어요?
  可以尝一下它的味道吗?
  kě yǐ cháng yí xià tā de wèi dào ma

- 후지 사과 있어요?
  有富士苹果吗?
  yǒu fù shì píng guǒ ma

- 원산지 표시가 되어 있지 않군요.
  这个上面没写上原产地是哪儿。
  zhè ge shàng miàn méi xiě shàng yuán chǎn dì shì nǎr

14) 파인애플은 껍질을 깎기가 어려워 상인들이 특수칼로 깎아서 봉지에 넣어주기도 한다.

- 사과가 어째 별로 싱싱하지가 않네요.
  这苹果怎么不大新鲜呢。
  zhè píng guǒ zěn me bú dà xīn xiān ne

- 이 딸기는 농약을 치지 않은 겁니다.
  这草莓是没打药的。
  zhè cǎo méi shì méi dǎ yào de

- 이 포도 시지 않아요?
  这葡萄不酸吗?
  zhè pú táo bù suān ma

- 감이 벌써 나왔네. 지금은 아직 떫겠죠?
  柿子这么快就出来了。现在还涩吧?
  shì zi zhè me kuài jiù chū lái le xiàn zài hái sè ba

- 참외는 이제 끝물이에요.
  这香瓜过几天就没了。
  zhè xiāng guā guò jǐ tiān jiù méi le

기타 其他
qí tā

A: 这面包是什么时候做的?
zhè miàn bāo shì shén me shí hou zuò de

B: 是刚烤出来的。
shì gāng kǎo chū lái de

A: 이 빵 언제 만든 거예요?

B: 금방 구워낸 겁니다.

- 맛이 어때요?
  口感怎么样?
  kǒu gǎn zěn me yàng

- 이 김치는 너무 매워요. 안 매운 것 없어요?
  这泡菜太辣了。没有不辣的吗?
  zhè pào cài tài là le méi yǒu bú là de ma

- 너무 짜요. 좀 싱겁게 할 수 있나요?
  太咸了，能淡一点儿吗?
  tài xián le néng dàn yì diǎnr ma

- 오늘 아침 금방 만든 겁니다.
  是今天早上刚做的。
  shì jīn tiān zǎo shang gāng zuò de

- 유효 기간이 며칠입니까?
  有效期是几天?
  yǒu xiào qī shì jǐ tiān

- 유효 기간이 써 있지 않네요.
  没写有效期。
  méi xiě yǒu xiào qī

V. 화장품 가게에서 在化妆品店

zài huà zhuāng pǐn diàn

A: 我想选一只口红。
wǒ xiǎng xuǎn yì zhī kǒu hóng

B: 你喜欢什么颜色?
nǐ xǐ huan shén me yán sè

A: 我喜欢红色系列, 多拿几个看看吧。
wǒ xǐ huan hóng sè xì liè duō ná jǐ ge kàn kan ba

B: 看你的肤色好白, 这种亮色的怎么样?
kàn nǐ de fū sè hǎo bái zhè zhǒng liàng sè de zěn me yàng

A: 我可以在手背上试一下吗?
wǒ kě yǐ zài shǒu bèi shang shì yí xià ma

A: 립스틱 하나 고르고 싶은데요.

B: 어떤 색을 좋아하세요?

A: 빨간색 계열을 좋아해요. 몇 개 좀 보여 주세요.

B: 피부가 희니까 이런 밝은 색은 어떠세요?

A: 손등에 발라봐도 될까요?

A: 我的皮肤适合哪种护肤品?
wǒ de pí fū shì hé nǎ zhǒng hù fū pǐn

B: 你的皮肤较干, 选一种油性大的吧。
nǐ de pí fū jiào gān xuǎn yì zhǒng yóu xìng dà de ba

A: 可以涂一下吗?
kě yǐ tú yí xià ma

B: 可以。它的滋润效果特好。
kě yǐ tā de zī rùn xiào guǒ tè hǎo

A: 제 피부에 어떤 기초 화장품이 맞을까요?

B: 피부가 건조한 편이니 유분이 많은 것으로 하시죠.

A: 발라봐도 될까요?

B: 네, 보습 효과가 특히 뛰어나답니다.

A: 有防晒霜吗? 给我防紫外线效果好的。
yǒu fáng shài shuāng ma gěi wǒ fáng zǐ wài xiàn xiào guǒ hǎo de
B: 这就是。很多人使用后都说好。
zhè jiù shì hěn duō rén shǐ yòng hòu dōu shuō hǎo

A: 선크림 있어요? 자외선 차단 효과가 좋은 것으로 주세요.
B: 이건데요, 많은 분들이 써 보시고 좋다고 합니다.

A: 给一个祛斑效果好的产品吧。
gěi yí ge qū bān xiào guǒ hǎo de chǎn pǐn ba
B: 这是已在临床实验上验证的产品。
zhè shì yǐ zài lín chuáng shí yàn shang yàn zhèng de chǎn pǐn

A: 기미 제거 효과가 좋은 제품을 주세요.
B: 이것은 이미 임상 실험에서 검증된 제품이랍니다.

A: 这个保湿滋润霜怎么使用?
zhè ge bǎo shī zī rùn shuāng zěn me shǐ yòng
B: 感觉干燥的时候, 再擦一下就可以了。
gǎn jué gān zào de shí hou zài cā yí xià jiù kě yǐ le

A: 이 엣센스는 어떻게 사용하는 건가요?
B: 건조함이 느껴질 때마다 덧발라 주시면 돼요.

A: 这儿有没有敏感性皮肤使用的护肤品?
zhèr yǒu méi yǒu mǐn gǎn xìng pí fū shǐ yòng de hù fū pǐn
B: 您试一下这个。即使是过敏性皮肤也可以安心地使用。
nín shì yí xià zhè ge jí shǐ shì guò mǐn xìng pí fū yě kě yǐ ān xīn de shǐ yòng

A: 여기 민감성 피부에 사용하는 기초 화장품이 있나요?
B: 이걸 한번 써 보세요. 알레르기성 피부도 안심하고 사용할 수 있어요.

- 상쾌한 향수 있나요?

有清爽的香水吗?
yǒu qīng shuǎng de xiāng shuǐ ma

- 향이 너무 자극적이지 않아요?
  香味儿是不是太刺激了?
  xiāng wèir shì bu shì tài cì jī le

- 좀 은은한 것으로 주세요.
  换一种淡雅的吧。
  huàn yì zhǒng dàn yǎ de ba

▶ 색상 颜色
yán sè

- 이건 좀 연하네요.
  这个有点儿淡。
  zhè ge yǒu diǎnr dàn

- 너무 튀는거 아닌가요?
  是不是太艳了?
  shì bu shì tài yàn le

- 좀더 진한 색으로 주세요.
  给我拿一下更深一点儿的颜色。
  gěi wǒ ná yí xià gèng shēn yì diǎnr de yán sè

- 이거 어때요? 좀 짙은 빨간색인데요.
  这个怎么样? 这是比较深一点的红色。
  zhè ge zěn me yàng zhè shì bǐ jiào shēn yì diǎn de hóng sè

- 그럼 좀 어두운 색으로 고르시죠.
  那就选暗一点儿的。
  nà jiù xuǎn àn yì diǎnr de

- 색이 잘 지워지지 않는 립스틱은 다 좀 건조해요.
  防脱色系列的口红都比较干。
  fáng tuō sè xì liè de kǒu hóng dōu bǐ jiào gān

▶ 기타 其他
qí tā

- 건성 피부에요.
  是干性皮肤。
  shì gān xìng pí fū

- 피부가 지성이에요.
  皮肤是脂肪性的。
  pí fū shì zhī fáng xìng de

- 제 피부가 좀 검어요. 미백 제품 좀 보여 주세요.
  我的皮肤有点儿黑，来一个美白产品吧。
  wǒ de pí fū yǒu diǎnr hēi lái yí ge měi bái chǎn pǐn ba

- 이것은 향이 좀 너무 진하네요.
  这个香味儿有点太浓了。
  zhè ge xiāng wèir yǒu diǎn tài nóng le

- 몇 개 골라 추천해 주시죠.
  帮我选一选，推荐一下吧。
  bāng wǒ xuǎn yi xuǎn tuī jiàn yí xià ba

- 이 립스틱과 어울릴 만한 매니큐어 있나요?
  有没有和这个口红搭配的指甲油?
  yǒu méi yǒu hé zhè ge kǒu hóng dā pèi de zhǐ jiǎ yóu

Ⅵ. 꽃가게 在鲜花店
zài xiān huā diàn

A: 欢迎光临，您想要买什么花?
huān yíng guāng lín nín xiǎng yào mǎi shén me huā

B: 我想买朵玫瑰，是要送人的。
wǒ xiǎng mǎi duǒ méi guī shì yào sòng rén de

A: 送给什么人?
sòng gěi shén me rén

B: 今天是我女朋友的25岁生日，我想送给她25朵红玫瑰。
jīn tiān shì wǒ nǚ péng you de suì shēng rì wǒ xiǎng sòng gěi tā duǒ hóng méi guī

A: 어서 오세요. 어떤 꽃을 찾으세요?

B: 장미꽃을 사려 하는데요. 선물할 거예요.

A: 누구에게 선물하실 건가요?

B: 오늘 제 여자 친구의 25번째 생일이거든요. 그녀에게 장미꽃 25송이를 선물해 주려고 해요.

A: 这叫什么花?
zhè jiào shén me huā

B: 叫勿忘草。
jiào wù wàng cǎo

A: 这花有什么含义吗?
zhè huā yǒu shén me hán yì ma

B: 它是“不要忘记我”的意思。
tā shì bú yào wàng jì wǒ de yì si

A: 이게 무슨 꽃이에요?
B: 물망초라고 해요.
A: 이 꽃에는 무슨 꽃말이 있나요?
B: "나를 잊지 마세요"라는 뜻이랍니다.

A: 我要去看病人, 送什么花合适?
wǒ yào qù kàn bìng rén sòng shén me huā hé shì
B: 那就选一束红色康乃馨吧。
nà jiù xuǎn yí shù hóng sè kāng nǎi xīn ba

A: 문병 가는데 어떤 꽃이 좋을까요?
B: 그럼 빨간 카네이션 한 다발로 하세요.

A: 这一朵玫瑰花是什么含义?
zhè yì duǒ méi guī huā shì shén me hán yì
B: 它表示"一心一意"。
tā biǎo shì yì xīn yí yì

A: 장미꽃 한 송이는 어떤 뜻이 담겨 있죠?
B: "한마음 한뜻"임을 나타내 줍니다.

- 이 꽃은 어떤 의미가 있나요?
  这花含有什么意思?
  zhè huā hán yǒu shén me yì si
- 꽃만 있으면 너무 단조롭지 않아요? 잎사귀도 좀 넣으세요.
  只有花, 是不是太单调了? 再插一点叶子吧。
  zhǐ yǒu huā shì bu shì tài dān diào le zài chā yì diǎn yè zi ba
- 안개꽃을 좀 넣어 주세요.
  加点儿满天星吧。
  jiā diǎnr mǎn tiān xīng ba
- 꽃만 있으니까 약간 단조롭게 보이네요. 장식을 좀 해야 하지 않을까요?
  只有花, 略显单调, 要不要来些点缀?[15)]
  zhǐ yǒu huā lüè xiǎn dān diào yào bu yào lái xiē diǎn zhuì

15) 点缀 diǎnzhuì: 꾸미다, 장식하다, 아름답게 하다.

VII. 보석상에서 在宝石店
zài bǎo shí diàn

A: 明天是我和妻子的结婚10周年纪念日。送她什么最好呢?
míng tiān shì wǒ hé qī zi de jié hūn zhōu nián jì niàn rì sòng tā shén me zuì hǎo ne

B: 结婚10周年纪念日，一般都送钻石首饰。
jié hūn zhōu nián jì niàn rì yì bān dōu sòng zuàn shí shǒu shì

A: 那给我看看钻石项链和戒指。
nà gěi wǒ kàn kan zuàn shí xiàng liàn hé jiè zhi

A: 내일이 저와 아내의 결혼10주년 기념일인데, 아내에게 무엇을 선물하면 제일 좋을까요?

B: 결혼10주년에는 일반적으로 다이아몬드 악세사리를 선물한답니다.

A: 그럼 다이아몬드 목걸이와 반지를 보여 주세요.

A: 这手镯怎么样? 很适合你戴。二十二克的。
zhè shǒu zhuó zěn me yàng hěn shì hé nǐ dài èr shí èr kè de

B: 嵌着什么样的宝石呢?
qiàn zhe shén me yàng de bǎo shí ne

A: 是红宝石。
shì hóng bǎo shí

A: 이 팔찌 어때요? 손님에게 잘 어울려요. 22g이에요.

B: 박혀 있는게 무슨 보석이죠?

A: 루비입니다.

A: 蝴蝶型白金耳环怎么样?
hú dié xíng bái jīn ěr huán zěn me yàng

B: 我觉得星型的耳环更好看。
wǒ jué de xīng xíng de ěr huán gèng hǎo kàn

A: 이 리본 모양의 화이트골드 귀걸이 어때요?

B: 내 생각에는 별 모양의 귀걸이가 더 예쁜 것 같아요.

A: 我想买结婚戒指。这戒指是纯金的吗?
wǒ xiǎng mǎi jié hūn jiè zhi zhè jiè zhi shì chún jīn de ma
B: 不, 这个是18K的。纯金的容易变形。
bù zhè ge shì de chún jīn de róng yì biàn xíng

A: 결혼 반지를 사려고 하는데, 이 반지는 순금인가요?
B: 아니에요. 18K에요. 순금은 변형되기 쉽거든요.

A: 如果我爱人不喜欢, 可以换吗?
rú guǒ wǒ ài ren bù xǐ huan kě yǐ huàn ma
B: 一周之内可以。但一定要带收据。
yì zhōu zhī nèi kě yǐ dàn yí dìng yào dài shōu jù

A: 아내가 혹시 마음에 안 들어 하면 다시 바꿀 수 있나요?
B: 일주일 내에 가능합니다. 영수증을 꼭 지참하셔야 해요.

A: 这个珍珠是仿造品吗?
zhè ge zhēn zhū shì fǎng zào pǐn ma
B: 我们家绝不卖假的。假一罚十。
wǒ men jiā jué bú mài jiǎ de jiǎ yī fá shí

A: 이 진주 가짜 아니에요?
B: 저희는 절대 가짜는 팔지 않습니다. 가짜일 경우 10배로 배상해 드립니다.

- 이거 진짜에요? 가짜에요?
  是真品? 还是仿造品?
  shì zhēn pǐn hái shì fǎng zào pǐn

- 거울 여기 있습니다. 보세요.
  这里有镜子, 您看一下。
  zhè li yǒu jìng zi nín kàn yí xià

- 이 제품은 모조품입니다.
  这是仿制品。
  zhè shì fǎng zhì pǐn

- 이 브로치는 18K 도금 제품입니다.
  这胸针是18K镀金的。
  zhè xiōng zhēn shì dù jīn de

3 가격 흥정

讨价还价
tǎo jià huán jià

흔히 물건 값을 깍으려할 때 상인들은 품질을 내세워 "싼게 비지떡"이라는 표현을 자주한다. 중국에서는 이러한 표현으로 주로 "一分钱, 一分货 yīfēnqián, yīfēnhuò"라는 말을 쓴다. 즉 1원짜리 물건은 1원어치의 가치밖에 없다는 뜻이다. 그러나 같은 시장에서도 외국인임을 알면 값을 좀더 높여 부르는 경우가 있으므로 어느 정도의 할인 시도는 해봄직하다. 특히나 관광지의 경우라면 더욱 그러하다.

기본대화

A: 15,000元, 太贵了。能不能便宜一点儿?
yuán tài guì le néng bu néng pián yi yì diǎnr

B: 那13,500元给你吧, 少一分也不卖。
nà yuán gěi nǐ ba shǎo yì fēn yě bú mài

A: 再便宜一点儿吧。12,000元好不好?
zài pián yi yì diǎnr ba yuán hǎo bu hǎo

B: 那个价连本儿都不够。不能再便宜了。[1)]
nà ge jià lián běnr dōu bú gòu bù néng zài pián yi le

A: 薄利多销呀, 我会再给您介绍几个顾客过来。[2)]
báo lì duō xiāo ya wǒ huì zài gěi nín jiè shào jǐ ge gù kè guò lái

B: 您可真会说话。12,000元我卖给您了。
nín kě zhēn huì shuō huà yuán wǒ mài gěi nín le

A: 那您帮我包装起来吧。
nà nín bāng wǒ bāo zhuāng qǐ lái ba

B: 好的。
hǎo de

A: 15,000 위안은 너무 비싸요. 좀 싸게 해 주면 안 돼요?
B: 13,500 위안에 드릴게요. 더 싸게는 안 팝니다.
A: 조금만 더 싸게 해 주세요. 12,000 위안 어때요?
B: 그 가격은 본전도 안 나와요. 더 싸게는 안 돼요.
A: 박리다매잖아요, 제가 손님을 많이 소개시켜 드릴게요.
B: 말씀을 참 잘하시네요. 12,000 위안에 드리죠.
A: 그럼 포장해 주세요.
B: 그러죠.

---

1) 本儿 běnr: 본전, 원금.
2) 薄利多销 báolìduōxiāo: 박리다매. 销는 팔다, 판매하다의 뜻.

여러 가지 활용

Ⅰ. 가격을 물을 때 问价钱
wèn jià qián

A: 一斤多少钱?[3)]
yì jīn duō shao qián

B: 两块一斤。
liǎng kuài yì jīn

A: 这大葱怎么卖?
zhè dà cōng zěn me mài

B: 一捆儿两快。
yí kǔnr liǎng kuài

A: 这黄瓜多少钱一斤?
zhè huáng guā duō shao qián yì jīn

B: 一块二一斤。
yí kuài èr yì jīn

A: 多买可以便宜点儿吗?
duō mǎi kě yǐ pián yi diǎnr ma

B: 你要多少?
nǐ yào duō shao

A: 我买五个, 多少钱?
wǒ mǎi wǔ ge duō shao qián

B: 不管买几个, 都是按标价卖。
bù guǎn mǎi jǐ ge dōu shì àn biāo jià mài

A: 한 근에 얼마예요?
B: 한 근에 2위안이에요.
A: 이 대파 어떻게 팔아요?
B: 한 묶음에 2위안이에요.
A: 이 오이 한 근에 얼마에요?
B: 1근에 1위안 20전이에요.
A: 많이 사면 좀 싸게 해줄 수 있어요?
B: 얼마나 사실 건데요?
A: 5개 사려고 하는데, 얼마지요?
B: 몇 개를 사든 정가대로 팝니다.

- 모두 얼마예요?
  一共多少钱? / 总共多少钱?
  yī gòng duō shao qián zǒng gòng duō shao qián

3) 중국에서 斤 jīn은 500g을 말하며, 육류, 채소 등 모든 상품에 동일하게 적용된다. 1公斤 gōngjīn은 1kg이며, 즉 2斤이다.

- 실제 가격이 얼마예요?
  实价多少钱?
  shí jià duō shao qián

- 최저가가 얼마예요?
  最低价多少钱?
  zuì dī jià duō shao qián

- 정찰 가격은 얼마예요?
  标价是多少钱?
  biāo jià shì duō shao qián

- 30% 할인하면 얼마예요?
  打完七折多少钱?
  dǎ wán qī zhé duō shao qián

Ⅱ. 가격 흥정하기 讨价还价
tǎo jià huán jià

A: 这手表我实在喜欢, 但价格太高了。
zhè shǒu biǎo wǒ shí zài xǐ huan dàn jià gé tài gāo le
这种样式的, 还有再便宜的吗?
zhè zhǒng yàng shì de hái yǒu zài pián yi de ma

B: 这个质量很好, 你呀, 一分钱一分货。
zhè ge zhì liàng hěn hǎo nǐ ya yì fēn qián yì fēn huò

A: 如果能便宜一些就更好了。
rú guǒ néng pián yi yì xiē jiù gèng hǎo le

B: 没有比这便宜一点儿的。
méi yǒu bǐ zhè pián yi yì diǎnr de

A: 喜欢是喜欢, 就是价格贵了点儿。
xǐ huan shì xǐ huan jiù shì jià gé guì le diǎnr

B: 多少钱你能买?
duō shao qián nǐ néng mǎi

A: 이 손목시계가 아주 맘에 드는데 값이 너무 비싸요.
이런 모델로 좀더 싼 것 있습니까?

B: 이건 품질이 아주 좋은 거예요. 싼게 비지떡이라구요.

A: 조금 싸기만 하다면 더 좋겠는데.

B: 이것보다 더 싼 것은 없습니다.

A: 맘에 들긴 하는데 가격이 좀 비싸군요.

B: 얼마면 사실 수 있어요?

▶ 값이 너무 비쌀 때 价钱很贵时
jià qián hěn guì shí

- 아주 맘에 들긴 하는데, 너무 비싸요.
我是很喜欢，不过太贵了。
wǒ shì hěn xǐ huan bú guò tài guì le

- 저한테는 정말이지 너무 비싸군요.
这个对我来说实在是太贵了。
zhè ge duì wǒ lái shuō shí zài shì tài guì le

- 가격이 좀 비싼 것 같아요.
我觉得价格有点儿贵。
wǒ jué de jià gé yǒu diǎnr guì

- 부르는 가격이 좀 터무니없이 높아요.
喊价高得有点儿不象话。
hǎn jià gāo de yǒu diǎnr bú xiàng huà

▶ 돈이 모자랄 때 钱不够时
qián bú gòu shí

- 수중에 지금 이것 밖에 돈이 없어요.
我手中只有这么多钱了。
wǒ shǒu zhōng zhǐ yǒu zhè me duō qián le

- 지금 그걸 살 만큼의 돈이 없네요.
现在没有那么多钱买那个。
xiàn zài méi yǒu nà me duō qián mǎi nà ge

- 지금은 그걸 살 형편이 안 되네요.
现在我买不起那个。[4)]
xiàn zài wǒ mǎi bu qǐ nà ge

▶ 할인을 요구할 때 要求打折时
yāo qiú dǎ zhé shí

A: 这件衣服领子上沾油了。
zhè jiàn yī fu lǐng zi shang zhān yóu le
B: 现在只有这一件，不好意思。
xiàn zài zhǐ yǒu zhè yí jiàn bù hǎo yì si
A: 那么，干洗费也要扣点儿吧。
nà me gān xǐ fèi yě yào kòu diǎnr ba

A: 이 옷 깃에 기름때가 묻었네요.

4) 买不起 mǎibuqǐ: 돈이 없거나 또는 너무 비싸서 살 수 없다는 뜻이다.

B: 지금 이 물건 하나밖에 없는데요, 죄송합니다.
A: 그럼 세탁비라도 좀 빼 주셔야죠.

A: 这娃娃真可爱, 但弄脏了。
zhè wá wa zhēn kě ài dàn nòng zāng le
B: 谁都碰它, 所以才会那样的。
shéi dōu pèng tā suǒ yǐ cái huì nà yàng de
A: 那你给我卖便宜一点就行了。
nà nǐ gěi wǒ mài pián yi yì diǎn jiù xíng le

A: 이 인형 정말 예쁜데 때가 묻었어요.
B: 사람들마다 만져 보아서 그렇게 된 거예요.
A: 그럼 저한테 좀 싸게 파시면 되겠네요.

- 할인이 안 됩니까?
不能打折吗?
bù néng dǎ zhé ma

- 얼마나 싸게 해 주실 수 있어요?
你能便宜多少?
nǐ néng pián yi duō shao

- 조금만 더 싸게 해 주세요. / 조금만 더 싸게 해 줄 수 없어요?
再便宜一点儿吧。/ 不能再便宜一点儿吗?
zài pián yi yì diǎnr ba bù néng zài pián yi yì diǎnr ma

- 그럼 얼마면 안 밑지는데요?
那什么价格, 你不赔本儿?[5)]
nà shén me jià gé nǐ bù péi běnr

- 최저 얼마에 파실 생각이세요?
你想最低卖多少钱?
nǐ xiǎng zuì dī mài duō shao qián

- 현금으로 지불할 경우 할인이 됩니까?
如果付现金的话, 可以打折吗?
rú guǒ fù xiàn jīn de huà kě yǐ dǎ zhé ma

- 현금으로 지불하면 얼마나 싸게 해 줄 수 있어요?
要是给现金, 你们能便宜多少?
yào shì gěi xiàn jīn nǐ men néng pián yi duō shao

5) 本 běn: 본전. 赔本 péiběn과 亏本 kuīběn은 모두 '밑지다', '본전도 안 된다'는 뜻.

- 많이 사면 좀 싸게 됩니까?
如果多买，能便宜一点儿吗?
rú guǒ duō mǎi néng pián yi yì diǎnr ma

- 1,000 위안에 팔아요? 안 팔아요?
1,000元卖不卖?
yuán mài bu mài

- 10% 할인해 주면 사겠어요.
如果打九折，我就买。
rú guǒ dǎ jiǔ zhé wǒ jiù mǎi

- 영수증 필요 없으니까 조금만 더 싸게 해 주세요.
我不需要发票，就再便宜一点儿吧。[6)]
wǒ bù xū yào fā piào jiù zài pián yi yì diǎnr ba

상인의 설명　商人的解释
shāng rén de jiě shì

- 요즘 가격이 많이 올랐어요.
最近价钱涨了很多。[7)]
zuì jìn jià qián zhǎng le hěn duō

- 가격이 계속 오르고 있어요.
价钱一直都在涨。
jià qián yì zhí dōu zài zhǎng

- 이 가격이면 본전도 안 됩니다.
这价连本儿都不够。
zhè jià lián běnr dōu bú gòu

- 이 가격에 드리면 제가 밑집니다.
这个价格给你，我就亏本儿了。
zhè ge jià gé gěi nǐ wǒ jiù kuī běnr le

- 손해 보고 팔 수는 없잖아요. 50위안만 더 주세요.
我不能赔着卖呀。再添50元吧。
wǒ bù néng péi zhe mài ya zài tiān yuán ba

- 조금만 더 쓰시겠어요? 160위안은 너무 적어요.
你能再加点儿钱吗? 160元太少了。
nǐ néng zài jiā diǎnr qián ma yuán tài shǎo le

---

6) '发票 fāpiào'는 국가가 발행하는 영수증 전표로서 세금 정산의 근거가 된다. '收据 shōujù'도 '영수증'의 뜻이나 이는 주로 개인이 '돈을 받았다'는 증서일 뿐이다. 그러므로 일부 매장에서는 '发票 fāpiào'를 발행하지 않는 조건으로 값을 깎아주기도 하는데, 이는 바로 세금과 관련이 있기 때문이다.

7) '涨价 zhǎngjià'는 '가격이 오르다'는 뜻이며, '降价 jiàngjià'는 '가격이 내리다'는 뜻인데 언뜻 듣기에 발음이 비슷하므로 주의해야 한다.

- 이 가격은 매우 합리적입니다.
  这个价钱很合理。
  zhè ge jià qián hěn hé lǐ

- 가격을 너무 심하게 깎으시는군요.
  你压价也太狠了。[8)]
  nǐ yā jià yě tài hěn le

- 저희는 명품만 취급합니다. 물건이 달라요.
  我们只卖名牌。东西不一样啊。
  wǒ men zhǐ mài míng pái dōng xi bù yí yàng a

- 그럼 더 돌아보세요. 어디 가도 이 가격에는 못 삽니다.
  那您再转一圈吧。上哪儿，这个价钱都是买不了的。
  nà nín zài zhuàn yì quān ba shàng nǎr zhè ge jià qián dōu shì mǎi bu liǎo de

- 이 가격에 사면 아주 잘 사는 겁니다.
  能以这个价钱买，就很不错了。
  néng yǐ zhè ge jià qián mǎi jiù hěn bú cuò le

- 그 가격이면 거저 가져가는 거나 다름 없어요.
  那个价钱跟白要没什么两样。[9)]
  nà ge jià qián gēn bái yào méi shén me liǎng yàng

▶ 할인 거절 拒绝打折
jù jué dǎ zhé

- 저희 상점은 정찰제입니다.
  这家店按定价卖。
  zhè jiā diàn àn dìng jià mài

- 우리 브랜드는 원래 세일을 하지 않습니다.
  我们这个牌子从来不打折。
  wǒ men zhè ge pái zi cóng lái bù dǎ zhé

- 저희는 원래부터 할인을 하지 않습니다. 품질로 승부하지요.
  我们是从来不打折的，靠质量取胜。
  wǒ men shì cóng lái bù dǎ zhé de kào zhì liàng qǔ shèng

- 단골들이 한꺼번에 100개씩 사도 한 푼도 안 깎아 드립니다.
  回头客一下子买100个，也是一分也不减。
  huí tóu kè yí xià zi mǎi ge yě shì yì fēn yě bù jiǎn

---

8) 狠 hěn: 모질다, 잔인하다, 매섭다, 사정 없다.
9) 여기서 白 bái는 '거저', '공짜'의 의미이다.

- 살려면 이 가격에 사세요, 더 싸게는 안 됩니다.
  要买，只能按这个价格买，不能再低了。
  yào mǎi zhǐ néng àn zhè ge jià gé mǎi bù néng zài dī le

- 한 푼도 깎아 드리지 못합니다.
  一元都不能便宜。
  yì yuán dōu bù néng pián yi

- 요구하는 가격이 너무 낮아요. 팔 수 없습니다.
  你给的价格太低，我是不能卖的。
  nǐ gěi de jià gé tài dī wǒ shì bù néng mài de

- 그렇게 싸게 팔아서 무슨 돈을 벌겠어요? 차라리 문을 닫지요.
  卖得那么便宜，能赚什么钱啊?[10] 不如关门算了。
  mài de nà me pián yi néng zhuàn shén me qián a bù rú guān mén suàn le

Ⅲ. 가격의 타협 妥协价钱
tuǒ xié jià qián

A: 好了，既然你喜欢，给你打八折怎么样?
hǎo le jì rán nǐ xǐ huan gěi nǐ dǎ bā zhé zěn me yàng

B: 好，痛快。我要了。
hǎo tòng kuài wǒ yào le

A: 좋아요, 마음에 드신다니 20% 할인해 드리면 되겠어요?

B: 네, 시원시원하시네요. 살게요.

- 우리 서로 10위안씩 양보합시다, 120위안에 드릴게요.
  我们一人让10块，120给你吧。
  wǒ men yì rén ràng kuài gěi nǐ ba

- 현금으로 지불하시면 5% 할인해 드리겠습니다.
  如果付现金，可以给您打九五折。
  rú guǒ fù xiàn jīn kě yǐ gěi nín dǎ jiǔ wǔ zhé

- 싸게는 안 되고, 대신 하나 더 드리겠습니다.
  不能便宜了，再给您送一个吧。
  bù néng pián yi le zài gěi nín sòng yí ge ba

- 10개 이상 사시면 10% 할인해 드립니다.
  买10个以上，就打九折。
  mǎi ge yǐ shàng jiù dǎ jiǔ zhé

---

10) 赚钱 zhuànqián은 '돈을 벌다'의 뜻이며, 挣钱 zhèngqián이라고도 한다.

- 1000위안이면 정말 거저 드리는 거예요.
  1000块简直就是跟白给的没什么两样了。
  kuài jiǎn zhí jiù shì gēn bái gěi de méi shén me liǎng yàng le

- 고마워요. 다음에 또 올게요.
  谢谢, 我下次再来吧。
  xiè xie wǒ xià cì zài lái ba

Ⅳ. 기타 其他
qí tā

- 싫으면 그만 두세요.
  既然你不愿意, 那就算了。
  jì rán nǐ bú yuàn yì nà jiù suàn le

- 이 컴퓨터 외상으로 되나요?
  这台电脑可以赊购吗?
  zhè tái diàn nǎo kě yǐ shē gòu ma

- 이 피아노 5개월 할부 되나요?
  这个钢琴能不能5个月分期付款呢。
  zhè ge gāng qín néng bu néng ge yuè fēn qī fù kuǎn ne

- 나에게 바가지 씌우는 거 아니예요?
  是不是想宰我啊?[11)]
  shì bu shì xiǎng zǎi wǒ a

- 나에게 바가지를 씌우려고 하다니 열 받아 죽겠네.
  竟然向我要那么多, 真是气死我了。
  jìng rán xiàng wǒ yào nà me duō zhēn shì qì sǐ wǒ le

- 그렇게 인색하면 손님 다 달아나요.
  你那么小气, 会把老顾客都给赶走的。[12)]
  nǐ nà me xiǎo qì huì bǎ lǎo gù kè dōu gěi gǎn zǒu de

- 이 집은 너무 치사해, 앞으로 다신 안 올거야.
  这家真是太小气了, 我以后再也不来了。
  zhè jiā zhēn shì tài xiǎo qì le wǒ yǐ hòu zài yě bù lái le

- 값싼 물건이라고 해서 품질이 다 떨어지는 건 아닙니다.
  不是所有便宜的东西质量都差。
  bú shì suǒ yǒu pián yi de dōng xi zhì liàng dōu chà

---

11) 宰 zǎi: '주관(주재)하다', '(가축을) 잡다', '도살하다'는 뜻이 있으며, 구어에서 '바가지를 씌우다', '덤터기를 씌우다'의 뜻으로도 많이 쓰인다.

12) 小气 xiǎoqì는 '인색하다', '쩨쩨하다'는 뜻이며, 그 반대말은 大方 dàfang(시원시원하다, 통이 크다)이다.

4 대금 지불 付款 fù kuǎn

중국에서 대금을 현금으로 지불할 때에 발견할 수 있는 매우 흥미로운 현상은 현금을 주고 받을 때 서로가 위조지폐(假币 jiǎbì)에 각별히 주의한다는 점이다. 상인들은 저마다 숙련된 감별법으로 지폐의 진위 여부를 확인한다. 즉 불빛에 비춰 보거나 요철 부분을 만져 보거나 지폐를 탁탁 쳐 보는 등의 방법을 사용하며, 백화점 같은 곳에는 아예 계산대마다 위조지폐 감별기(验钞机 yànchāojī)가 설치되어 있다.

기 본 대 화

A: 一共多少钱?
yí gòng duō shao qián

B: 530元整。
yuán zhěng

A: 这里可以用卡吗?
zhè li kě yǐ yòng kǎ ma

B: 可以, 但用卡的话, 您要到对面的窗口去刷卡。
kě yǐ dàn yòng kǎ de huà nín yào dào duì miàn de chuāng kǒu qù shuā kǎ

A: 噢, 是吗? 那我还是用现金吧, 给你600元。
ō shì ma nà wǒ hái shì yòng xiàn jīn ba gěi nǐ yuán

B: 好的。找您零钱70元。
hǎo de zhǎo nín líng qián yuán

A: 谢谢, 麻烦您再给我一个包装袋。
xiè xie má fan nín zài gěi wǒ yí ge bāo zhuāng dài

B: 好的。欢迎您下次再来。
hǎo de huān yíng nín xià cì zài lái

A: 모두 얼마예요?
B: 530위안입니다.
A: 여기 카드 사용할 수 있어요?
B: 네, 그런데 카드를 사용하려면 맞은편 창구로 가셔서 결제해야 해요.
A: 아 그래요? 그럼 그냥 현금으로 하지요. 600위안이에요.
B: 네, 감사합니다. 잔돈 70위안입니다.
A: 고마워요. 미안하지만 봉지 하나만 더 주세요.
B: 그러죠. 다음에 또 오십시오.

여러 가지 활용

I. 물건값을 계산할 때 结账时
jié zhàng shí

▶ 정산할 때

- 계산해 주세요. 다 합해서 얼마예요?
  算一下，总共多少钱？
  suàn yí xià zǒng gòng duō shao qián

- 이거 계산해 주시겠어요?
  请算一下这个好吗？
  qǐng suàn yí xià zhè ge hǎo ma

▶ 계산이 틀렸을 때 计算错误时
jì suàn cuò wù shí

A: 我觉得好像是算多了。
wǒ jué de hǎo xiàng shì suàn duō le

B: 是吗？请稍等一会儿。我确认一下。
shì ma qǐng shāo děng yí huìr wǒ què rèn yí xià

A: 这是收据，这些是你给我找的钱。
zhè shì shōu jù zhè xiē shì nǐ gěi wǒ zhǎo de qián

B: 对不起，是我算错了。
duì bu qǐ shì wǒ suàn cuò le

A: 没关系。
méi guān xi

A: 계산이 많이 나온 것 같아요.
B: 그래요? 잠시만요. 확인해 볼게요.
A: 이것은 영수증이구요. 이것들이 저에게 주신 돈입니다.
B: 죄송합니다. 제가 잘못 계산했습니다.
A: 괜찮아요.

- 계산이 잘못된 것 같아요.
  好像算错了。
  hǎo xiàng suàn cuò le

- 계산이 틀렸어요.
  计算不对。
  jì suàn bú duì

- 다시 계산해 보세요.
  请再算一下。
  qǐng zài suàn yí xià

▶ **계산대의 위치를 물을 때**[1] **询问收银台位置时**
xún wèn shōu yín tái wèi zhì shí

- 계산대가 어디죠?
  请问收银台在哪儿?
  qǐng wèn shōu yín tái zài nǎr
- 계산대가 어디에 있습니까?
  收银台在什么地方?
  shōu yín tái zài shén me dì fang
- 실례합니다만 어디서 계산하죠?
  请问在哪里付款?
  qǐng wèn zài nǎ li fù kuǎn
- 저기 '계산대'라고 써진 곳으로 가시면 됩니다.
  到那边写着"收银台"的地方, 就可以了。
  dào nà bian xiě zhe shōu yín tái de dì fang jiù kě yǐ le
- 아동복 코너 옆에 있습니다.
  就在童装区的旁边。
  jiù zài tóng zhuāng qū de páng bian

Ⅱ. 지급 방법 支付方法
zhī fù fāng fǎ

A: 这里能用信用卡吗?
zhè li néng yòng xìn yòng kǎ ma
B: 当然可以。你都有什么卡?
dāng rán kě yǐ nǐ dōu yǒu shén me kǎ
A: 用长城卡, 行吗?[2]
yòng cháng chéng kǎ xíng ma

1) 중국의 백화점에서는 물건을 산 코너에서 계산을 하지 않고, 코너에서 써 준 票 piào(전표)를 가지고 收银台 shōuyíntái(계산대)로 가서 지불을 한다. 계산대에서 결제를 한 뒤에 전표에 도장을 찍고 전자 영수증을 주면 다시 코너로 가서 제출하고 물건을 받으면 된다. 전자 영수증은 교환이나 A/S 때에 꼭 필요하므로 반드시 잘 보관해 두어야 한다.

2) '长城卡 chángchéngkǎ'는 中国银行 zhōngguó yínháng(중국은행)에서 발행하는 카드를 말한다. 이 밖에도 工商银行 gōngshāng yínháng(공상은행)에서 발행하는 '牡丹卡 mǔdānkǎ', 交通银行 jiāotōng yínháng(교통은행)에서 발행하는 '太平洋卡 tàipíngyángkǎ', 建设银行 jiànshè yínháng(건설은행)에서 발행하는 '龙卡 lóngkǎ', 农业银行 nóngyè yínháng(농업은행)에서 발행하는 '金穗卡 jīnsuìkǎ' 등이 있다.

A: 신용카드를 이용할 수 있습니까?
B: 물론입니다. 어떤 카드를 가지고 계시죠?
A: 중국은행 카드 되지요?

- 신용카드도 사용할 수 있습니까?
  信用卡也可以用吧?
  xìn yòng kǎ yě kě yǐ yòng ba

- 현금이 없는데 신용카드도 됩니까?
  我没带现金, 可以用信用卡吗?
  wǒ méi dài xiàn jīn kě yǐ yòng xìn yòng kǎ ma

- 수표도 됩니까?
  用支票行吗?
  yòng zhī piào xíng ma

- 달러도 됩니까?
  可以用美元吗?
  kě yǐ yòng měi yuán ma

- 한국 돈도 받나요?
  也收韩币吗?
  yě shōu hán bì ma

- 어느 카드로 지불하시겠습니까?
  你想用什么卡付款?
  nǐ xiǎng yòng shén me kǎ fù kuǎn

- 현금이나 카드 어느 것으로 지불하셔도 됩니다.
  你可以选择现金和信用卡任一种形式付款。
  nǐ kě yǐ xuǎn zé xiàn jīn hé xìn yòng kǎ rèn yì zhǒng xíng shì fù kuǎn

Ⅲ. 거스름 돈 找零钱
zhǎo líng qián

A: 不好意思, 没有零钱了。100元的可以吗?
bù hǎo yì si méi yǒu líng qián le yuán de kě yǐ ma
B: 可以, 没问题。给您找钱。
kě yǐ méi wèn tí gěi nín zhǎo qián
A: 小姐, 好像你找的钱不够。
xiǎo jiě hǎo xiàng nǐ zhǎo de qián bú gòu
B: 是吗? 哦, 少给了你10块。真抱歉。
shì ma ò shǎo gěi le nǐ kuài zhēn bào qiàn

A: 미안하지만 잔돈이 없네요. 100위안짜리 될까요?

B: 괜찮습니다. 거스름 돈입니다.
A: 아가씨, 거스름 돈이 모자란 것 같아요.
B: 그래요? 아, 10위안을 덜 드렸네요. 죄송합니다.

거스름돈이 잘못 되었을 때 找错钱时
zhǎo cuò qián shí

- 잘못 거슬러준 것 같아요.
  好像找错了。
  hǎo xiàng zhǎo cuò le

- 이 돈 잘못 거슬러 준 것 아니에요?
  您看这钱是不是找错了?
  nín kàn zhè qián shì bu shì zhǎo cuò le

- 정말 죄송합니다. 50위안을 더 받았네요.
  真对不起, 多收了50元。
  zhēn duì bu qǐ duō shōu le yuán

- 아마도 5위안을 더 드린 것 같아요.
  我好像多给了5元。
  wǒ hǎo xiàng duō gěi le yuán

- 이 금액 맞습니까? 다시 확인해 보세요.
  这个金额对吗? 您再确认一下吧。
  zhè ge jīn é duì ma nín zài què rèn yí xià ba

기타 其他
qí tā

- 거스름돈은 필요 없습니다.
  不用找了。
  bú yòng zhǎo le

- 손님, 아직 잔돈 안 받으셨어요.
  先生(小姐), 您还没拿零钱呢。
  xiān sheng xiǎo jiě nín hái méi ná líng qián ne

- 아까 거스름돈 받는 것을 깜빡 잊었어요.
  刚才忘了拿零钱了。
  gāng cái wàng le ná líng qián le

5 포장 · 배달

包装/送货
bāozhuāng sònghuò

포장이나 배달이 무료로 제공되는 경우가 있는가 하면 지역이나 상품에 따라 제한적으로 제공되기도 한다. 베이징에서는 5환선 이내의 지역까지는 무료로 배달되지만 그 외곽의 지역은 배달 요금을 받는 경우가 많다. 급하게 물건을 주고 받을 일이 있다면 택배회사(快递公司 kuàidì gōngsī)를 이용해 보는 것도 좋겠다. 저렴한 가격으로 빠른 시간 내에 물건을 주고 받을 수 있다.

기본대화

A: 请问, 有送货到家的吗?
qǐng wèn yǒu sòng huò dào jiā de ma

B: 可以, 但需要付钱。市内收20元。
kě yǐ dàn xū yào fù qián shì nèi shōu yuán

A: 那请你们把这衣柜送到我家好吗?
nà qǐng nǐ men bǎ zhè yī guì sòng dào wǒ jiā hǎo ma

B: 明天上午家里有人吗?
míng tiān shàng wǔ jiā li yǒu rén ma

A: 十点以前有人, 来之前打电话确认一下吧。
shí diǎn yǐ qián yǒu rén lái zhī qián dǎ diàn huà què rèn yí xià ba

A: 실례합니다. 집까지 배달이 됩니까?

B: 네, 그런데 비용을 지불하셔야 합니다. 시내는 20위안을 받습니다.

A: 그럼 이 옷장을 집까지 배달해 주시겠습니까?

B: 내일 오전에 집에 사람이 있습니까?

A: 10시 이전에는 사람이 있습니다. 오시기 전에 전화로 확인해 주세요.

여러 가지 활용

I. 포장 包装
bāo zhuāng

A: 我买这件礼物, 能免费包装吗?
wǒ mǎi zhè jiàn lǐ wù néng miǎn fèi bāo zhuāng ma

B: 买包装纸, 免费包装。
mǎi bāo zhuāng zhǐ miǎn fèi bāo zhuāng

A: 给我一个绿色的纸袋。这是要送人的, 请包得好看一点儿。
gěi wǒ yí ge lǜ sè de zhǐ dài zhè shì yào sòng rén de qǐng bāo de hǎo kàn yì diǎnr

A: 이 선물 사면 무료로 포장해 주나요?
B: 포장지를 사시면 무료로 포장해 드립니다.
A: 초록색 포장지 한 장 주세요. 선물할 거니까 예쁘게 포장해 주세요.

▶ **포장비 包装费**
bāo zhuāng fèi

- 포장비는 얼마예요?
  包装费是多少钱?
  bāo zhuāng fèi shì duō shao qián

- 여기 포장하는 데 돈 받아요?
  这里包装收费吗?
  zhè li bāo zhuāng shōu fèi ma

- 포장은 무료입니다.
  包装免费。/免费包装。
  bāo zhuāng miǎn fèi miǎn fèi bāo zhuāng

- 포장비는 받지 않습니다.
  我们不收包装费。
  wǒ men bù shōu bāo zhuāng fèi

- 포장비는 별도로 계산합니다.
  另算包装费。
  lìng suàn bāo zhuāng fèi

▶ **포장 방법 包装方式**
bāo zhuāng fāng shì

- 이 포장지로 해 주세요.
  就用这张纸包吧。
  jiù yòng zhè zhāng zhǐ bāo ba

- 붉은색 종이로 포장해 주시겠습니까?
  请用红色的纸包上好吗?
  qǐng yòng hóng sè de zhǐ bāo shang hǎo ma

- 겉에는 노란색 포장 끈을 사용해 주세요.
  外面用黄色的包装带。
  wài miàn yòng huáng sè de bāo zhuāng dài

- 붉은색과 노란색 끈으로 묶어 주세요.
  用红黄两种带子扎起来。
  yòng hóng huáng liǎng zhǒng dài zi zhā qǐ lái

- 포장 위에 리본을 매어 주세요.
  我要在包装上面系一个蝴蝶结。
  wǒ yào zài bāo zhuāng shàng miàn jì yí ge hú dié jié

- 하나하나 포장해 주시겠어요?
  把这些一个一个地给我包装, 好吗?
  bǎ zhè xiē yí ge yí ge de gěi wǒ bāo zhuāng hǎo ma

- 안에 든 물건이 깨지지 않게 해 주세요.
  请不要让里面的东西摔坏了。
  qǐng bú yào ràng lǐ miàn de dōng xi shuāi huài le

- 생일 선물용으로 포장해 주세요.
  按生日礼物的方式包吧。
  àn shēng rì lǐ wù de fāng shì bāo ba

- 포장 겉면에 "생일을 축하합니다"라고 써 주세요.
  包装外面写上"生日快乐"。
  bāo zhuāng wài miàn xiě shàng shēng rì kuài lè

- 이 책도 함께 포장해 주세요.
  把这些书包在一起吧。
  bǎ zhè xiē shū bāo zài yì qǐ ba

- 포장하는 것 좀 도와주세요.
  你帮我包装一下。
  nǐ bāng wǒ bāo zhuāng yí xià

- 케이스에 넣어 주시겠어요?
  放在盒子里面, 好吗?
  fàng zài hé zi lǐ miàn hǎo ma

Ⅱ. 배달 送货
sòng huò

A: 今天内可以送到吗?
jīn tiān nèi kě yǐ sòng dào ma

B: 今天可能有点儿困难。
jīn tiān kě néng yǒu diǎnr kùn nan

A: 请尽量快一点。
qǐng jǐn liàng kuài yì diǎn

A: 오늘 안에 배달이 됩니까?

B: 오늘은 조금 어려울 것 같은데요.

A: 될 수 있는 대로 빨리해 주세요.

배달비 送货费
sòng huò fèi

- 배달비는 얼마예요?
送货费是多少?
sòng huò fèi shì duō shao

- 배달은 따로 돈을 내야 하나요?
送货还要另算费用吗?
sòng huò hái yào lìng suàn fèi yong ma

- 배달은 무료입니다.
送货是免费的。
sòng huò shì miǎn fèi de

- 시내는 무료로 배달됩니다.
市内免费送货。
shì nèi miǎn fèi sòng huò

- 저희 제품은 어디든지 다 배달 됩니다.
我们的产品哪儿都可以送。
wǒ men de chǎn pǐn nǎr dōu kě yǐ sòng

- 컴퓨터 사시면 서비스로 해 드립니다.
这是买这台电脑的附加服务。
zhè shì mǎi zhè tái diàn nǎo de fù jiā fú wù

- 집까지 배달해 드립니다. 따로 비용을 받지는 않아요.
送货上门, 不另收费。
sòng huò shàng mén bú lìng shōu fèi

배달 시간 및 장소 送货时间/地点
sòng huò shí jiān dì diǎn

- 5시까지 배달 됩니까?
到5点可以送到吗?
dào diǎn kě yǐ sòng dào ma

- 하루 안에 배달 됩니까?
当天内能送到吗?
dàng tiān nèi néng sòng dào ma

- 이 주소로 배달해 주세요.
请按这个地址送。
qǐng àn zhè ge dì zhǐ sòng

- 여기 제 주소입니다. 내일까지 배달 부탁해요.
这是我的地址, 请在明天之前送到。
zhè shì wǒ de dì zhǐ qǐng zài míng tiān zhī qián sòng dào

▶ **기타** **其他**
qí tā

- 여기서 배달도 해 주나요?
  这里管送货吗?[1]
  zhè li guǎn sòng huò ma

- 배달 증명서를 발급해 주시겠습니까?
  能开一下送货证明书吗?
  néng kāi yí xià sòng huò zhèng míng shū ma

- 전화만 하시면 언제라도 댁까지 배달됩니다.
  只要打一个电话, 可以随时送货上门。
  zhǐ yào dǎ yí ge diàn huà kě yǐ suí shí sòng huò shàng mén

- 이 가격에는 배달비와 설치비가 포함되어 있습니다.
  那价钱还包括送货费和安装费。
  nà jià qián hái bāo kuò sòng huò fèi hé ān zhuāng fèi

Ⅲ. 배달이 잘못 되었을 때 送货出错时
sòng huò chū cuò shí

A: 送错了吧? 我要的是微波炉。
sòng cuò le ba wǒ yào de shì wēi bō lú

B: 是吗? 我们确认一下, 赶紧给你调换。
shì ma wǒ men què rèn yí xià gǎn jǐn gěi nǐ tiáo huàn

A: 잘못 배달된 거 아니에요? 제가 시킨 것은 전자렌지인데요.
B: 그렇습니까? 저희가 확인해보고 즉시 바꿔드리겠습니다.

- 배달이 착오가 있는 것 아니에요?
  送货有出错的吗?
  sòng huò yǒu chū cuò de ma

- 이건 제가 시킨 것이 아닌데요.
  这不是我订的。
  zhè bú shì wǒ dìng de

- 제가 오전에 갖다 달라고 했는데 이제야 왔으니 이미 소용 없어요.
  我订的是上午, 现在才送来已经没有用了。
  wǒ dìng de shì shàng wǔ xiàn zài cái sòng lái yǐ jīng méi yǒu yòng le

1) 管 guǎn: 담당하다, 책임지다.

6 반품 · 교환

換/退货
huàn tuì huò

물건을 살 때에는 성능이나 외관 등에 이상이 없나를 잘 살펴보고 결정하는 것이 좋다. 이미 산 물건을 다시 교환이나 반품하자면 그에 소요되는 시간과 비용, 노력이 들기 때문이다. 또한 간혹 교환이나 반품을 거절 당할 수도 있으므로 더욱 신중해야 한다. 특히 중국에서는 교환이나 반품을 할 때에는 반드시 영수증(收据 shōujù 또는 发票 fāpiào)을 제시하여야 하므로 잘 보관해 두어야 한다.

기 본 대 화

A: 打扰一下, 我想换一下这件夹克。
dǎ rǎo yí xià, wǒ xiǎng huàn yí xià zhè jiàn jiā kè

B: 有什么问题吗?
yǒu shén me wèn tí ma

A: 这是要送给朋友的。试了一次, 有点儿小。
zhè shì yào sòng gěi péng you de shì le yí cì, yǒu diǎnr xiǎo
有没有稍微再大一点儿的?
yǒu méi yǒu shāo wēi zài dà yì diǎnr de

B: 好的, 那您再挑一下吧。
hǎo de, nà nín zài tiāo yí xià ba

A: 실례합니다. 이 재킷을 교환하고 싶은데요.
B: 무슨 문제라도 있습니까?
A: 이건 친구에게 선물해 줄 건데요, 입어보니 조금 작더라구요. 좀 더 큰 것 없을까요?
B: 그러세요. 다시 골라 보세요.

여러 가지 활용

I. 교환 · 반품을 약속할 때 換/退货的承诺
huàn tuì huò de chéng nuò

- 만일 작으면 큰 걸로 바꿀 수 있죠?
  如果小的话, 可以换成大的吗?
  rú guǒ xiǎo de huà, kě yǐ huàn chéng dà de ma

- 효과 없으면 반품할 수 있죠?
  没有效果, 可以退吧?
  méi yǒu xiào guǒ, kě yǐ tuì ba

- 만일 물건에 이상이 있으면 바꿀 수 있어요?
  假如有毛病, 可以换吗?
  jiǎ rú yǒu máo bìng kě yǐ huàn ma

- 마음에 안 들어 하면 다시 다른 것으로 바꿔도 돼요?
  他不喜欢, 再来换别的, 可以吗?
  tā bù xǐ huan zài lái huàn bié de kě yǐ ma

- 한 달 이내에 효과가 없으면 반품하셔도 됩니다.
  在一个月之内没有效果的话, 就可以退。
  zài yí ge yuè zhī nèi méi yǒu xiào guǒ de huà jiù kě yǐ tuì

- 저희 상품에 만족하지 않으시면 1주일 이내에 교환하실 수 있습니다.
  对我们的产品不满意的话, 在1周之内来换就可以了。
  duì wǒ men de chǎn pǐn bù mǎn yì de huà zài zhōu zhī nèi lái huàn jiù kě yǐ le

- 색상이 맘에 안 드시면 와서 교환하세요.
  颜色不喜欢的话, 来换吧。
  yán sè bù xǐ huan de huà lái huàn ba

- 사이즈가 안 맞으시면 교환할 수 있습니다.
  大小不合适, 可以换。
  dà xiǎo bù hé shì kě yǐ huàn

Ⅱ. 교환 · 반품을 원할 때 想换/退货时
xiǎng huàn tuì huò shí

▶ 교환 · 반품을 요구할 때 要求换/退货
yāo qiú huàn tuì huò

- 이거 교환 됩니까?
  这个可以换吗?
  zhè ge kě yǐ huàn ma

- 반품할 수 있을까요?
  我能退吗?
  wǒ néng tuì ma

- 미안하지만 환불해 주시겠어요?
  麻烦您能退款吗?
  má fan nín néng tuì kuǎn ma

- 이것을 다른 걸로 바꾸고 싶은데요.
  我想用这个换别的。
  wǒ xiǎng yòng zhè ge huàn bié de

교환 · 반품의 사유 换/退货的理由
huàn tuì huò de lǐ yóu

A: 这是我昨天买的裤子，不太合适，来换一下。
zhè shì wǒ zuó tiān mǎi de kù zi bú tài hé shì lái huàn yí xià
B: 是哪儿不合适？大还是小？
shì nǎr bù hé shì dà hái shì xiǎo
A: 不，是颜色不合适，家人不喜欢。
bù shì yán sè bù hé shì jiā rén bù xǐ huan

A: 이거 어제 산 바지인데 잘 안 맞아서 바꾸러 왔어요.
B: 어디가 안 맞는데요? 커요, 작아요?
A: 아네요. 색이 별로예요. 집사람이 안 좋아해요.

- 이 식탁 다리에 흠이 있어요.
  这饭桌腿上有残。
  zhè fàn zhuō tuǐ shang yǒu cán
- 나사가 늘 헛돌아요.
  螺丝老是转。
  luó sī lǎo shì zhuàn
- 여기에 구멍이 나 있어요.
  这儿有个洞。
  zhèr yǒu ge dòng
- 바지에 무슨 더러운 게 묻어 있어요.
  裤子上面有什么脏东西。
  kù zi shàng miàn yǒu shén me zāng dōng xi
- 상의 지퍼가 말을 잘 안 들어요.
  上衣的拉链不太好使。
  shàng yī de lā liàn bú tài hǎo shǐ
- 색이 너무 심하게 바랬어요.
  颜色掉得很厉害。
  yán sè diào de hěn lì hai
- 갑자기 단추 두 개가 떨어졌어요.
  竟然掉了两个扣子。
  jìng rán diào le liǎng ge kòu zi
- 살 때는 하자가 있는 걸 발견하지 못 했어요.
  买这个的时候没有发现毛病。
  mǎi zhè ge de shí hou méi yǒu fā xiàn máo bìng

- 제 생각에 품질에 좀 문제가 있어요. 반품해 주세요.
  我觉得质量有问题，给我退吧。
  wǒ jué de zhì liàng yǒu wèn tí gěi wǒ tuì ba

- 남아 있는 것들은 색이 마음에 안 들어요. 그냥 반품하겠어요.
  剩下的颜色我不喜欢，那就退了吧。
  shèng xià de yán sè wǒ bù xǐ huan nà jiù tuì le ba

- 저는 설명서대로 세탁을 했는데 이렇게 많이 줄어 들었어요.
  我是按说明书洗的，不过还是缩小了这么多。
  wǒ shì àn shuō míng shū xǐ de bú guò hái shì suō xiǎo le zhè me duō

- 어제 산 것이 너무 어두운 것 같아서요. 좀 밝은 것으로 바꿀 수 있을까요?
  昨天买的好像有点儿太暗了，能不能换一个鲜艳一点儿的?
  zuó tiān mǎi de hǎo xiàng yǒu diǎnr tài àn le néng bù néng huàn yí ge xiān yàn yì diǎnr de

Ⅲ. 교환·반품에 동의할 때　同意换/退货时
tóng yì huàn tuì huò shí

- 그럼 어떤 색으로 하시게요? 골라 보세요.
  那您要什么颜色? 来挑一下吧。
  nà nín yào shén me yán sè lái tiāo yí xià ba

- 제가 좋은 것으로 다시 골라 드릴게요.
  我再选一件好的给你吧。
  wǒ zài xuǎn yí jiàn hǎo de gěi nǐ ba

- 그 물건이 지금 없는데 다른 것으로 고르세요.
  那货现在没有了，挑别的吧。
  nà huò xiàn zài méi yǒu le tiāo bié de ba

- 어 정말 그러네요. 어떡하실 생각이세요?
  哦，真是这样啊。那您想怎么办啊?
  ó zhēn shì zhè yàng a nà nín xiǎng zěn me bàn a

- 반품하시겠어요, 교환하시겠어요? 제가 다시 다른 것 보여 드릴게요.
  是退还是换? 我再给你拿另一件吧。
  shì tuì hái shì huàn wǒ zài gěi nǐ ná lìng yí jiàn ba

- 맘에 안 드시면 환불해 드릴게요.
  您不喜欢的话，给您退款吧。
  nín bù xǐ huan de huà gěi nín tuì kuǎn ba

Ⅳ. 교환 · 반품을 거절할 때 拒绝换/退货时
jù jué huàn tuì huò shí

A: 上周买的这件上衣我只洗过一次,现在变得这么小了。我想退货或者是跟别的换一下。
shàng zhōu mǎi de zhè jiàn shàng yī wǒ zhǐ xǐ guo yí cì xiàn zài biàn de zhè me xiǎo le wǒ xiǎng tuì huò huò zhě shì gēn bié de huàn yí xià

B: 真是对不起,这是减价销售的产品。所以不能退也不能换。
zhēn shì duì bu qǐ zhè shì jiǎn jià xiāo shòu de chǎn pǐn suǒ yǐ bù néng tuì yě bù néng huàn

A: 지난 주에 산 이 상의를 딱 한 번 빨았는데 이렇게 줄어들었어요. 반품하거나 다른 것과 바꿨으면 좋겠어요.

B: 죄송하지만 이건 할인했던 상품이군요. 따라서 반품이나 교환이 안됩니다.

- 이미 뜯어 보셨기 때문에 반품은 곤란합니다.
  已经打开了,所以很难退。
  yǐ jīng dǎ kāi le suǒ yǐ hěn nán tuì

- 이미 사용을 하셨기 때문에 반품을 해드릴 수 없습니다.
  您已经使用过了,所以不能退。
  nín yǐ jīng shǐ yòng guo le suǒ yǐ bù néng tuì

- 날짜가 이미 지났기 때문에 반품이 안됩니다.
  因为已经过期了,所以不能退。
  yīn wèi yǐ jīng guò qī le suǒ yǐ bù néng tuì

- 이미 세일 기간이 지났기 때문에 교환이 안됩니다.
  已经过了促销期,所以不能换。
  yǐ jīng guò le cù xiāo qī suǒ yǐ bù néng huàn

- 영수증이 없으면 교환할 수 없습니다.
  没有发票,就不能换了。
  méi yǒu fā piào jiù bù néng huàn le

- 지난번 물건 살 때는 바꿔주겠다고 했잖아요?
  上次我买的时候,你不是说包换吗?
  shàng cì wǒ mǎi de shí hou nǐ bú shì shuō bāo huàn ma

- 물건에 하자가 있는데 왜 안 바꿔주는 거예요?
  这本身有毛病,为什么不给我换呢?
  zhè běn shēn yǒu máo bìng wèi shén me bù gěi wǒ huàn ne

7 쇼핑 화제

购物话题
gòu wù huà tí

쇼핑에 관한 이야기는 동서 어디·어느 계층에서나 심심치 않게 등장하는 대화 내용이다. 백문이 불여일견(百闻不如一见)이라 하지만 쇼핑담은 언제나 밝고 흥미로운 대화 소재이며, 특히 정보를 나누는데 있어 매우 긴요하다. 요즘 인터넷과 TV홈쇼핑이 날로 발전하고 있지만 쇼핑에 관한 한 개인간의 대화와 정보교환의 필요성은 여전한 듯하다.

A: 哇, 这件连衣裙好漂亮啊。在哪买的?
wā zhè jiàn lián yī qún hǎo piào liang a zài nǎ mǎi de

B: 在吉利大厦买的。
zài jí lì dà shà mǎi de

A: 看起来质量很好, 挺贵的吧?
kàn qǐ lái zhì liàng hěn hǎo tǐng guì de ba

B: 不是, 只用100元买的。现在打折打得特别厉害。
bú shì zhǐ yòng yuán mǎi de xiàn zài dǎ zhé dǎ de tè bié lì hai

A: 那更便宜了。我也要去一趟。
nà gèng pián yi le wǒ yě yào qù yí tàng

B: 赶快吧。都在抢购呢。[1)]
gǎn kuài ba dōu zài qiǎng gòu ne

A: 那我明天去。
nà wǒ míng tiān qù

A: 와, 이 원피스 너무 예쁘다. 어디서 산 거예요?

B: 지리따싸에서 샀어요.

A: 품질이 좋아 보이는데요. 꽤 비싸겠죠?

B: 아뇨, 단돈 100위안에 산걸요. 지금 할인을 굉장히 많이 하고 있어요.

A: 그럼 더 싸겠군요. 저도 한 번 가봐야겠어요.

B: 빨리 가세요, 서로 앞다퉈 사더라구요.

A: 그럼 내일 가야겠네요.

---

1) 抢购 qiǎnggòu: 앞을 다투어 사다. 마구 사들이다. 매점매석하다.

여러 가지 활용

Ⅰ. 쇼핑 화제　购物话题
gòu wù huà tí

▶ 가격에 대한 이야기　谈论价格
tán lùn jià gé

· 그들이 얼마 달라고 하던가요?
他们要多少钱?
tā men yào duō shao qián

· 이거 얼마인지 맞춰봐요.
你猜这个多少钱?
nǐ cāi zhè ge duō shao qián

· 부르는 값이 너무 비쌌어요.
他们要价也太高了。
tā men yào jià yě tài gāo le

· 속았군요?
你被骗了?
nǐ bèi piàn le

· 이게 어디 그 돈만한 가치가 있겠어요?
这哪值那么多钱啊?
zhè nǎ zhí nà me duō qián a

· 당신은 참 알뜰하군요.
你真会过日子。[2)]
nǐ zhēn huì guò rì zi

▶ 품질에 대한 평가　评价质量
píng jià zhì liàng

· 물건이 가치가 있네요.
物有所值。
wù yǒu suǒ zhí

· 역시 명품은 명품이네요.
还是名牌好啊。
hái shì míng pái hǎo a

· 싸구려는 역시 안 된다니까요.
便宜的就是不行。
pián yi de jiù shì bù xíng

---

2) ~会过日子 huì guò rìzi: 살림을 잘하다, 알뜰하다.

• 정말 싼게 비지떡이에요.
真是便宜没好货啊。
zhēn shì pián yi méi hǎo huò a

• 비싸다고 반드시 좋은 것은 아니죠.
贵的不一定都好。
guì de bù yí dìng dōu hǎo

▶ 쇼핑의 계획 计划购物
jì huà gòu wù

• 물건 사기 전에 품질을 꼼꼼히 살펴봐야 해요.
在买东西之前要好好看一下质量。
zài mǎi dōng xi zhī qián yào hǎo hǎo kàn yí xià zhì liàng

• 자세히 살펴보지도 않고 사는 것은 어리석은 짓이에요.
不好好看就买, 那就太傻了。
bù hǎo hǎo kàn jiù mǎi nà jiù tài shǎ le

• 잘 살펴보고 사면 후회를 하지 않아요.
看好再买, 省得后悔。
kàn hǎo zài mǎi shěng de hòu huǐ

• 충동구매를 하지 않으려면 쇼핑 계획을 잘 세워서 해야 해요.
不想冲动购买, 就得要好好订一下购物计划。
bù xiǎng chōng dòng gòu mǎi jiù děi yào hǎo hǎo dìng yí xià gòu wù jì huà

• 카드로 마구 쇼핑하다가는 월말에 쪼들리게 될거예요.
乱用卡购物的话, 月末会手头很紧的。
luàn yòng kǎ gòu wù de huà yuè mò huì shǒu tóu hěn jǐn de

▶ 최근의 쇼핑 경향 最近购物趋势
zuì jìn gòu wù qū shì

• 요즘 젊은 사람들은 무턱대고 명품만 좋아하는 경향이 있어요.
最近年轻人中出现盲目喜欢名牌的现象。
zuì jìn nián qīng rén zhōng chū xiàn máng mù xǐ huan míng pái de xiàn xiàng

• 시간이 없는 사람들은 인터넷 쇼핑을 많이 이용해요.
没时间的人, 大多采用网络购物。
méi shí jiān de rén dà duō cǎi yòng wǎng luò gòu wù

• TV 홈쇼핑을 통해서 몇 번 사봤는데 괜찮더군요.
通过电视购物买过几次, 效果不错。
tōng guò diàn shì gòu wù mǎi guo jǐ cì xiào guǒ bú cuò

참고 관련 용어

▶ 매장 销售场 xiāoshòuchǎng

- 백화점 百货商店, 百货大楼, 商场, 商城 bǎi huò shāngdiàn, bǎi huò dà lóu, shāngchǎng, shāngchéng
- 쇼핑센터 购物中心 gòu wù zhōng xīn
- 슈퍼 超市 chāo shì
- 창고형 대형 매장 仓库型大型销售店 cāng kù xíng dà xíng xiāo shòudiàn
- 지하상가 地下商场 dì xià shāngchǎng
- 중고품 상점 旧货商店 jiù huò shāngdiàn
- 판매 가격 销售价格 xiāoshòu jià gé
- 대폭 할인 大甩卖 dà shuǎi mài
- 최저 가격 最低价格 zuì dī jià gé
- 출고 가격 出厂价格 chū chǎng jià gé
- 우대 가격 优惠价格 yōu huì jià gé
- 할인 판매 打折销售 dǎ zhé xiāoshòu
- 고정 가격 固定价格 gù dìng jià gé
- 가격표 价格表 jià gé biǎo
- 상품권 商品券 shāng pǐn quàn
- 증정권 赠品券 zèng pǐn quàn
- 비매품 非卖品 fēi mài pǐn
- 영업중 正在营业 zhèng zài yíng yè
- 영업시간 营业时间 yíng yè shí jiān
- 영업정지 停业 tíng yè
- 쇼핑하다 购物, 逛街 gòu wù, guàng jiē
- 아이쇼핑하다 闲逛 xiánguàng
- 싸다 便宜 pián yi
- 비싸다 贵 guì
- 값을 깎다 坎价, 讲价 kǎn jià, jiǎng jià
- 모조 상품 伪造品 wěi zào pǐn
- 가짜 상품 冒牌货 mào pái huò
- 명품 名牌货 míng pái huò
- 포장지 包装纸 bāo zhuāng zhǐ
- 포장하다 包装 bāo zhuāng
- 배달하다 送 sòng
- 교환하다 换 huàn
- 반품하다 退货 tuì huò
- 환불하다 退钱 tuì qián

▶ 의류 코너 衣服区 yī fu qū

- 숙녀복 淑女装 shū nǚ zhuāng
- 남성복 男士服 nán shì fú
- 아동복 童装 tóngzhuāng
- 남성 정장 男士礼服 nán shì lǐ fú
- 셔츠 衬衫 chènshān
- 넥타이 领带 lǐng dài
- 바지 裤子 kù zi
- 오리털 파카 羽绒服 yǔ róng fú
- 조끼 背心/坎肩 bèi xīn kǎn jiān
- 반바지 短裤 duǎn kù
- 티셔츠 T恤 xù
- 비옷 雨衣 yǔ yī
- 속치마 内裙 nèi qún
- 손수건 手帕 shǒu pà

- 스카프 围巾 wéi jīn
- 양말 袜子 wà zi
- 작업복 工作服 gōng zuò fú
- 장갑 手套 shǒu tào
- 윈드재킷 风衣 fēng yī
- 스커트 裙子 qún zi
- 주름치마 皱裙, 折裙 zhòu qún zhé qún
- 잠옷 睡衣 shuì yī
- 내의 内衣 nèi yī
- 브래지어 胸罩 xiōngzhào
- 팬티스타킹 连裤袜 lián kù wà
- 고탄력 판탈롱 스타킹 超弹中筒袜 chāo tán zhōngtǒng wà

신발 코너 鞋区 xié qū

- 구두 皮鞋 pí xié
- 하이힐 高跟鞋 gāo gēn xié
- 장화 雨鞋 yǔ xié
- 부츠 靴子 xuē zi
- 샌들 凉鞋 liáng xié
- 슬리퍼 拖鞋 tuō xié
- 키높이 구두 增高鞋 zēng gāo xié
- 운동화 运动鞋 yùn dòng xié
- 등산화 登山鞋 dēngshān xié
- 레저화 休闲鞋 xiū xián xié
- 쇠가죽 牛皮 niú pí
- 악어가죽 鳄鱼皮 è yú pí

어류 코너 鱼类区 yú lèi qū

- 갈치 带鱼 dài yú
- 연어 三文鱼 sān wén yú
- 오징어 鱿鱼 yóu yú
- 조기 黄花鱼 huáng huā yú
- 조개 贝 bèi
- 새우 虾 xiā
- 게 螃蟹 páng xiè
- 고등어 青鱼 qīng yú
- 참치 金枪鱼 jīn qiāng yú
- 명태 明太鱼 míng tài yú
- 장어 鳗鱼 mán yú
- 미꾸라지 泥鳅 ní qiū
- 붕어 鲫鱼 jì yú
- 잉어 鲤鱼 lǐ yú

육류 코너 肉类区 ròu lèi qū

- 돼지고기 猪肉 zhū ròu
- 쇠고기 牛肉 niú ròu
- 닭고기 鸡肉 jī ròu
- 양고기 羊肉 yáng ròu
- 오리고기 鸭肉 yā ròu
- 갈비 排骨 pái gǔ
- 삼겹살 五花肉 wǔ huā ròu
- 안심 牛肋 niú lèi
- 등심 胸肉里脊 xiōng ròu lǐ ji
- 살코기 瘦肉 shòu ròu

- 닭 날개 鸡翅 jī chì
- 닭 다리 鸡腿 jī tuǐ

▶ 식료품 코너 食品区 shí pǐn qū

- 간장 酱油 jiàng yóu
- 된장 大酱 dà jiàng
- 고추장 辣椒酱 là jiāo jiàng
- 샐러드유 色拉油 sè lā yóu
- 콩기름 豆油 dòu yóu
- 참기름 香油 xiāng yóu
- 토마토 케첩 番茄酱 fān qié jiàng
- 식초 醋 cù
- 버터 奶油, 黄油 nǎi yóu huáng yóu
- 치즈 奶酪 nǎi lào
- 마요네즈 沙拉酱 shā lā jiàng
- 소금 盐 yán
- 설탕 砂糖 shā táng
- 겨자 芥末 jiè mo
- 잼 果酱 guǒ jiàng
- 화학조미료 味精 wèi jīng
- 냉동식품 冷冻食品 lěng dòng shí pǐn
- 빵 面包 miàn bāo
- 라면 方便面 fāng biàn miàn
- 꿀 蜂蜜 fēng mì
- 햄 火腿 huǒ tuǐ
- 소시지 香肠 xiāng cháng
- 초콜릿 巧克力 qiǎo kè lì
- 쥬스 果汁 guǒ zhī
- 두부 豆腐 dòu fu
- 우유 牛奶 niú nǎi

▶ 과일 코너 水果区 shuǐ guǒ qū

- 사과 苹果 píng guǒ
- 배 梨 lí
- 복숭아 桃 táo
- 딸기 草莓 cǎo méi
- 포도 葡萄 pú táo
- 수박 西瓜 xī guā
- 참외 香瓜 xiāng guā
- 바나나 香蕉 xiāng jiāo
- 감 柿子 shì zi
- 귤 橘子 jú zi
- 파인애플 菠萝 bō luó
- 오렌지 橙子 chéng zi

▶ 야채 코너 素菜区 sù cài qū

- 배추 白菜 bái cài
- 무 萝卜 luó bo
- 시금치 菠菜 bō cài
- 상추 生菜 shēng cài
- 토마토 西红柿 xī hóng shì
- 감자 土豆 tǔ dòu
- 오이 黄瓜 huáng guā
- 호박 南瓜 nán guā

- 당근 胡萝卜 hú luó bo
- 파 葱 cōng
- 양파 洋葱 yángcōng
- 마늘 蒜 suàn
- 생강 生姜 shēngjiāng

가전 용품 家电用品区 jiā diànyòng pǐn qū

- TV 电视 diàn shì
- 냉장고 冰箱 bīngxiāng
- 에어컨 空调 kōng tiáo
- 세탁기 洗衣机 xǐ yī jī
- 선풍기 电风扇 diànfēngshàn
- 전자레인지 微波炉 wēi bō lú
- 컴퓨터 电脑 diàn nǎo
- 오디오 音响 yīn xiǎng
- 라디오 收音机 shōu yīn jī
- 워커맨 随身听 suí shēn tīng

가구 家具区 jiā jù qū

- 장롱 衣柜 yī guì
- 책장 书柜 shū guì
- 책상 书桌 shū zhuō
- 의자 椅子 yǐ zi
- 식탁 餐桌, 饭桌 cān zhuō fàn zhuō
- 침대 床 chuáng
- 매트 床垫 chuángdiàn
- 소파 沙发 shā fā
- 화장대 化妆台 huà zhuāng tái
- 씽크대 水槽 shuǐ cáo

보석 코너 首饰店 shǒu shì diàn

- 액세서리 首饰 shǒu shi
- 목걸이 项链 xiàng liàn
- 귀걸이 耳环 ěr huán
- 반지 戒指 jiè zhi
- 팔찌 手镯 shǒuzhuó
- 브로치 胸针 xiōngzhēn

꽃집 花店 huā diàn

- 장미 玫瑰 méi guī
- 카네이션 康乃馨 kāng nǎi xīn
- 국화 菊花 jú huā
- 튤립 郁金香 yù jīn xiāng
- 수선화 水仙花 shuǐxiān huā
- 백합 百合花 bǎi hé huā
- 안개꽃 满天星 mǎn tiān xīng
- 화환 花圈 huā quān
- 꽃다발 花束 huā shù
- 화분 花盆 huā pén
- 꽃병 花瓶 huā píng
- 물주기 浇水 jiāo shuǐ

▶ 화장품 코너 化妆品店 huà zhuāng pǐn diàn

- 로션 护肤液 hù fū yè
- 크림 护肤霜 hù fū shuāng
- 립스틱 口红 kǒu hóng
- 마스카라 睫毛膏 jié máo gāo
- 파운데이션 干粉 gān fěn
- 선크림 防晒霜 fáng shài shuāng
- 아이섀도 眼影 yǎn yǐng
- 아이크림 眼霜 yǎn shuāng
- 아이브로펜슬 眉笔 méi bǐ
- 클렌징 크림 洗面奶 xǐ miàn nǎi

▶ 선물 코너 礼品店 lǐ pǐn diàn

- 인형 娃娃 wá wa
- 라이터 打火机 dǎ huǒ jī
- 지갑 钱包 qián bāo
- 액자 相框 xiàngkuàng
- 면도기 刮胡刀, 剃须刀 guā hú dāo tì xū dāo
- 시계 手表 shǒubiǎo
- 머리핀 发卡 fà qiǎ
- 넥타이핀 领带夹 lǐng dài jiā

▶ 문구류 文具店 wén jù diàn

- 연필 铅笔 qiān bǐ
- 크레파스 蜡笔 là bǐ
- 색연필 彩笔 cǎi bǐ
- 지우개 橡皮 xiàng pí
- 자 尺 chǐ
- 스케치북 素描本, 美术本 sù miáo běn měi shù běn
- 필통 笔盒 bǐ hé
- 책가방 书包 shū bāo
- 만년필 钢笔 gāng bǐ
- 파일 文件夹 wén jiàn jiā
- 수정테이프 涂改带 tú gǎi dài
- 수정액 涂改液 tú gǎi yè

▶ 주방 용품 厨房用具 chú fáng yòng jù

- 국자 汤勺 tāngsháo
- 포크 叉子 chā zi
- 칼 刀 dāo
- 믹서기 搅拌机 jiǎo bàn jī
- 보온병 保温瓶 bǎo wēn píng
- 철수세미 铁刷子 tiě shuā zi
- 주방 세제 餐具洗涤剂 cān jù xǐ dí jì
- 프라이팬 不粘锅 bù zhān guō
- 접시 碟子 dié zi
- 도마 菜板 cài bǎn
- 젓가락 筷子 kuài zi
- 수저 饭勺 fàn sháo
- 컵 杯子 bēi zi
- 종이컵 纸杯 zhǐ bēi

16 학교 생활

学校生活 XUEXIAO SHENGHUO

1 입학 · 전학 · 편입

入学/转学/插班
rù xué zhuǎnxué chābān

중국의 일반 공립학교는 크게 학비가 들지 않는다. 그러나 성적이 부족한 학생이 원하는 학교에 들어가고자 할 경우에는 많은 赞助费 zànzhùfèi(찬조금)을 내야 한다. 외국 유학생의 경우에도 마찬가지로 찬조금을 내야 하는데 액수는 지역과 학교에 따라 차이가 많다. 중국어가 능숙하지 않은 외국 유학생들을 위해서 일부 小学 xiǎoxué(초등학교), 中学 zhōngxué(중고등학교)에서는 国际班 guójìbān(국제반)을 운영하고 있다. 처음 중국에 유학 온 학생들은 여기에서 먼저 중국어의 기초를 다진 후에 본 학년의 반으로 배치되는데, 이를 插班 chābān(차반)이라고 한다.

기 본 대 화

A: 您好, 我是来商量我儿子的转学问题, 他现在是中学三年级。
nín hǎo, wǒ shì lái shāng liang wǒ ér zi de zhuǎn xué wèn tí, tā xiàn zài shì zhōng xué sān nián jí

B: 他会讲汉语吗?[1]
tā huì jiǎng hàn yǔ ma

A: 在韩国学了一点。
zài hán guó xué le yì diǎn

B: 那就没什么问题了, 我很欢迎您的儿子加入我们的学校。
nà jiù méi shén me wèn tí le, wǒ hěn huān yíng nín de ér zi jiā rù wǒ men de xué xiào

A: 赞助费和学费是多少?
zàn zhù fèi hé xué fèi shì duō shao

B: 赞助费是一万元, 学费和其他中国学生一样。
zàn zhù fèi shì yí wàn yuán, xué fèi hé qí tā zhōng guó xué shēng yí yàng

A: 안녕하세요. 아들의 전학 문제를 상담하러 왔는데요, 지금 중학교 3학년입니다.

B: 아이가 중국어를 할 수 있습니까?

A: 한국에서 조금 배웠습니다.

B: 그러면 별 문제 없겠군요. 자제분이 우리 학교에 들어오게 된 것을 환영합니다.

A: 찬조금과 학비가 어떻게 됩니까?

B: 찬조금은 1만위안이며, 학비는 다른 중국학생들과 같습니다.

1) 중국 사람들은 자기네 언어를 말할 때 中国语 zhōngguóyǔ 또는 中国话 zhōngguóhuà라고 하지 아니하고, 汉语 hànyǔ 또는 普通话 pǔtōnghuà라고 한다. 엄밀히 말하자면 중국 소수민족들의 언어도 광의의 중국어에 속하므로, 그 중에서도 중국인의 대부분을 차지하는 한족(汉族 hànzú)이 쓰는 언어라 해서 汉语 hànyǔ라고 하는 것이다. 또한

여러 가지 활용

Ⅰ. 입학 入学
rù xué

▶ **입학시험** 入学考试
rù xué kǎo shì

A: 要想进中国大学, 汉语要达到几级?
yào xiǎng jìn zhōng guó dà xué hàn yǔ yào dá dào jǐ jí

B: 至少也要达到HSK 6级。[2)]
zhì shǎo yě yào dá dào jí

A: 중국 대학에 들어가려면 중국어는 몇급이 되어야 하지요?

B: 적어도 HSK 6급은 되어야 합니다.

- 그는 두 학교에 모두 합격했어요.
  他被两个学校同时录取了。[3)]
  tā bèi liǎng ge xué xiào tóng shí lù qǔ le

- 그는 입학시험에 통과하지 못했어요.
  他入学考试没有通过。
  tā rù xué kǎo shì méi yǒu tōng guò

- 그는 대학입학시험에 떨어졌어요.
  他高考落榜了。[4)]
  tā gāo kǎo luò bǎng le

- 입학시험에는 중국어, 중국 역사, 그리고 영어 등의 과목이 있습니다.
  入学考试里有汉语、中国历史, 还有英语等科目。
  rù xué kǎo shì li yǒu hàn yǔ zhōng guó lì shǐ hái yǒu yīng yǔ děng kē mù

- 이공계통에 가려면 수학시험도 치러야 합니다.
  上理工科, 还要参加数学考试。
  shàng lǐ gōng kē hái yào cān jiā shù xué kǎo shì

중국에는 같은 汉语 hànyǔ일지라도 지역마다 방언이 심하므로 '표준중국어'라는 뜻에서 '普通话 pǔtōnghuà'라고 한다.

2) HSK란 汉语水平考试 hànyǔ shuǐpíng kǎoshì(한어수평고시)의 각 단어 첫 병음(拼音 pīnyīn)을 따서 만든 명칭이다.

3) 录取 lùqǔ: 뽑다, 합격시키다, 채용하다. 앞에 被 bèi가 오면 '뽑히다', '합격하다', '채용되다'의 뜻이 됨.

4) 落榜 luòbǎng: (시험에) 떨어지다, 불합격하다. = 落第, 不及格.

▶ 아이가 중국어를 잘 못할 때 **孩子不会说汉语时**
hái zi bú huì shuō hàn yǔ shí

- 아이가 말은 좀 할줄 아는데 한자를 전혀 쓸줄 모릅니다.
孩子能说一点, 就是不会写汉字。
hái zi néng shuō yì diǎn jiù shì bú huì xiě hàn zì

- 재가 전혀 중국어를 할 줄 몰라 정말 걱정입니다.
他一点汉语都不会说, 真让人担心。
tā yì diǎn hàn yǔ dōu bú huì shuō zhēn ràng rén dān xīn

- 아이가 중국 문화에 그다지 익숙치 않아서 좀 걱정입니다.
孩子对中国的文化不大熟悉, 所以我有点担心。
hái zi duì zhōng guó de wén huà bú dà shú xī suǒ yǐ wǒ yǒu diǎn dān xīn

- 아이가 자기가 하고싶은 말을 중국어로 표현할 수 있을지 걱정이 됩니다.
我担心孩子能不能把自己的想法用中文表达出来。
wǒ dān xīn hái zi néng bu néng bǎ zì jǐ de xiǎng fǎ yòng zhōng wén biǎo dá chū lái

- 아주 활발해 보이는군요. 아마 여기 환경에도 빨리 적응할 것 같습니다.
他看起来是一个很活泼的孩子, 会很快适应这里的环境的。
tā kàn qǐ lái shì yí ge hěn huó pō de hái zi huì hěn kuài shì yìng zhè li de huán jìng de

- 너무 걱정 안하셔도 됩니다. 집에서 늘 중국어로 아이와 대화하시면 자연히 될 겁니다.
不用太担心, 你们在家里常用中文和他交流, 自然而然就学会了。
bú yòng tài dān xīn nǐ men zài jiā li cháng yòng zhōng wén hé tā jiāo liú zì rán ér rán jiù xué huì le

Ⅱ. 전학 转学
zhuǎn xué

A: 想和您谈一谈我儿子的转学问题。
xiǎng hé nín tán yi tán wǒ ér zi de zhuǎn xué wèn tí

B: 他现在是几年级?
tā xiàn zài shì jǐ nián jí

A: 在韩国上到3年级第一学期。
zài hán guó shàng dào nián jí dì yī xué qī

A: 아들의 전학 문제를 상담하고 싶습니다.
B: 아이가 지금 몇학년입니까?
A: 한국에서 3학년 1학기까지 다녔습니다.

- 몇 학년에서 공부하고 싶은가요?
  你想念几年级?[5]
  nǐ xiǎng niàn jǐ nián jí

- 이전에 어느 학교에 다녔습니까?
  以前上的是哪个学校?
  yǐ qián shàng de shì nǎ ge xué xiào

- 어느 학교로 전학을 갑니까?
  转到哪个学校?
  zhuǎn dào nǎ ge xué xiào

- 호적이 이 지역이 아니면 전학비를 내셔야 합니다.
  户口不在这个地区的话, 就要交转学费。
  hù kǒu bú zài zhè ge dì qū de huà jiù yào jiāo zhuǎn xué fèi

- 외국인의 경우에는 또한 찬조금을 내셔야 합니다.
  如果是外国人, 还要交赞助费。[6]
  rú guǒ shì wài guó rén hái yào jiāo zàn zhù fèi

- 다시 전학을 갈 경우에는 찬조금은 환불해 드립니다.
  再转学的时候, 赞助金可以退还。
  zài zhuǎn xué de shí hou zàn zhù jīn kě yǐ tuì huán

- 이미 납입한 찬조금은 환불해 드리지 않습니다.
  已经交的赞助金是不会退的。
  yǐ jīng jiāo de zàn zhù jīn shì bú huì tuì de

- 전학 문제는 교장선생님과 직접 상담하세요.
  转学问题就跟校长亲自谈一谈吧。
  zhuǎn xué wèn tí jiù gēn xiào zhǎng qīn zì tán yi tán ba

---

5) 여기서 念 niàn은 '생각하다' '그리워하다'의 뜻이 아니라 读 dú와 같은 '공부하다'의 뜻이다. 예를 들면 '대학에 다니다'는 上大学 shàng dàxué 读大学 dú dàxué 또는 念大学 niàn dàxué 라고 한다.

6) 중국학교에 아이를 입학 또는 전학시킬 경우 赞助费 zànzhùfèi(찬조금)은 보통 小学 xiǎoxué의 경우 6년치를 일시불로 요구하는 경우가 많은데, 언제 귀국할지 불확실한 경우 1년 혹은 2,3년 단위로 분할 납부하도록 하는 것이 좋다. 대개는 학업을 다 마치지 못하고 귀국이나 전학을 할 경우 환불해 주도록 되어 있으나 그러지 않는 경우도 있으므로 미리 환불 보장을 받아둘 필요도 있으며, 납입영수증은 반드시 보관해 두도록 한다.

Ⅲ. 편입 插班
chā bān

- 몇 학년에 다닐 수 있을까요?
  能上几年级?
  néng shàng jǐ nián jí

- 한국에서 이미 대학을 졸업했는데 중국대학에 편입할 수 있을까요?
  我在韩国已经大学毕业了，能到中国大学插班吗?
  wǒ zài hán guó yǐ jīng dà xué bì yè le néng dào zhōng guó dà xué chā bān ma

- 한국에서 대학 3학년을 다 마치지 않았는데, 중국에서 같은 과에 다닐 수 있습니까?
  我在韩国大学3年级没有念完，在中国能上同样的专业吗?
  wǒ zài hán guó dà xué nián jí méi yǒu niàn wán zài zhōng guó néng shàng tóng yàng de zhuān yè ma

- 한국에서 한의학을 전공했는데 북경중의대학에 편입이 됩니까?
  在韩国的专业是韩医学，能到北京中医药大学插班吗?
  zài hán guó de zhuān yè shì hán yī xué néng dào běi jīng zhōng yī yào dà xué chā bān ma

- 전공이 전혀 다르면 편입할 수 없습니까?
  如果是完全不同的专业，就不能插班吗?
  rú guǒ shì wán quán bù tóng de zhuān yè jiù bù néng chā bān ma

Ⅳ. 증명서 발급 开证明
kāi zhèng míng

- 전학증명서를 떼러 왔습니다.
  我是来办转学证的。
  wǒ shì lái bàn zhuǎn xué zhèng de

- 재학증명서가 필요합니다.
  我需要在读证明书。
  wǒ xū yào zài dú zhèng míng shū

- 성적증명서를 떼려고 합니다.
  我要开成绩证明书。
  wǒ yào kāi chéng jì zhèng míng shū

- 영문 졸업증명서를 떼려고 합니다.
  我来办英文毕业证明。
  wǒ lái bàn yīng wén bì yè zhèng míng

2 수업 · 과제 上课/作业 shàng kè zuò yè

수업하는 것을 上课 shàngkè라고 하는데 그 중에서도 선생님이 강의하는 것을 讲课 jiǎngkè, 그리고 학생이 수업을 듣는 것을 听课 tīngkè라고 한다. 수업 시간에 선생님이 들어오시면 班长 bānzhǎng의 "起立 qǐlì"(일어서!) 구호에 따라 학생은 모두 일어나 "老师好 lǎoshī hǎo!"(선생님 안녕하세요?)라고 인사를 한다. 선생님이 출석을 부를 때나 수업 중 학생을 호명할 때 학생은 "到 dào!"(예!)라고 대답한다.

기 본 대 화

A: 李平同学, 请说一下鲁讯是什么人。
lǐ píng tóng xué qǐng shuō yí xià lǔ xùn shì shén me rén

B: 鲁讯是中国现代文学的先驱者, 他的代表作有"阿Q正转", "呐喊"等。
lǔ xùn shì zhōng guó xiàn dài wén xué de xiān qū zhě tā de dài biǎo zuò yǒu ā zhèng zhuàn nà hǎn děng

A: 说的很对, 还有谁能再补充一下?
shuō de hěn duì hái yǒu shéi néng zài bǔ chōng yí xià

A: 리핑 학생, 루쉰이 어떤 사람인지 말해 보세요.

B: 루쉰은 중국 현대문학의 선구자이며, 대표작으로는 "아큐정전", "납함" 등이 있습니다.

A: 맞아요. 또 누가 보충해 볼까요?

여러 가지 활용

Ⅰ. 출석 出席 chū xí

A: 现在开始检查出席情况。金海燕。
xiàn zài kāi shǐ jiǎn chá chū xí qíng kuàng jīn hǎi yàn

B: 到。
dào

A: 安莲花。
ān lián huā

C: 安莲花今天没有来。
ān lián huā jīn tiān méi yǒu lái

A: 지금부터 출석을 체크하겠습니다. 진하이옌.

B: 예.
A: 안롄화.
C: 안롄화는 오늘 안 왔는데요.

• 오늘 우리 반 출석률은 100%예요.
今天我们班出勤率是百分之百。
jīn tiān wǒ men bān chū qín lǜ shì bǎi fēn zhī bǎi

▶ **대리 출석 替别人答到**
tì bié rén dá dào

• 출석 체크할 때 선생님이 내 이름 부르면 대신 대답 좀 해줘.
检查出勤情况时，若老师喊到我的名字，你就帮我答声"到"。
jiǎn chá chū qín qíng kuàng shí ruò lǎo shī hǎn dào wǒ de míng zì nǐ jiù bāng wǒ dá shēng dào

• 내가 너 대신 대답했어.
我替你喊"到"了。
wǒ tì nǐ hǎn dào le

▶ **결석 缺课**
quē kè

• 선생님이 너 한 번만 더 결석하면 유급이래.
老师说你要是再缺课的话就要留级了。
lǎo shī shuō nǐ yào shì zài quē kè de huà jiù yào liú jí le

• 부득이한 사정으로 출석을 못할 때는 결석계를 쓰십시오.
因为不得已的情况没上课时，请写一下请假条。
yīn wèi bù dé yǐ de qíng kuàng méi shàng kè shí qǐng xiě yí xià qǐng jià tiáo

• 오늘 수업 땡땡이 치자.
今天旷课了吧。
jīn tiān kuàng kè le ba

• 그는 어제 두 과목을 빼먹었어요.
昨天他有两节课没上。
zuó tiān tā yǒu liǎng jié kè méi shàng

• 출석은 총 성적의 20%를 차지합니다.
考勤占总成绩的百分之二十。
kǎo qín zhàn zǒng chéng jì de bǎi fēn zhī èr shí

Ⅱ. 수업하기 上课
shàng kè

시간표 课程表
kè chéng biǎo

· 이것은 영어과 시간표입니다.
这是英语系的课程表。
zhè shì yīng yǔ xì de kè chéng biǎo

· 제4교시가 무슨 수업이지?
第四节是什么课?
dì sì jié shì shén me kè

· 매일 수업 시간은 아침 8시입니다.
每天的上课时间是早上8点。
měi tiān de shàng kè shí jiān shì zǎo shang diǎn

질문하기 提问
tí wèn

· 질문 있으면 하세요.
有什么问题, 就说吧。
yǒu shén me wèn tí jiù shuō ba

· 선생님, 질문 있어요.
老师, 我有一个问题。
lǎo shī wǒ yǒu yí ge wèn tí

· 선생님 질문해도 됩니까?
老师, 我可以提问吗?
lǎo shī wǒ kě yǐ tí wèn ma

· 이런 쉬운 문제도 대답을 못해?
这么容易的问题, 也答不上来?
zhè me róng yì de wèn tí yě dá bu shàng lái

수업 규율 课堂纪律
kè táng jì lǜ

· 저 뒤에 떠들고 있는 학생, 조용히 하세요.
后面闹的同学, 请安静。
hòu miàn nào de tóng xué qǐng ān jìng

· 지금 누가 계속 이야기 하고 있나요?
现在, 谁还在说话?
xiàn zài shéi hái zài shuō huà

- 자꾸 움직이지 말고 똑바로 앉아요.
  不要乱动, 好好儿坐。
  bú yào luàn dòng hǎo hāor zuò

- 수업할 때 잠자면 안됩니다.
  上课的时候不能睡觉。
  shàng kè de shí hou bù néng shuì jiào

- 수업할 때 옆사람과 말하지 마세요.
  上课时, 不要跟别人说话。
  shàng kè shí bú yào gēn bié rén shuō huà

▶ **필기** 笔记
bǐ jì

A: 我上周没上课, 可以借你的笔记吗?
wǒ shàng zhōu méi shàng kè kě yǐ jiè nǐ de bǐ jì ma
B: 当然可以。给你吧。
dāng rán kě yǐ gěi nǐ ba
A: 抄完了马上还给你。
chāo wán le mǎ shàng huán gěi nǐ

A: 지난 주 수업을 못 들었는데, 필기한 것 좀 빌려줄 수 있니?
B: 물론이지. 여기 있어.
A: 베끼고 나서 바로 돌려 줄게.

- 처음 중국어로 수업을 들으니 필기하기가 무척 어려워.
  第一次用中文听课, 笔记很难。
  dì yī cì yòng zhōng wén tīng kè bǐ jì hěn nán

- 내가 필기한 것을 베끼도록 해.
  你抄我的笔记吧。
  nǐ chāo wǒ de bǐ jì ba

- 그녀는 선생님의 강의 내용 하나하나를 전부 노트에 기록합니다.
  她把老师讲的内容一句一句全部写在笔记本上。
  tā bǎ lǎo shī jiǎng de nèi róng yí jù yí jù quán bù xiě zài bǐ jì běn shang

- 아직 선생님 강의를 잘 못알아 듣기 때문에, 매번 녹음을 해서 다시 여러번 듣습니다.
  现在还听不懂老师的讲课, 每次都录下来, 再听几遍。
  xiàn zài hái tīng bu dǒng lǎo shī de jiǎng kè měi cì dōu lù xià lái zài tīng jǐ biàn

▶ 기타 其他
qí tā

- 50쪽을 펴세요.
  请打开50页。
  qǐng dǎ kāi yè

- 30쪽 위에서 다섯째 줄을 보세요.
  请看30页的正数第5行。[1)]
  qǐng kàn yè de zhèng shǔ dì háng

- 밑에서 두 번째 줄을 보세요.
  请看倒数第2行。[2)]
  qǐng kàn dào shǔ dì háng

- 다음 페이지로 넘기세요.
  请翻下一页。
  qǐng fān xià yí yè

- 오늘은 계속해서 중국의 경제에 관해 강의하겠습니다.
  我们今天接着讲中国的经济。
  wǒ men jīn tiān jiē zhe jiǎng zhōng guó de jīng jì

- 선생님의 강의 내용을 이해할 수 있을지 모르겠어.
  不知道能不能听明白老师讲的内容。
  bù zhī dào néng bu néng tīng míng bai lǎo shī jiǎng de nèi róng

- 수업을 하루 빠졌더니 아무것도 모르겠어요.
  旷课一天, 什么都不知道了。
  kuàng kè yì tiān shén me dōu bù zhī dào le

Ⅲ. 수업 평가 上课评价
shàng kè píng jià

- 이 수업은 너무 어려워서 재미가 없어.
  这个课太难, 没意思。
  zhè ge kè tài nán méi yì si

- 이교수님 수업은 너무 딱딱해.
  李教授的讲课太死板了。[3)]
  lǐ jiào shòu de jiǎng kè tài sǐ bǎn le

---

1) 正数 zhèngshǔ: 바로 세다. 여기서는 위에서부터 차례로 세는 것을 말함. zhèngshù로 읽으면 수학 용어 '정수'의 뜻.

2) 倒数 dàoshǔ: 거꾸로 세다. 여기서는 밑에서부터 세는 것을 말함.

3) 死板 sǐbǎn이란 생동적이지 못하거나 생기가 없다는 뜻으로 인물 묘사에 쓰이기도 하지만, 일처리에 있어서 융통성이 없거나 틀에 박힌듯 경직된 경우를 말하기도 한다.

- 강의 수준이 형편없어.
讲课一点水准都没有。
jiǎng kè yì diǎn shuǐ zhǔn dōu méi yǒu

- 고대어법 수업은 단조롭고 딱딱해서 너무 지루해.
古代语法课既单调, 又死板, 觉得很无聊。
gǔ dài yǔ fǎ kè jì dān diào yòu sǐ bǎn jué de hěn wú liáo

- 멍교수님은 학생들 사이에 인기가 대단합니다.
孟教授在学生们之间很有人气。
mèng jiào shòu zài xué shēng men zhī jiān hěn yǒu rén qì

- 왕교수님은 환경공학 분야에서 손꼽히는 교수님입니다.
王教授在环境工学方面是数一数二的。[4)]
wáng jiào shòu zài huán jìng gōng xué fāng miàn shì shǔ yī shǔ èr de

- 마교수님은 학점은 매우 짜지만, 수업은 아주 열정적이십니다.
马教授给分是很吝啬, 可讲课特别热情。
mǎ jiào shòu gěi fēn shì hěn lìn sè kě jiǎng kè tè bié rè qíng

- 새로 오신 교수님은 실력은 있는데 경험이 부족하셔.
新来的教授是有实力, 但缺乏经验。
xīn lái de jiào shòu shì yǒu shí lì dàn quē fá jīng yàn

- 교수의 실력과 강의 수준은 별개의 문제이지.
教授的实力和讲课水准不是一回事。
jiào shòu de shí lì hé jiǎng kè shuǐ zhǔn bú shì yì huí shì

Ⅳ. 과제 作业
zuò yè

A: 这次作业的主题是"环保与地球"。[5)]
zhè cì zuò yè de zhǔ tí shì huán bǎo yǔ dì qiú

B: 要求什么时候完成? 要写多少字?
yāo qiú shén me shí hou wán chéng yào xiě duō shao zì

A: 到本月底以前完成, 不能少于5,000字。[6)]
dào běn yuè dǐ yǐ qián wán chéng bù néng shǎo yú zì

A: 이번 과제의 주제는 "환경보호와 지구"입니다.

B: 언제까지 완성해야 합니까? 몇 자 정도 써야 해요?

A: 이달 말까지 완성하고 5,000자 이상이어야 합니다.

---

4) 数一数二 shǔ yī shǔ èr: 첫 번째나 두 번째로 손꼽히다, 으뜸가다.

5) 环境保护 huánjìng bǎohù를 줄여 环保 huánbǎo라 한다.

6) 여기에서 于 yú의 의미는 '~보다'라는 비교를 나타낸다. 즉 不能少于~는 '~보다 적어서는 안 된다'는 뜻이다.

과제를 내줄 때 布置作业时
bù zhì zuò yè shí

• 반드시 기일에 맞춰 과제를 제출하도록 주의하세요.
注意一定要准时交作业。
zhù yì yí dìng yào zhǔn shí jiāo zuò yè

• 반드시 기일에 맞춰 과제를 완성해야 합니다.
一定要按时完成作业。
yí dìng yào àn shí wán chéng zuò yè

• 논문을 쓸 때는 반드시 각주를 달아야 합니다.
写论文一定要带脚注。
xiě lùn wén yí dìng yào dài jiǎo zhù

• 조사 자료를 첨부하는 것 잊지 마세요.
别忘了附上调查资料。
bié wàng le fù shàng diào chá zī liào

• 중간고사 성적은 평소의 성적으로 결정합니다.
期中考试成绩是依平时成绩而定的。[7)]
qī zhōng kǎo shì chéng jì shì yī píng shí chéng jì ér dìng de

• 이번 리포트는 중간고사 성적에 포함됩니다.
本次报告算期中考试的成绩。
běn cì bào gào suàn qī zhōng kǎo shì de chéng jì

• 논문 제출과 동시에 연구 내용을 발표해야 합니다.
提交论文的同时还要发表研究的内容。
tí jiāo lùn wén de tóng shí hái yào fā biǎo yán jiū de nèi róng

• 도서관에 가서 참고자료들을 찾아 보세요.
去图书馆查查参考资料吧。
qù tú shū guǎn chá cha cān kǎo zī liào ba

리포트 작성 写报告
xiě bào gào

• 논문 잘 되가니? 나는 이제 겨우 쓰기 시작했어.
你的论文进展如何? 我现在才开始写。
nǐ de lùn wén jìn zhǎn rú hé wǒ xiàn zài cái kāi shǐ xiě

• 논문은 잘 되가니?
你的论文写得怎么样了?
nǐ de lùn wén xiě de zěn me yàng le

---

7) 지역에 따라서는 期中考试 qīzhōng kǎoshì를 段考 duànkǎo라 하기도 한다.

- 너 논문 다 썼니?
  你的论文写完了吗?
  nǐ de lùn wén xiě wán le ma

- 나는 아직 제목조차 생각하지 못했어.
  我连题目都没想好呢。
  wǒ lián tí mù dōu méi xiǎng hǎo ne

- 논문을 제 때에 제출하려면 아직도 일주일은 밤을 새야 돼.
  要按时上交论文, 还要熬一个星期的夜。8)
  yào àn shí shàng jiāo lùn wén hái yào áo yí ge xīng qī de yè

- 기일 내에 논문을 제출하려면 이번 주에 반드시 완성해야 해.
  要按时交论文, 这个星期一定要完成。
  yào àn shí jiāo lùn wén zhè ge xīng qī yí dìng yào wán chéng

- 1주일의 시간을 더 준다면 더 잘 쓸 수 있겠는데.
  如果再给我一个星期的时间, 我会写得更好。
  rú guǒ zài gěi wǒ yí ge xīng qī de shí jiān wǒ huì xiě de gèng hǎo

- 며칠만 시간을 더 주시겠습니까?
  再给我几天的时间好吗?
  zài gěi wǒ jǐ tiān de shí jiān hǎo ma

- 제출 날짜를 며칠 연기할 수 있을까요? 실험 결과가 1주일은 기다려야 나오거든요.
  提交日期可以延长几天吗? 实验结果要等一个星期才出来。
  tí jiāo rì qī kě yǐ yán cháng jǐ tiān ma shí yàn jié guǒ yào děng yí ge xīng qī cái chū lái

- 내 논문 좀 수정해 줄래?
  你帮我修整论文好不好?
  nǐ bāng wǒ xiū zhěng lùn wén hǎo bu hǎo

▸ 과제 평가 评价作业
píng jià zuò yè

- 아주 열심히 노력한 흔적이 보이는군요.
  能看的出来, 你很用心。
  néng kàn de chū lái nǐ hěn yòng xīn

- 논문의 내용은 광범한데 심도가 부족합니다.
  你的论文内容很广, 但深度不够。
  nǐ de lùn wén nèi róng hěn guǎng dàn shēn dù bú gòu

---

8) 熬夜 áoyè는 '밤을 새우다', '철야하다'라는 뜻으로, '밤새워 공부하다 – 熬夜学习 áoyè xuéxí', '철야로 일하다 – 熬夜工作 áoyè gōngzuò'라고 한다.

- 리포트가 너무 형편 없어요.
  你的报告太没有水平了。
  nǐ de bào gào tài méi yǒu shuǐ píng le

- 이것도 리포트라고 할 수 있습니까?
  这也算报告吗?
  zhè yě suàn bào gào ma

- 그냥 여러 자료 중에서 베껴 쓴 사람들이 많아요.
  从各个资料中挑着抄写的人也很多。
  cóng gè ge zī liào zhōng tiāo zhe chāo xiě de rén yě hěn duō

- 리포트 제출하지 않은 학생은 중간고사 성적은 영점입니다.
  没有交报告的同学, 期中考试的成绩是零分。
  méi yǒu jiāo bào gào de tóng xué qī zhōng kǎo shì de chéng jì shì líng fēn

- 두 사람 과제물이 아주 똑같은데 어떻게 된거지?
  你们两个作业是一模一样的, 这是怎么回事儿?
  nǐ men liǎng ge zuò yè shì yì mó yí yàng de zhè shì zěn me huí shìr

▶ 기타 其他
qí tā

- 티엔 교수님은 과제를 많이 내주시니?
  田教授留的作业多吗?
  tián jiào shòu liú de zuò yè duō ma

- 지난 번 제출한 과제물 지금 돌려 주겠어요.
  把上次交的作业, 现在发给大家。
  bǎ shàng cì jiāo de zuò yè xiàn zài fā gěi dà jiā

- 함부로 남의 글 베끼지 마, 금방 들통 날거야.
  你不要盲目抄别人的, 否则很快就会露馅。
  nǐ bú yào máng mù chāo bié rén de fǒu zé hěn kuài jiù huì lòu xiàn

- 자꾸 다른 사람 것 베끼면 언젠가는 들통나게 돼.
  如果你经常抄别人的, 早晚会被人发现。
  rú guǒ nǐ jīng cháng chāo bié rén de zǎo wǎn huì bèi rén fā xiàn

- 논문도 다 썼으니 여행이나 갈까? 기분 전환도 할겸.
  论文也写完了, 我们去旅行怎么样? 顺便散散心。[9]
  lùn wén yě xiě wán le wǒ men qù lǚ xíng zěn me yàng shùn biàn sàn san xīn

---

9) 顺便 shùnbiàn: '~하는 김에'라는 뜻. 이와 유사한 단어로는 顺路 shùnlù '~ 가는(오는) 길에'가 있다.

3 시험 · 성적 考试/成绩 kǎo shì chéng jì

중국에서도 요즘은 초등학교(小学 xiǎoxué) 어린이들에게 성적의 부담을 줄이기 위하여 점수제를 지양하고 종합평가를 선호한다. 예를 들어 우리의 '수우미양가'와 같은 평가방식으로 优 yōu(우수), 良 liáng(양호), 及格 jígé(합격), 不及格 bùjígé(낙제) 등이 있다. 대개 优 yōu는 90점 이상, 良 liáng은 80점 이상, 及格 jígé는 60점 이상, 그리고 不及格 bùjígé(낙제) 60점 이하를 말한다.

기 본 대 화

A: 考试考得怎么样?
kǎo shì kǎo de zěn me yàng

B: 没想到试题那么难。
méi xiǎng dào shì tí nà me nán

为了考好, 好几天都没睡好觉, 天天复习。
wèi le kǎo hǎo hǎo jǐ tiān dōu méi shuì hǎo jiào tiān tiān fù xí

A: 不管怎么样, 考试已经结束了。[1]
bù guǎn zěn me yàng kǎo shì yǐ jīng jié shù le

B: 我们应该放松一下。
wǒ men yīng gāi fàng sōng yí xià

A: 시험친 거 어때?
B: 시험 문제가 그렇게 어려울 줄 생각 못했어.
시험 잘 보려고 며칠을 잠도 못자고 날마다 복습했는데.
A: 어쨌거나 시험은 이미 끝났어.
B: 우리도 좀 쉬어야겠지.

여러 가지 활용

I. 시험 준비 考试之前 kǎo shì zhī qián

▶ **시험 기간 · 과목 考试期间/课目** kǎo shì qī jiān kè mù

· 언제부터 시험이지? / 곧 기말고사가 있어요.
什么时候开始考试? / 快到期末考试了。
shén me shí hou kāi shǐ kǎo shì kuài dào qī mò kǎo shì le

1) 不管 bùguǎn: '상관하지 않는다', '간섭하지 않는다'의 뜻. 문장의 앞에 놓였을 때에는 '~을 막론하고', '~에 상관 없이', '~거나 말거나'로 해석하면 된다.

• 다음 달에 모의고사가 있어요.
下个月要进行模拟考试。
xià ge yuè yào jìn xíng mó nǐ kǎo shì

• 내일은 물리를 시험봐요.
明天考物理。
míng tiān kǎo wù lǐ

• 내일은 중국어 재시험을 보아야 해요.
明天要补考汉语。[2)]
míng tiān yào bǔ kǎo hàn yǔ

• 내일부터 기말고사가 시작됩니다.
从明天开始进行期末考试。
cóng míng tiān kāi shǐ jìn xíng qī mò kǎo shì

시험공부 考试复习
kǎo shì fù xí

• 이번 시험공부 좀 했니?
这次考试复习得怎么样?
zhè cì kǎo shì fù xí de zěn me yàng

• 공부 다 했니?
都复习好了吗?
dōu fù xí hǎo le ma

• 시험 자신 있니?
你有把握吗?[3)] / 有信心吗?
nǐ yǒu bǎ wò ma yǒu xìn xīn ma

• 평소에 복습을 잘 했으면 특별히 준비를 할 필요가 없는데.
平时都复习好了, 就不需要特别准备了。
píng shí dōu fù xí hǎo le jiù bù xū yào tè bié zhǔn bèi le

• 맹목적으로 암기만 하면 시험을 잘 볼 수 없어요.
死记硬背是不会考好的。[4)]
sǐ jì yìng bèi shì bú huì kǎo hǎo de

• 벼락치기 공부로는 자기의 진정한 실력을 충분히 발휘할 수 없어요.
闪电般复习, 无法充分的发挥自己真正的实力。
shǎn diàn bān fù xí wú fǎ chōng fèn de fā huī zì jǐ zhēn zhèng de shí lì

---

2) 补考 bǔkǎo: 추가시험, 재시험.

3) 把握 bǎwò: 여기서는(성공에 대한) 확신, 믿음, 자신, 가망 등의 명사로 쓰임. 파악하다, 이해하다, 포착하다, 잡다 등의 동사의 뜻도 있다.

4) 死记硬背 sǐ jì yìng bèi: 이해를 하지 않은 채 무턱대고 외우기만 하다.

- 최선을 다했으니, 이제는 운에 맡길 수밖에요.
  我已经尽力了，就看运气了。
  wǒ yǐ jīng jìn lì le jiù kàn yùn qi le

- 최선을 다했으니, 하늘에 맡겨야지요.
  我尽力了，听天由命吧。
  wǒ jìn lì le tīng tiān yóu mìng ba

- HSK 시험을 위해서 이제부터는 열심히 하려고 해요.
  为了HSK考试，今后要好好学习。
  wèi le kǎo shì jīn hòu yào hǎo hǎo xué xí

- 토플에서 높은 점수를 얻으려면 각고의 노력을 해야 해요.
  要想托福考高分，一定要刻苦学习。
  yào xiǎng tuō fú kǎo gāo fēn yí dìng yào kè kǔ xué xí

- 너는 평소에 공부를 착실히 했으니 틀림없이 시험 잘 볼거야.
  你平时那么认真学习，一定能考好的。
  nǐ píng shí nà me rèn zhēn xué xí yí dìng néng kǎo hǎo de

- 이미 복습을 다했지만, 그래도 걱정이 돼요.
  我已经复习好了，但还是有点担心。
  wǒ yǐ jīng fù xí hǎo le dàn hái shì yǒu diǎn dān xīn

- 시험 볼 때는 먼저 간단한 문제를 풀고 나중에 어려운 문제를 풀어야 해요.
  考试时先做简单的题，再做难题。
  kǎo shì shí xiān zuò jiǎn dān de tí zài zuò nán tí

▶ 출제 出题
chū tí

- 시험 범위는 교과서 제1단원부터 제10단원까지 입니다.
  考试范围是从课本的第一单元到第十单元。
  kǎo shì fàn wéi shì cóng kè běn de dì yī dān yuán dào dì shí dān yuán

- 이번 시험은 전부 논술형입니다.
  这次考试都是论述题。
  zhè cì kǎo shì dōu shì lùn shù tí

- 이번 시험은 빈칸 메우기, 단답형, 그리고 OX형이 있습니다.
  这次考试有填空题、简答题，还有判断题。
  zhè cì kǎo shì yǒu tián kòng tí jiǎn dá tí hái yǒu pàn duàn tí

- 문제는 모두 객관식으로 나옵니다.
  问题全部以客观形式出现。
  wèn tí quán bù yǐ kè guān xíng shì chū xiàn

- 이번 시험은 단선형과 다선형이 모두 있습니다.
  这次的考试单选题和多选题都有。[5)]
  zhè cì de kǎo shì dān xuǎn tí hé duō xuǎn tí dōu yǒu

▶ 기타 其他
qí tā

- 이번 기말고사는 총성적에 50%가 반영됩니다.
  这次期末考试成绩占总成绩的50%。
  zhè cì qī mò kǎo shì chéng jì zhàn zǒng chéng jì de
- 선택과목의 성적은 우수, 양호, 중간, 그리고 미달로 나뉘어집니다.
  考查课的成绩分为优、良、中，和差。
  kǎo chá kè de chéng jì fēn wéi yōu liáng zhōng hé chà
- 내일 시험 감독 선생님은 티엔 교수님이래요.
  听说明天的监考老师是田教授。
  tīng shuō míng tiān de jiān kǎo lǎo shī shì tián jiào shòu
- 이교수님은 시험 전에 문제의 포인트를 알려 주십니다.
  李教授考试之前提示了复习的重点。
  lǐ jiào shòu kǎo shì zhī qián tí shì le fù xí de zhòng diǎn
- 왕선생님은 학생들에게 시험출제 형식을 설명해 주셨습니다.
  王老师跟学生说明了考试的出题形式。
  wáng lǎo shī gēn xué shēng shuō míng le kǎo shì de chū tí xíng shì
- 이 문제는 틀림없이 시험에 나올거야.
  这个题肯定会出。
  zhè ge tí kěn dìng huì chū

Ⅱ. 시험 시간에 在考试时
zài kǎo shì shí

▶ 주의 사항 注意事项
zhù yì shì xiàng

- 책들은 전부 가방 안에 넣으세요.
  把书全部放到书包里。
  bǎ shū quán bù fàng dào shū bāo li
- 컨닝은 금지입니다. 발각되면 바로 시험 자격이 취소됩니다.
  禁止作弊，被发现的话就要取消考试资格。
  jìn zhǐ zuò bì bèi fā xiàn de huà jiù yào qǔ xiāo kǎo shì zī gé

---

5) 单选题 dānxuǎntí는 보기에서 정답을 하나만 고르는 문제이며, 多选题 duōxuǎntí는 정답을 있는대로 다 고르는 문제 형식이다.

- 답안지에 수험 번호와 이름 적는 것 잊지 마세요.
  不要忘了在答题纸上写考号和姓名。
  bú yào wàng le zài dá tí zhǐ shang xiě kǎo hào hé xìng míng

- 시험시작 전에 눈을 감고 마음을 안정시키세요.
  考试开始之前，先闭上眼睛稳定心理。
  kǎo shì kāi shǐ zhī qián xiān bì shàng yǎn jing wěn dìng xīn lǐ

- 시간 됐습니다. 답안지를 제출하세요.
  时间到了，请交答卷。
  shí jiān dào le qǐng jiāo dá juàn

- 시험지 제출 전에 이름을 썼나 다시 한 번 확인하세요.
  交试卷之前再确认一下有没有写姓名。
  jiāo shì juàn zhī qián zài què rèn yí xià yǒu méi yǒu xiě xìng míng

질문 提问
tí wèn

- 선생님, 7번 문제가 잘 안 보입니다.
  老师，第七题的问题看不清楚。
  lǎo shī dì qī tí de wèn tí kàn bu qīng chu

- 선생님, 2번 문제 정답이 없는 것 같습니다.
  老师，第二题好像没有正确答案。
  lǎo shī dì èr tí hǎo xiàng méi yǒu zhèng què dá àn

- 아직 몇 분 남았습니까?
  还有几分钟?
  hái yǒu jǐ fēn zhōng

- 시험지 다시 한 장 주시겠습니까?
  能再给一张试卷吗?
  néng zài gěi yì zhāng shì juàn ma

- 답안지가 찢어졌는데 다시 한 장 주시겠습니까?
  答卷被撕掉了，能再给一张吗?
  dá juàn bèi sī diào le néng zài gěi yì zhāng ma

- 다 썼으면 나가도 됩니까?
  写完了，可以出去吗?
  xiě wán le kě yǐ chū qù ma

- 지우개 좀 빌려도 될까요?
  能借一下橡皮吗?
  néng jiè yí xià xiàng pí ma

Ⅲ. 시험 결과 考试结果
kǎo shì jié guǒ

결과를 물을 때 询问结果
xún wèn jié guǒ

- 시험 잘 봤니?
  考得好吗?
  kǎo de hǎo ma

- 시험 결과가 어때?/몇 점이나 받겠어?
  考试结果怎么样?/能考多少分?
  kǎo shì jié guǒ zěn me yàng néng kǎo duō shao fēn

- 문제 푼 것 계산해 봤니?
  把自己做的题算过了吗?
  bǎ zì jǐ zuò de tí suàn guo le ma

- 예상했던 것과 같아?
  跟你想的一样吗?
  gēn nǐ xiǎng de yí yàng ma

- 1번 문제 정답이 뭐였니?
  第一题的答案是什么?
  dì yī tí de dá àn shì shén me

만족스러울 때 满意时
mǎn yì shí

- 100점을 받았어. 너무 기뻐.
  得了100分, 太高兴了。
  dé le fēn tài gāo xìng le

- 내 예상이 들어 맞았어.
  我想的没错。
  wǒ xiǎng de méi cuò

- 그는 노력했기 때문에 성공한거야.
  他努力了, 所以才会成功。
  tā nǔ lì le suǒ yǐ cái huì chéng gōng

- 와, 3번 문제 그냥 찍었는데 맞았네.
  哇, 第三题蒙对了。
  wā dì sān tí mēng duì le

- 그는 그날 배운 것은 그날 복습했기 때문에 만점을 받았어.
  因为他当天学的当天复习, 所以才得了满分。
  yīn wèi tā dāng tiān xué de dāng tiān fù xí suǒ yǐ cái dé le mǎn fēn

▶ **불만스러울 때 不满意时**
bù mǎn yì shí

- 이번 시험은 잘 보지를 못했어.
这次考试考得不理想。
zhè cì kǎo shì kǎo de bù lǐ xiǎng

- 시험을 이렇게 못볼 줄 몰랐어.
没想到考得这么不好。
méi xiǎng dào kǎo de zhè me bù hǎo

- 시험 문제를 잘못 봤어.
看错题了。
kàn cuò tí le

- 시험 문제가 생각보다 훨씬 어렵게 나왔어.
考试题出得比想像的还要难。
kǎo shì tí chū de bǐ xiǎng xiàng de hái yào nán

- 이번 시험은 내가 너무 소홀했어.
这次考试我太疏忽了。
zhè cì kǎo shì wǒ tài shū hū le

- 에이, 찍은 문제마다 다 틀렸잖아.
哎呀, 瞎蒙的题全错了。
āi ya xiā mēng de tí quán cuò le

- 학교 성적이 인생의 전부는 아니야.
学习成绩不是人生的全部。
xué xí chéng jì bú shì rén shēng de quán bù

Ⅳ. 성적 成绩
chéng jì

A: 这个学期的成绩怎么样?
zhè ge xué qī de chéng jì zěn me yàng

B: 比想象的差多了。
bǐ xiǎng xiàng de chà duō le

A: 得了几分啊?
dé le jǐ fēn a

B: 全部都是80分以上, 但是没有排在前5名。
quán bù dōu shì fēn yǐ shàng dàn shì méi yǒu pái zài qián míng

---

A: 이번 학기 성적이 어때?

B: 예상보다 훨씬 못해.

A: 몇 점이나 받았는데?

B: 모두 80점 이상이긴 한데 5등 안에 들지는 못했어.

성적이 좋을 때 成绩好时
chéng jì hǎo shí

- 그녀는 학교에서 성적이 제일 좋아요.
  她在学校里成绩最好。
  tā zài xué xiào li chéng jì zuì hǎo

- 그는 중국어 성적이 특히 좋아요.
  他的汉语成绩特别好。
  tā de hàn yǔ chéng jì tè bié hǎo

- 전 과목 모두 우수하여 우수상을 받았습니다.
  全部课目都很优秀, 所以拿了优秀奖。
  quán bù kè mù dōu hěn yōu xiù suǒ yǐ ná le yōu xiù jiǎng

- 대학 다니는 동안 매번 장학금을 받았어요.
  他上大学期间, 每次都拿奖学金。
  tā shàng dà xué qī jiān měi cì dōu ná jiǎng xué jīn

- 그는 영어 성적에 큰 진보가 있습니다.
  他的英语成绩有很大的进步。
  tā de yīng yǔ chéng jì yǒu hěn dà de jìn bù

- 그는 학교 성적이 갈수록 좋아지고 있습니다.
  他在学校的成绩越来越好了。
  tā zài xué xiào de chéng jì yuè lái yuè hǎo le

- 그는 전교 수석으로 합격했고 전교 수석으로 졸업했습니다.
  他以全校第一的成绩被录取, 又以全校第一的成绩毕业了。
  tā yǐ quán xiào dì yī de chéng jì bèi lù qǔ yòu yǐ quán xiào dì yī de chéng jì bì yè le

성적이 나쁠 때 成绩不好时
chéng jì bù hǎo shí

- 1학점이 모자라 유급되었어요.
  因为差一学分, 所以只好留级。
  yīn wèi chà yì xué fēn suǒ yǐ zhǐ hǎo liú jí

- 그는 가까스로 합격했어요.
  他勉强合格了。
  tā miǎn qiáng hé gé le

- 졸업할 때 그는 우리 반에서 성적이 꼴찌였어요.
  毕业时, 他在我们班成绩最差。
  bì yè shí tā zài wǒ men bān chéng jì zuì chà

- 그는 성적이 안 좋아 퇴학당했습니다.
  他的成绩不好, 所以退学了。
  tā de chéng jì bù hǎo suǒ yǐ tuì xué le

- 전체 과목이 다 낙제입니다.
  全部科目都是不及格。
  quán bù kē mù dōu shì bù jí gé

▶ 기타 其他
qí tā

- 학생들 번호는 성적순대로 입니다.
  学生们的学号是按成绩安排的。
  xué shēng men de xué hào shì àn chéng jì ān pái de

- 그는 공부밖에 몰라.
  他就知道学习。
  tā jiù zhī dào xué xí

- 그는 대학원에 가기 위해 아주 열심히 공부합니다.
  他为了考研究生, 非常用功地学习。
  tā wèi le kǎo yán jiū shēng fēi cháng yòng gōng de xué xí

- 그는 중국에 유학가기 위해서 열심히 중국어를 배워요.
  他为了去中国留学, 很努力地学中文。
  tā wèi le qù zhōng guó liú xué hěn nǔ lì de xué zhōng wén

- 시간만 있으면 저는 공부를 해요.
  只要有时间, 我就学习。
  zhǐ yào yǒu shí jiān wǒ jiù xué xí

- 날마다 복습과 예습을 잘하기란 쉽지 않은 일이죠.
  每天都好好复习和预习, 不是简单的事。
  měi tiān dōu hǎo hǎo fù xí hé yù xí bú shì jiǎn dān de shì

- 그는 공부를 게을리 하더니 떨어졌어요.
  他在学习上很懒惰, 所以落榜了。
  tā zài xué xí shang hěn lǎn duò suǒ yǐ luò bǎng le

- 공부를 열심히 하더니 시험에 다 합격했어요.
  他努力学习, 考试全都合格了。
  tā nǔ lì xué xí kǎo shì quán dōu hé gé le

4 학교·전공 선택 选择学校/专业

xuǎn zé xuéxiào zhuān yè

중국의 고등학생들은 우리의 수능시험에 해당하는 高考 gāokǎo를 전국적으로 일제히 치른 후에 성적에 맞추어 자신이 갈 수 있는 대학 및 학과를 선택한다. 성적이 우수한 학생들은 당연히 대도시의 명문대학(名牌大学 míngpái dàxué)으로 진학하기를 희망한다. 한편 일찌감치 취업을 준비하려는 학생들은 初中 chūzhōng(중학교) 졸업 후 中专 zhōngzhuān(실업계 고등학교)으로 진학하거나, 高中 gāozhōng(고등학교) 졸업 후 大专 dàzhuān(전문대학)으로 진학한다.

기 본 대 화

A: 快要高考了，你想报哪所大学，学什么专业？[1)]
kuài yào gāo kǎo le nǐ xiǎng bào nǎ suǒ dà xué xué shén me zhuān yè

B: 我想报北京大学的中文系，你呢？
wǒ xiǎng bào běi jīng dà xué de zhōng wén xì nǐ ne

A: 我想报清华大学的物理系。
wǒ xiǎng bào qīng huá dà xué de wù lǐ xì

B: 让我们加倍努力，争取考上自己理想的大学。
ràng wǒ men jiā bèi nǔ lì zhēng qǔ kǎo shàng zì jǐ lǐ xiǎng de dà xué

A: 이제 곧 대학입시야. 너는 어느 대학에 지원해서 무엇을 전공할 생각이니?

B: 나는 베이징대학 중문학과를 지원하려고 해. 너는?

A: 나는 칭화대학 물리학과에 지원하고 싶어.

B: 우리 더욱 열심히 해서 꼭 원하는 대학에 가도록 하자.

여러 가지 활용

Ⅰ. 전공 선택 选择专业

xuǎn zé zhuān yè

- 저는 문과를 지망했습니다.
  我申请了文科。
  wǒ shēn qǐng le wén kē

- 저는 이공계통을 공부하고 싶어요.
  我想学理科。
  wǒ xiǎng xué lǐ kē

1) 高考 gāokǎo는 중국 고3 학생들이 치르는 대학입학시험으로서 대개 6월초에 전국에서 동시에 치러진다.
여기서 报 bào는 报名 bàomíng의 뜻, 즉 '~에 신청하다, 등록하다, 지원하다'의 뜻이다.

- 나는 법률을 공부해서 장래에 훌륭한 법관이 되고 싶어.
  我要学法律，将来当一名优秀的法官。
  wǒ yào xué fǎ lǜ jiāng lái dāng yì míng yōu xiù de fǎ guān

- 저는 기업가가 되고 싶어서 경제학을 선택했어요.
  我想当企业家，所以选择了经济学。
  wǒ xiǎng dāng qǐ yè jiā suǒ yǐ xuǎn zé le jīng jì xué

- 저는 교사가 되기 위해 사범대를 지원했습니다.
  我想当老师，才进师范大学的。
  wǒ xiǎng dāng lǎo shī cái jìn shī fàn dà xué de

- 저는 의학을 공부해서 불치병인 암을 연구하고 싶어요.
  我要学医学，研究不治之症—癌症。
  wǒ yào xué yī xué yán jiū bú zhì zhī zhèng ái zhèng

- 저는 컴퓨터 전문가가 되고 싶습니다.
  我想当电脑专家。
  wǒ xiǎng dāng diàn nǎo zhuān jiā

- 저는 중국어를 전공해서 장래에 통역사가 되고 싶어요.
  我要好好儿学中文，将来当个翻译家。
  wǒ yào hǎo hāor xué zhōng wén jiāng lái dāng ge fān yì jiā

Ⅱ. 대학 선택　选择大学
xuǎn zé dà xué

- 너는 어느 대학에 지원할거니?
  你准备报哪所大学?
  nǐ zhǔn bèi bào nǎ suǒ dà xué

- 나는 사범대학에 입학원서를 냈어.
  我向师范大学递交了入学申请书。
  wǒ xiàng shī fàn dà xué dì jiāo le rù xué shēn qǐng shū

- 나는 취직률이 높은 학교를 선택하고 싶어.
  我想选择就业率高的学校。
  wǒ xiǎng xuǎn zé jiù yè lǜ gāo de xué xiào

- 나는 일류 대학을 선택하지 않고 일류 전공을 선택했어.
  我没有选择一流大学，但我选择了一流专业。
  wǒ méi yǒu xuǎn zé yì liú dà xué dàn wǒ xuǎn zé le yì liú zhuān yè

- 가장 중요한 것은 자기에 맞는 학과를 선택하는 것이죠.
  最重要的是选一门适合自己的学科。
  zuì zhòng yào de shì xuǎn yì mén shì hé zì jǐ de xué kē

Ⅲ. 전공 专业
zhuān yè

A: 你上哪个系?
nǐ shàng nǎ ge xì

B: 我上国际政治系。
wǒ shàng guó jì zhèng zhì xì

A: 那么, 以后的理想是什么?
nà me yǐ hòu de lǐ xiǎng shì shén me

B: 当一名外交官。
dāng yì míng wài jiāo guān

A: 무슨 학과에 다니고 있어요?

B: 국제정치학과에 다니고 있습니다.

A: 그럼 앞으로 꿈은 무엇입니까?

B: 외교관이 되는 겁니다.

▶ 전공 선택 选择专业
xuǎn zé zhuān yè

- 어떤 학과에 접수했어?
  你报了什么系?
  nǐ bào le shén me xì

- 전공은 네가 스스로 택한거니?
  专业是你自己选的吗?
  zhuān yè shì nǐ zì jǐ xuǎn de ma

- 너의 전공에 만족하니?
  对你的专业满意吗?
  duì nǐ de zhuān yè mǎn yì ma

- 어떤 과가 네 적성에 맞을 것 같니?
  你觉得哪个系适合你的个性?
  nǐ jué de nǎ ge xì shì hé nǐ de gè xìng

- 그 전공은 전망이 아주 밝아요.
  那个专业前途无量。
  nà ge zhuān yè qián tú wú liàng

- 대학원에 진학해서 계속 공부를 하려고 합니다.
  我想考研究院继续学习。
  wǒ xiǎng kǎo yán jiū yuàn jì xù xué xí

5 수강 신청 · 학점

选课/学分
xuǎn kè xué fēn

수강 신청은 必修课 bìxiūkè(필수 과목)와 选修课 xuǎnxiūkè(선택 과목)을 구분하여 신청한다. 必修课 bìxiūkè는 전공관련과목으로서 평가가 점수로 환산되어 학점에 반영된다. 选修课 xuǎnxiūkè는 주로 교양과목 등에 해당되며 성적이 학점에 포함되지 않는 경우도 있다.

기 본 대 화

A: 你想这学期申请"古代汉语"吗?
nǐ xiǎng zhè xué qī shēn qǐng gǔ dài hàn yǔ ma

B: 不, 我想这学期换别的。
bù wǒ xiǎng zhè xué qī huàn bié de

A: 你想选什么课?
nǐ xiǎng xuǎn shén me kè

B: 这学期我想学"中国现代文学"。
zhè xué qī wǒ xiǎng xué zhōng guó xiàn dài wén xué

A: 이번 학기에 "고대한어" 신청할거니?
B: 아니, 이번 학기에는 다른 걸로 바꾸려고.
A: 무슨 과목을 선택할건데?
B: 이번 학기에는 "중국현대문학"을 배우고 싶어.

여러 가지 활용

I. 수강 신청 申请听课
shēn qǐng tīng kè

- 어떤 과정을 신청할거니?
  你要申请哪个课程?
  nǐ yào shēn qǐng nǎ ge kè chéng

- 이번 학기에 몇 과목 신청할 생각이니?
  你打算这学期申请几门课?
  nǐ dǎ suàn zhè xué qī shēn qǐng jǐ mén kè

▶ **과목의 변경 및 취소 更改及取消课目**
gēng gǎi jí qǔ xiāo kè mù

- 언제까지 수강 신청을 변경할 수 있죠?
  到什么时候可以更换课程?
  dào shén me shí hou kě yǐ gēng huàn kè chéng

- 학기 도중에 수강을 취소할 수 있습니까?
  学期中途可以取消课程吗?
  xué qī zhōng tú kě yǐ qǔ xiāo kè chéng ma

- 그 과목의 수강 신청은 지난 주말에 벌써 마감되었어요.
  那门课的听课申请早在上个周末结束了。
  nà mén kè de tīng kè shēn qǐng zǎo zài shàng ge zhōu mò jié shù le

- 그 과목은 선택 과목이니까 안 들어도 됩니다.
  那是选修课, 不用听也可以。
  nà shì xuǎn xiū kè bú yòng tīng yě kě yǐ

- 이번 학기에 10 과목을 신청했더니 공부가 좀 벅찹니다.
  这个学期申请了10门课, 觉得学习挺紧张的。
  zhè ge xué qī shēn qǐng le mén kè jué de xué xí tǐng jǐn zhāng de

- 이번 학기에 몇 학점을 신청했니?
  这个学期申请了几学分?
  zhè ge xué qī shēn qǐng le jǐ xué fēn

Ⅱ. 학점 学分
xué fēn

- 그는 3년만에 졸업에 필요한 학점을 다 취득했어요.
  她只读了三年, 就取得了毕业所需的学分。
  tā zhǐ dú le sān nián jiù qǔ dé le bì yè suǒ xū de xué fēn

- 졸업을 하려면 3학점을 더 취득해야 합니다.
  想毕业还要再得三学分。
  xiǎng bì yè hái yào zài dé sān xué fēn

- 매 학기마다 9학점 이상을 취득해야 합니다.
  每学期都要得9学分以上。
  měi xué qī dōu yào dé xué fēn yǐ shàng

- 한 학기에 최고 26학점을 신청할 수 있습니다.
  每学期最多能申请26学分。
  měi xué qī zuì duō néng shēn qǐng xué fēn

- 그는 졸업 시험에서 한 과목이 낙제를 해 졸업을 할 수가 없어요.
  他在毕业考试上有一门不及格, 所以不能毕业。
  tā zài bì yè kǎo shì shang yǒu yì mén bù jí gé suǒ yǐ bù néng bì yè

- 그는 1학점이 모자라 다음 학기에 졸업하게 되었어요.
  他差了一学分, 只好下个学期再毕业。
  tā chà le yì xué fēn zhǐ hǎo xià ge xué qī zài bì yè

6 학비 · 장학금

学费/奖学金
xué fèi jiǎngxué jīn

얼마 전까지만 해도 중국 대학생이나 대학원생(研究生 yánjiūshēng) 중에는 성적이 우수하여 국가에서 학비 및 생활비를 보조받는 公费学生 gōngfèi xuéshēng(국비 학생)과 자신이 모든 학비를 부담하면서 다니는 自费学生 zìfèi xuéshēng(자비 학생)의 구분이 있었다. 그러나 지금은 국비 학생 제도는 거의 사라지고 모두가 자비 학생을 모집한다. 한편 가정 형편이 어려운 학생들을 위해 은행에서는 助学贷款 zhùxué dàikuǎn(학자금 대출)을 해주고 있다.

기 본 대 화

A: 你这学期的学费是多少?
nǐ zhè xué qī de xué fèi shì duō shao

B: 我这学期的学费是5,000元, 另外还有教材费1,000元, 一共6,000元。
wǒ zhè xué qī de xué fèi shì yuán lìng wài hái yǒu jiào cái fèi yuán yí gòng yuán

A: 这些钱你是怎么凑齐的? 向家人要, 还是自己打工挣的?
zhè xiē qián nǐ shì zěn me còu qí de xiàng jiā rén yào hái shi zì jǐ dǎ gōng zhèng de

B: 我的父母给我提供了3,000元, 剩下的3,000元是我自己打工挣的。
wǒ de fù mǔ gěi wǒ tí gōng le yuán shèng xià de yuán shì wǒ zì jǐ dǎ gōng zhèng de

A: 你觉得打工很辛苦吗?
nǐ jué de dǎ gōng hěn xīn kǔ ma

B: 是辛苦了点儿, 可我还能够从中学到很多东西。
shì xīn kǔ le diǎnr kě wǒ hái néng gòu cóng zhōng xué dào hěn duō dōng xi

A: 你真的很棒! 我很佩服你。
nǐ zhēn de hěn bàng wǒ hěn pèi fú nǐ

A: 너 이번 학기 학비가 얼마니?

B: 저의 이번 학기 학비는 5,000위안이고, 그 밖에 교재비가 1,000위안, 모두 6,000위안이에요.

A: 그 돈을 어떻게 마련했어? 식구에게 달라고 하니, 아니면 스스로 아르바이트를 해서 버니?

B: 부모님께서 3000위안을 주시고, 나머지 3000위안은 제가 아르바이트해서 벌었어요.

A: 아르바이트하기가 힘들지 않니?

B: 힘들긴 하지만 그 속에서 많은 것을 배울 수가 있어요.
A: 너 정말 대단하구나. 존경스러운데.

여러 가지 활용

Ⅰ. 학비 学费
xué fèi

- 이 대학의 1년 학비는 얼마입니까?
  这所大学一年的学费是多少?
  zhè suǒ dà xué yì nián de xué fèi shì duō shao

- 학비는 매년 인상됩니다.
  学费每年都涨。
  xué fèi měi nián dōu zhǎng

- 졸업시까지 학비는 인상되지 않습니다.
  直到毕业, 学费都不会涨。
  zhí dào bì yè xué fèi dōu bú huì zhǎng

- 그는 숙부의 도움으로 학비를 다 납부했습니다.
  她靠叔叔才把学费交齐。[1)]
  tā kào shū shu cái bǎ xué fèi jiāo qí

- 저에게는 학비 납부하는 일이 참 어렵습니다.
  对我来说交学费是很困难的事。
  duì wǒ lái shuō jiāo xué fèi shì hěn kùn nan de shì

- 유학생의 학비는 한 학기에 1,200달러입니다.
  留学生的学费是一学期1,200美元。
  liú xué shēng de xué fèi shì yì xué qī měi yuán

- 석사과정은 3년이며 학기 당 1,500달러입니다.
  硕士课程是3年, 每学期1,500美元。
  shuò shì kè chéng shì nián měi xué qī měi yuán

▶ 찬조금 赞助费
zàn zhù fèi

- 찬조금은 1년에 2만5천위안 입니다.
  赞助费是一年两万五千元。
  zàn zhù fèi shì yì nián liǎng wàn wǔ qiān yuán

---

1) 靠 kào: 의지하다, 의존하다, 기대다.

- 1년 뒤에 전학을 갈 경우 나머지 찬조금은 반환해 줍니까?
如果一年后我转学的话，以后的赞助费你能给我退吗？
rú guǒ yì nián hòu wǒ zhuǎn xué de huà, yǐ hòu de zàn zhù fèi nǐ néng gěi wǒ tuì ma

- 전학을 가도 반환은 안 됩니다. 이건 학교의 규정입니다.
转学也不能退，这是学校的规定。
zhuǎn xué yě bù néng tuì, zhè shì xué xiào de guī dìng

- 찬조금은 입학시에 일시불로 다 내나요?
赞助费是一次性交齐吗？
zàn zhù fèi shì yí cì xìng jiāo qí ma

Ⅱ. 장학금 奖学金
jiǎng xué jīn

A: 听说你去留学，是真的吗？
tīng shuō nǐ qù liú xué, shì zhēn de ma

B: 是啊，我收到了美国华盛顿大学的入学通知书。
shì a, wǒ shōu dào le měi guó huá shèng dùn dà xué de rù xué tōng zhī shū

A: 听说那儿的学费很贵，你打算怎么交？
tīng shuō nàr de xué fèi hěn guì, nǐ dǎ suàn zěn me jiāo

B: 幸亏拿到了奖学金。[2)]
xìng kuī ná dào le jiǎng xué jīn

A: 유학 간다는게 정말이야?
B: 응, 미국 워싱턴 대학의 입학통지서를 받았어.
A: 거기 학비는 아주 비싸다던데 어떻게 납입하려고?
B: 다행히 장학금을 받게 되었어.

- 장학금 신청했니?
申请奖学金了吗？
shēn qǐng jiǎng xué jīn le ma

- 장학금을 어떻게 신청합니까?
怎么申请奖学金？
zěn me shēn qǐng jiǎng xué jīn

- 장학금을 신청하는데 어떤 조건이 있나요?
申请奖学金，需要什么条件？
shēn qǐng jiǎng xué jīn, xū yào shén me tiáo jiàn

---

2) 幸亏 xìngkuī, 幸好 xìnghǎo는 모두 '다행히', '요행히', '운좋게'라고 말할 때 쓴다.

- 장학금 신청은 언제까지 마감입니까?
  奖学金申请截止到什么时候?[3)]
  jiǎng xué jīn shēn qǐng jié zhǐ dào shén me shí hou

- 오늘 장학금 신청서를 제출했어요.
  今天提交了奖学金申请书。
  jīn tiān tí jiāo le jiǎng xué jīn shēn qǐng shū

Ⅲ. 아르바이트 打工
dǎ gōng

- 어떤 일을 찾는데요?
  你要找什么样的工作?
  nǐ yào zhǎo shén me yàng de gōng zuò

- 저는 아르바이트하면서 공부하고 있습니다.
  我是一边打工一边读书的。
  wǒ shì yì biān dǎ gōng yì biān dú shū de

- 그는 학비를 벌기 위해 가정교사를 하고 있습니다.
  为了挣学费, 他不得不做家教。
  wèi le zhèng xué fèi tā bù dé bù zuò jiā jiào

- 용돈을 벌기 위해서는 아르바이트를 해야 해요.
  为了挣零用钱, 他必须打工。
  wèi le zhèng líng yòng qián tā bì xū dǎ gōng

- 여름방학과 겨울방학에 저는 다 아르바이트를 합니다.
  暑假和寒假我都去打工。
  shǔ jià hé hán jià wǒ dōu qù dǎ gōng

- 학교 게시판에서 일거리를 찾았어.
  我在学校的宣传栏上找到工作的。
  wǒ zài xué xiào de xuān chuán lán shang zhǎo dào gōng zuò de

- 나는 고등학생의 수학 가정교사로 돈을 법니다.
  我靠当高中生的数学家教来挣钱。
  wǒ kào dāng gāo zhōng shēng de shù xué jiā jiào lái zhèng qián

- 아르바이트로 하루에 얼마나 버나요?
  去打工一天挣多少?
  qù dǎ gōng yì tiān zhèng duō shao

- 아르바이트를 하고 싶은데 저에게 소개 좀 시켜 주시겠습니까?
  我想打工, 能不能介绍一份工作给我?
  wǒ xiǎng dǎ gōng néng bu néng jiè shào yí fèn gōng zuò gěi wǒ

---

3) 截止 jiézhǐ: 마감하다, 일단락 짓다.

7 도서관에서

在图书馆
zài tú shūguǎn

도서관에 들어갈 때는 存包处 cúnbāochù(가방보관소)에 소지품을 보관하고 들어가야 하는데 분실의 위험이 있으므로 귀중품이나 신분증은 특히 조심해야 한다. 요즘은 중국의 도서관도 전산화가 잘 되어 있어 컴퓨터로 소장 도서를 검색할 수 있으며, 굳이 도서관까지 가지 않아도 전자도서관을 이용하여 논문 자료 등을 열람할 수 있다.

기본대화

A: 我想借书, 怎么借啊?
wǒ xiǎng jiè shū zěn me jiè a

B: 在目录卡上找一下书号, 填表就可以了。
zài mù lù kǎ shang zhǎo yí xià shū hào tián biǎo jiù kě yǐ le

也可以用电脑查。
yě kě yǐ yòng diàn nǎo chá

A: 目录箱在哪儿?
mù lù xiāng zài nǎr

B: 在一层大厅。
zài yì céng dà tīng

A: 책을 빌리고 싶은데 어떻게 빌리죠?
B: 목록 카드에서 책번호를 찾아 표를 써오면 됩니다.
컴퓨터로 찾아보실 수도 있습니다.
A: 목록함은 어디에 있습니까?
B: 1층 로비에 있습니다.

여러 가지 활용

Ⅰ. 대출할 때 借书 jiè shū

A: 一次能借几本书?
yí cì néng jiè jǐ běn shū

B: 可以借3本, 两周内要退还。
kě yǐ jiè běn liǎng zhōu nèi yào tuì huán

A: 한 번에 몇 권까지 빌릴 수 있습니까?
B: 세 권 빌릴 수 있습니다. 2주 안에 반납해야 합니다.

- 이 책 세 권을 빌리고 싶습니다.
  我想借这3本书。
  wǒ xiǎng jiè zhè běn shū

- 대출증을 보여 주세요.
  给我看一下借阅证。
  gěi wǒ kàn yí xià jiè yuè zhèng

- 그 책은 이미 대출되었습니다.
  那本书已经借走了。
  nà běn shū yǐ jīng jiè zǒu le

- 자전은 외부로 대출되지 않습니다.
  字典是不外借的。
  zì diǎn shì bú wài jiè de

- 참고서적류는 열람실에서만 이용 가능합니다.
  工具书只能在阅览室使用。[1)]
  gōng jù shū zhǐ néng zài yuè lǎn shì shǐ yòng

- 한 번에 세 권 이상은 대출되지 않습니다.
  一次三本以上是不能借的。
  yí cì sān běn yǐ shàng shì bù néng jiè de

- 1주일 동안 대출할 수 있습니다.
  能借一个星期。
  néng jiè yí ge xīng qī

- 대출 기간은 며칠입니까?
  借书期限是几天?
  jiè shū qī xiàn shì jǐ tiān

- 연장 대출이 가능합니까?
  可以续借吗?
  kě yǐ xù jiè ma

- 기일을 연체하면 하루에 20전씩 연체료가 붙습니다.
  拖延日期的话, 一天要加两毛钱。
  tuō yán rì qī de huà yì tiān yào jiā liǎng máo qián

- 장기 연체자는 이후 책을 빌릴 수 없습니다.
  长期逾期归还者, 以后就不能借书了。[2)]
  cháng qī yú qī guī huán zhě yǐ hòu jiù bù néng jiè shū le

---

1) 工具书阅览室 gōngjùshū yuèlǎnshì: 사전, 색인, 연표, 연감류 등을 모아놓은 열람실로서 대개 외부 대출은 되지 않고 그 안에서만 열람이 가능하다.

2) 逾期 yúqī: 기한을 넘기다, 기일을 초과하다.

▶ 열람실 阅览室
yuè lǎn shì

- 열람실에는 가방을 가지고 들어갈 수 없습니다.
  阅览室不能拿着书包进去。
  yuè lǎn shì bù néng ná zhe shū bāo jìn qù

- 열람실에는 필기도구만 가지고 들어갈 수 있습니다.
  阅览室只能拿笔记用品进去。
  yuè lǎn shì zhǐ néng ná bǐ jì yòng pǐn jìn qù

- 열람실 자리를 맡아놓는 것은 금지합니다.
  禁止预定阅览室的位置。
  jìn zhǐ yù dìng yuè lǎn shì de wèi zhì

- 열람실에서는 휴대폰을 사용할 수 없습니다.
  在阅览室不能使用手机。
  zài yuè lǎn shì bù néng shǐ yòng shǒu jī

- 열람실에서는 조용히 해 주십시오.
  在阅览室，要保持安静。
  zài yuè lǎn shì yào bǎo chí ān jìng

▶ 보관소 · 보관함 存包处/保管箱
cún bāo chù bǎo guǎn xiāng

- 가방은 보관하십시오. 보관소는 1층 입구에 있습니다.
  请存一下书包，存包处在一楼门口。
  qǐng cún yí xià shū bāo cún bāo chù zài yì lóu mén kǒu

- 귀중품은 보관함에 보관하지 마십시오.
  贵重物品不要存在保管箱。
  guì zhòng wù pǐn bú yào cún zài bǎo guǎn xiāng

Ⅱ. 자료 찾기 找资料
zhǎo zī liào

A: 可以直接进书库吗？
kě yǐ zhí jiē jìn shū kù ma

B: 拿出借书证，登记后就可以进去了。
ná chū jiè shū zhèng dēng jì hòu jiù kě yǐ jìn qù le

A: 직접 서고에 들어갈 수 있습니까?

B: 대출증을 가지고 기록한 후 들어갈 수 있습니다.

- 목록 카드를 찾아 보세요.
  查一下目录卡。
  chá yí xià mù lù kǎ

- 색인 목록이 어디에 있습니까?
  索引目录在哪儿?
  suǒ yǐn mù lù zài nǎr

- 여행지에 관한 자료를 어떻게 찾습니까?
  我怎么找关于旅游景点的资料?
  wǒ zěn me zhǎo guān yú lǚ yóu jǐng diǎn de zī liào

▶ 마이크로필름실 缩微胶卷室
suō wēi jiāo juǎn shì

A: 可以看善本吗?[3)]
kě yǐ kàn shàn běn ma

B: 对不起, 只能用胶卷看。
duì bu qǐ zhǐ néng yòng jiāo juǎn kàn

A: 고서 귀중본을 열람할 수 있습니까?

B: 죄송하지만, 마이크로필름으로만 보실 수 있습니다.

- 죄송하지만, 필름을 끼우는 것 좀 도와 주시겠습니까?
  麻烦您, 帮我安一下胶卷, 好吗?
  má fan nín bāng wǒ ān yí xià jiāo juǎn hǎo ma

- 마이크로필름 복사는 장당 1위안입니다.
  复印缩微胶卷一张一元。
  fù yìn suō wēi jiāo juǎn yì zhāng yì yuán

▶ 자료 복사 复印资料
fù yìn zī liào

- 복사기를 사용할 수 있습니까?
  我可以使用复印机吗?
  wǒ kě yǐ shǐ yòng fù yìn jī ma

- 복사실에 가면 복사를 할 수 있습니다.
  到复印室就可以复印了。
  dào fù yìn shì jiù kě yǐ fù yìn le

- 한 권을 다 복사하는 것은 위법입니다.
  复印整本是违法的。
  fù yìn zhěng běn shì wéi fǎ de

3) 善本 shànběn: 학술적 · 예술적 가치가 높은 고대 서적.

▶ **도서 대출증** **借阅证**
jiè yuè zhèng

A: 我想办借阅证。
wǒ xiǎng bàn jiè yuè zhèng

B: 请给我你的身份证或学生证。在这个申请书上登记。
qǐng gěi wǒ nǐ de shēn fèn zhèng huò xué shēng zhèng zài zhè ge shēn qǐng shū shang dēng jì

A: 도서 대출증을 만들고 싶은데요.

B: 신분증이나 학생증을 주세요. 이 신청서에 기록하시구요.

- 도서 대출증을 만들려면 어떻게 해야 합니까?
可以告诉我怎么样才能办借书证吗?
kě yǐ gào su wǒ zěn me yàng cái néng bàn jiè shū zhèng ma

- 대출증을 분실했는데 어떻게 해야 합니까?
我丢了借书证, 该怎么办?
wǒ diū le jiè shū zhèng gāi zěn me bàn

- 새 학기마다 대출증에 확인을 받아야 합니다.
每到新学期, 都要注册借书证。
měi dào xīn xué qī dōu yào zhù cè jiè shū zhèng

- 대출증은 타인에게 빌려줄 수 없습니다.
借书证不能给别人用。
jiè shū zhèng bù néng gěi bié rén yòng

▶ **기타** **其他**
qí tā

- 일요일은 휴관합니다.
星期日, 图书馆闭馆。
xīng qī rì tú shū guǎn bì guǎn

- 매주 월요일은 정기휴일입니다.
每周星期一是定期休假日。
měi zhōu xīng qī yī shì dìng qī xiū jià rì

- 그 학교 도서관은 밤새도록 불이 환히 켜져 있어요.
那所学校的图书馆整个晚上都是灯光明亮。
nà suǒ xué xiào de tú shū guǎn zhěng ge wǎn shang dōu shì dēng guāng míng liàng

8 기숙사에서

在宿舍
zài sù shè

중국 대부분의 대학에서는 전 대학생이 다함께 기숙사 생활을 한다. 이는 타지방에서 온 학생뿐 아니라 집이 가까운 학생일지라도 마찬가지이다. 이는 대학의 면학 분위기를 조성하고 단체생활을 통해 장차 사회에서의 적응능력을 함양시키기 위함이다. 기숙사는 남녀 기숙사가 따로 있으며 대개 4~6명이 한방을 쓰고, 세면실, 화장실 등 기타 시설은 공동 사용한다.

기 본 대 화

A: 这所学校有宿舍吗?
zhè suǒ xué xiào yǒu sù shè ma

B: 有专门为留学生准备的宿舍。
yǒu zhuān mén wèi liú xué shēng zhǔn bèi de sù shè

A: 一天多少钱?
yì tiān duō shao qián

B: 单间是14美元, 双人间是7美元。
dān jiān shì měi yuán shuāng rén jiān shì měi yuán

A: 现在可以马上入住吗?
xiàn zài kě yǐ mǎ shàng rù zhù ma

B: 现在已经满了, 先给你登记一下吧。
xiàn zài yǐ jīng mǎn le xiān gěi nǐ dēng jì yí xià ba

A: 이 학교는 기숙사가 있습니까?
B: 유학생 전용의 기숙사가 준비되어 있습니다.
A: 하루에 얼마입니까?
B: 1인실은 14달러, 2인실은 7달러입니다.
A: 지금 바로 입주할 수 있습니까?
B: 지금은 이미 다 찼으니, 우선 등록해 놓겠습니다.

여러 가지 활용

Ⅰ. 기숙사에 대한 정보 宿舍信息
sù shè xìn xī

- 유학생 기숙사가 있습니까?
  有留学生宿舍吗?
  yǒu liú xué shēng sù shè ma

- 한 달 숙박비가 얼마입니까?
  一个月的住宿费是多少?
  yí ge yuè de zhù sù fèi shì duō shao

- 기숙사는 조용합니까?
  宿舍安静吗?
  sù shè ān jìng ma

- 여학생 기숙사가 있습니까?
  有女生宿舍吗?
  yǒu nǚ shēng sù shè ma

▶ **편의 시설** **便利设施**
biàn lì shè shī

- 기숙사 안에 학생 식당이 있습니까?
  宿舍区内有学生食堂吗?
  sù shè qū nèi yǒu xué shēng shí táng ma

- 기숙사 안에서 히터를 사용할 수 있습니까?
  在宿舍里可以用电暖器吗?
  zài sù shè li kě yǐ yòng diàn nuǎn qì ma

- 기숙사 안에서 자기가 요리를 할 수 있습니까?
  在宿舍里可以自己做菜吗?
  zài sù shè li kě yǐ zì jǐ zuò cài ma

- 어떤 편의 시설들이 있습니까?
  都有什么便利设施?
  dōu yǒu shén me biàn lì shè shī

▶ **개방 시간** **开放时间**
kāi fàng shí jiān

A: 宿舍门24小时都开着吗?
sù shè mén xiǎo shí dōu kāi zhe ma
B: 不是, 到了晚上11点就关门。
bú shì dào le wǎn shang diǎn jiù guān mén

A: 기숙사 문은 24시간 개방되어 있습니까?
B: 아니요. 밤 11시에 문을 닫습니다.

- 방학 기간에도 기숙사에 머물 수 있습니까?
  放假期间, 可以留在宿舍吗?
  fàng jià qī jiān kě yǐ liú zài sù shè ma

- 외부인 출입을 허용합니까?
  允许外人出入吗?
  yǔn xǔ wài rén chū rù ma

Ⅱ. 입주 신청 入住申请
rù zhù shēn qǐng

- 먼저 등록을 하세요.
  你先登记一下吧。
  nǐ xiān dēng jì yí xià ba

- 1인실을 원합니까? 아니면 2인실을 원합니까?
  你要单人间，还是双人间?
  nǐ yào dān rén jiān hái shì shuāng rén jiān

- 저는 중국학생과 함께 지내고 싶습니다.
  我很想跟中国学生住在一起。
  wǒ hěn xiǎng gēn zhōng guó xué shēng zhù zài yì qǐ

- 여학생 기숙사에 살기를 원합니다.
  我想住女生宿舍。
  wǒ xiǎng zhù nǚ shēng sù shè

- 제일 꼭대기층은 원치 않습니다.
  不要最顶层。
  bú yào zuì dǐng céng

- 조용한 것을 좋아하는 룸메이트를 원합니다.
  我想要喜欢安静的同屋。
  wǒ xiǎng yào xǐ huan ān jìng de tóng wū

- 중국어 공부를 위해서 한국 유학생과 함께 살고 싶지 않습니다.
  为了学好中文，不想和韩国留学生住在一起。
  wèi le xué hǎo zhōng wén bù xiǎng hé hán guó liú xué shēng zhù zài yì qǐ

Ⅲ. 룸메이트 同屋
tóng wū

A: 我来介绍一下我的同屋，叫杰克。
wǒ lái jiè shào yí xià wǒ de tóng wū jiào jié kè

B: 你好，杰克。我住在隔壁，叫金正植。
nǐ hǎo jié kè wǒ zhù zài gé bì jiào jīn zhèng zhí

C: 你好，见到你很高兴，我是从美国来的。
nǐ hǎo jiàn dào nǐ hěn gāo xìng wǒ shì cóng měi guó lái de

B: 我也很高兴。我是韩国人，历史系2年级。
wǒ yě hěn gāo xìng wǒ shì hán guó rén lì shǐ xì nián jí

A: 내 룸메이트를 소개할게. 제이크야.

B: 안녕? 제이크. 나는 옆방에 살고 있어. 김정식이라고 해.

C: 안녕? 만나서 반가워. 나는 미국에서 왔어.
B: 나도 반가워. 나는 한국 사람이고, 역사과 2학년이야.

- 제 룸메이트는 일본학생이에요.
  我的舍友是日本学生。
  wǒ de shè yǒu shì rì běn xué shēng

- 저는 룸메이트와 같이 사는 게 불편해서 1인실로 옮기려고 해요.
  我和舍友一起住不方便，所以我想搬到单人间。
  wǒ hé shè yǒu yì qǐ zhù bù fāng biàn suǒ yǐ wǒ xiǎng bān dào dān rén jiān

- 룸메이트가 늘 친구들을 데리고 와서 공부에 방해가 돼요.
  我的同屋常常带朋友过来，所以妨碍我学习。
  wǒ de tóng wū cháng cháng dài péng you guò lái suǒ yǐ fáng ài wǒ xué xí

- 밤 늦게까지 TV를 보고 있어 잠을 잘 못자겠어요.
  很晚还看电视，让人睡不着觉。
  hěn wǎn hái kàn diàn shì ràng rén shuì bu zháo jiào

- 나는 룸메이트와 사이가 좋아요.
  我和同屋关系很好。
  wǒ hé tóng wū guān xì hěn hǎo

- 룸메이트와 더는 같이 못있겠습니다. 방을 바꿔 주세요.
  我不能再和同屋住在一起了，我要换房。
  wǒ bù néng zài. hé tóng wū zhù zài yì qǐ le wǒ yào huàn fáng

▶ 기타 其他
qí tā

- 기숙사는 만족합니까?
  对宿舍满意吗?
  duì sù shè mǎn yì ma

- 기숙사 생활이 어때요?
  宿舍生活怎么样?
  sù shè shēng huó zěn me yàng

- 기숙사에서 우리는 중국어로만 이야기해요.
  在宿舍里，我们只用汉语交流。
  zài sù shè li wǒ men zhǐ yòng hàn yǔ jiāo liú

- 기숙사에서 물건을 잃어버리는 일이 자주 생기니 주의해야해요.
  在宿舍里，常有丢失东西的事，所以我们都要注意。
  zài sù shè li cháng yǒu diū shī dōng xi de shì suǒ yǐ wǒ men dōu yào zhù yì

- 외국 유학생들에게 아주 우호적인 것 같아요.
  好像对外国留学生很友好。
  hǎo xiàng duì wài guó liú xué shēng hěn yǒu hǎo

- 친구가 방문할 때는 먼저 1층에서 등록을 해야 합니다.
  有朋友访问，必须先在1层登记。
  yǒu péng you fǎng wèn bì xū xiān zài céng dēng jì

- 기숙사에서는 주말마다 파티가 있습니다.
  在宿舍，每个周末都有派对。[1)]
  zài sù shè měi ge zhōu mò dōu yǒu pài duì

- 저는 무술 동아리에서 훈련을 받고 있습니다.
  我在武术班受训练。
  wǒ zài wǔ shù bān shòu xùn liàn

- 저는 대학 시절 대학신문사 기자로 활동했습니다.
  我上大学时，是大学新闻社记者。
  wǒ shàng dà xué shí shì dà xué xīn wén shè jì zhě

- 저는 총학생회의 회장을 역임했습니다.
  我担任了学生会主席。
  wǒ dān rèn le xué shēng huì zhǔ xí

- 나는 서클 활동을 하지 않았던 것이 가장 후회스러워.
  我最后悔的是没有参加社团活动。
  wǒ zuì hòu huǐ de shì méi yǒu cān jiā shè tuán huó dòng

참고 관련 용어

- 교육 教育 jiào yù
- 학교 学校 xué xiào
- 교사 教师 jiào shī
- 교수 教授 jiào shòu
- 학생 学生 xué shēng
- 유치원 幼儿园 yòu ér yuán
- 초등학교 小学 xiǎo xué
- 중학교 初中 chū zhōng
- 고등학교 高中 gāo zhōng
- 대학교 大学 dà xué
- 전문대학 大专 dà zhuān
- 대학/학원 学院 xué yuàn
- 전문학교 专业学校 zhuān yè xué xiào
- 입시반 补习班 bǔ xí bān
- 선생님 老师 lǎo shī
- 학사 学士 xué shì
- 석사 硕士 shuò shì
- 박사 博士 bó shì

1) 派对 pàiduì는 party를 그대로 음역한 것이며, 중국어의 宴会 yànhuì, 晚会 wǎnhuì에 해당한다.

- 학위 学位 xué wèi
- 교실 教室 jiào shì
- 수업 上课 shàng kè
- 강의 讲课 jiǎng kè
- 교장 / 총장 校长 xiàozhǎng
- 입학 入学 rù xué
- 졸업 毕业 bì yè
- 유급 留级 liú jí
- 퇴학 退学 tuì xué
- 휴학 休学 xiū xué
- 휴강 停课 tíng kè
- 진학 升学 shēng xué
- 유학 留学 liú xué
- 방학 放假 fàng jià
- 여름방학 暑假 shǔ jià
- 겨울방학 寒假 hán jià
- 합격 及格 jí gé
- 낙제 不及格 bù jí gé
- 성적표 成绩表 chéng jì biǎo
- 담임선생님 班主任 bān zhǔ rèn
- 전공 专业 zhuān yè
- 숙제 作业 zuò yè
- 논문 论文 lùn wén
- 시험 考试 kǎo shì
- 중간고사 期中考试 qī zhōng kǎo shì
- 기말고사 期末考试 qī mò kǎo shì
- 입학시험 入学考试 rù xué kǎo shì
- 졸업시험 毕业考试 bì yè kǎo shì
- 필기시험 笔试 bǐ shì
- 구술시험 口试 kǒu shì
- 면접 面试 miàn shì
- 커닝하다 作弊 zuò bì
- 점수 分数 fēn shù
- 점수를 매기다 打分 dǎ fēn
- 1등 第一名 dì yī míng
- 꼴등 倒数第一名 dào shǔ dì yī míng
- 입학식 入学典礼 rù xué diǎn lǐ
- 졸업식 毕业典礼 bì yè diǎn lǐ
- 편입 插班 chā bān
- 학점 学分 xué fēn
- 수업시간표 课程表 kè chéng biǎo
- 1교시 第一节课 dì yī jié kè
- 기숙사 宿舍 sù shè
- 도서관 图书馆 tú shū guǎn
- 문구점 文具店 wén jù diàn
- 서점 书店 shū diàn
- 복사실 复印室 fù yìn shì
- 강당 礼堂 lǐ táng
- 수강 听课 tīng kè
- 필수 과목 必修课 bì xiū kè
- 선택 과목 选修课 xuǎn xiū kè
- 이과 理科 lǐ kē
- 문과 文科 wén kē
- 학비 学费 xué fèi
- 장학금 奖学金 jiǎng xué jīn
- 우등생 三好学生 sān hǎo xué shēng

17 공공장소에서

在公共场所 ZAI GONGGONG CHANGSUO

1	관공서에서	在公共办事处
2	은행에서	在银行
3	우체국에서	在邮局
4	약국에서	在药店
5	서점에서	在书店
6	미용실에서	在美容美发店
7	세탁소에서	在洗衣店
8	의류점에서	在服装店
9	부동산 중개소에서	在房地产中介公司
10	패스트푸드점에서	在快餐店

1 관공서에서

在公共办事处
zài gōnggòngbàn shì chù

외국인이 중국에 장기적으로 머무를 경우에는 签证 qiānzhèng(비자)나 居留证 jūliúzhèng(거류증)의 발급 및 연장, 또는 외국인 등록 등으로 관공서를 방문해야 하는 경우가 종종 있다. 이러한 사항들을 소홀히 했다가는 자칫 불법 체류나 위법 행위 등이 되어 벌금을 물어야 함은 물론 매우 복잡한 문제가 발생할 수도 있으므로 세심한 주의를 기울여야 한다.

기본대화

A: 您有什么事吗?
nín yǒu shén me shì ma

B: 我是韩国留学生。我想问一下有关外国人注册的事。
wǒ shì hán guó liú xué shēng wǒ xiǎng wèn yí xià yǒu guān wài guó rén zhù cè de shì

A: 可以看一下你的护照吗?
kě yǐ kàn yí xià nǐ de hù zhào ma

B: 可以, 给您。
kě yǐ gěi nín

A: 现在你住在哪里?
xiàn zài nǐ zhù zài nǎ li

B: 我住在朝阳区望京那边。[1)]
wǒ zhù zài cháo yáng qū wàng jīng nà biān

A: 这是外国人申请登记表, 请你填一下。
zhè shì wài guó rén shēn qǐng dēng jì biǎo qǐng nǐ tián yí xià

B: 好的。
hǎo de

A: 무슨 일이십니까?
B: 저는 한국 유학생입니다. 외국인 등록에 관한 것을 묻고 싶어서요.
A: 여권을 보여 주시겠습니까?
B: 네, 여기 있습니다.
A: 지금 어디에 살고 있습니까?
B: 차오양취 왕징에 살고 있습니다.
A: 이것이 외국인 등록 신고서인데, 기입해 주세요.
B: 알겠습니다.

---

1) 朝阳区 cháoyángqū(차오양취)는 베이징의 동북쪽에 위치한 구로서, 三里屯 sānlǐtún(싼리툰)에는 우리나라 대사관을 비롯한 각국의 대사관이 있으며, 望京 wàngjīng(왕징) 지역은 코리아타운이 형성되어 있을 만큼 많은 한국인이 거주하고 있다.

여러 가지 활용

Ⅰ. 담당 부서를 찾을 때 找负责部门时
zhǎo fù zé bù mén shí

- 외국인 거류증을 만들려고 합니다.
  我想办外国人居留证。[2)]
  wǒ xiǎng bàn wài guó rén jū liú zhèng

- 재입국 비자를 받으려고 하는데요.
  我要办理再入境签证。[3)]
  wǒ yào bàn lǐ zài rù jìng qiān zhèng

- 취업 비자를 연기하려고 합니다.
  我想延期就业签证。[4)]
  wǒ xiǎng yán qī jiù yè qiān zhèng

- 건강 진단서를 떼려고 하는데요.
  我想要开一张健康证明。
  wǒ xiǎng yào kāi yì zhāng jiàn kāng zhèng míng

Ⅱ. 담당자를 찾을 때 找负责人时
zhǎo fù zé rén shí

- 말씀 좀 묻겠는데 어느 분이 출생 신고 업무를 담당하십니까?
  请问谁负责出生申请业务?
  qǐng wèn shéi fù zé chū shēng shēn qǐng yè wù

- 그 분은 지금 안 계시는데요, 외출하셨습니다.
  他现在不在, 出去了。
  tā xiàn zài bú zài chū qù le

- 저는 잠시 그의 일을 대신하고 있을 뿐입니다.
  我只是暂时替他的班而已。
  wǒ zhǐ shì zàn shí tì tā de bān ér yǐ

- 내일 오전에 다시 한번 오십시오.
  请明天上午再来一趟吧。
  qǐng míng tiān shàng wǔ zài lái yí tàng ba

---

2) 거류증이란 중국에 거주하고 있는 유학생이나 상사 주재원들에게 일정 지방, 일정 기간 동안 체류를 허가하는 증명서로서, 중국 내에서 여권 대신 신분증의 역할을 할 수 있다.

3) X비자(학생 비자)를 소지한 학생이 방학 등을 이용하여 잠시 한국에 귀국할 경우, 2주 전에 리턴 비자 신청서를 작성하여 公安局 gōng'ānjú(공안국)에 가서 리턴 비자를 발급받아야 다시 중국에 돌아올 수가 있다. 리턴 비자를 받지 않고 출국하면 다시 입국할 때에 X비자를 새로이 받아야 한다.

4) Z-签证 qiānzhèng: 취업 비자를 말하며, 유효 기간 중에는 횟수에 관계없이 자유로이 입출국을 할 수 있다.

- 어느 분이 이 일을 담당하십니까?
  是哪位负责这件事?
  shì nǎ wèi fù zé zhè jiàn shì

- 3번 창구로 가십시오.
  请您到三号窗口去。
  qǐng nín dào sān hào chuāng kǒu qù

Ⅲ. 서식 기입 填表 tián biǎo

A: 这个就是您说的表格。
zhè ge jiù shì nín shuō de biǎo gé

B: 谢谢, 我回家整理后明天再送过来。
xiè xie wǒ huí jiā zhěng lǐ hòu míng tiān zài sòng guò lái

A: 이것이 말씀하신 서식입니다.

B: 감사합니다. 집에 돌아가 정리한 후에 내일 다시 가져오겠습니다.

- 제가 작성할 서류는 무엇이죠?
  我要填的文件是什么?
  wǒ yào tián de wén jiàn shì shén me

- 먼저 신청서를 제출해 주십시오.
  请先提出申请书。
  qǐng xiān tí chū shēn qǐng shū

- 글씨를 깨끗하고 가지런하게 써 주십시오.
  请把字写得干净、整齐一点。
  qǐng bǎ zì xiě de gān jìng zhěng qí yì diǎn

- 어디에 서명합니까?
  请问在哪儿签名?
  qǐng wèn zài nǎr qiān míng

- 잘못 기재해서 그런데, 서식 한 장만 더 주세요.
  我写错了, 再给我一张表。
  wǒ xiě cuò le zài gěi wǒ yì zhāng biǎo

2 은행에서 在银行 zài yín háng

요즘은 직접 은행까지 가지 않아도 电话银行 diànhuà yínháng(폰뱅킹)이나 网上银行 wǎngshàng yínháng(인터넷뱅킹)을 통하여 查询余额 cháxún yú'é(예금 조회)나 转账 zhuǎnzhàng(이체) 등의 업무를 할 수 있다. 또한 곳곳마다 24시간 자동 출금기가 설치되어 있어 언제라도 편리하게 取款 qǔkuǎn(출금)을 할 수 있다. 자동 출금기(自动提款机 zìdòngtíkuǎnjī)가 설치되어 있는 곳에는 监视器 jiānshìqì(감시 카메라)는 물론 각종 防盗设备 fángdào shèbèi(보안 시설)도 되어 있다.

기 본 대 화

A: 请进, 有什么事吗?
qǐng jìn yǒu shén me shì ma

B: 我想办一张银行卡。
wǒ xiǎng bàn yì zhāng yín háng kǎ

A: 您是外籍人吗?
nín shì wài jí rén ma

B: 是的, 我是韩国人。
shì de wǒ shì hán guó rén

A: 请出示您的身份证。
qǐng chū shì nín de shēn fèn zhèng

B: 给你。
gěi nǐ

A: 어서 오십시오. 무슨 용건이신지요?
B: 은행 카드를 하나 만들고 싶습니다.
A: 외국인이십니까?
B: 그렇습니다. 한국인입니다.
A: 신분증을 보여 주십시오.
B: 여기 있습니다.

여러 가지 활용

Ⅰ. 환전 兑换 duì huàn

- 오늘은 환율이 어떻습니까?
  今天的兑换率怎么样?
  jīn tiān de duì huàn lǜ zěn me yàng

- 오늘 1달러는 8.1위안에 환전합니다. 어제보다 0.1위안이 올랐어요.

今天一美元兑换8.1元，比昨天高了0.1元。
jīn tiān yì měi yuán duì huàn yuán bǐ zuó tiān gāo le yuán

• 1달러는 인민폐 얼마로 바꿀 수 있나요?
一美元能兑换多少人民币?
yì měi yuán néng duì huàn duō shao rén mín bì

• 1위안으로 한화 150원을 바꿀 수 있습니다.
一元人民币能兑换150韩币。
yì yuán rén mín bì néng duì huàn hán bì

• 이 한화를 인민폐로 바꿔 주시겠어요?
请把这个韩币换成人民币，好吗?
qǐng bǎ zhè ge hán bì huàn chéng rén mín bì hǎo ma

• 이 달러를 인민폐로 바꿀 수 있을까요?
请问这张美元可以换成人民币吗?
qǐng wèn zhè zhāng měi yuán kě yǐ huàn chéng rén mín bì ma

• 환전 수수료는 얼마입니까?
兑换手续费是多少?
duì huàn shǒu xù fèi shì duō shao

▶ **위조지폐** 假币
jiǎ bì

A: 先生，这100美元是假币。
xiān sheng zhè měi yuán shì jiǎ bì

B: 不会吧。
bú huì ba

A: 刚才验钞机验出来是假的。你从哪儿兑换的美元?
gāng cái yàn chāo jī yàn chū lái shì jiǎ de nǐ cóng nǎr duì huàn de měi yuán

B: 我昨天在黑市上兑换的。
wǒ zuó tiān zài hēi shì shang duì huàn de

A: 在那里兑换很危险，假币很多。
zài nà li duì huàn hěn wēi xiǎn jiǎ bì hěn duō

A: 손님, 이 100달러 짜리가 위조지폐입니다.

B: 그럴 리가요.

A: 방금 위조지폐 감별기에서 가짜로 판독되었습니다. 이 달러 어디서 환전하신거죠?

B: 어제 암시장에서 환전한 건데요.

A: 그런 곳에서 환전하시면 위험합니다. 위폐가 아주 많아요.

- 이것은 위조지폐입니다. 육안으로도 식별할 수 있어요.
  这是假币，用肉眼都能识别出来。
  zhè shì jiǎ bì yòng ròu yǎn dōu néng shí bié chū lái

- 진폐는 우측 하단에 점자 표시가 있어 만져 보면 됩니다.
  真钱右下角有盲点，可以摸出来。
  zhēn qián yòu xià jiǎo yǒu máng diǎn kě yǐ mō chū lái

- 햇빛에 비춰 보면 위조 방지 숨은 그림이 나타납니다.
  对着阳光，你可以看到防伪水印图案。
  duì zhe yáng guāng nǐ kě yǐ kàn dào fáng wěi shuǐ yìn tú àn

- 화폐 진위의 판별은 가운데에 위조 방지선이 있나 없나를 보면 돼요.
  辨别钱币的真伪可以看中间是否有一条防伪线。
  biàn bié qián bì de zhēn wěi kě yǐ kàn zhōng jiān shì fǒu yǒu yì tiáo fáng wěi xiàn

▶ 여행자 수표 旅行支票
lǚ xíng zhī piào

A: 在这里可以兑换旅行支票吗?
zài zhè li kě yǐ duì huàn lǚ xíng zhī piào ma

B: 我们银行没有兑换旅行支票的业务。
wǒ men yín háng méi yǒu duì huàn lǚ xíng zhī piào de yè wù

A: 那我到哪里可以兑换呢?
nà wǒ dào nǎ li kě yǐ duì huàn ne

B: 旅行支票只能到中国银行进行兑换。
lǚ xíng zhī piào zhǐ néng dào zhōng guó yín háng jìn xíng duì huàn

A: 여기에서 여행자 수표를 환전할 수 있습니까?

B: 저희 은행에서는 여행자 수표 환전 업무는 하지 않습니다.

A: 그럼 어디 가서 바꿔야 하지요?

B: 여행자 수표는 중국은행에서만 환전하실 수 있습니다.

- 여행자 수표에 서명해 주십시오.
  您就在旅行支票上签个名吧。
  nín jiù zài lǚ xíng zhī piào shang qiān ge míng ba

- 본인이십니까? 수표의 두 사인이 일치하지 않는데요.
  您是本人吗? 您支票上的两个签名不一样啊。
  nín shì běn rén ma nín zhī piào shang de liǎng ge qiān míng bù yí yàng a

- 여행자 수표는 반드시 본인이 와서 바꿔야 합니다.
  旅行支票必须得本人来换。
  lǚ xíng zhī piào bì xū děi běn rén lái huàn

잔돈을 바꿀 때 换零钱时
huàn líng qián shí

A: 能破开100元吗?
néng pò kāi yuán ma

B: 您要多少的?
nín yào duō shao de

A: 要两张十块的, 十张五块的, 剩下的就换成硬币吧。
yào liǎng zhāng shí kuài de shí zhāng wǔ kuài de shèng xià de jiù huàn chéng yìng bì ba

A: 100위안짜리를 깰 수 있습니까?
B: 얼마짜리로 드릴까요?
A: 10위안짜리 2장과 5위안짜리 10장, 그리고 나머지는 동전으로 바꿔 주세요.

- 잔돈이 필요합니다.
  我需要零钱。
  wǒ xū yào líng qián

- 잔돈을 좀 바꿔 주시겠습니까?
  能不能给我换一下零钱?
  néng bu néng gěi wǒ huàn yí xià líng qián

Ⅱ. 입출금 存取款
cún qǔ kuǎn

A: 我是来存款的。
wǒ shì lái cún kuǎn de

B: 您在银行开户了吗?
nín zài yín háng kāi hù le ma

A: 没有。我想办一个。
méi yǒu wǒ xiǎng bàn yí ge

B: 您想存多少?
nín xiǎng cún duō shao

A: 我存一万元。
wǒ cún yí wàn yuán

A: 예금하러 왔는데요.
B: 은행에 계좌를 개설하셨습니까?
A: 없습니다. 하나 개설하려구요.

B: 얼마 예금하실 겁니까?
A: 1만 위안입니다.

- 정기 예금 계좌를 개설하고 싶습니다.
  我想开一个定期账户。
  wǒ xiǎng kāi yí ge dìng qī zhàng hù

- 1만 위안을 인출하고 싶습니다.
  我想取一万块钱。
  wǒ xiǎng qǔ yí wàn kuài qián

- 정기 예금의 이율은 얼마입니까?
  定期存款的利息是多少?
  dìng qī cún kuǎn de lì xī shì duō shao

- 나는 매월 이 은행에 1만 위안씩 예금합니다.
  我每个月在这个银行存一万块钱。
  wǒ měi ge yuè zài zhè ge yín háng cún yí wàn kuài qián

- 출금시에는 반드시 통장을 제시해야 합니다.
  当您取款时, 一定要出示存折。
  dāng nín qǔ kuǎn shí yí dìng yào chū shì cún zhé

Ⅲ. 대출 贷款
dài kuǎn

- 대출을 받고 싶습니다.
  我想贷款。
  wǒ xiǎng dài kuǎn

- 담보가 없으면 대출이 불가능합니다.
  如果没有担保, 贷款是不可能的。
  rú guǒ méi yǒu dān bǎo dài kuǎn shì bù kě néng de

- 집을 담보로 하여 50만 위안을 대출받고 싶습니다.
  我想把房子作为抵押, 贷款五十万。
  wǒ xiǎng bǎ fáng zi zuò wéi dǐ yā dài kuǎn wǔ shí wàn

- 저의 보증인이 돼 주실 수 있으세요?
  你能当我的担保人吗?
  nǐ néng dāng wǒ de dān bǎo rén ma

- 대출의 연이율은 얼마입니까?
  贷款的年利息是多少?
  dài kuǎn de nián lì xī shì duō shao

Ⅳ. 은행 카드 银行卡
yín háng kǎ

A: 你可不可以借我1,000块钱?
nǐ kě bu kě yǐ jiè wǒ kuài qián

B: 可以, 但是我们相隔这么远, 我怎么给你呢?
kě yǐ dàn shì wǒ men xiāng gé zhè me yuǎn wǒ zěn me gěi nǐ ne

A: 你存到我卡里, 我告诉你我的账户, 你给我打过来就行了。
nǐ cún dào wǒ kǎ li wǒ gào su nǐ wǒ de zhàng hù nǐ gěi wǒ dǎ guò lái jiù xíng le

B: 好吧。我今天上午就去存钱, 你下午就可以取了。
hǎo ba wǒ jīn tiān shàng wǔ jiù qù cún qián nǐ xià wǔ jiù kě yǐ qǔ le

A: 너 나한테 1천 위안 빌려줄 수 있니?
B: 있어. 하지만 이렇게 멀리 떨어져 있는데 어떻게 전해 주지?
A: 내 카드에 넣어 줘. 내가 너에게 내 계좌를 알려 주고 네가 나에게 이체시키면 되지.
B: 알았어. 오늘 오전에 넣을 테니까 오후에 찾으면 되겠구나.

- 자동 입출금기를 이용하면 24시간 언제라도 출금할 수 있어요.
用自动提款机您可以在24小时随时取款。
yòng zì dòng tí kuǎn jī nín kě yǐ zài xiǎo shí suí shí qǔ kuǎn

- 은행 카드 출금은 하루에 5천 위안을 넘을 수 없어요.
用银行卡取款一天不能多于5,000元。[1)]
yòng yín háng kǎ qǔ kuǎn yì tiān bù néng duō yú yuán

- 대형 쇼핑센터에서는 은행 카드로 지불할 수 있어요.
在大型商场里面可以用银行卡付账。
zài dà xíng shāng chǎng lǐ miàn kě yǐ yòng yín háng kǎ fù zhàng

- 만일 은행 카드를 분실하면 바로 카드를 만든 은행에 분실 신고를 해야 합니다.
如果你的银行卡丢失的话, 请您马上到所办理卡的银行挂失。
rú guǒ nǐ de yín háng kǎ diū shī de huà qǐng nín mǎ shàng dào suǒ bàn lǐ kǎ de yín háng guà shī

1) 은행 카드로 1회 출금할 수 있는 한도는 2,000위안이며, 1일 최고한도는 5,000위안으로 제한되어 있다.

3 우체국에서 在邮局

zài yóu jú

우체국은 邮局 yóujú 또는 邮政局 yóuzhèngjú라고 한다. 인터넷이 급속도로 발달한 현대에서는 이메일(电子邮件 diànzǐ yóujiàn)이 보편화되어 편지를 부치러 우체국에 가는 일이 매우 드물게 되었다. 하지만 해외에 나와 있다 보면 소포(包裹 bāoguǒ)나 각종 서류 등을 전달하기 위해 여전히 우체국을 이용해야 하는 경우가 많은데, 이 때 급히 보내야 할 서류나 물품은 국제 특급우편인 EMS[1]를 이용하면 편리하다. EMS를 이용할 경우 중국 내의 우편물은 1~2일, 중국-한국 간의 우편물은 4~5일 정도의 기간이 소요된다.

기본대화

A: 我想寄挂号信。
wǒ xiǎng jì guà hào xìn

B: 好的, 您就先填一下这张表吧。
hǎo de nín jiù xiān tián yí xià zhè zhāng biǎo ba

就在这儿写上寄信人的姓名和地址, 还有收信人的姓名和地址就可以了。
jiù zài zhèr xiě shàng jì xìn rén de xìng míng hé dì zhǐ hái yǒu shōu xìn rén de xìng míng hé dì zhǐ jiù kě yǐ le

A: 我填好了, 给你。需要付多少钱?
wǒ tián hǎo le gěi nǐ xū yào fù duō shao qián

B: 10克 20元。
kè yuán

A: 등기 우편을 부치고 싶은데요.

B: 네, 먼저 이 표를 기입해 주십시오. 여기에 발신인의 성함과 주소, 그리고 수취인의 성함과 주소를 쓰시면 됩니다.

A: 다 적었습니다, 여기 있어요. 얼마를 내야 하지요?

B: 10그램에 20위안입니다.

여러 가지 활용

I. 편지를 부칠 때 寄信时

jì xìn shí

- 말씀 좀 묻겠는데 이 근처에 우체국이 어디 있습니까?
  请问这附近哪里有邮局?
  qǐng wèn zhè fù jìn nǎ li yǒu yóu jú

---

1) EMS: Express Mail Service. 중국어의 정식 명칭은 全球邮政特快专递quánqiú yóuzhèng tèkuài zhuāndì이며 줄여서 快递kuàidì라고도 한다.

- 우체통은 어디에 있습니까?
  请问信箱在哪儿?
  qǐng wèn xìn xiāng zài nǎr

- 이 편지를 한국에 부치고 싶은데요.
  我想把这封信寄到韩国。
  wǒ xiǎng bǎ zhè fēng xìn jì dào hán guó

- 우편 번호를 모르는데 좀 알려 주시겠습니까?
  我不知道邮政编码, 你能告诉我吗?
  wǒ bù zhī dào yóu zhèng biān mǎ nǐ néng gào su wǒ ma

- 엽서 10장 주세요.
  我要十张明信片。
  wǒ yào shí zhāng míng xìn piàn

▶ **등기 우편 挂号信**
guà hào xìn

- 어디에서 등기를 부치지요?
  在哪儿寄挂号信?
  zài nǎr jì guà hào xìn

- 이 편지를 등기로 부치려고 해요.
  这封信要挂号。
  zhè fēng xìn yào guà hào

- 이 카운터에서 등기 우편을 취급합니까?
  这个服务台可以办理挂号信吗?
  zhè ge fú wù tái kě yǐ bàn lǐ guà hào xìn ma

▶ **특급 우편 特快专递**
tè kuài zhuān dì

- 특급 우편으로 부치려고 합니다.
  我要寄特快专递。
  wǒ yào jì tè kuài zhuān dì

- 이 편지를 특급 우편으로 미국에 보내려면 며칠이 걸립니까?
  这封信用快递寄到美国的话需要几天?
  zhè fēng xìn yòng kuài dì jì dào měi guó de huà xū yào jǐ tiān

- 이 편지를 한국에 보내려 하는데 특급 우편은 얼마입니까?
  我想把这封信寄到韩国, 要特快的话需要多少钱?
  wǒ xiǎng bǎ zhè fēng xìn jì dào hán guó yào tè kuài de huà xū yào duō shao qián

Ⅱ. 소포를 부칠 때 寄包裹时
jì bāo guǒ shí

A: 我想把这个寄到韩国。
wǒ xiǎng bǎ zhè ge jì dào hán guó

B: 里面装的是什么东西?
lǐ miàn zhuāng de shì shén me dōng xi

A: 是书。这个包裹的邮费是多少?
shì shū zhè ge bāo guǒ de yóu fèi shì duō shao

B: 先称一下重量
xiān chēng yí xià zhòng liàng

A: 이것을 한국에 부치려고 합니다.
B: 안에 든 것이 무엇입니까?
A: 책입니다. 이 소포의 요금은 얼마입니까?
B: 먼저 중량을 재 봅시다.

- 안에 든 것은 인쇄물입니다.
  里面是印刷品。
  lǐ miàn shì yìn shuā pǐn

- 이 소포를 오늘 부치면 언제 그곳에 도착할까요?
  这个包裹今天寄的话, 什么时候能到那里?
  zhè ge bāo guǒ jīn tiān jì de huà shén me shí hou néng dào nà li

- 이 소포가 얼마나 나가는지 달아 봅시다.
  请称一下这个包裹有多重。
  qǐng chēng yí xià zhè ge bāo guǒ yǒu duō zhòng

- 이 소포에 보험을 들겠습니까?
  这个包裹要保险吗?
  zhè ge bāo guǒ yào bǎo xiǎn ma

- 만일의 사고에 대비해서 1천 위안짜리 보험에 들겠습니다.
  为了以防万一, 我要一千元的保险。
  wèi le yǐ fáng wàn yī wǒ yào yì qiān yuán de bǎo xiǎn

포장할 때 包装时
bāo zhuāng shí

- 여기에 포장 센터가 있습니까?
  这里有包装中心吗?
  zhè li yǒu bāo zhuāng zhōng xīn ma

- 이 소포의 포장은 불합격입니다. 죄송하지만 다시 해 주십시오.

  这个包裹的包装不合格。麻烦你重新包一下。
  zhè ge bāo guǒ de bāo zhuāng bù hé gé má fan nǐ chóng xīn bāo yí xià

- 깨지기 쉬운 물건이라면 "취급 주의"라고 써 주십시오.

  如果是容易碎的东西，请写上「小心轻放」。
  rú guǒ shì róng yì suì de dōng xi qǐng xiě shàng xiǎo xīn qīng fàng

소포를 수취할 때 取包裹时
qǔ bāo guǒ shí

A: 我是来取包裹的。
wǒ shì lái qǔ bāo guǒ de

B: 你填好单子了吗?
nǐ tián hǎo dān zi le ma

A: 已经填好了。
yǐ jīng tián hǎo le

B: 你是本人吗? 给我看一下你的身份证。
nǐ shì běn rén ma gěi wǒ kàn yí xià nǐ de shēn fèn zhèng

A: 是，给你。
shì gěi nǐ

B: 请稍等。这是你的东西，请收好。
qǐng shāo děng zhè shì nǐ de dōng xi qǐng shōu hǎo

A: 소포를 수취하러 왔습니다.

B: 표를 다 기입하셨습니까?

A: 다 기입했습니다.

B: 본인이십니까? 신분증을 보여 주세요.

A: 네, 여기요.

B: 잠시만요. 물건 여기 있습니다. 받으세요.

- 소포를 찾으러 왔는데요.

  我要取包裹。
  wǒ yào qǔ bāo guǒ

- 본인이 아닐 경우 수취인과 대리인의 신분증 모두 지참해야 합니다.

  不是本人的话，原收件人和代理人的身份证都要携带。
  bú shì běn rén de huà yuán shōu jiàn rén hé dài lǐ rén de shēn fèn zhèng dōu yào xié dài

Ⅲ. 우표를 살 때　买邮票时
mǎi yóu piào shí

- 우표는 어디에서 삽니까?
  邮票在哪儿买?
  yóu piào zài nǎr mǎi

- 우표를 사고 싶은데요.
  我想买邮票。
  wǒ xiǎng mǎi yóu piào

- 이 편지에는 얼마짜리 우표를 붙여야 합니까?
  这封信需要贴多少钱的邮票?
  zhè fēng xìn xū yào tiē duō shao qián de yóu piào

- 5위안짜리 우표를 1장 주세요.
  我要一枚五元的邮票。
  wǒ yào yì méi wǔ yuán de yóu piào

- 2008년 베이징 올림픽 기념우표가 있습니까?
  有2008年北京奥运的纪念邮票吗?
  yǒu nián běi jīng ào yùn de jì niàn yóu piào ma

Ⅳ. 전보　电报
diàn bào

- 국제 전보를 치고 싶은데요.
  我想打国际电报。
  wǒ xiǎng dǎ guó jì diàn bào

- 전보용지를 한 장 주세요.
  请给一张电报用纸。
  qǐng gěi yì zhāng diàn bào yòng zhǐ

- 한 자에 얼마입니까?
  一个字要多少钱?
  yí ge zì yào duō shao qián

- 전보는 어디서 칩니까?
  在哪儿可以打电报?
  zài nǎr kě yǐ dǎ diàn bào

- 축전을 보내고 싶은데요
  我想发贺电。
  wǒ xiǎng fā hè diàn

- "결혼 축하합니다. 두 분의 행복이 가득하기를 빕니다."라고 축전을 보내 주세요.

发一下「新婚快乐，祝你们幸福美满」的贺电。
fā yí xià xīn hūn kuài lè zhù nǐ men xìng fú měi mǎn de hè diàn

V. 우편환 邮政汇款
yóu zhèng huì kuǎn

- 우편환으로 한다면 얼마까지 송금할 수 있습니까?
  如果用邮政汇款的话，可以邮多少钱?
  rú guǒ yòng yóu zhèng huì kuǎn de huà kě yǐ yóu duō shao qián

- 한국에 우편환으로 5만 위안을 송금하고 싶습니다.
  我想往韩国汇五万元。
  wǒ xiǎng wǎng hán guó huì wǔ wàn yuán

- 국제 속달로 한국에 돈을 부치려고 합니다.
  我要用国际特快把钱邮到韩国。
  wǒ yào yòng guó jì tè kuài bǎ qián yóu dào hán guó

- 우편환 증서를 가져오셨습니까?
  你拿汇票了吗?
  nǐ ná huì piào le ma

VI. 기타 其他
qí tā

- 오늘 제 편지는 없습니까?
  今天没有我的信吗?
  jīn tiān méi yǒu wǒ de xìn ma

- 소포가 아직 안 왔나요?
  包裹还没有到吗?
  bāo guǒ hái méi yǒu dào ma

- 누가 보낸 편지에요?
  这是谁给你写的信?
  zhè shì shéi gěi nǐ xiě de xìn

- 네 편지가 아직도 안 왔어.
  你的信还没有来。
  nǐ de xìn hái méi yǒu lái

- 오늘 아침 발신 불명의 편지를 받았어요.
  今天早上我收到了一封来路不明的信。
  jīn tiān zǎo shang wǒ shōu dào le yì fēng lái lù bù míng de xìn

- 수취인은 이사 갔습니다. 반송시켜 주세요.
  收件人搬走了，再返回去吧。
  shōu jiàn rén bān zǒu le zài fǎn huí qù ba

4 약국에서

在药店
zài yàodiàn

중국의 대형 약국들에서는 西药 xīyào(양약), 中药 zhōngyào(한약), 中草药 zhōngcǎoyào(한약재)를 함께 취급하는 경우가 많다. 中药 zhōngyào는 中成药 zhōngchéngyào라고도 하며 한약을 양약처럼 제품화한 것을 말한다. 중약 제조 회사로는 北京同仁堂 běijīng tóngréntáng이 가장 유명한데 300년 역사의 오랜 전통을 자랑한다. 그래서 한때는 牛黄清心丸 niúhuáng qīngxīnwán(우황청심환) 등을 사려고 하는 한국인 관광객들로 문전성시를 이루기도 하였다.

기본대화

A: 欢迎光临, 您需要什么?
huān yíng guāng lín nín xū yào shén me

B: 有没有助消化的药?
yǒu méi yǒu zhù xiāo huà de yào

A: 有什么症状?
yǒu shén me zhèng zhuàng

B: 饭后胃有点不舒服。
fàn hòu wèi yǒu diǎn bù shū fu

A: 这是见效好的消化药。吃两粒就可以了。
zhè shì jiàn xiào hǎo de xiāo huà yào chī liǎng lì jiù kě yǐ le

A: 어서 오십시오. 무엇을 드릴까요?
B: 소화제 있습니까?
A: 어떤 증상이 있으세요?
B: 식후에 속이 좀 불편합니다.
A: 이건 효과가 좋은 소화제입니다. 두 알만 드시면 됩니다.

여러 가지 활용

Ⅰ. 약을 살 때 买药
mǎi yào

- 두통약을 사려고 하는데요.
  我要买治头痛的药。
  wǒ yào mǎi zhì tóu tòng de yào

- 수면제 좀 몇 알 주십시오.
  给我几颗安眠药。
  gěi wǒ jǐ kē ān mián yào

- 부작용이 없을까요?
  会不会有副作用?
  huì bu huì yǒu fù zuò yòng

- 위장병 특효약은 없나요?
  没有治胃病的特效药吗?
  méi yǒu zhì wèi bìng de tè xiào yào ma

- 머리가 아픈데 진통제 있나요?
  我头疼, 有没有止痛片?
  wǒ tóu téng yǒu méi yǒu zhǐ tòng piàn

- 파스 좀 주세요.
  麻烦你拿一下贴膏。
  má fan nǐ ná yí xià tiē gāo

- 변비약이 필요한데요.
  我需要治便秘的药。
  wǒ xū yào zhì biàn mì de yào

- 어린이용 종합 비타민을 주세요.
  我想要小孩子服用的综合维他命。[1)]
  wǒ xiǎng yào xiǎo hái zi fú yòng de zōng hé wéi tā mìng

- 부작용이 없는 감기약을 주세요.
  请您帮我拿没有副作用的感冒药。
  qǐng nín bāng wǒ ná méi yǒu fù zuò yòng de gǎn mào yào

- 지난번 약은 다 먹었습니다. 다시 또 지어 주세요.
  上次那药已经都吃完了。麻烦您再给我抓一副药吧。[2)]
  shàng cì nà yào yǐ jīng dōu chī wán le má fan nín zài gěi wǒ zhuā yí fù yào ba

약품 설명 药品说明
yào pǐn shuō míng

- 이 약을 드시면 곧 좋아질 것입니다.
  如果您服用这种药, 很快就会好起来的。
  rú guǒ nín fú yòng zhè zhǒng yào hěn kuài jiù huì hǎo qǐ lái de

- 이 약이 통증을 경감시켜 줄 겁니다.
  这个药可以减轻您的痛苦。
  zhè ge yào kě yǐ jiǎn qīng nín de tòng kǔ

---

1) 维他命 wéitāmìng: 비타민(Vitamin)의 음역. 维生素 wéishēngsù 라고도 한다.
2) 抓药 zhuāyào: 약을 짓다. 抓는 '잡다', '쥐다'의 뜻으로 탕약을 지을 때 손으로 집어서 양을 헤아리는 것을 말한다.

- 이것은 진통제입니다.

这个就是止痛片。
zhè ge jiù shì zhǐ tòng piàn

- 아마도 과로한 탓인 것 같습니다. 비타민을 좀 드시면 좋아질 겁니다.

可能是疲劳过度的关系吧。吃一点维生素就可以了。
kě néng shì pí láo guò dù de guān xì ba chī yì diǎn wéi shēng sù jiù kě yǐ le

- 이 약은 효과가 아주 빠릅니다.

这药见效很快。
zhè yào jiàn xiào hěn kuài

- 이 약은 감기에 효능이 있습니다.

这药对治感冒很有效。
zhè yào duì zhì gǎn mào hěn yǒu xiào

- 취침 전에 한 포 드시면 푹 주무실 수 있습니다.

睡觉之前服用一包, 就可以睡个好觉了。
shuì jiào zhī qián fú yòng yì bāo jiù kě yǐ shuì ge hǎo jiào le

Ⅱ. 처방전 药方
yào fāng

A: 我要这些药。
wǒ yào zhè xiē yào

B: 好的, 这是您自己要服用的吗?
hǎo de zhè shì nín zì jǐ yào fú yòng de ma

A: 不是, 这是我老公的药。[3)]
bú shì zhè shì wǒ lǎo gōng de yào

B: 一天三次, 饭后服用。
yì tiān sān cì fàn hòu fú yòng

A: 이 약들을 주세요.
B: 알겠습니다. 본인이 드실 약입니까?
A: 아닙니다. 제 남편의 약이에요.
B: 하루 세 번, 식사 후에 드십시오.

- 이 약들을 지어 주십시오.

请帮我抓一下这些药。
qǐng bāng wǒ zhuā yí xià zhè xiē yào

3) 老公 lǎogōng: 남편. = 丈夫 zhàngfu.

- 처방전이 없으신가요?
  没有开药方吗?
  méi yǒu kāi yào fāng ma

- 이 처방전대로 약 좀 지어 주세요.
  请按这个药方给我抓药吧。
  qǐng àn zhè ge yào fāng gěi wǒ zhuā yào ba

- 이 약은 처방전이 없으면 살 수 없습니다.
  这药没有处方的话, 不能买。
  zhè yào méi yǒu chǔ fāng de huà bù néng mǎi

Ⅲ. 용법 用法
yòng fǎ

A: 请您告诉我该怎么吃。
qǐng nín gào su wǒ gāi zěn me chī

B: 六个小时服用一次。
liù ge xiǎo shí fú yòng yí cì

A: 一次吃几粒?
yí cì chī jǐ lì

B: 三粒就够了。
sān lì jiù gòu le

A: 어떻게 먹어야 하는지 가르쳐 주세요.
B: 6시간마다 한 번씩 드시면 됩니다.
A: 한 번에 몇 알씩 먹을까요?
B: 세 알이면 충분합니다.

- 하루에 몇 번 복용해야 합니까?
  一天吃几次?
  yì tiān chī jǐ cì

- 하루에 세 번이면 됩니다.
  一天三次就可以了。
  yì tiān sān cì jiù kě yǐ le

- 하루 세 번 식후 30분마다 드시면 됩니다.
  每天三次, 饭后三十分钟服用就可以。
  měi tiān sān cì fàn hòu sān shí fēn zhōng fú yòng jiù kě yǐ

- 시간에 맞춰 약을 복용하는 것이 가장 중요합니다.
  按时吃药是最重要的。
  àn shí chī yào shì zuì zhòng yào de

- 식후와 취침 전에 드세요.
  请在饭后和睡觉之前服用。
  qǐng zài fàn hòu hé shuì jiào zhī qián fú yòng

- 열이 높을 때에만 해열제를 드세요.
  发高烧时才可以服用退烧药。
  fā gāo shāo shí cái kě yǐ fú yòng tuì shāo yào

- 만일 통증이 심하면 진통제를 드세요.
  如果疼得厉害, 就服用止痛药。
  rú guǒ téng de lì hai jiù fú yòng zhǐ tòng yào

- 4시간에 한 번씩 약 드신다는 것을 잊지 마세요.
  别忘了4个小时吃一次药。
  bié wàng le ge xiǎo shí chī yí cì yào

- 복용 방법은 설명서에 다 쓰여 있습니다.
  服用方法在说明书上已经都写了。
  fú yòng fāng fǎ zài shuō míng shū shang yǐ jīng dōu xiě le

- 이 약은 아침저녁 두 번, 매번 1알씩 4일간 드시면 됩니다.
  这药早晚服用两次, 每次一颗, 服用四天就够了。
  zhè yào zǎo wǎn fú yòng liǎng cì měi cì yì kē fú yòng sì tiān jiù gòu le

- 이 감기약은 기침이 날 때만 드십시오, 하루에 30ml를 넘으면 안 됩니다.
  这个感冒药只需在咳嗽时服用, 注意一天不能超过30毫升。
  zhè ge gǎn mào yào zhǐ xū zài ké sou shí fú yòng zhù yì yì tiān bù néng chāo guò háo shēng

- 연고 종류의 약은 잘 펴 발라야 합니다.
  软膏那种药应该涂得均匀一点。
  ruǎn gāo nà zhǒng yào yīng gāi tú de jūn yún yì diǎn

- 이 외용약은 하루에 적어도 두 번은 바꿔 줘야 합니다.
  这种外敷药, 一天起码要换两次。
  zhè zhǒng wài fū yào yì tiān qǐ mǎ yào huàn liǎng cì

5 서점에서

在书店
zài shūdiàn

중국에서 가장 큰 서점으로는 新华书店 xīnhuá shūdiàn이 있다. 新华书店은 전국 체인망이 잘 갖추어져 있어 중국의 어느 도시를 가더라도 곳곳에서 볼 수 있다. 이 밖에 베이징에는 海淀区 hǎidiànqū(하이띠엔취) 대학가에 대형 서점들이 밀집해 있는 图书城 túshūchéng(book city)이 있으며, 琉璃厂 liúlíchǎng에는 고서적을 취급하는 곳이 많아 외국인들이 즐겨 찾기도 한다.

기 본 대 화

A: 请问这里有《哈里·波特》系列吗?
qǐng wèn zhè li yǒu hā lǐ bō tè xì liè ma

B: 你都要吗?
nǐ dōu yào ma

A: 我只要《哈里·波特与密室》这本书。
wǒ zhǐ yào hā lǐ bō tè yǔ mì shì zhè běn shū

B: 对不起, 这本书已经脱销了。
duì bu qǐ zhè běn shū yǐ jīng tuō xiāo le

A: 那什么时候可以买到呢?
nà shén me shí hou kě yǐ mǎi dào ne

B: 明天新书就可以到货。
míng tiān xīn shū jiù kě yǐ dào huò

A: 〈해리 포터〉 시리즈 있습니까?
B: 다 필요하십니까?
A: 〈해리 포터와 비밀의 방〉만 필요해요.
B: 죄송합니다. 그 책은 이미 다 팔렸어요.
A: 그럼 언제 살 수 있지요?
B: 내일 새 책이 들어올 겁니다.

여러 가지 활용

Ⅰ. 책을 찾을 때 找书时
zhǎo shū shí

- 이번 달 호 〈루이리〉 있습니까?
  有这个月的《瑞丽》吗?[1)]
  yǒu zhè ge yuè de ruì lì ma

---

1) 《瑞丽》ruìlì: 패션, 화장, 다이어트 등을 다루는 중국의 젊은 세대를 위한 월간 종합 정보지.

- 잭 캔필드의 〈영혼을 위한 닭고기 수프〉 있나요?
  这里有没有杰克坎菲尔的《心灵鸡汤》?
  zhè li yǒu méi yǒu jié kè kǎn fēi ěr de xīn líng jī tāng

- 컴퓨터 길라잡이 책을 사고 싶은데요.
  我想买有关电脑向导的书。
  wǒ xiǎng mǎi yǒu guān diàn nǎo xiàng dǎo de shū

- 금주의 〈뉴욕 타임스〉를 찾고 있습니다.
  我在找本周的《纽约时报》。
  wǒ zài zhǎo běn zhōu de niǔ yuē shí bào

- 그 책은 언제쯤 들어옵니까?
  那本书什么时候进?
  nà běn shū shén me shí hou jìn

- 찾는 책의 이름을 말씀해 주십시오.
  请您说一下您想要的书的名字。
  qǐng nín shuō yí xià nín xiǎng yào de shū de míng zi

Ⅱ. 베스트셀러 畅销书
chàng xiāo shū

A: 目前哪一本书是最畅销的?
mù qián nǎ yì běn shū shì zuì chàng xiāo de

B: 是米兰昆德拉的《不能承受的生命之轻》, 它连续三周排在第一。
shì mǐ lán kūn dé lā de bù néng chéng shòu de shēng mìng zhī qīng tā lián xù sān zhōu pái zài dì yī

A: 요즘 무슨 책이 가장 잘 팔리죠?
B: 밀란 쿤데라의 <참을 수 없는 존재의 가벼움>이 3주 연속 1위에요.

- 이 책은 잘 팔리나요?
  这本书畅销吗?
  zhè běn shū chàng xiāo ma

- 진용의 무협 소설은 굉장히 잘 팔리고 있어요.
  金庸的武侠小说特别畅销。
  jīn yōng de wǔ xiá xiǎo shuō tè bié chàng xiāo

- 이 책은 벌써 두 달 연속 베스트셀러 순위에 올라 있어요.
  这本书已经连续两个月荣登畅销书的排行榜了。
  zhè běn shū yǐ jīng lián xù liǎng ge yuè róng dēng chàng xiāo shū de pái háng bǎng le

Ⅲ. 절판 · 품절 绝版/缺货
jué bǎn quē huò

- 그 책은 이미 절판됐습니다.
  那本书已经绝版了。
  nà běn shū yǐ jīng jué bǎn le

- 그 월간지는 이미 품절되었는데요.
  那个月刊已经没有货了。
  nà ge yuè kān yǐ jīng méi yǒu huò le

- 그 사전의 초판은 이미 다 팔렸습니다.
  那本词典的初版已经卖完了。
  nà běn cí diǎn de chū bǎn yǐ jīng mài wán le

- 그 잡지는 5월호로 정간됐어요.
  那本杂志从五月份就已经停刊了。
  nà běn zá zhì cóng wǔ yuè fèn jiù yǐ jīng tíng kān le

Ⅳ. 책의 위치 书的位置
shū de wèi zhì

A: 请问有关托福的书在哪里?
qǐng wèn yǒu guān tuō fú de shū zài nǎ li

B: 就放在那个外语系列的书架上。
jiù fàng zài nà ge wài yǔ xì liè de shū jià shang

A: 토플에 관한 책은 어디에 있습니까?

B: 저쪽 외국어 코너에 진열되어 있습니다.

- 실내 디자인 관련 책을 못 찾겠어요.
  我找不到室内设计方面的书。
  wǒ zhǎo bu dào shì nèi shè jì fāng miàn de shū

- 컴퓨터 과학 관련 책은 어디에 있습니까?
  请问有关电脑科技的书在哪边?
  qǐng wèn yǒu guān diàn nǎo kē jì de shū zài nǎ biān

- 정기 간행물은 3번 통로 좌측에 있습니다.
  定期刊物就在三号通路的左侧。
  dìng qī kān wù jiù zài sān hào tōng lù de zuǒ cè

- 아동용 도서는 정문 입구 오른쪽에 있습니다.
  儿童书就在正门入口的右侧。
  ér tóng shū jiù zài zhèng mén rù kǒu de yòu cè

6 미용실에서

在美容美发店
zài měiróngměi fà diàn

중국에서 오래 산 사람들도 쉽게 이용하기 어려운 곳이 바로 헤어숍이 아닐까 하는데 이는 아마도 두 나라 간의 유행과 감각에 대한 차이 때문인 것 같다. 예를 들면 간단한 커트일지라도 우리나라에서는 가위를 주로 사용하지만, 중국에서는 칼을 많이 사용하기 때문에 매우 낯설게 느껴진다. 그러나 중국 미용실에 선뜻 들어가지 못하는 더 큰 이유는 헤어숍에서 자신이 원하는 스타일을 충분히 설명하기가 어려워서일지도 모른다. 아래에서는 미용실에서 기본적으로 사용하는 표현들에 관해 알아보았다.

기본대화

A: 欢迎光临。
huān yíng guāng lín

B: 我来剪头发。
wǒ lái jiǎn tóu fa

A: 请到这边来。您要怎么剪?
qǐng dào zhè biān lái nín yào zěn me jiǎn

B: 前面的头发就自然地放着, 只剪后面就可以了。
qián miàn de tóu fa jiù zì rán de fàng zhe zhǐ jiǎn hòu miàn jiù kě yǐ le

A: 어서 오십시오.

B: 머리를 자르러 왔는데요.

A: 이쪽으로 오세요. 어떻게 자르시겠어요?

B: 앞머리는 자연스럽게 놔두고 뒷머리만 커트해 주시면 돼요.

여러 가지 활용

Ⅰ. 커트 剪头
jiǎn tóu

- 머리를 자르고 싶습니다.
  我想剪头发。
  wǒ xiǎng jiǎn tóu fa

- 어떤 헤어스타일로 할까요?
  您要什么样的发型?
  nín yào shén me yàng de fà xíng

- 어디까지 자르시겠어요?
  您要剪到哪儿?
  nín yào jiǎn dào nǎr

▶ 길이 长短
chángduǎn

A: 怎么样? 还要剪吗?
zěn me yàng hái yào jiǎn ma
B: 不用了, 这样就可以了。
bú yòng le zhè yàng jiù kě yǐ le

A: 어떻습니까? 더 자를까요?
B: 아니요, 이 정도면 됐습니다.

- 좀 짧게 커트해 주세요.
  请剪短一点。
  qǐng jiǎn duǎn yì diǎn

- 너무 짧게 자르지 마세요.
  别剪得太短了。
  bié jiǎn de tài duǎn le

- 삭발을 하려고 해요.
  我要剃光头。[1)]
  wǒ yào tì guāng tóu

- 어깨까지 내려오게 잘라 주세요.
  能披到肩上就可以了。
  néng pī dào jiān shang jiù kě yǐ le

- 스포츠머리로 잘라 주세요.
  就剪个平头吧。
  jiù jiǎn ge píng tóu ba

- 이 정도 길이로 잘라 주세요.
  按这个长度剪吧。
  àn zhè ge cháng dù jiǎn ba

- 뒤의 잔머리들을 깎아 주세요.
  把后边的一些碎头发给剃了吧。
  bǎ hòu bian de yì xiē suì tóu fa gěi tì le ba

1) 剃 tì는 '깎다'라는 뜻, 剃须刀 tìxūdāo(면도기).
光 guāng에는 '밝다', '빛나다'의 뜻 외에도 '벌거벗다', '드러내다', '벗겨지다'라는 뜻이 있다. 예) 光头 guāngtóu(대머리), 光脚 guāngjiǎo(맨발), 光屁股 guāngpìgu(맨궁둥이)

- 귀가 드러나도록 좀 짧게 잘라 주세요.
  给我剪短一点儿，让耳朵露出来就行了。
  gěi wǒ jiǎn duǎn yì diǎnr ràng ěr duo lù chū lái jiù xíng le

- 앞머리는 그대로 놔두세요.
  前面的头发你就别动了。
  qián miàn de tóu fa nǐ jiù bié dòng le

- 양쪽을 좀 더 짧게 잘라 주세요.
  两侧再剪短一点儿。
  liǎng cè zài jiǎn duǎn yì diǎnr

- 머리 전체를 가지런하게 잘라 주세요.
  把头发剪齐了吧。
  bǎ tóu fa jiǎn qí le ba

- 뒤와 양 옆은 짧게 하고 앞머리는 길게 해 주세요.
  后面跟两边的头发剪得短一点，前面就剪长一点吧。
  hòu miàn gēn liǎng biān de tóu fa jiǎn de duǎn yì diǎn qián miàn jiù jiǎn cháng yì diǎn ba

▶ 가르마 分道
fēn dào

- 가르마를 어디에 타지요? / 왼쪽으로 타 주세요.
  你的头发从哪儿开始分? / 往左分吧。
  nǐ de tóu fa cóng nǎr kāi shǐ fēn wǎng zuǒ fēn ba

- 이렇게 가르마 타면 되겠습니까?
  这样分行吗?
  zhè yàng fēn xíng ma

- 가운데에 가르마를 타 주세요.
  中分吧。
  zhōng fēn ba

- 왼쪽 가르마를 타서 머리를 한쪽으로 빗어 넘겨 주세요.
  往左边分，把头发梳到一边。
  wǎng zuǒ bian fēn bǎ tóu fa shū dào yì biān

Ⅱ. 파마 烫发
tàng fà

▶ 예약 预约
yù yuē

- 내일 예약을 하고 싶은데요.
  我想约在明天。
  wǒ xiǎng yuē zài míng tiān

- 오늘 오전 괜찮습니까?
  今天上午可以吗?
  jīn tiān shàng wǔ kě yǐ ma

- 오늘 오후 다섯 시에 가도 될까요?
  请问今天下午五点可以去吗?
  qǐng wèn jīn tiān xià wǔ wǔ diǎn kě yǐ qù ma

- 다음에는 오시기 전에 미리 전화로 예약을 하시면 됩니다.
  以后来之前, 可以先打电话预约。
  yǐ hòu lái zhī qián kě yǐ xiān dǎ diàn huà yù yuē

- 언제 시간이 있으세요?
  您什么时候有空?
  nín shén me shí hou yǒu kòng

▶ 파마 종류 烫发类型
tàng fà lèi xíng

A: 欢迎光临, 您要烫发吗?
huān yíng guāng lín nín yào tàng fà ma

B: 对, 我想烫头发。
duì wǒ xiǎng tàng tóu fa

A: 您想要什么样的发型?
nín xiǎng yào shén me yàng de fà xíng

B: 我要大波浪。
wǒ yào dà bō làng

A: 好的。先洗头, 再烫吧。
hǎo de xiān xǐ tóu zài tàng ba

A: 어서 오세요. 파마를 하시겠어요?
B: 네, 파마를 하려고 하는데요.
A: 어떤 헤어스타일을 원하세요?
B: 굵은 웨이브로 하려구요.
A: 알겠습니다. 먼저 머리를 감고 파마를 하시죠.

- 너무 곱슬거리지 않게 해 주세요.
  别卷得太紧了。
  bié juǎn de tài jǐn le

- 스트레이트파마를 하려구요.
  我想烫直发。
  wǒ xiǎng tàng zhí fà

- 좀 굵게 말아 주세요.
  麻烦您卷得松一点。
  má fan nín juǎn de sōng yì diǎn

- 너무 굵거나 가늘게 말고, 자연스럽게 해 주세요.
  不要太松, 也不要太紧, 自然一点就可以了。
  bú yào tài sōng yě bú yào tài jǐn zì rán yì diǎn jiù kě yǐ le

- 커트를 한 뒤에 안으로 말아 주세요.
  剪齐后, 再往里卷一点儿就可以了。
  jiǎn qí hòu zài wǎng lǐ juǎn yì diǎnr jiù kě yǐ le

Ⅲ. 염색 · 코팅 染发/焗油
rǎn fà jú yóu

- 염색을 하려고 해요.
  我想染发。
  wǒ xiǎng rǎn fà

- 새치가 너무 많아요, 브론즈색으로 염색해 주세요.
  白头发太多了, 请给我染铜色的吧。
  bái tóu fa tài duō le qǐng gěi wǒ rǎn tóng sè de ba

- 지금 젊은 사람들에게 유행하는 갈색으로 염색해 주세요.
  我想染现在最受年轻人欢迎的棕色。
  wǒ xiǎng rǎn xiàn zài zuì shòu nián qīng rén huān yíng de zōng sè

- 머릿결이 별로 안 좋으니 정기적으로 코팅을 하세요.
  你的发质不太好, 应该定期焗油。
  nǐ de fà zhì bú tài hǎo yīng gāi dìng qī jú yóu

- 코팅을 했더니 머릿결이 윤이 나요.
  我焗油之后头发变亮了。
  wǒ jú yóu zhī hòu tóu fa biàn liàng le

Ⅳ. 헤어스타일 发型
fà xíng

- 어떤 헤어스타일을 원하세요?
  您想要什么样的发型?
  nín xiǎng yào shén me yàng de fà xíng

- 지금의 머리 모양이 제 얼굴형에 어울리나요?
  我现在的发型适合我的脸型吗?
  wǒ xiàn zài de fà xíng shì hé wǒ de liǎn xíng ma

- 어떤 헤어스타일이 저한테 가장 어울릴 것 같습니까?
  你觉得什么样的发型最适合我?
  nǐ jué de shén me yàng de fà xíng zuì shì hé wǒ

- 여름엔 짧은 머리가 시원해 보여요.
  夏天，短头发看起来很凉快。
  xià tiān duǎn tóu fa kàn qǐ lái hěn liáng kuai

- 역시 긴 머리가 아름다워요.
  还是长头发好看。
  hái shì cháng tóu fa hǎo kàn

- 이 얼굴형에는 파마 머리가 어울리지 않아요.
  这脸型不适合卷发。
  zhè liǎn xíng bú shì hé juǎn fà

- 나에게는 단발머리가 어울리지 않아요.
  我不适合剪学生头。
  wǒ bú shì hé jiǎn xué shēng tóu

▶ **헤어스타일을 바꾸고 싶을 때** **想换发型时** xiǎng huàn fà xíng shí

- 헤어스타일을 바꾸고 싶은데요.
  我想换个发型。
  wǒ xiǎng huàn ge fà xíng

- 지금 유행하는 헤어스타일로 해 주세요.
  就要现在流行的发型。
  jiù yào xiàn zài liú xíng de fà xíng

- (미용 잡지를 보면서) 이런 스타일로 해 주세요.
  (看着美发杂志)就要这种发型。
  kàn zhe měi fà zá zhì jiù yào zhè zhǒng fà xíng

- 이 모델의 헤어스타일로 잘라 주세요.
  按这个模特儿的发型剪吧。
  àn zhè ge mó tèr de fà xíng jiǎn ba

▶ **원래의 머리 모양대로** **按原来发型** àn yuán lái fà xíng

- 원래 머리 모양대로 잘라 주세요.
  就按原来的头型剪吧。
  jiù àn yuán lái de tóu xíng jiǎn ba

- 원래의 머리 모양에서 조금만 짧게 다듬어 주세요.
  按照原来的发型稍微修短一点。
  àn zhào yuán lái de fà xíng shāo wēi xiū duǎn yì diǎn

- 이 스타일대로 짧게 잘라 주시면 돼요.
  按这种发型剪短一点儿就行了。
  àn zhè zhǒng fà xíng jiǎn duǎn yì diǎnr jiù xíng le

V. 기타 서비스 其他服务
qí tā fú wù

▶ 면도 刮胡子
guā hú zi

- 면도를 해 주세요. / 면도는 하지 마세요.
  我要刮胡子。/ 不用刮胡子。
  wǒ yào guā hú zi bú yòng guā hú zi

- 턱수염을 면도해 주세요.
  我要刮腮胡子。
  wǒ yào guā sāi hú zi

- 콧수염은 남겨 놓으세요.
  小胡子就留着吧。
  xiǎo hú zi jiù liú zhe ba

- 구레나룻을 면도해 주세요.
  帮我刮一下这些络腮胡子。
  bāng wǒ guā yí xià zhè xiē luò sāi hú zi

- 목 뒤도 면도를 해 주세요.
  脖子后面也要刮一下。
  bó zi hòu miàn yě yào guā yí xià

- 거기는 그대로 놔두세요.
  那儿就那么放着吧。
  nàr jiù nà me fàng zhe ba

▶ 머리 감기 洗发
xǐ fà

- 머리 좀 감겨 주세요.
  请帮我洗一下头。
  qǐng bāng wǒ xǐ yí xià tóu

- 머리를 감은 후 다시 손질을 해 주세요.
  先洗头, 再帮我剪一下。
  xiān xǐ tóu zài bāng wǒ jiǎn yí xià

- 어느 샴푸를 쓰시겠습니까?
  你要用哪个洗发露?
  nǐ yào yòng nǎ ge xǐ fà lù

- 팬틴을 쓰겠습니다.
  我要用潘婷。
  wǒ yào yòng pān tíng

- 마른 샴푸를 하시겠어요, 물로 감으시겠어요?
  您要干洗，还是水洗?[2)]
  nín yào gān xǐ hái shi shuǐ xǐ

▶ 손톱 손질 修指甲
xiū zhǐ jia

- 손톱 손질 좀 해 주시겠어요?
  请帮我修一下指甲可以吗?
  qǐng bāng wǒ xiū yí xià zhǐ jia kě yǐ ma
- 매니큐어를 칠해 주세요.
  我要抹指甲油。
  wǒ yào mǒ zhǐ jia yóu
- 매니큐어를 칠해 주시겠습니까?
  请帮我擦一下指甲油。
  qǐng bāng wǒ cā yí xià zhǐ jia yóu
- 아세톤으로 매니큐어를 지워 주세요.
  用洗甲水把我的指甲油洗掉吧。
  yòng xǐ jiǎ shuǐ bǎ wǒ de zhǐ jia yóu xǐ diào ba

▶ 기타 其他
qí tā

- 헤어 에센스를 바르지 마세요.
  请不要抹发油了。
  qǐng bú yào mǒ fà yóu le
- 이 샴푸는 탈모를 방지합니다.
  这个洗发水可以防止脱发。
  zhè ge xǐ fà shuǐ kě yǐ fáng zhǐ tuō fà
- 머리숱이 정말 많군요.
  您的头发真厚啊。
  nín de tóu fa zhēn hòu a
- 머릿결이 뻣뻣하군요.
  您的头发很硬。
  nín de tóu fa hěn yìng

---

2) 중국 이발소나 미용실에서는 洗发(xǐfà)라는 말과 더불어 干洗(gānxǐ)라는 말을 많이 사용하는데, 이것은 처음부터 물로 감는 것이 아니라 앉은 상태에서 소량의 물과 샴푸를 이용해서 머리를 마사지한 다음 물로 헹구어 내는 것을 말한다.

7 세탁소에서

在洗衣店
zài xǐ yī diàn

거리를 지나다 보면 "干洗 gānxǐ"라고 써 있는 것을 볼 수 있는데 이는 "드라이클리닝"을 말한다. 丝绸品 sīchóupǐn(실크 제품)이나 羽绒服 yǔróngfú(다운 제품) 또는 집에서 세탁하기 어려운 毛毯 máotǎn(카펫) 등은 반드시 전문 세탁소에 맡겨야 품질을 오래 유지할 수 있다. 그러나 일부 영세점의 경우는 기술상의 문제가 있을 수 있으므로 값비싸거나 아끼는 의류라면 대형 세탁소에 맡기는 것이 안전하다.

기 본 대 화

A: 麻烦你把这些洗一下。
má fan nǐ bǎ zhè xiē xǐ yí xià

B: 好的，两件衬衫，一条裤子，还有一件外套，总共就这些吧？
hǎo de liǎng jiàn chèn shān yì tiáo kù zi hái yǒu yí jiàn wài tào zǒng gòng jiù zhè xiē ba

A: 是的。你看这外套上有咖啡污渍，能洗掉吗？
shì de nǐ kàn zhè wài tào shang yǒu kā fēi wū zì néng xǐ diào ma

B: 当然可以。您下周二来取吧，这是收据。
dāng rán kě yǐ nín xià zhōu èr lái qǔ ba zhè shì shōu jù

A: 이것들을 세탁해 주세요.

B: 알겠습니다. 셔츠 두 벌, 바지 한 벌, 코트 한 벌, 이게 전부 다죠?

A: 네, 그리고 이 코트에 커피 얼룩이 있는데 뺄 수 있나요?

B: 물론입니다. 다음 주 화요일에 오셔서 찾으세요, 이건 영수증입니다.

여러 가지 활용

Ⅰ. 세탁 洗衣
xǐ yī

- 이 옷을 세탁소에 맡겨 주세요.
  请把这件衣服送到洗衣店。
  qǐng bǎ zhè jiàn yī fu sòng dào xǐ yī diàn

- 이 코트를 세탁하려고 해요.
  我想洗这件外套。
  wǒ xiǎng xǐ zhè jiàn wài tào

- 이 셔츠의 기름때를 깨끗이 빼 주세요.
  请洗干净这件衬衫上的油渍。
  qǐng xǐ gān jìng zhè jiàn chèn shān shang de yóu zì
- 이 옷을 드라이클리닝 해 주세요.
  请把这件衣服干洗一下吧。
  qǐng bǎ zhè jiàn yī fu gān xǐ yí xià ba
- 이 기름때는 아무리 빨아도 지워지지 않아요.
  这个油渍怎么洗也洗不掉。
  zhè ge yóu zì zěn me xǐ yě xǐ bu diào
- 가죽 재킷은 세탁이 일반 재킷보다 5배나 비쌉니다.
  皮夹克洗时比一般的夹克贵5倍。
  pí jiā kè xǐ shí bǐ yì bān de jiā kè guì bèi
- 비싼 코트이니 조심해서 다루세요.
  这是很贵的大衣, 洗的时候小心一些。
  zhè shì hěn guì de dà yī xǐ de shí hou xiǎo xīn yì xiē
- 이 옷은 드라이클리닝 하면 색이 바랠까요?
  这件衣服干洗后会褪色吗?
  zhè jiàn yī fu gān xǐ hòu huì tuì shǎi ma

Ⅱ. 수선 修剪 xiū jiǎn

A: 欢迎光临。
huān yíng guāng lín

B: 我想把这条裙子剪短。
wǒ xiǎng bǎ zhè tiáo qún zi jiǎn duǎn

A: 您要剪多少?
nín yào jiǎn duō shao

B: 二厘米左右。
èr lí mǐ zuǒ yòu

A: 好的, 您下午来取吧。
hǎo de nín xià wǔ lái qǔ ba

A: 어서 오세요.

B: 이 스커트 길이를 줄이고 싶어요.

A: 어느 정도 줄일까요?

B: 2센티미터 정도요.

A: 알겠습니다. 오후에 찾으러 오세요.

- 이 코트를 수선해 주세요.
  请帮我修剪一下这件外套。
  qǐng bāng wǒ xiū jiǎn yí xià zhè jiàn wài tào

- 이 바지를 꿰매 주세요.
  请把这条裤子缝一下。
  qǐng bǎ zhè tiáo kù zi féng yí xià

- 상의 단추가 떨어졌는데 달아 주세요.
  上衣的扣子掉了，帮我缝一下吧。
  shàng yī de kòu zi diào le bāng wǒ féng yí xià ba

- 이 코트의 길이를 좀 늘려 주시겠습니까?
  请把这件外套弄长一点，好吗？
  qǐng bǎ zhè jiàn wài tào nòng cháng yì diǎn hǎo ma

- 이 예복 허리가 너무 커요. 좀 줄여 주셨으면 해요.
  这件礼服的腰太肥了，帮我缩小一点。
  zhè jiàn lǐ fú de yāo tài féi le bāng wǒ suō xiǎo yì diǎn

- 바지가 다 닳았어요. 보기 좋게 손질 좀 해 주세요.
  这条裤子都磨破了，请你修得好看一点。
  zhè tiáo kù zi dōu mó pò le qǐng nǐ xiū de hǎo kàn yì diǎn

- 이 옷이 너무 커요. 좀 작게 고쳐 주시겠습니까?
  这件衣服太大了，帮我改小点儿，好吗？
  zhè jiàn yī fu tài dà le bāng wǒ gǎi xiǎo diǎnr hǎo ma

Ⅲ. 다림질 熨
yùn

- 이 바지 좀 다려 주세요.
  请熨一下这条裤子。
  qǐng yùn yí xià zhè tiáo kù zi

- 이 셔츠를 다려 주세요.
  请把这件衬衫熨一下。
  qǐng bǎ zhè jiàn chèn shān yùn yí xià

- 이 옷은 실크예요. 눋지 않게 해 주세요.
  这件衣服是真丝的，不要把它熨焦了。
  zhè jiàn yī fu shì zhēn sī de bú yào bǎ tā yùn jiāo le

- 바지 주름이 두 개 잡히지 않게 해 주세요.
  不要熨出两条裤线。
  bú yào yùn chū liǎng tiáo kù xiàn

8 의류점에서 在服装店 zài fú zhuāngdiàn

패션쇼는 服装秀 fúzhuāngxiù라고 하며, 패션 디자이너는 服装设计师 fúzhuāng shèjìshī라고 한다. 일반 의류 맞춤점의 경우는 대개 裁缝店 cáiféngdiàn이라고 부르며, 재단사는 裁缝 cáifeng이라고 한다. 요즈음은 기성복이 잘 만들어져 나오므로 대부분의 사람들은 사 입으면 되지만, 체형이 비표준인 사람이나 婚纱 hūnshā(웨딩드레스) 등 특수 의상의 경우에는 여전히 맞춤옷이 필요하다.

기 본 대 화

A: 欢迎光临。您是来做衣服的吗?
huān yíng guāng lín nín shì lái zuò yī fu de ma

B: 是的。
shì de

A: 您想要什么样子的?
nín xiǎng yào shén me yàng zi de

B: 普通的西服, 但我要不出皱的布料。
pǔ tōng de xī fú dàn wǒ yào bù chū zhòu de bù liào

A: 请到这边来, 请您看一下这几种样品和款式。
qǐng dào zhè biān lái qǐng nín kàn yí xià zhè jǐ zhǒng yàng pǐn hé kuǎn shì

A: 어서 오십시오. 옷을 맞추러 오셨습니까?
B: 네.
A: 어떤 스타일로 하시려구요?
B: 보통 신사복입니다. 주름이 잘 지지 않는 옷감으로요.
A: 이쪽으로 오셔서 몇 가지 견본과 디자인을 보세요.

여러 가지 활용

Ⅰ. 치수 재기 量尺寸 liáng chǐ cùn

A: 量尺寸的时候要不要脱衣服?
liáng chǐ cùn de shí hou yào bu yào tuō yī fu

B: 不用, 伸开双臂就可以了。
bú yòng shēn kāi shuāng bì jiù kě yǐ le

A: 这样?
zhè yàng

B: 好, 伸直。好了。
hǎo shēn zhí hǎo le

A: 치수를 재려면 옷을 벗어야 합니까?
B: 아니요, 두 팔만 벌리시면 됩니다.
A: 이렇게요?
B: 네. 쭉 펴시구요, 됐습니다.

- 바지를 좀더 길게 할까요?
  裤子要不要再长一点?
  kù zi yào bu yào zài cháng yì diǎn

- 가슴은 너무 끼지 않게 해 주세요.
  胸部不要太紧。
  xiōng bù bú yào tài jǐn

- 엉덩이는 좀 넉넉하게 해 주세요.
  臀部要宽松一点。
  tún bù yào kuān sōng yì diǎn

- 소매는 이 정도 길이면 되겠습니까?
  袖子这样长, 行吗?
  xiù zi zhè yàng cháng xíng ma

- 스커트는 무릎까지 오게 하면 되겠습니까?
  这裙子到膝盖那儿, 行不行?
  zhè qún zi dào xī gài nàr xíng bu xíng

- 허리는 약간 끼는 듯해야 보기 좋아요.
  腰部要稍微收缩一下才好看。
  yāo bù yào shāo wēi shōu suō yí xià cái hǎo kàn

체형 体形
tǐ xíng

- 저는 팔다리가 다른 사람보다 긴 편이에요.
  我四肢比别人长了一点儿。
  wǒ sì zhī bǐ bié ren cháng le yì diǎnr

- 저는 배가 많이 나와서 보통 치수의 옷은 못 입어요.
  我有将军肚, 普通尺寸的衣服我穿不了。
  wǒ yǒu jiāng jūn dù pǔ tōng chǐ cùn de yī fu wǒ chuān bu liǎo

• 목이 짧은 편이니 칼라는 원치 않습니다.
我脖子比较短，所以不想要领子。
wǒ bó zi bǐ jiào duǎn suǒ yǐ bù xiǎng yào lǐng zi

• 뚱뚱해져서 예전 옷을 하나도 입을 수가 없어요.
我现在胖了，以前的衣服都穿不了了。
wǒ xiàn zài pàng le yǐ qián de yī fu dōu chuān bu liǎo le

• 날씬해 보이는 옷으로 디자인해 드릴게요.
我帮你设计一款显瘦的衣服。[1)]
wǒ bāng nǐ shè jì yì kuǎn xiǎn shòu de yī fu

Ⅱ. 디자인 设计
shè jì

A: 我想定做一件旗袍。[2)]
wǒ xiǎng dìng zuò yí jiàn qí páo
B: 您想要什么样的？
nín xiǎng yào shén me yàng de
A: 我能先看看样本吗？
wǒ néng xiān kàn kan yàng běn ma
B: 当然了，您看看，挑一个吧。
dāng rán le nín kàn kan tiāo yí ge ba

A: 치파오를 맞추려고 해요.
B: 어떤 모양으로 하시겠습니까?
A: 먼저 견본을 볼 수 있을까요?
B: 물론입니다. 보시고 하나 골라 보세요.

• 어떤 모양의 옷깃으로 하시겠습니까?
你要什么样的领子？
nǐ yào shén me yàng de lǐng zi

• 단추로 할까요, 지퍼로 할까요?
你要扣子还是要拉链？
nǐ yào kòu zi hái shi yào lā liàn

• 베이지색으로 해 주세요.
我要米黄色。
wǒ yào mǐ huáng sè

---

1) 显 xiǎn: '~해 보이다', 显胖 xiǎnpàng: '뚱뚱해 보인다', 显年轻 xiǎnniánqīng: '젊어 보인다', 显老 xiǎnlǎo: '늙어 보인다'.
2) 旗袍 qípáo: 중국 여성의 전통 복장. 원피스 모양으로 옷깃이 높고 빳빳하며, 치마의 옆이 터져 있다.

- 좀 단정한 디자인으로 해 주세요.
  我要端正一点的款式。
  wǒ yào duān zhèng yì diǎn de kuǎn shì
- 저는 레이스가 있는 화려한 옷을 좋아해요.
  我喜欢这种有蕾丝的华丽衣服。
  wǒ xǐ huan zhè zhǒng yǒu lěi sī de huá lì yī fu

Ⅲ. 입어 보기 试穿
shì chuān

- 제 생각엔 소매가 좀 긴 것 같아요.
  我觉得袖子有点儿长。
  wǒ jué de xiù zi yǒu diǎnr cháng
- 바지가 약간 짧군요.
  裤子有点儿短。
  kù zi yǒu diǎnr duǎn
- 맞춤옷과 기성복이 의외로 차이가 크게 나는군요.
  定做的和现成的竟然相差这么大呀。
  dìng zuò de hé xiàn chéng de jìng rán xiāng chà zhè me dà ya
- 엉덩이가 너무 끼지 않나요?
  臀部太紧了吧?
  tún bù tài jǐn le ba
- 칼라가 너무 많이 파인 것 아니에요?
  是不是领子挖得太大了?
  shì bu shì lǐng zi wā de tài dà le
- 가슴과 허리둘레는 아주 잘 맞는군요.
  胸围和腰围都很合适。
  xiōng wéi hé yāo wéi dōu hěn hé shì
- 어깨와 가슴은 괜찮은데 허리가 좀 헐렁한 것 같군요.
  肩和胸围都没事儿, 腰围好像松了点儿。
  jiān hé xiōng wéi dōu méi shìr yāo wéi hǎo xiàng sōng le diǎnr
- 색깔이 저에게 너무 화려한 것 같지 않아요?
  你不觉得这个颜色对我太鲜艳了吗?
  nǐ bù jué de zhè ge yán sè duì wǒ tài xiān yàn le ma
- 바지는 한 벌을 더 해 주세요.
  请多做一条裤子吧。
  qǐng duō zuò yì tiáo kù zi ba

9 부동산 중개소에서

在房地产中介公司
zài fáng dì chǎnzhōng jiè gōng sī

이제는 중국에서 외국인도 자신의 아파트를 소유할 수 있지만, 아직은 대부분의 외국인들은 임대를 선호하고 있다. 그 이유는 여러 가지를 들 수 있는데, 첫째는 외국인 대부분이 한시적으로 주재하기 때문이며, 둘째는 중국 대부분의 아파트는 사 두면 가격 상승이 이루어지는 게 아니라 오히려 하락하는 경우가 많기 때문이다. 그러나 집을 살 경우 은행에서 주택 금액의 70~80%까지 贷款 dàikuǎn(대출)이 가능하므로 중국에서 장기적으로 거주하는 경우라면 매입을 고려해 보는 것도 좋을 것이다.

기 본 대 화

A: 喂, 是金刚房地产公司吗?
wèi shì jīn gāng fáng dì chǎn gōng sī ma

B: 是的。
shì de

A: 我在周刊上看到了你们的广告。两居室, 3,000元的。
wǒ zài zhōu kān shang kàn dào le nǐ men de guǎng gào liǎng jū shì yuán de

B: 啊, 不好意思, 那个房子已经租出去了。
ā bù hǎo yì si nà ge fáng zi yǐ jīng zū chū qù le

A: 哎呀, 真是的, 没赶上趟。还有没有条件好一点儿的?
āi yā zhēn shi de méi gǎn shàng tàng hái yǒu méi yǒu tiáo jiàn hǎo yì diǎnr de

B: 当然了。麻烦您到这边来, 我们一起去看一下那栋房子吧。
dāng rán le má fan nín dào zhè biān lái wǒ men yì qǐ qù kàn yí xià nà dòng fáng zi ba

A: 好的, 我下午过去。
hǎo de wǒ xià wǔ guò qù

A: 여보세요. 금강 부동산 회사입니까?
B: 그렇습니다.
A: 주간지에서 광고를 보았거든요, 방 둘에 3천 위안짜리 말이에요.
B: 아, 죄송하지만 그 집은 벌써 나갔습니다.
A: 저런, 아쉽게 됐군요. 한발 늦었네요. 조건이 좋은 것이 또 있습니까?
B: 물론입니다. 번거로우시겠지만 이쪽으로 나오셔서 같이 집을 보러 가시죠.
A: 좋습니다. 오후에 들르겠습니다.

여러 가지 활용

Ⅰ. 집을 구할 때　找房子时
zhǎo fáng zi shí

- 요새 집이 많이 나옵니까?
  现在房子多吗?
  xiàn zài fáng zi duō ma

- 현재 나온 집이 몇 개 됩니다.
  现在有几个房子。
  xiàn zài yǒu jǐ ge fáng zi

- 안녕하세요. 집을 얻고 싶은데요.
  你好, 我想租一套房子。
  nǐ hǎo wǒ xiǎng zū yí tào fáng zi

- 이 근처에 세놓는 집이 있습니까?
  这附近有出租房子的吗?
  zhè fù jìn yǒu chū zū fáng zi de ma

▶ **주택의 유형　房子的类型**
fáng zi de lèi xíng

- 어떤 집을 원하십니까?
  您想要什么样的房子?
  nín xiǎng yào shén me yàng de fáng zi

- 새로 지은 아파트를 원해요.
  我要新盖的楼房。
  wǒ yào xīn gài de lóu fáng

- 품격 높은 유럽 스타일 별장이 있습니까?
  这里有没有高档的欧美样式的别墅?[1)]
  zhè li yǒu méi yǒu gāo dàng de ōu měi yàng shì de bié shù

- 5층 이하의 집을 찾고 싶습니다.
  我想找5层以下的。
  wǒ xiǎng zhǎo céng yǐ xià de

- 주상 복합 아파트를 찾고 있습니다.
  我想找商住两用的楼房。
  wǒ xiǎng zhǎo shāng zhù liǎng yòng de lóu fáng

- 오피스텔을 얻으려고 합니다.
  我想租一间写字楼。
  wǒ xiǎng zū yì jiān xiě zì lóu

---

1) 别墅 biéshù: 별장이나 빌라와 같은 것으로 대개 2, 3층으로 된 고급 저택을 말한다.

• 저는 치안이 좋은 아파트에 살고 싶어요.
我想住在治安好的公寓。
wǒ xiǎng zhù zài zhì ān hǎo de gōng yù

▶ 주택의 크기 房子的大小
fáng zi de dà xiǎo

• 방 3칸에 거실 1개짜리를 찾으려고 하는데요.
我想找三室一厅的。
wǒ xiǎng zhǎo sān shì yì tīng de

• 적어도 100평방미터 이상은 되어야 합니다.
最少也要100平米以上。[2)]
zuì shǎo yě yào píng mǐ yǐ shàng

• 화장실이 2개 있는 3칸짜리 집을 찾고 싶습니다.
我想找有两个卫生间的3居室的房子。
wǒ xiǎng zhǎo yǒu liǎng ge wèi shēng jiān de jū shì de fáng zi

• 방 하나짜리가 있습니까?
有一居室吗?
yǒu yì jū shì ma

• 방 두 개에 거실 하나면 됩니다.
两室一厅就可以了。
liǎng shì yì tīng jiù kě yǐ le

▶ 주택의 방위 房子的方位
fáng zi de fāng wèi

• 남향이나 동남향 집으로 보여 주시겠어요?
给我看一下朝南或朝东南方向的房子, 好吗?
gěi wǒ kàn yí xià cháo nán huò cháo dōng nán fāng xiàng de fáng zi hǎo ma

• 이 집은 북향이군요. 햇볕이 들어옵니까?
这套房子是朝北的。有阳光吗?
zhè tào fáng zi shì cháo běi de yǒu yáng guāng ma

• 건물은 튼튼해 보이는데 위치가 별로군요.
这座楼看起来很结实, 但位置不怎么样。
zhè zuò lóu kàn qǐ lái hěn jiē shi dàn wèi zhì bù zěn me yàng

• 이 집은 남향입니까?
这个房子是向阳的吗?
zhè ge fáng zi shì xiàng yáng de ma

---

2) 平米: 平方米 píngfāngmǐ라고도 한다. 1平米는 1m×1m의 넓이를 말한다.

▶ **주변 환경 周围环境**
zhōu wéi huán jìng

• 조용한 동네를 원합니다.
我希望住在安静一点的地方。
wǒ xī wàng zhù zài ān jìng yì diǎn de dì fang

• 한국 사람이 많이 사는 곳을 소개해 주세요.
介绍一下韩国人多的地方。
jiè shào yí xià hán guó rén duō de dì fang

• 한국 사람이 적은 곳에서 살고 싶습니다.
我想住在韩国人少的地方。
wǒ xiǎng zhù zài hán guó rén shǎo de dì fang

• 환경이 좋고 또 매우 조용한 집을 원합니다.
我想要环境好一点的, 而且要特别安静的房子。
wǒ xiǎng yào huán jìng hǎo yì diǎn de ér qiě yào tè bié ān jìng de fáng zi

• 근처에는 상점도 많고, 저편에는 공원도 있습니다.
这附近有很多商店, 那边还有公园。
zhè fù jìn yǒu hěn duō shāng diàn nà biān hái yǒu gōng yuán

• 인민대 근처는 집값이 조금 비쌉니다.
人大附近的房子有点贵。[3)]
rén dà fù jìn de fáng zi yǒu diǎn guì

• 근처에 전철역이 있습니까?
附近有地铁站吗?
fù jìn yǒu dì tiě zhàn ma

• 교통이 편리한가요?
交通方便吗?
jiāo tōng fāng biàn ma

▶ **주택 시설 房子的设备**
fáng zi de shè bèi

• 차고가 있습니까?
有车库吗?
yǒu chē kù ma

• 주거자 전용 주차장이 있습니까?
有没有住户专用停车场?
yǒu méi yǒu zhù hù zhuān yòng tíng chē chǎng

---

3) 人大 réndà: 人民大学 rénmín dàxué의 약칭.

• 엘리베이터는 없습니까?
没有电梯吗?
méi yǒu diàn tī ma

• 마루 바닥이면 제일 좋겠습니다.
最好是木地板。
zuì hǎo shì mù dì bǎn

• 주방용품과 냉난방 시설은 어떻습니까?
厨房用品以及冷暖设备怎么样?
chú fáng yòng pǐn yǐ jí lěng nuǎn shè bèi zěn me yàng

• 가전 가구가 다 비치되어 있는 집을 찾습니다.
我想找家电家具比较全的房子。
wǒ xiǎng zhǎo jiā diàn jiā jù bǐ jiào quán de fáng zi

• 거실에 에어컨과 TV 등 각종 설비가 있습니까?
客厅有空调和电视等多种设备吗?
kè tīng yǒu kōng tiáo hé diàn shì děng duō zhǒng shè bèi ma

• 화장실에는 욕조와 샤워기가 반드시 있어야 해요.
洗手间一定要有浴缸和喷头。
xǐ shǒu jiān yí dìng yào yǒu yù gāng hé pēn tóu

• 페인트칠을 새로 해 주세요.
把墙再重新粉刷一遍。
bǎ qiáng zài chóng xīn fěn shuā yí biàn

• 제가 잠금장치를 새로 바꾸어도 될까요?
我自己能换锁吗?
wǒ zì jǐ néng huàn suǒ ma

▶ 주택 임대료 房租费
fáng zū fèi

• 집세는 어느 정도인가요?
房费是多少?
fáng fèi shì duō shao

• 대체로 3천 위안에서 4천 위안 정도 합니다.
大概在3000元到4000元。
dà gài zài yuán dào yuán

• 임대료가 2천 위안 정도 되는 집을 찾습니다.
我想找房租费2000元左右的房子。
wǒ xiǎng zhǎo fáng zū fèi yuán zuǒ yòu de fáng zi

- 임대료는 석 달에 한 번 지불합니다.
  房租费是3个月一付。
  fáng zū fèi shì ge yuè yí fù

- 집세에 모든 비용이 포함되어 있습니까?
  房租包括了所有费用吗?
  fáng zū bāo kuò le suǒ yǒu fèi yong ma

- 비용은 전부 집세에 포함됩니다.
  费用全包含在房租里。
  fèi yong quán bāo hán zài fáng zū li

- 보증금은 한 달 치의 월세를 맡기는 겁니다.
  押金是押一个月的房租费。[4)]
  yā jīn shì yā yí ge yuè de fáng zū fèi

▶ **입주 시기 入住日期**
rù zhù rì qī

- 언제 입주할 수 있을까요?
  什么时候可以住?
  shén me shí hou kě yǐ zhù

- 다음 주에 바로 입주할 수 있는 집이 있을까요?
  有没有下个星期马上可以入住的房子?
  yǒu méi yǒu xià ge xīng qī mǎ shàng kě yǐ rù zhù de fáng zi

- 계약만 체결하면 바로 입주할 수 있습니다.
  只要签完合同就可以搬进去了。
  zhǐ yào qiān wán hé tong jiù kě yǐ bān jìn qù le

Ⅱ. 집을 볼 때 看房子时
kàn fáng zi shí

- 저에게 집을 보여 주시겠습니까?
  请您给我看一下房子, 好吗?
  qǐng nín gěi wǒ kàn yí xià fáng zi, hǎo ma

- 아주 좋아 보이네요, 언제 지었습니까?
  看起来很不错, 什么时候建的?
  kàn qǐ lái hěn bú cuò shén me shí hou jiàn de

---

4) 집을 빌릴 때에는 押金yājīn은 될 수 있으면 적은 금액을 거는 것이 좋다. 왜냐하면, 계약 만료 전 다시 이사를 가야 하는 경우 押金yājīn을 돌려받을 수 없고, 계약이 만료되었다 하더라도 집주인이 기물 파손, 구조 변경 등 여러 가지 이유를 들어 押金yājīn을 돌려주지 않는 경우도 종종 있기 때문이다.

- 이것 말고 두세 집을 더 보여 주십시오.
  除了这个，再给我看两三家吧。
  chú le zhè ge zài gěi wǒ kàn liǎng sān jiā ba

- 이 집이 마음에 드십니까?
  你喜欢这个房子吗?
  nǐ xǐ huan zhè ge fáng zi ma

- 마음에 드시면 얼른 결정하시죠.
  如果你喜欢的话，请尽快作出决定。
  rú guǒ nǐ xǐ huan de huà qǐng jǐn kuài zuò chū jué dìng

- 안방이 조금 어두운 것 같아요.
  我觉得主卧有点儿暗。
  wǒ jué de zhǔ wò yǒu diǎnr àn

- 화장실이 너무 작은 것 같습니다.
  这个卫生间太小了。
  zhè ge wèi shēng jiān tài xiǎo le

- 창문이 이중창이 아니군요.
  窗户不是双层的。
  chuāng hu bú shì shuāng céng de

- 주방이 너무 좁아서 냉장고가 안 들어가겠어요.
  厨房太窄了，放不下冰箱。
  chú fáng tài zhǎi le fàng bu xià bīng xiāng

- 전기 온수기입니까, 가스 온수기입니까?
  这是电热水器还是煤气热水器?
  zhè shì diàn rè shuǐ qì hái shi méi qì rè shuǐ qì

- 베란다가 넓고 커서 아주 마음에 드네요.
  这阳台又宽又大，我非常满意。
  zhè yáng tái yòu kuān yòu dà wǒ fēi cháng mǎn yì

- 앞동 건물이 햇볕을 가리지 않습니까?
  前面那幢楼遮不遮阳光?
  qián miàn nà zhuàng lóu zhē bu zhē yáng guāng

- 거실에서 바깥의 아름다운 풍경을 볼 수 있어요.
  在客厅可以看到外面很美的风景。
  zài kè tīng kě yǐ kàn dào wài miàn hěn měi de fēng jǐng

- 앞동 때문에 시야가 가려지는군요.
  前面的楼房挡住了我的视线。
  qián miàn de lóu fáng dǎng zhù le wǒ de shì xiàn

Ⅲ. 계약서 작성 签合同
qiān hé tong

- 계약서에 서명해 주세요.
  请在合同书上签名。
  qǐng zài hé tong shū shang qiān míng

- 이것이 계약서입니다. 여기에 서명해 주십시오.
  这就是合同书, 请您在这里签名。
  zhè jiù shì hé tong shū qǐng nín zài zhè li qiān míng

- 계약서에 서명하시기 전에 다시 한번 상세히 살펴보세요.
  在合同上签名之前, 请您再详细地看一遍。
  zài hé tong shang qiān míng zhī qián qǐng nín zài xiáng xì de kàn yí biàn

- 계약 만료 후 재계약할 수 있습니까?
  合同到期后可以续约吗?
  hé tong dào qī hòu kě yǐ xù yuē ma

- 집세는 어떻게 지급해야 합니까?
  怎么支付房租?
  zěn me zhī fù fáng zū

- 매월 초하루에 주시면 됩니다.
  每月的一号付就可以了。
  měi yuè de yī hào fù jiù kě yǐ le

- 제 계좌 번호를 알려 드릴테니 매월 25일 은행에 가서 제 계좌로 넣어 주시면 됩니다.
  我告诉你我的账号, 每月25号到银行打到我的账户就行了。
  wǒ gào su nǐ wǒ de zhàng hào měi yuè hào dào yín háng dǎ dào wǒ de zhàng hù jiù xíng le

▶ 계약서 내용 合同内容
hé tong nèi róng

- 계약 기간은 2004년 9월 1일부터 2005년 8월 31일까지의 1년으로 한다.
  合同期是从2004年9月1日至2005年8月31日, 也就是一年。
  hé tong qī shì cóng nián yuè rì zhì nián yuè rì yě jiù shì yì nián

- 지불 방식은 한 달 치 월세를 보증금으로 받고, 반년 치 집세를 선불로 지급하는 것으로 한다.
  付款方式是押1个月的租金, 先付半年租金。
  fù kuǎn fāng shì shì yā ge yuè de zū jīn xiān fù bàn nián zū jīn

- 계약 기간이 만료되면 물건에 하자가 없는 한 집주인은 보증금을 반드시 돌려주어야 한다.

  合同期满，物品没有损失的情况下，业主应退还押金。[5)]
  hé tong qī mǎn wù pǐn méi yǒu sǔn shī de qíng kuàng xià yè zhǔ yīng tuì huán yā jīn

- 계약 기간 전에 어떤 이유로 방을 빼려 할 때에는 반드시 한 달 전에 집주인에게 서면 통보해야 한다.

  合同期未满，因为某种原因要退房时，必须在一个月之前书面通知业主。
  hé tong qī wèi mǎn yīn wèi mǒu zhǒng yuán yīn yào tuì fáng shí bì xū zài yí ge yuè zhī qián shū miàn tōng zhī yè zhǔ

Ⅳ. 중개 수수료 中介服务费
zhōng jiè fú wù fèi

A: 中介费是多少?
zhōng jiè fèi shì duō shao

B: 相当于一个月的租金。
xiāng dāng yú yí ge yuè de zū jīn

A: 중개 수수료는 얼마입니까?

B: 한 달 치 집세에 해당하는 금액입니다.

- 일반 주택의 중개 수수료는 손님이 지불합니다.

  民宅中介费是由客人付。
  mín zhái zhōng jiè fèi shì yóu kè rén fù

- 중개 수수료는 집주인이 지불합니다.

  中介服务费由业主来交。
  zhōng jiè fú wù fèi yóu yè zhǔ lái jiāo

- 중개 수수료는 집주인과 세입자가 반반씩 부담합니다.

  中介服务费是业主和租房人各付一半。
  zhōng jiè fú wù fèi shì yè zhǔ hé zū fáng rén gè fù yí bàn

- 중개 수수료는 1개월 임대료에 상당합니다.

  中介服务费相当于一个月的房租。
  zhōng jiè fú wù fèi xiāng dāng yú yí ge yuè de fáng zū

---

5) 임대인 즉 집주인에 대한 명칭은 지역에 따라 业主 yèzhǔ, 房主 fángzhǔ, 房东 fángdōng 등으로 부른다.

10 패스트푸드점에서

在快餐店
zài kuài cān diàn

중국에서 맥도날드(麦当劳 màidāngláo)나 KFC(肯德基 kěndéjī), 피자헛(必胜客 bìshèngkè) 등의 패스트푸드점은 매우 성업중인데, 특히 휴일 같은 때의 식사 시간에는 한참을 서서 기다려야만 겨우 자리를 차지할 수가 있을 정도이다. 친구나 연인끼리 오는 젊은이들은 물론이고, 하나뿐인 小皇帝xiǎohuángdì(작은 황제)[1]를 데리고 나와 가족이 단란한 한때를 보내는 경우가 많기 때문이다.

기 본 대 화

A: 欢迎光临, 请问来点儿什么?
huān yíng guāng lín, qǐng wèn lái diǎnr shén me

B: 来一个汉堡和中杯可乐。
lái yí ge hàn bǎo hé zhōng bēi kě lè

A: 知道了, 您在这里吃, 还是带走?
zhī dào le, nín zài zhè li chī, hái shi dài zǒu

B: 我要带走, 麻烦您帮我包一下。
wǒ yào dài zǒu, má fan nín bāng wǒ bāo yí xià

A: 好的, 谢谢品尝。
hǎo de, xiè xie pǐn cháng

A: 어서 오십시오. 무엇을 드릴까요?
B: 햄버거 하나와 중간 크기 콜라 한 잔 주세요.
A: 알겠습니다. 여기서 드시겠습니까, 가지고 가시겠습니까?
B: 가지고 가겠으니 포장해 주세요.
A: 네, 이용해 주셔서 감사합니다.

여러 가지 활용

Ⅰ. 음식 선택 点快餐
diǎn kuài cān

- 우리 피자헛에 가서 피자 먹을까?
咱们去必胜客吃比萨怎么样?
zán men qù bì shèng kè chī bǐ sà zěn me yàng

- 우리 맥도날드에 가서 패밀리 세트 먹어요.
我们去麦当劳吃全家套餐吧。
wǒ men qù mài dāng láo chī quán jiā tào cān ba

1) 小皇帝xiǎohuángdì: 1가구 1자녀인 가정에서 어른들이 떠받드는 하나뿐인 자녀를 일컫는 말.

- 케이에프씨에 가서 라오베이징 지러우쥐엔 먹을까?
  我们去肯德基吃老北京鸡肉卷, 好吗?[2)]
  wǒ men qù kěn dé jī chī lǎo běi jīng jī ròu juǎn hǎo ma
- 나는 빅맥과 프렌치프라이 먹을래.
  我要巨无霸和薯条。
  wǒ yào jù wú bà hé shǔ tiáo
- 팝콘 치킨과 오리지날 치킨 다 맛있어요.
  鸡米花和原味鸡都很好吃。
  jī mǐ huā hé yuán wèi jī dōu hěn hǎo chī
- 어린이 세트 메뉴에는 햄버거, 콜라, 프렌치프라이와 장난감 사은품이 있어요.
  儿童套餐有汉堡、可乐、薯条, 还有玩具赠品。
  ér tóng tào cān yǒu hàn bǎo kě lè shǔ tiáo hái yǒu wán jù zèng pǐn
- 콜라에 얼음을 넣지 마세요.
  可乐中不要加冰块儿。
  kě lè zhōng bú yào jiā bīng kuàir

Ⅱ. 포장 打包
dǎ bāo

- 햄버거 세 개요, 다 포장해 주세요.
  要三个汉堡, 都帮我装起来。
  yào sān ge hàn bǎo dōu bāng wǒ zhuāng qǐ lái
- 남은 것은 싸 가려고 해요.
  剩下的我要打包。
  shèng xià de wǒ yào dǎ bāo
- 다 못 드신 것은 싸 가지고 가셔도 됩니다.
  没吃完的您可以带走。
  méi chī wán de nín kě yǐ dài zǒu
- 이것을 은박지로 싸 주세요.
  这个用银纸帮我包起来。
  zhè ge yòng yín zhǐ bāng wǒ bāo qǐ lái
- 세트 메뉴도 포장되나요?
  套餐也可以打包吗?
  tào cān yě kě yǐ dǎ bāo ma

---

2) 老北京鸡肉卷 lǎoběijīng jīròujuǎn: KFC에서 토착화를 위하여 신개발한 상품으로 중국 전통 음식인 북경 오리 구이를 본떠서 만든 트위스터 제품이다.

참고 관련 용어

- 파출소 派出所 pài chū suǒ
- 담당 부서 负责部门 fù zé bù mén
- 담당자 负责人 fù zé rén
- 은행 银行 yín háng
- 현금 现金 xiàn jīn
- 예금 储蓄 chǔ xù
- 대출 贷款 dài kuǎn
- 폰뱅킹 电话银行 diàn huà yín háng
- 인터넷뱅킹 网上银行 wǎngshàng yín háng
- 예금 조회 查询余额 chá xún yú é
- 계좌 账户 zhàng hù
- 이체 转账 zhuǎnzhàng
- 입금 存款 cún kuǎn
- 출금 取款 qǔ kuǎn
- 감시 카메라 监视器 jiān shì qì
- 자동 출금기 自动提款机 zì dòng tí kuǎn jī
- 은행 카드 银行卡 yín háng kǎ
- 카드를 긁다 刷卡 shuā kǎ
- 환전 兑换 duì huàn
- 환율 兑换率 duì huàn lǜ
- 위조지폐 假币 jiǎ bì
- 위조지폐 감별기 验钞机 yànchāo jī
- 여행자 수표 旅行支票 lǚ xíng zhī piào
- 분실 신고 挂失 guà shī
- 우체국 邮局 yóu jú
- 가슴둘레 胸围 xiōng wéi
- 허리둘레 腰围 yāo wéi
- 목둘레 脖围 bó wéi
- 어깨통 肩宽 jiān kuān
- 등 너비 背宽 bèi kuān
- 엉덩이 臀部 tún bù
- 키 身高, 身长 shēn gāo shēncháng
- 옷을 맞추다 定做衣服 dìng zuò yī fu
- 약국 药店 yào diàn
- 수면제 安眠药 ān mián yào
- 처방 处方 chǔ fāng
- 부작용 副作用 fù zuò yòng
- 비타민 维生素, 维他命 wéi shēng sù wéi tā mìng
- 해열제 退烧药 tuì shāo yào
- 처방전 药方 yào fāng
- 감기약 感冒药 gǎn mào yào
- 기침약 止咳药 zhǐ ké yào
- 소화제 消化药 xiāo huà yào
- 진통제 止痛片 zhǐ tòng piàn
- 연고 软膏 ruǎn gāo
- 캡슐 胶囊 jiāo náng
- 시럽 糖浆 tángjiāng
- 과립 颗粒 kē lì
- 서점 书店 shū diàn
- 시집 诗集 shī jí
- 소설 小说 xiǎoshuō
- 무협 소설 武侠小说 wǔ xiá xiǎoshuō
- 산문 散文 sǎn wén
- 잡지 杂志 zá zhì
- 절판 绝版 jué bǎn
- 품절 缺货 quē huò

- 베스트셀러 畅销书 chàngxiāo shū
- 베스트셀러 순위 畅销榜 chàngxiāobǎng
- 우표 邮票 yóu piào
- 전보 电报 diàn bào
- 우편함 邮箱 yóu xiāng
- 우편물 邮件 yóu jiàn
- 소포 包裹 bāo guǒ
- 우편환 邮政汇款 yóu zhèng huì kuǎn
- 우편환 증서 汇票 huì piào
- 편지를 부치다 寄信 jì xìn
- 이발소 理发店 lǐ fà diàn
- 미용실 美容院 měi róngyuàn
- 면도 刮胡子 guā hú zi
- 머리 감기 洗发 xǐ fà
- 머리 모양 发型, 发式 fà xíng fà shì
- 커트 剪头发, 前发 jiǎn tóu fa jiǎn fà
- 파마(하다) 烫发 tàng fà
- 염색(하다) 染发 rǎn fà
- 코팅 焗油 jú yóu
- 굵은 웨이브 大波浪 dà bō làng
- 스트레이트파마 拉直板 lā zhí bǎn
- 세팅파마 陶磁烫 táo cí tàng
- 매직파마 离子烫 lí zi tàng
- 빗 梳子 shū zi
- 거울 镜子 jìng zi
- 헤어드라이어 吹风机 chuīfēng jī
- 단발머리 学生头 xué shēng tóu
- 샴푸 洗发露, 洗发水 xǐ fà lù xǐ fà shuǐ
- 세탁소 洗衣店 xǐ yī diàn
- 드라이클리닝 干洗 gān xǐ
- 기름얼룩 油渍 yóu zì
- 옷깃 领子 lǐng zi
- 이브닝드레스 晚装 wǎnzhuāng
- 벽 壁 bì
- 지붕 屋顶 wū dǐng
- 담 围墙 wéi qiáng
- 현관 户门 hù mén
- 대문 大门 dà mén
- 인터폰 对讲机 duì jiǎng jī
- 집을 구하다 找房子 zhǎo fáng zi
- 거실 客厅 kè tīng
- 계약서 合同 hé tong
- 계약하다 签合同 qiān hé tong
- 월세 月租金 yuè zū jīn
- 보증금 押金 yā jīn
- 서명하다 签名 qiānmíng
- 패스트푸드점 快餐店 kuài cān diàn
- 햄버거 汉堡 hàn bǎo
- 프렌치프라이 薯条 shǔ tiáo
- 치즈버거 吉士汉堡 jí shì hàn bǎo
- 패밀리 세트 全家套餐 quán jiā tào cān
- 어린이 세트 메뉴 儿童套餐 ér tóng tào cān
- 피자 比萨 bǐ sà
- 스파게티 意大利面 yì dà lì miàn
- 아이스크림콘 卷筒冰淇淋 juǎntǒngbīng qí lín

18 병원 I: 진료 절차

医院 I：看病程序 YIYUAN I : KANBING CHENGXU

1 예약 · 접수

预约/挂号
yù yuē guàhào

병원에서 진찰을 받으려면 먼저 挂号 guàhào(접수)를 하여야 한다. 挂号处 guàhàochù라고 써진 창구에서 자기가 받고 싶은 진료 과목 즉 내과, 외과(内科 nèikē, 外科 wàikē)등을 말하면 된다. 특정 의사에게 진료받기를 원할 경우에는 접수할 때 미리 말해야 한다. 挂号处 guàhàochù에서는 病历本 bìnglìběn(진료 수첩)을 팔기도 하는데, 중국에서는 의사가 진료한 내용과 처방을 이 病历本 bìnglìběn에 기록해 준다. 이 수첩은 개인이 보관하는 것으로 자신에 대한 모든 병력이 기록되어 있기 때문에 다른 병원에 가서 진료를 받더라도 아주 유용하게 사용할 수 있다.

기 본 대 화

A: 今天下午可以接受李博士的诊治吗?
jīn tiān xià wǔ kě yǐ jiē shòu lǐ bó shì de zhěn zhì ma

B: 今天下午会很忙, 但5点左右可能会有空, 这个时间可以吗?
jīn tiān xià wǔ huì hěn máng dàn diǎn zuǒ yòu kě néng huì yǒu kòng zhè ge shí jiān kě yǐ ma

A: 可以。
kě yǐ

B: 能告诉我你的姓名和联系电话吗?
néng gào su wǒ nǐ de xìng míng hé lián xì diàn huà ma

A: 오늘 오후에 이 박사님의 진찰을 받을 수 있습니까?

B: 오늘 오후는 좀 바쁘십니다. 하지만 5시 경에 시간이 있으실 텐데, 그 때 괜찮으신지요?

A: 괜찮습니다.

B: 성함과 전화번호를 알려 주시겠습니까?

여러 가지 활용

I. 예약 预约
yù yuē

- 종합 건강 진단을 받아 보려 하는데요.
  我想接受全身的健康检查。
  wǒ xiǎng jiē shòu quán shēn de jiàn kāng jiǎn chá

- 내일 8시에 황 의사 선생님의 진료를 받을 수 있을까요?
  明天8点, 能接受黄医生的诊疗吗?
  míng tiān diǎn néng jiē shòu huáng yī shēng de zhěn liáo ma

- 정기 검사 날짜가 다 되었는데 언제쯤 가면 됩니까?
  已经到了定期检查的日子，什么时候可以去?
  yǐ jīng dào le dìng qī jiǎn chá de rì zi shén me shí hou kě yǐ qù

- 의사 선생님은 언제쯤 돌아오십니까?
  医生什么时候回来?
  yī shēng shén me shí hou huí lái

- 오늘 오후에 외래 진료가 가능합니까?
  今天下午可以看门诊吗?[1]
  jīn tiān xià wǔ kě yǐ kàn mén zhěn ma

- 이 과장님 진료 시간이 몇 시인지 좀 알려 주십시오.
  请告诉我李主任诊治时间是几点。[2]
  qǐng gào su wǒ lǐ zhǔ rèn zhěn zhì shí jiān shì jǐ diǎn

Ⅱ. 접수 挂号
guà hào

접수창구에서 在挂号处
zài guà hào chù

A: 在哪里挂号?
zài nǎ li guà hào

B: 请到那边挂号处。
qǐng dào nà biān guà hào chù

A: 어디에서 접수를 합니까?

B: 저쪽 접수창구로 가세요.

- 과장 선생님의 진료를 받고 싶은데요.
  我想接受主任医生的门诊。
  wǒ xiǎng jiē shòu zhǔ rèn yī shēng de mén zhěn

- 오늘 과장 선생님은 오후 근무이십니다.
  今天主任医生是下午班。
  jīn tiān zhǔ rèn yī shēng shì xià wǔ bān

- 과장 선생님 진료 접수비는 10위안입니다.
  主任医生的门诊挂号费是10元。
  zhǔ rèn yī shēng de mén zhěn guà hào fèi shì yuán

---

1) 门诊 ménzhěn: 외래 진찰, 외래 진료. 门诊部 ménzhěnbù, 门诊室 ménzhěnshì: 외래 진찰실.

2) 主任 zhǔrèn: 한 부서의 책임자를 말하며, 여기서는 내과, 외과 등 각 진료과의 과장(科长)을 말한다.

- 진료 수첩이 있습니까?
  有病历本吗?
  yǒu bìng lì běn ma

- 진료는 몇 시부터 시작합니까?
  几点开始门诊?
  jǐ diǎn kāi shǐ mén zhěn

- 몇 시까지 진료합니까?
  门诊到几点?
  mén zhěn dào jǐ diǎn

- 접수가 마감되었습니다.
  挂号已经结束了。
  guà hào yǐ jīng jié shù le

- 이미 진료 시간이 지났습니다.
  已经过了门诊时间。
  yǐ jīng guò le mén zhěn shí jiān

- 오후 접수는 1시부터 시작합니다.
  下午从1点开始挂号。
  xià wǔ cóng diǎn kāi shǐ guà hào

- 토요일에도 진료를 합니까?
  星期六也看门诊吗?
  xīng qī liù yě kàn mén zhěn ma

- 일요일 오후는 진료를 하지 않습니다.
  星期日下午, 不看门诊。
  xīng qī rì xià wǔ bú kàn mén zhěn

▶ 왕진할 때 上门诊疗时
shàng mén zhěn liáo shí

- 의사 선생님께 왕진을 부탁하고 싶습니다.
  我想请医生上门诊疗。
  wǒ xiǎng qǐng yī shēng shàng mén zhěn liáo

- 의사 선생님이 와 주실 수 있습니까?
  医生可以过来吗?
  yī shēng kě yǐ guò lái ma

- 왕진 비용은 얼마입니까?
  上门诊疗费是多少?
  shàng mén zhěn liáo fèi shì duō shao

2 진찰받기 看病 kànbìng

진찰을 받기 위해서는 먼저 门诊室 ménzhěnshì(진찰실)에 가서 病历本 bìnglìběn(진료 수첩)을 제출하고 순서를 기다려야 한다. SARS 발병 이후 중국에서는 모든 내방객의 체온을 체크하여 열이 있는 환자는 별도의 发热门诊室 fārèménzhěnshì(발열 환자 진료소)로 보낸다. 이는 일반 환자들이 병원에서 장시간 대기하거나 진료를 받다가 SARS에 전염되는 것을 방지하기 위해서이다.

기 본 대 화

A: 哪里不舒服?
nǎ li bù shū fu

B: 发烧, 嗓子疼, 而且总咳嗽。
fā shāo sǎng zi téng ér qiě zǒng ké sou

A: 是什么时候开始的?
shì shén me shí hou kāi shǐ de

B: 快一个星期了。
kuài yí ge xīng qī le

A: 张大嘴巴。咽喉肿了。
zhāng dà zuǐ ba yān hóu zhǒng le

是流行性感冒, 先给你打一针退烧药, 再开点药。
shì liú xíng xìng gǎn mào xiān gěi nǐ dǎ yì zhēn tuì shāo yào zài kāi diǎn yào

---

A: 어디가 불편하세요?
B: 열이 나고, 목도 아프고, 또 계속 기침을 해요.
A: 언제부터 그래요?
B: 한 일주일 되었어요.
A: 입을 크게 벌려 보세요. 목이 부었네요.
유행성 감기에요. 해열 주사와 약을 처방해 줄게요.

여러 가지 활용

Ⅰ. 대기실에서 在候诊室 zài hòu zhěn shì

A: 李明, 李明在吗?
lǐ míng lǐ míng zài ma

B: 在, 我就是。
zài wǒ jiù shì

A: 请到这边来。
qǐng dào zhè biān lái

A: 리밍, 리밍 씨 계세요?
B: 예, 접니다.
A: 이쪽으로 오세요.

- 대기자가 많습니까?
  候诊的人多吗?
  hòu zhěn de rén duō ma

- 얼마나 기다려야 합니까?
  需要等多长时间?
  xū yào děng duō cháng shí jiān

- 오전에 진료가 가능합니까?
  上午可以看门诊吗?
  shàng wǔ kě yǐ kàn mén zhěn ma

- 환자가 통증이 심한데 좀 빨리 안되겠습니까?
  现在患者痛得很厉害, 能快点儿吗?
  xiàn zài huàn zhě tòng de hěn lì hai néng kuài diǎnr ma

Ⅱ. 증상을 물을 때 询问症状时
xún wèn zhèng zhuàng shí

- 어디가 불편하세요? / 어떻게 불편하세요?
  哪里不舒服? / 怎么不舒服?
  nǎ li bù shū fu zěn me bù shū fu

- 어떤 증상이 있습니까?
  有什么症状?
  yǒu shén me zhèng zhuàng

- 언제부터 열이 났지요?
  什么时候开始发烧的?
  shén me shí hou kāi shǐ fā shāo de

- 처음에 어떤 증세가 있었지요?
  最初是什么症状?
  zuì chū shì shén me zhèng zhuàng

- 언제부터 이랬어요?
  什么时候开始这样的?
  shén me shí hou kāi shǐ zhè yàng de

- 식욕은 어때요?
  食欲怎么样?
  shí yù zěn me yàng

- 저한테 상세하게 알려 주세요, 어디가 아프세요?
  请你详细地告诉我, 是哪里痛?
  qǐng nǐ xiáng xì de gào su wǒ shì nǎ li tòng

▶ 병력을 물을 때 询问病历时
xún wèn bìng lì shí

- 질병이 있습니까?
  有疾病吗?
  yǒu jí bìng ma

- 또 다른 질병이 있습니까?
  还有别的疾病吗?
  hái yǒu bié de jí bìng ma

- 수술했던 경험이 있습니까?
  以前做过手术吗?
  yǐ qián zuò guo shǒu shù ma

- 과거에도 이런 병을 앓은 적이 있습니까?
  以前也得过这种病吗?
  yǐ qián yě dé guo zhè zhǒng bìng ma

- 이전에 크게 병을 앓았던 적 있나요?
  以前有没有得过重病?
  yǐ qián yǒu méi yǒu dé guo zhòng bìng

- 예전에도 머리가 자주 아팠습니까?
  以前也经常头痛吗?
  yǐ qián yě jīng cháng tóu tòng ma

- 상시 복용하는 약이 있습니까?
  有常用的药吗?
  yǒu cháng yòng de yào ma

- 다른 병원에서 진찰을 받아 보았습니까?
  在别的医院看过病吗?
  zài bié de yī yuàn kàn guo bìng ma

- 약물 알레르기가 있습니까?
  对药过敏吗?
  duì yào guò mǐn ma

증세를 설명할 때 说明症状时
shuō míng zhèng zhuàng shí

- 잠잘 때 식은땀을 흘립니다.
  睡觉时会发虚汗。
  shuì jiào shí huì fā xū hàn
- 오한이 심해요.
  总觉得特别冷。
  zǒng jué de tè bié lěng
- 쉽게 피로합니다.
  很容易疲劳。
  hěn róng yì pí láo
- 열이 좀 있습니다.
  有点儿发烧。
  yǒu diǎnr fā shāo
- 머리가 좀 어지러워요.
  头有点儿晕。
  tóu yǒu diǎnr yūn
- 다리에 힘이 없고 곧 쓰러질 것 같아요.
  两脚发软，好像快要晕倒了。
  liǎng jiǎo fā ruǎn hǎo xiàng kuài yào yūn dǎo le

통증을 설명할 때 说明疼痛症状时
shuō míng téng tòng zhèng zhuàng shí

- 아파서 죽겠어요. / 찌르는 듯 아파요.
  疼死了。/ 刺痛。
  téng sǐ le cì tòng
- 닿기만 하면 아파요.
  一碰就疼。
  yí pèng jiù téng
- 상처 부위가 부어서 너무 아파요.
  伤口肿了，疼得要命。
  shāng kǒu zhǒng le téng de yào mìng
- 배가 바늘로 찌르는 것처럼 아파요.
  肚子像针刺般疼痛。
  dù zi xiàng zhēn cì bān téng tòng
- 너무 아파서 잠을 못 잘 때가 많습니다.
  太疼了，所以常常会失眠。
  tài téng le suǒ yǐ cháng cháng huì shī mián

- 밤이 되면 통증이 더 심해져요.
  到了晚上，会疼得更厉害。
  dào le wǎn shang huì téng de gèng lì hai

- 참을 수가 없을 정도로 아파요.
  疼得无法忍受。
  téng de wú fǎ rěn shòu

- 우선 좀 안 아프게 해 주세요.
  先帮我减轻一下疼痛吧。
  xiān bāng wǒ jiǎn qīng yí xià téng tòng ba

- 진통제 좀 놓아 주세요.
  请给我打麻药。[1)]
  qǐng gěi wǒ dǎ má yào

Ⅲ. 진찰할 때 检查时
jiǎn chá shí

▶ 일반적인 진찰 一般的检查
yì bān de jiǎn chá

- 먼저 체온을 잽시다.
  先量一下体温。
  xiān liáng yí xià tǐ wēn

- 체온계를 겨드랑이에 넣으세요.
  请把温度计夹在胳肢窝里。[2)]
  qǐng bǎ wēn dù jì jiā zài gā zhi wō li

- 주먹을 꼭 쥐세요.
  握紧拳头。
  wò jǐn quán tóu

- 입을 벌리고 혀를 내밀어 보세요.
  张开嘴把舌头伸出来。
  zhāng kāi zuǐ bǎ shé tou shēn chū lái

- 다리를 구부려 보세요.
  弯一下腿。
  wān yí xià tuǐ

- 배 좀 볼까요.
  看一下肚子。
  kàn yí xià dù zi

---

1) 진통제는 '镇痛剂 zhèntòngjì'라고도 하나, 일상 구어에서는 주로 '麻药 máyào'라 한다.
2) 胳肢窝: 구어에서는 gāzhiwō라고도 하며, '夹肢窝 gāzhiwō'라고도 한다.

• 닿으면 아픕니까? / 많이 아픈가요?
碰的话，疼吗? / 疼得厉害吗?
pèng de huà téng ma téng de lì hai ma

▶ X-RAY 검사 x－光检查
guāng jiǎn chá

• 먼저 X-ray를 찍어 봅시다.
先照一下X光片。
xiān zhào yí xià guāng piàn

• 웃옷을 벗으세요.
请脱掉上衣。
qǐng tuō diào shàng yī

• 속옷은 그대로 입으셔도 됩니다.
内衣就这样穿着吧。
nèi yī jiù zhè yàng chuān zhe ba

• 크게 숨을 들이쉬세요.
请深呼吸。
qǐng shēn hū xī

• 좋아요, 천천히 숨을 내쉬세요.
好，请慢慢儿吐气。
hǎo qǐng màn mānr tǔ qì

• 숨을 멈추세요.
请屏住呼吸。
qǐng bǐng zhù hū xī

▶ 누워서 진찰할 때 躺着检查时
tǎng zhe jiǎn chá shí

• 침대 위에 누우세요.
请在床上躺好。
qǐng zài chuáng shang tǎng hǎo

• 오른쪽으로 돌아서 옆으로 누우세요.
请往右侧横着躺。
qǐng wǎng yòu cè héng zhe tǎng

• 엎드려 보세요.
请趴下。
qǐng pā xià

▶ 기타 其他
qí tā

- 가슴을 검사해 봅시다. 상의를 올려 보세요.
要检查胸部, 请把上衣卷上去。
yào jiǎn chá xiōng bù qǐng bǎ shàng yī juǎn shàng qù

- 혈액 검사를 해야 합니다.
要验血。[3)]
yào yàn xuè

- 소변 검사를 해야 합니다. 소변을 이 시험용지에 묻혀 오세요.
要验尿, 请把尿沾到这试验纸上。
yào yàn niào qǐng bǎ niào zhān dào zhè shì yàn zhǐ shang

Ⅳ. 환자의 질문 患者的询问
huàn zhě de xún wèn

A: 病情严重吗?
bìng qíng yán zhòng ma

B: 还没到担心的程度, 现在只是初期阶段。
hái méi dào dān xīn de chéng dù xiàn zài zhǐ shì chū qī jiē duàn

A: 那么药物治疗也可以吗?
nà me yào wù zhì liáo yě kě yǐ ma

B: 是的, 静养一个月左右, 同时服药就可以根治了。
shì de jìng yǎng yí ge yuè zuǒ yòu tóng shí fú yào jiù kě yǐ gēn zhì le

A: 병세가 심합니까?

B: 아직 걱정할 정도는 아닙니다. 지금은 그냥 초기 단계예요.

A: 그럼 약물 치료로도 가능합니까?

B: 그렇습니다. 1개월 정도 요양을 하면서 약을 드시면 완치할 수 있습니다.

- 어디에 문제가 있는지 알고 싶습니다.
我想知道, 是哪里有毛病。
wǒ xiǎng zhī dào shì nǎ li yǒu máo bìng

- 무엇이 원인인가요?
是什么原因?
shì shén me yuán yīn

3) 验 yàn : 검사하다, 시험하다. '检验 jiǎnyàn'이라고도 한다. 예) 验大便 yàn dàbiàn, 检验大便 jiǎnyàn dàbiàn(대변 검사).

- 초음파 검사 결과가 어떻습니까?
  B-超的结果怎么样?
  chāo de jié guǒ zěn me yàng

- 이상 없습니까?
  没有问题吗?
  méi yǒu wèn tí ma

- 수술해야 합니까?
  要动手术吗?
  yào dòng shǒu shù ma

- 입원해야 합니까?
  要住院吗?
  yào zhù yuàn ma

- 병세가 더 악화될까요?
  病情会恶化吗?
  bìng qíng huì è huà ma

- 완치가 될 수 있을까요?
  能根治吗?
  néng gēn zhì ma

- 회복될 가능성이 있습니까?
  有恢复的可能吗?
  yǒu huī fù de kě néng ma

- 치료 기간이 오래 걸립니까?
  治疗时间长吗?
  zhì liáo shí jiān cháng ma

- 음식에 있어 뭘 주의해야 하나요?
  饮食上要注意什么?
  yǐn shí shang yào zhù yì shén me

- 식이 요법이 효과가 있을까요?
  饮食疗法会有效果吗?
  yǐn shí liáo fǎ huì yǒu xiào guǒ ma

- 아픈 이유가 뭔가요?
  痛的原因是什么?
  tòng de yuán yīn shì shén me

- 검사 결과가 어떻습니까?
  检查结果怎么样?
  jiǎn chá jié guǒ zěn me yàng

- 조기에 회복될 가능성은 없습니까?
  没有尽快恢复的可能性吗?
  méi yǒu jǐn kuài huī fù de kě néng xìng ma

- 완치까지는 얼마나 걸릴까요?
  根治需要多长时间?
  gēn zhì xū yào duō cháng shí jiān

- 어떻게 요양을 해야 합니까?
  需要怎样静养?
  xū yào zěn yàng jìng yǎng

- 다음 검사 날짜는 언제인가요?
  下次的检查日期是什么时候?
  xià cì de jiǎn chá rì qī shì shén me shí hou

- 매일 와서 치료를 받아야 합니까?
  我每天都要来治疗吗?
  wǒ měi tiān dōu yào lái zhì liáo ma

- 수술 결과가 걱정이 됩니다.
  我担心手术的结果。
  wǒ dān xīn shǒu shù de jié guǒ

- 후유증은 없겠지요?
  不会有后遗症吧?
  bú huì yǒu hòu yí zhèng ba

- 수술한 자리가 가끔 아파요. 원인이 뭐죠?
  手术的地方有时会疼, 是什么原因?
  shǒu shù de dì fang yǒu shí huì téng shì shén me yuán yīn

- 언제 실을 뽑아요?
  什么时候拆线?
  shén me shí hou chāi xiàn

V. 의사의 답변 医生的回答
yī shēng de huí dá

- 아직은 초기 단계입니다. 걱정하실 필요 없어요.
  还是初级阶段, 所以不用担心。
  hái shi chū jí jiē duàn suǒ yǐ bú yòng dān xīn

- 우선 주사를 좀 맞으시고 약을 드시면 좋아지실 겁니다.
  先打几针, 再吃点儿药就会好起来的。
  xiān dǎ jǐ zhēn zài chī diǎnr yào jiù huì hǎo qǐ lái de

- 너무 무리하지 마시고 좀 쉬셔야 합니다.
  不要太逞强，多休息一会儿。[4)]
  bú yào tài chěng qiáng duō xiū xi yí huìr

- 먼저 종합 검진을 받아 보세요.
  先做一下全身检查吧。
  xiān zuò yí xià quán shēn jiǎn chá ba

- 여기보다 의료 시설이 좋은 병원에 가셔서 검사해 보세요.
  请到医疗设备比这里更好的医院去检查一下吧。
  qǐng dào yī liáo shè bèi bǐ zhè li gèng hǎo de yī yuàn qù jiǎn chá yí xià ba

- 이런 증세는 금방 사라질 수 있습니다.
  这种症状，马上就能消失了。
  zhè zhǒng zhèng zhuàng mǎ shàng jiù néng xiāo shī le

- 소변 검사 결과가 나왔는데, 양성 반응입니다.
  尿检结果出来了，阳性反应。
  niào jiǎn jié guǒ chū lái le yáng xìng fǎn yìng

- 위궤양 증상이 있습니다.
  有胃溃疡的症状。
  yǒu wèi kuì yáng de zhèng zhuàng

- 혈당을 조절해야 합니다.
  需要控制血糖含量。
  xū yào kòng zhì xuè táng hán liàng

- 염증이 생각했던 것보다 심각합니다.
  炎症比想象的要厉害。
  yán zhèng bǐ xiǎng xiàng de yào lì hai

▶ 주의 및 권고 注意及劝告
zhù yì jí quàn gào

- 지나친 음주와 폭음 폭식은 병세를 악화시킬 수 있습니다.
  过量的饮酒和暴饮暴食，会使病情恶化。
  guò liàng de yǐn jiǔ hé bào yǐn bào shí huì shǐ bìng qíng è huà

- 과일과 야채를 많이 섭취하셔야 합니다.
  要多吃水果和蔬菜。
  yào duō chī shuǐ guǒ hé shū cài

- 매일 운동을 좀 많이 하십시오.
  每天多做点儿运动。
  měi tiān duō zuò diǎnr yùn dòng

---

4) 逞强 chěngqiáng: 강한 척하다, 억지를 부리다, 과시하다.

- 충분한 수면을 취해야 합니다.
  需要充足的睡眠。
  xū yào chōng zú de shuì mián

- 며칠만 휴식하면 좋아질 겁니다.
  休息几天，就好了。
  xiū xi jǐ tiān jiù hǎo le

- 단 음식을 적게 드십시오.
  少吃点儿甜食。
  shǎo chī diǎnr tián shí

- 될 수 있는 대로 물을 많이 드십시오.
  尽量多喝水。
  jǐn liàng duō hē shuǐ

- 담배를 좀 줄이십시오.
  要少吸烟。
  yào shǎo xī yān

- 자극성이 강한 음식은 피하도록 하십시오.
  要避免刺激性强的食物。
  yào bì miǎn cì jī xìng qiáng de shí wù

- 신선한 야채와 과일을 많이 드십시오.
  多吃点儿新鲜的蔬菜和水果。
  duō chī diǎnr xīn xiān de shū cài hé shuǐ guǒ

- 가벼운 운동을 좀 하십시오.
  做一下轻便的运动。
  zuò yí xià qīng biàn de yùn dòng

- 한 이삼일 죽만 드세요.
  这两三天只吃稀饭吧。
  zhè liǎng sān tiān zhǐ chī xī fàn ba

- 생선은 많이 드셔도 됩니다.
  鱼可以吃多点儿。
  yú kě yǐ chī duō diǎnr

- 병이 생긴 후에야 건강의 소중함을 깨닫게 되지요.
  得了病之后，才能体会到健康的重要性。
  dé le bìng zhī hòu cái néng tǐ huì dào jiàn kāng de zhòng yào xìng

- 명심하십시오. 건강이 재산입니다.
  要记住，身体是革命的本钱。[5)]
  yào jì zhù shēn tǐ shì gé mìng de běn qián

---

5) 직역하면 "신체는 혁명의 밑천이다."라는 뜻으로, 중국 사람들이 건강의 소중함을 말할 때 자주 쓰는 표현이다.

3 치료 · 수술

治疗/手术
zhì liáo shǒushù

의사 선생님을 부를 때는 "大夫 dàifu", "医生 yīshēng", 간호사를 부를 때는 "护士小姐 hùshi xiǎojiě"라 하면 된다. 우리는 흔히 仁术 rénshù(인술)을 펼치는 의사들을 존경하고, 환자를 극진히 돌보는 간호사들을 "白衣天使 báiyī tiānshǐ"(백의의 천사)라 부르기도 한다. SARS와의 투쟁(抗击非典 kàngjī fēidiǎn) 때에는 생명의 위험을 무릅쓰고 의료 최일선에서 최선을 다한 의사와 간호사를 "白衣战士 báiyī zhànshì"(백의의 전사)라고 칭하기도 하였다.

기 본 대 화

A: 护士, 手术结束了吗? 怎么样?
hù shi shǒu shù jié shù le ma zěn me yàng

B: 手术很成功, 放心吧。
shǒu shù hěn chéng gōng fàng xīn ba

A: 谢谢。您辛苦了。
xiè xie nín xīn kǔ le

B: 刚刚从手术室出来, 现在在病房, 一会儿就能醒过来了。
gāng gāng cóng shǒu shù shì chū lái xiàn zài zài bìng fáng yí huìr jiù néng xǐng guò lái le

A: 간호사, 수술은 끝났습니까? 어떻게 됐습니까?

B: 수술은 아주 성공적입니다. 안심하세요.

A: 고맙습니다. 수고하셨습니다.

B: 방금 수술실에서 나와 지금 병실에 있습니다. 잠시 후면 깨어날 것입니다.

여러 가지 활용

I. 치료를 위한 상담 洽谈治疗方案
qià tán zhì liáo fāng àn

A: 哪里有问题?
nǎ li yǒu wèn tí

B: 好像盲肠有炎症。[1)]
hǎo xiàng máng cháng yǒu yán zhèng

A: 现在还不很痛。
xiàn zài hái bù hěn tòng

1) 맹장염은 阑尾炎 lánwěiyán이라고도 한다.

B: 但还是做手术的好。[2)]
dàn hái shi zuò shǒu shù de hǎo

A: 有可能是别的病吗?
yǒu kě néng shì bié de bìng ma

B: 不太可能。选个日子, 准备动手术吧。
bú tài kě néng xuǎn ge rì zi zhǔn bèi dòng shǒu shù ba

A: 어디가 문제입니까?

B: 맹장에 염증이 있는 것 같습니다.

A: 지금은 아직 그다지 아프지 않은데요.

B: 그러나 수술하시는 것이 좋습니다.

A: 다른 병일 가능성이 있습니까?

B: 거의 없습니다. 날짜를 잡고 수술할 준비를 합시다.

- 어디가 안 좋은지 발견이 되었습니까?
  查到哪里有毛病吗?
  chá dào nǎ li yǒu máo bìng ma

- 어떻게 하면 좋습니까?
  怎么办好呢?
  zěn me bàn hǎo ne

- 술은 마셔도 상관없겠습니까?
  喝酒没关系吗?
  hē jiǔ méi guān xi ma

- 너무 쉽게 피로합니다. 좋은 치료 방법이 없을까요?
  很容易疲劳。有没有好的治疗方法?
  hěn róng yì pí láo yǒu méi yǒu hǎo de zhì liáo fāng fǎ

- 식사가 규칙적이지 못해 늘 걱정입니다.
  吃饭没有规律, 所以很担心。
  chī fàn méi yǒu guī lǜ suǒ yǐ hěn dān xīn

- 해열 주사를 놓아 드리겠습니다.
  给您打一下退烧针吧。
  gěi nín dǎ yí xià tuì shāo zhēn ba

- 먼저 전반적인 검사를 받아 보시겠습니까?
  先全面检查一下好吗?
  xiān quán miàn jiǎn chá yí xià hǎo ma

2) 수술하는 것을 动手术 dòng shǒushù 혹은 开刀 kāidāo라고도 한다.

- 감기 때문이 아니라, 너무 담배를 많이 피우기 때문인 것 같습니다.
  不是感冒引起的，好像是吸烟过度引起的。
  bú shì gǎn mào yǐn qǐ de hǎo xiàng shì xī yān guò dù yǐn qǐ de

- 기관지가 나쁜 사람들은 조그만 자극에도 기관지염이 생길 수 있습니다.
  气管不好的人，小小的刺激也会引起气管炎。
  qì guǎn bù hǎo de rén xiǎo xiǎo de cì jī yě huì yǐn qǐ qì guǎn yán

- 위를 다시 한번 검사해 볼 필요가 있습니다.
  你的胃需要再检查一次。
  nǐ de wèi xū yào zài jiǎn chá yí cì

- 내시경으로 검사를 해 봅시다.
  用内窥镜检查一下吧。
  yòng nèi kuī jìng jiǎn chá yí xià ba

Ⅱ. 주사 打针
dǎ zhēn

- 팔에 주사합니다. 소매를 걷어 올리세요.
  要打在胳膊上，把袖子卷上去。
  yào dǎ zài gē bo shang bǎ xiù zi juǎn shàng qù

- 아프지 않을까요?
  不痛吗?
  bú tòng ma

- 조금 아플 겁니다.
  有一点儿痛。
  yǒu yì diǎnr tòng

- 됐습니다. 2분 간 꼭 누르시면 됩니다.
  好了，按两分钟，就可以了。
  hǎo le àn liǎng fēn zhōng jiù kě yǐ le

- 침대에 엎드리세요. 주사 놓습니다.
  请趴在床上，要打针了。
  qǐng pā zài chuáng shang yào dǎ zhēn le

- B형 간염 예방 주사를 놓습니다.
  我来打乙肝预防针。
  wǒ lái dǎ yǐ gān yù fáng zhēn

- 1분 간 문질러 주시면 됩니다.
  揉一分钟就好了。
  róu yì fēn zhōng jiù hǎo le

▶ **링거 주사** **输液**[3)]
shū yè

- 팔을 뻗으세요.
  请伸出胳膊。
  qǐng shēn chū gē bo

- 주먹을 꼭 쥐세요.
  握紧拳头。
  wò jǐn quán tou

- 방울이 너무 빨리 떨어지는 것 아닌가요?
  是不是点滴下得太快了?
  shì bu shì diǎn dī xià de tài kuài le

- 다 맞았습니다. 링거 바늘을 빼 주시겠어요?
  打完了。麻烦你把点滴针拔出来, 好吗?
  dǎ wán le má fan nǐ bǎ diǎn dī zhēn bá chū lái hǎo ma

- 공기 방울이 들어갔습니다. 공기를 빼 주세요.
  进了空气, 把空气挤出去吧。
  jìn le kōng qì bǎ kōng qì jǐ chū qù ba

Ⅲ. 치료 · 수술 결과 治疗/手术结果
zhì liáo shǒu shù jié guǒ

- 수술은 순조로웠습니다. 1개월 정도면 완전히 회복될 겁니다.
  手术很顺利, 一个月左右就会完全康复了。
  shǒu shù hěn shùn lì yí ge yuè zuǒ yòu jiù huì wán quán kāng fù le

- 일주일이나 열흘 정도면 퇴원할 수 있습니다.
  再过一个星期或10天就可以出院了。
  zài guò yí ge xīng qī huò tiān jiù kě yǐ chū yuàn le

- 이삼일 후에 그에게 죽과 같은 유동식을 먹게 하세요.
  两三天后给他吃点儿稀的东西。
  liǎng sān tiān hòu gěi tā chī diǎnr xī de dōng xi

- 3일 후부터는 부드러운 음식을 드실 수 있습니다.
  3天以后就可以吃软一点儿的食物了。
  tiān yǐ hòu jiù kě yǐ chī ruǎn yì diǎnr de shí wù le

- 지금은 편안한 휴식이 필요합니다.
  现在需要好好儿休息。
  xiàn zài xū yào hǎo hāor xiū xi

---

3) 링거 주사 맞는 것을 打吊针 dǎ diàozhēn이라고도 한다.

4 입원 · 퇴원

住院/出院
zhùyuàn chūyuàn

병원에 입원하는 것을 "住院 zhùyuàn", 퇴원하는 것을 "出院 chūyuàn"이라고 한다. 입원을 하는 것은 환자나 가족에게 큰 불편과 비용을 초래하는 일이지만, 보다 안정적인 환경에서 적절한 치료를 받기 위하여는 감수해야 하는 일이다. 환자를 간호하는 것을 전문적인 용어로는 "看护 kānhù"라고 하며 구어에서는 '돌보다'라는 뜻을 가진 "照顾 zhàogù"를 많이 쓰기도 한다.

기본대화

A: 您需要住院，请办一下住院手续。
nín xū yào zhù yuàn qǐng bàn yí xià zhù yuàn shǒu xù

B: 什么？住院？
shén me zhù yuàn

A: 是的，需要住院观察几天。
shì de xū yào zhù yuàn guān chá jǐ tiān

B: 要住几天？
yào zhù jǐ tiān

A: 至少也要住一个星期。
zhì shǎo yě yào zhù yí ge xīng qī

A: 입원하셔야 합니다. 입원 수속을 하십시오.
B: 예? 입원을요?
A: 그렇습니다. 입원을 하셔서 며칠 지켜봐야 합니다.
B: 며칠이나 입원해야 합니까?
A: 적어도 일주일은 입원해야 합니다.

여러 가지 활용

Ⅰ. 입원 住院
zhù yuàn

▶ **입원을 권할 때** **劝住院时**
quàn zhù yuàn shí

- 병세가 심각하니 입원해서 치료하는 것이 가장 좋겠습니다.
  病情很严重，最好住院治疗。
  bìng qíng hěn yán zhòng zuì hǎo zhù yuàn zhì liáo

- 열이 너무 높으니 지금 당장 입원을 해야겠습니다.
  正在发高烧，需要马上住院。
  zhèng zài fā gāo shāo xū yào mǎ shàng zhù yuàn

▶ **병실 病房**
bìng fáng

- 1인실로 주십시오.
要单人病房。
yào dān rén bìng fáng

- 6인실 있습니까?
有6人病房吗?
yǒu rén bìng fáng ma

- 병실에 화장실이 있습니까?
病房里有洗手间吗?
bìng fáng li yǒu xǐ shǒu jiān ma

Ⅱ. 퇴원 出院
chū yuàn

- 이제 퇴원하셔도 되겠습니다.
现在可以出院了。
xiàn zài kě yǐ chū yuàn le

- 오늘 중으로 퇴원 수속을 하십시오.
请在今天办一下出院手续。
qǐng zài jīn tiān bàn yí xià chū yuàn shǒu xù

- 하지만 며칠은 매일 와서 치료를 해야 합니다.
可是这几天还要天天来治疗。
kě shì zhè jǐ tiān hái yào tiān tiān lái zhì liáo

- 의료 보험이 있습니까?
有医疗保险吗?
yǒu yī liáo bǎo xiǎn ma

- 치료 명세서를 발급해 주십시오.
请开一张医疗单。
qǐng kāi yì zhāng yī liáo dān

- 그동안 잘 보살펴 주셔서 고맙습니다.
谢谢您这几天对我的照顾。
xiè xie nín zhè jǐ tiān duì wǒ de zhào gù

- 리우 의사 선생님 은혜는 잊지 않겠습니다.
我不会忘记刘医生的大恩大德。
wǒ bú huì wàng jì liú yī shēng de dà ēn dà dé

5 약 타기 · 용법

取药/用法
qǔ yào yòng fǎ

일반 병원에서는 의사가 처방전(药方 yàofāng)을 지어 주면 그것을 가지고 "划价 huàjià"(계산)라 쓰여진 곳에 가서 치료비와 약값을 지불한 다음 "取药 qǔyào"(약 타는 곳)이라 써 있는 곳에 가서 약을 받으면 된다. 대부분의 병원은 "中药 zhōngyào"(중의약)과 "西药 xīyào"(양약)을 취급하는 곳이 구분되어 있다.

기 본 대 화

A: 给你开一张药方, 先服用3天。
gěi nǐ kāi yì zhāng yào fāng xiān fú yòng tiān
拿着这个药方, 先付钱, 再上取药处取药。
ná zhe zhè ge yào fāng xiān fù qián zài shàng qǔ yào chù qǔ yào
B: 我得出差, 能拿10天的吗?
wǒ děi chū chāi néng ná tiān de ma

A: 처방전을 써 드리겠습니다. 우선 3일 간 복용하십시오.
이 처방전을 가지고 계산을 한 후에 약 타는 곳에서 약을 받으세요.
B: 제가 출장을 가야 하는데 10일 치를 받아갈 수 있습니까?

여러 가지 활용

Ⅰ. 처방전 药方
yào fāng

- 이 처방전대로 약을 드시면 됩니다.
  按这个处方吃药就可以了。
  àn zhè ge chǔ fāng chī yào jiù kě yǐ le
- 처방전을 드릴 테니 약국에 가셔서 구입하십시오.
  我给你开个药方, 上药店去买吧。
  wǒ gěi nǐ kāi ge yào fāng shàng yào diàn qù mǎi ba

Ⅱ. 약의 용법 用法
yòng fǎ

- 하루 세 번, 한 번에 두 알씩 식후에 복용하세요.
  一天三次, 一次两粒, 要在饭后服用。
  yì tiān sān cì yí cì liǎng lì yào zài fàn hòu fú yòng
- 공복 시나 식사 1시간 전에 드십시오.
  请在空腹时或在饭前1小时服用。
  qǐng zài kōng fù shí huò zài fàn qián xiǎo shí fú yòng

- 아침저녁으로 1포씩 드시면 됩니다.
  早晚吃1包，就可以了。
  zǎo wǎn chī bāo jiù kě yǐ le

- 천천히 씹어서 드십시오.
  慢慢儿地嚼着吃。
  màn mānr de jiáo zhe chī

- 목이 아플 때 드시면 됩니다.
  嗓子疼的时候，吸一口就好了。
  sǎng zi téng de shí hou xī yì kǒu jiù hǎo le

- 가려운 곳에 발라 주십시오. / 아픈 곳에 붙여 주십시오.
  哪儿痒就擦哪儿。/ 请贴在疼痛处。
  nǎr yǎng jiù cā nǎr qǐng tiē zài téng tòng chù

- 많이 문질러 주십시오.
  多揉一下。
  duō róu yí xià

Ⅲ. 부작용 不良反应
bù liáng fǎn yìng

- 부작용이 생기면 즉각 복용을 중지하십시오.
  有副作用的话，请马上停止服用。
  yǒu fù zuò yòng de huà qǐng mǎ shàng tíng zhǐ fú yòng

- 구토 증세가 있으면 바로 병원으로 오십시오.
  有呕吐症状，请马上来医院。
  yǒu ǒu tù zhèng zhuàng qǐng mǎ shàng lái yī yuàn

- 어지러운 현상이 있으면 용량을 조금 줄이면 됩니다.
  有头晕现象，减少用量就可以了。
  yǒu tóu yūn xiàn xiàng jiǎn shǎo yòng liàng jiù kě yǐ le

- 지난번 약은 먹으면 속이 많이 메스꺼웠습니다.
  上次的药，一吃就觉得恶心。
  shàng cì de yào yì chī jiù jué de ě xin

- 졸리지 않는 약으로 지어 주십시오.
  请给我开一些不发困的药。
  qǐng gěi wǒ kāi yì xiē bù fā kùn de yào

- 저는 페니실린에 알레르기가 있습니다.
  我对青霉素过敏。[1)]
  wǒ duì qīng méi sù guò mǐn

---

1) 페니실린을 음역하여 盘尼西林 pánníxīlín, 配尼西林 pèiníxīlín 또는 西林 xīlín이라고도 한다.

6 문 병

看望病人
kànwàngbìng rén

병문안을 갔을 때는 환자의 상태를 살펴 너무 긴 시간 있지 않는 것이 좋다. 그리고 환자에게 용기와 희망을 줄 수 있는 말과 함께, 그를 간호하는 사람에게도 위로와 감사의 말을 잊지 않는다. 환자에게는 "祝你早日康复。zhù nǐ zǎorì kāngfù"(빨리 완쾌하시기를 바랍니다.), "请多保重身体。qǐng duō bǎozhòng shēntǐ"(부디 몸조심하세요.) 등의 말을 하는 것이 적합하다.

기 본 대 화

A: 现在你觉得怎么样?
xiàn zài nǐ jué de zěn me yàng

B: 好了很多，谢谢你来看我。
hǎo le hěn duō xiè xie nǐ lái kàn wǒ

A: 医院是怎么说的?
yī yuàn shì zěn me shuō de

B: 医生说不是重病，只不过是感冒引起的肺炎而已。休息两三天就好了。
yī shēng shuō bú shì zhòng bìng zhǐ bú guò shì gǎn mào yǐn qǐ de fèi yán ér yǐ xiū xi liǎng sān tiān jiù hǎo le

A: 지금 좀 어때요?
B: 많이 좋아졌어요. 와 주셔서 고마워요.
A: 병원에서는 뭐라고 이야기해요?
B: 의사가 말하기를 큰 병은 아니고, 감기로 인한 폐렴일 뿐이래요. 2, 3일 쉬면 괜찮아진대요.

여러 가지 활용

I. 입원 소식 住院消息
zhù yuàn xiāo xi

A: 听说崔博士昨天住院了。
tīng shuō cuī bó shì zuó tiān zhù yuàn le

B: 为什么突然住院了，是哪家医院?
wèi shén me tū rán zhù yuàn le shì nǎ jiā yī yuàn

A: 최 박사님께서 어제 입원하셨다는군요.
B: 왜 갑자기 입원하신거죠? 어느 병원이래요?

- 그가 또 입원했다는군요.
  听说他又住院了。
  tīng shuō tā yòu zhù yuàn le

- 그가 병석에 누운지 벌써 한 달이나 되었대요.
  听说他躺在病床上已经有一个月了。
  tīng shuō tā tǎng zài bìng chuáng shang yǐ jīng yǒu yí ge yuè le

- 사고가 난 후 경찰이 그를 병원으로 옮겼습니다.
  事故发生后，警察把他送到了医院。
  shì gù fā shēng hòu jǐng chá bǎ tā sòng dào le yī yuàn

- 오늘 저녁에 문병 갑시다.
  今天晚上去探病吧。
  jīn tiān wǎn shang qù tàn bìng ba

Ⅱ. 병원 안내 창구에서 在医院的咨询处
zài yī yuàn de zī xún chù

- 문병을 왔는데 지금 만나볼 수 있습니까?
  我是来看病人的，现在可以看吗?
  wǒ shì lái kàn bìng rén de xiàn zài kě yǐ kàn ma

- 505호 병실이 어디입니까?
  505号病房在哪儿?
  hào bìng fáng zài nǎr

- 외과 수술 환자는 몇 층에 입원했습니까?
  外科手术患者住在几楼?
  wài kē shǒu shù huàn zhě zhù zài jǐ lóu

- 리밍 씨는 몇 호 병실에 입원해 있나요?
  李明住在几号病房?
  lǐ míng zhù zài jǐ hào bìng fáng

- 면회 시간이 몇 시죠? / 아무 때나 면회가 됩니까?
  探病时间是几点? / 可以随时探病吗?
  tàn bìng shí jiān shì jǐ diǎn kě yǐ suí shí tàn bìng ma

- 꽃바구니를 병실에 가져가도 됩니까?
  把花篮拿到病房可以吗?
  bǎ huā lán ná dào bìng fáng kě yǐ ma

- 그 환자의 병이 매우 위중하여 면회를 할 수 없습니다.
  那个患者的病很严重，所以您不能探望。
  nà ge huàn zhě de bìng hěn yán zhòng suǒ yǐ nín bù néng tàn wàng

Ⅲ. 환자의 상태 患者的情况
huàn zhě de qíng kuàng

A: 他有可能恢复吗?
tā yǒu kě néng huī fù ma

B: 可以马上恢复。
kě yǐ mǎ shàng huī fù

A: 회복이 되겠습니까?

B: 금방 회복됩니다.

- 기분이 어때요?
  心情怎么样?
  xīn qíng zěn me yàng

- 몸 상태가 어떻습니까?
  身体状态怎么样?
  shēn tǐ zhuàng tài zěn me yàng

- 요즘 몸이 어떻습니까?
  最近身体怎么样?
  zuì jìn shēn tǐ zěn me yàng

- 언제쯤 퇴원할 수 있습니까?
  什么时候可以出院?
  shén me shí hou kě yǐ chū yuàn

호전 好转
hǎo zhuǎn

- 2, 3일 후면 일어나서 걸어다닐 수 있습니다.
  过两三天就可以起来到处走了。
  guò liǎng sān tiān jiù kě yǐ qǐ lái dào chù zǒu le

- 예전보다 많이 좋아졌어요.
  比以前好了很多。
  bǐ yǐ qián hǎo le hěn duō

- 아주 건강해 보이십니다.
  看起来很健康。
  kàn qǐ lái hěn jiàn kāng

- 환자의 상태는 나날이 좋아지고 있습니다.
  患者的状态越来越好了。
  huàn zhě de zhuàng tài yuè lái yuè hǎo le

- 머지않아 퇴원할 수 있을 겁니다.
  用不了多久就可以出院了。
  yòng bu liǎo duō jiǔ jiù kě yǐ chū yuàn le

악화 恶化
è huà

- 병세가 위독합니다.
  病势危笃。
  bìng shì wēi dǔ
- 그는 지금 병세가 위급합니다.
  他现在病势危急。
  tā xiàn zài bìng shì wēi jí
- 그녀의 병세가 갑자기 악화되었습니다.
  她的病情突然恶化了。
  tā de bìng qíng tū rán è huà le
- 오늘 아침 그의 병세가 또 악화되었습니다.
  今天早上他的病情又恶化了。
  jīn tiān zǎo shang tā de bìng qíng yòu è huà le
- 할아버지의 병세가 갈수록 악화되고 있어요.
  爷爷的病情越来越恶化了。
  yé ye de bìng qíng yuè lái yuè è huà le
- 그가 오늘 다시 쓰러졌습니다.
  他今天又晕倒了。
  tā jīn tiān yòu yūn dǎo le
- 그는 오늘 밤을 넘기지 못할 것 같습니다.
  他可能过不了今晚。
  tā kě néng guò bu liǎo jīn wǎn
- 그는 회복될 가능성이 거의 없습니다.
  他几乎没有恢复的可能性。
  tā jī hū méi yǒu huī fù de kě néng xìng
- 그는 식물인간이나 다를 바 없습니다.
  他跟植物人没有区别。
  tā gēn zhí wù rén méi yǒu qū bié

기타 其他
qí tā

- 그의 병세에 아무런 변화가 없습니다.
  他的病情没有什么变化。
  tā de bìng qíng méi yǒu shén me biàn huà

- 맥박이 약하기는 하나 아직 뛰고 있습니다.
  虽然他的脉很弱，但是还在跳。
  suī rán tā de mài hěn ruò dàn shì hái zài tiào

- 그 환자는 아직 실낱같은 희망이 있습니다.
  那个患者现在还有一线希望。
  nà ge huàn zhě xiàn zài hái yǒu yí xiàn xī wàng

Ⅳ. 위로의 말 慰问
wèi wèn

▶ 환자에게 针对患者
zhēn duì huàn zhě

A: 今天心情怎么样？
jīn tiān xīn qíng zěn me yàng

B: 好了很多。
hǎo le hěn duō

A: 오늘 기분이 좀 어때요?

B: 많이 좋아졌어요.

- 빨리 완쾌하시기를 바랍니다.
  祝你早日康复。
  zhù nǐ zǎo rì kāng fù

- 부디 몸조심하세요.
  请多保重身体。
  qǐng duō bǎo zhòng shēn tǐ

- 그럼 편히 쉬십시오.
  好好儿休息一下吧。
  hǎo hāor xiū xi yí xià ba

- 건강을 회복하시는 데에는 아무 문제 없을 거에요.
  恢复健康，一定没问题。
  huī fù jiàn kāng yí dìng méi wèn tí

- 병세가 좀 호전되었나요?
  病情有好转吗？
  bìng qíng yǒu hǎo zhuǎn ma

- 너무 무리하지 마세요.
  不要太勉强了。
  bú yào tài miǎn qiǎng le

- 정말이지 하마터면 큰일날 뻔했어요.
  真是差点儿出大事。
  zhēn shi chà diǎnr chū dà shì

- 어쩌다 중상을 입었죠? 정말 가슴 아픕니다.
  怎么会负重伤? 真心疼啊。
  zěn me huì fù zhòng shāng zhēn xīn téng a

▶ **환자의 가족에게** **安慰患者家人**
ān wèi huàn zhě jiā rén

- 정말 수고가 많으십니다.
  真是辛苦了。
  zhēn shi xīn kǔ le

- 간병하시기 많이 힘드시죠?
  看护病人多辛苦呀?
  kān hù bìng rén duō xīn kǔ ya

- 틀림없이 금방 좋아질 겁니다.
  一定会早日好起来的。
  yí dìng huì zǎo rì hǎo qǐ lái de

- 환자를 위해서라도 꿋꿋하십시오.
  为了病人也要坚持下去。
  wèi le bìng rén yě yào jiān chí xià qù

- 사고 소식을 듣고는 정말 마음 아팠습니다.
  听到事故消息真是很心痛。
  tīng dào shì gù xiāo xi zhēn shi hěn xīn tòng

- 수고가 결코 헛되지는 않을 겁니다.
  你的辛苦不会白费的。[1)]
  nǐ de xīn kǔ bú huì bái fèi de

- 이렇게 간호를 해 주시니 그는 금방 회복될 겁니다.
  您这样看护, 他一定会早日康复的。[2)]
  nín zhè yàng kān hù tā yí dìng huì zǎo rì kāng fù de

- 마음 굳게 먹으세요. 하늘이 당신들을 도울 것입니다.
  一定要坚强一点儿, 老天会保佑你们的。[3)]
  yí dìng yào jiān qiáng yì diǎnr lǎo tiān huì bǎo yòu nǐ men de

---

1) 白 bái에는 헛되다, 헛수고하다 라는 뜻이 있다. 예) 白忙 báimáng(쓸데없이 바쁘다), 白跑 báipǎo(허탕 치다, 헛걸음하다), 白死 báisǐ(헛되이 죽다)

2) 看护 kānhù: 간호하다. 보살피다. 看이 '지켜보다' '파수하다' '감시하다'의 뜻일 때는 1성으로 발음한다.

3) 坚强 jiānqiáng: (의지가) 강하다. 굳세다.

7 응급 구조 急救 jí jiù

환자가 발생하여 긴급 구조를 요하는 상황이 발생하였을 때는 120에 전화를 하면 된다. 120에서는 전화를 받으면 바로 救护车 jiùhùchē(구급차)를 보내어 구조 활동을 벌이게 된다. 일반 병원의 응급실은 "急诊室 jízhěnshì" 또는 "急救中心 jíjiù zhōngxīn" 이라고 하며, 위독한 상황에서 시각을 다투며 구조하는 일을 "抢救 qiǎngjiù"라고 한다.

기 본 대 화

A: 妈妈突然晕倒了，快送医院吧!
mā ma tū rán yūn dǎo le kuài sòng yī yuàn ba

B: 怎么回事儿? 我给120打电话吧。
zěn me huí shìr wǒ gěi dǎ diàn huà ba

A: 엄마가 갑자기 쓰러졌어요. 빨리 병원으로 모셔 가야 해요!
B: 어떻게 된 거야? 내가 120에 전화를 걸게.

여러 가지 활용

Ⅰ. 구급차를 부를 때 叫救护车时 jiào jiù hù chē shí

- 구급차를 불러 주세요.
  请叫救护车。
  qǐng jiào jiù hù chē

- 빨리 120에 전화 걸어요.
  快打120。
  kuài dǎ

- 빨리 의사를 불러 주세요.
  快叫医生。
  kuài jiào yī shēng

- 바로 병원으로 데려가 주세요.
  请马上送医院。
  qǐng mǎ shàng sòng yī yuàn

- 사람이 갑자기 쓰러졌어요. 빨리 병원에 연락해 주세요.
  人突然晕倒了，请马上联系医院。
  rén tū rán yūn dǎo le qǐng mǎ shàng lián xì yī yuàn

- 고열로 몸이 아주 뜨거워요. 빨리 병원으로 데려가야 해요.
  因为发高烧，身体很烫，需要马上送医院。
  yīn wèi fā gāo shāo shēn tǐ hěn tàng xū yào mǎ shàng sòng yī yuàn

Ⅱ. 응급실에서 在急救室
zài jí jiù shì

- 간호사, 여기 위급한 환자에요. 빨리 구조해 주세요!
  护士, 这是急救患者, 快点儿抢救!
  hù shi zhè shì jí jiù huàn zhě kuài diǎnr qiǎng jiù

- 교통사고로 부상을 당했습니다.
  是交通事故, 被撞伤了。
  shì jiāo tōng shì gù bèi zhuàng shāng le

- 환자가 피를 많이 흘렸습니다. 빨리 처치해 주세요.
  患者失血过多, 请您快点儿救他。
  huàn zhě shī xuè guò duō qǐng nín kuài diǎnr jiù tā

- 아이가 약을 잘못 먹었습니다.
  小孩子吃错药了。
  xiǎo hái zi chī cuò yào le

- 오른쪽 배가 아프다고 합니다. 혹시 맹장염이 아닐까요?
  他说肚子右边疼, 会不会是盲肠炎?
  tā shuō dù zi yòu bian téng huì bu huì shì máng cháng yán

- 환자가 금방 숨을 거둘 것 같습니다.
  患者奄奄一息了。[1)]
  huàn zhě yǎn yǎn yì xī le

- 높은 데서 떨어진 후 의식을 잃었습니다.
  从高处落下来失去了意识。
  cóng gāo chù luò xià lái shī qù le yì shí

참고 관련 용어

- 예약 预约 yù yuē
- 접수 挂号 guà hào
- 진찰실 门诊室 ménzhěn shì
- 진료 대기실 候诊室 hòu zhěn shì
- 의료 보험 医疗保险 yī liáo bǎo xiǎn
- 보험 카드 保险卡 bǎo xiǎn kǎ
- 병세 病情, 病势 bìngqíng, bìng shì
- 위독하다 危笃 wēi dǔ
- 호전되다 好转 hǎo zhuǎn
- 악화되다 恶化 è huà
- 완치하다 根治 gēn zhì
- 낫다, 회복하다 恢复, 康复 huī fù, kāng fù
- 진찰하다 看病 kàn bìng
- 문병 探病 tàn bìng
- 치료하다 治疗 zhì liáo
- 진단하다 诊断 zhěnduàn

---

1) 奄奄一息 yǎn yǎn yì xī: 숨이 곧 끊어지려 하다. 奄奄은 깔딱깔딱하다, 간들간들하다 라는 뜻으로 yān yān으로 발음하기도 한다.

- 약 药 yào
- 시럽 糖浆 tángjiāng
- 과립 颗粒 kē lì
- 캡슐 胶囊 jiāo náng
- 좌약 栓剂 shuān jì
- 약을 타다 取药 qǔ yào
- 용법 用法 yòng fǎ
- 부작용 不良反应, 副作用 bù liáng fǎn yìng fù zuò yòng
- 알레르기 过敏 guò mǐn
- 처방하다 开药 kāi yào
- 처방전 药方 yào fāng
- 수술 手术 shǒu shù
- 수술하다 动手术, 做手术, 开刀 dòng shǒu shù zuò shǒu shù kāi dāo
- 입원 · 퇴원 住院 / 出院 zhù yuàn chū yuàn
- 병실 · 병석 病房 / 病席 bìngfáng bìng xí
- 응급 상황 紧急情况 jǐn jí qíngkuàng
- 응급 구조 抢救, 急救 qiǎng jiù jí jiù
- 병력 病历 bìng lì
- 진료 수첩, 병력 수첩 病历本 bìng lì běn
- 종합 건강 진단 全身健康检查 quánshēn jiànkāng jiǎn chá
- 증상 症状 zhèngzhuàng
- 아프다 痛, 疼 tòng téng
- 가렵다 痒 yǎng
- 열이 나다 发烧, 发热 fā shāo fā rè
- 열이 내리다 退烧, 退热 tuì shāo tuì rè
- 땀을 흘리다 发汗 fā hàn
- 식은땀을 흘리다 发虚汗 fā xū hàn
- 피로하다 疲劳, 累 pí láo lèi
- 어지럽다 头晕 tóu yūn
- 나른하다 发软 fā ruǎn
- 기운이 없다 乏力 fá lì
- 쑤시다 刺痛 cì tòng
- 붓다 肿 zhǒng
- 구역질 나다 恶心 ě xin
- 토하다 呕吐 ǒu tù
- 피를 토하다 呕血 ǒu xuè
- 쓰러지다 晕倒 yūn dǎo
- 발작하다 发作 fā zuò
- 식물인간 植物人 zhí wù rén
- 뇌사 脑死 nǎo sǐ
- 부종 · 염증 浮肿 / 炎症 fú zhǒng yán zhèng
- 진통제 麻药, 镇痛剂 má yào zhèntòng jì
- 돌보다, 간호하다 照顾, 看护, 呵护 zhào gù kān hù hē hù
- 체온계 体温表, 温度计 tǐ wēn biǎo wēn dù jì
- 체온을 재다 量体温 liáng tǐ wēn
- 혈당 血糖 xuè táng
- x-ray 검사 x-光检查 guāng jiǎn chá
- 초음파 검사 B-超 chāo
- 혈액 검사 验血 yàn xuè
- 소변 검사 验尿, 验小便 yàn niào yàn xiǎo biàn
- 대변 검사 验大便 yàn dà biàn
- 내시경 内窥镜, 内视镜 nèi kuī jìng nèi shì jìng
- 양성 · 음성 반응 阳性 / 阴性反应 yángxìng yīn xìng fǎn yìng
- 주사하다 打针 dǎ zhēn
- 예방 주사 预防针 yù fángzhēn
- 링거 주사 맞다 输液, 打吊针 shū yè dǎ diàozhēn
- 누르다 摁 èn
- 문지르다 揉 róu
- 구급차 救护车 jiù hù chē

19 병원Ⅱ: 전문의 진료

医院 Ⅱ：科室分类 YIYUAN Ⅱ : KESHI FENLEI

1 내　　과　　内科

2 외　　과　　外科

3 신경외과　　神经外科

4 소 아 과　　儿科

5 산부인과　　妇产科

6 이비인후과　　耳鼻喉科

7 안　　과　　眼科

8 치　　과　　牙科

9 정 신 과　　精神科

10 비뇨기과　　泌尿科

11 피 부 과　　皮肤科

12 중　　의　　中医

1 내 과

内科
nèi kē

2003년 초 중국에서는 한바탕 SARS(非典 fēidiǎn)와의 전쟁을 치러야 했다. 이 SARS의 주요 증상은 열이 나고(发烧 fāshāo), 마른기침을 하며(干咳 gānké), 설사(腹泻 fùxiè)를 하는 것 등이었다. 그러므로 많은 사람들이 처음 감기(感冒 gǎnmào)나 폐렴(肺炎 fèiyán) 으로 잘못 알고 있다가 치료시기를 놓치고 많은 사람에게 전염시키는 결과를 초래하였다. 이후 중국 내의 거의 모든 공공기관에서는 입구에서 체온을 체크하여 열이 있는 사람의 입장을 금하고, 병원에서도 따로 발열진찰실(发热门诊室 fārè ménzhěnshì)을 설치하여 일반 환자들이 병원에서 전염되는 것을 방지하였다.

기 본 대 화

A: 请坐这儿，哪里不舒服?
qǐng zuò zhèr nǎ li bù shū fu

B: 浑身都觉得被刺似的疼。
hún shēn dōu jué de bèi cì shì de téng

A: 食欲怎么样?
shí yù zěn me yàng

B: 什么也不想吃。
shén me yě bù xiǎng chī

A: 是吗? 咳嗽吗?
shì ma ké sou ma

B: 咳得厉害，头也疼。[1)]
ké de lì hai tóu yě téng

A: 拉肚子吗?
lā dù zi ma

B: 不拉肚子。
bù lā dù zi

A: 是感冒，先检查一下。
shì gǎn mào xiān jiǎn chá yí xià

A: 여기 앉으세요. 어디가 불편하십니까?
B: 온몸이 다 쑤시는 듯 아픕니다.
A: 식욕은 어떻습니까?
B: 아무것도 먹고 싶지 않아요.
A: 그래요? 기침은요?
B: 기침도 심하고, 머리도 아파요.
A: 설사도 하십니까?
B: 설사는 하지 않습니다.
A: 감기입니다. 먼저 진찰을 해 봅시다.

1) 厉害 lìhai = 利害 lìhai: 대단하다, 사납다, 지독하다.

여러 가지 활용

I. 감기 感冒
gǎn mào

▶ 열이 나다 发热
fā rè

- 열이 조금 있습니다.
  有点发烧。
  yǒu diǎn fā shāo

- 열이 많이 나고 머리도 띵합니다.
  发高烧, 头很疼。
  fā gāo shāo tóu hěn téng

- 열이 높고 토할 것 같습니다.
  发高烧, 还想吐。
  fā gāo shāo hái xiǎng tù

- 오한이 납니다.
  觉得特别冷。
  jué de tè bié lěng

▶ 기침, 재채기, 콧물이 나다 咳嗽, 打喷嚏, 流鼻涕
ké sou dǎ pēn tì liú bí tì

- 기침이 심하고 가슴이 아픕니다.
  咳得厉害, 胸疼。
  ké de lì hai xiōng téng

- 늘 기침이 멈추질 않아요.
  总是咳个不停。
  zǒng shì ké ge bù tíng

- 늘상 재채기를 합니다.
  常常打喷嚏。
  cháng cháng dǎ pēn tì

- 콧물이 줄줄 흐릅니다.
  总是流鼻涕。
  zǒng shì liú bí tì

- 맑은 콧물이 나옵니다.
  流清鼻涕。
  liú qīng bí tì

• 코가 막혀서 숨 쉬기가 어렵습니다.
鼻子堵了，所以喘气很难。
bí zi dǔ le suǒ yǐ chuǎn qì hěn nán

• 목구멍에 가래가 있습니다.
喉咙里有痰。
hóu lóng li yǒu tán

• 기침하다가 토할 것 같습니다.
咳嗽时还想呕吐。
ké sou shí hái xiǎng ǒu tù

▶ **목이 아프다** **嗓子疼**
sǎng zi téng

• 목이 붓고 아픕니다.
咽喉肿了，很疼。
yān hóu zhǒng le hěn téng

• 편도선에 염증이 있습니다.
扁桃腺发炎了。
biǎn táo xiàn fā yán le

• 편도선이 부어서 말도 할 수 없습니다.
扁桃腺肿了，话都说不出来。
biǎn táo xiàn zhǒng le huà dōu shuō bu chū lái

▶ **머리가 아프다** **头痛**
tóu tòng

• 머리가 좀 아픕니다. / 머리가 무겁습니다.
头有点儿疼。/ 头很重。
tóu yǒu diǎnr téng tóu hěn zhòng

• 좀 어지럽습니다.
有点儿晕。[2)]
yǒu diǎnr yùn

• 머리가 깨질 것 같습니다.
头好像要爆炸了。
tóu hǎo xiàng yào bào zhà le

• 머리가 바늘로 쑤시는 것처럼 아픕니다.
头好像针刺般痛。
tóu hǎo xiàng zhēn cì bān tòng

---

2) 晕 yùn: 어지럽다, 현기증이 나다. 예) 晕车 yùnchē(차멀미하다), 晕船 yùnchuán(뱃멀미하다), 晕高儿 yùngāor(높은데 오르면 현기증이 나다)

- 편두통이 심합니다.

偏头痛，痛得厉害。
piān tóu tòng tòng de lì hai

- 한쪽 머리만 심하게 아픕니다.

半边头疼得厉害。
bàn biān tóu téng de lì hai

- 뒷머리가 당기고 아픕니다.

后脑绷紧了就会疼。[3)]
hòu nǎo bēng jǐn le jiù huì téng

▶ **몸살이 났을 때 乏力**
fá lì

- 열도 나고 온몸이 다 쑤십니다.

发烧并且浑身都很疼。
fā shāo bìng qiě hún shēn dōu hěn téng

- 온몸이 나른하고 힘이 없습니다.

全身发软，没有力气。
quán shēn fā ruǎn méi yǒu lì qi

- 입이 바싹바싹 마르고 오한이 납니다.

口干舌燥，浑身发冷。
kǒu gān shé zào hún shēn fā lěng

▶ **기타 其他**
qí tā

- 감기에 걸렸습니다./감기인 것 같습니다.

得了感冒。/好像是感冒了。
dé le gǎn mào hǎo xiàng shì gǎn mào le

- 유행성 감기에 걸린 것 같아요.

好像得了流感。[4)]
hǎo xiàng dé le liú gǎn

- 비염에 걸렸습니다.

得了鼻炎。
dé le bí yán

- 또 조류 독감이 발생했으니 우리 모두 주의합시다.

又发生了禽流感，我们都要注意。
yòu fā shēng le qín liú gǎn wǒ men dōu yào zhù yì

---

3) 绷紧 bēngjǐn: 팽팽하게 당기다, 조이다.

4) 流行性感冒 liúxíngxìng gǎnmào(유행성 감기)를 줄여 흔히 流感 liúgǎn이라고 한다.

Ⅱ. 배가 아플 때 腹痛时
fù tòng shí

A: 昨天晚上，肚子开始疼起来。
zuó tiān wǎn shang dù zi kāi shǐ téng qǐ lái
B: 怎么疼?
zěn me téng
A: 右腹疼。
yòu fù téng
B: 按这里疼吗?
àn zhè li téng ma
A: 哎呀，就这儿疼。
āi yā jiù zhèr téng

A: 어제 저녁부터 배가 아프기 시작했어요.
B: 어떻게 아픕니까?
A: 오른쪽 배가 아파요.
B: 여기를 누르면 아픕니까?
A: 아야, 바로 거기가 아파요.

- 아랫배가 아픕니다.
  下腹痛。
  xià fù tòng
- 가끔 배가 바늘로 찌르듯이 아픕니다.
  偶尔肚子会像针扎一样痛。
  ǒu ěr dù zi huì xiàng zhēn zhā yí yàng tòng
- 배가 더부룩합니다.
  肚子胀。
  dù zi zhàng

위가 아프다 胃痛
wèi tòng

- 공복 시에 위가 매우 쓰립니다.
  空腹时，胃会酸痛。
  kōng fù shí wèi huì suān tòng
- 위가 한 번씩 뒤틀립니다.
  胃疼得像是被翻了一遍。
  wèi téng de xiàng shì bèi fān le yí biàn
- 위가 더부룩하고 메스껍습니다.
  胃胀，恶心。
  wèi zhàng ě xin

• 아마도 위가 안 좋아 음식물을 받아들이지 못하는 것 같습니다.
可能是胃不好，什么食物也消化不了。
kě néng shì wèi bù hǎo shén me shí wù yě xiāo huà bu liǎo

• 가끔씩 위가 찌르는 것 같습니다.
偶尔胃会刺痛。
ǒu ěr wèi huì cì tòng

▶ 소화 불량 消化不良
xiāo huà bù liáng

• 설사를 합니다. / 변이 아주 묽습니다.
拉肚子。/ 拉稀。
lā dù zi lā xī

• 설사를 줄줄 합니다.
泻得厉害。
xiè de lì hai

• 먹기만 하면 토합니다.
一吃就吐。
yì chī jiù tù

• 우유만 마시면 바로 설사를 합니다.
喝牛奶就会拉肚子。
hē niú nǎi jiù huì lā dù zi

• 소화 불량인 것 같습니다.
好像是消化不良。
hǎo xiàng shì xiāo huà bù liáng

• 아마도 식중독인 것 같습니다.
好像是食物中毒。
hǎo xiàng shì shí wù zhòng dú

• 설사가 심해서 하루에도 몇 번씩 화장실을 들락거립니다.
腹泻得厉害，所以一天去好几趟洗手间。[5)]
fù xiè de lì hai suǒ yǐ yì tiān qù hǎo jǐ tàng xǐ shǒu jiān

▶ 변비 便秘
biàn mì

• 변비가 심합니다.
便秘很严重。
biàn mì hěn yán zhòng

---

5) 趟 tàng: 왕래하는 횟수를 나타냄. 차례, 번.

- 대변이 아주 딱딱합니다.
  大便很干。
  dà biàn hěn gān

- 대변 속에 피가 섞여 나옵니다.
  大便带血。
  dà biàn dài xiě

- 변비약을 먹어도 효과가 없습니다.
  吃通便药也没有效果。
  chī tōng biàn yào yě méi yǒu xiào guǒ

Ⅲ. 가슴이 아플 때　胸疼时
xiōng téng shí

- 조금만 뛰어도 숨이 찹니다.
  一跑，就上不来气。
  yì pǎo jiù shàng bu lái qì

- 조금만 걸어도 가쁜 숨을 내쉽니다.
  走一点儿，就喘得厉害。
  zǒu yì diǎnr jiù chuǎn de lì hai

- 무슨 원인으로 숨쉬기가 곤란한지 모르겠습니다.
  不知是什么原因胸闷，呼吸困难。[6)]
  bù zhī shì shén me yuán yīn xiōng mèn hū xī kùn nán

- 어찌된 일인지, 기운이 없고 가슴이 답답합니다.
  不知怎么回事，没有劲儿、胸闷。
  bù zhī zěn me huí shì méi yǒu jìnr xiōng mèn

- 식사 후에 가슴이 자주 아픕니다.
  吃饭后，胸部经常会很痛。
  chī fàn hòu xiōng bù jīng cháng huì hěn tòng

- 담배와 술을 끊고, 격렬한 운동도 삼가야 합니다.
  要戒掉烟和酒，还要避免激烈的运动。[7)]
  yào jiè diào yān hé jiǔ hái yào bì miǎn jī liè de yùn dòng

- 충분히 영양을 섭취하고 신선한 공기를 쐬어야 합니다.
  要充分地补充营养，多呼吸清新的空气。
  yào chōng fèn de bǔ chōng yíng yǎng duō hū xī qīng xīn de kōng qì

---

6) 闷 mèn: 답답하다. 우울하다. mēn은 기압의 영향이나 공기가 통하지 않아 답답한 것을 이른다.

7) 戒 jiè: 끊다. 삼가다. 경계하다.

Ⅳ. 성인병 成人病
chéng rén bìng

A: 后脑很紧，真难受。
hòu nǎo hěn jǐn zhēn nán shòu

B: 量一下血压，180-140。血压太高了。
liáng yí xià xuè yā xuè yā tài gāo le

A: 体检结果出来了吗？
tǐ jiǎn jié guǒ chū lái le ma

B: 是的。肝功能正常，但胆固醇和血糖有点高。
shì de gān gōng néng zhèng cháng dàn dǎn gù chún hé xuè táng yǒu diǎn gāo

A: 뒷머리가 당겨 참기 힘들 정도입니다.

B: 혈압을 재 봅시다. 180-140. 혈압이 너무 높군요.

A: 신체검사 결과가 나왔습니까?

B: 네, 간 기능은 정상인데, 콜레스테롤과 혈당이 조금 높습니다.

- 당뇨병 환자는 적당히 조깅을 하셔야 해요.
  糖尿病人应该适当跑步。
  táng niào bìng rén yīng gāi shì dāng pǎo bù
- 당뇨병 자체는 별로 위험하지 않지만, 합병증이 무섭습니다.
  糖尿病本身不危险，就怕发生合并症。
  táng niào bìng běn shēn bù wēi xiǎn jiù pà fā shēng hé bìng zhèng
- 될 수 있는 대로 육류를 적게 드시고 야채를 많이 드십시오.
  尽量少吃肉类，多吃点蔬菜。
  jǐn liàng shǎo chī ròu lèi duō chī diǎn shū cài
- 정신적 스트레스를 줄이고 충분한 수면을 취하십시오.
  请减少精神压力，要有充分的睡眠。
  qǐng jiǎn shǎo jīng shén yā lì yào yǒu chōng fèn de shuì mián
- 비만은 성인병을 유발하기 쉬워요.
  肥胖很容易引起成人病。
  féi pàng hěn róng yì yǐn qǐ chéng rén bìng
- 적당한 운동에 술 담배를 끊고, 좋은 생활 습관을 기르세요.
  适当运动，戒烟戒酒，养成良好的生活习惯。
  shì dàng yùn dòng jiè yān jiè jiǔ yǎng chéng liáng hǎo de shēng huó xí guàn
- 소금과 지방이 많이 든 음식을 피하세요.
  应少吃含盐、脂肪过高的食物。
  yīng shǎo chī hán yán zhī fáng guò gāo de shí wù

2 외 과

外科
wài kē

외과에는 일반 외과(普通外科 pǔtōng wàikē) 외에도 세분하여 흉부외과(心胸外科 xīnxiōng wàikē)・신경외과(神经外科 shénjīng wàikē)・정형외과(骨外科 gǔwàikē)・성형외과(整形美容外科 zhěngxíng měiróng wàikē)・척추외과(脊柱外科 jǐzhù wàikē)・혈관외과(血管外科 xuèguǎn wàikē) 등이 있다. 우리가 정형외과라 함은 중국에서는 骨外科 gǔwàikē에 속하며, 중국에서의 整形外科 zhěngxíng wàikē라 함은 우리나라의 성형외과를 말하므로 혼동하지 말아야 한다.

기 본 대 화

A: 哪里不舒服?
nǎ li bù shū fu

B: 脚有点儿不舒服。
jiǎo yǒu diǎnr bù shū fu

A: 怎么弄的? 让我看一下。
zěn me nòng de ràng wǒ kàn yí xià

B: 我昨天在楼梯上摔倒, 脚被扭伤了。今天好像更恶化了。
wǒ zuó tiān zài lóu tī shang shuāi dǎo jiǎo bèi niǔ shāng le jīn tiān hǎo xiàng gèng è huà le

A: 啊, 我看上面都已经肿了。很疼吗?
ā wǒ kàn shàng miàn dōu yǐ jīng zhǒng le hěn téng ma

B: 很疼, 我都不敢走路了。
hěn téng wǒ dōu bù gǎn zǒu lù le

A: 我给你开一些贴的药吧。
wǒ gěi nǐ kāi yì xiē tiē de yào ba

B: 谢谢您。
xiè xie nín

A: 어디가 편찮으십니까?

B: 발이 좀 불편해요.

A: 어떻게 된 겁니까? 어디 봅시다.

B: 어제 계단에서 넘어져 발을 삐었어요. 오늘은 더 악화된 것 같아요.

A: 아, 겉으로도 이미 부었군요. 많이 아픕니까?

B: 많이 아파요. 걷지도 못하겠어요.

A: 붙이는 약을 처방해 드릴게요.

B: 고맙습니다.

여러 가지 활용

Ⅰ. 관절통 · 근육통　关节痛/肌肉痛
guān jié tòng　jī ròu tòng

- 요즘 어깨가 불편해요.
  最近肩膀不舒服。
  zuì jìn jiān bǎng bù shū fu

- 다리가 저려 일어서지를 못합니다.
  因为腿麻，站不起来。[1)]
  yīn wèi tuǐ má zhàn bu qǐ lái

- 근육이 매우 아픕니다.
  肌肉很痛。
  jī ròu hěn tòng

- 팔을 뻗지를 못합니다.
  手臂无法伸展。
  shǒu bì wú fǎ shēn zhǎn

- 손마디가 저립니다.
  指关节发麻。
  zhǐ guān jié fā má

- 무릎 관절이 아픕니다.
  膝关节疼。
  xī guān jié téng

- 신경통이 또 도졌어요.
  风湿病又犯了。
  fēng shī bìng yòu fàn le

Ⅱ. 골절 · 탈구　骨折/脱臼
gǔ zhé　tuō jiù

- 계단에서 넘어져서 오른발을 삐었습니다.
  在楼梯上摔倒了，把右脚扭伤了。
  zài lóu tī shang shuāi dǎo le bǎ yòu jiǎo niǔ shāng le

- 스키를 타다 넘어져 왼쪽 다리가 부러졌습니다.
  滑雪时摔倒，把左腿摔断了。
  huá xuě shí shuāi dǎo bǎ zuǒ tuǐ shuāi duàn le

- 발을 헛디뎌 삐끗했어요.
  因踏空，把脚扭伤了。
  yīn tà kōng bǎ jiǎo niǔ shāng le

---

1) 麻 má: 麻木 mámù, 마비되다, 저리다.

- 깁스를 언제까지 해야 하나요?
  石膏要贴到什么时候?
  shí gāo yào tiē dào shén me shí hou

- 어제 넘어질 때에 팔이 탈골되었어요.
  昨天摔倒时，胳膊脱臼了。
  zuó tiān shuāi dǎo shí gē bo tuō jiù le

Ⅲ. 타박상 碰伤
pèng shāng

- 넘어질 때 머리를 심하게 부딪힌 것 같아요.
  摔倒时，好像头摔得很厉害。
  shuāi dǎo shí hǎo xiàng tóu shuāi de hěn lì hai

- 야구공에 팔을 맞았는데 파랗게 멍이 들었어요.
  胳膊被棒球打了，所以发青。
  gē bo bèi bàng qiú dǎ le suǒ yǐ fā qīng

- 그는 온몸이 멍투성이에요.
  他浑身都黑青黑青的。
  tā hún shēn dōu hēi qīng hēi qīng de

Ⅳ. 창상 划伤
huá shāng

- 과도에 손을 베였어요.
  被水果刀割了手。
  bèi shuǐ guǒ dāo gē le shǒu

- 깨진 유리에 손을 베였는데 계속 피가 납니다.
  被碎玻璃片割了手，一直出血。
  bèi suì bō li piàn gē le shǒu yì zhí chū xiě

- 못에 손을 찔렸어요.
  手被钉子扎伤了。
  shǒu bèi dīng zi zhā shāng le

- 면도하다 부주의로 얼굴을 베였어요.
  刮胡子时，不小心把脸刮破了。
  guā hú zi shí bù xiǎo xīn bǎ liǎn guā pò le

- 고양이가 얼굴을 할퀴었어요.
  猫把我的脸抓破了。
  māo bǎ wǒ de liǎn zhuā pò le

- 다친 자리에 염증이 생겼어요.
  受伤的地方发炎了。
  shòu shāng de dì fang fā yán le

3 신경외과

神经外科
shénjīng wài kē

외과 중에서도 특히 신경 계통을 진료하는 곳을 神经外科 shénjīng wàikē라 하며, 주로 뇌신경 계통(脑神经系统 nǎoshénjīng xìtǒng)과 척추 신경 계통(脊椎神经系统 jǐzhuī shénjīng xìtǒng)의 질병을 치료한다. 입식 생활을 하는 현대인들이 많이 걸리는 병 중의 하나가 허리 디스크(추간판 돌출, 腰椎间盘突出 yāozhuī jiānpán tūchū)일 것이다. 예전에는 입원을 요하는 큰 수술이었지만 요즘은 내시경수술(内视镜手术 nèishìjìng shǒushù) 등으로 간단히 시술할 수도 있다.

A: 伤了脑部, 要马上动手术。
shāng le nǎo bù, yào mǎ shàng dòng shǒu shù

B: 严重吗? 一定要动手术吗?
yán zhòng ma yí dìng yào dòng shǒu shù ma

A: 不尽快动手术, 很危险。
bú jìn kuài dòng shǒu shù, hěn wēi xiǎn

B: 是吗? 那么这样的手术很难吗?
shì ma nà me zhè yàng de shǒu shù hěn nán ma

A: 是, 有些难度, 不过您放心。我们这里的医疗水平是国内最好的。
shì, yǒu xiē nán dù, bú guò nín fàng xīn wǒ men zhè li de yī liáo shuǐ píng shì guó nèi zuì hǎo de

B: 总之, 我只相信您, 一定要让他活过来, 好吗?
zǒng zhī, wǒ zhǐ xiāng xìn nín, yí dìng yào ràng tā huó guò lái, hǎo ma

A: 我会尽力的。不要太担心。
wǒ huì jìn lì de bú yào tài dān xīn

A: 뇌를 다쳤습니다. 바로 수술을 해야 합니다.

B: 위중합니까? 꼭 수술을 해야만 합니까?

A: 빨리 수술하지 않으면 아주 위험합니다.

B: 그래요? 수술이 어려운가요?

A: 네, 좀 어렵습니다. 그러나 안심하세요. 저희의 의료 수준은 국내 최고입니다.

B: 어쨌든 선생님만 믿습니다. 꼭 그를 살려 주십시오.

A: 최선을 다해 보겠습니다. 너무 걱정하지 마십시오.

여러 가지 활용

I. 뇌신경 계통 脑神经系统
nǎo shén jīng xì tǒng

- 두통의 원인은 여러 가지가 있습니다.
  头痛的原因有很多种。
  tóu tòng de yuán yīn yǒu hěn duō zhǒng

- 만성적 두통에 시달리고 있습니다.
  为慢性头痛所困扰。
  wéi màn xìng tóu tòng suǒ kùn rǎo

- 과도한 스트레스는 두통을 유발합니다.
  过分的压力会引起头痛。
  guò fèn de yā lì huì yǐn qǐ tóu tòng

- 중풍은 우리나라에서 가장 중요한 사망 원인의 하나입니다.
  中风在我们国家是最重要的死亡原因之一。[1)]
  zhòng fēng zài wǒ men guó jiā shì zuì zhòng yào de sǐ wáng yuán yīn zhī yī

- 중풍으로 쓰러진 뒤에는 심한 후유증이 남게 됩니다.
  因中风晕倒以后，也有严重的后遗症。
  yīn zhòng fēng yūn dǎo yǐ hòu yě yǒu yán zhòng de hòu yí zhèng

- 두통이 계속되면 뇌종양일 수 있습니다.
  头痛再继续的话，可能是脑瘤。[2)]
  tóu tòng zài jì xù de huà kě néng shì nǎo liú

- 뇌종양은 수술 후에도 정기 검진을 받으셔야 합니다.
  脑瘤，做了手术也要定期检查。
  nǎo liú zuò le shǒu shù yě yào dìng qī jiǎn chá

- 두통에 구토 현상까지 있다면 뇌출혈일 수 있습니다.
  头痛，还呕吐，可能是脑出血。
  tóu tòng hái ǒu tù kě néng shì nǎo chū xuè

- 우선 초음파로 뇌를 검사해야겠습니다.
  首先用B超检查一下脑。[3)]
  shǒu xiān yòng chāo jiǎn chá yí xià nǎo

---

1) 中风 zhòngfēng: 중풍. 卒中 cùzhòng (졸중)이라고도 한다.
2) 瘤 liú: 혹. 종양. 脑瘤 nǎoliú (뇌종양). 胃瘤 wèiliú (위암). 毒瘤 dúliú (악성 종양).
3) 병원에 가면 초음파 검사를 받는 경우가 있는데, 중국에서는 이를 B超라고 한다. B型超声诊断 B-xíng chāoshēng zhěnduàn (B형 초음파 검사)의 약칭이다.

Ⅱ. 척추 신경 계통　脊椎神经系统
jǐ zhuī shén jīng xì tǒng

A: 这是X光检查结果。你的脊椎有点问题。
zhè shì guāng jiǎn chá jié guǒ nǐ de jǐ zhuī yǒu diǎn wèn tí

B: 那怎么办?
nà zěn me bàn

A: 最近, 可以用简单的手术来治疗。
zuì jìn kě yǐ yòng jiǎn dān de shǒu shù lái zhì liáo

B: 手术会不会有危险?
shǒu shù huì bu huì yǒu wēi xiǎn

A: 成功率是85%。
chéng gōng lǜ shì

A: X-ray 진찰 결과가 나왔는데, 척추에 약간의 문제가 있습니다.
B: 그럼 어떻게 해야 하나요?
A: 요즘은 간단한 수술로 치료될 수 있습니다.
B: 수술이 위험하지 않을까요?
A: 성공률은 85%입니다.

- 바른 자세로 앉지 않으면 척추 디스크에 걸릴 수 있어요.
  坐得不正, 会得椎间盘突出症。
  zuò de bú zhèng huì dé zhuī jiān pán tū chū zhèng

- 침대에서 떨어졌는데 목을 다친 것 같아요.
  从床上掉下来, 脖子好像受了伤。
  cóng chuáng shang diào xià lái bó zi hǎo xiàng shòu le shāng

- 목을 삐끗해서 고개를 돌리지 못합니다.
  脖子扭了, 所以无法回头。
  bó zi niǔ le suǒ yǐ wú fǎ huí tóu

- 늘 허리가 아픕니다.
  经常会感到腰痛。
  jīng cháng huì gǎn dào yāo tòng

- 길에서 미끄러졌는데 허리를 다친 것 같아요.
  在路上滑倒, 好像腰受伤了。
  zài lù shang huá dǎo hǎo xiàng yāo shòu shāng le

- 운동을 하다 허리를 삐끗했어요.
  做运动时扭了腰。
  zuò yùn dòng shí niǔ le yāo

4 소아과 儿科 ér kē

아기가 아파서 울고 보챌 때는 몹시 당황하고 걱정하게 된다. 특히 외국에서 어린아이를 키울 때에는 여간 불편하지가 않다. 큰 병이 아닌 잔병치레라면 집 주변의 깨끗한 병원을 골라 단골로 다니는 것이 좋다. 보다 정밀한 검진을 받아야 하는 경우라면 대도시에는 보통 소아 전문 병원인 儿童医院 értóng yīyuàn이 있으므로 그곳을 이용하면 된다.

기본대화

A: 不知道是什么原因，宝宝整个晚上都在哭。[1)]
bù zhī dào shì shén me yuán yīn bǎo bao zhěng ge wǎn shang dōu zài kū

B: 最近，宝宝生过病吗?
zuì jìn bǎo bao shēng guo bìng ma

A: 上个星期得了感冒，去过医院。
shàng ge xīng qī dé le gǎn mào qù guo yī yuàn

B: 仔细地检查一下，到底是哪里有问题。
zǐ xì de jiǎn chá yí xià dào dǐ shì nǎ li yǒu wèn tí

A: 아기가 밤새 울어 댑니다. 무슨 이유인지 모르겠어요.
B: 최근에 아기가 병이 난 적이 있었습니까?
A: 지난주 감기에 걸려서 병원에 다녔었습니다.
B: 어디에 문제가 있는지 자세히 진찰해 봅시다.

여러 가지 활용

I. 예방 주사 预防针 yù fáng zhēn

A: 要注射乙肝疫苗。[2)]
yào zhù shè yǐ gān yì miáo

B: 打左肩膀，把衣服撩起来。
dǎ zuǒ jiān bǎng bǎ yī fu liāo qǐ lai

A: B형 간염 예방 주사를 맞히러 왔습니다.
B: 왼쪽 어깨에 맞습니다. 옷을 걷어 올려 주세요.

1) 宝宝 bǎobao = 宝贝 bǎobèi: 보배, 귀염둥이, 베이비.
2) 甲肝 jiǎgān은 A형 간염, 乙肝 yǐgān은 B형 간염을 말한다.
疫苗 yìmiáo: 백신(vaccine), 왁친(vakzin). 예방 접종.

- 언제 소아마비 예방 주사를 맞았습니까?
  什么时候打小儿麻痹预防针?
  shén me shí hou dǎ xiǎo ér má bì yù fáng zhēn

- 예방 주사를 맞히려면 질병 예방 센터에 가면 됩니다.
  要打预防针, 就到防疫站去打。[3)]
  yào dǎ yù fáng zhēn jiù dào fáng yì zhàn qù dǎ

- 정기적으로 아이들에게 예방 주사를 맞혀야 합니다.
  要定期给小孩儿打预防针。
  yào dìng qī gěi xiǎo háir dǎ yù fáng zhēn

- 감기에 걸렸을 때는 예방 주사를 맞으면 안됩니다.
  感冒时不能打预防针。
  gǎn mào shí bù néng dǎ yù fáng zhēn

- 오늘 예방 주사를 맞았으니 목욕을 시키지 마십시오.
  今天打了预防针, 所以不能洗澡。
  jīn tiān dǎ le yù fáng zhēn suǒ yǐ bù néng xǐ zǎo

- 예방 주사 카드는 잘 보관하여야 합니다.
  疫苗注射卡要妥善保管。
  yì miáo zhù shè kǎ yào tuǒ shàn bǎo guǎn

Ⅱ. 배탈 腹泻
fù xiè

- 아기가 먹지를 않고 보채기만 합니다.
  宝宝不吃东西, 总闹。
  bǎo bao bù chī dōng xi zǒng nào

- 위로 토하고 아래로 설사합니다.
  上吐下泻。
  shàng tù xià xiè

- 물만 먹어도 바로 토합니다.
  喝水也会马上吐。
  hē shuǐ yě huì mǎ shàng tù

- 따뜻한 물을 자주 마셔야 합니다.
  要常常喝热水。
  yào cháng cháng hē rè shuǐ

- 아이스크림 등 찬 음식을 먹이지 마십시오.
  不要让他吃冰淇淋一类凉的东西。
  bú yào ràng tā chī bīng qí lín yí lèi liáng de dōng xi

3) 防疫站 fángyìzhàn: 방역소, 질병 예방 센터. 疫 yì(역)은 전염병을 의미한다.

Ⅲ. 경기 抽风
chōu fēng

- 아기가 경기를 일으킬 정도로 놀랐습니다.
  宝宝吓得会抽风。
  bǎo bao xià de huì chōu fēng

- 아이가 갑자기 정신을 잃었습니다.
  宝宝突然晕倒了。
  bǎo bao tū rán yūn dǎo le

- 아이들은 열이 높으면 경기를 할 수 있습니다.
  孩子发高烧，就会引起抽风。
  hái zi fā gāo shāo jiù huì yǐn qǐ chōu fēng

- 고열일 때 경기를 하는 수가 있으므로 주의해야 합니다.
  发高烧会引起抽风，所以一定要注意。
  fā gāo shāo huì yǐn qǐ chōu fēng suǒ yǐ yí dìng yào zhù yì

- 아기가 경기를 할 경우에는 기도가 막히지 않도록 해야 합니다.
  孩子抽风时，一定要让气管通畅。
  hái zi chōu fēng shí yí dìng yào ràng qì guǎn tōng chàng

Ⅳ. 기타 其他
qí tā

- 고열이 계속되고 몸에 붉은 반점이 생겼습니다.
  持续发高烧，同时身上出现红色斑点。
  chí xù fā gāo shāo tóng shí shēn shang chū xiàn hóng sè bān diǎn

- 땀띠가 나서 계속 긁으려고 합니다.
  出痱子，所以总想挠。
  chū fèi zi suǒ yǐ zǒng xiǎng náo

- 아이가 너무 비만해서 걱정입니다.
  孩子太胖了，所以很担心。
  hái zi tài pàng le suǒ yǐ hěn dān xīn

- 아이의 목과 가슴이 작은 반점투성이에요.
  孩子的脖子和胸上全都是小斑点。
  hái zi de bó zi hé xiōng shang quán dōu shì xiǎo bān diǎn

- 이 아이는 제 나이만큼 크지 않아 보이네요.
  这孩子看起来不像那么大的。
  zhè hái zi kàn qǐ lái bú xiàng nà me dà de

- 아직도 유치가 나오지를 않았어요.
  还没有长出乳牙。
  hái méi yǒu zhǎng chū rǔ yá

5 산부인과

妇产科
fù chǎn kē

결혼을 한 여성이라면 임신(怀孕 huáiyùn)과 출산(出产 chūchǎn) 등으로 산부인과를 자주 다녀야 할 뿐 아니라 출산 후에도 자궁암(子宫癌 zǐgōng'ái), 유방암(乳房癌 rǔfáng'ái) 검사 등 정기적인 진찰을 받아야 한다. 중국에서는 한 자녀 낳기 가족계획(计划生育 jìhuà shēngyù)을 적극 장려하고 있기 때문에 임신을 하게 되면 단 한번 뿐인 아이의 출산을 위하여 온 가족이 세심한 배려를 하게 된다. 또한 출산 후에는 우리와 같이 산후 조리를 하게 되는데 이를 坐月子 zuò yuèzi라 한다.

기 본 대 화

A: 恭喜你, 怀孕了, 已经三个月了。
gōng xǐ nǐ, huái yùn le, yǐ jīng sān ge yuè le

B: 真的怀孕了吗?
zhēn de huái yùn le ma

A: 真的, 目前的情况良好。
zhēn de, mù qián de qíng kuàng liáng hǎo

B: 是吗? 那么预产期是什么时间?
shì ma? nà me yù chǎn qī shì shén me shí jiān

A: 预产期是10月15号。
yù chǎn qī shì yuè hào

B: 我现在需要注意些什么呢?
wǒ xiàn zài xū yào zhù yì xiē shén me ne

A: 您应该补点儿铁, 还要注意休息, 每个月都要定期检查。
nín yīng gāi bǔ diǎnr tiě, hái yào zhù yì xiū xi, měi ge yuè dōu yào dìng qī jiǎn chá

B: 我知道了。谢谢您。
wǒ zhī dào le. xiè xie nín

A: 축하합니다. 임신이에요, 벌써 3개월입니다.
B: 정말 임신입니까?
A: 정말입니다. 현재 양호한 상태입니다.
B: 그래요? 그럼 출산 예정일은 언제이지요?
A: 출산 예정일은 10월 15일입니다.
B: 제가 현재 무엇을 주의해야 하지요?
A: 철분을 보충하고 휴식을 취해야 합니다. 매월 정기 검사를 하시구요.
B: 알겠습니다. 감사합니다.

여러 가지 활용

Ⅰ. 임신 怀孕
huái yùn

- 월경이 없어서 임신 여부를 알려고 왔습니다.
  没来例假, 所以来检查一下是不是怀孕了。[1]
  méi lái lì jià suǒ yǐ lái jiǎn chá yí xià shì bu shì huái yùn le
- 입덧이 너무 심합니다.
  妊娠呕吐很厉害。
  rèn shēn ǒu tù hěn lì hai
- 임신 6개월인데도 입덧이 가라앉질 않습니다.
  已经怀孕6个月, 但是妊娠呕吐还是很强烈。
  yǐ jīng huái yùn ge yuè dàn shì rèn shēn ǒu tù hái shi hěn qiáng liè
- 아무것도 먹지를 못하는데 주사라도 맞아야 할까요?
  什么也吃不下, 是否要打一针。
  shén me yě chī bu xià shì fǒu yào dǎ yì zhēn
- 다리가 부어서 아픕니다. / 임신 부종이 심합니다.
  腿浮肿, 很疼。/ 妊娠水肿厉害。
  tuǐ fú zhǒng hěn téng rèn shēn shuǐ zhǒng lì hai
- 임신 기간에는 절대 약을 함부로 드시면 안됩니다.
  怀孕期间, 千万不能乱吃药。
  huái yùn qī jiān qiān wàn bù néng luàn chī yào
- 감기약도 태아에게는 해로울 수 있으니 감기 걸리지 않도록 조심하십시오.
  感冒药对胎儿也可能有害, 所以注意不要感冒。
  gǎn mào yào duì tāi ér yě kě néng yǒu hài suǒ yǐ zhù yì bú yào gǎn mào
- 유산이 될 가능성이 있으니 절대 안정하십시오.
  可能会流产, 所以一定要静养。
  kě néng huì liú chǎn suǒ yǐ yí dìng yào jìng yǎng
- 아이를 갖고 싶은데 임신이 안됩니다.
  我想怀孕, 但总是怀不上。
  wǒ xiǎng huái yùn dàn zǒng shì huái bu shàng
- 임신을 하기만 하면 얼마 안 가서 또 유산이 됩니다.
  怀孕了, 不用多长时间, 又会流产。
  huái yùn le bú yòng duō cháng shí jiān yòu huì liú chǎn

---

1) 월경은 月经 yuèjīng이나 흔히 직접적인 표현을 피하여 '例假 lìjià'라고 한다. 또 '骑红马 qí hóngmǎ'(붉은 말을 타다), '好朋友来了。hǎopéngyou láile'(좋은 친구가 오다)라는 은유적인 표현을 쓰기도 한다.

- 불임 수술을 하고 싶습니다.
  我想做不孕手术。
  wǒ xiǎng zuò bú yùn shǒu shù

- 결혼 10년째인데 아직도 아이가 없습니다. 시험관 아기라도 갖고 싶습니다.
  已经结婚十年了, 但还没有小孩儿。我想试管授孕。
  yǐ jīng jié hūn shí nián le dàn hái méi yǒu xiǎo háir wǒ xiǎng shì guǎn shòu yùn

- 피임약을 너무 장기 복용하면 몸에 해롭습니다.
  长期服用避孕药, 对身体不好。
  cháng qī fú yòng bì yùn yào duì shēn tǐ bù hǎo

Ⅱ. 출산 生孩子
shēng hái zi

A: 恭喜你, 夫人生了一位千金。2)
gōng xǐ nǐ fū rén shēng le yí wèi qiān jīn

B: 是吗? 谢谢您。
shì ma xiè xie nín

我的妻子和宝宝都平安无事吗?
wǒ de qī zi hé bǎo bao dōu píng ān wú shì ma

A: 是的, 一会儿就可以见她们了。
shì de yí huìr jiù kě yǐ jiàn tā men le

A: 축하합니다. 부인께서 따님을 순산하셨습니다.
B: 그래요? 감사합니다.
아내와 아이 모두 무사합니까?
A: 네. 잠시 후면 만나 보실 수 있습니다.

- 아내에게 진통제를 놓아 줘야 할까요?
  要不要给我太太打麻药?
  yào bu yào gěi wǒ tài tai dǎ má yào

- 자연 분만은 산모의 회복에 좋습니다.
  自然分娩有利于产妇的恢复。
  zì rán fēn miǎn yǒu lì yú chǎn fù de huī fù

- 자연 분만이 어렵겠습니다. 절개 수술을 해야겠습니다.
  很难自然分娩, 要剖腹产。
  hěn nán zì rán fēn miǎn yào pōu fù chǎn

- 태아가 너무 커서 난산이 될 것 같습니다.

2) 千金 qiānjīn: 따님, 영애. 즉 남의 딸을 높여 부르는 말. = 令爱 lìng'ài.

胎儿太大，可能会难产。
tāi ér tài dà, kě néng huì nán chǎn

- 산모가 출혈을 많이 해서 조금 위험합니다.
  产妇因流血过多，有点儿危险。
  chǎn fù yīn liú xiě guò duō, yǒu diǎnr wēi xiǎn

- 출산 후에는 산후 조리를 잘해야 합니다.
  出产后，要好好儿坐月子。
  chū chǎn hòu, yào hǎo hāor zuò yuè zi

- 아기는 신생아실에 있습니다.
  宝宝在育婴室。
  bǎo bao zài yù yīng shì

- 아기는 지금 인큐베이터 안에 있습니다.
  宝宝现在在保育器里边。
  bǎo bao xiàn zài zài bǎo yù qì lǐ bian

Ⅲ. 월경·질염 月经/阴道炎
yuè jīng / yīn dào yán

- 지난달에 월경이 없었습니다.
  上个月没有来例假。
  shàng ge yuè méi yǒu lái lì jià

- 월경 기간이 아닌데도 하혈을 합니다.
  不是月经日期，也出血。
  bú shì yuè jīng rì qī, yě chū xiě

- 월경이 일주일 늦었습니다.
  月经晚了一个星期。
  yuè jīng wǎn le yí ge xīng qī

- 월경통이 아주 심합니다./아랫배가 아픕니다.
  痛经，疼得很厉害。/下腹痛。
  tòng jīng, téng de hěn lì hai / xià fù tòng

- 거기가 너무나 가려워요./질염입니다.
  那里痒得无法忍受。/是阴道炎。
  nà li yǎng de wú fǎ rěn shòu / shì yīn dào yán

- 깨끗한 물로 자주 씻어야 합니다.
  要经常用干净的水洗一下。
  yào jīng cháng yòng gān jìng de shuǐ xǐ yí xià

- 적어도 1년에 한번은 자궁암 검사를 받아야 합니다.
  至少一年做一次子宫癌检查。
  zhì shǎo yì nián zuò yí cì zǐ gōng ái jiǎn chá

6 이비인후과

耳鼻喉科
ěr bí hóu kē

이비인후과는 耳朵 ěrduo(귀), 鼻子 bízi(코), 그리고 咽喉 yānhóu(목구멍) 등의 진료를 맡아보는 곳이다. 줄여서 耳鼻科 ěrbíkē라고도 한다. 감기를 심하게 앓고 난 후에 中耳炎 zhōng'ěryán(중이염)이 생길 수도 있고, 늘 콧물이 코에 고여 있을 경우는 鼻窦炎 bídòuyán(축농증)이 생길 수도 있으므로 감기를 앓은 후에 귀나 코에 이상이 있으면 이비인후과를 찾아가 보는 것이 좋다.

기 본 대 화

A: 我的耳朵不舒服。
wǒ de ěr duo bù shū fu

B: 耳朵有什么问题吗?
ěr duo yǒu shén me wèn tí ma

A: 耳朵"嗡嗡"响, 听不到声音。[1]
ěr duo wēng wēng xiǎng tīng bu dào shēng yīn

B: 从什么时候开始的?
cóng shén me shí hou kāi shǐ de

A: 大概有两个星期了。
dà gài yǒu liǎng ge xīng qī le

B: 耳朵里进过水吗?
ěr duo li jìn guo shuǐ ma

A: 上次游泳时进过水。
shàng cì yóu yǒng shí jìn guo shuǐ

B: 先检查一下吧。
xiān jiǎn chá yí xià ba

A: 제 귀가 아파요.
B: 귀에 어떤 이상이 있나요?
A: 귀에서 웅웅 소리가 나고 소리를 듣지 못합니다.
B: 언제부터 이런 거죠?
A: 대략 2주 되었어요.
B: 귀에 물이 들어간 적 있습니까?
A: 지난번 수영할 때 물이 들어갔었어요.
B: 먼저 진찰을 해 봅시다.

---

1) 嗡嗡 wēngwēng: 우리말의 '웅웅' '앵앵' '붕붕'에 해당하는 의성어.

여러 가지 활용

I. 귀 耳朵
ěr duo

- 귀가 멍멍합니다.
  耳朵嗡嗡的。
  ěr duo wēng wēng de

- 소리가 잘 안 들립니다.
  听不清声音。
  tīng bu qīng shēng yīn

- 귓가를 누르면 아픕니다.
  按耳边儿就痛。
  àn ěr biānr jiù tòng

- 코를 풀 때 귀도 아픕니다.
  擤鼻涕时耳朵也会痛。
  xǐng bí tì shí ěr duo yě huì tòng

- 뾰족한 것으로 귀를 후비지 마십시오.
  不要用尖的东西掏耳朵。
  bú yào yòng jiān de dōng xi tāo ěr duo

- 귓속에 뭐가 들어간 것 같아요.
  耳朵里面好像进了什么东西。
  ěr duo lǐ miàn hǎo xiàng jìn le shén me dōng xi

- 어렸을 때 중이염을 앓은 적이 있습니다.
  小时候得过中耳炎。
  xiǎo shí hou dé guo zhōng ěr yán

II. 목 喉咙
hóu lóng

- 기침이 심하고 목이 아픕니다.
  咳得厉害，而且喉咙疼。[2)]
  ké de lì hai ér qiě hóu lóng téng

- 목이 간지럽습니다.
  喉咙发痒。
  hóu lóng fā yǎng

- 목의 가시를 뽑지 못하겠습니다.
  喉咙里的刺取不出来。
  hóu lóng li de cì qǔ bu chū lái

---

2) 목구멍을 뜻하는 단어로는 喉咙 hóulóng, 嗓子 sǎngzi, 咽喉 yānhóu 등이 있다.

- 목이 부어서 물도 마시지 못합니다.
  喉咙肿了，连水都喝不下去。
  hóu lóng zhǒng le lián shuǐ dōu hē bu xià qù

- 가래 속에 피가 섞여 나옵니다.
  痰里有血。
  tán li yǒu xiě

- 감기로 목이 잠겼습니다.
  因感冒嗓子哑了。
  yīn gǎn mào sǎng zi yǎ le

- 늘 마른기침을 합니다.
  总是干咳。[3]
  zǒng shì gān ké

Ⅲ. 코 鼻子
bí zi

- 코가 막혀서 숨쉬기가 어렵습니다.
  因鼻塞，很难呼吸。
  yīn bí sè hěn nán hū xī

- 코가 간지럽고 재채기를 자주 합니다.
  鼻子痒，常常打喷嚏。
  bí zi yǎng cháng cháng dǎ pēn tì

- 콧물이 쉴 새 없이 흐릅니다.
  鼻涕不停地流。
  bí tì bù tíng de liú

- 가끔 코피가 납니다.
  偶尔会流鼻血。
  ǒu ěr huì liú bí xiě

- 코를 후비지 마십시오.
  不要抠鼻子。
  bú yào kōu bí zi

- 축농증 때문에 냄새를 맡지 못합니다.
  因鼻窦炎而闻不到味儿。
  yīn bí dòu yán ér wén bu dào wèir

- 환절기가 되면 알레르기성 비염이 더 심해집니다.
  换季的时候，过敏性鼻炎会更严重。
  huàn jì de shí hou guò mǐn xìng bí yán huì gèng yán zhòng

---

3) 가래가 나오지 않는 기침을 干咳gānké라고 한다. 일반 폐렴에는 가래가 있고 SARS에는 가래가 없으므로 SARS를 판별하는 기준이 되기도 한다.

7 안 과 眼科 yǎn kē

눈(眼睛 yǎnjing)이 나쁘면 안경(眼镜 yǎnjìng)을 써야 한다. 眼睛 yǎnjing과 眼镜 yǎnjìng은 拼音 pīnyīn이 같으므로 성조를 정확하게 발음해야 그 뜻을 바르게 전달할 수 있다. 예전에는 눈이 나쁘면 꼭 안경이나 콘택트렌즈(隐形眼镜 yǐnxíng yǎnjìng)를 사용해야 했지만 요즘은 라식수술(LASIK, 激光视力矫正 jīguāng shìlì jiǎozhèng)로 간단하게 시력을 회복할 수도 있게 되었다.

기 본 대 화

A: 请把下巴放在这里，眼睛睁大点儿。
qǐng bǎ xià ba fàng zài zhè li yǎn jing zhēng dà diǎnr
右眼的血管两处裂开了。
yòu yǎn de xuè guǎn liǎng chù liè kāi le

B: 整天盯着电脑屏幕，是不是用眼过度？
zhěng tiān dīng zhe diàn nǎo píng mù shì bu shì yòng yǎn guò dù

A: 也许是。一个小时之后，要休息十分钟。
yě xǔ shì yí ge xiǎo shí zhī hòu yào xiū xi shí fēn zhōng

A: 아래턱을 여기에 대고 눈을 크게 떠 보세요.
오른쪽 눈의 혈관이 두 군데 파열되었습니다.

B: 하루 종일 컴퓨터 모니터를 들여다보고 있는데, 눈을 무리하게 사용한 걸까요?

A: 그럴 수도 있습니다. 한 시간이 지나면 10분씩 휴식을 취하셔야 합니다.

여러 가지 활용

Ⅰ. 눈병 眼病 yǎn bìng

- 눈이 아주 아픕니다.
  眼睛好痛。
  yǎn jing hǎo tòng

- 눈을 감을 때 아픕니다.
  闭眼时会痛。
  bì yǎn shí huì tòng

- 눈이 충혈되었어요.
  眼睛充血。
  yǎn jing chōng xuè

- 눈이 간지러워요.
  眼睛痒死了。
  yǎn jing yǎng sǐ le

- 마치 모래가 들어간 듯 뻑뻑합니다.
  好像进了沙子似的, 磨眼。
  hǎo xiàng jìn le shā zi shì de mó yǎn

- 계속 눈물이 납니다. 눈물샘에 이상이 있는 것 아닐까요?
  总是在流泪。是不是泪腺有问题?
  zǒng shì zài liú lèi shì bu shì lèi xiàn yǒu wèn tí

- 눈 속에 뭐가 생겼습니다.
  眼睛里长了东西。
  yǎn jing li zhǎng le dōng xi

- 눈에 염증이 생겼는지 계속 눈곱이 낍니다.
  是不是眼睛有炎症, 总是有眼屎。
  shì bu shì yǎn jing yǒu yán zhèng zǒng shì yǒu yǎn shǐ

- 안개가 낀 것처럼 뿌옇게 보입니다.
  好像隔着雾似的, 很模糊。[1)]
  hǎo xiàng gé zhe wù shì de hěn mó hu

- 책을 보면 5분도 안 되어 눈이 피로합니다.
  看书不到5分钟, 就感觉眼睛很疲劳。
  kàn shū bú dào fēn zhōng jiù gǎn jué yǎn jing hěn pí láo

- 눈동자 위에 핏발이 섰습니다.
  眼球上面有血丝了。
  yǎn qiú shàng miàn yǒu xuè sī le

- 눈 속에 뭐가 들어간 것 같은데 빠지지가 않습니다.
  眼睛里好像进了什么东西, 怎么也弄不出来。
  yǎn jing li hǎo xiàng jìn le shén me dōng xi zěn me yě nòng bu chū lái

- 백내장입니다. 수술을 하셔야 해요.
  是白内障, 需要动手术。
  shì bái nèi zhàng xū yào dòng shǒu shù

- 유행성 결막염입니다. 자주 손을 씻고 수건을 따로 쓰세요.
  是流行性结膜炎, 要勤洗手, 最好毛巾单独用。[2)]
  shì liú xíng xìng jié mó yán yào qín xǐ shǒu zuì hǎo máo jīn dān dú yòng

---

1) 隔 gé: 사이를 두다. 칸막이를 하다. 떨어지다. 떨어지게 하다.
   模糊 móhu: 분명치 않다. 흐릿하다. 모호하다.
2) 勤 qín: 자주~하다. 부지런하다.

Ⅱ. 시력 교정 视力矫正
shì lì jiǎo zhèng

- 저는 시력이 아주 나빠요.
我的视力很不好。
wǒ de shì lì hěn bù hǎo

- 시력이 지난번보다 감퇴되었습니다.
视力好像比上次衰退了。
shì lì hǎo xiàng bǐ shàng cì shuāi tuì le

- 안경을 끼면 머리가 아픕니다.
戴眼镜就会头痛。
dài yǎn jìng jiù huì tóu tòng

- 안경 도수가 너무 높습니다.
眼镜度数太高了。
yǎn jìng dù shù tài gāo le

- 콘택트렌즈로 바꾸고 싶습니다.
想换成隐形眼镜。
xiǎng huàn chéng yǐn xíng yǎn jìng

- 라식수술로 원시, 근시 및 난시를 교정할 수 있습니다.
激光矫正术可以矫正远视、近视和散光。
jī guāng jiǎo zhèng shù kě yǐ jiǎo zhèng yuǎn shì jìn shì hé sǎn guāng

- 근시는 레이저 수술로 치료할 수 있습니다.
近视可以用激光手术治疗。
jìn shì kě yǐ yòng jī guāng shǒu shù zhì liáo

- 렌즈를 끼고 잠을 자면 각막에 해롭습니다.
戴着隐形眼镜睡觉，对角膜有害。
dài zhe yǐn xíng yǎn jìng shuì jiào duì jiǎo mó yǒu hài

- 아마도 나이 탓인지 뭐가 잘 보이지를 않습니다.
可能是年龄的关系，什么都看不清楚。
kě néng shì nián líng de guān xì shén me dōu kàn bu qīng chu

- 내 눈도 이젠 침침해졌어요.
我的眼睛都老花眼了。[3]
wǒ de yǎn jing dōu lǎo huā yǎn le

- 시력은 한번 나빠지면 다시 회복되기 어려우니 조심하셔야 합니다.
视力下降了，很难再恢复，所以一定要注意。
shì lì xià jiàng le hěn nán zài huī fù suǒ yǐ yí dìng yào zhù yì

---

3) 花 huā에는 '눈이 흐리다', '침침하다'는 뜻도 있다.

8 치 과 牙科 yá kē

치아는 牙齿 yáchǐ, 충치는 蛀牙 zhùyá라고 한다. 예로부터 건강한 치아는 오복의 하나라고 하였는데, 이는 올바른 관리를 통해서만 지켜 나갈 수 있다. 우선 자신에게 맞는 치약(牙膏 yágāo)과 칫솔(牙刷 yáshuā)을 선택하여 식후에는 반드시 양치질(刷牙shuāyá)을 하고, 정기적으로 스케일링(洗牙 xǐyá)을 하여 잇몸(牙龈 yáyín) 질환을 예방하도록 한다.

기 본 대 화

A: 大夫, 我的槽牙被虫吃了, 最近很疼。
dài fu wǒ de cáo yá bèi chóng chī le zuì jìn hěn téng

B: 请把嘴张开, 让我看一下好吗?
qǐng bǎ zuǐ zhāng kāi ràng wǒ kàn yí xià hǎo ma

A: 好的, 你一定要帮我治一治。
hǎo de nǐ yí dìng yào bāng wǒ zhì yi zhì

B: 把嘴再张大一点儿。坏得不轻。
bǎ zuǐ zài zhāng dà yì diǎnr huài de bù qīng

先做一下神经治疗。
xiān zuò yí xià shén jīng zhì liáo

A: 麻烦您轻一点儿, 很疼。
má fan nín qīng yì diǎnr hěn téng

B: 您忍一下, 过一会儿就不会疼了。
nín rěn yí xià guò yí huìr jiù bú huì téng le

A: 那就拜托您了。
nà jiù bài tuō nín le

B: 您放心, 很快就会好的。
nín fàng xīn hěn kuài jiù huì hǎo de

A: 의사 선생님, 제 어금니가 썩었는데 요즘 매우 아파요.
B: 입을 벌려 보시겠어요? 어디 봅시다.
A: 네, 잘 좀 치료해 주세요.
B: 입을 더 크게 벌리세요. 심하게 상했군요.
먼저 신경 치료를 합시다.
A: 살살 해 주세요. 너무 아파요.
B: 참으세요. 조금 있으면 아프지 않을 겁니다.
A: 그럼 부탁드릴게요.
B: 안심하세요. 금세 좋아질 거에요.

여러 가지 활용

Ⅰ. 충치 蛀牙
zhù yá

- 충치가 2개 있어요.
  有2颗蛀牙。
  yǒu kē zhù yá

- 충치를 뽑아 버리세요.
  请拔掉蛀牙。
  qǐng bá diào zhù yá

- 이가 썩었으므로 빨리 치료해야 합니다.
  牙被蛀坏了，需尽快治疗。
  yá bèi zhù huài le xū jǐn kuài zhì liáo

- 치아에 구멍이 났어요, 때워야 해요.
  你的牙有个洞，应该补一下。
  nǐ de yá yǒu ge dòng yīng gāi bǔ yí xià

- 충치를 때운 게 떨어져 나갔어요.
  蛀牙里补的片儿掉了。
  zhù yá li bǔ de piànr diào le

- 제일 안쪽의 어금니에 충치가 있어요.
  最里面的臼齿有蛀牙。
  zuì lǐ miàn de jiù chǐ yǒu zhù yá

- 때운 후에는 덮어씌우는 것이 좋습니다.
  补完之后，最好再把它套上。
  bǔ wán zhī hòu zuì hǎo zài bǎ tā tào shàng

- 신경 치료를 한 후에는 덮어씌워야 합니다.
  做完神经治疗以后，牙齿上要套一下。
  zuò wán shén jīng zhì liáo yǐ hòu yá chǐ shang yào tào yí xià

- 충치를 방지하기 위해서는 단 음식을 삼가야 합니다.
  为了防止蛀牙，不要吃甜食。
  wèi le fáng zhǐ zhù yá bú yào chī tián shí

Ⅱ. 치통 牙痛
yá tòng

- 찬 것을 먹으면 이가 시려요.
  一吃凉的，牙就酸。
  yì chī liáng de yá jiù suān

- 사랑니가 나서 몹시 아픕니다.

 长了智齿，痛得要命。
 zhǎng le zhì chǐ tòng de yào mìng

- 이가 너무 아파서 아무것도 씹을 수가 없어요.

 牙很疼，什么也嚼不了。
 yá hěn téng shén me yě jiáo bu liǎo

- 치통이 심해서 견딜 수가 없습니다.

 牙疼得快要死了。
 yá téng de kuài yào sǐ le

Ⅲ. 이를 뽑을 때 拔牙时
bá yá shí

- 왼쪽 어금니가 흔들립니다.

 左边臼齿松了。
 zuǒ bian jiù chǐ sōng le

- "아--" 하고 입을 크게 벌리세요.

 张嘴，"阿--"。
 zhāng zuǐ ā

- 아이의 이가 흔들립니다. 빼 주세요.

 孩子的牙齿活动了，麻烦您拔一下。
 hái zi de yá chǐ huó dòng le má fan nín bá yí xià

Ⅳ. 잇몸이 아플 때 牙龈肿痛时
yá yín zhǒng tòng shí

- 잇몸이 아픕니다.

 牙龈痛。
 yá yín tòng

- 양치할 때 잇몸에서 피가 납니다.

 刷牙时，牙龈会出血。[1)]
 shuā yá shí yá yín huì chū xiě

- 잇몸이 부어서 아무것도 못 먹겠어요.

 牙龈肿了，什么都吃不了。
 yá yín zhǒng le shén me dōu chī bu liǎo

- 치석을 제거해야 합니다. 스케일링을 하세요.

 要除去牙垢，洗牙吧。
 yào chú qù yá gòu xǐ yá ba

---

1) '양치질하다'라는 표현에는 刷牙 shuāyá와 漱口 shùkǒu가 있는데, '刷牙 shuāyá'는 칫솔로 이를 닦는 것을 말하고, '漱口 shùkǒu'는 물이나 약제로 입 안을 가셔 내는 것을 말한다.

- 구취가 납니다.
  有口臭。
  yǒu kǒu chòu

- 입 안에 염증이 있습니다.
  口腔里有炎症。
  kǒu qiāng li yǒu yán zhèng

V. 기타 其他
qí tā

A: 牙刷用什么样的好呢?
yá shuā yòng shén me yàng de hǎo ne

B: 一般用毛又长又硬的最好了。
yì bān yòng máo yòu cháng yòu yìng de zuì hǎo le

A: 칫솔은 어떤 것을 사용하는 게 좋을까요?

B: 일반적으로 칫솔모가 길고 딱딱한 것이 제일 좋습니다.

- 의치를 하셔야 합니다.
  得做假牙。
  děi zuò jiǎ yá

- 치열이 고르지 않아 교정을 하고 싶습니다.
  牙齿不整齐, 我想矫正。
  yá chǐ bù zhěng qí wǒ xiǎng jiǎo zhèng

- 앞니가 너무 튀어나왔는데 교정이 가능합니까?
  门牙太突出了, 可以整一下吗?[2)]
  mén yá tài tū chū le kě yǐ zhěng yí xià ma

- 치아가 너무 누런데 하얗게 할 수 있을까요?
  我的牙齿太黄了, 能不能做美白?
  wǒ de yá chǐ tài huáng le néng bu néng zuò měi bái

- 아이가 넘어져 앞니가 조금 떨어져 나갔는데 어떡하죠?
  孩子的门牙摔掉了一点, 怎么办?
  hái zi de mén yá shuāi diào le yì diǎn zěn me bàn

- 부딪혀서 이가 흔들리는데 치료할 수 있을까요?
  我的牙被碰得动了, 有办法治吗?
  wǒ de yá bèi pèng de dòng le yǒu bàn fǎ zhì ma

2) 整 zhěng: 정돈하다, 정리하다, 잘못을 바로잡다.

9 정 신 과

精神科
jīngshén kē

모든 병은 마음에서 온다는 말도 있듯이, 특히 현대인들에게는 스트레스(压力 yālì)가 세균(细菌 xìjūn)이나 바이러스(病毒 bìngdú) 보다도 더 무서운 질병을 일으킨다고 한다. 그러므로 지나친 스트레스를 피하고 정신적 안정을 취하는 것이 건강을 지키는 첫걸음이다. 또한 정신과는 정신병(神经病 shénjīngbìng)을 앓는 사람들만이 가는 곳이 아니라 복잡한 현대 사회에서 생기는 여러 가지 갈등과 고민을 전문의와 상담하러 간다는 생각으로 임하면 좋을 것이다.

기 본 대 화

A: 最近不知为什么神经敏感, 经常生气。
zuì jìn bù zhī wèi shén me shén jīng mǐn gǎn jīng cháng shēng qì

B: 业务上的压力很大吗?
yè wù shang de yā lì hěn dà ma

A: 是啊, 因为竞争很厉害。
shì a yīn wèi jìng zhēng hěn lì hai

B: 您要放轻松点儿, 保持平和的心态。
nín yào fàng qīng sōng diǎnr bǎo chí píng hé de xīn tài

A: 而且晚上也睡不着, 怎能不疲劳呢?
ér qiě wǎn shang yě shuì bu zháo zěn néng bù pí láo ne

B: 先吃点儿药试试吧。
xiān chī diǎnr yào shì shi ba

A: 요즘 왜 그런지 신경이 날카로워져서 자주 화를 냅니다.
B: 업무상 스트레스를 많이 받으십니까?
A: 그렇습니다. 경쟁이 너무 심해서요.
B: 조금 느긋하게 하시고 마음의 평화를 유지하십시오.
A: 게다가 밤에도 잠을 못 자니 피곤할 수 밖에요.
B: 우선 약을 좀 드셔 보시죠.

여러 가지 활용

Ⅰ. 불면증 失眠症
shī mián zhèng

- 불면증으로 얼마나 고생하는지 모릅니다.
  因为失眠, 不知道要受多少苦。
  yīn wèi shī mián bù zhī dào yào shòu duō shao kǔ

• 밤에 잠을 잘 못 잡니다.
晚上经常睡不着。
wǎn shang jīng cháng shuì bu zháo

• 요 며칠 계속 불면이에요.
这几天我总是失眠。
zhè jǐ tiān wǒ zǒng shì shī mián

• 악몽을 자주 꿉니다.
经常做恶梦。
jīng cháng zuò è mèng

• 매일 밤 악몽에 놀라 깹니다.
每天晚上都被恶梦惊醒。
měi tiān wǎn shang dōu bèi è mèng jīng xǐng

• 수면제를 자주 먹으면 몸에 좋지 않습니다.
常吃安眠药，对身体不好。
cháng chī ān mián yào duì shēn tǐ bù hǎo

• 주무시기 전에 따뜻한 우유나 포도주를 한 잔 드셔 보세요.
睡觉之前，喝一杯热牛奶或一杯葡萄酒吧。
shuì jiào zhī qián hē yì bēi rè niú nǎi huò yì bēi pú tao jiǔ ba

• 잠자기 전 가벼운 운동을 하는 것도 좋습니다.
睡觉之前，做一些轻便的运动也不错。
shuì jiào zhī qián zuò yì xiē qīng biàn de yùn dòng yě bú cuò

II. 비관 悲观
bēi guān

• 저는 저 자신의 운명에 매우 불만입니다.
我对自己的命运不满。
wǒ duì zì jǐ de mìng yùn bù mǎn

• 살고 싶은 생각이 조금도 없어요.
一点儿都不想活下去。
yì diǎnr dōu bù xiǎng huó xià qù

• 정말이지 뛰어내려서 자살하고 싶어요.
我简直想要跳楼自杀。[1)]
wǒ jiǎn zhí xiǎng yào tiào lóu zì shā

• 이제는 이미 다른 방법이 없어요. 죽고만 싶습니다.
我现在已经没有别的办法了，只想死。
wǒ xiàn zài yǐ jīng méi yǒu bié de bàn fǎ le zhǐ xiǎng sǐ

---

1) 跳楼 tiàolóu: 빌딩에서 뛰어내리다. 跳楼自杀 tiàolóu zìshā: 투신자살.

- 현재는 만사가 다 재미없게 느껴집니다.
  现在我觉得一切都没意思。
  xiàn zài wǒ jué de yí qiè dōu méi yì si

- 모든 것이 공허해요. 남편 자식 모두 떠나고 저 혼자 남은 느낌입니다.
  一切都很空虚，好像丈夫孩子都离开我了，只剩下我一个人。[2)]
  yí qiè dōu hěn kōng xū hǎo xiàng zhàng fu hái zi dōu lí kāi wǒ le zhǐ shèng xià wǒ yí ge rén

- 인생이 한바탕 꿈처럼 느껴집니다.
  觉得人生如梦。
  jué de rén shēng rú mèng

- 실의에 빠져 아무것도 하고 싶지 않습니다.
  百无聊赖的，什么都不想做。[3)]
  bǎi wú liáo lài de shén me dōu bù xiǎng zuò

- 살고자 하는 의욕을 잃어버렸습니다.
  失去了活下去的欲望。
  shī qù le huó xià qù de yù wàng

- 모든 것에 대해 자신감을 잃었습니다.
  对一切都失去了信心。
  duì yí qiè dōu shī qù le xìn xīn

- 사람들을 만나는 게 두렵습니다.
  害怕见到别人。
  hài pà jiàn dào bié rén

Ⅲ. 신경과민 神经过敏
shén jīng guò mǐn

- 감정의 변화가 아주 큽니다.
  情绪变化很大。
  qíng xù biàn huà hěn dà

- 늘 초조하고 불안합니다.
  总是很焦急不安。
  zǒng shì hěn jiāo jí bù ān

---

2) 남편은 사회 일로 바쁘고 자식들은 다 커서 엄마의 도움을 필요로 하지 않을 때 주부들이 '빈 둥지 증후군' 증상을 보인다고 한다. 중국에서도 '空巢家庭 kōngcháo jiātíng'(빈 둥지 가정)이라는 말이 자주 쓰이는데 이는 가속되는 노령화 사회에서 자식들은 모두 도회지로 나가고 노인들만 쓸쓸히 남은 가정을 말한다.

3) 百无聊赖 bǎi wú liáo lài: 마음을 의탁할 만한 일이 없음. 극도로 실의에 빠짐.

- 늘 불안하고 무섭습니다.
  常常不安，感到害怕。
  cháng cháng bù ān gǎn dào hài pà

- 별것 아닌 일에도 매우 민감합니다.
  对无关紧要的事情也很敏感。
  duì wú guān jǐn yào de shì qing yě hěn mǐn gǎn

- 자잘한 일들은 마음에 담아 두지 마십시오.
  芝麻绿豆大的小事，不要放在心上。[4)]
  zhī ma lǜ dòu dà de xiǎo shì bú yào fàng zài xīn shang

- 정신 이상자가 될까 두렵습니다.
  真担心会变成神经病。
  zhēn dān xīn huì biàn chéng shén jīng bìng

- 사소한 일에도 크게 화를 냅니다.
  对小事也会大发脾气。
  duì xiǎo shì yě huì dà fā pí qi

- 그날 이후로 겁쟁이가 되어 버렸습니다.
  从那天以后，就变成了胆小鬼。[5)]
  cóng nà tiān yǐ hòu jiù biàn chéng le dǎn xiǎo guǐ

- 사람들과 대화하기를 꺼립니다.
  不愿意与别人聊天。
  bú yuàn yì yǔ bié rén liáo tiān

- 때로 공포증에 시달립니다.
  有时会被恐惧症所困。
  yǒu shí huì bèi kǒng jù zhèng suǒ kùn

- 별 이유 없이 자주 우울해집니다. 우울증이 아닐까요?
  常常会莫名其妙地忧郁，是不是得了忧郁症？[6)]
  cháng cháng huì mò míng qí miào de yōu yù shì bu shì dé le yōu yù zhèng

- 너무 깊이 생각하지 마세요. 생각할수록 더 괴로워요.
  别想太多，越来越难过。
  bié xiǎng tài duō yuè lái yuè nán guò

- 수면제를 자주 먹지 마세요. 중독돼요.
  不要老吃安眠药，会上瘾的。
  bú yào lǎo chī ān mián yào huì shàng yǐn de

---

4) 芝麻绿豆 zhīma lǜdòu: 원뜻은 참깨와 녹두이나 둘이 합하여 '사소한 것', '자질구레한 것'을 뜻한다.

5) 종종 鬼 guǐ를 써서 사람을 비하하거나 비난하기도 한다. 예) 色鬼 sèguǐ(색정꾼), 酒鬼 jiǔguǐ(술귀신), 赌鬼 dǔguǐ(노름꾼)

6) 莫名其妙 mò míng qí miào: '까닭 모를', '이유를 알 수 없는' 등의 뜻을 가진 성어.

⑩ 비뇨기과

泌尿科
mì niào kē

비뇨기과에서는 신장(肾脏 shènzàng)・방광(膀胱 pángguāng) 및 요도(尿道 niàodào) 등의 비뇨기와 전립선(前列腺 qiánlièxiàn)・고환(睾丸 gāowán)・음경(阴茎 yīnjīng) 등의 남성 생식기(生殖器 shēngzhíqì)에 생기는 질환을 진료한다. 병은 소문을 내야 빨리 낫는다는 말이 있다. 병을 부끄러이 여겨 숨김으로써 치료의 때를 놓쳐 악화되는 것을 방지하기 위한 말이다. 몸에 이상 증후가 발견되면 지체 없이 진료를 받아 병이 크게 번지는 것을 막도록 한다.

A: 小便里有血，有时血成固体与小便一起混合出来。
xiǎo biàn li yǒu xiě yǒu shí xiě chéng gù tǐ yǔ xiǎo biàn yì qǐ hùn hé chū lái

B: 身体其他部位有没有异常现象?
shēn tǐ qí tā bù wèi yǒu méi yǒu yì cháng xiàn xiàng

A: 小便时下腹也疼。
xiǎo biàn shí xià fù yě téng

B: 尿道有没有感觉疼痛?
niào dào yǒu méi yǒu gǎn jué téng tòng

A: 有。
yǒu

B: 先检查一下小便，在这个杯里装点儿尿拿过来吧。
xiān jiǎn chá yí xià xiǎo biàn zài zhè ge bēi li zhuāng diǎnr niào ná guò lái ba

A: 要多少?
yào duō shao

B: 一点儿就可以了。
yì diǎnr jiù kě yǐ le

A: 소변에 피가 있어요. 어떤 때에는 덩어리로 되어 소변과 섞여서 나와요.
B: 신체 다른 부위는 이상이 없습니까?
A: 소변 볼 때 아랫배도 아픕니다.
B: 요도에 통증을 느낍니까?
A: 예.
B: 먼저 소변 검사를 해 봅시다. 이 컵 안에 소변을 담아 오세요.
A: 얼마만큼요?
B: 조금이면 됩니다.

여러 가지 활용

Ⅰ. 소변 小便
xiǎo biàn

- 소변보기가 힘들고 다 누어도 시원하질 않습니다.
很难小便, 尿完了也觉得不舒服。
hěn nán xiǎo biàn niào wán le yě jué de bù shū fu

- 소변볼 때에 좀 아픕니다.
小便时会有点儿疼。
xiǎo biàn shí huì yǒu diǎnr téng

- 소변 색이 아주 노랗습니다.
尿的颜色很黄。
niào de yán sè hěn huáng

- 소변이 자주 마렵습니다.
尿频。
niào pín

- 가끔 소변 속에 피가 섞여 나옵니다.
有时尿里有血。
yǒu shí niào li yǒu xiě

▶ **전립선 前列腺**
qián liè xiàn

A: 慢性前列腺炎能治好吗?
màn xìng qián liè xiàn yán néng zhì hǎo ma
B: 不是治不好, 而是不易根治。
bú shì zhì bù hǎo ér shì bú yì gēn zhì

A: 만성 전립선염은 치료가 잘 됩니까?
B: 치료가 어려운 건 아닌데 완치하기가 쉽지 않습니다.

- 오랫동안 낫지 않는 전립선염이 전립선암을 유발하는 것은 아닙니까?
久治不愈的前列腺炎会导致前列腺癌吗?
jiǔ zhì bú yù de qián liè xiàn yán huì dǎo zhì qián liè xiàn ái ma

- 원래 시원하게 잘 나오던 소변이 요새 들어 잘 안 나오기 시작했어요.
原来十分畅快的小便, 现在开始变得困难起来。
yuán lái shí fēn chàng kuài de xiǎo biàn xiàn zài kāi shǐ biàn de kùn nán qǐ lái

• 한참을 애를 쓴 뒤에야 가까스로 소변을 봅니다.
努力了半天, 好不容易才尿出来。[1)]
nǔ lì le bàn tiān hǎo bu róng yì cái niào chū lái

• 전립선 비대증인 것 같습니다. 우선 약을 드셔 보십시오.
好像是前列腺增生症。先吃点儿药吧。
hǎo xiàng shì qián liè xiàn zēng shēng zhèng xiān chī diǎnr yào ba

Ⅱ. 생식기 生殖器
shēng zhí qì

A: 这话虽然难听, 但请问, 最近有没有出去风流啊?[2)]
zhè huà suī rán nán tīng dàn qǐng wèn zuì jìn yǒu méi yǒu chū qù fēng liú a

B: 结婚前有那么一两回, 但结婚后可没有。
jié hūn qián yǒu nà me yì liǎng huí dàn jié hūn hòu kě méi yǒu

---

A: 듣기 거북스러우시겠지만 여쭤 보겠습니다. 요즘에 외도하신 적이 있습니까?

B: 결혼 전에는 한두 번 있었지만 결혼 후에는 없습니다.

• 성병이 아닌가 하여 몹시 걱정이 됩니다.
很担心会得性病。
hěn dān xīn huì dé xìng bìng

• 혹시 임질에 걸린 것은 아닐까요?
会不会是得了淋病?
huì bu huì shì dé le lín bìng

• 최근 소변이 잦지는 않습니까?
您最近是不是有些尿频?
nín zuì jìn shì bu shì yǒu xiē niào pín

• 소변을 본 후에도 더부룩한 느낌이 있습니까?
您是不是小便过后, 有腹胀的感觉?
nín shì bu shì xiǎo biàn guò hòu yǒu fù zhàng de gǎn jué

• 에이즈는 도대체 어떤 증상이 있는 거죠?
艾滋病到底是什么症状?
ài zī bìng dào dǐ shì shén me zhèng zhuàng

---

1) 好不容易 hǎoburóngyì: 겨우, 가까스로, 아주 힘들게.

2) 难听 nántīng: 듣기 싫다, 귀에 거슬리다, 듣기 거북하다.

11 피 부 과

皮肤科
pí fū kē

가장 완치되기 어려운 병 중의 하나가 바로 피부병이 아닐까 한다. 연고(乳膏 rǔgāo, 软膏 ruǎngāo)를 바르면 말끔해졌다가도 조금 지나면 다시 재발(复发 fùfā)하기를 되풀이하면서 고질병(痼疾 gùjí, 痼病 gùbìng)이 되기도 한다. 그것은 겉으로는 환부가 말끔해졌지만 피부 깊숙이 진균(真菌 zhēnjūn)과 같은 세균이 아직 살아 있기 때문이다. 그러므로 다 나은 것 같더라도 약 1주일 정도 계속해서 연고를 발라 주어 세균을 박멸해야만 완치를 기대할 수 있다.

기 본 대 화

A: 我儿子得了湿诊, 搞不清楚为什么得了这种病。
wǒ ér zi dé le shī zhěn gǎo bu qīng chu wèi shén me dé le zhè zhǒng bìng

B: 湿诊病因复杂, 是内外多种因素互相作用的结果。
shī zhěn bìng yīn fù zá shì nèi wài duō zhǒng yīn sù hù xiāng zuò yòng de jié guǒ

A: 他浑身痒死了, 总是到处抓。
tā hún shēn yǎng sǐ le zǒng shì dào chù zhuā

B: 别担心。急性湿诊的话, 容易治愈。
bié dān xīn jí xìng shī zhěn de huà róng yì zhì yù

A: 우리 아들이 습진이 생겼는데, 왜 이런 병이 생긴 건지 모르겠어요.

B: 습진의 발병 원인은 복잡합니다. 안팎으로 여러 원인이 상호 작용하는 결과지요.

A: 전신이 가려워 죽으려고 해요. 계속 여기저기 긁어 댑니다.

B: 걱정 마세요. 급성 습진이라면 쉽게 치료가 됩니다.

여러 가지 활용

Ⅰ. 피부와 관련된 증상 有关皮肤病的症状
yǒu guān pí fū bìng de zhèng zhuàng

- 등이 간지러워요.
  背痒。
  bèi yǎng

- 피부가 매우 거칠어요.
  皮肤很粗糙。
  pí fū hěn cū cāo

- 등에 부스럼이 많이 났습니다.

背上长了很多疙瘩。[1)]
bèi shang zhǎng le hěn duō gē da

- 날이 추우면 손의 피부가 까칠하게 일어나요.
天气冷的话，手就起干皮。
tiān qì lěng de huà shǒu jiù qǐ gān pí

- 제 얼굴에 뭐가 났어요.
我的脸上长了什么东西。
wǒ de liǎn shang zhǎng le shén me dōng xi

- 화장품을 사용했더니 피부에 알레르기가 생겼어요.
我用了化妆品，皮肤过敏。
wǒ yòng le huà zhuāng pǐn pí fū guò mǐn

- 저는 꽃가루 알레르기가 있어요.
我对花粉过敏。
wǒ duì huā fěn guò mǐn

- 연고를 상처 부위에 발라 주세요.
把软膏涂在患处。
bǎ ruǎn gāo tú zài huàn chù

Ⅱ. 화상을 입었을 때 烧伤[2)]
shāo shāng

- 끓는 물에 손을 데었어요.
被热水烫了手。
bèi rè shuǐ tàng le shǒu

- 해수욕 갔다가 타서 물집이 생겼어요.
去海水浴，晒得都起了水泡。
qù hǎi shuǐ yù shài de dōu qǐ le shuǐ pào

- 그는 다리미에 손을 데었어요.
他的手被熨斗烫伤了。
tā de shǒu bèi yùn dǒu tàng shāng le

- 데인 곳에 모두 물집이 생겼어요.
烧伤了，都起了泡。
shāo shāng le dōu qǐ le pào

- 물집을 터뜨리지 마세요.
不要弄破水泡。
bú yào nòng pò shuǐ pào

---

1) 疙瘩 gēda: 종기, 부스럼 덩어리. 疙疙瘩瘩 gēgedādā, 疙里疙瘩 gēligēdā: 거칠다. 꺼끌하다. 울퉁불퉁하다.

2) "烧伤"은 주로 불에 데인 화상을 일컬으며, 끓는 물이나 다리미 따위에 데인 화상은 烫伤 tàngshāng이라고 한다.

12 중 의 中医 zhōng yī

중의학(中医学 zhōngyīxué)은 오랜 역사를 지닌 전통 의학으로서 특히 침구(针灸 zhēnjiǔ)의 탁월한 효험은 아직도 의학계의 신비로 남아 있다. 또한 한약(中药 zhōngyào)은 약효가 서서히 나타나는 반면 부작용(副作用 fùzuòyòng)이 거의 없어 몸을 보양하는 데는 물론 치료에도 매우 도움이 된다. 그래서 요즘은 중의(中医 zhōngyī)와 양의(洋医 yángyī)의 우월성을 논하기보다는 두 의학계의 장점을 살려 치료에 서로 도움을 주고 있다.

기 본 대 화

A: 乏力, 没有食欲。
fá lì méi yǒu shí yù

B: 我把一下脉, 脉象很弱。[1)]
wǒ bǎ yí xià mài mài xiàng hěn ruò

A: 总是听医生说, 我气虚。
zǒng shì tīng yī shēng shuō wǒ qì xū

B: 我给你开个药方, 你回去按方熬药。
wǒ gěi nǐ kāi ge yào fāng nǐ huí qù àn fāng áo yào

A: 기운이 하나도 없고 식욕도 없습니다.
B: 진맥을 해 봅시다. 맥이 많이 약하군요.
A: 의사로부터 기가 허하다는 말을 자주 듣습니다.
B: 처방을 써 드릴 테니 돌아가셔서 처방대로 달여 드십시오.

여러 가지 활용

Ⅰ. 침과 뜸 针灸 zhēn jiǔ

A: 我腰很痛, 坐不了很长时间。
wǒ yāo hěn tòng zuò bu liǎo hěn cháng shí jiān

B: 我给你扎个针吧。几天后就会没事的。
wǒ gěi nǐ zhā ge zhēn ba jǐ tiān hòu jiù huì méi shì de

A: 저는 허리가 몹시 아파서 오래 앉아 있질 못합니다.
B: 침을 놔 드릴게요. 며칠 후면 괜찮아질 겁니다.

1) 把脉 bǎmài: 맥박을 짚다, 진맥하다. 脉象 màixiàng: 맥박의 상태.

- 쑥으로 뜸을 떠 보세요. 신기한 효과가 있어요.
  拿艾子灸一灸，有神奇的效果。
  ná ài zi jiǔ yi jiǔ yǒu shén qí de xiào guǒ

- 침과 뜸의 효과가 정말 좋습니다.
  针灸的效果真好。
  zhēn jiǔ de xiào guǒ zhēn hǎo

- 어혈이 많아서 그렇습니다.
  淤血太多，所以就这样了。
  yū xuè tài duō suǒ yǐ jiù zhè yàng le

- 나쁜 피를 뽑아내면 훨씬 좋아질 겁니다.
  把淤血抽出来，感觉就会好多了。
  bǎ yū xuè chōu chū lái gǎn jué jiù huì hǎo duō le

Ⅱ. 한약 中药 zhōng yào

- 한약은 효과가 서서히 나타납니다.
  中药见效比较慢。
  zhōng yào jiàn xiào bǐ jiào màn

- 한약은 부작용이 없습니다.
  中药没有副作用。
  zhōng yào méi yǒu fù zuò yòng

- 만일 번거로우시면 저희가 대신 달여 드릴 수 있습니다.
  如果您不太方便，我们可以帮您熬药。
  rú guǒ nín bú tài fāng biàn wǒ men kě yǐ bāng nín áo yào

Ⅲ. 기타 其他 qí tā

- 진맥을 해 봅시다.
  让我给你把把脉。
  ràng wǒ gěi nǐ bǎ ba mài

- 혀를 좀 내밀어 보십시오.
  你把舌头伸出来。
  nǐ bǎ shé tou shēn chū lái

- 몸 안에 화기가 많습니다.
  你肝火太重。[2)]
  nǐ gān huǒ tài zhòng

- 늘 허리가 아픈데 부항 좀 떠 주실래요?
  我经常腰疼，能给我拔罐吗?
  wǒ jīng cháng yāo téng néng gěi wǒ bá guàn ma

2) 肝火 gānhuǒ: 간의 화기, 화, 분통, 부아.

- 류머티즘 같은 병은 정기적으로 안마를 하면 효과가 좋아요.
  风湿类的病，定期按摩见效很快。
  fēng shī lèi de bìng dìng qī àn mó jiàn xiào hěn kuài

- 몸을 보충해 줘야겠습니다.
  你需要补一下身体。
  nǐ xū yào bǔ yí xià shēn tǐ

- 몇 걸음에 이렇게 지쳐 버리다니, 기가 많이 허하군요.
  走几步路就这样累，你很气虚。
  zǒu jǐ bù lù jiù zhè yàng lèi nǐ hěn qì xū

참고 관련 용어

- 병원 医院 yī yuàn
- 의사 医师, 医生, 大夫 yī shī, yī shēng, dài fu
- 간호사 护士 hù shi
- 환자 患者, 病人 huàn zhě, bìng rén
- 질병 疾病 jí bìng
- 상처 伤口 shāng kǒu
- 상처를 입다 受伤 shòushāng
- 암 癌症 ái zhèng
- 백혈병 白血病 bái xuè bìng
- 가슴 胸 xiōng
- 간 肝 gān
- 가래 痰 tán
- 겨드랑이 夹肢窝 gā zhi wō
- 귀 耳朵 ěr duo
- 근육 肌肉 jī ròu
- 눈 眼睛 yǎn jing
- 눈꺼풀 眼皮 yǎn pí
- 눈물 眼泪 yǎn lèi
- 다리 腿 tuǐ
- 대변 大便 dà biàn
- 두뇌 头脑 tóu nǎo
- 등 背 bèi
- 머리 头 tóu
- 목 喉咙, 嗓子, 咽喉 hóu lóng, sǎng zi, yān hóu
- 몸 身体 shēn tǐ
- 무릎 膝盖 xī gài
- 발 脚 jiǎo
- 배 肚子 dù zi
- 식욕 食欲 shí yù
- 식이 요법 饮食疗法 yǐn shí liáo fǎ
- 사스(SARS) 非典, 非典型肺炎 fēi diǎn, fēi diǎnxíng fèi yán
- 전염병 传染病 chuán rǎn bìng
- 전염병 발생 상황 疫情 yì qíng
- 감염 感染 gǎn rǎn
- 격리 隔离 gé lí
- 격리 치료 隔离治疗 gé lí zhì liáo
- 마스크 口罩 kǒu zhào
- 내과 内科 nèi kē
- 감기 感冒 gǎn mào
- 유행성 감기 流感 liú gǎn
- B형 간염 乙肝 yǐ gān
- 위장병 胃病 wèi bìng

- 위암 胃癌 wèi ái
- 위경련 胃痉挛 wèi jìng luán
- 위궤양 胃溃疡 wèi kuì yáng
- 소화 불량 消化不良 xiāo huà bù liáng
- 폐렴 肺炎 fèi yán
- 설사 拉肚子 lā dù zi
- 변비 便秘 biàn mì
- 기침을 하다 咳嗽 ké sou
- 마른기침 干咳 gān ké
- 외과 外科 wài kē
- 골절 骨折 gǔ zhé
- 탈구 脱臼 tuō jiù
- 화상 烧伤, 烫伤 shāoshāng tàngshāng
- 타박상 碰伤 pèngshāng
- 창상 划伤, 创伤 huá shāng chuāngshāng
- 허리 디스크 腰椎间盘 yāo zhuī jiān pán
- 뇌출혈 脑出血 nǎo chū xuè
- 뇌진탕 脑振荡 nǎo zhèndàng
- 신경통 神经痛 shén jīng tòng
- 간질 癫痫 diànxián
- 안과 眼科 yǎn kē
- 안경 眼镜 yǎn jìng
- 안경 도수 眼镜度数 yǎn jìng dù shù
- 콘택트렌즈 隐形眼镜 yǐn xíng yǎn jìng
- 라식수술(LASIK) 激光视力矫正 jī guāng shì lì jiǎo zhèng
- 원시 远视 yuǎn shì
- 근시 近视 jìn shì
- 난시 散光 sǎn guāng
- 각막 角膜 jiǎo mó
- 각막염 角膜炎 jiǎo mó yán
- 눈곱 眼屎 yǎn shǐ
- 색맹 色盲 sè máng
- 이비인후과 耳鼻喉科, 耳鼻科 ěr bí hóu kē ěr bí kē
- 비염 鼻炎 bí yán
- 중이염 中耳炎 zhōng ěr yán
- 콧물 鼻涕 bí tì
- 축농증 鼻窦炎 bí dòu yán
- 알레르기성 비염 过敏性鼻炎 guò mǐn xìng bí yán
- 치과 牙科 yá kē
- 구강과 口腔科 kǒu qiāng kē
- 구취 口臭 kǒu chòu
- 충치 蛀牙 zhù yá
- 스케일링 洗牙 xǐ yá
- 잇몸 牙龈 yá yín
- 유치 乳牙 rǔ yá
- 앞니 门牙 mén yá
- 송곳니 犬牙, 尖牙 quǎn yá jiān yá
- 어금니 磨牙, 板牙, 盘牙, 臼齿 mó yá bǎn yá pán yá jiù chǐ
- 사랑니 智牙, 智齿 zhì yá zhì chǐ
- 의치 假牙, 义齿 jiǎ yá yì chǐ
- 치아 교정 整牙 zhěng yá
- 이를 뽑다 拔牙 bá yá
- 잇몸이 아프다 牙龈痛 yá yín tòng
- 산부인과 妇科, 妇产科 fù kē fù chǎn kē
- 월경 例假, 月经 lì jià yuè jīng
- 임신 怀孕, 妊娠 huái yùn rèn shēn
- 출산 예정일 预产期 yù chǎn qī
- 자궁 子宫 zǐ gōng
- 자궁암 子宫癌 zǐ gōng ái
- 유방 乳房 rǔ fáng

- 유산 流产 liú chǎn
- 조산 早产 zǎo chǎn
- 불임 수술 不孕手术 bú yùn shǒu shù
- 시험관 아기 试管婴儿 shì guǎnyīng ér
- 피임 避孕 bì yùn
- 임산부 孕妇 yùn fù
- 입덧 妊娠呕吐 rèn shēn ǒu tù
- 임신 중독증(부종) 妊娠水肿 rèn shēn shuǐzhǒng
- 불임증 不孕症 bú yùn zhèng
- 유선염 乳腺炎 rǔ xiàn yán
- 제왕 절개 수술 剖腹产, 剖宫产 pōu fù chǎn, pōu gōngchǎn
- 소아과 儿科 ér kē
- 인큐베이터 保育器, 早产儿保育器 bǎo yù qì, zǎo chǎn ér bǎo yù qì
- 경기 抽风 chōufēng
- 비뇨기과 泌尿科 mì niào kē
- 조루증 早泄病 zǎo xiè bìng
- 전립선 비대 前列腺增生, 前列腺肥大 qián liè xiànzēngshēng, qián liè xiàn féi dà
- 전립선암 前列腺癌 qián liè xiàn ái
- 신장 肾脏 shènzàng
- 방광 膀胱 pángguāng
- 요도 尿道 niào dào
- 고환 睾丸 gāo wán
- 음경 阴茎 yīn jīng
- 생식기 生殖器 shēng zhí qì
- 성병 性病 xìngbìng
- 매독 梅毒 méi dú
- 임질 淋病 lìn bìng
- 에이즈 艾滋病 ài zī bìng
- 정신과 精神科 jīng shén kē
- 스트레스 压力 yā lì
- 불면증 失眠症 shī miánzhèng
- 수면제 安眠药 ān mián yào
- 신경과민 神经过敏 shénjīng guò mǐn
- 피부과 皮肤科 pí fū kē
- 피부병 皮肤病 pí fū bìng
- 습진 湿诊 shī zhěn
- 피부염 皮炎 pí yán
- 부스럼 疙瘩 gē da
- 기미 黑斑 hēi bān
- 주근깨 雀斑 què bān
- 무좀 脚癣, 脚气 jiǎo xuǎn, jiǎo qì
- 체선 体癣 tǐ xuǎn
- 손무좀 手癣 shǒuxuǎn
- 어루러기 花斑癣 huā bān xuǎn
- 연고 乳膏, 软膏 rǔ gāo, ruǎn gāo
- 재발 复发 fù fā
- 고질병 痼疾 gù jí
- 진균 真菌 zhēn jūn
- 중의, 한의 中医 zhōng yī
- 침과 뜸 针灸 zhēn jiǔ
- 한약 中药, 中成药 zhōng yào, zhōngchéng yào
- 한약재 中草药 zhōng cǎo yào
- 한약을 짓다 抓药 zhuā yào
- 약을 달이다 熬药 áo yào
- 어혈 淤血 yū xuè

20 취업과 근무

就业与工作 JIUYE YU GONGZUO

1 구 직 求职 qiú zhí

졸업을 앞둔 대학생이라면 누구나 좋은 직장에 취업을 하고 싶은 소망이 있을 것이다. 하지만 경쟁이 치열한 사회에서 다른 경쟁자들을 물리치고 취업에 성공하기란 그리 쉬운 일이 아니다. 그러므로 구직 서류를 준비하는데 있어서도 하나하나 정성을 들여야 한다. 구직 서류에는 대개 이력서(简历 jiǎnlì), 자기 소개서(自荐书 zìjiànshū), 추천서(推荐信 tuījiànxìn), 성적 증명서(成绩单 chéngjìdān), 그리고 각종 자격증 사본(证书复印件 zhèngshū fùyìnjiàn) 등이 포함된다.

기 본 대 화

A: 你好, 这里是国际贸易人事部。
nǐ hǎo zhè li shì guó jì mào yì rén shì bù

B: 我在报纸上看到了贵公司的招聘广告, 不知道现在还招不招人?
wǒ zài bào zhǐ shang kàn dào le guì gōng sī de zhāo pìn guǎng gào bù zhī dào xiàn zài hái zhāo bu zhāo rén

A: 您要应聘什么职位?
nín yào yìng pìn shén me zhí wèi

B: 我想应聘秘书。
wǒ xiǎng yìng pìn mì shū

A: 那请您先把个人简历及其他相关资料寄来一份, 好吗?
nà qǐng nín xiān bǎ gè rén jiǎn lì jí qí tā xiāng guān zī liào jì lái yí fèn hǎo ma

B: 好的, 谢谢。
hǎo de xiè xie

A: 안녕하세요, 국제 무역 인사부입니다.
B: 신문에서 귀사의 모집 광고를 보았는데, 아직도 모집하고 있습니까?
A: 어떤 직위에 지원하려 하십니까?
B: 비서직에 지원하려 합니다.
A: 그러면 우선 이력서와 기타 관련 자료 1부씩을 보내 주시겠습니까?
B: 네 알겠습니다. 감사합니다.

---

* 중국에서 经理 jīnglǐ라는 직책은 한 기업이나 부서의 책임자를 말한다. 이를 세분하여 한 부서의 책임자는 部门经理 bùmén jīnglǐ라고 하며, 사장은 总经理 zǒngjīnglǐ, 부사장은 副总经理 fùzǒngjīnglǐ라 하기도 한다.

여러 가지 활용

Ⅰ. 일자리 찾기　找工作
zhǎo gōng zuò

- 저는 지금 여기저기 일자리를 찾아다니고 있어요.
  我正在到处找工作呢。
  wǒ zhèng zài dào chù zhǎo gōng zuò ne

- 그는 직장을 구하기 위해 동분서주하고 있어요.
  他为了找工作, 正在东奔西跑。
  tā wèi le zhǎo gōng zuò zhèng zài dōng bēn xī pǎo

- 자신의 마음에 드는 일을 찾기가 정말 힘드네요.
  找一个自己喜欢的工作真难呀。
  zhǎo yí ge zì jǐ xǐ huan de gōng zuò zhēn nán ya

- 지저분하고 힘든 일은 안하고 싶어요.
  不想干又脏又累的活儿。
  bù xiǎng gàn yòu zāng yòu lèi de huór

▶ 취직 부탁　请求介绍工作
qǐng qiú jiè shào gōng zuò

- 곧 졸업하는데 제게 일자리 좀 소개해 주시겠습니까?
  我快毕业了, 您能给我介绍一份工作吗?
  wǒ kuài bì yè le nín néng gěi wǒ jiè shào yí fèn gōng zuò ma

- 적당한 일자리가 있으면 저에게 좀 소개시켜 주세요.
  如果有合适的工作, 请介绍给我。
  rú guǒ yǒu hé shì de gōng zuò qǐng jiè shào gěi wǒ

- 좋은 직장이 있으면 잊지 말고 저에게 좀 소개해 주십시오.
  如果有比较好的工作, 请记着给我介绍一个。[1)]
  rú guǒ yǒu bǐ jiào hǎo de gōng zuò qǐng jì zhe gěi wǒ jiè shào yí ge

▶ 인맥을 통한 구직　凭关系求职[2)]
píng guān xì qiú zhí

- 그는 연줄을 통해 그 회사에 들어갔어요.
  他通过关系进了那家公司。[3)]
  tā tōng guò guān xì jìn le nà jiā gōng sī

---

1) 请记着～ qǐng jì zhe: 기억하셨다가 ～해 주세요. 잊지 마시고 ～해 주세요.
2) 凭 píng: 기대다. 의존하다. 의거하다.
3) 家 jiā: 여기서는 量词 liàngcí(양사: 사물의 수량을 나타내는 단위)로 쓰임.

• 그의 부모가 고급 간부라서 그는 뒷문으로 들어왔어요.
他的父母是高级干部，所以他走后门儿进来的。[4)]
tā de fù mǔ shì gāo jí gàn bù suǒ yǐ tā zǒu hòu ménr jìn lái de

• 그는 인맥을 통해서 취직했어요.
他走关系找到的工作。[5)]
tā zǒu guān xì zhǎo dào de gōng zuò

• 그가 취직할 수 있었던 것은 그의 부친이 그 회사에 아는 사람이 있었기 때문이야.
他能找到工作是因为他爸爸在那个公司有认识的人。
tā néng zhǎo dào gōng zuò shì yīn wèi tā bà ba zài nà ge gōng sī yǒu rèn shi de rén

Ⅱ. 면접시험 面试
miàn shì

▶ 면접시험 준비 准备面试
zhǔn bèi miàn shì

• 면접시험에서는 인상이 아주 중요해요.
在面试的时候，印象是非常重要的。
zài miàn shì de shí hou yìn xiàng shì fēi cháng zhòng yào de

• 면접할 때는 장점을 드러내고 단점을 가리도록 주의하세요.
面试时，要注意扬长避短。[6)]
miàn shì shí yào zhù yì yáng cháng bì duǎn

• 면접할 때는 옷차림이 격식에 맞아야 합니다.
面试时，你的穿着要得体。[7)]
miàn shì shí nǐ de chuān zhuó yào dé tǐ

• 치장은 너무 요란하게 하지 말고 적당히 하세요.
打扮要不媚不俗，恰当适宜。[8)]
dǎ ban yào bú mèi bù sú qià dàng shì yí

• 긴장할 것 없어, 자신감을 가지고 면접을 보라구.
不要紧张，满怀信心地去面试。
bú yào jǐn zhāng mǎn huái xìn xīn de qù miàn shì

---

4) 走后门儿 zǒuhòuménr: 우리말에도 "뒷문으로 들어가다"는 말이 있듯이 중국어에도 비정상적인 수법으로 들어가는 경우를 이렇게 말한다.

5) 关系 guānxi: 중국어에서 关系 guānxi라 함은 사람 사이의 관계, 특히 '인맥', '연줄'을 가리키는 경우가 많다.

6) 扬长避短 yáng cháng bì duǎn: "장점은 드러내고 단점은 가린다".

7) 得体 détǐ: (언어나 행동 등이) 자신의 신분에 잘 어울리는 것을 말함.

8) 不媚不俗 bú mèi bù sú: 요염하거나 천박하지 않다.

지원 동기 求职动机
qiú zhí dòng jī

A: 你选择我们公司的动机是什么?
nǐ xuǎn zé wǒ men gōng sī de dòng jī shì shén me

B: 因为我认为你们公司前途可观。
yīn wèi wǒ rèn wéi nǐ men gōng sī qián tú kě guān

A: 본사를 선택한 동기는 무엇입니까?

B: 귀사의 전망이 밝다고 생각했기 때문입니다.

A: 你为什么不在以前的公司干了?
nǐ wèi shén me bú zài yǐ qián de gōng sī gàn le

B: 我想做更有创造性的工作。
wǒ xiǎng zuò gèng yǒu chuàng zào xìng de gōng zuò

A: 왜 이전의 회사를 그만 두었습니까?

B: 좀더 창의적인 일을 하고 싶었습니다.

A: 你为什么会对这个公司感兴趣?
nǐ wèi shén me huì duì zhè ge gōng sī gǎn xìng qù

B: 因为我很喜欢电脑行业。[9)]
yīn wèi wǒ hěn xǐ huan diàn nǎo háng yè

A: 어떻게 해서 이 회사에 관심을 갖게 되었습니까?

B: 컴퓨터 분야를 매우 좋아하기 때문입니다.

A: 你觉得你能胜任这份工作吗?[10)]
nǐ jué de nǐ néng shèng rèn zhè fèn gōng zuò ma

B: 我有这个自信，我相信我能。
wǒ yǒu zhè ge zì xìn wǒ xiǎng xìn wǒ néng

A: 이 일을 잘 해낼 수 있다고 생각합니까?

B: 자신 있습니다. 잘 할 수 있다고 생각합니다.

---

9) 行业 hángyè: 직업 또는 업종을 가리키는 말로서 이때 行은 háng으로 발음한다. 어떤 업종에 정통한 사람을 内行 nèiháng이라 하며, 반대로 그 방면에 문외한인 사람을 가리켜 外行 wàiháng이라 한다.

10) 胜任 shèngrèn: 맡은 소임을 잘 해내다. 능히 감당해 내다.

개인 신상 个人情况 gè rén qíng kuàng

A: 你的籍贯是哪里?
nǐ de jí guàn shì nǎ li

B: 我的籍贯是吉林省延吉市。
wǒ de jí guàn shì jí lín shěng yán jí shì

A: 본적이 어디입니까?

B: 저의 본적은 지린 성 옌지 시입니다.

A: 以前得过大病吗?
yǐ qián dé guo dà bìng ma

B: 没有, 我都很少感冒。
méi yǒu wǒ dōu hěn shǎo gǎn mào

A: 전에 큰 병에 걸린 적이 있습니까?

B: 없습니다. 저는 감기도 잘 걸리지 않습니다.

A: 你在家里排行第几?[11)]
nǐ zài jiā li pái háng dì jǐ

B: 我是老大, 我还有一个弟弟。
wǒ shì lǎo dà wǒ hái yǒu yí ge dì di

A: 형제 중에 몇째입니까?

B: 첫째입니다. 남동생이 하나 있습니다.

능력 검증 资格认证 zī gé rèn zhèng

A: 你有哪一方面的资格证书?
nǐ yǒu nǎ yì fāng miàn de zī gé zhèng shū

B: 我有会计证书。
wǒ yǒu kuài jì zhèng shū

A: 어떤 자격증을 가지고 있습니까?

B: 회계사 자격증을 가지고 있습니다.

11) 排行 páiháng: 형제자매의 항렬을 말한다.

A: 你可以用英语表达自己的意思吗?
nǐ kě yǐ yòng yīng yǔ biǎo dá zì jǐ de yì si ma
B: 可以，一般的生活英语没有问题。
kě yǐ yì bān de shēng huó yīng yǔ méi yǒu wèn tí

A: 영어로 자신의 의사를 표현할 수 있습니까?
B: 네, 일상생활 영어는 문제없습니다.

A: 你的电脑水平达到几级?
nǐ de diàn nǎo shuǐ píng dá dào jǐ jí
B: 我已经达到了二级。
wǒ yǐ jīng dá dào le èr jí

A: 컴퓨터 능력은 몇 급입니까?
B: 저는 벌써 2급입니다.

A: 你一分钟能打多少字?
nǐ yì fēn zhōng néng dǎ duō shao zì
B: 每分钟 80字左右。
měi fēn zhōng zì zuǒ yòu

A: 1분에 몇 자나 타이핑할 수 있나요?
B: 1분에 80자 정도 칩니다.

A: 你有秘书的资格证书吗?
nǐ yǒu mì shū de zī gé zhèng shū ma
B: 有，我已经获得了秘书高级证书。
yǒu wǒ yǐ jīng huò dé le mì shū gāo jí zhèng shū

A: 비서 자격증이 있습니까?
B: 네, 저는 이미 비서 고급 자격증을 가지고 있습니다.

인간관계 人际关系
rén jì guān xì

A: 你最尊敬的人是谁?
nǐ zuì zūn jìng de rén shì shéi
B: 我的小学老师，他是一个对我启发很大的人。
wǒ de xiǎo xué lǎo shī tā shì yí ge duì wǒ qǐ fā hěn dà de rén

A: 당신이 가장 존경하는 사람은 누구입니까?
B: 초등학교 선생님입니다. 그 분은 저에게 많은 것을 일깨워 주신 분입니다.

A: 你有几个好朋友?
nǐ yǒu jǐ ge hǎo péng you
B: 很多, 他们都和我亲如兄弟。
hěn duō tā men dōu hé wǒ qīn rú xiōng dì

A: 좋은 친구가 몇이나 됩니까?
B: 무척 많습니다. 모두 형제처럼 친하게 지냅니다.

A: 在生活中你与别人相处得好吗?
zài shēng huó zhōng nǐ yǔ bié rén xiāng chǔ de hǎo ma
B: 很好, 我很喜欢交朋友的。
hěn hǎo wǒ hěn xǐ huan jiāo péng you de

A: 평소 다른 사람들과 사이좋게 지냅니까?
B: 사이좋게 지냅니다. 저는 사람 사귀기를 무척 좋아합니다.

A: 在工作中, 你与同事之间发生过争执吗?[12)]
zài gōng zuò zhōng nǐ yǔ tóng shì zhī jiān fā shēng guo zhēng zhí ma
B: 几乎没有, 即使发生了矛盾也是可以和解的。
jī hū méi yǒu jí shǐ fā shēng le máo dùn yě shì kě yǐ hé jiě de

A: 일하면서 동료 간에 다툼이 있었던 적은 없었습니까?
B: 거의 없습니다. 설사 갈등이 생긴다 해도 화해할 수 있습니다.

A: 你认为在人际关系中最重要的是什么?
nǐ rèn wéi zài rén jì guān xì zhōng zuì zhòng yào de shì shén me
B: 我认为最重要的是理解与尊重。
wǒ rèn wéi zuì zhòng yào de shì lǐ jiě yǔ zūn zhòng

A: 인간관계에 있어서 무엇이 가장 중요하다고 생각합니까?
B: 이해와 존중이 가장 중요하다고 생각합니다.

12) 争执 zhēngzhí: 논쟁, 고집, 의견 충돌.

A: 你身边的人都是怎样评价你的?
nǐ shēn biān de rén dōu shì zěn yàng píng jià nǐ de

B: 他们说我是最有人缘的一个人, 因为我身边经常围着一大堆的朋友。13)
tā men shuō wǒ shì zuì yǒu rén yuán de yí ge rén yīn wèi wǒ shēn biān jīng cháng wéi zhe yí dà duī de péng you

A: 당신 주변의 사람들이 당신을 어떻게 평가합니까?

B: 붙임성이 아주 좋다고 합니다. 왜냐하면 제 주변은 늘 친구들이 둘러싸고 있거든요.

▶ 인생관 · 직업관 人生观/职业观
rén shēng guān zhí yè guān

A: 你有人生的座右铭吗?
nǐ yǒu rén shēng de zuò yòu míng ma

B: 有, 我的座右铭是"天道酬勤"。
yǒu wǒ de zuò yòu míng shì tiān dào chóu qín

A: 인생의 좌우명이 있습니까?

B: 네, 저의 좌우명은 "하늘은 스스로 돕는 자를 돕는다" 입니다.

A: 你的理想是什么?
nǐ de lǐ xiǎng shì shén me

B: 我的理想是成为一个优秀的企业家。
wǒ de lǐ xiǎng shì chéng wéi yí ge yōu xiù de qǐ yè jiā

A: 당신의 꿈은 무엇입니까?

B: 저의 꿈은 훌륭한 기업가가 되는 것입니다.

A: 你觉得求职的时候最重要的是什么?
nǐ jué de qiú zhí de shí hou zuì zhòng yào de shì shén me

B: 我觉得要按照自己的兴趣来选择工作, 这样就不会后悔。
wǒ jué de yào àn zhào zì jǐ de xìng qù lái xuǎn zé gōng zuò zhè yàng jiù bú huì hòu huǐ

13) 人缘 rényuán: 대인 관계에서 사교성, 붙임성, 인기 등이 좋은 것을 말함.

A: 직업을 구할 때 가장 중요한 것은 무엇이라고 생각합니까?
B: 자신의 적성에 맞는 직업을 선택해야 후회가 없다고 생각합니다.

A: 你的人生观是什么?
nǐ de rén shēng guān shì shén me
B: 我的人生观是'富贵不能淫, 贫贱不能移, 威武不能屈'。
wǒ de rén shēng guān shì fù guì bù néng yín pín jiàn bù néng yí wēi wǔ bù néng qū

A: 당신의 인생관은 무엇입니까?
B: 저의 인생관은 '부귀에 탐닉하지 않고, 가난에 비굴하지 않으며, 권세에 굴복하지 않는다'입니다.

A: 你做人的原则是什么?[14]
nǐ zuò rén de yuán zé shì shén me
B: 我认为最重要的是为人正直、忠诚。
wǒ rèn wéi zuì zhòng yào de shì wéi rén zhèng zhí zhōng chéng

A: 사람으로서 지켜야 할 원칙은 무엇입니까?
B: 가장 중요한 것은 정직과 성실이라 생각합니다.

취미 · 특기 爱好/特长
ài hào tè cháng

A: 你有什么爱好?
nǐ yǒu shén me ài hào
B: 我的嗜好是读书。
wǒ de shì hào shì dú shū
A: 那你一个月读几本书?
nà nǐ yí ge yuè dú jǐ běn shū
B: 大概五六本吧。
dà gài wǔ liù běn ba
A: 最近读的书当中, 你感受最深的是哪本书?
zuì jìn dú de shū dāng zhōng nǐ gǎn shòu zuì shēn de shì nǎ běn shū
B: 《邓小平传》, 他的智慧给我很多启发。
dèng xiǎo píng zhuàn tā de zhì huì gěi wǒ hěn duō qǐ fā

14) 做人 zuòrén: (올바른) 사람이 되다, 사람 구실을 하다, 처세하다, 사람 됨됨이.

A: 취미가 무엇입니까?
B: 저의 취미는 독서입니다.
A: 그럼 한 달에 몇 권 정도 읽습니까?
B: 5, 6권 정도입니다.
A: 최근에 읽은 책 중에서 가장 감명 깊었던 책은 무엇입니까?
B: <등소평 전기>입니다. 그의 지혜는 저에게 많은 것을 깨우쳐 주었습니다.

A: 你有什么特长?
nǐ yǒu shén me tè cháng
B: 写作, 我曾经在报纸上发表过几篇文章。
xiě zuò wǒ céng jīng zài bào zhǐ shang fā biǎo guo jǐ piān wén zhāng

A: 특기가 무엇입니까?
B: 글쓰기입니다. 일찍이 신문에 몇 편의 글을 발표한 적이 있습니다.

A: 你最擅长什么?
nǐ zuì shàn cháng shén me
B: 我比较擅长唱歌。
wǒ bǐ jiào shàn cháng chàng gē

A: 가장 잘하는 것이 무엇이죠?
B: 노래를 비교적 잘 부릅니다.

A: 你喜欢做运动吗?
nǐ xǐ huan zuò yùn dòng ma
B: 喜欢, 我的篮球打得特别棒。
xǐ huan wǒ de lán qiú dǎ de tè bié bàng

A: 운동을 좋아합니까?
B: 좋아합니다. 농구를 특히 잘합니다.

▶ **학창 시절 学生时期**
xué shēng shí qī

A: 你在大学的成绩怎么样?
nǐ zài dà xué de chéng jì zěn me yàng

B: 还不错，我每年都能拿到学校的奖学金。
hái bú cuò wǒ měi nián dōu néng ná dào xué xiào de jiǎng xué jīn

A: 대학에서의 성적은 어떠했습니까?
B: 좋은 편입니다. 매년 학교에서 주는 장학금을 받았습니다.

A: 你在大学时期有没有打过工？
nǐ zài dà xué shí qī yǒu méi yǒu dǎ guo gōng
B: 有，我曾经做过家教。
yǒu wǒ céng jīng zuò guo jiā jiào

A: 대학 시절에 아르바이트를 했습니까?
B: 네, 가정교사를 한 적이 있습니다.

A: 你最喜欢哪门课？[15)]
nǐ zuì xǐ huan nǎ mén kè
B: 我最喜欢数学课。
wǒ zuì xǐ huan shù xué kè

A: 가장 좋아하는 과목은 무엇입니까?
B: 수학을 가장 좋아합니다.

A: 你的毕业论文是关于什么的？
nǐ de bì yè lùn wén shì guān yú shén me de
B: 我的毕业论文是关于保护生态环境的。
wǒ de bì yè lùn wén shì guān yú bǎo hù shēng tài huán jìng de

A: 졸업 논문은 무엇에 관한 것이었습니까?
B: 저의 졸업 논문은 생태계 보호에 관한 것이었습니다.

A: 大学时期，你参加过一些社团吗？
dà xué shí qī nǐ cān jiā guo yì xiē shè tuán ma
B: 我一直在参加摄影社团。
wǒ yì zhí zài cān jiā shè yǐng shè tuán

A: 대학 시절 동아리 활동에 참여한 적이 있습니까?
B: 저는 줄곧 사진 동아리에서 활동했습니다.

---

15) 门 mén: 학문 · 기술 등의 과목을 나타내는 양사.

급여 · 복리 工资/福利
gōng zī / fú lì

A: 你期望年薪是多少?
nǐ qī wàng nián xīn shì duō shao

B: 最低三万美元。
zuì dī sān wàn měi yuán

A: 희망하는 연봉은 얼마입니까?

B: 최하 3만 달러입니다.

A: 试用期工资是多少?
shì yòng qī gōng zī shì duō shao

B: 试用期每个月1000元,转正以后每个月1500元。[16)]
shì yòng qī měi ge yuè yuán zhuǎn zhèng yǐ hòu měi ge yuè yuán

A: 실습 기간의 급여는 얼마나 됩니까?

B: 실습 기간은 매월 1000위안이고, 정식 직원이 되면 1500위안 입니다.

A: 一年奖金是多少?
yì nián jiǎng jīn shì duō shao

B: 需要按照工作的业绩划分。
xū yào àn zhào gōng zuò de yè jì huà fēn

A: 연간 보너스는 얼마나 됩니까?

B: 업무 실적에 따라서 지급됩니다.

A: 除了工资以外还有别的补贴吗?
chú le gōng zī yǐ wài hái yǒu bié de bǔ tiē ma

B: 公司会提供固定的话补和餐补。[17)]
gōng sī huì tí gōng gù dìng de huà bǔ hé cān bǔ

A: 급여 외에 또 다른 보조금이 있습니까?

B: 회사에서 일정액의 전화비 보조금과 식비 보조금을 지급합니다.

---

16) 转正 zhuǎnzhèng: 정식 직원으로 전환하다.

17) 话补 huàbǔ: 电话费的补助金 diànhuàfèi de bǔzhùjīn(전화비 보조금).
餐补 cānbǔ: 用餐的补助金 yòngcān de bǔzhùjīn(식비 보조금).

A: 员工都有哪些福利?
yuán gōng dōu yǒu nǎ xiē fú lì

B: 公司会提供三险。[18)]
gōng sī huì tí gōng sān xiǎn

A: 사원 복지에는 어떤 것이 있습니까?

B: 회사에서 3대 보험에 들어 줍니다.

A: 公司可以提供医疗保险吗?
gōng sī kě yǐ tí gōng yī liáo bǎo xiǎn ma

B: 可以, 能报销医疗费用的50%。[19)]
kě yǐ néng bào xiāo yī liáo fèi yòng de

A: 회사에 의료 보험 혜택이 있습니까?

B: 네, 의료비의 50%가 보조됩니다.

A: 我们公司得常常加夜班, 你能行吗?
wǒ men gōng sī děi cháng cháng jiā yè bān nǐ néng xíng ma

B: 没有问题。
méi yǒu wèn tí

A: 우리 회사는 자주 야근을 하는데 괜찮습니까?

B: 문제없습니다.

A: 女职员升职的机会和男职员一样多吗?[20)]
nǚ zhí yuán shēng zhí de jī huì hé nán zhí yuán yí yàng duō ma

B: 一样, 这要根据个人的能力来决定。
yí yàng zhè yào gēn jù gè rén de néng lì lái jué dìng

A: 여직원의 승진 기회는 남직원과 같습니까?

B: 같습니다. 개인의 능력에 따라 결정됩니다.

---

18) 三险 sānxiǎn: 医疗保险 yīliáo bǎoxiǎn(의료 보험), 养老保险 yǎnglǎo bǎoxiǎn(양로보험), 失业保险 shīyè bǎoxiǎn(실업 보험)을 말함.

19) 报销 bàoxiāo: 발생한 비용을 청구하여 정산을 받는 것을 말함.

20) 升职 shēngzhí: 승진하다, 진급하다.

Ⅲ. 면접 결과 面试结果
miàn shì jié guǒ

A: 小胡, 面试怎么样?
xiǎo hú miàn shì zěn me yàng
B: 哎呀, 别提了。[21] 紧张得让我连气儿都喘不过来了。
āi yā bié tí le jǐn zhāng de ràng wǒ lián qìr dōu chuǎn bu guò lái le
A: 什么时候通知结果?
shén me shí hou tōng zhī jié guǒ
B: 不知道, 他们说如果被录取, 公司下星期会发通知。
bù zhī dào tā men shuō rú guǒ bèi lù qǔ gōng sī xià xīng qī huì fā tōng zhī

A: 샤오후, 면접은 어땠어?
B: 아유, 말도 마. 긴장해서 숨도 제대로 쉬지 못했어.
A: 결과는 언제 통지해 준대?
B: 모르겠어. 합격이 되면 다음 주에 회사에서 통지해 주겠대.

- 면접시험 결과는 언제쯤 통지해 줍니까?
面试的结果什么时候通知?
miàn shì de jié guǒ shén me shí hou tōng zhī
- 전화로 면접 결과를 확인할 수 있습니까?
可以用电话确认一下面试结果吗?
kě yǐ yòng diàn huà què rèn yí xià miàn shì jié guǒ ma
- 면접 결과는 3일 후에 회사의 홈페이지에 발표합니다.
面试结果三天之后在我们公司的网站上公布。
miàn shì jié guǒ sān tiān zhī hòu zài wǒ men gōng sī de wǎng zhàn shang gōng bù

▶ 합격 录取
lù qǔ

A: 考试的最终结果怎么样?
kǎo shì de zuì zhōng jié guǒ zěn me yàng
B: 还好, 过关了, 谢谢你的关心。[22]
hái hǎo guò guān le xiè xie nǐ de guān xīn

A: 시험 최종 결과는 어땠어?
B: 다행히 합격했어. 마음 써 줘서 고마워.

---

21) 别提了 bié tí le: '언급하지 마라', '말도 꺼내지 마라'의 뜻으로 흔히 어기를 강조함.

- 숱한 난관을 극복하고 결국 해냈구나.
  过五关斩六将，你终于胜利了。[23)]
  guò wǔ guān zhǎn liù jiàng nǐ zhōng yú shèng lì le
- 드디어 취직을 했어요!
  终于找到工作了！
  zhōng yú zhǎo dào gōng zuò le
- 취직을 축하하며, 건배!
  祝贺你找到工作，干杯！
  zhù hè nǐ zhǎo dào gōng zuò gān bēi
- 순조롭게 취직이 된 것을 정말 축하해.
  衷心地祝贺你顺利找到工作。
  zhōng xīn de zhù hè nǐ shùn lì zhǎo dào gōng zuò

▶ **불합격 未被录取**
wèi bèi lù qǔ

- 아마도 불합격인가 봐. 아직 소식이 없어.
  好像我没有被录取，到现在还没有消息。
  hǎo xiàng wǒ méi yǒu bèi lù qǔ dào xiàn zài hái méi yǒu xiāo xi
- 경쟁이 너무 치열했어. 이번에도 떨어졌어.
  竞争真激烈啊，这次我又被刷下来了。[24)]
  jìng zhēng zhēn jī liè a zhè cì wǒ yòu bèi shuā xià lái le
- 한 번 실패했다고 낙심하지는 마. 기회는 또 있으니까.
  不要因为一次的失败而灰心丧气，以后还有机会。[25)]
  bú yào yīn wèi yí cì de shī bài ér huī xīn sàng qì yǐ hòu hái yǒu jī huì
- 회사가 요구하는 중국어 수준에 미달이어서 떨어졌어요.
  我没有达到公司要求的汉语标准，所以未被录取。
  wǒ méi yǒu dá dào gōng sī yāo qiú de hàn yǔ biāo zhǔn suǒ yǐ wèi bèi lù qǔ
- 장애인은 취업할 때 입장이 매우 불리해요.
  残疾人找工作时，处境很不利的。
  cán jí rén zhǎo gōng zuò shí chǔ jìng hěn bú lì de

---

22) 过关 guòguān: 관문을 통과하다, 고비를 넘다.
23) 过五关斩六将 guò wǔguān zhǎn liùjiàng: “다섯 관문을 넘고 여섯 장수를 베다”라는 뜻으로 곧 숱한 난관을 극복해 냄을 일컫는 성어(成语chéngyǔ).
24) 刷下来 shuāxiàlái: 여기서 刷 shuā는 시험이나 경선 등에서 ‘떨어지다’라는 뜻.
25) 灰心丧气 huī xīn sàng qì: 상심하다. 낙심하다. 의기소침하다.

2 출 퇴 근

上下班
shàng xià bān

아침저녁으로 출퇴근 시간이면 중국의 거리에서는 활기찬 자전거의 행렬을 볼 수 있다. 출근길에 자녀를 학교나 유치원으로 데려다 주기 위해 뒷자리에 어린이를 싣고 가는 사람, 한 손으로 사오빙(烧饼 shāobǐng)을 먹으며 부지런히 달려가는 사람, 부부나 친구끼리 사이좋게 나란히 달리며 대화를 나누는 사람 등 정겨운 모습도 많다. 그러나 가속되는 현대화로 인해 이제는 점점 오토바이(摩托车 mótuōchē)도 많아지고, 전철·버스 등의 교통수단을 이용하거나 자가용(私人轿车 sīrén jiàochē) 출퇴근도 갈수록 늘어나고 있는 상황이다.

기 본 대 화

A: 今天怎么没看见金科长? 他上班了吗?
jīn tiān zěn me méi kàn jiàn jīn kē zhǎng tā shàng bān le ma

B: 他来了, 但是有事出去了。
tā lái le dàn shì yǒu shì chū qù le

A: 是吗? 他回来的话, 让他到我办公室来一下。
shì ma tā huí lái de huà ràng tā dào wǒ bàn gōng shì lái yí xià

B: 好的。
hǎo de

A: 오늘 김 과장이 안 보이네요. 출근했습니까?
B: 출근은 했는데 일이 있어서 나갔습니다.
A: 그래요? 돌아오면 내 사무실로 좀 들어오라고 해요.
B: 알겠습니다.

여러 가지 활용

Ⅰ. 출근 上班
shàng bān

▶ **교통수단** 交通工具
jiāo tōng gōng jù

A: 你平时怎么上班?
nǐ píng shí zěn me shàng bān

B: 我一般开车上班。
wǒ yì bān kāi chē shàng bān

A: 평상시 어떻게 출근하세요?
B: 보통 제가 운전해서 출근합니다.

- 자전거로 출근합니다.
  骑自行车上班。
  qí zì xíng chē shàng bān

- 제 차로 출근합니다.
  开自己的车上班。
  kāi zì jǐ de chē shàng bān

- 회사가 집에서 가까워 늘 걸어서 출근하고 있습니다.
  公司离家很近，所以我一直都是走着上班。
  gōng sī lí jiā hěn jìn suǒ yǐ wǒ yì zhí dōu shì zǒu zhe shàng bān

- 회사의 통근 버스를 타고 다닙니다.
  乘公司的班车上班。[1]
  chéng gōng sī de bān chē shàng bān

- 많은 사람들이 매일 지하철을 타고 출근합니다.
  许多人每天乘地铁上班。
  xǔ duō rén měi tiān chéng dì tiě shàng bān

- 버스로 출근하는데 차가 막힐 때면 정말 골치가 아파요.
  坐公共汽车上班，但是堵车的时候还真让人头疼。
  zuò gōng gòng qì chē shàng bān dàn shì dǔ chē de shí hou hái zhēn ràng rén tóu téng

▶ **출근 시간 上班时间**
shàng bān shí jiān

A: 你上班需要多长时间?
nǐ shàng bān xū yào duō cháng shí jiān

B: 大约一个小时吧。
dà yuē yí ge xiǎo shí ba

A: 출근하는 데 시간이 얼마나 걸립니까?

B: 대략 1시간 정도 걸립니다.

- 몇 시까지 출근합니까?
  到几点上班?
  dào jǐ diǎn shàng bān

- 아침에 몇 시에 집을 나섭니까?
  早上大约几点从家里出来?
  zǎo shang dà yuē jǐ diǎn cóng jiā li chū lái

---

1) 班车 bānchē: 통근 버스, 셔틀버스 등 정기적으로 운행하는 차량.

• 저는 매일 아주 일찍 출근해요.
我每天上班都很早。
wǒ měi tiān shàng bān dōu hěn zǎo

• 출근 시간이 고정되어 있지 않아요.
没有固定的上班时间。
méi yǒu gù dìng de shàng bān shí jiān

▶ **출근 소요 시간 上班所需时间**
shàng bān suǒ xū shí jiān

• 집에서 회사까지 얼마나 멀어요?
你家离公司有多远?
nǐ jiā lí gōng sī yǒu duō yuǎn

• 자동차로 5분밖에 안 걸립니다.
开车五分钟就到了。
kāi chē wǔ fēn zhōng jiù dào le

• 회사가 바로 앞이에요. 잠깐이면 도착할 수 있어요.
公司就在前面, 一会儿就能到。
gōng sī jiù zài qián mian yí huìr jiù néng dào

• 외곽으로 이사한 후로는 출근 시간이 두 배로 늘었어요.
自从搬到郊区以后, 上班得花原来两倍的时间。[2)]
zì cóng bān dào jiāo qū yǐ hòu shàng bān děi huā yuán lái liǎng bèi de shí jiān

Ⅱ. 퇴근 下班
xià bān

A: 小张, 工作都完成了吗?
xiǎo zhāng gōng zuò dōu wán chéng le ma

B: 还差一点儿, 等做完了我再走。
hái chà yì diǎnr děng zuò wán le wǒ zài zǒu

A: 已经过下班时间了, 明天再接着做吧。
yǐ jīng guò xià bān shí jiān le míng tiān zài jiē zhe zuò ba

A: 샤오장, 일 다 끝났습니까?
B: 아직 조금 남았습니다. 다 끝내고 가겠습니다.
A: 이미 퇴근 시간도 넘었는데, 내일 다시 합시다.

A: 你一般几点下班?
nǐ yì bān jǐ diǎn xià bān

B: 不忙的时候我六点下班。
bù máng de shí hou wǒ liù diǎn xià bān

2) 花 huā: 여기서는 '소비하다', '소모하다'라는 뜻의 동사로 쓰임.

A: 보통 몇 시에 퇴근합니까?
B: 바쁘지 않으면 6시에 퇴근합니다.

- 퇴근합니다.
  下班了。
  xià bān le

- 내일 계속합시다.
  明天再继续做吧。
  míng tiān zài jì xù zuò ba

- 자, 책상을 정리하고 퇴근합시다.
  好, 收拾一下桌子, 下班吧。
  hǎo shōu shi yí xià zhuō zi xià bān ba

- 왜 아직도 퇴근 안 했어요?
  怎么还没下班呢?
  zěn me hái méi xià bān ne

- 아직 일이 끝나지 않아서 못 가겠네요.
  现在还没做完呢, 还不能走。
  xiàn zài hái méi zuò wán ne hái bù néng zǒu

Ⅲ. 지각 · 조퇴 迟到/早退
chí dào zǎo tuì

A: 对不起, 我迟到了。
duì bu qǐ wǒ chí dào le
B: 怎么回事?
zěn me huí shì
A: 睡过头了, 所以没赶上班车。
shuì guò tóu le suǒ yǐ méi gǎn shàng bān chē
B: 下回注意点儿。
xià huí zhù yì diǎnr

A: 죄송합니다. 늦었습니다.
B: 어떻게 된 거예요?
A: 늦잠을 자서 통근 버스를 놓쳤습니다.
B: 앞으로는 주의하세요.

▶ 지각 迟到
chí dào

- 왜 늦었어요?
  为什么迟到?
  wèi shén me chí dào

- 늦은 이유가 뭡니까?
  迟到的理由是什么?
  chí dào de lǐ yóu shì shén me

- 지각한 이유를 분명하게 말해 보세요.
  请你明确地说一下迟到的理由。
  qǐng nǐ míng què de shuō yí xià chí dào de lǐ yóu

- 늦어서 정말 죄송합니다.
  我迟到了, 真对不起。
  wǒ chí dào le zhēn duì bu qǐ

- 다시는 늦지 않겠습니다.
  我再也不会迟到了。
  wǒ zài yě bú huì chí dào le

- 길이 막혀서 늦었습니다.
  路上塞车, 所以迟到了。[3)]
  lù shang sāi chē suǒ yǐ chí dào le

- 그는 지각을 밥 먹듯 한답니다.
  他迟到就像吃便饭一样。
  tā chí dào jiù xiàng chī biàn fàn yí yàng

- 그도 지각할 때가 있군요.
  他也会迟到啊。
  tā yě huì chí dào a

- 오늘 아침 5분 지각했어요.
  今天早上, 迟到了5分钟。
  jīn tiān zǎo shang chí dào le fēn zhōng

- 이번 한 번은 봐주지만 다음엔 절대 지각하지 마세요.
  这次迟到了就原谅你一次,下次你绝对不能再犯。
  zhè cì chí dào le jiù yuán liàng nǐ yí cì xià cì nǐ jué duì bù néng zài fàn

- 회사에 늦지 않도록 아침 일찍 집을 나옵니다.
  早上为了不迟到, 我很早就从家里出发了。
  zǎo shang wèi le bù chí dào wǒ hěn zǎo jiù cóng jiā li chū fā le

---

3) 塞는 多音字 duōyīnzì로서 '막다'의 뜻으로 쓰일 때는 sāi 혹은 sè로 발음되며, '변경' '요새'의 뜻으로 쓰일 때는 sài로 발음된다. 예) 塞车 sāichē(교통 체증), 堵塞 dǔsè(막히다), 要塞 yàosài(요새).

- 매일 그 몇 사람이 지각해요.
  天天都是那几个人迟到。
  tiān tiān dōu shì nà jǐ ge rén chí dào

- 일이 있어서 좀 늦게 갈 것 같습니다.
  我有点儿事情, 可能会晚点儿过去。
  wǒ yǒu diǎnr shì qing kě néng huì wǎn diǎnr guò qù

- 본사에 들러야 하므로 좀 늦게 출근하겠습니다.
  我要去一趟总公司, 所以可能会晚点儿上班。
  wǒ yào qù yí tàng zǒng gōng sī suǒ yǐ kě néng huì wǎn diǎnr shàng bān

▶ **조퇴** 早退
zǎo tuì

- 몸이 불편해서 조퇴하겠습니다.
  我不舒服, 先下班了。
  wǒ bù shū fu xiān xià bān le

- 어디 안 좋은 것 같은데, 불편하면 일찍 퇴근하도록 해요.
  我看你不对劲儿, 不舒服的话, 你就先下班吧。
  wǒ kàn nǐ bú duì jìnr bù shū fu de huà nǐ jiù xiān xià bān ba

- 일이 있어서 3시간 일찍 조퇴하고 싶습니다.
  我有事, 想提前三个小时下班。
  wǒ yǒu shì xiǎng tí qián sān ge xiǎo shí xià bān

Ⅳ. 결근 旷工
kuàng gōng

A: 我得了重感冒, 今天不能上班了, 非常抱歉。
wǒ dé le zhòng gǎn mào jīn tiān bù néng shàng bān le fēi cháng bào qiàn
B: 没事儿, 你好好儿休息。希望你早日康复。
méi shìr nǐ hǎo hāor xiū xi xī wàng nǐ zǎo rì kāng fù
A: 谢谢, 我会尽早上班的。
xiè xie wǒ huì jìn zǎo shàng bān de

A: 감기가 심해서 오늘 출근하지 못하겠습니다. 죄송합니다.
B: 괜찮으니 푹 쉬도록 해요. 빨리 회복하도록 하고.
A: 감사합니다. 되도록 빨리 출근하겠습니다.

- 그는 오늘 결근을 했어요.
  今天他旷工了。
  jīn tiān tā kuàng gōng le

- 그는 사전에 말도 없이 멋대로 결근을 했어요.
  他没有提前跟公司请假就私自不来。
  tā méi yǒu tí qián gēn gōng sī qǐng jià jiù sī zì bù lái

- 어제 일은 특수 상황이라 봐주지만, 다음에는 예외 없을 줄 아세요.
  你昨天的就按特殊情况处理，但是记住下不为例。
  nǐ zuó tiān de jiù àn tè shū qíng kuàng chǔ lǐ dàn shì jì zhù xià bù wéi lì

- 그가 무단결근을 했다니, 이건 심각한 규율 위반입니다.
  他没请假就旷工了，这是严重违反纪律的。
  tā méi qǐng jià jiù kuàng gōng le zhè shì yán zhòng wéi fǎn jì lǜ de

- 샤오진이 3일이나 결근이네요. 무슨 일이 있는 것 아닐까요?
  小金已经旷工了三天，会不会出了什么事?
  xiǎo jīn yǐ jīng kuàng gōng le sān tiān huì bu huì chū le shén me shì

V. 휴가 休假
xiū jià

- 출산 휴가는 며칠을 줍니까?
  产假给几天?
  chǎn jià gěi jǐ tiān

- 우리 회사는 병가를 최대 며칠이나 받을 수 있습니까?
  在我们公司病假最多给几天?
  zài wǒ men gōng sī bìng jià zuì duō gěi jǐ tiān

- 당신은 언제부터 휴가입니까?
  你从什么时候开始休假?
  nǐ cóng shén me shí hou kāi shǐ xiū jià

- 개인 사정으로 이틀간 휴가를 내고 싶습니다.
  因私事，我想请两天假。
  yīn sī shì wǒ xiǎng qǐng liǎng tiān jià

- 다음 주에 이틀간 연휴를 갖게 됩니다.
  下周我可以连休两天。
  xià zhōu wǒ kě yǐ lián xiū liǎng tiān

- 그는 병이 나서 병가를 냈습니다.
  他病了，所以请了病假。
  tā bìng le suǒ yǐ qǐng le bìng jià

- 회사가 요즘 일이 바빠서 전 직원 모두 휴가를 갈 수 없습니다.
  公司近来业务繁忙，所以全部职员都不能休假。
  gōng sī jìn lái yè wù fán máng suǒ yǐ quán bù zhí yuán dōu bù néng xiū jià

• 휴가 기간에도 당연히 월급이 지급됩니다.
休假期间当然也有工资了。
xiū jià qī jiān dāng rán yě yǒu gōng zī le

Ⅵ. 근무 시간 工作时间
gōng zuò shí jiān

A: 工作时间是几点到几点?
gōng zuò shí jiān shì jǐ diǎn dào jǐ diǎn

B: 周一至周五从早上八点到下午五点, 双休日就休息了。[4)]
zhōu yī zhì zhōu wǔ cóng zǎo shang bā diǎn dào xià wǔ wǔ diǎn shuāng xiū rì jiù xiū xi le

A: 근무 시간은 몇 시부터 몇 시까지입니까?

B: 월요일부터 금요일까지 아침 8시부터 오후 5시까지 근무하고, 토·일요일은 쉽니다.

• 하루에 몇 시간 일합니까?
一天上几个小时班?
yì tiān shàng jǐ ge xiǎo shí bān

• 저희 회사는 주 5일 근무입니다.
我们公司是一周上5天班。
wǒ men gōng sī shì yì zhōu shàng tiān bān

• 저희는 격주로 토요일에는 쉽니다.
我们隔一周的星期六休息。
wǒ men gé yì zhōu de xīng qī liù xiū xi

• 하루 평균 8시간 근무합니다.
一天平均工作8个小时。
yì tiān píng jūn gōng zuò ge xiǎo shí

• 점심시간은 몇 시간이죠?
中午休息几个小时?
zhōng wǔ xiū xi jǐ ge xiǎo shí

▶ 연장 근무 加班
jiā bān

• 주문이 많을 때는 연장 근무를 해야 합니다.
订单多的时候要加班。
dìng dān duō de shí hou yào jiā bān

---

4) 双休日 shuāngxiūrì: 중국의 주 5일 근무제에 따른 토·일요일 연휴를 말한다.

- 오늘 밤에도 연장 근무를 해야 합니다.
  今天晚上也要加班。
  jīn tiān wǎn shang yě yào jiā bān

- 다하지 못한 일은 연장 근무를 해서라도 끝내야 합니다.
  没做完的事, 得加班完成。
  méi zuò wán de shì, děi jiā bān wán chéng

- 이 일은 반드시 예정 기일 내에 끝내야 하므로 모두가 연장 근무를 해야 합니다.
  这项工作一定要在预定期限内完成, 所以大家都要加班。
  zhè xiàng gōng zuò yí dìng yào zài yù dìng qī xiàn nèi wán chéng, suǒ yǐ dà jiā dōu yào jiā bān

- 일이 바쁠 때는 거의 매일 2~3시간 연장 근무를 합니다.
  业务比较忙的时候, 差不多每天加班2~3个小时。
  yè wù bǐ jiào máng de shí hou, chà bu duō měi tiān jiā bān ge xiǎo shí

- 연장 근무를 하면 연장 근무 수당이 따로 있습니다.
  加班的话, 另有加班费。
  jiā bān de huà, lìng yǒu jiā bān fèi

▶ **야간 근무　夜班**
yè bān

- 늘 야간 근무를 합니까?
  常上夜班吗?
  cháng shàng yè bān ma

- 저는 오늘 야간 근무입니다.
  我今天上夜班。
  wǒ jīn tiān shàng yè bān

- 오늘도 밤을 새며 일을 해야 해요.
  今天还得熬夜上班。
  jīn tiān hái děi áo yè shàng bān

- 저희는 하루 8시간 단위로 3교대를 합니다.
  我们一天上8个小时, 倒3次班。[5)]
  wǒ men yì tiān shàng ge xiǎo shí, dǎo cì bān

---

5) 倒班 dǎobān: (작업을) 교대하다, 교대 근무를 하다.

3 사　　무　　办公 bàngōng

办公 bàngōng이란 "업무를 보다", "근무하다", "집무하다" 등의 뜻이며, 사무실을 가리켜 办公室 bàngōngshì 또는 办事室 bànshìshì라고 한다. 이밖에 OO사무소라고 할 때는 OO办公处 bàngōngchù 또는 OO办事处 bànshìchù라고 하며, 사무실이 모여 있는 건물은 办公楼 bàngōnlóu 또는 写字楼 xiězìlóu라고 한다.

기 본 대 화

A: 金小姐, 我让你做的资料怎么样了?
jīn xiǎo jiě wǒ ràng nǐ zuò de zī liào zěn me yàng le

B: 啊, 你说的是关于电脑配件的资料吧?
ā nǐ shuō de shì guān yú diàn nǎo pèi jiàn de zī liào ba

A: 是啊。
shì a

B: 不好意思, 我还没有做完。中午之前给你行吗?
bù hǎo yì si wǒ hái méi yǒu zuò wán zhōng wǔ zhī qián gěi nǐ xíng ma

A: 那个是很急的, 你最好快一点儿。
nà ge shì hěn jí de nǐ zuì hǎo kuài yì diǎnr

A: 미스 김, 부탁한 자료 어떻게 됐나요?
B: 아, 그 컴퓨터 부품에 관한 자료 말인가요?
A: 그래요.
B: 죄송해요, 아직 다 못했어요. 오전 중에 해 드리면 될까요?
A: 급한 거니까 빨리 좀 부탁해요.

여러 가지 활용

I. 업무 분담　分担业务
fēn dān yè wù

▶ 일을 부탁할 때　交代工作
jiāo dài gōng zuò

- 샤오왕, 나 대신 이 일 좀 해 줘요.
小王, 替我做一下这件事。
xiǎo wáng tì wǒ zuò yí xià zhè jiàn shì

• 이 자료 좀 타이핑해 줘요.
你帮我打一下这个资料吧。
nǐ bāng wǒ dǎ yí xià zhè ge zī liào ba

• 나 좀 도와줘야 할 일이 있는데.
我有事请你帮忙。
wǒ yǒu shì qing nǐ bāng máng

• 지금 뭐 해요? 안 바쁘면 나 좀 도와줄 수 있어요?
现在做什么呢? 不忙的话, 能帮我个忙吗?
xiàn zài zuò shén me ne bù máng de huà néng bāng wǒ ge máng ma

• 샤오리, 이 서식을 판매부에 갖다 줘요.
小李, 麻烦你把这张表送给销售部。
xiǎo lǐ má fan nǐ bǎ zhè zhāng biǎo sòng gěi xiāo shòu bù

▶ 일을 재촉할 때 催促做事
cuī cù zuò shì

• 어제 부탁한 보고서 다 됐습니까?
昨天让你写的报告弄好了吗?[1)]
zuó tiān ràng nǐ xiě de bào gào nòng hǎo le ma

• 언제쯤 끝낼 수 있어요?
什么时候能完成?
shén me shí hou néng wán chéng

• 이 일을 서둘러 끝내도록 하세요.
这件事你赶紧做完。[2)]
zhè jiàn shì nǐ gǎn jǐn zuò wán

• 이 일은 반드시 최종 기일 안에 완성해야 해요.
这件事一定要赶在最后期限之前完成。
zhè jiàn shì yí dìng yào gǎn zài zuì hòu qī xiàn zhī qián wán chéng

• 늦어도 토요일까지는 그 자료를 다 준비해야 합니다.
最晚也要在星期六之前准备好那份材料。
zuì wǎn yě yào zài xīng qī liù zhī qián zhǔn bèi hǎo nà fèn cái liào

• 퇴근하기 전까지 그 일을 끝내세요.
在下班之前完成那件事。
zài xià bān zhī qián wán chéng nà jiàn shì

• 급한 일부터 처리하세요.
先做比较急的事。
xiān zuò bǐ jiào jí de shì

---

1) 弄 nòng은 '일을 하다'라는 뜻으로 구어체에서 많이 사용된다.
2) 赶紧 gǎnjǐn: '서둘러', '어서', '빨리' = 赶快 gǎnkuài.

- 이 일을 가능한 한 빨리 완성합시다.
  这件事尽量快点完成!
  zhè jiàn shì jǐn liàng kuài diǎn wán chéng

▶ 일의 진척을 물을 때 询问工作进程
xún wèn gōng zuò jìn chéng

- 언제 끝낼 수 있죠?
  什么时候可以完成?
  shén me shí hou kě yǐ wán chéng

- 그 공사는 어떻게 되어 가고 있어요?
  那项工程进展得怎么样?
  nà xiàng gōng chéng jìn zhǎn de zěn me yàng

- 어느 정도까지 일이 진척되었죠?
  工作进展到什么程度了?
  gōng zuò jìn zhǎn dào shén me chéng dù le

- 될 수 있는 대로 빨리 끝내겠습니다.
  尽量早日完成。
  jǐn liàng zǎo rì wán chéng

- 거의 완공되어 가고 있습니다.
  快要完工了。
  kuài yào wán gōng le

- 그 안건은 이미 처리했습니다.
  那案件已经处理完了。
  nà àn jiàn yǐ jīng chǔ lǐ wán le

- 우리는 지금 전력투구해서 그 일을 하고 있습니다.
  我们正在全力以赴做那件事。[3)]
  wǒ men zhèng zài quán lì yǐ fù zuò nà jiàn shì

- 완공되려면 아직 멀었어요.
  要等到完工, 还远着呢。
  yào děng dào wán gōng hái yuǎn zhe ne

▶ 일이 바쁠 때 工作繁忙
gōng zuò fán máng

- 오늘은 아침부터 아주 바쁘군요.
  今天从早上开始就很忙。
  jīn tiān cóng zǎo shang kāi shǐ jiù hěn máng

---

3) 全力以赴 quán lì yǐ fù: 전력을 다해 달리다. 최선을 다하다.

- 연말 대매출이 시작되어 정신없이 바쁩니다.
年末大销售一开始，我就忙得不可开交。[4)]
nián mò dà xiāo shòu yì kāi shǐ wǒ jiù máng de bù kě kāi jiāo

- 너무 바빠 다른 걸 할 틈이 없어요.
太忙了，没时间做别的。
tài máng le méi shí jiān zuò bié de

- 일이 너무 많아 밥 먹을 틈조차 없어요.
事情太多了，连吃饭的时间都没有。[5)]
shì qing tài duō le lián chī fàn de shí jiān dōu méi yǒu

- 해야 할 일이 산더미 같아요.
要做的事情一大堆。
yào zuò de shì qing yí dà duī

- 숨 돌릴 겨를도 없이 바빠요.
忙得连气都喘不过来。
máng de lián qì dōu chuǎn bu guò lái

- 무슨 일을 먼저 해야 좋을지 모르겠군요.
不知道该先做什么好。
bù zhī dào gāi xiān zuò shén me hǎo

▶ 근무 중 휴식을 취할 때 工作中的休息
gōng zuò zhōng de xiū xi

- 한숨 돌리고 나서 다시 합시다.
先歇一会儿再干吧。
xiān xiē yí huìr zài gàn ba

- 한숨 돌렸으니 다시 일을 시작합시다.
已经休息一会儿了，开始工作吧。
yǐ jīng xiū xi yí huìr le kāi shǐ gōng zuò ba

- 점심 먹고 다시 합시다.
吃完午饭后，再做吧。
chī wán wǔ fàn hòu zài zuò ba

▶ 일을 끝낸 후에 完成工作后
wán chéng gōng zuò hòu

- 결과가 어떻습니까? 마음에 드십니까?
结果怎么样？满意吗？
jié guǒ zěn me yàng mǎn yì ma

---

4) 开交 kāijiāo: 해결하다, 끝을 맺다, 관계를 끊다.
5) 连 lián~ 都 dōu~: ~ 까지도(조차도, 마저도) ~하다. = 连 lián~ 也 yě~.

- 일이 예상했던 것보다는 쉬웠어요.
  事情没有想象的复杂。
  shì qing méi you xiǎng xiàng de fù zá

- 모두가 노력한 덕분에 예상 외로 빨리 끝났어요.
  多亏大家的努力, 事情出乎意料地完成得很快。
  duō kuī dà jiā de nǔ lì shì qing chū hū yì liào de wán chéng de hěn kuài

- 하루 종일 앉아 있었더니 엉덩이가 아프네요.
  坐了一天, 连屁股都疼了。
  zuò le yì tiān lián pì gu dōu téng le

- 드디어 일이 다 끝났으니 좀 쉴 수 있겠군요.
  工作终于完成了, 可以放松一下了。
  gōng zuò zhōng yú wán chéng le kě yǐ fàng sōng yí xià le

Ⅱ. 서류 작업 做文档
zuò wén dàng

A: 这是谁做的报告?
zhè shì shéi zuò de bào gào
B: 是我做的, 怎么了?
shì wǒ zuò de zěn me le
A: 报告里缺少了下半年销售的预测分析, 你拿去再补一下吧。
bào gào li quē shǎo le xià bàn nián xiāo shòu de yù cè fēn xī nǐ ná qù zài bǔ yí xià ba

---

A: 누가 이 보고서를 작성했습니까?
B: 제가 했는데요, 왜 그러십니까?
A: 보고서에 하반기 판매 예측 분석이 빠졌어요. 가져가서 다시 해 와요.

- 이 자료는 한 페이지가 빠져 있군요.
  这份材料缺一页。
  zhè fèn cái liào quē yí yè

- 몇 군데 틀린 글자가 있어요. 가져가서 다시 고치세요.
  有一些地方有错字, 你拿回去再修改一下。
  yǒu yì xiē dì fang yǒu cuò zì nǐ ná huí qù zài xiū gǎi yí xià

- 문장이 장황한데 좀 간결하게 할 수 없어요?
  文章有些冗长, 能否简练一些呢?[6)]
  wén zhāng yǒu xiē rǒng cháng néng fǒu jiǎn liàn yì xiē ne

- 자료를 준비할 때는 좀더 신경을 쓰도록 해요.
  请你在准备资料时多花点儿心思。
  qǐng nǐ zài zhǔn bèi zī liào shí duō huā diǎnr xīn si

- 자료에 정확성이 결여되어서는 안 됩니다.
  资料不能缺乏准确性。
  zī liào bù néng quē fá zhǔn què xìng

▶ 자료 관리 资料管理
zī liào guǎn lǐ

A: 小毛, 有关上次董事会的资料存在哪儿了?
xiǎo máo yǒu guān shàng cì dǒng shì huì de zī liào cún zài nǎr le

B: 啊, 那个, 我存在"会议"的"D"项里了。
ā nà ge wǒ cún zài huì yì de xiàng li le

A: 샤오마오, 지난번 이사회에 관한 자료는 어디에 보관해 두었지?

B: 아, 그거요, "회의"의 "D"항에 넣어 두었어요.

- 누가 문서 관리를 책임지고 있죠?
  由谁负责管理文件?
  yóu shéi fù zé guǎn lǐ wén jiàn

- 그 자료들을 분류해서 정리해 두었습니까?
  那些资料分类整理好了吗?
  nà xiē zī liào fēn lèi zhěng lǐ hǎo le ma

- 영업 보고서는 어디 두었죠?
  营业报告存在哪里了?
  yíng yè bào gào cún zài nǎ li le

- 이 자료를 서류철에 철해 놓으세요.
  这份资料夹在夹子里吧。[7)]
  zhè fèn zī liào jiā zài jiā zi li ba

- 기밀 서류는 금고에 보관하세요.
  请把机密文件放在保险柜里保存吧。[8)]
  qǐng bǎ jī mì wén jiàn fàng zài bǎo xiǎn guì li bǎo cún ba

---

6) 冗长 rǒngcháng: (문장이나 말이) 쓸데 없이 길다, 장황하다.
7) 夹 jiā: 끼우다, 철하다, 집다. 夹子 jiāzi: 집게, 끼우개, 클립. = 夹儿
8) 机密 jīmì: 기밀, 극비.

Ⅲ. 보고 · 결재 报告/签名盖章

bào gào qiān míng gài zhāng

A: 早上好! 李总, 我可以进来吗?[9]
zǎo shang hǎo lǐ zǒng wǒ kě yǐ jìn lái ma

B: 可以, 进来吧。
kě yǐ jìn lái ba

A: 这是您昨天要的报告。
zhè shì nín zuó tiān yào de bào gào

B: 好, 坐吧, 我看一下。
hǎo zuò ba wǒ kàn yí xià

A: 안녕하세요 사장님, 들어가도 괜찮습니까?

B: 괜찮아요. 들어와요.

A: 어제 말씀하신 보고서입니다.

B: 자, 앉아요. 한번 봅시다.

- 저에게 정리하라고 하신 분석 보고서입니다.
  这是您让我整理的分析报告。
  zhè shì nín ràng wǒ zhěng lǐ de fēn xī bào gào

- 좀 급한 서류인데 먼저 보고해도 되겠습니까?
  这份文件比较急, 我能先汇报一下吗?
  zhè fèn wén jiàn bǐ jiào jí wǒ néng xiān huì bào yí xià ma

- 대체로 잘 되었어요.
  基本上还可以。
  jī běn shang hái kě yǐ

- 이 보고서에 아직 부족한 점이 좀 있어요.
  这份报告还有一些不足的地方。
  zhè fèn bào gào hái yǒu yì xiē bù zú de dì fang

- 여기에 서명해 주십시오.
  请在这儿签名。
  qǐng zài zhèr qiān míng

- 도장을 찍어 주십시오.
  请您盖一下章。
  qǐng nín gài yí xià zhāng

---

9) 总 zǒng은 总经理 zǒngjīnglǐ의 약칭. 중국어에는 우리의 '~님'과 같은 존칭이 필요치 않으므로 누구를 호칭할 때는 보통 李总 lǐzǒng(이 사장님), 金总 jīnzǒng(김 사장님), 王总 wángzǒng(왕 사장님) 등으로 부르면 된다.

4 회 의

开会
kāi huì

"회의를 하다"는 "开会 kāihuì"라고 하며, "회의를 끝내다"는 "散会 sànhuì"라고 한다. "사장님은 지금 회의 중이십니다."는 "总经理正在开会。zǒngjīnglǐ zhèngzài kāihuì", "회의에 참석하러 상하이에 가셨다"는 "他去上海参加会议了。tā qù shànghǎi cānjiā huìyì le。"라 하고, 주주 총회는 "股东大会 gǔdōng dàhuì" 또는 "股东年会 gǔdōng niánhuì"라고 하며, 이사회는 "董事会 dǒngshìhuì"라고 한다.

기 본 대 화

A: 小李, 关于营销分析会议, 你听到什么消息没有?
xiǎo lǐ guān yú yíng xiāo fēn xī huì yì nǐ tīng dào shén me xiāo xi méi yǒu

B: 有, 好像是下周五下午3点开。
yǒu hǎo xiàng shì xià zhōu wǔ xià wǔ diǎn kāi

A: 这次会议是谁主持的?
zhè cì huì yì shì shéi zhǔ chí de

B: 听说由总裁亲自主持。[1)]
tīng shuō yóu zǒng cái qīn zì zhǔ chí

A: 是吗? 那样的话, 得好好准备一下才行啊。
shì ma nà yàng de huà děi hǎo hǎo zhǔn bèi yí xià cái xíng a

B: 所以大家也都在忙这事。
suǒ yǐ dà jiā yě dōu zài máng zhè shì

A: 샤오리, 영업 분석 회의에 관해서 무슨 소식 들었어요?
B: 네, 아마 다음 주 금요일 오후 3시에 열릴 것 같아요.
A: 이번 회의는 누가 주재합니까?
B: 회장님께서 직접 주재하신대요.
A: 그래요? 그렇다면 철저히 준비해야겠는 걸요.
B: 그래서 모두가 이 일로 바쁘답니다.

여러 가지 활용

Ⅰ. 회의 준비 准备会议
zhǔn bèi huì yì

- 어서 준비해 줘요, 좀 있다 회의실에서 회의를 할 거에요.
马上准备一下, 呆会儿在会议室开会。
mǎ shàng zhǔn bèi yí xià dāi huìr zài huì yì shì kāi huì

1) 总裁 zǒngcái: 총재, 총수, 회장, CEO(Chief Executive Officer).

- 지금 준비하고 있습니다.
  正准备着呢。
  zhèng zhǔn bèi zhe ne

- 회의실이 좀 비좁은 것 같은데요.
  好像会议室有点儿窄。
  hǎo xiàng huì yì shì yǒu diǎnr zhǎi

- 이 정도 의자로는 부족하겠어요.
  这么一点儿椅子恐怕不够吧。
  zhè me yì diǎnr yǐ zi kǒng pà bú gòu ba

- 샤오리, 이따가 차를 좀 부탁해요.
  小李, 一会儿你帮忙倒茶行吗?[2)]
  xiǎo lǐ yí huìr nǐ bāng máng dào chá xíng ma

▶ 회의 시간 开会时间
kāi huì shí jiān

- 언제 회의를 하지요?
  什么时候开会?
  shén me shí hou kāi huì

- 회의는 몇 시에 시작됩니까?
  会议什么时候开始?
  huì yì shén me shí hou kāi shǐ

- 회의는 몇 시에 끝나죠?
  会议什么时候结束?
  huì yì shén me shí hou jié shù

- 회의 시간이 얼마나 걸릴까요?
  会议需要多长时间?
  huì yì xū yào duō cháng shí jiān

- 회의는 내일 아침 10시 2층 회의실에서 열립니다.
  明天上午10点, 在二楼会议室开会。
  míng tiān shàng wǔ diǎn zài èr lóu huì yì shì kāi huì

- 아마 오전 내내 계속될 겁니다.
  这个会议大概需要一上午的时间。
  zhè ge huì yì dà gài xū yào yí shàng wǔ de shí jiān

---

2) 倒는 多音字 duōyīnzì로서 倒茶 dàochá, 倒水 dàoshuǐ와 같이 '붓다', '따르다', '쏟다' 등의 의미로 쓰일 때는 4성으로 발음하고, 倒闭 dǎobì, 倒车 dǎochē와 같이 '넘어지다', '바꾸다' 등의 의미로 쓰일 때는 3성으로 발음한다.

- 회의를 30분 더 연장해야겠습니다.
  会议还要延长半个小时。
  huì yì hái yào yán cháng bàn ge xiǎo shí

▶ **회의 장소** **开会场所**
kāi huì chǎng suǒ

- 회의는 어디서 개최됩니까?
  会议在哪儿召开?
  huì yì zài nǎr zhào kāi

- 회의실이 어디에 있습니까?
  会议室在哪儿?
  huì yì shì zài nǎr

▶ **기타** **其他**
qí tā

- 회의 진행자는 누구입니까?
  会议的主持人是谁?
  huì yì de zhǔ chí rén shì shéi

- 누가 회의를 진행합니까?
  谁主持会议?
  shéi zhǔ chí huì yì

- 오늘 회의의 의제는 무엇입니까?
  今天会议的议题是什么?
  jīn tiān huì yì de yì tí shì shén me

- 왜 회의가 소집되었지요?
  为什么召开会议?
  wèi shén me zhào kāi huì yì

- 이번 회의에서 토론할 문제는 무엇이지요?
  这次会议讨论的问题是什么?
  zhè cì huì yì tǎo lùn de wèn tí shì shén me

- 또 회의야! 지겨워 죽겠네.
  又开会呀! 快要烦死人了。
  yòu kāi huì ya kuài yào fán sǐ rén le

- 회의가 중단되었어요.
  会议被中止了。
  huì yì bèi zhōng zhǐ le

- 이번 회의의 일정표를 한 부 주세요.
  请给一份这次会议的议程表。
  qǐng gěi yí fèn zhè cì huì yì de yì chéng biǎo

• 미안하지만, 저는 회의에 참석할 수 없습니다.
很抱歉，我不能参加会议。
hěn bào qiàn wǒ bù néng cān jiā huì yì

• 샤오리, 오늘 회의의 서기를 좀 맡아 줘요.
小李，我想请你当今天会议的笔录。
xiǎo lǐ wǒ xiǎng qǐng nǐ dāng jīn tiān huì yì de bǐ lù

Ⅱ. 회의 진행 进行会议
jìn xíng huì yì

▶ 개회 开会
kāi huì

• 개회를 선언합니다.
宣布开会。
xuān bù kāi huì

• 이제 회의를 시작하겠습니다.
现在开始开会。
xiàn zài kāi shǐ kāi huì

• 지금 관련 자료를 나누어 드리겠습니다.
现在发一下有关资料。
xiàn zài fā yí xià yǒu guān zī liào

• 우선 오늘 회의가 성공적으로 진행되기를 기원합니다.
首先预祝今天的会议圆满成功。
shǒu xiān yù zhù jīn tiān de huì yì yuán mǎn chéng gōng

▶ 회의 주제 议题
yì tí

• 본론으로 들어갑시다.
开始谈正事。
kāi shǐ tán zhèng shì

• 오늘 회의의 주제는 "영업 목표 달성 방안" 입니다.
今天会议的主题是"如何达到营业目标"。
jīn tiān huì yì de zhǔ tí shì rú hé dá dào yíng yè mù biāo

• 먼저 상반기 영업 부진 원인에 대해 토론하겠습니다.
先讨论关于上半年营业萧条的原因。
xiān tǎo lùn guān yú shàng bàn nián yíng yè xiāo tiáo de yuán yīn

• 그럼, 다음 주제로 넘어가겠습니다.
那么，就谈下一个议题吧。
nà me jiù tán xià yí ge yì tí ba

질문 提问
tí wèn

- 질문을 해도 되겠습니까?
  可以提个问题吗?
  kě yǐ tí ge wèn tí ma

- 또 다른 질문은 없습니까?
  还有别的问题吗?
  hái yǒu bié de wèn tí ma

- 또 발언할 분 계십니까?
  还有没有发言的人?
  hái yǒu méi yǒu fā yán de rén

자신의 견해를 말할 때 发表自己的意见
fā biǎo zì jǐ de yì jiàn

- 한 가지 제안을 하겠습니다.
  我有一个提议。
  wǒ yǒu yí ge tí yì

- 저도 몇 마디 하겠습니다.
  我也要说几句。
  wǒ yě yào shuō jǐ jù

- 그 문제에 관해 저는 이렇게 생각합니다.
  关于那个问题, 我是这么想的。
  guān yú nà ge wèn tí wǒ shì zhè me xiǎng de

- 제 생각은 여러분들과는 다릅니다.
  我的想法跟大家不一样。
  wǒ de xiǎng fǎ gēn dà jiā bù yí yàng

- 이 의제에 관해 저의 생각을 말씀드릴까 합니다.
  关于这个议题, 我想说一下我个人的看法。
  guān yú zhè ge yì tí wǒ xiǎng shuō yí xià wǒ gè rén de kàn fǎ

의견을 물을 때 寻求意见
xún qiú yì jiàn

- 당신 생각은 어떻습니까?
  您觉得怎么样?
  nín jué de zěn me yàng

- 당신은 어떻게 생각합니까?
  您是怎么想的?
  nín shì zěn me xiǎng de

• 여러분은 그의 제안에 찬성합니까?
大家赞成他的提议吗?
dà jiā zàn chéng tā de tí yì ma

• 이 프로젝트에 추가할 사항은 없습니까?
对这个计划还有补充的吗?
duì zhè ge jì huà hái yǒu bǔ chōng de ma

• 이 건의에 대해 다른 의견은 없습니까?
对这个建议有没有不同的意见?
duì zhè ge jiàn yì yǒu méi yǒu bù tóng de yì jiàn

• 모두 좋은 의견을 많이 내 주십시오.
请大家多提宝贵意见。
qǐng dà jiā duō tí bǎo guì yì jiàn

▶ **찬성 赞同**
zàn tóng

• 당신 의견에 동의합니다.
我同意您的意见。
wǒ tóng yì nín de yì jiàn

• 저 역시 그 일에 전적으로 찬성합니다.
我也双手赞成那件事。
wǒ yě shuāng shǒu zàn chéng nà jiàn shì

• 저는 이 제안에 찬성합니다.
我赞成这个提议。
wǒ zàn chéng zhè ge tí yì

• 저도 그렇게 생각합니다.
我也是那么想的。
wǒ yě shì nà me xiǎng de

▶ **반대 反对**
fǎn duì

• 그 계획에 반대합니다.
我反对那个计划。
wǒ fǎn duì nà ge jì huà

• 그 점에 대해 저의 생각은 당신과 다릅니다.
关于这点, 我的想法跟你不一样。
guān yú zhè diǎn wǒ de xiǎng fǎ gēn nǐ bù yí yàng

• 당신 말에 동의하지 않습니다.
我不同意您的说法。
wǒ bù tóng yì nín de shuō fǎ

· 저는 당신 의견을 지지할 수 없습니다.
我不能支持您的意见。
wǒ bù néng zhī chí nín de yì jiàn

▶ **표결 表决**
biǎo jué

· 이 안건은 투표로 결정합시다.
这个提案就用投票来决定吧。
zhè ge tí àn jiù yòng tóu piào lái jué dìng ba

· 찬성하는 분은 손을 들어 주세요.
赞成的, 请举手。
zàn chéng de qǐng jǔ shǒu

· 그 제안은 20대 5로 통과되었습니다.
那个提案以20比5通过了。
nà ge tí àn yǐ bǐ tōng guò le

· 이 제안은 대다수의 찬성을 얻었으므로 통과되었습니다.
这个提案得到了大多数人的赞成, 所以通过了。
zhè ge tí àn dé dào le dà duō shù rén de zàn chéng suǒ yǐ tōng guò le

▶ **기타 其他**
qí tā

· 그것은 의제에서 벗어난 내용이군요.
那不符合议题的内容。
nà bù fú hé yì tí de nèi róng

· 의장, 회의가 난장판이군요. 잠시 휴회합시다.
主席, 会议太乱了, 暂时休会吧。
zhǔ xí huì yì tài luàn le zàn shí xiū huì ba

· 어물쩍하지 말고 제 질문에 충실하게 대답하세요.
不要磨蹭, 老实地回答我的问题。[3)]
bú yào mó ceng lǎo shi de huí dá wǒ de wèn tí

Ⅲ. 회의 종료 结束会议
jié shù huì yì

· 오늘 회의는 이것으로 마치겠습니다.
今天的会议就到此结束。
jīn tiān de huì yì jiù dào cǐ jié shù

---

3) 磨蹭 móceng: 비비다, 꾸물거리다, 느릿느릿하다, 물고 늘어지다.

- 회의가 끝난 후 점심 식사가 있겠습니다.
  会议结束后, 有午餐。
  huì yì jié shù hòu yǒu wǔ cān

- 오늘 회의는 여기서 마치겠습니다. 폐회합니다.
  今天的会议就到这儿, 散会。
  jīn tiān de huì yì jiù dào zhèr sàn huì

- 오늘 회의를 성공적으로 마치게 되었습니다.
  我们今天的会议圆满成功。
  wǒ men jīn tiān de huì yì yuán mǎn chéng gōng

- 회의를 마쳐야 하니 이 문제는 다음에 다시 토론합시다.
  会议该结束了, 关于这个问题, 下次再讨论吧。
  huì yì gāi jié shù le guān yú zhè ge wèn tí xià cì zài tǎo lùn ba

- 나머지는 다음 회의에서 다시 해결합시다.
  剩下的, 下次开会再解决吧。
  shèng xià de xià cì kāi huì zài jiě jué ba

회의 결과 会议结果
huì yì jié guǒ

- 회의는 성공적으로 개최되었어요.
  会议开得很成功。
  huì yì kāi de hěn chéng gōng

- 이번 회의에서 많은 성과를 거두었어요.
  这次会议取得了丰硕的成果。
  zhè cì huì yì qǔ dé le fēng shuò de chéng guǒ

- 이번 회의에서는 아무런 소득도 얻지 못했어요.
  这次会议一点收获都没有。
  zhè cì huì yì yì diǎn shōu huò dōu méi yǒu

- 안건이 하나도 통과되지 못했나요?
  一个提案都没有通过吗?
  yí ge tí àn dōu méi yǒu tōng guò ma

- 이사회에서 그 제안을 부결시켰어요.
  董事会否决了那个提案。
  dǒng shì huì fǒu jué le nà ge tí àn

- 노사 협상이 결렬되었어요.
  劳资协商决裂了。
  láo zī xié shāng jué liè le

5 사무기기 사용 使用办公设备
shǐ yòng bàngōng shè bèi

办公室自动化 bàngōngshì zìdònghuà(사무 자동화)가 잘 이루어져 있는 사무실에는 이제 算盘 suànpán(주판) 대신 计算器 jìsuànqì(계산기)가, 밑에 받치고 쓰는 파란 复写纸 fùxiězhǐ(복사지) 대신 复印机 fùyìnjī(복사기)가, 그리고 打字机 dǎzìjī(타자기) 대신 电脑 diànnǎo(컴퓨터)가 자리잡게 되었다. 또한 서류 등을 보내기 위해 일부러 우체국에 갈 필요 없이 传真机 chuánzhēnjī(팩스)로 바로 주고받을 뿐만 아니라, 보고나 결제 또는 회의까지도 인터넷상에서 처리하는 网上办公 wǎngshang bàngōng(온라인 사무)가 가능하게 되었다.

기 본 대 화

A: 把这资料复印一下吧。
bǎ zhè zī liào fù yìn yí xià ba

B: 复印全部, 还是一部分?
fù yìn quán bù, hái shi yí bù fen

A: 全部, 麻烦你两面复印, 好吗?
quán bù, má fan nǐ liǎng miàn fù yìn, hǎo ma

B: 好的。
hǎo de

A: 이 자료 좀 복사해 주세요.
B: 전부 다 복사해요? 아니면 일부만 해요?
A: 전부 다요. 미안하지만 양면 복사로 해 주세요.
B: 알겠습니다.

여러 가지 활용

I. 복사기 复印机
fù yìn jī

▶ **복사기를 사용할 때 使用复印机**
shǐ yòng fù yìn jī

· 이 복사기를 써도 될까요?
可以用一下这台复印机吗?
kě yǐ yòng yí xià zhè tái fù yìn jī ma

· 양면 복사를 할 수 있습니까?
可以两面复印吗?
kě yǐ liǎng miàn fù yìn ma

- 컬러 복사도 할 수 있습니까?
  也可以彩印吗?[1)]
  yě kě yǐ cǎi yìn ma

- 한 장 복사하는데 얼마죠?
  复印一张多少钱?
  fù yìn yì zhāng duō shao qián

- 용지를 어떻게 넣어야 되죠?
  纸应该怎么放?
  zhǐ yīng gāi zěn me fàng

- 개인적인 자료는 복사를 금합니다.
  禁止复印私人资料。
  jìn zhǐ fù yìn sī rén zī liào

- 복사기를 사용한 후에는 원래대로 해 놓으세요.
  用完复印机后，请按原状放好。
  yòng wán fù yìn jī hòu qǐng àn yuán zhuàng fàng hǎo

▶ 복사 부탁 委托复印
wěi tuō fù yìn

A: 复印一下这份资料吧。
fù yìn yí xià zhè fèn zī liào ba

B: 复印几份?
fù yìn jǐ fèn

A: 复印两份。
fù yìn liǎng fèn

A: 이 자료 좀 복사해 주세요.

B: 몇 부를 복사할까요?

A: 두 부를 복사해 주세요.

- 이 페이지를 80%로 축소해 주세요.
  这页请缩小到百分之八十。
  zhè yè qǐng suō xiǎo dào bǎi fēn zhī bā shí

- 이 컷을 2배로 확대해 주세요.
  把这插图扩大两倍吧。
  bǎ zhè chā tú kuò dà liǎng bèi ba

---

1) 彩印 cǎiyìn: 彩色复印 cǎisè fùyìn의 약칭.

복사기 고장 复印机的故障
fù yìn jī de gù zhàng

- 복사기에 종이가 걸렸어요.
  复印机卡纸了。
  fù yìn jī qiǎ zhǐ le

- 복사기에 걸린 용지를 어떻게 빼내지요?
  怎样才能把卡住的纸拿出来呢?
  zěn yàng cái néng bǎ qiǎ zhù de zhǐ ná chū lái ne

- 종이 두 장이 한꺼번에 들어갔어요.
  两张纸一下子都进去了。
  liǎng zhāng zhǐ yí xià zi dōu jìn qù le

- 가운데에 흰 줄무늬가 생겨요.
  中间有空白条纹。
  zhōng jiān yǒu kòng bái tiáo wén

- 복사가 잘못된 게 몇 장 있어요.
  有几张没复印好。
  yǒu jǐ zhāng méi fù yìn hǎo

- 복사가 너무 흐려 읽을 수가 없군요.
  复印得太模糊, 都看不清楚了。
  fù yìn de tài mó hu dōu kàn bu qīng chu le

- 복사기가 고장난 것 같아요.
  复印机好像出故障了。
  fù yìn jī hǎo xiàng chū gù zhàng le

- 이 복사기 또 고장이야!
  这台复印机又出毛病了![2)]
  zhè tái fù yìn jī yòu chū máo bìng le

Ⅱ. 컴퓨터 电脑
diàn nǎo

A: 你在做什么?
nǐ zài zuò shén me

B: 正在输入客户的资料呢。
zhèng zài shū rù kè hù de zī liào ne

A: 挺忙的嘛!
tǐng máng de ma

---

2) 毛病 máobìng: 사람에게 쓸 때는 결점, 흠, 또는 나쁜 버릇이나 습관을 가리키며, 사물에 사용할 때는 '고장이 나다'의 뜻으로 사용된다.

B: 是啊, 不过以后处理事务就会方便多了。
shì a bú guò yǐ hòu chǔ lǐ shì wù jiù huì fāng biàn duō le

A: 뭐하고 있어?
B: 고객의 자료를 입력하고 있는 중이야.
A: 무척 바쁘겠네.
B: 응, 하지만 나중에는 사무 처리가 훨씬 간편해지겠지.

문서 찾기 找文件
zhǎo wén jiàn

- 컴퓨터에서 월간 판매 보고서 좀 찾아 주세요.
  在电脑上找出月销售报告吧。
  zài diàn nǎo shang zhǎo chū yuè xiāo shòu bào gào ba

- 문서 이름이 뭐죠?
  文件名称是什么?
  wén jiàn míng chēng shì shén me

- 어느 폴더에 보관해 두셨죠?
  存在哪个文件夹里的?
  cún zài nǎ ge wén jiàn jiā li de

데이터 손실 损失资料
sǔn shī zī liào

- 데이터가 다 없어졌어요.
  资料都不见了。
  zī liào dōu bú jiàn le

- 이런, 누가 데이터를 다 지워 버렸지?
  哎呀, 谁把资料全销了?
  āi yā shéi bǎ zī liào quán xiāo le

- 방금 컴퓨터가 이상하더니 자료가 모두 없어졌어요.
  刚才电脑出问题, 资料全部被销了。
  gāng cái diàn nǎo chū wèn tí zī liào quán bù bèi xiāo le

- 내가 플로피 디스크에도 저장해 두라고 했잖아요?
  我不是让你把资料存在A盘了吗?
  wǒ bú shì ràng nǐ bǎ zī liào cún zài pán le ma

- 이 디스켓이 뭔가 잘못된 것 같아요.
  这个软盘好像有问题。
  zhè ge ruǎn pán hǎo xiàng yǒu wèn tí

▶ 기타 其他
qí tā

- 이 데이터를 입력해 주세요.
  请输入一下这份资料。
  qǐng shū rù yí xià zhè fèn zī liào

- 인터넷에 어떻게 접속하죠?
  怎么连接网络?
  zěn me lián jiē wǎng luò

- 컴퓨터가 바이러스에 걸렸어요.
  电脑染上了病毒。
  diàn nǎo rǎn shàng le bìng dú

- 이메일을 보낼 수 있습니까?
  可以发E-mail吗?
  kě yǐ fā ma

Ⅲ. 팩스 传真
chuán zhēn

▶ 팩스 번호 传真号码
chuán zhēn hào mǎ

- 팩스 번호를 알려 주시겠어요?
  能告诉我您的传真号码吗?
  néng gào su wǒ nín de chuán zhēn hào mǎ ma

- 명함에 팩스 번호가 있습니다.
  名片上有传真号码。
  míng piàn shang yǒu chuán zhēn hào mǎ

- 팩스 번호와 전화번호가 같습니다.
  传真号码和电话号码是一样的。
  chuán zhēn hào mǎ hé diàn huà hào mǎ shì yí yàng de

- 이쪽 팩스 번호는 알고 계십니까?
  知道这边的传真号码吗?
  zhī dào zhè biān de chuán zhēn hào mǎ ma

▶ 팩스의 송수신 发/收传真
fā shōu chuán zhēn

- 내일 아침의 주문서를 팩스로 보내 주세요.
  明天早上的订单用传真发给我。
  míng tiān zǎo shang de dìng dān yòng chuán zhēn fā gěi wǒ

- 주소를 팩스로 보내 주시겠어요?
  把您的地址用传真发过来好吗?
  bǎ nín de dì zhǐ yòng chuán zhēn fā guò lái hǎo ma

- 그 자료들을 팩스로 보내 주세요.
  那些资料用传真发吧。
  nà xiē zī liào yòng chuán zhēn fā ba

- 지금 막 팩스를 보내려던 참이에요.
  我正想给您发传真呢。
  wǒ zhèng xiǎng gěi nín fā chuán zhēn ne

- 지금 팩스로 보내도 되겠습니까?
  现在用传真发一下, 行吗?
  xiàn zài yòng chuán zhēn fā yí xià xíng ma

- 바로 팩스로 보내 드리겠습니다.
  我马上用传真发过去吧。
  wǒ mǎ shàng yòng chuán zhēn fā guò qù ba

송수신 확인 确认收发
què rèn shōu fā

A: 发传真了吗?
fā chuán zhēn le ma

B: 是, 已经发了。
shì yǐ jīng fā le

A: 팩스 보내셨습니까?

B: 네, 이미 보냈습니다.

- 그 자료 팩스로 보냈는데 받으셨습니까?
  那份资料是用传真发的, 收到了吗?
  nà fèn zī liào shì yòng chuán zhēn fā de shōu dào le ma

- 아직 도착하지 않아 전화로 문의드립니다.
  现在还没到, 所以打电话问问。
  xiàn zài hái méi dào suǒ yǐ dǎ diàn huà wèn wen

- 못 받았는데, 빨리 다시 보내 주세요.
  没收到, 赶紧再发一次吧。
  méi shōu dào gǎn jǐn zài fā yí cì ba

- 샤오잉, 본사에서 팩스 왔나 확인하세요.
  小英, 请你查一下从总部来的传真。
  xiǎo yīng qǐng nǐ chá yí xià cóng zǒng bù lái de chuán zhēn

송수신이 잘못되었을 때 收发错误时
shōu fā cuò wù shí

A: 我看了您发的传真，好像缺两页。
wǒ kàn le nín fā de chuán zhēn hǎo xiàng quē liǎng yè

B: 是吗？请问缺少哪页呢？
shì ma qǐng wèn quē shǎo nǎ yè ne

A: 第4页和第5页。
dì yè hé dì yè

B: 知道了，我马上再发一次。
zhī dào le wǒ mǎ shàng zài fā yí cì

A: 보내신 팩스를 받았는데 두 페이지가 빠진 것 같군요.
B: 그렇습니까? 몇 페이지가 빠졌지요?
A: 4페이지와 5페이지입니다.
B: 알겠습니다. 바로 다시 보내 드리죠.

- 저희는 아직 못 받았는데요.
我们还没有收到。
wǒ men hái méi yǒu shōu dào

- 받긴 받았는데 잘 보이질 않는군요.
收是收到了，但是看不清楚。
shōu shì shōu dào le dàn shì kàn bu qīng chu

- 제가 받은 팩스에 문제가 있는데 다시 보내 주시겠습니까?
我收到的传真有问题，你再发一次可以吗？
wǒ shōu dào de chuán zhēn yǒu wèn tí nǐ zài fā yí cì kě yǐ ma

- 잉크가 너무 흐려서 잘 보이지가 않아요.
墨太浅，看不清楚。
mò tài qiǎn kàn bu qīng chu

- 흐려서 잘 안 보이니 진하게 복사해서 다시 보내 주세요.
太模糊看不清楚。您再复印颜色深一点再发给我。
tài mó hu kàn bu qīng chu nín zài fù yìn yán sè shēn yì diǎn zài fā gěi wǒ

- 팩스가 일부분밖에 도착하지 않았어요.
只收到了传真的一部分。
zhǐ shōu dào le chuán zhēn de yí bù fen

- 몇 페이지가 모자랍니까?
少几页？
shǎo jǐ yè

6 임금 · 복지

工资/福利
gōng zī fú lì

급여를 나타내는 말로는 工资 gōngzī 외에도 薪水 xīnshuǐ, 薪金 xīnjīn, 薪俸 xīnfèng 등 여러 가지가 있다. 최근 중국은 小康社会 xiǎokāng shèhuì를 지향하고 있는데, 小康 xiǎokāng이란 생활수준이 중류인 中产阶级 zhōngchǎn jiējí(중산층)을 말한다. 또한 중국에도 고도의 경제 성장으로 높은 급여를 받는 젊은 전문직 종사자들이 많은데 이들을 雅皮士 yǎpíshì(YUPPIE, 여피족) 라고 부르기도 하며, 안정된 소득의 독신자들을 가리켜 单身贵族 dānshēn guìzú라 하기도 한다.

기 본 대 화

A: 你做什么工作?
nǐ zuò shén me gōng zuò

B: 我现在从事IT业。
wǒ xiàn zài cóng shì yè

A: 喜欢这份工作吗?
xǐ huan zhè fèn gōng zuò ma

B: 当然了, 这份工作很适合我。
dāng rán le zhè fèn gōng zuò hěn shì hé wǒ

A: 工资也多吧?
gōng zī yě duō ba

B: 还可以, 可能比别的工作工资高一点儿。
hái kě yǐ kě néng bǐ bié de gōng zuò gōng zī gāo yì diǎnr

A: 무슨 일을 하십니까?
B: 저는 지금 IT 분야에서 일하고 있습니다.
A: 일이 마음에 드십니까?
B: 물론이죠. 제게 잘 맞는 직업입니다.
A: 월급도 많으시겠군요?
B: 그런대로요, 다른 직업보다는 조금 높을 겁니다.

여러 가지 활용

Ⅰ. 급여 工资
gōng zī

A: 能告诉我你一个月挣多少钱吗?
néng gào su wǒ nǐ yí ge yuè zhèng duō shao qián ma

B: 对不起, 保密。难道你不知道问别人工资是很
duì bu qǐ bǎo mì nán dào nǐ bù zhī dào wèn bié rén gōng zī shì hěn

忌讳的吗?
jì huì de ma

A: 네 한 달 월급이 얼마인지 알려줄 수 있어?
B: 미안하지만 비밀이야. 설마 남의 월급을 묻는 게 실례란 걸 모르지는 않겠지?

- 한 달 수입이 얼마나 됩니까?
你一个月的收入是多少?
nǐ yí ge yuè de shōu rù shì duō shao

- 그 회사의 초봉은 얼마나 됩니까?
那个公司的首月工资是多少?
nà ge gōng sī de shǒu yuè gōng zī shì duō shao

- 한 달에 얼마나 버시죠?
一个月挣多少钱?
yí ge yuè zhèng duō shao qián

- 매월 실제 수입은 얼마입니까?
每月实际收入是多少?
měi yuè shí jì shōu rù shì duō shao

- 급여 이외에 연장 근무 수당이 있습니다.
除了工资以外还有加班费。
chú le gōng zī yǐ wài hái yǒu jiā bān fèi

- 저는 파트타임직이므로 근무 시간에 따라 급여가 나옵니다.
因为我是计时工, 所以按工作时间发工资。
yīn wèi wǒ shì jì shí gōng suǒ yǐ àn gōng zuò shí jiān fā gōng zī

연봉 年薪
nián xīn

- 연봉이 얼마나 됩니까?
年薪是多少?
nián xīn shì duō shao

- 최근 연봉제를 실시하는 회사가 늘고 있습니다.
最近实行年薪制度的公司越来越多了。
zuì jìn shí xíng nián xīn zhì dù de gōng sī yuè lái yuè duō le

- 연봉제는 노사 양측에 모두 좋은 점이 있어요.
年薪制度对公司和职员双方都有好处。
nián xīn zhì dù duì gōng sī hé zhí yuán shuāng fāng dōu yǒu hǎo chù

· 그 사람의 연봉은 5만 위안입니다.
他的年薪是5万元。
tā de nián xīn shì wàn yuán

▶ **보너스** **奖金**
jiǎng jīn

· 1년에 보너스는 몇 번 받습니까?
一年能拿几次奖金?
yì nián néng ná jǐ cì jiǎng jīn

· 오늘 연말 보너스를 받았습니다.
今天拿到了年终奖金。
jīn tiān ná dào le nián zhōng jiǎng jīn

· 저희 회사는 보통 연 2회 보너스를 지급합니다.
我们公司一般一年发两次奖金。
wǒ men gōng sī yì bān yì nián fā liǎng cì jiǎng jīn

· 근무 성적이 좋은 사람에게는 특별 수당이 나옵니다.
工作表现好的人, 还有奖金。
gōng zuò biǎo xiàn hǎo de rén hái yǒu jiǎng jīn

▶ **급여에 만족할 때** **对工资满意**
duì gōng zī mǎn yì

· 현재의 급여에 만족하십니까?
你对现在的工资满意吗?
nǐ duì xiàn zài de gōng zī mǎn yì ma

· 그런대로 만족합니다. / 그런대로 괜찮다고 생각합니다.
还算满意吧。/ 我觉得还可以。
hái suàn mǎn yì ba wǒ jué de hái kě yǐ

· 제 월급은 일반 사람보다는 높은 편입니다.
我的工资比一般人高。
wǒ de gōng zī bǐ yì bān rén gāo

· 제 친구들에 비하면 저의 월급이 비교적 많습니다.
和我的朋友们相比, 我的工资比较高。
hé wǒ de péng you men xiāng bǐ wǒ de gōng zī bǐ jiào gāo

· 기본급은 그리 많지 않지만 시간 외 근무 수당과 보너스가 많습니다.
基本工资不算多, 但是加班费和奖金很多。
jī běn gōng zī bú suàn duō dàn shì jiā bān fèi hé jiǎng jīn hěn duō

· 급여는 매년 물가 변동에 따라 조정됩니다.
工资随着每年的物价波动而调整。
gōng zī suí zhe měi nián de wù jià bō dòng ér tiáo zhěng

▶ **급여가 불만일 때** **对工资不满意**
duì gōng zī bù mǎn yì

· 사실 저는 지금의 급여에 매우 불만입니다.
其实我对现在的工资很不满意。
qí shí wǒ duì xiàn zài de gōng zī hěn bù mǎn yì

· 제 급여는 쥐꼬리만 해요.
我的工资少得可怜。[1)]
wǒ de gōng zī shǎo de kě lián

· 일하는 시간에 비해 제 급여가 너무 낮아요.
和工作的时间相比我的工资很低。
hé gōng zuò de shí jiān xiāng bǐ wǒ de gōng zī hěn dī

· 그럭저럭 생활이나 할 정도에요.
还可以马马虎虎维持生活吧。[2)]
hái kě yǐ mǎ ma hū hū wéi chí shēng huó ba

· 타사에 비해 낮은 편입니다.
比其他公司低。
bǐ qí tā gōng sī dī

· 회사가 월급 날짜를 자주 어깁니다.
公司经常不按时发工资。
gōng sī jīng cháng bú àn shí fā gōng zī

▶ **급여 인상을 요구할 때** **要求涨工资**
yāo qiú zhǎng gōng zī

· 급여를 올려 주셨으면 합니다.
希望能给我涨工资。
xī wàng néng gěi wǒ zhǎng gōng zī

· 언제 월급을 올려 주시겠습니까?
什么时候给我涨工资?
shén me shí hou gěi wǒ zhǎng gōng zī

1) 可怜 kělián: 원래는 '불쌍하다', '가련하다'의 뜻이나, 수량이나 질을 말할 때에는 '초라하다', '보잘것없다', '극히 적다' 등의 뜻을 내포한다.
2) 马马虎虎 mǎmahūhū: 아무렇게, 대충대충, 건성으로, māmahūhū로 발음하기도 한다.

- 월급을 올려 달라고 했지만 거절당했어요.
  我提了涨工资的事，被拒绝了。
  wǒ tí le zhǎng gōng zī de shì bèi jù jué le

- 내년 1월부터 월급이 올라갈 겁니다.
  从明年1月份开始涨工资。
  cóng míng nián yuè fèn kāi shǐ zhǎng gōng zī

- 이렇게 적은 월급으로는 살아갈 수 없습니다.
  用这么少的工资维持不了生活。
  yòng zhè me shǎo de gōng zī wéi chí bu liǎo shēng huó

- 물가는 올랐는데, 임금은 여전히 변화가 없군요.
  物价涨了，但工资仍然没有变化。
  wù jià zhǎng le dàn gōng zī réng rán méi yǒu biàn huà

Ⅱ. 복지 제도 福利
fú lì

- 당신 직장은 의료비 보조가 됩니까?
  你的工作单位能报销医疗费吗?[3)]
  nǐ de gōng zuò dān wèi néng bào xiāo yī liáo fèi ma

- 당신 직장은 주택을 분배해 줍니까?
  你的公司分房吗?
  nǐ de gōng sī fēn fáng ma

- 새로운 직장을 찾았는데 식사와 숙소를 제공해 줍니다.
  我找到一份新工作，包吃包住。[4)]
  wǒ zhǎo dào yí fèn xīn gōng zuò bāo chī bāo zhù

- 우리 회사는 연말에 일용품이 지급돼요.
  我们公司每到年底就发一些日用品。
  wǒ men gōng sī měi dào nián dǐ jiù fā yì xiē rì yòng pǐn

- 설이나 명절 때면 회사에서 선물이 나와요.
  逢年过节，公司都会发一些礼品。[5)]
  féng nián guò jié gōng sī dōu huì fā yì xiē lǐ pǐn

- 노동절에는 대부분 회사가 휴무를 하고 명절 보너스를 지급합니다.
  劳动节，许多公司都给员工放假，还发过节费。
  láo dòng jié xǔ duō gōng sī dōu gěi yuán gōng fàng jià hái fā guò jié fèi

---

3) 报销 bàoxiāo: 정산하다. 결산하다, 흔히 직장에서 영수증 처리하는 것을 말한다.
4) 여기서 包 bāo는 '책임지다'의 뜻.
5) 逢年过节 féng nián guò jié: 설과 명절 때마다.

7 인사이동

人事调动
rén shì diàodòng

직장에 다니는 사람들에게는 인사 문제가 매우 주요한 관심사일 수밖에 없다. 그러므로 경쟁사회(竞争社会 jìngzhēng shèhuì)에서 남보다 앞서가기 위해서는 더 많은 노력을 기울여야만 한다. 인사의 발령에는 업무의 실적(业绩 yèjì)도 중요하지만, 직장 내에서의 대인 관계(人际关系 rénjì guānxì) 또한 무시할 수 없는 평가 요인이다.

기 본 대 화

A: 我昨天收到了总公司通知了，让我回汉城[1)]工作。
wǒ zuó tiān shōu dào le zǒng gōng sī tōng zhī le, ràng wǒ huí hàn chéng gōng zuò

B: 是吗？你在这儿干得很好，公司为什么让你回去呀？
shì ma nǐ zài zhèr gàn de hěn hǎo gōng sī wèi shén me ràng nǐ huí qù ya

A: 三年工作的合同时间已经到期了。
sān nián gōng zuò de hé tong shí jiān yǐ jīng dào qī le

B: 那以后还有没有机会再来到这里工作？
nà yǐ hòu hái yǒu méi yǒu jī huì zài lái dào zhè li gōng zuò

A: 说不定，但我希望还有这样的机会。
shuō bu dìng dàn wǒ xī wàng hái yǒu zhè yàng de jī huì

A: 어제 본사의 통지를 받았는데, 저더러 서울로 돌아와 근무하랍니다.
B: 그래요? 여기서 일 잘하고 있는데 왜 돌아오라는 거죠?
A: 3년 근무 계약 기간이 벌써 만료되었거든요.
B: 그럼 앞으로 또다시 여기에 와서 일할 기회가 있나요?
A: 글쎄요. 하지만 그런 기회가 또 있었으면 좋겠군요.

여러 가지 활용

Ⅰ. 승진 升职
shēng zhí

A: 你觉得谁升职的可能性比较大？
nǐ jué de shéi shēng zhí de kě néng xìng bǐ jiào dà

1) 서울의 공식 중문(中文) 명칭은 '首尔 Shǒu'er'이나, 일상 대화에서는 여전히 다수의 중국민들이 '汉城 Hànchéng'이라는 명칭을 사용하고 있다.

B: 看前期的业绩很可能是李明，但也说不准。
kàn qián qī de yè jì hěn kě néng shì lǐ míng dàn yě shuō bu zhǔn

A: 당신은 누가 승진할 가능성이 크다고 생각합니까?
B: 이전 실적으로 보면 리밍 씨이긴 한데 어떻게 알겠어요.

- 그는 부장에서 국장으로 승진했어요.
  他从部长升职为局长。
  tā cóng bù zhǎng shēng zhí wéi jú zhǎng

- 그는 단번에 과장으로 발탁되었어요.
  他一下子被提拔为科长。
  tā yí xià zi bèi tí bá wéi kē zhǎng

- 그는 너무 빨리 승진하는 것 같아요.
  他升职升得太快了。
  tā shēng zhí shēng de tài kuài le

- 그는 승진도 하고 월급도 많아졌어요.
  他不但升了职，而且工资也提高了。
  tā bú dàn shēng le zhí ér qiě gōng zī yě tí gāo le

- 이번 인사이동에서 승진하시기 바랍니다.
  希望这次调动您能升职。
  xī wàng zhè cì diào dòng nín néng shēng zhí

- 올해 그는 아마 승진할 겁니다.
  今年他可能会升职。
  jīn nián tā kě néng huì shēng zhí

- 승진을 할 수 있나 없나는 업무 실적에 달렸어요.
  能不能升职，就要看工作业绩了。
  néng bu néng shēng zhí jiù yào kàn gōng zuò yè jì le

- 그는 이례적으로 승진을 해서 사람들 시선이 곱질 않아요.
  他意外地升了职，所以大家都用异样的眼光看他。
  tā yì wài de shēng le zhí suǒ yǐ dà jiā dōu yòng yì yàng de yǎn guāng kàn tā

- 결국 중요한 것은 역시 연줄이군요.
  结果，重要的还是关系。
  jié guǒ zhòng yào de hái shi guān xì

- 당신 회사에서는 인사 고과를 어떻게 합니까?
  在你们公司怎样考评职员？
  zài nǐ men gōng sī zěn yàng kǎo píng zhí yuán

Ⅱ. 전근 调转
diào zhuǎn

- 나는 내년에 해외 지사로 전근될 것 같아요.
  明年我可能调到海外的分公司去工作。
  míng nián wǒ kě néng diào dào hǎi wài de fēn gōng sī qù gōng zuò
- 내가 베이징으로 전근되리라고는 꿈에도 생각을 못했어요.
  我做梦也没想到会调到北京去工作。
  wǒ zuò mèng yě méi xiǎng dào huì diào dào běi jīng qù gōng zuò
- 저는 해외 근무를 신청하고 싶습니다.
  我想申请去海外工作。
  wǒ xiǎng shēn qǐng qù hǎi wài gōng zuò
- 저는 지방의 지점에 가서 근무하라는 통지를 받았습니다.
  我接到了到地方分店去工作的通知。
  wǒ jiē dào le dào dì fāng fēn diàn qù gōng zuò de tōng zhī
- 저는 될 수 있는 대로 집과 가까운 곳으로 전근 가고 싶습니다.
  我想尽量调到离家近的地方。
  wǒ xiǎng jǐn liàng diào dào lí jiā jìn de dì fang
- 저는 단신으로 부임할까 합니다.
  我想一个人去任职。
  wǒ xiǎng yí ge rén qù rèn zhí
- 이번에 가족들과 떨어지시게 되었네요.
  这回要跟家人离别了吧。
  zhè huí yào gēn jiā rén lí bié le ba
- 타향에서의 생활은 당신에게 좋은 경험이 될 거예요.
  异乡生活将会成为你的一次美好经历。
  yì xiāng shēng huó jiāng huì chéng wéi nǐ de yí cì měi hǎo jīng lì

Ⅲ. 출장 出差
chū chāi

A: 一个月出差几次?[2)]
yí ge yuè chū chāi jǐ cì

B: 可能是两三回吧。
kě néng shì liǎng sān huí ba

---

2) 出差 chūchāi의 差는 多音字 duōyīnzì로서 여러 형태로 발음이 되므로 주의해야 한다.
예) chā: 差别 chābié(차이), 差距 chājù(격차)
chà: 差不多 chàbuduō(비슷하다), 差点儿 chàdiǎnr(조금 다르다)
chāi: 出差 chūchāi(출장 가다), 差遣 chāiqiǎn(파견하다)
cī: 参差 cēncī(들쭉날쭉하다)
cuō: 差跌 cuōdiē(실패하다)

A: 한 달에 몇 번 정도 출장을 갑니까?
B: 아마 2~3회 정도일 겁니다.

- 자주 출장을 가십니까?
  常常出差吗?
  cháng cháng chū chāi ma

- 이번 출장은 며칠간입니까?
  这次出差几天?
  zhè cì chū chāi jǐ tiān

- 이번엔 어디로 출장을 갑니까?
  这次到哪儿去出差?
  zhè cì dào nǎr qù chū chāi

- 마침 한국에 출장을 가려는 참입니다.
  我正要出差去韩国呢。
  wǒ zhèng yào chū chāi qù hán guó ne

- 내달에 중국으로 출장을 갑니다.
  下个月出差去中国。
  xià ge yuè chū chāi qù zhōng guó

Ⅳ. 좌천 降职
jiàng zhí

- 그가 일을 잘못했으니 좌천이 안 되면 오히려 이상한 거지.
  他工作做得一塌糊涂, 不降职才怪呢。[3)]
  tā gōng zuò zuò de yì tā hú tu bú jiàng zhí cái guài ne

- 그에 대한 비난이 많았기 때문에 그는 이번에 좌천되었어.
  由于对他的批评意见很多, 所以他被降职了。
  yóu yú duì tā de pī píng yì jiàn hěn duō suǒ yǐ tā bèi jiàng zhí le

- 이번에 그가 좌천된 것은 당연한 이치야.
  这次让他降职是理所当然的。
  zhè cì ràng tā jiàng zhí shì lǐ suǒ dāng rán de

- 매번 경쟁 회사에 기선을 빼앗기다니 연구 개발 부장을 그만둬요.
  每次都让对手抢了先机, 你这个研发部长就别做了。
  měi cì dōu ràng duì shǒu qiǎng le xiān jī nǐ zhè ge yán fā bù zhǎng jiù bié zuò le

---

3) 一塌糊涂 yì tā hú tu: 엉망진창이 되다, 뒤죽박죽이 되다.

- 이번에 좌천되었지만 이를 악물고 좋은 성과를 낼 작정입니다.
  这次我降职了,但是我还想咬紧牙关干出点名堂。[4]
  zhè cì wǒ jiàng zhí le dàn shì wǒ hái xiǎng yǎo jǐn yá guān gàn chū diǎn míng tang

V. 해고 解雇
jiě gù

- 저는 해고당했어요.
  我被炒鱿鱼了。[5]
  wǒ bèi chǎo yóu yú le

- 그는 자주 결근을 해서 해고되었어요.
  他因经常旷工被解雇了。
  tā yīn jīng cháng kuàng gōng bèi jiě gù le

- 요즘 많은 공장의 노동자들이 실직당했어요.
  现在很多工厂的工人都下岗了。[6]
  xiàn zài hěn duō gōng chǎng de gōng rén dōu xià gǎng le

- 그는 회사 기밀을 경쟁 회사에 유출해서 해고당했어요.
  他将公司机密泄露给了竞争对手,所以被解雇了。
  tā jiāng gōng sī jī mì xiè lòu gěi le jìng zhēng duì shǒu suǒ yǐ bèi jiě gù le

- 그렇게 상사에게 대들었으니 너를 해고 안 하고 누구를 하겠어?
  你这样当面顶撞上司, 不免你的职免谁的?[7]
  nǐ zhè yàng dāng miàn dǐng zhuàng shàng sī bù miǎn nǐ de zhí miǎn shéi de

- 내가 이번에 회사에 막대한 손실을 끼쳤으니 파면을 피할 수는 없을 거야.
  我这次给公司造成了巨大的损失,免职是在所难免的了。
  wǒ zhè cì gěi gōng sī zào chéng le jù dà de sǔn shī miǎn zhí shì zài suǒ nán miǎn de le

- 그는 업무상 수뢰 혐의로 회사에서 쫓겨났어요.
  由于他利用工作之便受贿, 所以被公司开除了。[8]
  yóu yú tā lì yòng gōng zuò zhī biàn shòu huì suǒ yǐ bèi gōng sī kāi chú le

---

4) 名堂 míngtang: 여기서는 '성과', '결과'란 뜻이다. 현대 중국어에는 소위 풍수(风水 fēngshuǐ)에서 말하는 명당의 개념이 전혀 없음에 유의할 것.
5) 炒鱿鱼 chǎo yóuyú: 원뜻은 '오징어를 굽다'이나, '해고하다'라는 뜻의 은어이기도 하다.
6) 下岗 xiàgǎng: 직책 또는 일자리에서 내려온다는 뜻으로 곧 실직을 의미함. 90년대 중국 국영 기업들의 구조 조정으로 수많은 실업자가 발생하였는데, 이 때 생긴 유행어이다.
7) 顶撞 dǐngzhuàng: 주로 윗사람에게 말대꾸하거나 따지고 드는 것을 말함.
8) 开除 kāichú: 제거하다, 추방하다, 박탈하다, 해고하다.

Ⅵ. 사직 · 퇴직 辞职 / 退休
cí zhí tuì xiū

▶ 사직 辞职
cí zhí

A: 干得好好儿的，你为什么辞职?
gàn de hǎo hāor de nǐ wèi shén me cí zhí

B: 因为下个月我要移民加拿大。
yīn wèi xià ge yuè wǒ yào yí mín jiā ná dà

A: 잘 근무하시더니 왜 사직하셨어요?

B: 다음 달 캐나다로 이민을 가거든요.

- 그가 사직서를 제출했어요.
  他提交了辞职信。
  tā tí jiāo le cí zhí xìn

- 사직한 이유가 무엇입니까?
  辞职的理由是什么?
  cí zhí de lǐ yóu shì shén me

- 벌써부터 그만두려고 하였습니다.
  我早就不想干了。
  wǒ zǎo jiù bù xiǎng gàn le

- 여기서는 자기 발전의 공간이 거의 없어요.
  因为在这里几乎没有发展自我的空间。
  yīn wèi zài zhè li jī hū méi yǒu fā zhǎn zì wǒ de kōng jiān

- 이 일이 제게는 맞지 않는 것 같아요.
  我觉得这份工作不适合我。
  wǒ jué de zhè fèn gōng zuò bú shì hé wǒ

- 지금 하는 일에 조금도 흥미가 없어서요.
  对现在做的事情，我一点儿兴趣都没有。
  duì xiàn zài zuò de shì qing wǒ yì diǎnr xìng qù dōu méi yǒu

▶ 퇴직 退休
tuì xiū

- 언제 퇴직하십니까?
  什么时候退休?
  shén me shí hou tuì xiū

- 퇴직 후엔 무엇을 하실 겁니까?
  退休后想做点儿什么?
  tuì xiū hòu xiǎng zuò diǎnr shén me

- 그는 매년 아주 많은 연금을 받습니다.
  他每年都拿很多退休金。
  tā měi nián dōu ná hěn duō tuì xiū jīn

- 이 직장에서 꼬박 40년을 일했으니 떠나기 정말 섭섭하군요.
  我在这个单位工作了整整40年, 还真舍不得离开。
  wǒ zài zhè ge dān wèi gōng zuò le zhěng zhěng nián hái zhēn shě bu de lí kāi

참고 관련 용어

- 취업 就业 jiù yè
- 근무 工作 gōng zuò
- 구직 求职 qiú zhí
- 이력서 简历 jiǎn lì
- 자기 소개서 自荐书 zì jiàn shū
- 추천서 推荐信 tuī jiàn xìn
- 성적 증명서 成绩单 chéng jì dān
- 자격증 证书 zhèng shū
- 초빙 招聘 zhāo pìn
- 모집 招人 zhāo rén
- 면접시험 面试 miàn shì
- 직업관 职业观 zhí yè guān
- 인생관 人生观 rén shēngguān
- 취미 爱好 ài hào
- 특기 特长 tè cháng
- 수습 기간 试用期 shì yòng qī
- 직종 工种 gōngzhǒng
- 직업 职业 zhí yè
- CEO 首席执行官, 执行总裁 shǒu xí zhí xíngguān zhí xíngzǒng cái
- 직업 분야 行业 háng yè
- 전문가 内行 nèi háng
- 비전문가 外行 wài háng
- 엔지니어 工程师 gōngchéng shī
- 자영업자 个体户 gè tǐ hù
- 총무부 总务部 zǒng wù bù
- 영업부 营业部 yíng yè bù
- 기획부 企划部 qǐ huà bù
- 광고부 广告部 guǎng gào bù
- 인사부 人事部 rén shì bù
- 출근 上班 shàng bān
- 퇴근 下班 xià bān
- 통근 버스 班车 bān chē
- 지각 迟到 chí dào
- 조퇴 早退 zǎo tuì
- 결근 旷工 kuànggōng
- 휴가 休假 xiū jià
- 출산 휴가 产假 chǎn jià
- 병가 病假 bìng jià

- 휴가를 내다 请假 qǐng jià
- 연장 근무 加班 jiā bān
- 야간 근무 夜班 yè bān
- 사무 보다 办公 bàn gōng
- 사무실 办公室 bàn gōng shì
- 사무소 办公处, 办事处 bàn gōng chù, bàn shì chù
- 오피스텔 办公楼, 写字楼 bàn gōng lóu, xiě zì lóu
- 서류 文档 wéndàng
- 파일, 자료 资料 zī liào
- 급여 工资, 薪水, 薪金 gōng zī, xīn shuǐ, xīn jīn
- 월급 月薪 yuè xīn
- 연봉 年薪 nián xīn
- 복지 福利 fú lì
- 보조금 补助 bǔ zhù
- 전화 요금 보조 话补 huà bǔ
- 식대 보조 饭补 fàn bǔ
- 의료 보험 医疗保险 yī liáo bǎo xiǎn
- 양로 보험 养老保险 yǎng lǎo bǎo xiǎn
- 실업 보험 失业保险 shī yè bǎo xiǎn
- 직원 职员, 员工 zhí yuán, yuángōng
- 사장 总经理 zǒng jīng lǐ
- 매니저 经理 jīng lǐ
- 주주 股东 gǔ dōng
- 이사장 董事长 dǒng shì zhǎng
- 이사 董事 dǒng shì
- 직위 职位 zhí wèi
- 직무 职务 zhí wù
- 부장 部长 bù zhǎng
- 상사 上司, 上级 shàng sī, shàng jí
- 부하 下级 xià jí
- 비서 秘书 mì shū
- 파트타임 计时工 jì shí gōng
- 발령 调动 diàodòng
- 승진 升职 shēng zhí
- 회의 会议 huì yì
- 회의하다 开会 kāi huì
- 폐회하다 散会 sàn huì
- 회의 주제 议题 yì tí
- 표결 表决 biǎo jué
- 투표 投票 tóu piào
- 주주 총회 股东大会, 股东年会 gǔ dōng dà huì, gǔ dōngnián huì
- 이사회 董事会 dǒng shì huì
- 찬성하다 同意 tóng yì
- 반대하다 反对 fǎn duì
- 사무 자동화 办公自动化 bàn gōng zì dòng huà
- 복사기 复印机 fù yìn jī
- 복사 용지 复印纸 fù yìn zhǐ

21 컴퓨터와 인터넷

电脑与网络 DIANNAO YU WANGLUO

1 컴퓨터 및 주변 기기

电脑及配件
diànnǎo jí pèi jiàn

중국의 유명 컴퓨터 제조업체로는 중국의 IBM으로 일컬어지는 联想电脑 liánxiǎng diànnǎo와 北京大学 běijīng dàxué에서 출연한 方正电脑 fāngzhèng diànnǎo, 清华大学 qīnghuá dàxué에서 출연한 同方电脑 tóngfāng diànnǎo가 있다. 그 외 중국에서 컴퓨터 및 주변 기기를 생산하는 외국 기업들로는 IBM, 惠普 huìpǔ(HP), 佳能 jiānéng(Canon), 三星 sānxīng(삼성), 索尼 suǒní (Sony) 등이 있다.

기 본 대 화

A: 哇, 你买新电脑了? 什么牌子的?
wā nǐ mǎi xīn diàn nǎo le shén me pái zi de

B: 联想。
lián xiǎng

A: 是英特尔奔腾Ⅳ处理器的吗?[1)]
shì yīng tè ěr bēn téng chǔ lǐ qì de ma

B: 是的, 能看DVD。
shì de néng kàn

A: 磁盘的容量有多大?
cí pán de róng liàng yǒu duō dà

B: 有C, D, E, F盘, 共160 GB。
yǒu pán gòng

A: 와, 너 컴퓨터 새로 샀구나. 어느 브랜드니?
B: 롄샹 컴퓨터.
A: 이거 인텔 펜티엄 Ⅳ야?
B: 응, DVD도 볼 수 있어.
A: 디스크 용량이 얼마나 돼?
B: C, D, E, F 드라이브를 합쳐 모두 160기가야.

여러 가지 활용

Ⅰ. 컴퓨터 본체 主机
zhǔ jī

▶ **하드 디스크** 硬盘
yìng pán

• C 디스크 용량이 부족하군요.
C盘容量不够。
pán róng liàng bú gòu

1) 英特尔 yīngtè'ěr은 intel, 奔腾 bēnténg은 pentium을 음역한 것.

- C 디스크가 손상된 것 같습니다.
  好像C盘坏了。
  hǎo xiàng pán huài le

- 내 컴퓨터는 하드 용량이 너무 작아.
  我的电脑磁盘容量太小了。
  wǒ de diàn nǎo cí pán róng liàng tài xiǎo le

▶ **CD·DVD 드라이브** **光驱**
guāng qū

- 이 컴퓨터로 DVD도 볼 수 있니?
  这台电脑能放DVD吗?
  zhè tái diàn nǎo néng fàng ma

- 아니, VCD만 볼 수 있어.
  不能, 只能放VCD。
  bù néng zhǐ néng fàng

- CD롬 안에 CD를 좀 넣어 봐.
  请帮我把CD放在光驱里。
  qǐng bāng wǒ bǎ fàng zài guāng qū li

- CD를 좀 꺼내 줄래요?
  把CD拿出来好吗?
  bǎ ná chū lái hǎo ma

▶ **운영 체계** **操作系统**
cāo zuò xì tǒng

A: 你电脑的操作系统是什么?
nǐ diàn nǎo de cāo zuò xì tǒng shì shén me
B: 是windows 2000的。
shì de

A: 당신 컴퓨터의 운영 체계는 무엇이에요?
B: 윈도우 2000이에요.

- 이번에 윈도우 XP를 새로 깔았어요.
  我这次重新安装了windows XP。
  wǒ zhè cì chóng xīn ān zhuāng le

- 윈도우 XP는 어떤 새로운 기능이 있죠?
  windows XP有哪些新功能?
  yǒu nǎ xiē xīn gōng néng

- XP를 사용하면 인터넷하기가 훨씬 편리해요.
  用XP上网更方便。
  yòng shàng wǎng gèng fāng biàn

- 아직도 윈도우 98을 쓰고 있어요?
  你还是用win 98吗?
  nǐ hái shi yòng ma

- 내가 설치한 운영 시스템은 윈도우 XP예요.
  我装的操作系统是windows XP。
  wǒ zhuāng de cāo zuò xì tǒng shì

▶ **노트북** **笔记本电脑**[2)]
bǐ jì běn diàn nǎo

- 가장 최신형 노트북 컴퓨터를 보여 주세요。
  请给我看最新款的笔记本电脑。
  qǐng gěi wǒ kàn zuì xīn kuǎn de bǐ jì běn diàn nǎo

- 이 노트북은 초경량 초박형이에요.
  这台笔记本电脑是超轻超薄的。
  zhè tái bǐ jì běn diàn nǎo shì chāo qīng chāo báo de

Ⅱ. 모니터 显示器
xiǎn shì qì

- 이 모니터는 17인치인가요?
  这个显示器是17寸的吗?
  zhè ge xiǎn shì qì shì cùn de ma

- 요즘은 액정 모니터를 많이 선호해요.
  现在很多人都喜欢液晶显示器。
  xiàn zài hěn duō rén dōu xǐ huan yè jīng xiǎn shì qì

- 모니터 화면이 선명치 않아요.
  显示器屏幕不太清楚。
  xiǎn shì qì píng mù bú tài qīng chu

- 밝기를 좀 조절해야겠어요.
  亮度要调整。
  liàng dù yào tiáo zhěng

- 모니터를 좀더 큰 걸로 바꿔야겠어요.
  显示器要换大一点的。
  xiǎn shì qì yào huàn dà yì diǎn de

---

2) 노트북은 의역하여 笔记本电脑 bǐjìběn diànnǎo라고도 하고, 휴대용 컴퓨터란 뜻에서 手提电脑 shǒutí diànnǎo라고도 한다.

- 이제 14인치짜리는 거의 쓰지 않아요.
  现在几乎不用14寸的了。
  xiàn zài jī hū bú yòng cùn de le

- 아직도 이런 구식 모니터를 쓰고 계세요?
  你现在还用这种过时的显示器呀?[3)]
  nǐ xiàn zài hái yòng zhè zhǒng guò shí de xiǎn shì qì ya

Ⅲ. 자판　键盘 jiàn pán

- 가끔 글자가 잘 안 쳐져요.
  有时候打不出字来。
  yǒu shí hou dǎ bu chū zì lái

- 자판에 이물질이 들어가면 안 돼요.
  键盘里边不能进别的东西。
  jiàn pán lǐ bian bù néng jìn bié de dōng xi

- 한 번 쳤는데도 두세 개씩 나와요.
  我按了一个,却出来了两三个。
  wǒ àn le yí ge què chū lái le liǎng sān ge

- 이 자판에는 기능이 아주 많아요.
  这个键盘有很多功能。
  zhè ge jiàn pán yǒu hěn duō gōng néng

- 이 자판을 다 외웠니?
  你都记下这些键位了吗?
  nǐ dōu jì xià zhè xiē jiàn wèi le ma

Ⅳ. 마우스　鼠标[4)] shǔ biāo

- 마우스가 말을 잘 안 들어요.
  鼠标不听话了。
  shǔ biāo bù tīng huà le

- 마우스 볼을 닦아 봐요.
  擦一擦鼠标里的球。
  cā yi cā shǔ biāo li de qiú

- 광마우스는 아주 편리해요.
  光电鼠标很方便。
  guāng diàn shǔ biāo hěn fāng biàn

---

3) 过时 guòshí: 구식의, 유행이 지난.
4) 鼠标 shǔbiāo는 mouse를 의역한 것이다.

- 무선 마우스도 있어요.
  还有无线鼠标。
  hái yǒu wú xiàn shǔ biāo

- 마우스 왼쪽을 두 번 클릭하면 돼요.
  双击左键就可以了。[5)]
  shuāng jī zuǒ jiàn jiù kě yǐ le

- 마우스 오른쪽을 한 번 클릭하면 보일 거예요.
  单击右键就会看到。
  dān jī yòu jiàn jiù huì kàn dào

V. 프린터 打印机
dǎ yìn jī

- 프린트 속도가 아주 빠르네요.
  打印速度很快。
  dǎ yìn sù dù hěn kuài

- 우선 한 장만 프린트해 보세요.
  先打一张, 试一下。
  xiān dǎ yì zhāng shì yí xià

- 가로로 인쇄하기를 해 보세요.
  试一下横面打印。
  shì yí xià héng miàn dǎ yìn

- 레이저 프린터가 가장 선명하게 인쇄됩니다.
  激光打印机的效果是最好的。
  jī guāng dǎ yìn jī de xiào guǒ shì zuì hǎo de

- 잉크젯 프린터는 싸긴 하지만 잉크 값이 너무 비싸요.
  喷墨打印机虽然便宜, 但是墨盒很贵。
  pēn mò dǎ yìn jī suī rán pián yi dàn shì mò hé hěn guì

VI. 스캐너 扫描仪
sǎo miáo yí

- 이 사진 좀 스캔해 주세요.
  帮我扫这张照片吧。
  bāng wǒ sǎo zhè zhāng zhào piàn ba

- 스캔한 후에 전송해 주세요.
  扫描后, 发给我吧。
  sǎo miáo hòu fā gěi wǒ ba

---

5) 마우스를 누르는 것을 点击 diǎnjī 라고 하며, 한 번 누르기는 单击 dānjī, 두 번 누르기는 双击 shuāngjī 라고 한다.

- 스캔한 것은 다 저장해야 해요.
  扫描后都要存盘。
  sǎo miáo hòu dōu yào cún pán

- 스캐너로 복사도 할 수 있어요?
  用扫描仪可以复印吗?
  yòng sǎo miáo yí kě yǐ fù yìn ma

Ⅶ. 디지털 카메라 数码相机
shù mǎ xiàng jī

A: 你好! 能看清楚我吗?
nǐ hǎo néng kàn qīng chu wǒ ma

B: 看得很清楚, 你呢?
kàn de hěn qīng chu nǐ ne

A: 我也能看清你。
wǒ yě néng kàn qīng nǐ

B: 太好了! 以后我们能经常见面了。
tài hǎo le yǐ hòu wǒ men néng jīng cháng jiàn miàn le

A: 안녕? 나 잘 보이니?

B: 아주 선명히 보이는데, 너는?

A: 나도 네가 잘 보여.

B: 너무 좋다, 앞으로는 자주 볼 수 있겠구나.

- 이제는 디지털 카메라가 보편화되어 값이 싸졌어요.
  现在数码相机很普遍了, 价钱也下降了。
  xiàn zài shù mǎ xiàng jī hěn pǔ biàn le jià qián yě xià jiàng le

- 디지털 카메라가 생겼으니 이제 화상 전화도 할 수 있어요.
  现在我有数码相机, 可以可视通话。
  xiàn zài wǒ yǒu shù mǎ xiàng jī kě yǐ kě shì tōng huà

- 이제는 사진도 모두 컴퓨터에 저장하면 되니까 앨범이 필요 없어요.
  现在照片都可以存在电脑里, 不用相册了。[6]
  xiàn zài zhào piàn dōu kě yǐ cún zài diàn nǎo li bú yòng xiàng cè le

- 디지털 카메라는 보통 400만 픽셀이면, 효과가 꽤 좋아요.
  数码相机一般为400万像素, 效果还是很不错的。
  shù mǎ xiàng jī yì bān wéi wàn xiàng sù xiào guǒ hái shi hěn bú cuò de

---

6) '사진'의 뜻을 나타내는 단어로는 照片 zhàopiàn 이외에 相片 xiàngpiàn, 像片 xiàng piàn, 象片 xiàngpiàn 등이 있다.

2 문 서

电子文档
diàn zǐ wéndàng

요즘은 워드의 편집 기능이 매우 다양하여 이를 잘 숙지하여 사용한다면 정말 편리하게 문서를 작성할 수가 있다. MS-word 중문판(中文版 zhōngwénbǎn)에서 가장 많이 사용되는 글 자체는 宋体(sònggtǐ)이며 한글판에서는 simsun체가 이에 해당한다. 중문판 2003 이상의 버전에서는 병음 표기 기능이 있어서 편리하다. 단 자동으로 입력되는 병음이나 성조가 다 맞는 거은 아니므로 확인을 해야 한다.

기 본 대 화

A: 你会打中文吗?
nǐ huì dǎ zhōng wén ma

B: 会, 比想象的要简单。
huì bǐ xiǎng xiàng de yào jiǎn dān

A: 你会什么输入法?
nǐ huì shén me shū rù fǎ

B: 我只会「智能ABC」, 因为那只知道汉语拼音就能打出来。
wǒ zhǐ huì zhì néng yīn wèi nà zhǐ zhī dào hàn yǔ pīn yīn jiù néng dǎ chū lái

A: 对, 它比较适合于初学中文的人。
duì tā bǐ jiào shì hé yú chū xué zhōng wén de rén

B: 不过, 有时没有我要找的汉字, 有办法吗?
bú guò yǒu shí méi yǒu wǒ yào zhǎo de hàn zì yǒu bàn fǎ ma

A: 你可以用全拼输入法, 那里收藏的汉字很多。
nǐ kě yǐ yòng quán pīn shū rù fǎ nà li shōu cáng de hàn zì hěn duō

B: 谢谢, 今天跟你学得不少。
xiè xie jīn tiān gēn nǐ xué de bù shǎo

A: 중국어 타자 칠 줄 아세요?

B: 네, 생각보다 간단하더군요.

A: 어떤 입력 방법을 할 줄 아세요?

B: 저는 「즈넝ABC」만 할 줄 알아요, 왜냐하면 그건 중국어 병음만 알면 칠 수 있으니까요.

A: 맞아요. 처음 중국어를 배우는 사람들에게 적합하지요.

B: 그런데 어떤 때는 제가 찾는 한자가 없던데, 방법이 있나요?

A: 취엔핀 입력법을 사용하면 돼요, 거기엔 내장된 한자가 아주 많아요.

B: 고마워요. 오늘 많은 걸 배웠어요.

여러 가지 활용

Ⅰ. 문서 작성하기 制作文档
zhì zuò wén dàng

A: 你能告诉我用哪种输入法打字最快吗?
nǐ néng gào su wǒ yòng nǎ zhǒng shū rù fǎ dǎ zì zuì kuài ma

B: 我认为用五笔打字最快。[1]
wǒ rèn wéi yòng wǔ bǐ dǎ zì zuì kuài

A: 어떤 입력법을 사용해야 타이핑을 제일 빨리 할 수 있는지 알려 주시겠어요?

B: 저는 우비가 가장 빠르다고 생각합니다.

- 표를 작성해야 하는데 어떻게 하는지를 잘 모르겠어.
  现在我要打表, 不知道怎么做。
  xiàn zài wǒ yào dǎ biǎo bù zhī dào zěn me zuò

- 엑셀로 표를 작성하면 상당히 편리해, 나는 늘 그걸로 업무 보고서를 작성해.
  用Excel制表相当方便, 我常用它作工作报表。
  yòng zhì biǎo xiāng dāng fāng biàn wǒ cháng yòng tā zuò gōng zuò bào biǎo

- 여기에 관련된 그림을 넣으세요.
  在这里插入一个相关的图案。
  zài zhè li chā rù yí ge xiāng guān de tú àn

- 글씨 크기를 좀 작게 해 봐요.
  把字体缩小一点儿。
  bǎ zì tǐ suō xiǎo yì diǎnr

- 프린트하기 전에 미리 보기를 해 봐요.
  打印之前先看一下预览。
  dǎ yìn zhī qián xiān kàn yí xià yù lǎn

- 복사한 것을 여기다 붙여요.
  把复制的东西贴在这儿。
  bǎ fù zhì de dōng xi tiē zài zhèr

---

1) 중국어를 타이핑하는 방법에는 拼音pīnyīn을 이용하는 방법과 약호를 이용하는 방법이 있다. 拼音을 이용하는 것 중 가장 보편적인 것은 智能abc输入法이며, 이것은 초심자도 쉽게 이용할 수 있는 장점이 있다. 五笔字型输入法 wǔbǐzìxíng shūrùfǎ는 약호를 외워 타이핑하는 것으로 속도가 매우 빠른 장점이 있어 주로 타이핑을 전문적으로 하는 사람들이 많이 이용한다.

- 여기에 필요한 한자가 없는데 어떻게 해야 하지?
  这里没有想要的汉字怎么办?
  zhè li méi yǒu xiǎng yào de hàn zì zěn me bàn

- 글자를 만들어 넣는 기능이 따로 있어요.
  还有造字的功能。
  hái yǒu zào zì de gōng néng

- 이 정도 행간이면 적당합니까?
  这样的行间距你认为合适吗?
  zhè yàng de háng jiān jù nǐ rèn wéi hé shì ma

- 위아래 여백을 좀더 띄어 봐요.
  再加一些页眉、页脚吧。[2)]
  zài jiā yì xiē yè méi yè jiǎo ba

- 가로 배열로 할래요, 세로 배열로 할래요?
  你需要横排版, 还是竖排版?[3)]
  nǐ xū yào héng pái bǎn hái shi shù pái bǎn

- 보기 좋게 하려면 표제를 좀더 두드러지게 해 봐요.
  为了更加美观, 你应该把标题更突出一点。
  wèi le gèng jiā měi guān nǐ yīng gāi bǎ biāo tí gèng tū chū yì diǎn

- A4 용지에 프린트할 거예요, B5에 할 거예요?
  你需要用A4纸打印, 还是B5纸打印?
  nǐ xū yào yòng zhǐ dǎ yìn hái shi zhǐ dǎ yìn

- 한글 워드에서도 중국어 문서를 작성할 수 있나요?
  在韩文界面上能制作中文文档吗?
  zài hán wén jiè miàn shang néng zhì zuò zhōng wén wén dàng ma

- 번체자, 간체자는 물론 병음까지도 달 수가 있어요.
  除了繁体和简体以外, 还有带拼音的。
  chú le fán tǐ hé jiǎn tǐ yǐ wài hái yǒu dài pīn yīn de

Ⅱ. 저장하기 存盘
cún pán

A: 我的<管理表>文件丢失了, 你能帮我再拷贝一份吗?[4)]
wǒ de guǎn lǐ biǎo wén jiàn diū shī le nǐ néng bāng wǒ zài kǎo bèi yí fèn ma

---

2) 页眉 yèméi: 위 여백.
3) 横排版 héngpáibǎn: 가로 배열 편집, 가로 배열 조판.
4) 拷贝 kǎobèi: 복사. 복사하다. copy의 음역.

B: 好的, 不过这次你要注意了。
hǎo de bú guò zhè cì nǐ yào zhù yì le

A: 不会再丢了。我给它加上密码。
bú huì zài diū le wǒ gěi tā jiā shàng mì mǎ

A: <관리표> 문서를 잃어버렸어요. 다시 하나 복사해 줄래요?

B: 그러죠, 하지만 앞으로는 주의해요.

A: 이젠 안 잃어버릴 겁니다. 암호를 입력할 거예요.

- 이 문서는 오리기를 해서 따로 보관해요.
  把这个文件剪切下来另存一个地方。
  bǎ zhè ge wén jiàn jiǎn qiē xià lái lìng cún yí ge dì fang

- 앗, 문서 작성한 게 다 날아가 버렸어!
  哎呀, 我输入的文件丢了!
  āi yā wǒ shū rù de wén jiàn diū le

- 그러니까 내가 수시로 저장하라고 말했잖아.
  所以我告诉你随时都要存盘。
  suǒ yǐ wǒ gào su nǐ suí shí dōu yào cún pán

- 프린트하기 전에 다시 검사를 해 보는 게 좋아요.
  打印之前, 你最好再检查一下。
  dǎ yìn zhī qián nǐ zuì hǎo zài jiǎn chá yí xià

- 중요한 문서는 플로피 디스켓에 반드시 저장해 두세요.
  重要的文件要放在A盘。
  zhòng yào de wén jiàn yào fàng zài pán

- 플로피 디스켓은 쉽게 망가지니 반드시 백업시켜 놓으세요.
  软盘很容易坏, 所以一定要备份。[5]
  ruǎn pán hěn róng yì huài suǒ yǐ yí dìng yào bèi fèn

- 저장해 둔 플로피 디스켓이 어디로 갔지?
  我存好的软盘在哪里?
  wǒ cún hǎo de ruǎn pán zài nǎ li

- 문서가 너무 커서 저장할 수가 없어요.
  文件太大, 存不了。
  wén jiàn tài dà cún bu liǎo

5) 备份 bèifèn: 백업(backup). (숫자 · 머릿수)를 채우다.

3 이 메 일

电子邮件
diàn zǐ yóujiàn

이제 e-mail은 우리의 일상생활에서 빼놓을 수 없는 필수 요소가 되었다. 많은 사람들이 하루의 일과를 e-mail 확인으로 시작하기도 한다. 더 이상 손으로 편지지(信纸 xìnzhǐ)에 글을 쓰고 편지 봉투(信封 xìnfēng)에 담아 우표(邮票 yóupiào)를 붙여서 우체국(邮局 yóujú)에 가서 부치는 수고를 하지 않아도 된다. 그 뿐인가. 며칠씩 기다릴 필요도 없이 보내는 순간 바로 상대방의 e-mail box로 들어가게 되고, 동시에 수많은 사람에게 보낼 수도 있다.

기 본 대 화

A: 你要跟我联系的话，就发e-mail。
nǐ yào gēn wǒ lián xì de huà, jiù fā

B: 你能告诉我你的e-mail地址吗？
nǐ néng gào su wǒ nǐ de dì zhǐ ma

A: cxyin@sohu.com。

B: 名片上有我的e-mail地址。
míng piàn shang yǒu wǒ de dì zhǐ

A: 你通常什么时间上网？
nǐ tōng cháng shén me shí jiān shàng wǎng

B: 一般晚上吧，你呢？
yì bān wǎn shang ba, nǐ ne

A: 我也是。到时候我给你发邮件，你可一定要回呀！
wǒ yě shì. dào shí hou wǒ gěi nǐ fā yóu jiàn, nǐ kě yí dìng yào huí ya

B: 一定会的。
yí dìng huì de

A: 저와 연락할 일이 있으시면 제게 메일을 보내세요.
B: 메일 주소를 알려 주시겠어요?
A: cxyin@sohu.com이에요.
B: 제 메일 주소는 명함에 있어요.
A: 대체로 어느 시간에 인터넷을 하세요?
B: 주로 저녁이에요, 당신은요?
A: 저도요, 그때 가서 메일을 보낼 테니 꼭 답장해 줘야 해요.
B: 꼭 할게요.

여러 가지 활용

Ⅰ. 메일 주고받기 收发邮件
shōu fā yóu jiàn

가입·로그인 注册/登录
zhù cè dēng lù

- 중국 사이트에 들어가서 회원으로 가입하면 메일을 개설할 수 있어요.
  你进入一个中文网站, 注册之后, 就可以得到一个邮箱。
  nǐ jìn rù yí ge zhōng wén wǎng zhàn zhù cè zhī hòu jiù kě yǐ dé dào yí ge yóu xiāng

- 이 사이트의 회원이 되면 바로 무료 이메일 계정을 받을 수 있어요.
  成为这个网站的会员, 你就可以得到一个免费邮箱。
  chéng wéi zhè ge wǎng zhàn de huì yuán nǐ jiù kě yǐ dé dào yí ge miǎn fèi yóu xiāng

- 아이디가 자꾸 중복이 되네.
  用户名总是和别人重复。
  yòng hù míng zǒng shì hé bié rén chóng fù

- 나의 이미지를 가장 잘 표현할 수 있는 아이디가 뭘까?
  最能展现我个性的用户名是什么?
  zuì néng zhǎn xiàn wǒ gè xìng de yòng hù míng shì shén me

- 아이디와 비밀 번호가 맨날 헷갈리네.
  我的用户名和密码老记混。
  wǒ de yòng hù míng hé mì mǎ lǎo jì hǔn

- 아이 참, 비밀 번호를 잊어버렸어.
  哎呀, 我忘记密码了。
  āi yā wǒ wàng jì mì mǎ le

메일 보내기 发送邮件
fā sòng yóu jiàn

- 내가 메일 보낸 거 받아 보았니?
  你收到我给你发的邮件了吗?[1)]
  nǐ shōu dào wǒ gěi nǐ fā de yóu jiàn le ma

- 메일을 보냈는데 왜 아직 연락이 없지?
  我已经发出去了, 怎么还没消息?
  wǒ yǐ iīng fā chū qù le zěn me hái méi xiāo xi

---

1) 우체국에 가서 편지를 부치는 것은 '寄 jì'라고 하며, 인터넷상에서 메일을 보내는 것은 '发 fā'라고 한다.

- 메일은 여러 사람에게 동시에 보낼 수도 있어요.
  邮件也可以同时发给多个人。
  yóu jiàn yě kě yǐ tóng shí fā gěi duō ge rén

- 이메일 보내는 방법을 잘 모르는데 좀 알려 주시겠어요?
  我不太会发电子邮件, 你能告诉我吗?
  wǒ bú tài huì fā diàn zǐ yóu jiàn nǐ néng gào su wǒ ma

- 메이쥐엔이 오늘 생일을 맞았으니 생일 축하 카드 메일을 보내야지.
  美娟今天过生日, 我发个生日贺卡给她吧。
  měi juān jīn tiān guò shēng rì wǒ fā ge shēng rì hè kǎ gěi tā ba

- 메일 박스가 꽉 차서 내가 보낸 편지가 안 들어가더라. 빨리 정리해.
  你的邮箱满了, 我的信发不进去, 你快清理一下吧。
  nǐ de yóu xiāng mǎn le wǒ de xìn fā bu jìn qù nǐ kuài qīng lǐ yí xià ba

- 내가 네 메일 주소를 잘못 적었나 봐. 메일이 되돌아왔어.
  我把你的地址写错了, 信被退回来了。
  wǒ bǎ nǐ de dì zhǐ xiě cuò le xìn bèi tuì huí lái le

▶ 메일 받기 **收邮件**
shōu yóu jiàn

- 그의 생일 축하 메일을 받고 얼마나 기뻤는지 몰라요.
  我收到他发给我的生日贺卡, 高兴极了。
  wǒ shōu dào tā fā gěi wǒ de shēng rì hè kǎ gāo xìng jí le

- 낯선 메일은 함부로 열어 보지 말아요.
  陌生的邮件不要轻易看。
  mò shēng de yóu jiàn bú yào qīng yì kàn

- 언제 보냈는데? 난 아직 못 받았어.
  你什么时候发的? 我还没收到。
  nǐ shén me shí hou fā de wǒ hái méi shōu dào

- 미안해. 요새 너무 바빠서 들어가 보질 못 했어.
  对不起, 最近我太忙了, 所以没进去看。
  duì bu qǐ zuì jìn wǒ tài máng le suǒ yǐ méi jìn qù kàn

- 메일을 받긴 했는데 뭐라 회신을 해야 할지 모르겠어.
  已经收到了他的邮件, 但不知道怎么回。
  yǐ jīng shōu dào le tā de yóu jiàn dàn bù zhī dào zěn me huí

- 이 사람이 자꾸 나한테 메일을 보내는데, 수신 거부를 해 버릴까?
  这个人老给我发邮件, 我要不要拒收呢?
  zhè ge rén lǎo gěi wǒ fā yóu jiàn wǒ yào bu yào jù shōu ne

▶ **파일 첨부** **附件**
fù jiàn

- 이 파일을 첨부해서 보내 드리겠습니다.
  这文件我用附件发给你。
  zhè wén jiàn wǒ yòng fù jiàn fā gěi nǐ

- 메일은 받아 보았는데 파일을 열어볼 수가 없군요.
  我收到了, 但我打不开附件。
  wǒ shōu dào le dàn wǒ dǎ bu kāi fù jiàn

- 다시 한 번 파일을 첨부해 보내 주시겠어요?
  你再把附件发给我好吗?
  nǐ zài bǎ fù jiàn fā gěi wǒ hǎo ma

- 파일을 열어볼 때는 바이러스 검사를 꼭 하세요.
  你打开附件时, 一定要检查一下有没有病毒。
  nǐ dǎ kāi fù jiàn shí yí dìng yào jiǎn chá yí xià yǒu méi yǒu bìng dú

- 파일이 너무 커서 첨부해 보낼 수가 없습니다.
  这个文件太大, 附不过去。
  zhè ge wén jiàn tài dà fù bu guò qù

- 한 번에 세 개의 파일만 첨부할 수 있습니다.
  一次只能附三个文件。
  yí cì zhǐ néng fù sān ge wén jiàn

Ⅱ. 스팸 메일 垃圾邮件
lā jī yóu jiàn

A: 最近黄色信息越来越多, 我怕影响孩子们。
zuì jìn huáng sè xìn xī yuè lái yuè duō wǒ pà yǐng xiǎng hái zi men

B: 那你就用拒收功能拒收吧。
nà nǐ jiù yòng jù shōu gōng néng jù shōu ba

A: 我已经用了, 可还是不断地收到。
wǒ yǐ jīng yòng le kě hái shi bú duàn de shōu dào

A: 요즘 음란 정보가 갈수록 많아져서 애들에게 영향이 갈까 걱정이에요.

B: 그럼 수신 거부 기능으로 차단하세요.

A: 이미 사용하고 있어요, 하지만 그래도 끊이질 않아요.

- 광고 메일이 너무 많아서 귀찮아 죽겠어요.
  广告邮件太多了, 很麻烦。
  guǎng gào yóu jiàn tài duō le hěn má fan

- 요즘은 메일 박스가 광고 메일로 넘친다니까.
  最近邮箱里都是广告邮件。
  zuì jìn yóu xiāng li dōu shì guǎng gào yóu jiàn

- 스팸 메일은 '수신 거부' 기능으로 차단할 수 있습니다.
  垃圾邮件用拒收功能可以拒收。
  lā jī yóu jiàn yòng jù shōu gōng néng kě yǐ jù shōu

- 요즘 스팸 메일은 다 스팸 메일 박스로 들어가게 되어 있어요.
  现在垃圾邮件都发到垃圾邮件箱里了。
  xiàn zài lā jī yóu jiàn dōu fā dào lā jī yóu jiàn xiāng li le

- 스팸 메일이 하루에 20여 통이나 들어와요.
  每天垃圾邮件都有20封那么多。
  měi tiān lā jī yóu jiàn dōu yǒu fēng nà me duō

- 음란 정보가 너무 많아요.
  黄色信息太多了。
  huáng sè xìn xī tài duō le

- 스팸 메일은 열어볼 것도 없어요.
  垃圾邮件不必打开。
  lā jī yóu jiàn bú bì dǎ kāi

- 스팸 메일은 바로바로 삭제해 버려요.
  你收到垃圾邮件就马上删掉。2)
  nǐ shōu dào lā jī yóu jiàn jiù mǎ shàng shān diào

▶ 기타 其他
qí tā

- 누가 내 메일 박스에 들어왔었군.
  有人进过我的邮箱。
  yǒu rén jìn guo wǒ de yóu xiāng

- 비밀 번호를 바꿔야겠어.
  我要改密码。
  wǒ yào gǎi mì mǎ

- 저는 이미 아이디를 바꿨어요.
  我已经改了用户名了。
  wǒ yǐ jīng gǎi le yòng hù míng le

- 어느 사이트의 무료 메일 박스 용량이 제일 크지?
  哪个网站的免费电子邮箱容量最大?
  nǎ ge wǎng zhàn de miǎn fèi diàn zǐ yóu xiāng róng liàng zuì dà

---

2) 掉 diào가 동사 뒤에 보어로 쓰이면 '~해 버리다'의 뜻이 된다. 예) 忘掉 wàngdiào(잊어버리다), 吃掉 chīdiào(먹어 치우다).

4 채팅 · 게임

聊天/游戏
liáotiān yóu xì

요즘은 하루 종일 컴퓨터 앞에 앉아 인터넷을 하고 있는 사람들이 많다. 이런 사람들을 网虫(wǎngchóng)이라 한다. 이들 중에는 채팅에 빠진 사람도 있고, 인터넷 게임에 중독된 사람도 있다. 적당히 채팅이나 게임을 함으로써 과다한 공부나 업무에서 오는 스트레스를 풀 수도 있을 것이다. 그러나 지나치게 빠져 들면 여러 부작용이 생기게 되므로 시간을 정해 놓고 하는 것이 좋다.

기본대화

A: 看起来你很累, 昨天没睡好啊?
kàn qǐ lái nǐ hěn lèi zuó tiān méi shuì hǎo a

B: 是啊, 昨夜玩儿游戏玩儿到很晚。
shì a zuó yè wánr yóu xì wánr dào hěn wǎn

A: 我也很晚才睡。
wǒ yě hěn wǎn cái shuì

B: 那你在做什么?
nà nǐ zài zuò shén me

A: 我和网友聊天儿。
wǒ hé wǎng yǒu liáo tiānr

B: 你这个网虫是不是天天通宵呀?
nǐ zhè ge wǎng chóng shì bu shì tiān tiān tōng xiāo a

A: 当然了, 你这个游戏迷不也是吗?
dāng rán le nǐ zhè ge yóu xì mí bù yě shì ma

B: 今天我们一起玩儿吧。
jīn tiān wǒ men yì qǐ wánr ba

A: 好的。
hǎo de

A: 피곤해 보이는데, 어젯밤에 잠 못 잤니?
B: 응, 어제 늦게까지 게임을 했거든.
A: 나도 아주 늦게 잤는데.
B: 넌 뭘 했는데?
A: 컴친구랑 채팅했지.
B: 너 이 컴충이 날마다 밤새우는 거 아냐?
A: 당연하지, 너 게임광도 그러지 않니?
B: 오늘 우리 같이 놀까?
A: 좋아.

여러 가지 활용

Ⅰ. 채팅 聊天
liáo tiān

A: 你知道网络都有什么聊天方式吗?
nǐ zhī dào wǎng luò dōu yǒu shén me liáo tiān fāng shì ma

B: 有QQ、语音聊天室、BBS、网易泡泡以及网络游戏等等。
yǒu yǔ yīn liáo tiān shì wǎng yì pào pào yǐ jí wǎng luò yóu xì děng děng

A: 网络游戏中也可以聊天吗?
wǎng luò yóu xì zhōng yě kě yǐ liáo tiān ma

B: 当然, 因为玩家们都是互动的。
dāng rán yīn wèi wán jiā men dōu shì hù dòng de

A: 太有意思了。
tài yǒu yì si le

A: 너 인터넷에 어떤 채팅 방법들이 있는지 아니?

B: QQ, 음성 채팅실, BBS, 왕이파오파오, 그리고 인터넷 게임 등이 있지.

A: 인터넷 게임에서도 채팅을 할 수가 있니?

B: 당연하지, 게이머들끼리 다 서로 통하거든.

A: 굉장히 재밌다.

- 요즘 그 애는 채팅에 푹 빠져 있어.
  最近他迷上了聊天。
  zuì jìn tā mí shàng le liáo tiān

- 나도 채팅에 중독되었다니까.
  我也痴迷聊天。[1)]
  wǒ yě chī mí liáo tiān

- 내 컴친구가 다음 주에 날 보러 오겠대.
  我的网友下星期要来看我。
  wǒ de wǎng yǒu xià xīng qī yào lái kàn wǒ

- 우리 오늘 대화방에서 만날까?
  我们今天在聊天室见面好吗?
  wǒ men jīn tiān zài liáo tiān shì jiàn miàn hǎo ma

---

1) 迷 mí: '~에 빠지다', '~에 홀리다'는 뜻. 痴迷 chīmí 역시 '~에 빠져서 정신 못 차리다'라는 뜻이다. 예) 我迷上她了。wǒ míshàng tā le(나는 그녀에게 빠졌어요).

▶ 인터넷 용어 网络用语
wǎng luò yòng yǔ

- GG: 哥哥(오빠/형)
  gē ge
- JJ: 姐姐(언니/누나)
  jiě jie
- DD: 弟弟(남동생)
  dì di
- MM: 妹妹(여동생)
  mèi mei
- 竹叶: 主页(홈페이지)
  zhú yè zhǔ yè
- 大虾: 大侠, 高手(고수, 베테랑)
  dà xiā dà xiá gāo shǒu
- 卖给你: Mail 给你(메일 보낼게.)
  mài gěi nǐ gěi nǐ
- 886: 拜拜了。(바이바이!)
  bài bài le
- 4a4a: 是啊是啊。(그래그래.)
  shì a shì a
- 286: 286 电脑(반응이 느린 사람)
  diàn nǎo
- 456: 是我啦。(나야.)
  shì wǒ la
- 095: 你找我?(나 찾았니?)
  nǐ zhǎo wǒ
- 520: 我爱你。(사랑해.)
  wǒ ài nǐ
- 5376: 我生气了。(나 화났어.)
  wǒ shēng qì le
- 08376: 你别生气了。(화내지 마.)
  nǐ bié shēng qì le
- 7456: 气死我了。(성질나 죽겠네.)
  qì sǐ wǒ le
- 078: 你去吧。(너 가.)
  nǐ qù ba
- 246: 饿死了。(배고파 죽겠어.)
  è sǐ le
- 918: 加油吧。(힘내.)
  jiā yóu ba
- 995: 救救我。(살려 줘.)
  jiù jiu wǒ
- 1799: 一起走走。(함께 가자.)
  yì qǐ zǒu zou
- 7758: 亲亲我吧。(뽀뽀해 줘.)
  qīn qin wǒ ba

- 5366: 我想聊聊。(이야기하고 싶어.)
  wǒ xiǎng liáo liao
- 25184: 爱我一辈子。(한평생 나를 사랑해 줘.)
  ài wǒ yí bèi zi
- 220225: 爱爱你, 爱爱我。(널 사랑해, 날 사랑해 줘)
  ài ai nǐ ai ài wǒ
- 1314920: 一生一世就爱你。(죽는 날까지 널 사랑해)
  yì shēng yí shì jiù ài nǐ
- 3030335: 想你想你, 想想我。(너만을 생각해, 날 생각해 줘)
  xiǎng nǐ xiǎng nǐ xiǎng xiang wǒ
- 70345: 请你相信我。(날 믿어 줘.)
  qǐng nǐ xiāng xìn wǒ
- 53719: 我深情依旧。(내 사랑은 깊고도 변함없어.)
  wǒ shēn qíng yī jiù
- 5871: 我不介意。(난 상관 안 해.)
  wǒ bú jiè yì
- 306: 想你了。(보고 싶었어)
  xiǎng nǐ le
- 55646: 我无聊死了。(심심해 죽겠어)
  wǒ wú liáo sǐ le
- 2010000: 爱你一万年。(영원히 널 사랑해)
  ài nǐ yí wàn nián
- 77543: 猜猜我是谁。(내가 누군지 맞혀 봐.)
  cāi cai wǒ shì shéi
- 04551: 你是我唯一。(나에겐 너밖에 없어.)
  nǐ shì wǒ wéi yī
- 3166: 再见!(사요나라!)
  zài jiàn

인터넷 친구 사귀기 网上交友
wǎng shang jiāo yǒu

A: 最近我在网上聊了一个女朋友。
zuì jìn wǒ zài wǎng shang liáo le yí ge nǚ péng you

B: 网上交友双方都隐藏在屏幕后面。
wǎng shang jiāo yǒu shuāng fāng dōu yǐn cáng zài píng mù hòu miàn

A: 这个周末我们就要见面了。
zhè ge zhōu mò wǒ men jiù yào jiàn miàn le

B: 你就不怕遇到恐龙吗?
nǐ jiù bú pà yù dào kǒng lóng ma

A: 那是以前了, 现在都是视频语音聊天, 我早就见过她了。
nà shì yǐ qián le xiàn zài dōu shì shì pín yǔ yīn liáo tiān wǒ zǎo jiù jiàn guo tā le

B: 是吗? 她长得怎么样?
shì ma tā zhǎng de zěn me yàng

A: 胜过杨贵妃。
shèng guo yáng guì fēi

A: 최근 인터넷에서 한 여자 친구와 채팅을 했어.
B: 인터넷에서 친구를 사귀는 것은 양쪽이 다 화면 뒤에 숨어서 하는 것이지.
A: 이번 주말에 우리 만나기로 했는 걸.
B: 너는 공룡을 만날까 무섭지도 않니?
A: 그건 옛날 이야기지. 지금은 다 화상 음성 채팅이잖아. 나는 벌써 그녀를 보았는데.
B: 그래? 그녀가 어떻게 생겼든?
A: 양귀비보다 미인이야.

Ⅱ. 온라인 게임 网络游戏
wǎng luò yóu xì

- 온라인 게임 좋아하세요?
  你喜欢网络游戏吗?
  nǐ xǐ huan wǎng luò yóu xì ma

- 그럼요. 무슨 게임을 좋아하세요?
  当然了, 你喜欢哪种游戏?
  dāng rán le nǐ xǐ huan nǎ zhǒng yóu xì

- 저는 "디아블로" 게임을 좋아해요.
  我喜欢"暗黑破坏神"。
  wǒ xǐ huan àn hēi pò huài shén

- "바람의 나라" 해 보셨어요?
  你玩过"风之国"游戏吗?
  nǐ wán guo fēng zhī guó yóu xì ma

- 우리 "스타워즈" 게임 한번 같이 해 볼까?
  我们一起玩"星球大战"怎么样?
  wǒ men yì qǐ wán xīng qiú dà zhàn zěn me yàng

- 온라인 게임에 한번 중독되면 헤어나기 어려워.
  一迷上网络游戏就很难在戒掉了。[2)]
  yì mí shàng wǎng luò yóu xì jiù hěn nán zài jiè diào le

- 그 애는 밥도 안 먹고 잠도 안 자고 게임만 한다니까.
  他整天废寝忘食的玩游戏。[3)]
  tā zhěng tiān fèi qǐn wàng shí de wán yóu xì

---

2) 一 yī~ 就 jiù~는 '~하기만 하면 ~한다'라는 뜻이다. 예) 我一看就明白。wǒ yí kàn jiù míngbai '보기만 하면 바로 안다'.

- 어제 PC방에서 밤을 새워 게임을 했어.
  我昨夜在网吧玩游戏玩了个通宵。
  wǒ zuó yè zài wǎng bā wán yóu xì wán le ge tōng xiāo

Ⅲ. 해커 침입 방지　黑客防犯
hēi kè fáng fàn

A: 哎呀, 前两天我的QQ被盗了!
āi yā qián liǎng tiān wǒ de bèi dào le

B: 怎么回事儿?
zěn me huí shìr

A: 我用密码保护找回密码以后, 没过一天又被盗了。
wǒ yòng mì mǎ bǎo hù zhǎo huí mì mǎ yǐ hòu méi guò yì tiān yòu bèi dào le

B: 看来黑客对你进行了木马攻击, 已经修改了你的注册表。
kàn lái hēi kè duì nǐ jìn xíng le mù mǎ gōng jī yǐ jīng xiū gǎi le nǐ de zhù cè biǎo

A: 那我该怎么办呀?
nà wǒ gāi zěn me bàn ya

B: 你最好去这个网站, 下载一个保护软件, 这样就能防止再次被盗了。
nǐ zuì hǎo qù zhè ge wǎng zhàn xià zǎi yí ge bǎo hù ruǎn jiàn zhè yàng jiù néng fáng zhǐ zài cì bèi dào le

A: 太好了, 我现在就回去试一试。
tài hǎo le wǒ xiàn zài jiù huí qù shì yi shì

A: 에이, 이틀 전에 내 QQ를 도둑 맞았어.

B: 어떻게 된 거야?

A: 비밀 번호 보호를 이용해서 비밀 번호를 찾았는데 하루도 지나지 않아서 또 도둑을 맞았어.

B: 보아 하니 해커가 너에게 트로이카 공격을 해 와 이미 너의 가입 정보를 변경한 것 같은데.

A: 그럼 어떻게 해야 하지?

B: 여기 사이트에 가서 보호 장치를 다운로드 받으면 다시 도둑 맞는 것을 방지할 수 있어.

A: 잘 됐다. 지금 바로 돌아가서 시도해 봐야지.

---

3) 废寝忘食 fèi qǐn wàng shí: '침식을 전폐한다'는 뜻의 성어이다. = 废寝忘餐 fèi qǐn wàng cān, 忘寝废食 wàng qǐn fèi shí.

5 검색 · 다운로드

搜索/下载
sōu suǒ xià zǎi

현대는 know-how의 시대가 아니라 know-where의 시대라고 한다. 즉 예전에는 정보를 누가 가지고 있느냐가 중요한 문제였지만, 이제는 정보를 공유하는 시대에서 누가 먼저 정확하고 빠르게 정보를 찾아내느냐가 성패를 가름하는 열쇠가 된 것이다. 인터넷에서 검색하는 것을 **搜索** sōusuǒ라고 하며, 필요한 프로그램을 다운로드 받는 것을 **下载** xiàzǎi, 그리고 프로그램을 자신의 컴퓨터에 설치하는 것을 **安装** ānzhuāng이라고 한다.

기 본 대 화

A: 今天有什么重大新闻吗?[1)]
jīn tiān yǒu shén me zhòng dà xīn wén ma

B: 今天我很忙, 还没来得及看, 咱们搜索一下吧。[2)]
jīn tiān wǒ hěn máng hái méi lái de jí kàn zán men sōu suǒ yí xià ba

A: 今天东京有强烈地震。
jīn tiān dōng jīng yǒu qiáng liè dì zhèn

B: 目前在北京掀起了一股学习英语的热潮。[3)]
mù qián zài běi jīng xiān qǐ le yì gǔ xué xí yīng yǔ de rè cháo

A: 有没有关于韩国的新闻?
yǒu méi yǒu guān yú hán guó de xīn wén

B: 等一下, 我找一找。
děng yí xià, wǒ zhǎo yi zhǎo

A: 目前韩国的出生率在世界上最低。
mù qián hán guó de chū shēng lǜ zài shì jiè shang zuì dī

A: 오늘 어떤 중요한 뉴스들이 있지?

B: 오늘 바빠서 뉴스를 볼 시간이 없었는데, 우리 한번 같이 검색해 보자.

A: 오늘 도쿄에서 큰 지진이 있었네.

B: 요즘 베이징에서는 영어 학습 열기가 한창이래.

A: 한국에 관한 뉴스는 없어?

B: 잠깐만 기다려 봐. 찾아볼게.

A: 요즘 한국의 출생률이 세계 최저래.

---

1) 新闻 xīnwén은 '뉴스'라는 뜻이며, '신문'을 뜻하는 단어는 报纸 bàozhǐ이다.

2) 来得及 láidejí는 '~할 시간이 있다'는 뜻이며, '~할 시간이 없다'는 표현은 来不及 láibují이다.

3) 掀起 xiānqǐ: 들어올리다, 불러일으키다.

여러 가지 활용

Ⅰ. 검색 搜索
sōu suǒ

A: 行星、恒星和慧星的差别是什么?
xíng xīng héng xīng hé huì xīng de chā bié shì shén me

B: 你到雅虎网站查一下百科全书吧。
nǐ dào yǎ hǔ wǎng zhàn chá yí xià bǎi kē quán shū ba

A: 행성과 항성, 혜성의 차이가 뭐지?
B: 야후 사이트에 가서 백과사전을 찾아 봐.

- 요즘 가장 유행하는 노래가 뭐야?
  最近最流行的歌曲是什么?
  zuì jìn zuì liú xíng de gē qǔ shì shén me

- 오늘 검색률이 가장 높은 것은 "올림픽"이에요.
  今天点击率最高的是"奥运会"。4)
  jīn tiān diǎn jī lǜ zuì gāo de shì ào yùn huì

- 인터넷에 들어가서 검색해 보면 바로 알 수 있어.
  你上网搜索一下, 马上就会知道。
  nǐ shàng wǎng sōu suǒ yí xià mǎ shàng jiù huì zhī dào

- 서울에 관한 정보를 알려면 먼저 서울시 홈페이지에 들어가 보면 돼요.
  你想了解有关首尔的情况, 可以先访问首尔市的主页。
  nǐ xiǎng liǎo jiě yǒu guān shǒu ěr de qíng kuàng kě yǐ xiān fǎng wèn shǒu ěr shì de zhǔ yè

- 주중 한국 대사관 홈페이지에 가면 비자 수속에 관한 설명이 있어요.
  在韩国驻华大使馆主页上有有关签证手续的说明。
  zài hán guó zhù huá dà shǐ guǎn zhǔ yè shang yǒu yǒu guān qiān zhèng shǒu xù de shuō míng

- 넌 그것도 하나 검색 못하니?
  你连这个也不会搜索吗?
  nǐ lián zhè ge yě bú huì sōu suǒ ma

---

4) 点击率 diǎnjīlǜ: 点击는 click(클릭), 点击率는 클릭의 빈도수를 말한다.

- 인터넷은 지식과 정보의 바다야. 정보를 빠르게 얻는 사람만이 앞서갈 수 있어.

  网络是一个知识和信息的海洋，谁能率先得到信息，谁就能抢在别人前面。[5)]

  wǎng luò shì yí ge zhī shi hé xìn xī de hǎi yáng, shéi néng shuài xiān dé dào xìn xī, shéi jiù néng qiǎng zài bié rén qián miàn

Ⅱ. 다운로드 下载
xià zǎi

A: 你看过 <我的野蛮女友> 了吗?
nǐ kàn guo wǒ de yě mán nǚ yǒu le ma

B: 没有。我想从网上下载一个看，可是文件太大了，下载不了。
méi yǒu wǒ xiǎng cóng wǎng shang xià zǎi yí ge kàn kě shì wén jiàn tài dà le xià zǎi bu liǎo

A: 你试一试使用 “Bit Torrent” 下载。
nǐ shì yi shì shǐ yòng xià zǎi

B: 那是什么?
nà shì shén me

A: 它是点对点的下载软件，有一个小时就可以搞定了。
tā shì diǎn duì diǎn de xià zǎi ruǎn jiàn yǒu yí ge xiǎo shí jiù kě yǐ gǎo dìng le

B: 这么厉害啊?
zhè me lì hai a

A: 是，所以它被称作是革命性的下载工具。
shì suǒ yǐ tā bèi chēng zuò shì gé mìng xìng de xià zǎi gōng jù

A: 너 <엽기적인 그녀> 봤니?

B: 아니, 인터넷에서 다운받아서 보고 싶은데, 용량이 너무 커서 다운로드가 안돼.

A: 비토렌트를 이용해서 다운로드해 봐.

B: 그게 뭔데?

A: 그건 일대일 다운로드 소프트웨어인데 1시간이면 다 할 수 있어.

B: 그렇게 대단하니?

A: 응, 그래서 다운로드 도구의 혁명이라고 불리잖아.

---

5) 率先 shuàixiān: 솔선하다. 앞장서다.
抢 qiǎng: 빼앗다. 약탈하다.

- 너 노래 다운로드 받을 줄 아니?
  你会下载歌曲吗?
  nǐ huì xià zǎi gē qǔ ma

- 다운로드 속도가 너무 느려.
  下载速度太慢了。
  xià zǎi sù dù tài màn le

- 용량이 너무 커서 다운로드할 수 없겠는 걸.
  容量太大了，下载不了。
  róng liàng tài dà le xià zǎi bu liǎo

- 그건 마이크로소프트사 홈페이지에 들어가서 무료로 다운로드 받으면 돼.
  进入微软公司主页可以免费下载。[6)]
  jìn rù wēi ruǎn gōng sī zhǔ yè kě yǐ miǎn fèi xià zǎi

- 다운로드 받을 때는 반드시 바이러스 검사를 해야 돼.
  下载时一定要检查病毒。
  xià zǎi shí yí dìng yào jiǎn chá bìng dú

- 회원에 가입해야만 다운로드 받을 수 있어.
  成为这个网站的会员才能下载。
  chéng wéi zhè ge wǎng zhàn de huì yuán cái néng xià zǎi

- 다운로드를 받긴 했는데 내 컴퓨터에서는 열리지가 않아.
  下载了，但我的电脑不能打开。
  xià zǎi le dàn wǒ de diàn nǎo bù néng dǎ kāi

- 다운로드는 받았는데 어떻게 여는지를 모르겠어.
  我已经下载了，但是我不知道怎样打开。
  wǒ yǐ jīng xià zǎi le dàn shì wǒ bù zhī dào zěn yàng dǎ kāi

- 바이러스 백신은 정기적으로 업그레이드를 해야 해요.
  杀毒软件要定期升级。[7)]
  shā dú ruǎn jiàn yào dìng qī shēng jí

- 이 프로그램 어디서 다운로드 받았어?
  你这软件从哪儿下载的?
  nǐ zhè ruǎn jiàn cóng nǎr xià zǎi de

- 어떻게 다운받는 건지 잘 몰라.
  我不太懂怎样下载。
  wǒ bú tài dǒng zěn yàng xià zǎi

---

6) 微软公司 wēiruǎn gōngsī: Microsoft사. 微 wēi는 micro를, 软 ruǎn은 soft를 뜻한다.
7) 杀毒 shādú: 바이러스를 죽이다.
升级 shēngjí: 업그레이드, 승급하다, 승격하다.

6 고장 · 수리

故障/维修
gù zhàng wéi xiū

컴퓨터가 고장이 났을 때는 먼저 스스로 검사해 볼 수 있는 방법들을 실행해 본 뒤에 그래도 되지 않으면 해당 维修站 wéixiūzhàn(A/S센터)에 연락을 취하면 된다. 요즘은 날이 갈수록 많은 신종 바이러스(病毒 bìngdú)가 생겨나 저장된 데이터에 손상을 입히고 컴퓨터를 고장 나게 하기도 한다.

기 본 대 화

A: 我们家的电脑总是自动关闭, 怎么回事儿?
wǒ men jiā de diàn nǎo zǒng shì zì dòng guān bì zěn me huí shìr

B: 什么时候买的?
shén me shí hou mǎi de

A: 才买3个月。
cái mǎi ge yuè

B: 哦, 正在免费售后服务期间, 我们去修理一下吧。
ō zhèng zài miǎn fèi shòu hòu fú wù qī jiān wǒ men qù xiū lǐ yí xià ba

A: 우리 집 컴퓨터가 자꾸 저절로 꺼지는데 왜 그러죠?
B: 언제 구입하셨습니까?
A: 산지 석 달 밖에 안 되었어요.
B: 네, 지금 무료 애프터서비스 기간이니 저희들이 가서 수리해 드리겠습니다.

여러 가지 활용

I. 컴퓨터가 고장 났을 때 电脑出现故障时
diàn nǎo chū xiàn gù zhàng shí

▶ **작동이 안 될 때 无法启动时**
wú fǎ qǐ dòng shí

- 컴퓨터가 다운됐어요.
  死机了。
  sǐ jī le

- 컴퓨터가 작동이 안 돼요.
  电脑无法启动。
  diàn nǎo wú fǎ qǐ dòng

- 컴퓨터가 반응이 없어요.
  电脑没有反应。
  diàn nǎo méi yǒu fǎn yìng

- 우리 시스템이 마비가 되었어요.
  我们系统瘫痪了。[1)]
  wǒ men xì tǒng tān huàn le

- 컴퓨터를 켜도 화면에 아무것도 보이지가 않아요.
  开了电脑之后，屏幕上全是黑的。
  kāi le diàn nǎo zhī hòu píng mù shang quán shì hēi de

- 마우스를 클릭해도 아무런 반응이 없어요.
  点击鼠标，没有反应。
  diǎn jī shǔ biāo méi yǒu fǎn yìng

- 인터넷에 접속이 안 돼요.
  无法连接网络。
  wú fǎ lián jiē wǎng luò

▶ **속도가 너무 느릴 때 速度太慢时**
sù dù tài màn shí

- 컴퓨터가 속도가 많이 느려졌어요.
  电脑的速度慢了很多。
  diàn nǎo de sù dù màn le hěn duō

- 컴퓨터가 갑자기 왜 그러죠? 속도가 엄청 느려졌어요.
  不知道怎么回事，电脑突然速度很慢。
  bù zhī dào zěn me huí shì diàn nǎo tū rán sù dù hěn màn

- ADSL 인터넷 접속 속도가 아주 느려요.
  ADSL拨号上网的速度很慢。
  bō hào shàng wǎng de sù dù hěn màn

- 갑자기 속도가 왜 이렇게 느려졌지? 바이러스 걸렸나?
  怎么突然速度这么慢，是染上病毒了吗？
  zěn me tū rán sù dù zhè me màn shì rǎn shàng bìng dú le ma

▶ **모니터가 고장 났을 때 显示器出现故障时**
xiǎn shì qì chū xiàn gù zhàng shí

- 모니터에 화면이 뜨질 않아요.
  显示器没有画面。
  xiǎn shì qì méi yǒu huà miàn

1) 瘫痪 tānhuàn: 마비되다, 반신불수되다.

• 모니터 화면이 계속 깜박거려요.
显示器老闪。
xiǎn shì qì lǎo shǎn

• 모니터 화면에 줄이 생겼어요.
屏幕上出现条纹。[2]
píng mù shang chū xiàn tiáo wén

▶ 바이러스에 감염되었을 때 染上病毒时
rǎn shàng bìng dú shí

• 바이러스 걸렸나봐요.
好像有病毒。
hǎo xiàng yǒu bìng dú

• 내 컴퓨터가 바이러스에 걸렸어요.
我的电脑中病毒了。
wǒ de diàn nǎo zhòng bìng dú le

• 아무래도 컴퓨터가 바이러스에 감염된 것 같아.
电脑好像染上病毒了。
diàn nǎo hǎo xiàng rǎn shàng bìng dú le

• 바이러스에 감염되면 속도가 느려질 수 있어요.
染上病毒的话, 速度就会慢了。
rǎn shàng bìng dú de huà, sù dù jiù huì màn le

• 어떤 바이러스는 컴퓨터에 치명적인 손상을 주기도 합니다.
有的病毒能给电脑以致命的破坏。
yǒu de bìng dú néng gěi diàn nǎo yǐ zhì mìng de pò huài

▶ 기타 其他
qí tā

• 컴퓨터가 저절로 꺼지곤 해요.
电脑总是自动关闭。
diàn nǎo zǒng shì zì dòng guān bì

• 컴퓨터에 이상한 메시지가 자꾸 나와요.
电脑总是有很奇怪的提示。
diàn nǎo zǒng shì yǒu hěn qí guài de tí shì

• 컴퓨터에서 이상한 소리가 날 때가 있어요.
有时电脑会发出奇怪的声音。
yǒu shí diàn nǎo huì fā chū qí guài de shēng yīn

---

2) 条纹 tiáowén: 줄무늬.

Ⅱ. 수리하기 维修
wéi xiū

- 전원이 잘 연결되어 있는지 먼저 확인해 보세요.
  你先确认一下电源有没有插好。
  nǐ xiān què rèn yí xià diàn yuán yǒu méi yǒu chā hǎo

- 먼저 바이러스 백신으로 치료를 해 보세요.
  你先对电脑进行杀毒。
  nǐ xiān duì diàn nǎo jìn xíng shā dú

- 방문 수리를 할 경우에는 서비스 요금이 부과됩니다.
  上门维修的要收费。
  shàng mén wéi xiū de yào shōu fèi

- A/S 센터로 컴퓨터를 가져오십시오.
  把你的电脑拿到维修站。
  bǎ nǐ de diàn nǎo ná dào wéi xiū zhàn

- 프로그램을 지우고 다시 깔아 보십시오.
  删掉原有软件, 重新安装一下。
  shān diào yuán yǒu ruǎn jiàn chóng xīn ān zhuāng yí xià

- 컴퓨터에 이상이 있는 것이 아니라, 인터넷 속도가 느린 것일 수도 있습니다.
  也许不是电脑的问题, 而是网络速度太慢。
  yě xǔ bú shì diàn nǎo de wèn tí ér shì wǎng luò sù dù tài màn

- 하드 디스크를 교환해야 합니다.
  要换硬盘。
  yào huàn yìng pán

- 하드가 고장입니다. 바꾸셔야 해요.
  是硬盘出故障了, 要换一下。
  shì yìng pán chū gù zhàng le yào huàn yí xià

- 차라리 새로 컴퓨터를 사는 것이 낫겠군요.
  干脆买新电脑算了。[3)]
  gān cuì mǎi xīn diàn nǎo suàn le

- 수리가 불가능합니다.
  不能再修了。
  bù néng zài xiū le

- 손상된 문서들을 복구할 수 있을까요?
  破坏的文件还能恢复吗?
  pò huài de wén jiàn hái néng huī fù ma

---

3) 干脆 gāncuì: 명쾌하다, 시원스럽다, 차라리, 아예.

- 하드가 치명적으로 손상되었어요.
  硬盘已遭严重破坏。[4)]
  yìng pán yǐ zāo yán zhòng pò huài

- 컴퓨터 안에 중요한 문서들이 있는데 반드시 수리해 주셔야 해요.
  电脑里面有重要的文件, 一定要把它修好。
  diàn nǎo lǐ miàn yǒu zhòng yào de wén jiàn yí dìng yào bǎ tā xiū hǎo

▶ **백신으로 치료하기** 杀毒
shā dú

- 바이러스 백신으로 치료해 보세요.
  用杀毒软件治疗, 试一试吧。
  yòng shā dú ruǎn jiàn zhì liáo shì yi shì ba

- 백신을 사용하면 대부분 바이러스는 다 치료가 가능해요.
  一般用杀毒软件都能把病毒杀掉。
  yì bān yòng shā dú ruǎn jiàn dōu néng bǎ bìng dú shā diào

- 정기적으로 바이러스 검사를 해 보는 것이 좋아요.
  最好定期检查病毒。
  zuì hǎo dìng qī jiǎn chá bìng dú

참고 관련 용어

- 컴퓨터 电脑 diàn nǎo
- 노트북 笔记本电脑, 手提电脑 bǐ jì běn diàn nǎo shǒu tí diàn nǎo
- 무선 마우스 无线鼠标 wú xiàn shǔ biāo
- 프린터 打印机 dǎ yìn jī
- 레이저 프린터 激光打印机 jī guāng dǎ yìn jī
- 잉크젯 프린터 喷墨打印机 pēn mò dǎ yìn jī
- 스캐너 扫描仪 sǎo miáo yí
- 디지털 카메라 数码相机 shù mǎ xiàng jī
- 디지털 비디오 카메라 数码摄像机 shù mǎ shè xiàng jī
- 화상 전화 可视电话 kě shì diàn huà
- 인터넷 网络, 因特网 wǎng luò yīn tè wǎng
- 인터넷하다 上网 shàng wǎng
- 온라인 在线 zài xiàn
- 인터넷 쇼핑 网上购物 wǎng shàng gòu wù
- 이메일 电子邮件 diàn zǐ yóu jiàn
- 아이디 用户名 yòng hù míng
- 비밀 번호 密码 mì mǎ
- 메일 박스 邮箱 yóu xiāng
- 첨부 파일 附件 fù jiàn
- 스팸 메일 垃圾邮件 lā jī yóu jiàn
- 받은 편지 보관함 收件箱 shōu jiàn xiāng
- 임시 보관함 草稿 cǎo gǎo
- 보낸 편지 보관함 送件箱 sòng jiàn xiāng

4) 遭 zāo: (불행이나 불리한 일을) 만나다, 당하다, 부닥치다, 입다.

- 주소록 地址簿 dì zhǐ bù
- 회람(전달) 转发 zhuǎn fā
- 답장 回复 huí fù
- 삭제 删除 shān chú
- 휴지통 回收站 huí shōuzhàn
- 비우기 清空 qīngkōng
- 수신 거부 拒收 jù shōu
- 채팅 聊天 liáo tiān
- 온라인 게임 网络游戏 wǎng luò yóu xì
- PC방 网吧 wǎng bā
- 검색 搜索 sōu suǒ
- 다운로드 下载 xià zǎi
- 바이러스 病毒 bìng dú
- 바이러스 백신 杀毒软件 shā dú ruǎn jiàn
- 업그레이드하다 升级 shēng jí
- (프로그램을) 깔다 安装 ān zhuāng
- 마이크로소프트사 微软公司 wēi ruǎngōng sī
- 복사하기 复制 fù zhì
- 붙이기 粘贴 zhān tiē
- 되살리기 恢复 huī fù
- 오리기 剪切 jiǎn qiē
- 찾기 查找 chá zhǎo
- 바꾸기 替换 tì huàn
- 저장하기 存盘 cún pán
- 프린트 打印 dǎ yìn
- 즐겨찾기 收藏夹 shōucáng jiā
- 미리보기 预览 yù lǎn
- 입력 输入 shū rù
- 도구 工具 gōng jù
- 제어판 控制面板 kòng zhì miàn bǎn
- 게임 컨트롤러 游戏控制器 yóu xì kòng zhì qì
- 관리 도구 管理工具 guǎn lǐ gōng jù
- 국가 및 언어 옵션 区域和语言选项 qū yù hé yǔ yán xuǎnxiàng
- 글꼴 字体 zì tǐ
- 날짜 및 시간 日期和时间 rì qī hé shí jiān
- 내게 필요한 옵션 辅助功能选项 fǔ zhù gōngnéng xuǎnxiàng
- 네트워크 연결 网络连接 wǎng luò lián jiē
- 디스플레이 显示 xiǎn shì
- 사용자 계정 用户账户 yòng hù zhàng hù
- 사운드 및 오디오 장치 声音和音频设备 shēng yīn hé yīn pín shè bèi
- 새 하드웨어 추가 添加硬件 tiān jiā yìng jiàn
- 시스템 系统 xì tǒng
- 예약된 작업 任务计划 rèn wù jì huà
- 음성 语音 yǔ yīn
- 인터넷 옵션 Internet 选项 xuǎnxiàng
- 작업 표시줄 및 시작 메뉴 任务栏和开始菜单 rèn wù lán hé kāi shǐ cài dān
- 전원 옵션 电源选项 diànyuán xuǎnxiàng
- 폴더 옵션 文件夹选项 wén jiàn jiā xuǎnxiàng
- 프로그램 추가/제거 添加或删除程序 tiān jiā huò shān chú chéng xù
- 새로 고침 刷新 shuā xīn
- 바탕 화면 桌面 zhuōmiàn
- 배경 화면 背景 bèi jǐng
- 해상도 分辨率 fēn biàn lǜ

22 비즈니스

商务 SHANGWU

1. 바이어 영접 迎接客户
2. 회사 소개 및 참관 公司介绍与参观
3. 상담 및 계약 洽谈与合同
4. 주문 · 결제 · 클레임 预订/付款/索赔
5. 바이어 접대 接待客户

1 바이어 영접

迎接客户
yíng jiē kè hù

우리나라는 현재 날이 갈수록 중국과의 교역량이 늘어나고 있는 추세이다. 그만큼 양국 간 사업가들의 왕래도 빈번할 수밖에 없다. 사업을 하는 입장에서는 통역자를 따로 세운다 해도 기본적인 대화나 업무상의 중요한 용어 등은 반드시 숙지해 두는 것이 좋다. 본 장에서는 중국과의 무역에 있어 꼭 필요한 회화들을 소개해 볼까 한다.

기 본 대 화

A: 请问, 您是张庆彬先生吗?
qǐng wèn nín shì zhāng qìng bīn xiān sheng ma

B: 是, 我是张庆彬。
shì wǒ shì zhāng qìng bīn

A: 您好! 我是东方电脑公司的康洪。
nín hǎo wǒ shì dōng fāng diàn nǎo gōng sī de kāng hóng

欢迎您来韩国。
huān yíng nín lái hán guó

B: 您好! 很高兴见到您。
nín hǎo hěn gāo xìng jiàn dào nín

A: 我也是。
wǒ yě shì

A: 말씀 좀 묻겠는데, 장칭빈 씨이십니까?
B: 네, 제가 장칭빈입니다.
A: 안녕하십니까, 저는 동방 컴퓨터의 캉홍입니다.
한국에 오신 것을 환영합니다.
B: 안녕하세요. 만나 뵙게 되어 반갑습니다.
A: 저도 반갑습니다.

여러 가지 활용

Ⅰ. 공항 영접 机场迎接
jī chǎng yíng jiē

- 서울에 오신 것을 환영합니다.
  欢迎您来首尔。
  huān yíng nín lái shǒu ěr

- 이 선생님, 만나서 정말 기쁩니다.
  李先生, 真是很高兴见到您。
  lǐ xiān sheng zhēn shì hěn gāo xìng jiàn dào nín

- 처음 뵙겠습니다. 앞으로 잘 부탁합니다.
  初次见面，以后请多多关照。[1)]
  chū cì jiàn miàn yǐ hòu qǐng duō duō guān zhào

- 직접 마중 나와 주시다니 정말 고맙습니다.
  您亲自来迎接，真是太感谢了。
  nín qīn zì lái yíng jiē zhēn shì tài gǎn xiè le

- 수고스럽게 직접 나오시다니 정말 영광입니다.
  劳您大驾，亲自出来迎接，真是荣幸啊。
  láo nín dà jià qīn zì chū lái yíng jiē zhēn shì róng xìng a

- 우리의 만남을 오랫동안 기다려 왔습니다.
  为了我们的相逢，我已经期待很久了。
  wèi le wǒ men de xiāng féng wǒ yǐ jīng qī dài hěn jiǔ le

- 사장님으로부터 선생님에 대한 말씀 많이 들었습니다.
  从我们总经理那里听了很多关于您的事情。
  cóng wǒ men zǒng jīng lǐ nà li tīng le hěn duō guān yú nín de shì qing

- 앞으로 잘 모르는 것들을 많이 가르쳐 주십시오.
  以后有什么不懂的地方，还请您多指教。
  yǐ hòu yǒu shén me bù dǒng de dì fang hái qǐng nín duō zhǐ jiào

▶ 여정에 대한 안부 问候旅途
wèn hòu lǚ tú

A: 在飞机上用餐了吗?
zài fēi jī shang yòng cān le ma

B: 是，在飞机上吃了点儿。
shì zài fēi jī shang chī le diǎnr

A: 기내에서 식사는 하셨습니까?

B: 네, 기내에서 간단히 했습니다.

- 여행은 어떠했습니까?
  旅途怎么样?
  lǚ tú zěn me yàng

- 여행이 즐거우셨는지요?
  旅途愉快吗?
  lǚ tú yú kuài ma

1) 사람을 만났을 때에 흔히 쓰는 말인 "잘 부탁합니다"라는 표현을 중국에서는 "请多多关照 qǐng duōduō guānzhào."라고 한다. 이와 비슷한 표현으로 자주 쓰이는 "请多多指教。qǐng duōduō zhǐjiào(많은 지도 바랍니다)"가 있다.

- 오시느라 힘드셨죠?
  旅途劳累吗?
  lǚ tú láo lèi ma

- 아주 즐거운 여행이었습니다.
  是一次非常愉快的旅行。
  shì yí cì fēi cháng yú kuài de lǚ xíng

- 제 시간에 도착해서 피곤하지 않습니다.
  正点到达, 所以不觉得疲劳。
  zhèng diǎn dào dá suǒ yǐ bù jué de pí láo

- 시간이 별로 길지 않았는데도 조금 피곤하군요.
  虽然时间不是很长, 但是还是有点累。
  suī rán shí jiān bú shì hěn cháng dàn shì hái shi yǒu diǎn lèi

- 시차 적응이 되셨습니까?
  时差还倒得过来吗?
  shí chā hái dǎo de guò lái ma

▶ 짐을 운반할 때 拿行李
ná xíng li

A: 我来拿行李。
wǒ lái ná xíng li

B: 没关系, 我自己拿吧。
méi guān xi wǒ zì jǐ ná ba

A: 제가 짐을 들어 드리겠습니다.
B: 괜찮습니다. 제가 들겠습니다.

- 짐은 이게 다입니까?
  行李就这些吗?
  xíng li jiù zhè xiē ma

- 이 밖에 또 다른 짐은 없습니까?
  除了这些, 没有其他行李吗?
  chú le zhè xiē méi yǒu qí tā xíng li ma

- 포터를 부를까요?
  需要叫行李员吗?
  xū yào jiào xíng li yuán ma

- 모두 간단한 손가방 뿐입니다.
  全部都是简单的手提包。
  quán bù dōu shì jiǎn dān de shǒu tí bāo

- 사양 마시고 저에게 주세요.
  不用客气，请给我吧。
  bú yòng kè qi qǐng gěi wǒ ba

- 카트를 이용하면 됩니다.
  用手推车就行了。
  yòng shǒu tuī chē jiù xíng le

차로 마중 나왔을 때 开车来接时
kāi chē lái jiē shí

- 밖에 차가 있습니다. 이쪽으로 오시지요.
  车子在外面，这边请。
  chē zi zài wài miàn zhè biān qǐng

- 호텔까지 차로 모시겠습니다.
  我开车送您到酒店。
  wǒ kāi chē sòng nín dào jiǔ diàn

- 여기서 잠시 기다려 주십시오. 차를 가지고 오겠습니다.
  请在这里等一会儿，我去把车子开过来。
  qǐng zài zhè li děng yí huìr wǒ qù bǎ chē zi kāi guò lái

- 회사에서 차를 가지고 왔는데, 지금 주차장에서 대기하고 있습니다.
  我从公司开了一辆车过来，现在在停车场等着我们。
  wǒ cóng gōng sī kāi le yí liàng chē guò lái xiàn zài zài tíng chē chǎng děng zhe wǒ men

- 짐은 트렁크에 넣읍시다.
  行李放在后备箱里吧。
  xíng li fàng zài hòu bèi xiāng li ba

- 어서 타십시오.
  请上车吧。
  qǐng shàng chē ba

차 안에서의 대화 车上交谈
chē shang jiāo tán

- 한국에는 처음 오시는 겁니까?
  是第一次来韩国吗?
  shì dì yí cì lái hán guó ma

- 이 1주일의 시간은 제가 스케줄을 마련해 놓겠습니다.
  这一个星期的时间，由我来安排您的行程。
  zhè yí ge xīng qī de shí jiān yóu wǒ lái ān pái nín de xíng chéng

- 여기서 며칠이나 머무실 예정이십니까?
  准备在这里呆几天?[2)]
  zhǔn bèi zài zhè li dāi jǐ tiān

- 제가 중국에 체류하는 동안 잘 좀 부탁드립니다.
  我在中国的这段时间就拜托您了。
  wǒ zài zhōng guó de zhè duàn shí jiān jiù bài tuō nín le

- 앞으로 많은 일들을 가르쳐 주셔야겠습니다.
  以后很多事情还要请教您呢。
  yǐ hòu hěn duō shì qing hái yào qǐng jiào nín ne

- 이번 출장은 관광도 하려고 하는데 저를 안내해 주시겠습니까?
  这次出差还想观光一下, 请您给我介绍好吗?
  zhè cì chū chāi hái xiǎng guān guāng yí xià qǐng nín gěi wǒ jiè shào hǎo ma

Ⅱ. 호텔에서 在酒店
zài jiǔ diàn

▶ 호텔 도착 到达酒店
dào dá jiǔ diàn

- 장 사장님, 다 왔습니다.
  张总, 已经到了。[3)]
  zhāng zǒng yǐ jīng dào le

- 여기가 이 선생께서 묵으실 관광호텔입니다.
  这里就是李先生要住的观光酒店。
  zhè li jiù shì lǐ xiān sheng yào zhù de guān guāng jiǔ diàn

- 마음에 드시면 좋겠습니다.
  希望您满意。
  xī wàng nín mǎn yì

- 아늑한 분위기가 참 좋습니다.
  这温馨的气氛真不错。
  zhè wēn xīn de qì fēn zhēn bú cuò

▶ 호텔 로비에서 在酒店大厅里
zài jiǔ diàn dà tīng li

- 로비에서 커피 한잔 하시면서 잠시 쉬시지요.
  请在大厅喝杯咖啡, 休息一会儿吧。
  qǐng zài dà tīng hē bēi kā fēi xiū xi yí huìr ba

---

2) 呆 dāi는 痴呆 chīdāi(치매)나 呆呆地 dāidāide(멍하니)와 같이 '둔하다', '멍하다'는 뜻도 있으나, 동사로 '머무르다', '체재하다'라는 뜻도 있다. 이때에는 待 dāi와도 통용된다.

3) 总 zǒng은 总经理 zǒngjīnglǐ의 준말.

- 제가 프런트에 가서 수속을 해 드리겠습니다.
  我帮你到前台办理手续。
  wǒ bāng nǐ dào qián tái bàn lǐ shǒu xù

- 저희가 선생님을 위해 작성한 스케줄입니다. 살펴보십시오.
  这是我为您安排的行程，请您过目。[4)]
  zhè shì wǒ wèi nín ān pái de xíng chéng qǐng nín guò mù

- 만일 이 스케줄에 의견이 있으시면 말씀해 주십시오.
  如果对此行程有什么意见，请您说出来。
  rú guǒ duì cǐ xíng chéng yǒu shén me yì jiàn qǐng nín shuō chū lái

- 제가 모시고 주변을 좀 안내해 드릴까요?
  想不想让我带你四处看看？[5)]
  xiǎng bu xiǎng ràng wǒ dài nǐ sì chù kàn kan

▶ 호텔에서 헤어질 때 在酒店分别时
zài jiǔ diàn fēn bié shí

- 무슨 일이 있으면 저에게 연락 주십시오.
  有什么事，请和我联系。
  yǒu shén me shì qǐng hé wǒ lián xì

- 그럼 이만 가 보겠습니다. 안녕히 주무십시오.
  那我回去了，祝您晚安。
  nà wǒ huí qù le zhù nín wǎn ān

- 오늘 피곤하실 텐데 편히 쉬십시오. 내일 뵙겠습니다.
  您今天一定很累，好好儿休息吧！明天见。
  nín jīn tiān yí dìng hěn lèi hǎo hāor xiū xi ba míng tiān jiàn

- 언제쯤 모시러 오면 될까요?
  我应该什么时候来接你呢？
  wǒ yīng gāi shén me shí hou lái jiē nǐ ne

- 내일 오전 9시에 모시러 오겠습니다.
  明天早上9点我来接您。
  míng tiān zǎo shang diǎn wǒ lái jiē nín

- 내일 아침 로비에서 기다리고 있겠습니다.
  明天早上我在大厅等您。
  míng tiān zǎo shang wǒ zài dà tīng děng nín

---

4) 过目 guòmù: 훑어보다, 한번 보다.
5) 四处 sìchù: 여기저기, 이곳저곳, 도처, 사방.

2 회사 소개와 참관 公司介绍与参观
gōng sī jiè shào yǔ cānguān

바이어(买主 mǎizhǔ)에게 회사를 소개하고 참관시키는 주요 목적은 회사의 면모를 직접 살펴보고 그로 하여금 신뢰와 비전을 갖게 하는 데 있을 것이다. 외형적인 규모도 중요하겠지만 그보다는 내실이 있는 견실한 기업임과 동시에 장래성 있는 기업임을 최대한 보여 주어야 한다. 바이어로 하여금 제품에 대한 확신을 갖게 하는 것이 합작 및 거래의 성사 여부를 결정짓는 가장 중요한 관건이라 할 수 있다.

기본대화

A: 贵公司有分公司吗?
guì gōng sī yǒu fēn gōng sī ma

B: 当然, 我们在全球有二十多家分公司。
dāng rán wǒ men zài quán qiú yǒu èr shí duō jiā fēn gōng sī

A: 啊, 是吗? 能看一下分公司的分布情况吗?
ā shì ma néng kàn yí xià fēn gōng sī de fēn bù qíng kuàng ma

B: 可以, 这就是分公司的分布图。
kě yǐ zhè jiù shì fēn gōng sī de fēn bù tú

A: 啊, 您公司也进入了中国市场!
ā nín gōng sī yě jìn rù le zhōng guó shì chǎng

A: 귀사는 지사를 가지고 있습니까?
B: 물론입니다. 전 세계 20여 개의 지사가 있습니다.
A: 아, 그렇습니까? 지사의 분포 상황을 볼 수 있겠습니까?
B: 네, 이것이 지사의 분포도입니다.
A: 아, 귀사는 중국 시장에도 진출해 있군요.

여러 가지 활용

I. 회사 소개 公司简介
gōng sī jiǎn jiè

▶ **회사 연혁** 公司沿革
gōng sī yán gé

- 저희 회사는 1990년에 창립되었습니다.
本公司成立于1990年。
běn gōng sī chéng lì yú nián

- 저희 회사는 20년 전에 창립되었습니다.
本公司创立于二十年前。
běn gōng sī chuàng lì yú èr shí nián qián

- 저희 회사는 창립된 지 거의 50주년이 되어 갑니다.
  本公司就要创业50周年了。
  běn gōng sī jiù yào chuàng yè zhōu nián le

- 저희는 신흥 기업입니다. 겨우 5년 정도의 역사를 가지고 있습니다.
  我们是新兴的公司，只有大约五年的历史。
  wǒ men shì xīn xīng de gōng sī zhǐ yǒu dà yuē wǔ nián de lì shǐ

- 5년 전 두 기업이 합쳐져 지금의 기업이 되었습니다.
  五年前两家公司合并成现在这家公司。
  wǔ nián qián liǎng jiā gōng sī hé bìng chéng xiàn zài zhè jiā gōng sī

- 초기에는 의료 기기를 설계하고 생산했습니다.
  起初，我们设计并制造医疗器材。
  qǐ chū wǒ men shè jì bìng zhì zào yī liáo qì cái

▶ **회사의 규모** **公司规模**
gōng sī guī mó

- 직원이 몇 명이나 됩니까?
  你们有多少员工?
  nǐ men yǒu duō shao yuán gōng

- 저희는 근로자가 2만 명이나 되는 대기업입니다.
  我们是拥有两万名职工的大企业。
  wǒ men shì yōng yǒu liǎng wàn míng zhí gōng de dà qǐ yè

- 지사를 포함해서 3천 명이 넘는 직원이 있습니다.
  包括分公司在内，我们有超过三千名的员工。
  bāo kuò fēn gōng sī zài nèi wǒ men yǒu chāo guò sān qiān míng de yuán gōng

- 저희 회사는 3개의 자회사를 가지고 있습니다.
  我们公司拥有三个子公司。
  wǒ men gōng sī yōng yǒu sān ge zǐ gōng sī

- 제1공장은 전용 면적이 1만 제곱미터에 달합니다.
  第一工厂占地面积有一万平方米左右。
  dì yī gōng chǎng zhàn dì miàn jī yǒu yí wàn píng fāng mǐ zuǒ yòu

- 한국에 2개의 지사가 있고, 중국 톈진에도 지사가 하나 있습니다.
  在韩国有两个分公司，在天津还有一个。
  zài hán guó yǒu liǎng ge fēn gōng sī zài tiān jīn hái yǒu yí ge

- 지금은 세계에서 손꼽히는 자동차 메이커로 성장했습니다.
  现已成长为世界上数一数二的汽车制造商。[1)]
  xiàn yǐ chéng zhǎng wéi shì jiè shang shǔ yī shǔ èr de qì chē zhì zào shāng

---

1) 数一数二 shǔ yī shǔ èr: 으뜸가다, 손꼽히다.

- 저희 제품은 현재 반도체 시장의 55%를 점유하고 있습니다.
  我们的产品现在占半导体市场的55%。
  wǒ men de chǎn pǐn xiàn zài zhàn bàn dǎo tǐ shì chǎng de

- 주요 국가마다 다 지사가 있습니다.
  在每个主要国家，我们都有分公司。
  zài měi ge zhǔ yào guó jiā wǒ men dōu yǒu fēn gōng sī

- 저희는 최근 방콕에 지사 1개를 열었습니다.
  我们最近在曼谷开了一家分公司。
  wǒ men zuì jìn zài màn gǔ kāi le yì jiā fēn gōng sī

재정 财政
cái zhèng

- 귀 회사의 재정 상태는 어떻습니까?
  你们公司的财政状况如何？
  nǐ men gōng sī de cái zhèng zhuàng kuàng rú hé

- 차관은 없습니까?
  有没有贷款？
  yǒu méi yǒu dài kuǎn

- 자금 조달은 어떻게 하고 있습니까?
  你们是怎样筹措资金的？[2)]
  nǐ men shì zěn yàng chóu cuò zī jīn de

- 주식은 거래소에 상장되어 있습니까?
  股票在交易所上市了吗？[3)]
  gǔ piào zài jiāo yì suǒ shàng shì le ma

- 무차관이 저희 회사 재무의 목표입니다.
  无贷款是我们公司财务的目标。
  wú dài kuǎn shì wǒ men gōng sī cái wù de mù biāo

투자 상황 投资情况
tóu zī qíng kuàng

- 해외 투자 상황은 어떠합니까?
  海外投资情况如何？
  hǎi wài tóu zī qíng kuàng rú hé

- 능력 이상의 무리한 확장은 될 수 있는 대로 삼가고 있어요.
  尽量减少超出能力的无理扩张。
  jǐn liàng jiǎn shǎo chāo chū néng lì de wú lǐ kuò zhāng

---

2) 筹措 chóucuò: 마련하다, 조달하다.
3) 股票 gǔpiào: 증권, 주식. 股票交易所 gǔpiào jiāoyìsuǒ: 증권 거래소. 股市 gǔshì: 주식 시장.

- 함부로 여러 사업에 손을 대지 않습니다.
不会随便去做几种项目。
bú huì suí biàn qù zuò jǐ zhǒng xiàng mù

- 이익금의 대부분은 연구 개발에 재투자하고 있습니다.
大部分收入再投资到了研发领域。
dà bù fen shōu rù zài tóu zī dào le yán fā lǐng yù

- 경쟁이 치열한 업종이라 연구 개발비에 많은 투자를 하고 있습니다.
因为是竞争非常激烈的行业，所以在研究开发上投资较大。
yīn wèi shì jìng zhēng fēi cháng jī liè de háng yè suǒ yǐ zài yán jiū kāi fā shang tóu zī jiào dà

- 해외 투자는 현지 법인과 의논한 후에 결정하게 됩니다.
海外投资要与当地的法人商议后才能决定。
hǎi wài tóu zī yào yǔ dāng dì de fǎ rén shāng yì hòu cái néng jué dìng

- 내년부터는 유전자 공학 분야의 연구에 투자할 계획입니다.
从明年开始，计划在遗传因子科学领域也做投资。
cóng míng nián kāi shǐ jì huà zài yí chuán yīn zǐ kē xué lǐng yù yě zuò tóu zī

- 정식으로 중국 시장에 진출하게 되면, 리우 선생의 많은 지도 편달을 부탁드립니다.
正式进入中国市场时，就拜托刘先生多多关照了。
zhèng shì jìn rù zhōng guó shì chǎng shí jiù bài tuō liú xiān sheng duō duō guān zhào le

Ⅱ。경영 상태 营业情况
yíng yè qíng kuàng

▶ 경영 범위 经营范围
jīng yíng fàn wéi

- 어느 분야에 종사하시는 겁니까?
你们从事什么行业?[4)]
nǐ men cóng shì shén me háng yè

- 주로 무엇을 생산하십니까?
你们主要生产什么?
nǐ men zhǔ yào shēng chǎn shén me

---

4) 行业 hángyè: 직업, 업종.

- 어떤 방면의 상품을 수입하십니까?
  你们进口哪方面的产品?
  nǐ men jìn kǒu nǎ fāng miàn de chǎn pǐn

- 어느 방면의 상품들을 취급하십니까?
  你们做哪方面产品的买卖?
  nǐ men zuò nǎ fāng miàn chǎn pǐn de mǎi mai

- 주로 전기 제품을 판매합니다.
  我们主要销售电器产品。
  wǒ men zhǔ yào xiāo shòu diàn qì chǎn pǐn

- 주로 헬스 기계를 취급합니다.
  我们主要经销健身器材。[5)]
  wǒ men zhǔ yào jīng xiāo jiàn shēn qì cái

- 저희는 여러 종류의 사무 자동화 설비를 제공하고 있습니다.
  我们提供多种不同的办公室自动化设备。
  wǒ men tí gōng duō zhǒng bù tóng de bàn gōng shì zì dòng huà shè bèi

- 저희는 주로 수출입 업무를 하고 있습니다.
  我们公司的主要业务是进出口。[6)]
  wǒ men gōng sī de zhǔ yào yè wù shì jìn chū kǒu

- 유명 회사들에 부속을 납품하고 있습니다.
  我们提供很多零件给知名的公司。
  wǒ men tí gōng hěn duō líng jiàn gěi zhī míng de gōng sī

- 컴퓨터 프로그램을 개발 중에 있습니다.
  我们正在开发电脑软件。
  wǒ men zhèng zài kāi fā diàn nǎo ruǎn jiàn

▶ **취급 상품　生产商品**
shēng chǎn shāng pǐn

A: 你们公司的主要产品是什么?
nǐ men gōng sī de zhǔ yào chǎn pǐn shì shén me

B: 各种厨房用品。
gè zhǒng chú fáng yòng pǐn

A: 有展示全部产品的展览馆吗?
yǒu zhǎn shì quán bù chǎn pǐn de zhǎn lǎn guǎn ma

B: 当然, 我带您过去。
dāng rán wǒ dài nín guò qù

---

5) 经销 jīngxiāo: 위탁 판매하다, 대리 판매하다. 经销商 jīngxiāoshāng: 대리점.

6) 进口 jìnkǒu는 수입, 出口 chūkǒu는 수출을 뜻한다. 输入 shūrù와 输出 shūchū도 수입과 수출의 의미를 가지고 있으나 그보다는 '입력하다', '출력하다'는 뜻으로 많이 쓰이고 있다.

A: 귀사의 주요 생산품은 무엇입니까?
B: 각종 주방용품입니다.
A: 모든 상품을 전시해 놓은 전시관이 있습니까?
B: 물론입니다. 제가 모시고 가겠습니다.

- 저희는 가구만 전문으로 하고 있습니다.
  我们专门做家具生意。
  wǒ men zhuān mén zuò jiā jù shēng yi

- 원재료는 수입하고 있습니다.
  原材料是进口的。
  yuán cái liào shì jìn kǒu de

- 저희는 주로 자동차 부품을 생산하고 있습니다.
  我们主要生产汽车配件。
  wǒ men zhǔ yào shēng chǎn qì chē pèi jiàn

- 저희 회사는 통신 기기도 생산하고 있습니다.
  我们公司也生产通讯设备。
  wǒ men gōng sī yě shēng chǎn tōng xùn shè bèi

- 개발 시에 환경 문제도 고려하였습니다.
  开发时也考虑到了环保问题。
  kāi fā shí yě kǎo lǜ dào le huán bǎo wèn tí

- 직접 시험해 보시겠습니까?
  您亲自试验一下吗?[7)]
  nín qīn zì shì yàn yí xià ma

- 저희는 새로운 품종을 계속 개발할 것입니다.
  我们将继续开发新品种。
  wǒ men jiāng jì xù kāi fā xīn pǐn zhǒng

- 이 상품은 신형 기기로서 많은 새로운 기능을 추가했습니다.
  这个产品是一种新型机器, 它增添了不少新功能。
  zhè ge chǎn pǐn shì yì zhǒng xīn xíng jī qì tā zēng tiān le bù shǎo xīn gōng néng

7) 亲自 qīnzì: 친히, 손수, 몸소.

▶ 시장 市场
shì chǎng

- 귀사의 최대 시장은 어디입니까?
你们最大的市场在哪儿?
nǐ men zuì dà de shì chǎng zài nǎr

- 중국이 귀사의 가장 큰 판매 시장입니까?
中国是你们的最大销售市场吗?
zhōng guó shì nǐ men de zuì dà xiāo shòu shì chǎng ma

- 저희의 주요 활동 범위는 중국과 동남아입니다.
我们的主要活动范围在中国和东南亚。
wǒ men de zhǔ yào huó dòng fàn wéi zài zhōng guó hé dōng nán yà

- 저희의 판매 지역은 싱가포르와 말레이시아를 포함합니다.
我们的销售地区包括新加坡和马来西亚。
wǒ men de xiāo shòu dì qū bāo kuò xīn jiā pō hé mǎ lái xī yà

- 동남아로의 수출량은 점진적으로 증가하고 있습니다.
我们向东南亚的出口量正在逐步提高。8)
wǒ men xiàng dōng nán yà de chū kǒu liàng zhèng zài zhú bù tí gāo

- 저희는 30여 개 국가와 교역을 하고 있습니다.
我们在三十多个国家都有贸易。
wǒ men zài sān shí duō ge guó jiā dōu yǒu mào yì

▶ 판매 시스템 销售体制
xiāo shòu tǐ zhì

- 귀사의 판매망에 대해 이야기해 주실 수 있습니까?
能不能跟我谈一下你们的销售网。
néng bu néng gēn wǒ tán yí xià nǐ men de xiāo shòu wǎng

- 귀사의 주요 판매 경로는 어디입니까?
你们的主要销售渠道是什么?9)
nǐ men de zhǔ yào xiāo shòu qú dào shì shén me

- 귀사의 판매 직원은 얼마나 됩니까?
你们的销售人员有多少?
nǐ men de xiāo shòu rén yuán yǒu duō shao

- 저희는 모두 55개의 판매 대리점이 있습니다.
我们总共有五十五家销售代理商。
wǒ men zǒng gòng yǒu wǔ shí wǔ jiā xiāo shòu dài lǐ shāng

---

8) 逐步 zhúbù: 점차적으로, 점진적으로. 逐渐 zhújiàn이 자연스러운 변화를 의미하는데 반해 逐步 zhúbù는 한 걸음씩 나아가는 단계적인 변화를 말한다.
9) 渠道 qúdào: 원래는 '수로'의 뜻이나 방법, 경로, 루트의 의미로 많이 쓰임.

- 대부분 주요 도시에는 모두 판매 센터와 서비스 센터가 있습니다.
几乎在各大主要城市，我们都有销售和服务中心。
jī hū zài gè dà zhǔ yào chéng shì wǒ men dōu yǒu xiāo shòu hé fú wù zhōng xīn

▶ 매출액 · 시장 점유율 销售额/市场占有率
xiāo shòu é shì chǎng zhàn yǒu lǜ

A: 你们的市场占有率是多少？
nǐ men de shì chǎng zhàn yǒu lǜ shì duō shao
B: 大约是十五个百分点。[10)]
dà yuē shì shí wǔ ge bǎi fēn diǎn

A: 귀사의 시장 점유율은 얼마나 됩니까?
B: 15% 정도 됩니다.

- 저희의 작년 총 매출액은 한화 6억 5천만 원입니다.
我们去年的总销售额是六亿五千万韩币。
wǒ men qù nián de zǒng xiāo shòu é shì liù yì wǔ qiān wàn hán bì

- 최근 매출액은 어떠합니까?
最近销售额如何呢？
zuì jìn xiāo shòu é rú hé ne

- 수출도 호조를 보여 10억 달러를 돌파했습니다.
出口也非常顺利，所以突破了10亿美元。
chū kǒu yě fēi cháng shùn lì suǒ yǐ tū pò le yì měi yuán

- 저희는 35%의 시장 점유율을 가지고 있습니다.
我们有三十五个百分点的市场占有率。
wǒ men yǒu sān shí wǔ ge bǎi fēn diǎn de shì chǎng zhàn yǒu lǜ

- 소형차의 경우 30%의 시장을 점유하고 있습니다.
我们的小型车大约占百分之三十的市场。
wǒ men de xiǎo xíng chē dà yuē zhàn bǎi fēn zhī sān shí de shì chǎng

- 저희가 생산하는 제품이 국내 시장의 70%를 점유하고 있습니다.
我们生产的产品占领国内市场的70%。
wǒ men shēng chǎn de chǎn pǐn zhàn lǐng guó nèi shì chǎng de

- 판매 1위의 비결은 무엇입니까?
你们销量第一的要诀是什么？[11)]
nǐ men xiāo liàng dì yī de yào jué shì shén me

10) 15 퍼센트를 '百分之十五 bǎifēn zhī shíwǔ'라고도 읽음.
11) 要诀 yàojué: 비결, 요결

▶ 매체 홍보 媒体宣传
méi tǐ xuān chuán

- 귀사의 제품을 어떻게 광고하고 있습니까?
  你们的产品, 做什么样的广告?
  nǐ men de chǎn pǐn zuò shén me yàng de guǎng gào

- 저희는 계속해서 신문과 잡지에 광고를 게재하고 있습니다.
  我们不断地在报纸与杂志上刊登广告。
  wǒ men bú duàn de zài bào zhǐ yǔ zá zhì shang kān dēng guǎng gào

- 저희는 1년에 한 차례씩 증정 행사를 하고 있습니다.
  我们一年做一次寄送的活动。[12)]
  wǒ men yì nián zuò yí cì jì sòng de huó dòng

- 저희는 줄곧 TV매체에 광고를 하고 있습니다.
  我们一直在电视媒体上做着广告。
  wǒ men yì zhí zài diàn shì méi tǐ shang zuò zhe guǎng gào

- 저희는 현재 중앙 TV 간판 프로그램의 협찬 회사입니다.
  我们公司现在是央视一档王牌节目的赞助商。[13)]
  wǒ men gōng sī xiàn zài shì yāng shì yí dàng wáng pái jié mù de zàn zhù shāng

- TV 광고는 매우 효과가 좋은 광고 수단이지요.
  电视广告是很有效的宣传手段。
  diàn shì guǎng gào shì hěn yǒu xiào de xuān chuán shǒu duàn

- 매년 광고비를 얼마나 지출합니까?
  你们每年花多少广告费?[14)]
  nǐ men měi nián huā duō shao guǎng gào fèi

- 저희는 총 매출액의 5%를 광고비로 지출하고 있습니다.
  我们拿出总销售额的5%来支付广告费。
  wǒ men ná chū zǒng xiāo shòu é de lái zhī fù guǎng gào fèi

Ⅲ. 공장 참관 参观工厂
cān guān gōng chǎng

▶ 참관 안내 带领参观
dài lǐng cān guān

- 참관을 하시겠습니까?
  您要不要参观一下呢?
  nín yào bu yào cān guān yí xià ne

---

12) 寄送 jìsòng: 무료로 상품이나 샘플을 나누어 주는 증정 행사를 말함.
13) 央视 yāngshì: 중국의 국영 방송인 中央电视 zhōngyāng diànshì의 약칭.
一档王牌 yí dàng wáng pái: 간판 프로그램.
14) 花 huā: 여기서는 '쓰다', '소모하다'의 뜻.

• 지금 제가 저희 공장으로 모시고 가겠습니다.
现在我要带您到我们的工厂去。
xiàn zài wǒ yào dài nín dào wǒ men de gōng chǎng qù

• 제가 공장을 안내해 드리겠습니다.
让我带您看看我们的工厂。
ràng wǒ dài nín kàn kan wǒ men de gōng chǎng

• 저 사람들은 지금 제품의 품질을 검사하고 있습니다.
他们正在检查产品质量。
tā men zhèng zài jiǎn chá chǎn pǐn zhì liàng

• 여기는 부품을 조립하는 곳입니다.
这边是进行装配的。
zhè biān shì jìn xíng zhuāng pèi de

• 완제품은 저기에서 수송되어 나갑니다.
成品从那里输送出来。
chéng pǐn cóng nà li shū sòng chū lái

• 모든 부품은 설치하기 전에 검사를 합니다.
每一个部件在安装前，我们都做过检查。
měi yí ge bù jiàn zài ān zhuāng qián wǒ men dōu zuò guo jiǎn chá

▶ **생산량 产量**
chǎn liàng

• 생산량은 얼마나 됩니까?
你们的生产量如何?
nǐ men de shēng chǎn liàng rú hé

• 이 공장의 생산량은 1주일에 3천 대입니다.
这工厂的生产量是一星期三千台。
zhè gōng chǎng de shēng chǎn liàng shì yì xīng qī sān qiān tái

• 저희는 3교대 근무를 채택하고 있습니다.
我们采用三班制。
wǒ men cǎi yòng sān bān zhì

• 연간 생산량은 얼마입니까?
你们的年产量是多少?
nǐ men de nián chǎn liàng shì duō shao

• 연간 생산량은 약 15만 대입니다.
年产量约十五万台。
nián chǎn liàng yuē shí wǔ wàn tái

• 1일 생산량은 3천 톤입니다.
日产量是三千吨。
rì chǎn liàng shì sān qiān dūn

· 이 공장에서 매월 약 2만 대가 생산됩니다.
在这个工厂，我们每月生产约两万台。
zài zhè ge gōng chǎng wǒ men měi yuè shēng chǎn yuē liǎng wàn tái

▶ **품질 관리 品质管理**
pǐn zhì guǎn lǐ

· 귀사의 품질 관리는 어떠합니까?
你们的品管如何?
nǐ men de pǐn guǎn rú hé

· 품질 관리 시스템은 어떻게 운영되고 있습니까?
你们的品管系统是如何运行的?
nǐ men de pǐn guǎn xì tǒng shì rú hé yùn xíng de

· 저희는 저희의 품질 관리를 매우 자랑으로 여깁니다.
我们颇以我们的品管为荣。[15)]
wǒ men pō yǐ wǒ men de pǐn guǎn wéi róng

· 저희의 반품률은 2% 이하입니다.
我们的退货率低于百分之二。
wǒ men de tuì huò lǜ dī yú bǎi fēn zhī èr

· 저희는 줄곧 품질 개선에 유의하고 있습니다.
我们一直很注意改良品质。
wǒ men yì zhí hěn zhù yì gǎi liáng pǐn zhì

· 저희 회사는 품질 관리와 안전 관리에 만전을 기하고 있습니다.
我们公司注重质量监督和安全防护。
wǒ men gōng sī zhù zhòng zhì liàng jiān dū hé ān quán fáng hù

· 제품에 대해 철저한 테스트와 검사를 하고 있습니다.
对产品进行彻底的试验和检查。
duì chǎn pǐn jìn xíng chè dǐ de shì yàn hé jiǎn chá

· 불합격 제품 비율은 제로입니다.
不合格产品比率为零。
bù hé gé chǎn pǐn bǐ lǜ wéi líng

· 이제까지 품질에 문제가 있어 클레임을 당한 적은 없었습니다.
到目前为止，没有因产品质量出现问题而索赔的现象。
dào mù qián wéi zhǐ méi yǒu yīn chǎn pǐn zhì liàng chū xiàn wèn tí ér suǒ péi de xiàn xiàng

15) 颇 pō: 자못, 퍽, 꽤.
以 yǐ ~ 为荣 wéiróng: ~를 자랑으로 여기다, ~를 영광으로 생각하다.

기술 개발 技术开发
jì shù kāi fā

- 귀사의 연구 개발 부서는 얼마나 큽니까?
你们公司的研发部门有多大?
nǐ men gōng sī de yán fā bù mén yǒu duō dà

- 어떤 신제품을 연구하고 있습니까?
你们在研制什么新产品?
nǐ men zài yán zhì shén me xīn chǎn pǐn

- 저희는 5개의 실험실이 있습니다.
我们有五间实验室。
wǒ men yǒu wǔ jiān shí yàn shì

- 저희는 20명의 엔지니어가 있습니다.
我们有二十名工程师。
wǒ men yǒu èr shí míng gōng chéng shī

- 저희는 국내 여러 연구 기관과 공동 합작하여 신제품을 개발하고 있습니다.
我们与国内许多研究机构共同合作来开发新产品。
wǒ men yǔ guó nèi xǔ duō yán jiū jī gòu gòng tóng hé zuò lái kāi fā xīn chǎn pǐn

- 신제품 개발 연구 기금은 얼마입니까?
你们开发新产品的研究基金是多少?
nǐ men kāi fā xīn chǎn pǐn de yán jiū jī jīn shì duō shao

- 저희는 매년 1백만 달러가 넘는 자금을 연구 개발비로 쓰고 있습니다.
我们每年花费超过一百万美元的资金在研究开发上。
wǒ men měi nián huā fèi chāo guò yì bǎi wàn měi yuán de zī jīn zài yán jiū kāi fā shang

- 총 매출액의 2%를 연구 개발비로 쓰고 있습니다.
总销售额的百分之二花费在研究开发上。
zǒng xiāo shòu é de bǎi fēn zhī èr huā fèi zài yán jiū kāi fā shang

- 저희는 새로운 모델의 엔진을 개발 중에 있습니다.
我们这里正在开发新型的引擎。[16]
wǒ men zhè li zhèng zài kāi fā xīn xíng de yǐn qíng

---

16) 引擎 yǐnqíng: engine(엔진)의 음역. = 发动机 fādòngjī.

생산 라인 환경 车间环境
chē jiān huán jìng

A: 为什么你们公司在车间里还有音乐呢?
wèi shén me nǐ men gōng sī zài chē jiān li hái yǒu yīn yuè ne

B: 因为音乐会使工作人员的心情平静, 从而降低操作失误率。
yīn wèi yīn yuè huì shǐ gōng zuò rén yuán de xīn qíng píng jìng cóng ér jiàng dī cāo zuò shī wù lǜ

A: 这真是一个好主意。[17)]
zhè zhēn shì yí ge hǎo zhǔ yi

A: 귀사는 왜 생산 라인에 음악을 틀어 놓고 있죠?

B: 음악은 근로자의 마음을 안정시켜 불량률을 낮추기 때문입니다.

A: 정말 좋은 생각입니다.

- 생산 라인을 둘러볼 수 있을까요?
  能参观一下车间吗?
  néng cān guān yí xià chē jiān ma

- 물론이지요. 저희가 바라는 바입니다.
  当然, 这正是我所希望的。
  dāng rán zhè zhèng shì wǒ suǒ xī wàng de

- 안전모를 착용해 주십시오.
  请戴好安全帽。
  qǐng dài hǎo ān quán mào

- 생산 라인 환경이 사무실과 같군요.
  车间环境跟办公室一样啊。
  chē jiān huán jìng gēn bàn gōng shì yí yàng a

- 모든 생산 라인은 거의가 다 자동입니다.
  全部生产线几乎都是自动的。
  quán bù shēng chǎn xiàn jī hū dōu shì zì dòng de

설비 투자 设备投资
shè bèi tóu zī

- 저희 회사의 설비는 국내외적으로 가장 선진적인 시설입니다.
  我们公司配备有国内外最先进的设备。
  wǒ men gōng sī pèi bèi yǒu guó nèi wài zuì xiān jìn de shè bèi

17) 好主意 hǎo zhǔyi: good idea. 좋은 생각.

- 저희는 설비에 거액의 자금을 투자하였습니다.
  我们在设备上投下了巨额资金。
  wǒ men zài shè bèi shang tóu xià le jù é zī jīn

- 설비가 비록 비싸기는 하지만 장기적으로 보면 그래도 이익입니다.
  设备虽然贵，但就长远看还是有利的。
  shè bèi suī rán guì, dàn jiù cháng yuǎn kàn hái shi yǒu lì de

- 저희는 줄곧 생산 효율을 높이는 데 유의하고 있습니다.
  我们一直想要提高生产效率。
  wǒ men yì zhí xiǎng yào tí gāo shēng chǎn xiào lǜ

- 현재 저희의 설비는 세계적으로 가장 선진적인 생산 라인입니다.
  我们现在配备的是世界上最先进的生产线。
  wǒ men xiàn zài pèi bèi de shì shì jiè shang zuì xiān jìn de shēng chǎn xiàn

참관 시 질문이 있나를 물어볼 때 询问参观者有无问题
xún wèn cān guān zhě yǒu wú wèn tí

- 자유롭게 질문을 해 주십시오.
  请随便提问。18)
  qǐng suí biàn tí wèn

- 알고 싶은 게 있으시면 자유롭게 말씀하십시오.
  您想知道什么，请您随便说。
  nín xiǎng zhī dào shén me qǐng nín suí biàn shuō

- 물어보고 싶으신 것이 있으십니까?
  您有什么想问的吗?
  nín yǒu shén me xiǎng wèn de ma

대답을 할 수 없을 때 无法回答问题时
wú fǎ huí dá wèn tí shí

- 죄송하지만 그 방면에 대해서는 잘 알지 못합니다.
  很抱歉，我对那方面不太熟悉。
  hěn bào qiàn wǒ duì nà fāng miàn bú tài shú xī

- 그 방면에 대해 잘 알고 있는 기술자를 불러 답변해 드리겠습니다.
  我叫熟悉那方面的技术人员来给您解答。
  wǒ jiào shú xī nà fāng miàn de jì shù rén yuán lái gěi nín jiě dá

- 죄송하지만 그것은 기밀이라서 대답할 수가 없습니다.
  很抱歉，那是机密，我无法回答。
  hěn bào qiàn nà shì jī mì wǒ wú fǎ huí dá

---

18) 随便 suíbiàn: (범위, 수량 등에) 제한을 두지 않다. 마음대로, 자유롭게.

- 생산부 책임자를 불러오겠습니다. 그는 이 방면의 전문가입니다.
  我给您把生产部经理叫过来，他是这方面的行家。[19)]
  wǒ gěi nín bǎ shēng chǎn bù jīng lǐ jiào guò lái tā shì zhè fāng miàn de háng jiā

- 죄송합니다. 그 점은 아직 결정이 안 되어 뭐라 말씀드릴 수가 없군요.
  很抱歉，那点还没有决定，所以我无法告诉您。
  hěn bào qiàn nà diǎn hái méi yǒu jué dìng suǒ yǐ wǒ wú fǎ gào su nín

참관 후의 소감 参观后的感想
cān guān hòu de gǎn xiǎng

- 저희 회사에 대한 인상이 어떻습니까?
  您对我们公司印象如何?
  nín duì wǒ men gōng sī yìn xiàng rú hé

- 저희 회사를 둘러보시니 어떻습니까?
  您对我们公司有什么看法?
  nín duì wǒ men gōng sī yǒu shén me kàn fǎ

- 귀사는 제게 매우 깊은 인상을 주었습니다.
  你们公司给我留下了深刻的印象。
  nǐ men gōng sī gěi wǒ liú xià le shēn kè de yìn xiàng

- 회사의 경영 규모가 정말로 크군요.
  你们公司的经营规模实在很大。
  nǐ men gōng sī de jīng yíng guī mó shí zài hěn dà

- 귀사의 생산 효율이 매우 높습니다.
  你们公司的生产效率很高。
  nǐ men gōng sī de shēng chǎn xiào lǜ hěn gāo

- 귀사의 단결력과 협동심은 매우 강하군요.
  你们公司的团队凝聚力和协作力很强啊!
  nǐ men gōng sī de tuán duì níng jù lì hé xié zuò lì hěn qiáng a

- 귀사의 기업 문화는 제게 매우 깊은 인상을 남겼습니다.
  你们公司的企业文化给我留下了很深的印象。
  nǐ men gōng sī de qǐ yè wén huà gěi wǒ liú xià le hěn shēn de yìn xiàng

---

19) 行家 hángjiā: 전문가, 숙련가 = 内行 nèiháng. 반대로 문외한, 비전문가는 外行 wàiháng이라 한다.

3 상담과 계약

洽谈与合同
qià tán yǔ hé tong

흔히 말하기를 중국 사람들과 협상을 할 때에는 너무 서두르지 말라고 한다. 우리나라 사람들이 너무 서두르기 때문에 자칫 협상에서 손해를 보는 경우가 많기 때문이다. 중국인들은 실리를 매우 중시하므로 이해득실을 꼼꼼히 따져서 거래를 한다. 상거래에 있어 선불(先付 xiānfù)제와 보증금(押金 yājīn)제가 주를 이루는 반면 할부(分期付款 fēnqīfùkuǎn)제도는 잘 활성화되지 않는 것만 보아도 그렇다. 중국 진출만이 능사가 아니라 반드시 성공적인 진출이어야 한다.

기 본 대 화

A: 您专程来访问，请让我再次向您表示感谢。
nín zhuān chéng lái fǎng wèn qǐng ràng wǒ zài cì xiàng nín biǎo shì gǎn xiè

B: 您太客气了，我可是慕名而来。听说贵公司是用最低的成本生产出最好的产品。
nín tài kè qi le wǒ kě shì mù míng ér lái tīng shuō guì gōng sī shì yòng zuì dī de chéng běn shēng chǎn chū zuì hǎo de chǎn pǐn

A: 非常感谢您这样说。毫不夸张地说，在这个领域上没有一家公司能比得上我们。[1)]
fēi cháng gǎn xiè nín zhè yàng shuō háo bù kuā zhāng de shuō zài zhè ge lǐng yù shang méi yǒu yì jiā gōng sī néng bǐ de shàng wǒ men

B: 所以我们非常有兴趣和贵公司合作。
suǒ yǐ wǒ men fēi cháng yǒu xìng qù hé guì gōng sī hé zuò

A: 我们也对进入中国市场很感兴趣，以后还请多多指教。
wǒ men yě duì jìn rù zhōng guó shì chǎng hěn gǎn xìng qù yǐ hòu hái qǐng duō duō zhǐ jiào

---

A: 이렇게 일부러 방문해 주셔서 다시 한번 감사드립니다.

B: 천만의 말씀을요. 저야 명성을 듣고 찾아온 것이지요. 귀사가 가장 낮은 원가로 최고의 제품을 생산하고 있다고 들었습니다.

A: 그렇게 말씀해 주시니 고맙습니다. 사실 이 분야에서 저희를 따를 회사는 없습니다.

B: 그래서 저희는 귀사와의 합작에 관심이 많습니다.

A: 저희도 중국 시장 진출에 관심이 많습니다. 앞으로 잘 부탁드립니다.

---

1) 毫不夸张地说 háobù kuāzhāng de shuō: 조금도 과장 없이 말해서, 추호의 과장 없이. 比得上 bǐdeshàng: 견줄 만하다, 비교가 될 만하다. 比不上 bǐbushàng: 비교도 되지 않다, 비교할 수 없다.

여러 가지 활용

Ⅰ. 상담 洽谈
qià tán

동의 · 찬성 同意/赞成
tóng yì zàn chéng

- 그 점은 저도 동의합니다.
  那一点我也同意。
  nà yì diǎn wǒ yě tóng yì

- 당신 의견에 찬성합니다.
  我赞同您的意见。
  wǒ zàn tóng nín de yì jiàn

- 그 점에 대해서는 저도 동감입니다.
  我对于那一点也有同感。
  wǒ duì yú nà yì diǎn yě yǒu tóng gǎn

- 저도 같은 의견입니다.
  我也是同样的意见。
  wǒ yě shì tóng yàng de yì jiàn

- 아주 좋은 방법입니다.
  那是个好办法。
  nà shì ge hǎo bàn fǎ

- 저도 그렇게 생각합니다.
  我也是那样想的。
  wǒ yě shì nà yàng xiǎng de

- 말씀하신 그것과 같습니다.
  就像你所说的那样。
  jiù xiàng nǐ suǒ shuō de nà yàng

- 원칙적으로 동의합니다.
  我原则上同意。
  wǒ yuán zé shang tóng yì

- 제가 생각한 것과 똑같군요.
  跟我想的一模一样。
  gēn wǒ xiǎng de yì mó yí yàng

- 그 점에 대해서는 어떤 이의도 없습니다.
  对于那一点，我没有任何异议。
  duì yú nà yì diǎn wǒ méi yǒu rèn hé yì yì

- 그 제안을 지지합니다.
我们支持那个提案。
wǒ men zhī chí nà ge tí àn

- 그 제안에 절대적으로 찬성합니다.
我绝对赞同那个提案。
wǒ jué duì zàn tóng nà ge tí àn

- 그 결정에 따르겠습니다.
我服从那个决定。
wǒ fú cóng nà ge jué dìng

- 당신 제안을 받아들이겠습니다.
我同意受理您的提案。
wǒ tóng yì shòu lǐ nín de tí àn

- 지당하신 말씀이라고 생각합니다.
我认为您说得非常妥当。
wǒ rèn wéi nín shuō de fēi cháng tuǒ dàng

▶ **부분적 찬성 部分赞成**
bù fen zàn chéng

- 그렇게 말할 수도 있겠네요.
也可以这么说。
yě kě yǐ zhè me shuō

- 당신이 말하는 것도 일리는 있습니다.
您说的也有道理。
nín shuō de yě yǒu dào lǐ

- 당신 의견도 틀리지는 않습니다.
您的意见也没有错。
nín de yì jiàn yě méi yǒu cuò

- 물론 그렇게도 생각할 수 있지요.
当然也可以那么想。
dāng rán yě kě yǐ nà me xiǎng

- 그렇게 말하는 것도 옳긴 합니다.
那么说也对。
nà me shuō yě duì

▶ **반대 · 거절 反对/拒绝**
fǎn duì jù jué

- 죄송하지만 당신 의견에는 동의할 수 없군요.
对不起, 对于您的意见我不能同意。
duì bu qǐ duì yú nín de yì jiàn wǒ bù néng tóng yì

- 그 제안에는 반대합니다.
反对这个提案。
fǎn duì zhè ge tí àn

- 그런 제안은 수락할 수 없습니다.
不能接受那种提案。
bù néng jiē shòu nà zhǒng tí àn

- 찬성할 수 없습니다.
我不能赞成。
wǒ bù néng zàn chéng

- 저는 그렇게 생각하지 않습니다.
我不那么想。/我不这么认为。
wǒ bú nà me xiǎng wǒ bú zhè me rèn wéi

- 그 의견에 저는 반대입니다.
那个意见我反对。
nà ge yì jiàn wǒ fǎn duì

- 그 제의를 받아들일 수 없을 것 같습니다.
恐怕我不能接受您的提议。
kǒng pà wǒ bù néng jiē shòu nín de tí yì

- 그 요구는 도가 지나칩니다.
那个要求太过分了。
nà ge yāo qiú tài guò fèn le

- 그런 주장에 대해서는 지지할 수 없습니다.
对于那种主张，我是不会支持的。
duì yú nà zhǒng zhǔ zhāng wǒ shì bú huì zhī chí de

- 그 점에 대해서는 저는 다른 의견을 가지고 있습니다.
对于那一点，我持不同意见。
duì yú nà yì diǎn wǒ chí bù tóng yì jiàn

- 대단히 유감스럽지만, 이 거래에는 응할 수가 없습니다.
非常遗憾，我们不能答应这种交易。
fēi cháng yí hàn wǒ men bù néng dā yìng zhè zhǒng jiāo yì

- 유감스럽지만, 그 제안을 받아들일 수 없습니다.
很遗憾，我们不能接受那个提案。
hěn yí hàn wǒ men bù néng jiē shòu nà ge tí àn

- 그것은 우리 회사 경영 방침에 어긋나는 일입니다.
那是不符合我们公司经营方针的。
nà shì bù fú hé wǒ men gōng sī jīng yíng fāng zhēn de

· 그렇다면 얘기가 달라집니다.
那样的话，就不是这么回事啦。
nà yàng de huà jiù bú shì zhè me huí shì la

▶ **확실한 답변을 할 수 없을 때** **无法明确答复时**
wú fǎ míng què dá fù shí

· 대답하기 전에 좀 더 생각할 여유를 주시겠습니까?
在回答之前，请允许我再考虑一下好吗?
zài huí dá zhī qián qǐng yǔn xǔ wǒ zài kǎo lǜ yí xià hǎo ma

· 그 제안은 대단히 중요하므로 좀더 숙고해 보겠습니다.
那个提案非常重要，让我再考虑一下吧。
nà ge tí àn fēi cháng zhòng yào ràng wǒ zài kǎo lǜ yí xià ba

· 그 문제는 신중히 토의한 후에 결과를 말씀드리겠습니다.
那个问题我们慎重讨论后，再告诉你结果吧。
nà ge wèn tí wǒ men shèn zhòng tǎo lùn hòu zài gào su nǐ jié guǒ ba

· 현 단계로선 아직 확실히 답변을 드릴 수가 없습니다.
现阶段我还无法给您一个明确的答复。
xiàn jiē duàn wǒ hái wú fǎ gěi nín yí ge míng què de dá fù

· 좀 더 깊이 생각해 보게 해 주십시오.
允许我进一步考虑一下。
yǔn xǔ wǒ jìn yí bù kǎo lǜ yí xià

· 의견 차이가 너무 크군요.
意见差别太大。
yì jiàn chā bié tài dà

· 문제는 서로 간의 의견 차를 최대한 좁히는 것입니다.
主要是尽量缩小相互间的意见差距。
zhǔ yào shì jǐn liàng suō xiǎo xiāng hù jiān de yì jiàn chā jù

· 동료와 상의할 시간이 필요합니다.
我需要时间和同事商量一下。
wǒ xū yào shí jiān hé tóng shì shāng liang yí xià

· 그 점에 대해서는 저는 결정권이 없습니다.
对于那一点，我无权决定。
duì yú nà yì diǎn wǒ wú quán jué dìng

· 당신의 요구 사항은 상급 담당자에게 전달하겠습니다.
我会把您的要求传达给上级主管。
wǒ huì bǎ nín de yāo qiú chuán dá gěi shàng jí zhǔ guǎn

• 먼저 윗분과 의논한 뒤에 다시 말씀드리겠습니다.
先与上级讨论一下再说吧。
xiān yǔ shàng jí tǎo lùn yí xià zài shuō ba

▶ 상대의 뜻을 잘 이해하지 못할 때 不明白对方的意思时
bù míng bai duì fāng de yì si shí

• 개의치 마시고 의도하시는 바를 확실히 말씀해 주세요.
请不要客气，您就明确地说明一下您的意图吧。
qǐng bú yào kè qi nín jiù míng què de shuō míng yí xià nín de yì tú ba

• 죄송하지만 말씀하시는 뜻을 잘 이해하지 못하겠습니다.
很抱歉，我不太懂您的意思。
hěn bào qiàn wǒ bú tài dǒng nín de yì si

• 죄송하지만 제가 말씀을 제대로 이해했는지 모르겠습니다.
对不起，我不确定我是否明白您的意思。
duì bu qǐ wǒ bú què dìng wǒ shì fǒu míng bai nín de yì si

• 좀더 자세히 설명해 주시겠습니까?
能不能再详细地说明一下?
néng bu néng zài xiáng xì de shuō míng yí xià

• 좀더 간단하게 말씀해 주시겠습니까?
您能说得更简短一点吗?
nín néng shuō de gèng jiǎn duǎn yì diǎn ma

• 좀더 구체적으로 말씀해 주실 수 없습니까?
能不能说得再具体一点?
néng bu néng shuō de zài jù tǐ yì diǎn

• 좀더 명확히 말씀해 주십시오.
请说得再清楚一点，好吗?
qǐng shuō de zài qīng chu yì diǎn hǎo ma

• 그 방안에 대해서 좀 더 상세히 예를 들어 설명해 주세요.
对于那个方案再详细地举例说明一下。
duì yú nà ge fāng àn zài xiáng xì de jǔ lì shuō míng yí xià

▶ 이해했음을 알릴 때 表示理解时
biǎo shì lǐ jiě shí

• 당신의 생각을 이해합니다.
我理解您的想法。
wǒ lǐ jiě nín de xiǎng fǎ

• 당신의 심정은 충분히 알고도 남습니다.
我们非常体谅您的心情。
wǒ men fēi cháng tǐ liàng nín de xīn qíng

• 저희가 당신의 입장을 모르는 바는 아닙니다.
我们不是不知道您的立场。
wǒ men bú shì bù zhī dào nín de lì chǎng

• 당신이 말씀한 뜻은 알겠습니다.
我知道你所说的意思。
wǒ zhī dào nǐ suǒ shuō de yì si

• 무슨 뜻인지는 잘 알겠습니다.
我知道您说的是什么意思。
wǒ zhī dào nín shuō de shì shén me yì si

• 당신이 염려하는 바를 이해합니다.
我也可以理解您所担心的事。
wǒ yě kě yǐ lǐ jiě nín suǒ dān xīn de shì

▶ 상대의 의견을 물을 때 寻求对方的意见
xún qiú duì fāng de yì jiàn

• 이것에 동의하십니까?
这个您同意吗?
zhè ge nín tóng yì ma

• 이견 없으십니까?
您有没有异议?
nín yǒu méi yǒu yì yì

• 이 선생님, 당신 의견은 어떻습니까?
李先生, 您意下如何?
lǐ xiān sheng nín yì xià rú hé

• 어떤 좋은 의견 있으십니까?
您有什么好的建议吗?
nín yǒu shén me hǎo de jiàn yì ma

• 김 선생님, 이 제의를 어떻게 생각하십니까?
金先生, 这个提议您认为怎么样?
jīn xiān sheng zhè ge tí yì nín rèn wéi zěn me yàng

• 이 계약 조건을 어떻게 생각하십니까?
怎样看待这个合同的条件?
zěn yàng kàn dài zhè ge hé tong de tiáo jiàn

• 이 조건에 대해서 의견이 있으시면 말씀해 주세요.
对于这个条件有什么意见, 请您说出来。
duì yú zhè ge tiáo jiàn yǒu shén me yì jiàn qǐng nín shuō chū lái

- 이 문제에 대한 의견을 듣고 싶습니다.
我想听听您对这个问题的意见。
wǒ xiǎng tīng ting nín duì zhè ge wèn tí de yì jiàn

- 이 제의에 대해서 어떤 견해를 가지고 계십니까?
对于这个提议, 您有什么看法?
duì yú zhè ge tí yì nín yǒu shén me kàn fǎ

▶ **의견 표명** **发表意见**
fā biǎo yì jiàn

- 제 생각을 말씀드리겠습니다.
让我告诉您我的想法。
ràng wǒ gào su nín wǒ de xiǎng fǎ

- 저의 견해를 좀 말씀드리겠습니다.
我想说说我的看法。
wǒ xiǎng shuō shuo wǒ de kàn fǎ

- 한 가지 여쭤 봐도 되겠습니까?
我可以问您一个问题吗?
wǒ kě yǐ wèn nín yí ge wèn tí ma

- 다시 한 가지만 더 물어보겠습니다.
我想再问一个问题。
wǒ xiǎng zài wèn yí ge wèn tí

- 이 문제를 저는 이렇게 봅니다.
这个问题我是这样看的。
zhè ge wèn tí wǒ shì zhè yàng kàn de

- 이 일에 대해서 저는 다른 의견을 가지고 있습니다.
对于这件事, 我有不同的意见。
duì yú zhè jiàn shì wǒ yǒu bù tóng de yì jiàn

- 이렇게 하는 것이 가장 좋다고 건의드립니다.
我建议你最好这样做。
wǒ jiàn yì nǐ zuì hǎo zhè yàng zuò

Ⅱ. 협상 중의 문제 协商中的一些问题
xié shāng zhōng de yì xiē wèn tí

▶ **상호 협력을 강조** **强调互相合作**
qiáng diào hù xiāng hé zuò

- 저희를 신임해 주셨으면 합니다.
我们希望您能信任我们。
wǒ men xī wàng nín néng xìn rèn wǒ men

• 최선을 다해 요구를 만족시켜 드리겠습니다.
我们会尽量满足您的要求。
wǒ men huì jǐn liàng mǎn zú nín de yāo qiú

• 귀하의 협조가 필요합니다.
我们需要您的合作。
wǒ men xū yào nín de hé zuò

연구 검토가 필요할 때 需要再研讨时
xū yào zài yán tǎo shí

• 좀더 연구 검토해 볼 필요가 있습니다.
我们需要再进一步研讨。
wǒ men xū yào zài jìn yí bù yán tǎo

• 일부 항목은 좀더 연구해 봐야겠습니다.
有些项目需要再研究。
yǒu xiē xiàng mù xū yào zài yán jiū

• 세부 사항은 아직 재토론이 필요합니다.
有些细节是还需要再讨论的。
yǒu xiē xì jié shì hái xū yào zài tǎo lùn de

불만족스러울 때 表示不满意时
biǎo shì bù mǎn yì shí

• 지불 조건이 아주 만족스럽지는 않습니다.
我们并不完全满意付款的条件。
wǒ men bìng bù wán quán mǎn yì fù kuǎn de tiáo jiàn

• 지불 조건이 너무 지나칩니다.
你们的付款条件太苛刻了。
nǐ men de fù kuǎn tiáo jiàn tài kē kè le

• 홍보비에 관해서는 좀더 협상해야 합니다.
关于宣传费, 我们还得继续协商。
guān yú xuān chuán fèi wǒ men hái děi jì xù xié shāng

• 저희 측 변호사가 지불 조건에 대해 의문을 제기했습니다.
我们的律师对于付款条件有点疑问。
wǒ men de lǜ shī duì yú fù kuǎn tiáo jiàn yǒu diǎn yí wèn

협의 달성 达成协议
dá chéng xié yì

• 우리가 협의를 완전히 이루어 냈군요.
我们完全达成协议。
wǒ men wán quán dá chéng xié yì

- 쌍방 간에 만족스런 협의를 이루었다고 생각합니다.
我想我们已达成了双方都满意的协议。
wǒ xiǎng wǒ men yǐ dá chéng le shuāng fāng dōu mǎn yì de xié yì

- 모든 기본 항목에 우리는 이미 동의했습니다.
所有的基本项目我们已经同意。
suǒ yǒu de jī běn xiàng mù wǒ men yǐ jīng tóng yì

Ⅲ. 제품 및 사후 서비스 产品及售后服务
chǎn pǐn jí shòu hòu fú wù

▶ 제품 소개 产品介绍
chǎn pǐn jiè shào

- 그럼 곧 상담에 들어갑시다.
那么我们马上开始洽谈吧。
nà me wǒ men mǎ shàng kāi shǐ qià tán ba

- 우선 제품 소개부터 합시다.
先介绍产品吧。
xiān jiè shào chǎn pǐn ba

- 여러분께 저희 회사 신제품을 소개해 드리겠습니다.
我给大家介绍一下我们公司的新产品。
wǒ gěi dà jiā jiè shào yí xià wǒ men gōng sī de xīn chǎn pǐn

- 저희 회사의 최신 제품을 살펴보십시오.
请看一下我们公司的最新产品。
qǐng kàn yí xià wǒ men gōng sī de zuì xīn chǎn pǐn

- 이것은 저희가 새로 개발한 신제품입니다.
这是我们新开发的产品。
zhè shì wǒ men xīn kāi fā de chǎn pǐn

- 이 신약은 현재 아직 실험 단계에 있습니다.
这种新药目前还在试验阶段。
zhè zhǒng xīn yào mù qián hái zài shì yàn jiē duàn

- 이 제품은 언제 출시되었습니까?
这项产品什么时候上市的?
zhè xiàng chǎn pǐn shén me shí hou shàng shì de

- 저희 신형 차는 다음 달에 출시됩니다.
我们的新型车将在下个月上市。
wǒ men de xīn xíng chē jiāng zài xià ge yuè shàng shì

- 직접 시험해 봐도 됩니까?
可以直接试验吗?
kě yǐ zhí jiē shì yàn ma

• 요즘에는 이런 제품이 비교적 잘 팔립니다.
最近这种产品卖得比较好。
zuì jìn zhè zhǒng chǎn pǐn mài de bǐ jiào hǎo

샘플 및 설명서 样品及说明书
yàng pǐn jí shuō míng shū

• 이것이 저희 모든 제품의 최신 카탈로그입니다.
这是我们全部产品的最新目录。
zhè shì wǒ men quán bù chǎn pǐn de zuì xīn mù lù

• 이 카탈로그에 저희의 대부분의 제품이 열거되어 있습니다.
这份目录列有我们的大部分产品。
zhè fèn mù lù liè yǒu wǒ men de dà bù fen chǎn pǐn

• 이 제품의 사용 방법을 직접 보여 주시겠습니까?
可以展示一下这个产品的使用方法吗?
kě yǐ zhǎn shì yí xià zhè ge chǎn pǐn de shǐ yòng fāng fǎ ma

• 제품 설명서를 보십시오.
请看一下产品说明书。
qǐng kàn yí xià chǎn pǐn shuō míng shū

• 저희에게 샘플을 몇 개 보여 주십시오.
请让我们看一下几个样品。
qǐng ràng wǒ men kàn yí xià jǐ ge yàng pǐn

• 샘플과 제품 설명서를 함께 드리겠습니다.
把样品和产品说明书一起给您吧。
bǎ yàng pǐn hé chǎn pǐn shuō míng shū yì qǐ gěi nín ba

• 신제품의 샘플이 있습니까?
有没有你们新产品的样品?
yǒu méi yǒu nǐ men xīn chǎn pǐn de yàng pǐn

• 샘플을 하나 가져갈 수 있을까요?
我可以带一个样品回去吗?
wǒ kě yǐ dài yí ge yàng pǐn huí qù ma

• 저희가 나중에 샘플을 부쳐 드리겠습니다.
我们以后再寄个样品给您。
wǒ men yǐ hòu zài jì ge yàng pǐn gěi nín

• 만일 마음에 드시면 귀사로 좀 더 부쳐 드리겠습니다.
如果您喜欢的话, 我们会多寄一些到贵公司。
rú guǒ nín xǐ huan de huà wǒ men huì duō jì yì xiē dào guì gōng sī

- 죄송하지만 이 샘플은 드릴 수가 없습니다. 기술상의 기밀이라서요.
  很抱歉，这个样品不能给您，因为这关系到我们的技术机密。
  hěn bào qiàn zhè ge yàng pǐn bù néng gěi nín yīn wèi zhè guān xì dào wǒ men de jì shù jī mì

▶ **고품질 저가격 物美价廉** wù měi jià lián

- 귀사 제품의 어느 부분이 경쟁사 제품보다 우수합니까?
  你们的产品在哪些方面优于竞争者的产品?
  nǐ men de chǎn pǐn zài nǎ xiē fāng miàn yōu yú jìng zhēng zhě de chǎn pǐn

- 저희 제품은 경쟁사보다 우수하면서도 같은 가격에 판매하고 있습니다.
  我们的产品优于竞争对手，而且我们以同样的价格销售。[2)]
  wǒ men de chǎn pǐn yōu yú jìng zhēng duì shǒu ér qiě wǒ men yǐ tóng yàng de jià gé xiāo shòu

- 동종 제품 중에서 가장 앞선 것입니다.
  在同类产品中，这是最先进的。
  zài tóng lèi chǎn pǐn zhōng zhè shì zuì xiān jìn de

- 이 제품의 가장 큰 특징은 고품질 저가격이라는 것입니다.
  这个产品的最大特点是高品质、低价格。
  zhè ge chǎn pǐn de zuì dà tè diǎn shì gāo pǐn zhì dī jià gé

- 이 제품은 모든 방면에서 최고급입니다.
  这个产品在所有方面都是最高档的。[3)]
  zhè ge chǎn pǐn zài suǒ yǒu fāng miàn dōu shì zuì gāo dàng de

▶ **첨단 기술 高新技术** gāo xīn jì shù

- 이 제품은 귀하가 필요로 하는 모든 특징을 다 갖추고 있습니다.
  这个产品具备了您所需的所有的特征。
  zhè ge chǎn pǐn jù bèi le nín suǒ xū de suǒ yǒu de tè zhēng

- 현재 중국에는 이러한 제품의 수요가 점차 늘고 있습니다.
  现在中国这种产品的需求越来越大了。
  xiàn zài zhōng guó zhè zhǒng chǎn pǐn de xū qiú yuè lái yuè dà le

- 이 제품은 우리 회사의 최신 과학 기술로 만들어진 제품입니다.

---

2) 对手 duìshǒu: 맞수, 라이벌, 경쟁 상대.
3) 高档 gāodàng: 고급, 中档 zhōngdàng: 중급, 低档 dīdàng: 저급.

这个产品是我们的最新科技产品。
zhè ge chǎn pǐn shì wǒ men de zuì xīn kē jì chǎn pǐn

- 이것은 첨단 기술로 생산한 것입니다.
这是用高新技术生产的。[4]
zhè shì yòng gāo xīn jì shù shēng chǎn de

▶ **에너지 절약 节能**
jié néng

- 저희의 이 신모델의 차는 연료가 적게 듭니다.
我们这款新车很省燃料。
wǒ men zhè kuǎn xīn chē hěn shěng rán liào

- 이 설계는 에너지를 절약하도록 만들어진 것입니다.
这种设计是为了节省能源。
zhè zhǒng shè jì shì wèi le jié shěng néng yuán

- 이 제품을 사용하면 전력비를 낮출 수 있습니다.
使用这个产品, 可以减少电费。
shǐ yòng zhè ge chǎn pǐn kě yǐ jiǎn shǎo diàn fèi

- 이 기기를 사용하면 10%의 연료비를 절감할 수 있습니다.
使用这种机器, 您可以节省百分之十的燃料费。
shǐ yòng zhè zhǒng jī qì nín kě yǐ jié shěng bǎi fēn zhī shí de rán liào fèi

▶ **사용 간편 操作容易**
cāo zuò róng yì

- 저희가 채택한 조작 시스템은 완전히 새로운 것입니다.
我们所采用的操作系统是全新的。
wǒ men suǒ cǎi yòng de cāo zuò xì tǒng shì quán xīn de

- 이 기기의 장점 중 하나는 조작이 간편하다는 것입니다.
这种机器的优点之一是操作简单。
zhè zhǒng jī qì de yōu diǎn zhī yī shì cāo zuò jiǎn dān

- 이 제품은 조작하기가 다른 제품보다 쉽습니다.
这个产品操作起来比其他产品容易。
zhè ge chǎn pǐn cāo zuò qǐ lái bǐ qí tā chǎn pǐn róng yì

- 이것은 기존의 제품보다 훨씬 작고 얇아서 휴대가 간편합니다.
这个比原来的产品更小更薄, 方便携带。
zhè ge bǐ yuán lái de chǎn pǐn gèng xiǎo gèng báo fāng biàn xié dài

---

4) 高新技术 gāoxīn jìshù: 고도로 발달된 선진적인 기술.

▶ 애프터서비스에 관하여 **关于售后服务**
guān yú shòu hòu fú wù

A: 这个产品的售后服务是怎样进行的?
zhè ge chǎn pǐn de shòu hòu fú wù shì zěn yàng jìn xíng de

B: 我们提供一个月包退，三个月包换，一年包修的"三包"服务。5)
wǒ men tí gōng yí ge yuè bāo tuì sān ge yuè bāo huàn yì nián bāo xiū de sān bāo fú wù

A: 이 제품에 대한 애프터서비스는 어떻게 하고 있습니까?

B: 1개월 반품 보증, 3개월 교환 보증, 1년 수리 보증의 "3대 보증" 서비스를 제공합니다.

- 애프터서비스에 관한 문제를 물어보고 싶습니다.
  我们想问一下关于售后服务的问题。
  wǒ men xiǎng wèn yí xià guān yú shòu hòu fú wù de wèn tí

- 사람을 파견해서 정확한 기기 사용법을 설명해 드릴 것입니다.
  我们会派人去说明怎样正确操作机器。
  wǒ men huì pài rén qù shuō míng zěn yàng zhèng què cāo zuò jī qì

- 저희 제품이기만 하면 어느 서비스 센터에서든 수리가 가능합니다.
  只要是我们的产品，您在我们任何一家维修服务中心都可以维修。
  zhǐ yào shì wǒ men de chǎn pǐn nín zài wǒ men rèn hé yì jiā wéi xiū fú wù zhōng xīn dōu kě yǐ wéi xiū

- 어떤 문제가 있더라도 신속하게 해결해 드립니다.
  无论有什么问题，我们都会迅速为您解决。
  wú lùn yǒu shén me wèn tí wǒ men dōu huì xùn sù wèi nín jiě jué

- 저희는 가장 완벽한 서비스를 제공합니다.
  我们提供最完善的服务。
  wǒ men tí gōng zuì wán shàn de fú wù

- 3개월에 1번씩 정기 점검을 해 드립니다.
  我们会为您提供三个月一次的保养检查。
  wǒ men huì wèi nín tí gōng sān ge yuè yí cì de bǎo yǎng jiǎn chá

---

5) 三包 sānbāo: 假冒伪劣产品 jiǎmào wěiliè chǎnpǐn (가짜와 조악한 상품)이 판을 치는 중국에서 품질에 책임을 진다는 의지의 표현으로 자주 사용되는 용어이다.

보증 수리 기간 保修期
bǎo xiū qī

A: 这部机器有什么售后服务?
zhè bù jī qì yǒu shén me shòu hòu fú wù
B: 保修期是两年, 在保修期内所有的维修都是免费的。
bǎo xiū qī shì liǎng nián zài bǎo xiū qī nèi suǒ yǒu de wéi xiū dōu shì miǎn fèi de

A: 이 기기의 애프터서비스는 어떠합니까?
B: 보증 수리 기간은 2년이고, 보증 수리 기간 내의 모든 수리는 무료입니다.

- 보증 수리 기간 연장이 가능합니까?
  有可能延长保修期吗?
  yǒu kě néng yán cháng bǎo xiū qī ma
- 6개월 동안 보증 수리를 제공해 드립니다.
  我们提供六个月的产品保修。
  wǒ men tí gōng liù ge yuè de chǎn pǐn bǎo xiū
- 적어도 3년은 보증 수리를 해 드립니다.
  我们至少保修三年。
  wǒ men zhì shǎo bǎo xiū sān nián
- 이 제품의 보증 수리 기간은 2년입니다.
  这个产品的保修期是两年。
  zhè ge chǎn pǐn de bǎo xiū qī shì liǎng nián
- 이 제품은 3년간 보증 수리를 약속드립니다.
  这个产品我们给予三年保修的承诺。
  zhè ge chǎn pǐn wǒ men jǐ yǔ sān nián bǎo xiū de chéng nuò

수리 비용 维修费用
wéi xiū fèi yong

- 저희가 무료로 정기 검사를 해 드립니다.
  我们会免费提供定期的保养检查。
  wǒ men huì miǎn fèi tí gōng dìng qī de bǎo yǎng jiǎn chá
- 보증 수리 기간 동안에는 무료로 수리해 드립니다.
  在保修期间提供免费的维修服务。
  zài bǎo xiū qī jiān tí gōng miǎn fèi de wéi xiū fú wù

• 보증 수리 기간 동안 모든 수리는 무료입니다.
保修期间, 所有维修都是免费的。
bǎo xiū qī jiān suǒ yǒu wéi xiū dōu shì miǎn fèi de

• 만일 기계를 정확하게 사용하지 않았으면, 수리비를 받을 수도 있습니다.
如果是您没正确使用机器, 我们也许要收维修费。
rú guǒ shì nín méi zhèng què shǐ yòng jī qì wǒ men yě xǔ yào shōu wéi xiū fèi

• 보증 수리 기간 후에는 어떻게 합니까?
保修期后怎么样呢?
bǎo xiū qī hòu zěn me yàng ne

• 보증 수리 기간 후의 애프터서비스는 유상입니다.
保修期后的售后服务是收费的。
bǎo xiū qī hòu de shòu hòu fú wù shì shōu fèi de

• 모든 수리는 원가대로 요금을 받습니다.
所有的修理都按照成本收费。
suǒ yǒu de xiū lǐ dōu àn zhào chéng běn shōu fèi

• 저희는 부품비만 받습니다.
我们只收零件的费用。
wǒ men zhī shōu líng jiàn de fèi yong

Ⅳ. 가격 협상 协商价格
xié shāng jià gé

▶ 가격을 물을 때 询问价钱时
xún wèn jià qián shí

A: 价格是多少?
jià gé shì duō shao

B: 1,500元一个。
yuán yí ge

A: 가격은 얼마입니까?

B: 개당 1,500위안입니다.

• 카탈로그와 가격표를 보여 주십시오.
请给我看一下目录和价目表。
qǐng gěi wǒ kàn yí xià mù lù hé jià mù biǎo

• 지금 당장은 확실한 가격을 결정할 수 없습니다.
我不能立刻决定确切的价格。
wǒ bù néng lì kè jué dìng què qiè de jià gé

- 가격은 수량에 따라 정해집니다.
  价格要依数量而定。
  jià gé yào yī shù liàng ér dìng

- 값은 주문량에 따라 조정될 수 있습니다.
  价格可以根据订量调整。
  jià gé kě yǐ gēn jù dìng liàng tiáo zhěng

- 대당 1,500위안의 가격으로 드리겠습니다.
  我们可以以每台1,500元的价格卖给你们。[6)]
  wǒ men kě yǐ yǐ měi tái yuán de jià gé mài gěi nǐ men

- 현금으로 지불하면 어느 정도 혜택이 있습니까?
  如果付现金可以优惠多少?
  rú guǒ fù xiàn jīn kě yǐ yōu huì duō shao

▶ 우대 가격 **优惠价格**
yōu huì jià gé

A: 那个价钱太贵了, 能不能优惠一点儿?[7)]
nà ge jià qián tài guì le néng bu néng yōu huì yì diǎnr

B: 对不起, 不能再优惠了。
duì bu qǐ bù néng zài yōu huì le

A: 그 가격은 너무 비쌉니다. 좀 우대해 주실 수 없습니까?
B: 죄송합니다만, 더 이상은 해 드릴 수 없습니다.

- 값을 조금만 더 싸게 해 주시겠습니까?
  价格可以再便宜点儿吗?
  jià gé kě yǐ zài pián yi diǎnr ma

- 개당 1,400위안이면 어떻습니까?
  1,400元一个怎么样?
  yuán yí ge zěn me yàng

- 1,200위안 이상이면 좀 곤란합니다.
  1,200元以上就有点儿困难了。
  yuán yǐ shàng jiù yǒu diǎnr kùn nán le

- 어떻게 좀 안 될까요?
  能不能再商量一下?
  néng bu néng zài shāng liang yí xià

---

6) 以 yǐ: ~으로, ~으로서.
7) 优惠 yōuhuì: 우대, 혜택. 상거래에 있어 많은 경우에 '할인'을 의미한다.

- 이것이 귀사의 최저 가격입니까?
  这是您的底价了吗?
  zhè shì nín de dǐ jià le ma

- 만일 주문을 두 배로 하면 가격은 어떻게 계산합니까?
  如果我们加倍订货, 价钱怎么算?
  rú guǒ wǒ men jiā bèi dìng huò jià qián zěn me suàn

- 만일 1천 대 이상 주문을 하면 가격을 얼마나 더 낮춰 줄 수 있습니까?
  如果我们的订货超过一千台, 你们能降价多少?
  rú guǒ wǒ men de dìng huò chāo guò yì qiān tái nǐ men néng jiàng jià duō shao

- 10만 달러 이상 주문을 하면 얼마나 할인을 해 주시겠습니까?
  订货超过十万美元的话, 你们提供什么样的折扣?
  dìng huò chāo guò shí wàn měi yuán de huà nǐ men tí gōng shén me yàng de zhé kòu

- 독일의 한 제조 회사가 우리에게 제시한 가격은 당신들보다 10% 낮습니다.
  有一家德国厂商给我们出的价, 比你们低了百分之十。
  yǒu yì jiā dé guó chǎng shāng gěi wǒ men chū de jià bǐ nǐ men dī le bǎi fēn zhī shí

- 만일 3만 위안으로 낮춰 주시지 않으면 한 대도 구입하지 않겠습니다.
  如果你们不降到3万元, 我们一台也不买。
  rú guǒ nǐ men bú jiàng dào wàn yuán wǒ men yì tái yě bù mǎi

할인 수락 承诺优惠
chéng nuò yōu huì

- 대량 구매를 하시면 할인해 드리겠습니다.
  如果是大量购买的话, 可以优惠。
  rú guǒ shì dà liàng gòu mǎi de huà kě yǐ yōu huì

- 대량 주문을 하신다면 할인이 가능할 겁니다.
  如果您大量订购, 我想也许可以打折。
  rú guǒ nín dà liàng dìng gòu wǒ xiǎng yě xǔ kě yǐ dǎ zhé

- 10% 할인해 드릴 수 있습니다.
  我们可以打九折。[8)]
  wǒ men kě yǐ dǎ jiǔ zhé

- 만일 1백 대를 주문하시면 3%의 특별 할인을 해 드릴 생각입니다.

8) 打九折 dǎ jiǔ zhé는 10% 할인, 打八折 dǎ bā zhé는 20% 할인. 할인폭을 말하는 방법이 우리와 다름에 유의.

如果您订一百台的话，我们准备给您百分之三的特别折扣。
rú guǒ nín dìng yì bǎi tái de huà wǒ men zhǔn bèi gěi nín bǎi fēn zhī sān de tè bié zhé kòu

할인 거절 拒绝优惠
jù jué yōu huì

- 가격에 대해서는 더 이상 협상할 여지가 없습니다.
价格方面，没有再商量的余地了。
jià gé fāng miàn méi yǒu zài shāng liang de yú dì le

- 이것이 최저 가격입니다.
这是最低价了。
zhè shì zuì dī jià le

- 더 이상은 할인해 드릴 수가 없습니다.
我们不能再打折了。
wǒ men bù néng zài dǎ zhé le

- 이미 원가로 파는 겁니다.
已经是按成本价卖的了。
yǐ jīng shì àn chéng běn jià mài de le

- 저희 제품은 타사 제품보다 쌉니다.
我们的产品比其他公司的产品便宜。
wǒ men de chǎn pǐn bǐ qí tā gōng sī de chǎn pǐn pián yi

- 저희의 가격은 다른 회사들보다 훨씬 낮습니다.
我们的价格应该比其他公司低多了。
wǒ men de jià gé yīng gāi bǐ qí tā gōng sī dī duō le

- 원재료가 올랐기 때문에 그 가격에는 팔 수가 없습니다.
原料涨价了，因此我们不能以那个价钱卖。
yuán liào zhǎng jià le yīn cǐ wǒ men bù néng yǐ nà ge jià qián mài

지불 방식 付款方式
fù kuǎn fāng shì

A: 怎么付款?
zěn me fù kuǎn

B: 先付20%的订金，剩余的在6个月之内分期付款就可以了。
xiān fù de dìng jīn shèng yú de zài ge yuè zhī nèi fēn qī fù kuǎn jiù kě yǐ le

A: 어떻게 지불합니까?
B: 우선 20%의 계약금을 내시고, 나머지는 6개월 내에 분할 납부해 주시면 됩니다.

- 물품 대금은 언제 지불합니까?
  什么时候支付货款?
  shén me shí hou zhī fù huò kuǎn
- 처음 주문하시는 제품은 선불해 주셨으면 합니다.
  我们希望第一次订的货能先付款。
  wǒ men xī wàng dì yī cì dìng de huò néng xiān fù kuǎn
- 총 대금의 30%를 먼저 받았으면 합니다.
  我们希望先收到总款数的百分之三十。
  wǒ men xī wàng xiān shōu dào zǒng kuǎn shù de bǎi fēn zhī sān shí
- 물건을 받은 날로부터 3개월 이내에 완불해 주십시오.
  请在收到货物之日起3个月内付清。
  qǐng zài shōu dào huò wù zhī rì qǐ ge yuè nèi fù qīng
- 이 지불 방식에 이의 있으십니까?
  您对这样的付款方式有意见吗?
  nín duì zhè yàng de fù kuǎn fāng shì yǒu yì jiàn ma

V. 계약 合同
hé tong

▶ 계약서 초안 合同草案
hé tong cǎo àn

- 먼저 계약서 초안을 작성합시다.
  我们先拟一份合同草案吧。[9)]
  wǒ men xiān nǐ yí fèn hé tong cǎo àn ba
- 저희가 준비한 계약서 초안을 검토해 보시겠습니까?
  你们来检查我们准备的合同草案好吗?
  nǐ men lái jiǎn chá wǒ men zhǔn bèi de hé tong cǎo àn hǎo ma
- 표준 계약서를 근거로 초안을 작성하겠습니다.
  我们会根据标准的合同准备一份草案。
  wǒ men huì gēn jù biāo zhǔn de hé tong zhǔn bèi yí fèn cǎo àn
- 계약서 초안을 부쳐 드리겠습니다.
  我们将寄给您一份合同草案。
  wǒ men jiāng jì gěi nín yí fèn hé tong cǎo àn

---

9) 拟 nǐ: 여기서는 '입안하다'의 뜻.

- 초안을 완성한 후에 다시 기타 세세한 문제를 해결합시다.
  草案完成后, 我们再解决其他较小的问题。
  cǎo àn wán chéng hòu wǒ men zài jiě jué qí tā jiào xiǎo de wèn tí

▶ 검토 및 수정 检查及修整
jiǎn chá jí xiū zhěng

- 이 초안을 좀 더 검토할 수 있는 시간을 주시겠습니까?
  可以给点儿时间再检查一下这个草稿吗?
  kě yǐ gěi diǎnr shí jiān zài jiǎn chá yí xià zhè ge cǎo gǎo ma

- 계약 연장에 관한 조항을 삽입하고 싶습니다.
  我想插入延长合同的有关条款。
  wǒ xiǎng chā rù yán cháng hé tong de yǒu guān tiáo kuǎn

- 계약 해제에 관한 조항을 추가하고 싶습니다.
  我想增加解除合同的有关条款。
  wǒ xiǎng zēng jiā jiě chú hé tong de yǒu guān tiáo kuǎn

- 이 조항을 다시 한번 검토해 주셨으면 합니다.
  请再检查一下这项条款。
  qǐng zài jiǎn chá yí xià zhè xiàng tiáo kuǎn

- 이 조항에 대해서 다시 의논해 봅시다.
  关于这项条款, 我们再讨论一下吧。
  guān yú zhè xiàng tiáo kuǎn wǒ men zài tǎo lùn yí xià ba

- 타당하지 않은 부분이 있으시면 말씀해 주십시오.
  如果有什么不妥的地方, 尽管说出来吧。
  rú guǒ yǒu shén me bù tuǒ de dì fang jǐn guǎn shuō chū lái ba

- 만일 어느 한쪽이 이 계약을 해제하고자 할 때는 어떻게 하죠?
  如果有一方要解除这个契约, 该怎么办?
  rú guǒ yǒu yì fāng yào jiě chú zhè ge qì yuē gāi zěn me bàn

- "클레임" 부분은 다시 수정해야 할 것 같습니다.
  我想在"索赔"这个地方再改一改。
  wǒ xiǎng zài suǒ péi zhè ge dì fang zài gǎi yi gǎi

▶ 회답 答复
dá fù

- 언제 회답을 주시겠습니까?
  什么时候可以给答复?
  shén me shí hou kě yǐ gěi dá fù

- 만일 이런 조건이라면 수락하시겠습니까?
  如果是这样的条件, 可以承诺吗?
  rú guǒ shì zhè yàng de tiáo jiàn kě yǐ chéng nuò ma

- 이 제안에 대해 가능한 한 빨리 회답을 주시겠습니까?
  对此提案, 请尽快答复好吗?
  duì cǐ tí àn qǐng jǐn kuài dá fù hǎo ma

- 저희가 제시한 그 조건을 추가한다면 저희는 승낙할 수 있습니다.
  加上我们提出的那个条件的话, 我们可以承诺。
  jiā shàng wǒ men tí chū de nà ge tiáo jiàn de huà wǒ men kě yǐ chéng nuò

- 저희가 제시한 의견을 받아 주신다면 저희는 바로 수락할 것입니다.
  如果你们接受我们提出的意见, 我们会马上答应。
  rú guǒ nǐ men jiē shòu wǒ men tí chū de yì jiàn wǒ men huì mǎ shàng dā ying

계약 체결 签合同
qiān hé tong

A: 我们很高兴能在双方满意的情况下签定了这个合同。
wǒ men hěn gāo xìng néng zài shuāng fāng mǎn yì de qíng kuàng xià qiān dìng le zhè ge hé tong

B: 我也是。希望我们以后的合作顺利地进行。
wǒ yě shì xī wàng wǒ men yǐ hòu de hé zuò shùn lì de jìn xíng

A: 从现在开始我们要同心协力, 荣辱与共。
cóng xiàn zài kāi shǐ wǒ men yào tóng xīn xié lì róng rǔ yǔ gòng

B: 对, 我们双方一定要齐心协力, 争取共创骄人的成果。
duì wǒ men shuāng fāng yí dìng yào qí xīn xié lì zhēng qǔ gòng chuàng jiāo rén de chéng guǒ

A: 서로 만족스러운 조건으로 계약을 하게 되어 기쁩니다.
B: 저도 그렇습니다. 앞으로 합작이 순조롭게 진행되기를 바랍니다.
A: 이제부터 한마음으로 협력하여 영욕을 함께해야 하겠지요.
B: 맞습니다. 우리 서로 힘을 합해 최대의 성과를 거두도록 합시다.

- 이제 서명만 남았군요.
  现在只剩签名了。
  xiàn zài zhǐ shèng qiān míng le

- 여기에 서명 날인 하십시오.
  请在这里签名、盖章。
  qǐng zài zhè li qiān míng gài zhāng

- 귀사와 거래를 하게 되어 정말 기쁩니다.
  能与贵公司来往真是很高兴。
  néng yǔ guì gōng sī lái wǎng zhēn shì hěn gāo xìng

- 저희는 계약 조건에 전적으로 만족합니다.
我们对契约条件完全满意。
wǒ men duì qì yuē tiáo jiàn wán quán mǎn yì

- 계약이 성공적으로 성립되어 매우 만족합니다.
契约圆满地成立，我很满足。
qì yuē yuán mǎn de chéng lì wǒ hěn mǎn zú

- 협조와 배려에 감사드립니다.
非常感谢您的协助和关照。
fēi cháng gǎn xiè nín de xié zhù hé guān zhào

- 성공적인 합작을 위하여 건배합시다.
为了我们合作的圆满成功，干杯。
wèi le wǒ men hé zuò de yuán mǎn chéng gōng gān bēi

계약을 미룰 때 推迟签约
tuī chí qiān yuē

- 다음에 기회가 있으면 다시 함께 일해 봅시다.
下次有机会我们再合作。
xià cì yǒu jī huì wǒ men zài hé zuò

- 먼저 동업자와 상의한 뒤에 다시 연락드리겠습니다.
我先和我的合作伙伴商量一下，再联系。
wǒ xiān hé wǒ de hé zuò huǒ bàn shāng liang yí xià zài lián xì

- 요즘 경제가 불경기라서 계약을 하반기로 미뤄야겠습니다.
最近经济不景气，合同推迟到下半年签。
zuì jìn jīng jì bù jǐng qì hé tong tuī chí dào xià bàn nián qiān

- 죄송합니다. 저희의 조건과는 맞지 않는군요.
对不起，和我们的条件不相符。
duì bu qǐ hé wǒ men de tiáo jiàn bù xiāng fú

- 경기가 좋아지면 다시 오겠습니다.
生意好转了以后，我再来。
shēng yi hǎo zhuǎn le yǐ hòu wǒ zài lái

- 좀더 생각해 보고 연락 드리겠습니다.
我再考虑一下，再跟你联系吧。
wǒ zài kǎo lǜ yí xià zài gēn nǐ lián xì ba

- 정말 유감입니다. 우리 의견이 일치되지 않는군요.
真遗憾，好像我们没有共识。[10]
zhēn yí hàn hǎo xiàng wǒ men méi yǒu gòng shí

10) 共识 gòngshí: 공통의 인식, 인식의 일치.

4 주문 · 결제 · 클레임

预订/付款/索赔
yù dìng fù kuǎn suǒ péi

중국 속담에 "先小人, 后君子。xiān xiǎorén, hòu jūnzǐ."란 말이 있다. "먼저 소인배 노릇을 하고, 나중에 군자 노릇을 하겠다"란 뜻이다. 이 말은 계약이나 합의를 할 때 먼저 세세한 부분까지 꼬치꼬치 따져서 자신의 몫을 챙기고, 그 다음에 약속된 사항들을 충실히 이행하겠다는 것이다. 좋은 게 좋다는 식의 애매한 구두 언약은 아무 소용이 없다. 꼭 필요한 사항이라면 반드시 문서로 남겨 놓아야 훗날 발생할지도 모를 분쟁을 예방할 수 있다.

기 본 대 화

A: 这里是韩国电子, 想预订一下贵公司的产品。
zhè li shì hán guó diàn zǐ xiǎng yù dìng yí xià guì gōng sī de chǎn pǐn

B: 是哪个产品? 请说一下产品的号码。
shì nǎ ge chǎn pǐn qǐng shuō yí xià chǎn pǐn de hào mǎ

A: 是SH102030。
shì

B: 您要订多少? 现在那个库存只有4,000个。
nín yào dìng duō shao xiàn zài nà ge kù cún zhǐ yǒu ge

A: 我们要5,000个, 那先寄给我们4000个吧。
wǒ men yào ge nà xiān jì gěi wǒ men ge ba

B: 好的, 我会马上寄给你们。
hǎo de wǒ huì mǎ shàng jì gěi nǐ men

A: 여기는 한국 전자입니다. 귀사의 제품을 주문하려고 합니다.
B: 어떤 제품입니까? 제품 번호를 말씀해 주십시오.
A: SH102030입니다.
B: 얼마나 주문하실 겁니까? 현 재고는 4,000개 밖에 없습니다.
A: 5,000개입니다. 그럼 먼저 4,000개를 보내 주십시오.
B: 알겠습니다. 바로 부쳐 드리겠습니다.

여러 가지 활용

I. 주문 预订
yù dìng

▶ **재고량** 库存量
kù cún liàng

• 그 품목은 지금 재고가 없습니다.
那个品种现在没有库存。
nà ge pǐn zhǒng xiàn zài méi yǒu kù cún

- 먼저 재고를 확인해 보겠습니다.
  我先确认一下库存。
  wǒ xiān què rèn yí xià kù cún

- 그 모델은 지금은 생산하지 않습니다.
  那个型号现在不生产了。[1)]
  nà ge xíng hào xiàn zài bù shēng chǎn le

- 며칠만 시간을 주시면 필요하신 수량을 전부 생산할 수 있습니다.
  给我们几天时间的话，您要的数量就会全都生产出来的。
  gěi wǒ men jǐ tiān shí jiān de huà nín yào de shù liàng jiù huì quán dōu shēng chǎn chū lái de

▶ **인도 시기** **交货时期**
jiāo huò shí qī

A: 这里是三元有限公司，请问昨天预订的产品什么时候可以收到?
zhè li shì sān yuán yǒu xiàn gōng sī qǐng wèn zuó tiān yù dìng de chǎn pǐn shén me shí hou kě yǐ shōu dào

B: 现在正在装船，一周后就可以到达。
xiàn zài zhèng zài zhuāng chuán yì zhōu hòu jiù kě yǐ dào dá

A: 삼원 회사입니다. 어제 주문한 물품 언제 받아 볼 수 있나요?
B: 현재 선적 중입니다. 1주일 후에 도착할 겁니다.

- 저희가 언제쯤 물건을 받을 수 있을까요?
  我们什么时候可以收货?
  wǒ men shén me shí hou kě yǐ shōu huò

- 주문 후 물품을 받을 때까지는 보통 얼마나 걸립니까?
  预订后，通常需要多长时间能收货?
  yù dìng hòu tōng cháng xū yào duō cháng shí jiān néng shōu huò

- 이달 말까지는 받을 수 있습니까?
  可以在本月末之前收货吗?
  kě yǐ zài běn yuè mò zhī qián shōu huò ma

- 저희는 주문 전화를 받는 즉시 물품을 발송합니다.
  我们一接到预订电话，就马上发货。
  wǒ men yì jiē dào yù dìng diàn huà jiù mǎ shàng fā huò

---

1) 제품이 더 이상 생산되지 않을 때 '淘汰 táotài'라는 말을 쓰기도 한다. '淘汰 táotài'는 '도태되다'라는 뜻으로 이미 구식이 되어 생산되지 않는다는 뜻이다. 예) 那个产品已经淘汰了 nàge chǎnpǐn yǐjīng táotài le。

- 몹시 급하니 항공편으로 보내 주십시오.
因为非常急，请用空运给我们送货吧。
yīn wèi fēi cháng jí qǐng yòng kōng yùn gěi wǒ men sòng huò ba

- 3일 안에 항구에 도착할 겁니다.
3日内就可以到达港口。
rì nèi jiù kě yǐ dào dá gǎng kǒu

▶ **주문 변경 更改预订**
gēng gǎi yù dìng

A: 我想更改预订。
wǒ xiǎng gēng gǎi yù dìng
B: 您打算怎么更改呢?
nín dǎ suàn zěn me gēng gǎi ne
A: 将No. 5 改为No. 2。
jiāng gǎi wéi
B: 不好意思太晚了，已经发货了。
bù hǎo yì si tài wǎn le yǐ jīng fā huò le

A: 주문을 변경하고 싶습니다.
B: 어떻게 변경하실 겁니까?
A: No. 5를 No. 2로 바꾸려고 합니다.
B: 죄송하지만 너무 늦었네요. 이미 발송했습니다.

- 어떻게 바꾸실 겁니까?
您要怎样更改?
nín yào zěn yàng gēng gǎi

- 2호 주문서상에서 AF-01의 수량을 추가하려고 합니다.
我们想增加2号订单上AF-01的数量。
wǒ men xiǎng zēng jiā hào dìng dān shang de shù liàng

- 제가 알아보고 최선을 다해 보겠습니다.
我会查看，并且尽我所能。
wǒ huì chá kàn bìng qiě jìn wǒ suǒ néng

- 요구하신 대로 주문서를 변경하였습니다.
我们顺从您的要求，更改了订单。
wǒ men shùn cóng nín de yāo qiú gēng gǎi le dìng dān

Ⅱ. 결제 付款
fù kuǎn

▶ 신용장 개설 开设信用证
kāi shè xìn yòng zhèng

- 반드시 신용장을 개설해 주십시오.
  您将必须开信用证。
  nín jiāng bì xū kāi xìn yòng zhèng
- 오늘 신용장을 개설했습니다.
  我们今天开了信用证。
  wǒ men jīn tiān kāi le xìn yòng zhèng
- 신용장 개설이 늦어져서 죄송합니다.
  我们很抱歉迟开信用证。
  wǒ men hěn bào qiàn chí kāi xìn yòng zhèng
- 방금 주문하신 물품에 대한 신용장을 개설해 주시겠습니까?
  刚订的货, 请您开信用证好吗?
  gāng dìng de huò qǐng nín kāi xìn yòng zhèng háo ma
- 되도록 빨리 신용장을 개설해 주시기 바랍니다.
  我们希望您尽快开信用证。
  wǒ men xī wàng nín jǐn kuài kāi xìn yòng zhèng
- 가능한 한 빨리 신용장을 개설해 주시겠습니까?
  请尽量快点开设信用证, 好吗?
  qǐng jǐn liàng kuài diǎn kāi shè xìn yòng zhèng hǎo ma
- 내주 말까지 신용장을 우편으로 보내 주십시오.
  下周末之前将信用证邮寄过来。
  xià zhōu mò zhī qián jiāng xìn yòng zhèng yóu jì guò lái
- 신용장 개설이 늦어지고 있는 이유가 무엇입니까?
  拖延开设信用证的理由是什么?
  tuō yán kāi shè xìn yòng zhèng de lǐ yóu shì shén me

▶ 결제 청구 要求付款
yāo qiú fù kuǎn

- 첫 회 지불금으로 20%를 요구합니다.
  我们要求百分之二十的头期款。
  wǒ men yāo qiú bǎi fēn zhī èr shí de tóu qī kuǎn
- 주문 시에 대금의 10%를 선납해 주셔야 합니다.
  我们要求订货时先交百分之十的款额。
  wǒ men yāo qiú dìng huò shí xiān jiāo bǎi fēn zhī shí de kuǎn é

- 7일 안으로 지불해 주십시오.
  请在七天内付款。
  qǐng zài qī tiān nèi fù kuǎn

- 10개월로 나누어 지불해 주시면 됩니다.
  您可以分十个月来分期付款。
  nín kě yǐ fēn shí ge yuè lái fēn qī fù kuǎn

- 저희는 보통 달러로 거래합니다.
  我们通常用美元来做生意。
  wǒ men tōng cháng yòng měi yuán lái zuò shēng yi

- 5월 5일까지 전신환을 보내 주십시오.
  请在5月5日之前电汇。
  qǐng zài yuè rì zhī qián diàn huì

- 지급 기일은 5월 1일입니다.
  支付日期是5月1日。
  zhī fù rì qī shì yuè rì

- 저희가 매월 말에 결산서를 보내 드릴 테니 그 다음 달 말까지 지불해 주십시오.
  我们会在每个月底寄账单，所以请在次月的月底之前付款。
  wǒ men huì zài měi ge yuè dǐ jì zhàng dān suǒ yǐ qǐng zài cì yuè de yuè dǐ zhī qián fù kuǎn

▶ **결제 지연** **拖延付款**
tuō yán fù kuǎn

- 지급 기한이 벌써 2주일이나 지났습니다.
  支付期限已过了两个星期了。
  zhī fù qī xiàn yǐ guò le liǎng ge xīng qī le

- 언제쯤 대금을 받을 수 있겠습니까?
  我们何时可以收款？
  wǒ men hé shí kě yǐ shōu kuǎn

- 머지않아 지불하겠습니다.
  我们不久就可以付款了。
  wǒ men bù jiǔ jiù kě yǐ fù kuǎn le

- 곧 지급하겠습니다. 이달 말까지는 결제하겠습니다.
  马上支付，在这个月末之前结算。
  mǎ shàng zhī fù zài zhè ge yuè mò zhī qián jié suàn

- 지불 시기를 좀 늦춰 주실 수 있겠습니까?
  可否请您延缓我们付款的时间？
  kě fǒu qǐng nín yán huǎn wǒ men fù kuǎn de shí jiān

- 3주 후에 지불해도 되겠습니까?
我们可延后三个星期付款吗?
wǒ men kě yán hòu sān ge xīng qī fù kuǎn ma

Ⅲ. 클레임 索赔
suǒ péi

물품의 지연 货物的拖延
huò wù de tuō yán

A: 这里是中央商社, 是因为我们在一个月前预订的货物还没到, 所以才打电话的。
zhè li shì zhōng yāng shāng shè shì yīn wèi wǒ men zài yí ge yuè qián yù dìng de huò wù hái méi dào suǒ yǐ cái dǎ diàn huà de

B: 真对不起, 确认后马上打电话给您。
zhēn duì bu qǐ què rèn hòu mǎ shàng dǎ diàn huà gěi nín

A: 여기는 중앙 상사입니다. 한 달 전에 주문한 물품이 아직도 도착하지 않아 전화했습니다.

B: 정말 죄송합니다. 확인 후 바로 전화드리겠습니다.

- 귀사가 보낸 물품이 아직 도착하지 않았습니다.
你们运的货还没到。
nǐ men yùn de huò hái méi dào

- 9월 5일에 주문한 상품이 아직 도착하지 않았습니다.
九月五日订的商品还没到。
jiǔ yuè wǔ rì dìng de shāng pǐn hái méi dào

- 9월 10일 전에 물품을 받을 수 없다면 주문을 취소하겠습니다.
如果九月十日前无法拿到的话, 我们就取消订货。
rú guǒ jiǔ yuè shí rì qián wú fǎ ná dào de huà wǒ men jiù qǔ xiāo dìng huò

- 물품 발송 지연으로 입은 손실은 마땅히 귀사가 책임져야 한다고 생각합니다.
我们认为贵公司应该负责因延迟运送所蒙受的损失。
wǒ men rèn wéi guì gōng sī yīng gāi fù zé yīn yán chí yùn sòng suǒ méng shòu de sǔn shī

- 출항 일자를 확인해 주시겠습니까?
请确认一下出船的日期。
qǐng què rèn yí xià chū chuán de rì qī

물품 지연에 대한 설명 对拖延送货的解释
duì tuō yán sòng huò de jiě shì

- 그 물품들은 7월 1일에 이미 발송했습니다.
  那个货在7月1日已经发了。
  nà ge huò zài yuè rì yǐ jīng fā le

- 화물은 9월 10일에 보냈으니 이삼일 후면 받으실 겁니다.
  货物是在九月十日运送的，您应该两三天后收到。
  huò wù shì zài jiǔ yuè shí rì yùn sòng de nín yīng gāi liǎng sān tiān hòu shōu dào

- 물품 발송이 세관에서 저지당했습니다.
  出货在海关遭到阻止。
  chū huò zài hǎi guān zāo dào zǔ zhǐ

- 물품 발송이 항구의 노동자 파업 때문에 지연되었습니다.
  出货因港口罢工耽搁了。
  chū huò yīn gǎng kǒu bà gōng dān gē le

- 그 물품은 5월 5일에 도착할 겁니다.
  那个货会在5月5日到达的。
  nà ge huò huì zài yuè rì dào dá de

- 3일만 더 기다려 주시겠습니까?
  您能再多等三天吗?
  nín néng zài duō děng sān tiān ma

- 이번 지연에 대해 정말 죄송하게 생각합니다.
  这次的耽搁，我们很抱歉。
  zhè cì de dān gē wǒ men hěn bào qiàn

- 조사를 해서 빠른 시일 내에 전화드리겠습니다.
  我们会调查，并尽快给您电话。
  wǒ men huì diào chá bìng jǐn kuài gěi nín diàn huà

- 컨테이너 문제로 5월 5일에 발송할 예정입니다.
  由于集装箱的问题，拟订于5月5日发货。
  yóu yú jí zhuāng xiāng de wèn tí nǐ dìng yú yuè rì fā huò

물품 파손 货物破损
huò wù pò sǔn

A: 那个预订的产品在到达时已经破损了。
nà ge yù dìng de chǎn pǐn zài dào dá shí yǐ jīng pò sǔn le

B: 真对不起，大概多少被破损了?
zhēn duì bu qǐ dà gài duō shao bèi pò sǔn le

A: 差不多有一半。
chà bu duō yǒu yí bàn

B: 那么，请把破损的产品返送回来好吗？
nà me qǐng bǎ pò sǔn de chǎn pǐn fǎn sòng huí lái hǎo ma

A: 그 주문품은 도착했을 때 이미 파손되어 있었습니다.
B: 정말 죄송합니다. 대략 얼마나 파손되었습니까?
A: 거의 절반 정도입니다.
B: 그럼 그 파손품들을 반송해 주시겠습니까?

- 물이 들어가서 일부는 사용 불가능합니다.
因为进水，有一些无法使用。
yīn wèi jìn shuǐ yǒu yì xiē wú fǎ shǐ yòng

- 맛이 변한 것도 있고, 파손된 것도 있습니다.
有变味儿的，还有损坏的。
yǒu biàn wèir de hái yǒu sǔn huài de

- 화물들이 운송 중에 파손되었습니다.
货物在运送途中受损了。
huò wù zài yùn sòng tú zhōng shòu sǔn le

- 운송했을 때 이미 10% 가량의 화물이 파손되어 있었습니다.
运送时，大约已经有百分之十的货物受损了。
yùn sòng shí dà yuē yǐ jīng yǒu bǎi fēn zhī shí de huò wù shòu sǔn le

- 일부 화물은 심각하게 파손되었습니다.
有些货物严重受损。
yǒu xiē huò wù yán zhòng shòu sǔn

- 아마 절반 이상의 화물이 파손된 것 같습니다.
恐怕有半数的货受损了。
kǒng pà yǒu bàn shù de huò shòu sǔn le

- 죄송합니다. 모든 제품이 다 파손되었습니다.
很抱歉，所有的货都受损了。
hěn bào qiàn suǒ yǒu de huò dōu shòu sǔn le

- 전부가 다 더럽혀졌습니다.
全部都污损了。
quán bù dōu wū sǔn le

- 대표를 보내서 파손 정도를 검사하도록 하겠습니다.
我们会派个代表去检查产品受损的程度。
wǒ men huì pài ge dài biǎo qù jiǎn chá chǎn pǐn shòu sǔn de chéng dù

- 파손품들을 어떻게 처리해야 할까요?

我们该如何处理受损品?
wǒ men gāi rú hé chǔ lǐ shòu sǔn pǐn

- 얼마나 손상되었습니까?
有多少受损?
yǒu duō shao shòu sǔn

- 파손품들을 저희에게 다시 보내 주시겠습니까?
您能将受损品送还我们吗?
nín néng jiāng shòu sǔn pǐn sòng huán wǒ men ma

▶ **품질 불량 不良品质**
bù liáng pǐn zhì

- 제품에 결함이 많습니다.
产品有很多缺陷。
chǎn pǐn yǒu hěn duō quē xiàn

- 제품에 하자가 있음을 발견했습니다.
我们发现货品有瑕疵。
wǒ men fā xiàn huò pǐn wǒ xiá cī

- 약 5% 정도가 불합격품입니다.
约5%是不合格产品。
yuē shì bù hé gé chǎn pǐn

- 이 물품들은 표준에 미치지 못합니다.
这些货品未达标准。
zhè xiē huò pǐn wèi dá biāo zhǔn

- 보내온 물건들이 원래의 샘플보다 못합니다.
送来的货比原样品差。
sòng lái de huò bǐ yuán yàng pǐn chà

- 이번에 받은 물품은 첫 주문 때 부쳐온 물품보다 못합니다.
这次收到的货品, 比初次订购所送来的货品差。
zhè cì shōu dào de huò pǐn bǐ chū cì dìng gòu suǒ sòng lái de huò pǐn chà

- 제품들이 정상적으로 작동되지 않습니다.
产品不能正常运作。
chán pǐn bù néng zhèng cháng yùn zuò

- 이중 포장을 요구했는데, 도착한 것들은 한 겹이더군요.
我们要求双层包装, 收到的却是单层的。
wǒ men yāo qú shuāng céng bāo zhuāng shōu dào de què shì dān céng de

- 제품의 품질 불량으로 입은 손해를 배상해 주십시오.
请赔偿我们因产品质量低劣所蒙受的损失。
qǐng péi cháng wǒ men yīn chǎn pǐn zhì liàng dī liè suǒ méng shòu de sǔn shī

수량 부족 数量不足
shù liàng bù zú

- 몇 개가 부족합니까?
你们缺了多少?
nǐ men quē le duō shao

- 주문량보다 100개가 부족합니다.
比预订量少100个。
bǐ yù dìng liàng shǎo ge

- 저희가 체크하다가 물품이 부족한 것을 발견했습니다.
我们查验时发现了货物不足。
wǒ men chá yàn shí fā xiàn le huò wù bù zú

- 15개를 주문했는데 14개만을 받았습니다.
我们订了十五个, 只收到十四个。
wǒ men dìng le shí wǔ ge zhǐ shōu dào shí sì ge

- 물표에는 15개로 적혀 있는데 우리가 받은 것은 14개 뿐입니다.
发票上写的是十五个, 但我们只收到十四个。
fā piào shang xiě de shì shí wǔ ge dàn wǒ men zhǐ shōu dào shí sì ge

주문품 발송 착오 送错预订产品
sòng cuò yù dìng chǎn pǐn

A: 我们收到的产品与预订产品不一样。
wǒ men shōu dào de chǎn pǐn yǔ yù dìng chǎn pǐn bù yí yàng

B: 真对不起, 因工作失误, 发了别的产品。马上给您更换为预订产品。
zhēn duì bu qǐ yīn gōng zuò shī wù fā le bié de chǎn pǐn mǎ shàng gěi nín gēng huàn wéi yù dìng chǎn pǐn

---

A: 저희가 받은 제품이 주문품과 다릅니다.

B: 정말 죄송합니다. 실수로 다른 제품을 보냈습니다. 곧 주문하신 제품으로 바꿔 드리겠습니다.

- 우리가 받은 것은 우리가 주문했던 물품이 아닙니다.
我们收到的不是我们所订购的货品。
wǒ men shōu dào de bú shì wǒ men suǒ dìng gòu de huò pǐn

- 우리가 주문한 것은 특대 사이즈인데, 받은 것은 대 사이즈예요.
我们订的是加大号的, 收到的却是大号的。
wǒ men dìng de shì jiā dà hào de shōu dào de què shì dà hào de

- 저희가 상품을 잘못 보냈습니다.
  我们误送了商品。
  wǒ men wù sòng le shāng pǐn

- 죄송합니다. 정확한 제품을 바로 보내 드리겠습니다.
  很抱歉，我们会立刻送去正确的产品。
  hěn bào qiàn wǒ men huì lì kè sòng qù zhèng què de chǎn pǐn

클레임 협상 索赔协商
suǒ péi xié shāng

- 손해 배상 청구서를 보내겠습니다.
  给您发一下索赔请求书。
  gěi nín fā yí xià suǒ péi qǐng qiú shū

- 보험 회사에 배상 문제를 제기하려고 합니다.
  我们将向保险公司提出赔偿问题。
  wǒ men jiāng xiàng bǎo xiǎn gōng sī tí chū péi cháng wèn tí

- 변호사를 초빙하여 이 일을 중재하려고 합니다.
  我们想请律师来仲裁这事儿。
  wǒ men xiǎng qǐng lǜ shī lái zhòng cái zhè shìr

- 저희는 거기에 대해 어떠한 책임도 없습니다.
  我们对于那方面没有任何责任。
  wǒ men duì yú nà fāng miàn méi yǒu rèn hé zé rèn

- 문제는 배상액이 얼마냐에 달렸습니다.
  问题在于赔偿额是多少。
  wèn tí zài yú péi cháng é shì duō shao

- 귀사의 손실에 대해 배상하겠습니다.
  我们会赔偿贵公司的损失。
  wǒ men huì péi cháng guì gōng sī de sǔn shī

- 이번의 물품에 대해서 50% 할인을 해 드리겠습니다.
  对于这次的货品，我们会给您打五折。
  duì yú zhè cì de huò pǐn wǒ men huì gěi nín dǎ wǔ zhé

- 만일 물건이 귀사가 원하는 것이 아니라면 기꺼이 바꿔 드리겠습니다.
  如果货品不是你们所期望的，我们很乐意更换。[2)]
  rú guǒ huò pǐn bú shì nǐ men suǒ qī wàng de wǒ men hěn lè yì gēng huàn

- 배상 청구를 받아들일 수 없습니다.
  不能接受您的索赔请求。
  bù néng jiē shòu nín de suǒ péi qǐng qiú

---

2) 乐意 lèyì: 기꺼이 ~하다, 흔쾌히 ~하다.

5 바이어 접대

接待买主
jiē dài mǎi zhǔ

무역이나 영업에 종사하는 많은 사람들은 "접대"(接待 jiēdài)에 많은 시간과 노력과 돈을 투자하게 마련이다. 공식적인 업무 밖에서 이루어지는 인간적인 유대 관계가 때로는 사업에 큰 영향을 미칠 수도 있기 때문이다. 중국인들은 전통적으로 인연(缘分 yuánfèn)을 매우 소중히 여기며, 한번 친구(朋友 péngyou)가 되면 쉽게 그 의(义 yì)를 버리지 않는 민족적 특성을 지니고 있다. 중국 측 파트너와 신의를 바탕으로 하는 동반자 관계를 마련하는 것은 거대한 중국 시장 쟁탈전에서 천군만마(千军万马 qiān jūn wàn mǎ)를 얻는 것이나 다름없다 할 것이다.

기본대화

A: 喘不过气的洽谈终于成功地结束了。
chuǎn bu guò qì de qià tán zhōng yú chéng gōng de jié shù le

B: 多亏了刘总的支持, 您辛苦了。
duō kuī le liú zǒng de zhī chí nín xīn kǔ le

A: 哪儿的话, 多亏金总的交涉手段高明才会取得这样的结果。
nǎr de huà duō kuī jīn zǒng de jiāo shè shǒu duàn gāo míng cái huì qǔ dé zhè yàng de jié guǒ

B: 您明天有什么安排吗?
nín míng tiān yǒu shén me ān pái ma

A: 目前还没有任何计划。
mù qián hái méi yǒu rèn hé jì huà

B: 如果可以的话, 观光一下汉城怎么样?
rú guǒ kě yǐ de huà guān guāng yí xià hàn chéng zěn me yàng

A: 好的, 可以拜托您吗?
hǎo de kě yǐ bài tuō nín ma

B: 那好啊, 我明天陪你去。
nà hǎo a wǒ míng tiān péi nǐ qù

A: 숨 막힐 듯했던 상담이 드디어 성공적으로 끝났군요.
B: 모두가 리우 사장님 덕분이지요. 수고하셨습니다.
A: 천만의 말씀입니다. 김 사장의 뛰어난 교섭 수완이 있었기에 얻을 수 있었던 결과지요.
B: 내일 무슨 계획 있으십니까?
A: 현재로서는 아무 계획도 없습니다.
B: 괜찮으시다면 서울을 관광하시는 것이 어떻겠습니까?
A: 좋습니다. 부탁드려도 괜찮겠습니까?
B: 그럼요. 내일 제가 모시고 다니겠습니다.

여러 가지 활용

Ⅰ. 식사 대접 请客
qǐng kè

음식 선택 选菜
xuǎn cài

- 우선 식사부터 할까요?
  先吃饭怎么样?
  xiān chī fàn zěn me yàng

- 무엇을 드시고 싶으세요?
  您想吃什么?
  nín xiǎng chī shén me

- 양식보다는 한국 전통 요리를 드시는 게 나을 듯합니다.
  吃西餐, 不如尝一下韩国的传统料理吧。
  chī xī cān bù rú cháng yí xià hán guó de chuán tǒng liào lǐ ba

- 아침 식사는 전복죽으로 하시죠.
  早餐就吃鲍鱼粥吧。
  zǎo cān jiù chī bào yú zhōu ba

- 점심은 삼계탕을 드셔 보세요. 건강식품입니다.
  午餐尝一下参鸡汤吧, 这是健康食品。
  wǔ cān cháng yí xià shēn jī tāng ba zhè shì jiàn kāng shí pǐn

- 저녁은 불고기를 드시는 게 어떻습니까?
  晚上吃烤牛肉怎么样?
  wǎn shang chī kǎo niú ròu zěn me yàng

요리 품평 品尝
pǐn cháng

- 김치는 한국을 상징하는 음식입니다.
  泡菜是代表韩国的饭菜。
  pào cài shì dài biǎo hán guó de fàn cài

- 입맛에 맞으시면 좋겠습니다.
  希望能合您的胃口。
  xī wàng néng hé nín de wèi kǒu

- 이 갈비탕은 맛이 어떻습니까?
  这排骨汤味道怎么样?
  zhè pái gǔ tāng wèi dao zěn me yàng

- 냉면이 입에 맞으십니까?
  冷面合您的胃口吗?
  lěng miàn hé nín de wèi kǒu ma

- 냄새만 맡아도 침이 도는군요.
  光是闻味儿, 就要流口水了。
  guāng shì wén wèir jiù yào liú kǒu shuǐ le

- 약간 맵긴 하지만 정말 맛이 있군요.
  有点儿辣, 但是很好吃。
  yǒu diǎnr là dàn shì hěn hǎo chī

- 당신 덕분에 한국의 진미를 맛보았습니다.
  托您的福, 我尝到了韩国的美味佳肴。
  tuō nín de fú wǒ cháng dào le hán guó de měi wèi jiā yáo

Ⅱ. 관광 안내　观光向导
guān guāng xiàng dǎo

A: 今天我陪你去景福宫, 那是朝鲜时代的宫殿。
jīn tiān wǒ péi nǐ qù jǐng fú gōng nà shì cháo xiān shí dài de gōng diàn

B: 在首尔还留下了以前的宫殿吗?
zài shǒu ěr hái liú xià le yǐ qián de gōng diàn ma

A: 当然了, 除了景福宫以外还有昌德宫、德寿宫等。
dāng rán le chú le jǐng fú gōng yǐ wài hái yǒu chāng dé gōng dé shòu gōng děng

B: 是吗? 我真想马上去看看。
shì ma wǒ zhēn xiǎng mǎ shàng qù kàn kan

A: 虽然没有紫禁城那么大, 但是您可以欣赏到韩国古代艺术的精致美。
suī rán méi yǒu zǐ jìn chéng nà me dà dàn shì nín kě yǐ xīn shǎng dào hán guó gǔ dài yì shù de jīng zhì měi

---

A: 오늘은 경복궁으로 모시고 가겠습니다. 조선 시대의 궁전이지요.

B: 서울에도 옛 궁전이 남아 있습니까?

A: 그럼요, 경복궁 외에도 창덕궁, 덕수궁 등이 있습니다.

B: 그렇습니까? 어서 보고 싶군요.

A: 비록 자금성처럼 크지는 않지만, 한국 고대 예술의 섬세한 아름다움을 감상하실 수 있습니다.

- 어디 가고 싶으신 곳이 있으면 말씀하십시오.
  想去什么地方, 告诉我一下吧。
  xiǎng qù shén me dì fang gào su wǒ yí xià ba

- 남대문 시장을 둘러보고 싶습니다.
  我想看一下南大门市场。
  wǒ xiǎng kàn yí xià nán dà mén shì chǎng

- 도자기로 유명한 이천은 여기에서 멉니까?
  以陶瓷器闻名的利川，离这里远吗?
  yǐ táo cí qì wén míng de lì chuān lí zhè li yuǎn ma

- 골동품으로 알려진 인사동은 어디 있습니까?
  以古董品闻名的仁寺洞在哪儿?
  yǐ gǔ dǒng pǐn wén míng de rén sì dòng zài nǎr

- 먼저 일기 예보를 보고 나서 제주도 관광을 결정합시다.
  先看一下天气预报，再决定是否去济州岛观光吧。
  xiān kàn yí xià tiān qì yù bào zài jué dìng shì fǒu qù jì zhōu dǎo guān guāng ba

- 선물할 만한 특산품에는 어떤 것이 있습니까?
  可以送礼的土特产有哪些?
  kě yǐ sòng lǐ de tǔ tè chǎn yǒu nǎ xiē

- 어디서 특산품을 팝니까?
  哪里卖土特产?
  nǎ li mài tǔ tè chǎn

▶ 관광하면서 在观光的时候
zài guān guāng de shí hou

- 한국에 대해서 많이 알고 계시는군요.
  您对韩国知道得很多。
  nín duì hán guó zhī dào de hěn duō

- 이웃 나라끼리 서로 관심을 갖는 것은 당연하죠.
  临国互相关心是应该的。
  lín guó hù xiāng guān xīn shì yīng gāi de

- 이곳에서 잠시 쉬면 어떻습니까?
  在这里休息一会儿怎么样?
  zài zhè li xiū xi yí huìr zěn me yàng

- 한국어가 매우 유창하신데, 한국말은 언제 배웠습니까?
  您的韩语很流利，什么时候学的?
  mín de hán yǔ hěn liú lì shén me shí hou xué de

- 한글도 쓸 수 있습니까?
  可以写韩文吗?
  kě yǐ xiě hán wén ma

- 피로하시면 잠시 쉽시다.
  累的话, 休息一会儿吧。
  lèi de huà xiū xi yí huìr ba

- 오래 걸었더니 목이 마르군요.
  我们走了很久, 已经口渴了。
  wǒ men zǒu le hěn jiǔ yǐ jīng kǒu kě le

- 불편하신 점은 없으십니까?
  有没有不便的地方?
  yǒu méi yǒu bú biàn de dì fang

- 저쪽에 표지판이 있습니다.
  那里有标志。
  nà li yǒu biāo zhì

- 저 코너 왼쪽으로 돌아가면 있을 겁니다.
  好像是在那个拐角左转吧。
  hǎo xiàng shì zài nà ge guǎi jiǎo zuǒ zhuǎn ba

- 제가 길을 안내해 드리겠습니다.
  我给您带路吧。
  wǒ gěi nín dài lù ba

참고 관련 용어

- 수출 出口, 输出 (chū kǒu, shū chū)
- 수입 进口, 输入 (jìn kǒu, shū rù)
- 바이어 买主, 买户, 买方, 买客 (mǎi zhǔ, mǎi hù, mǎi fāng, mǎi kè)
- 판매자 卖主, 卖户, 卖方, 卖客 (mài zhǔ, mài hù, mài fāng, mài kè)
- 본사 总公司 (zǒnggōng sī)
- 지사 分公司 (fēn gōng sī)
- 지점 分店 (fēn diàn)
- 설비 设备 (shè bèi)
- 연혁 沿革 (yán gé)
- 규모 规模 (guī mó)
- 매출액 销售额 (xiāoshòu é)
- 시장 市场 (shì chǎng)
- 재정 财政 (cái zhèng)
- 품질 관리 品管 (pǐn guǎn)
- 생산 라인 车间 (chē jiān)
- 설비 투자 设备投资 (shè bèi tóu zī)
- 상담 洽谈 (qià tán)
- 견본 样品 (yàng pǐn)
- 설명서 说明书 (shuōmíng shū)
- 계약 合同 (hé tong)
- 계약을 체결하다 签合同 (qiān hé tong)
- 계약 번호 合同号 (hé tong hào)
- 계약서 合同书 (hé tong shū)
- 가격 价格 (jià gé)
- 신용장 信用证, 信用状 (xìn yòngzhèng, xìn yòngzhuàng)
- 수입 신용장 进口信用证 (jìn kǒu xìn yòngzhèng)

- 재고량 库存量 kù cún liàng
- 애프터서비스 售后服务 shòu hòu fú wù
- 보증 기간 保修期间 bǎo xiū qī jiān
- 투자하다 投资 tóu zī
- 지불하다 付款 fù kuǎn
- 교역하다 交易 jiāo yì
- 경기 景气 jǐng qì
- 불경기 不景气 bù jǐng qì
- 기술 技术 jì shù
- 첨단 기술 尖端技术, 高新技术 jiān duān jì shù, gāo xīn jì shù
- 노하우 专有技术 zhuān yǒu jì shù
- 대리점 代理店, 代理商, 经销商 dài lǐ diàn, dài lǐ shāng, jīng xiāo shāng
- 면세 免税 miǎn shuì
- 무역 贸易 mào yì
- 중계 무역 转易 zhuǎn yì
- 생산 生产 shēng chǎn
- 생산량 产量 chǎn liàng
- 외상 거래 赊账, 记账 shē zhàng, jì zhàng
- 적자 亏损 kuī sǔn
- 외화 外汇 wài huì
- 통화 긴축 通货紧缩 tōng huò jǐn suō
- 통화 팽창 通货膨胀 tōng huò péng zhàng
- 특허 专利 zhuān lì
- 합자 기업 合资企业 hé zī qǐ yè
- 중한 합자 기업 中韩合资企业 zhōng hán hé zī qǐ yè
- 한국 독자 기업 韩国独资企业 hán guó dú zī qǐ yè
- 다국적 기업 跨国公司 kuà guó gōng sī
- 환율 兑换率 duì huàn lǜ
- 견적 报盘 bào pán
- 견적 의뢰 询盘 xún pán
- 주문서 订单 dìng dān
- 주문하다 订购 dìng gòu
- 오퍼를 내다 报价 bào jià
- 단가 单价 dān jià
- 원가 成本 chéng běn
- 운송비 运费 yùn fèi
- 운임 선불 运费先付 yùn fèi xiān fù
- 할인 折扣 zhé kòu
- 관세 关税 guān shuì
- 납세 交税 jiāo shuì
- 밀수하다 走私 zǒu sī
- 세관 海关 hǎi guān
- 물품 인도 가격 交货费 jiāo huò fèi
- 본선 인도 가격 船上交货价 chuán shàng jiāo huò jià
- 항만 港口 gǎng kǒu
- 항구 口岸 kǒu àn
- 부두 码头 mǎ tou
- 선적항 装货口岸, 装船口岸 zhuāng huò kǒu àn, zhuāng chuán kǒu àn
- 선적하다 装船 zhuāng chuán
- 선하 증권 船货提单 chuán huò tí dān
- 콘테이너 集装箱 jí zhuāng xiāng
- 항공 운송 航空运输 háng kōng yùn shū
- 해운 海运 hǎi yùn
- 지급 은행 付款银行 fù kuǎn yín háng
- 지불 기일 付款日期 fù kuǎn rì qī
- 지불 방식 付款方式 fù kuǎn fāng shì
- 지불 조건 付款条件 fù kuǎn tiáo jiàn
- 보험 保险 bǎo xiǎn
- 클레임 索赔 suǒ péi

23

23 해외여행

海外旅行 HAILWAI LÜXING

1 비자 신청

申请签证
shēnqǐngqiānzhèng

중국 비자의 종류는 모두 8가지로서 D, Z, X, F, L, G, C, J 비자가 있다. 만일 여행, 친지 방문이나 기타 개인적인 일로 잠시 입국하는 경우라면 L비자를 받는 것이 가장 간편하다. 유학, 연수, 실습을 목적으로 6개월 이상 체류할 경우라면 X비자를 받아야 하며, 파견 근무를 나오거나 중국에서 사업을 해야 하는 경우라면 Z비자를 받아야 한다. 이밖에 F비자는 시찰, 강연 및 6개월 이내의 연수나 실습을 위해 방문하는 경우에 발급되며, J비자는 중국에 취재하러 오는 외국 기자에게, 그리고 D비자는 중국에 정착하고자 하는 외국인에게 발급되는 비자이다.

기 본 대 화

A: 我要申请出国签证。
wǒ yào shēn qǐng chū guó qiān zhèng

B: 出国的目的是什么?
chū guó de mù dì shì shén me

A: 出差。
chū chāi

B: 呆多长时间?
dāi duō cháng shí jiān

A: 大概一个月左右。
dà gài yí ge yuè zuǒ yòu

B: 你是第一次办吗?
nǐ shì dì yī cì bàn ma

A: 对,
duì

B: 你先填一下申请表, 再交两张二寸照片就可以了。[1)]
nǐ xiān tián yí xià shēn qǐng biǎo zài jiāo liǎng zhāng èr cùn zhào piàn jiù kě yǐ le

A: 출국 비자를 신청하려고 합니다.
B: 출국 목적이 무엇입니까?
A: 출장입니다.
B: 얼마나 계실 예정입니까?
A: 약 한 달 정도입니다.
B: 처음이십니까?
A: 네, 그렇습니다.
B: 먼저 신청서를 작성하시고 반명함판 사진 2장을 제출하시면 됩니다.

1) 사진의 크기를 말할 때 一寸照片 yícùn zhàopiàn, 二寸照片 èrcùn zhàopiàn 등으로 말한다. 一寸은 우리나라의 '증명사진' 크기, 二寸은 '반명함판' 크기와 비슷하다. 一寸 yícùn은 3.33cm.

여러 가지 활용

Ⅰ. 비자 신청 申请签证
shēn qǐng qiān zhèng

- 중국 비자를 신청하려고 합니다.
  我要申请去中国的签证。
  wǒ yào shēn qǐng qù zhōng guó de qiān zhèng

- 비자 신청은 이번이 처음입니다.
  这是第一次申请签证。
  zhè shì dì yī cì shēn qǐng qiān zhèng

- 이 신청서와 사진 2장을 제출하시면 됩니다.
  交这个申请表和两张照片就可以了。
  jiāo zhè ge shēn qǐng biǎo hé liǎng zhāng zhào piàn jiù kě yǐ le

- 비자 수속비는 얼마입니까?
  签证的手续费是多少?
  qiān zhèng de shǒu xù fèi shì duō shao

- 여권을 가지고 중국 대사관 영사과에 가서 신청하면 됩니다.
  拿护照去中国大使馆领事科办理申请手续就可以了。
  ná hù zhào qù zhōng guó dà shǐ guǎn lǐng shì kē bàn lǐ shēn qǐng shǒu xù jiù kě yǐ le

Ⅱ. 비자의 종류 签证的种类
qiān zhèng de zhǒng lèi

▶ 관광 비자 旅游签证
lǚ yóu qiān zhèng

- 중국에 여행을 가려면 L비자를 받아야 합니다.
  去中国旅游的话, 要拿L签证。
  qù zhōng guó lǚ yóu de huà, yào ná qiān zhèng

- 처음 중국을 여행할 때에는 대개 한 달짜리 비자가 발급됩니다.
  初次去中国旅行时, 只给办一个月的签证。
  chū cì qù zhōng guó lǚ xíng shí, zhǐ gěi bàn yí ge yuè de qiān zhèng

- 두 번째부터는 석 달짜리 비자를 받을 수 있습니다.
  第二次开始可以拿3个月的签证。
  dì èr cì kāi shǐ kě yǐ ná ge yuè de qiān zhèng

- 필요한 경우 중국 내에서 직접 연장할 수 있습니다.
  必要的话, 可以直接在中国延期签证。
  bì yào de huà, kě yǐ zhí jiē zài zhōng guó yán qī qiān zhèng

- 비자가 나오는 데는 4~5일이 소요됩니다.
  签证出来，需要四五天。
  qiān zhèng chū lái xū yào sì wǔ tiān

- 돈을 더 내시면 하루만에 발급받을 수 있습니다.
  多交钱的话，可以在一天之内出来。
  duō jiāo qián de huà kě yǐ zài yì tiān zhī nèi chū lái

▶ **학생 비자** **学生签证**
xué shēng qiān zhèng

- 유학을 갈 때에는 X비자를 받아야 합니다.
  留学的时候，要拿X签证。
  liú xué de shí hou yào ná qiān zhèng

- 학생 비자를 받으려면 입학 허가서가 필요합니다.
  要拿X签证，需要入学通知书。
  yào ná qiān zhèng xū yào rù xué tōng zhī shū

- 학생 비자로는 귀국해서 두 달 이상 체류할 수 없습니다.
  拿学生签证，回国探亲不能超过两个月。
  ná xué shēng qiān zhèng huí guó tàn qīn bù néng chāo guò liǎng ge yuè

- 한국에 들어갈 때는 먼저 재입국 비자를 받아야 합니다.
  回韩国时，要先拿再入境签证。[2)]
  huí hán guó shí yào xiān ná zài rù jìng qiān zhèng

▶ **취업 비자** **商务签证**
shāng wù qiān zhèng

- 비즈니스로 중국에 갈 때에는 Z비자를 받아야 합니다.
  因商务去中国时，要拿Z签证。
  yīn shāng wù qù zhōng guó shí yào ná qiān zhèng

- 따라 가는 가족들도 모두 Z비자를 받을 수 있습니다.
  随从的家人也可以拿到Z签证。
  suí cóng de jiā rén yě kě yǐ ná dào qiān zhèng

- 취업 비자는 6개월, 1년짜리도 있습니다.
  商务签证有6个月的，也有1年的。
  shāng wù qiān zhèng yǒu ge yuè de yě yǒu nián de

- Z비자는 입국 횟수에 제한이 없습니다.
  Z签证不限制入境次数。
  qiān zhèng bú xiàn zhì rù jìng cì shù

---

2) 학생 비자로 잠시 귀국할 때에는 미리 재입국 비자를 받아야 한다. 그렇지 않으면 다시 학생 비자를 받아야 하는 번거로움이 발생하게 된다.

2 항공권 예약

订机票
dìng jī piào

한중 노선에는 한국의 대한 항공(大韩航空 dàhán hángkōng)과 아시아나 항공(韩亚航空 hányà hángkōng), 그리고 중국의 中国国际航空(중국 국제 항공 zhōngguó guójì hángkōng), 东方航空(동방 항공 dōngfāng hángkōng), 南方航空(남방 항공 nánfāng hángkōng) 등의 여러 항공사들이 취항을 하고 있다. 같은 도시를 취항하더라도 항공사나 여행사마다 요금이 조금씩 다르므로 사전에 비교해 보면 훨씬 저렴하게 구입할 수 있다.

기본대화

A: 您好! 中国国际航空。
nín hǎo zhōng guó guó jì háng kōng

B: 我想订5月1号去汉城的飞机票, 有吗?
wǒ xiǎng dìng yuè hào qù hàn chéng de fēi jī piào yǒu ma

A: 有一趟早上8点出发9点40分到仁川的航班。
yǒu yí tàng zǎo shang diǎn chū fā diǎn fēn dào rén chuān de háng bān

B: 太好了。我要往返的。
tài hǎo le wǒ yào wǎng fǎn de

A: 告诉我您的英文名字。
gào su wǒ nín de yīng wén míng zi

B: 我叫张勇, ZHANGYONG。
wǒ jiào zhāng yǒng

A: 好的。已经订好了, 出发前三天之内来取吧。
hǎo de yǐ jīng dìng hǎo le chū fā qián sān tiān zhī nèi lái qǔ ba

B: 谢谢, 我今天就去吧。
xiè xie wǒ jīn tiān jiù qù ba

A: 안녕하십니까! 중국 국제 항공입니다.

B: 5월 1일 서울행 비행기를 예약하려 하는데, 있습니까?

A: 오전 8시에 출발하여 9시 40분에 인천에 도착하는 항공편이 있습니다.

B: 좋습니다. 왕복으로 해 주세요.

A: 영문 성함을 말씀해 주십시오.

B: 장용, ZHANGYONG 입니다.

A: 네, 예약되었습니다. 출발 3일 전까지 찾아가도록 하십시오.

B: 감사합니다. 오늘 찾으러 가겠습니다.

여러 가지 활용

Ⅰ. 예약 문의 询问预订
xún wèn yù dìng

▶ 항공권 예약 订票
dìng piào

A: 大韩航空预订部。您需要什么帮助吗?
dà hán háng kōng yù dìng bù nín xū yào shén me bāng zhù ma

B: 后天我要搭机飞往济州岛。
hòu tiān wǒ yào dā jī fēi wǎng jì zhōu dǎo

A: 我们的KE856次航班在11:50起飞, 15:20到达。
wǒ men de cì háng bān zài qǐ fēi dào dá

B: 太好了, 帮我订这班飞机吧。
tài hǎo le bāng wǒ dìng zhè bān fēi jī ba

A: 您要经济舱还是头等舱?[1]
nín yào jīng jì cāng hái shi tóu děng cāng

B: 经济舱。
jīng jì cāng

A: 要往返的, 还是单程的?
yào wǎng fǎn de hái shi dān chéng de

B: 往返的。
wǎng fǎn de

A: 好的, 请留下您的姓名和电话号码。
hǎo de qǐng liú xià nín de xìng míng hé diàn huà hào mǎ

A: 대한 항공 예약부입니다. 무엇을 도와 드릴까요?

B: 모레 제주도 가는 비행기를 타려고 하는데요.

A: 저희 KE856 항공편이 11시 50분 출발해서 15시 20분에 도착합니다.

B: 좋습니다. 그 비행기 표로 해 주세요.

A: 이코노미 클래스입니까, 퍼스트 클래스입니까?

B: 이코노미 클래스요.

A: 왕복이십니까, 편도이십니까?

B: 왕복입니다.

A: 알겠습니다. 성함과 전화번호를 말씀해 주세요.

---

1) 舱 cāng은 비행기나 선박의 내부, 객실, 선창을 뜻함. 비행기 좌석의 First Class는 头等舱 tóuděngcāng, Business Class는 公务舱 gōngwùcāng, 그리고 Economy Class는 经济舱 jīngjìcāng이라고 한다.

- 비행기표를 예약하려고 합니다.
  我想订飞机票。
  wǒ xiǎng dìng fēi jī piào

- 6월 5일 서울 가는 항공 티켓을 예약할 수 있습니까?
  可以订6月5号去首尔的飞机票吗?
  kě yǐ dìng yuè hào qù shǒu ěr de fēi jī piào ma

- 대기자 명단에 올려 주십시오.
  请记在候补名单上。
  qǐng jì zài hòu bǔ míng dān shang

- 대기자 명단에 올려 주시겠습니까?
  能不能把我列入候补名单呢?
  néng bu néng bǎ wǒ liè rù hòu bǔ míng dān ne

- 예약을 취소하는 사람이 있으면 저에게 연락해 주시겠습니까?
  要是有人退票的话, 你就和我联系好吗?
  yào shì yǒu rén tuì piào de huà nǐ jiù hé wǒ lián xì hǎo ma

- 출발은 내일로 하고 돌아오는 날짜는 오픈해 주십시오.
  明天出发, 回来的日期要随时的。
  míng tiān chū fā huí lái de rì qī yào suí shí de

항공 요금 票价 piào jià

- 두 살 미만의 아기는 티켓을 사야 하나요?
  未满两岁的婴儿用买票吗?
  wèi mǎn liǎng suì de yīng ér yòng mǎi piào ma

- 만 6세 이하의 아이는 요금이 어떻게 됩니까?
  未满6周岁的孩子, 票价怎么算?
  wèi mǎn zhōu suì de hái zi piào jià zěn me suàn

- 만 12세 이상의 어린이는 어른 요금을 받습니다.
  12周岁以上的小朋友要买成人票。
  zhōu suì yǐ shàng de xiǎo péng you yào mǎi chéng rén piào

- 학생증을 제시하면 할인을 받을 수 있습니다.
  出示学生证, 可以优惠。
  chū shì xué shēng zhèng kě yǐ yōu huì

- 방학 기간 중 학생은 특별 할인이 됩니다.
  放假期间, 学生可以享有特别优惠。
  fàng jià qī jiān xué shēng kě yǐ xiǎng yǒu tè bié yōu huì

- 할인 티켓을 사려고 하는데요.

我想买打折机票。
wǒ xiǎng mǎi dǎ zhé jī piào

▶ 운항 횟수 및 시간 **航班次数及时间**
háng bān cì shù jí shí jiān

• 무슨 요일에 출발합니까?
星期几出发?
xīng qī jǐ chū fā

• 인천에서 텐진까지는 얼마나 걸립니까?
从仁川到天津需要多长时间?
cóng rén chuān dào tiān jīn xū yào duō cháng shí jiān

• 베이징-부산 간 직항 노선이 있습니까?
有直接从北京到釜山的飞机吗?
yǒu zhí jiē cóng běi jīng dào fǔ shān de fēi jī ma

• 인천-베이징 노선이 매일 있습니까?
仁川-北京的飞机每天都有吗?
rén chuān běi jīng de fēi jī měi tiān dōu yǒu ma

• 인천-꾸이린 노선은 1주일에 몇 번 운항합니까?
仁川-桂林的飞机一个星期有几次?
rén chuān guì lín de fēi jī yí ge xīng qī yǒu jǐ cì

• 월요일과 금요일 한 차례씩, 두 번 있습니다.
两次, 星期一和星期五各有一次。
liǎng cì xīng qī yī hé xīng qī wǔ gè yǒu yí cì

Ⅱ. 확인 · 변경 · 취소 确认/改变/取消
què rèn gǎi biàn qǔ xiāo

▶ 예약 확인 **确认预订**
què rèn yù dìng

A: 您好! 东方航空, 请问有什么需要吗?
nín hǎo dōng fāng háng kōng qǐng wèn yǒu shén me xū yào ma

B: 我要确认一下4月15日去上海的航班预订。
wǒ yào què rèn yí xià yuè rì qù shàng hǎi de háng bān yù dìng

A: 请问您贵姓?
qǐng wèn nín guì xìng

B: 我叫马小和。
wǒ jiào mǎ xiǎo hé

A: 请稍等 …… 已经预订好了。
qǐng shāo děng yǐ jīng yù dìng hǎo le

A: 안녕하십니까! 동방 항공입니다. 무엇을 도와 드릴까요?
B: 4월 15일 상하이로 가는 항공편 예약이 되었는지 확인하려고 합니다.
A: 성함이 어떻게 되십니까?
B: 마샤오허입니다.
A: 잠시만 기다리십시오. 네, 예약되어 있습니다.

- 예약을 다시 확인하려고 합니다.
  我想再确认一下预订。
  wǒ xiǎng zài què rèn yí xià yù dìng
- 오늘 기상이 안 좋은데 비행기는 예정대로 출발합니까?
  今天天气不好, 飞机能按时出发吗?
  jīn tiān tiān qì bù hǎo fēi jī néng àn shí chū fā ma
- 국내선은 다시 확인하실 필요가 없습니다.
  国内航班是不需要再确认的。
  guó nèi háng bān shì bù xū yào zài què rèn de

예약 변경 改变预订
gǎi biàn yù dìng

A: 我想更改预订的航班日期。
wǒ xiǎng gēng gǎi yù dìng de háng bān rì qī
B: 您预订的是哪个航班?
nín yù dìng de shì nǎ ge háng bān
A: 3月10号的KL303航班。
yuè hào de háng bān
B: 你要改成几号的?
nǐ yào gǎi chéng jǐ hào de
A: 提前一天。3月9号的。
tí qián yì tiān yuè hào de
B: 请稍等。已经改好了。
qǐng shāo děng yǐ jīng gǎi hǎo le

A: 예약한 항공편의 날짜를 바꾸고 싶습니다.
B: 어느 항공편을 예약하셨습니까?
A: 3월 10일 KL303 항공편입니다.
B: 몇 일자로 변경하시겠습니까?
A: 하루 앞당기고 싶습니다. 3월 9일로요.

B: 잠시만 기다려 주세요. 변경되었습니다.

- 예약한 항공편의 날짜를 하루 늦추려고 합니다.
  我想把预订的航班推迟一天。
  wǒ xiǎng bǎ yù dìng de háng bān tuī chí yì tiān

- 날짜를 오픈시켜 주십시오.
  日期要随时的。
  rì qī yào suí shí de

- 목적지가 본래는 베이징인데 톈진으로 바꿀 수 있습니까?
  目的地本来是北京，现在改成天津行吗?
  mù dì dì běn lái shì běi jīng xiàn zài gǎi chéng tiān jīn xíng ma

- 가장 빠른 항공편으로 바꾸었으면 합니다.
  我想改成最快的航班。
  wǒ xiǎng gǎi chéng zuì kuài de háng bān

- 항공편을 바꾸고 싶습니다.
  我想改变航班。
  wǒ xiǎng gǎi biàn háng bān

▶ 예약 취소 取消预订
qǔ xiāo yù dìng

- 예약을 취소할 수 있습니까?
  可以取消预订吗?
  kě yǐ qǔ xiāo yù dìng ma

- 표를 환불할 수 있습니까?
  可以退票吗?[2)]
  kě yǐ tuì piào ma

- 사정이 생겨서 갈 수가 없게 되었습니다. 미안하지만, 취소해 주십시오.
  有点事情不能去，麻烦你取消预订好吗?
  yǒu diǎn shì qing bù néng qù má fan nǐ qǔ xiāo yù dìng hǎo ma

- 예약을 취소하시려면, 3일 전 미리 알려 주십시오.
  如果取消预订的话，请提前3天告诉我们。
  rú guǒ qǔ xiāo yù dìng de huà qǐng tí qián tiān gào su wǒ men

- 당일 환불하시면 환불 수수료를 내셔야 합니다.
  当天退票的话，要支付退票手续费。
  dàng tiān tuì piào de huà yào zhī fù tuì piào shǒu xù fèi

---

2) 여기서 退 tuì는 이미 산 물건을 '무르다', '환불하다'는 뜻.

3 탑승 수속

登机手续
dēng jī shǒu xù

중국에서 출국할 때 공항에서 탑승 수속(登机手续 dēngjī shǒuxù)을 하는 절차는 다음과 같다. 먼저 세관(海关 hǎiguān)에 신고를 하는데 이때 신고할 것이 없으면 세관 신고서만 제출하고 통과한다. 그 다음 해당 항공사의 데스크를 찾아 짐을 부치고(托运行李 tuōyùn xíngli), 탑승권(登机牌 dēngjīpái)을 받는다. 이어서 위생 검사(检验检疫 jiǎnyàn jiànyì), 출국 심사(出境检查 chūjìng jiǎnchá), 보안 검사(安全检查 ānquán jiǎnchá)를 받고 탑승 게이트(登机口 dēngjīkǒu)로 가서 탑승을 기다리면 된다. 이때 시간이 많이 남아 있다면 면세점(免税购物街 miǎnshuì gòuwùjiē)에서 쇼핑을 할 수 있다.

기본대화

A: 这里办去仁川的乘机手续吗?
zhè li bàn qù rén chuān de chéng jī shǒu xù ma

B: 是的, 给我看一下您的护照和飞机票。
shì de gěi wǒ kàn yí xià nín de hù zhào hé fēi jī piào

A: 给您。
gěi nín

B: 您要托运行李吗? 如果要, 请把行李放在这上面。
nín yào tuō yùn xíng li ma rú guǒ yào qǐng bǎ xíng li fàng zài zhè shàng miàn

A: 行李很多, 全部都能托运过去吗?
xíng li hěn duō quán bù dōu néng tuō yùn guò qù ma

B: 如果超过20公斤, 就需要另付一些超重费。
rú guǒ chāo guò gōng jīn jiù xū yào lìng fù yì xiē chāo zhòng fèi

A: 好的。这样的话, 我可以把其中的一个行李箱随身带着。
hǎo de zhè yàng de huà wǒ kě yǐ bǎ qí zhōng de yí ge xíng li xiāng suí shēn dài zhe

B: 请问你想要哪个位置的座位?
qǐng wèn nǐ xiǎng yào nǎ ge wèi zhì de zuò wèi

A: 我要靠窗的座位。
wǒ yào kào chuāng de zuò wèi

A: 여기에서 인천행 탑승 수속을 합니까?
B: 그렇습니다. 여권과 비행기표를 보여 주십시오.
A: 여기 있습니다.
B: 짐을 부치시겠습니까? 부치실 거면 짐을 여기에 올려 놓으세요.
A: 짐이 많은데, 전부 다 부칠 수 있을까요?
B: 20kg이 넘으면 따로 초과 중량 요금을 내셔야 합니다.

A: 알겠어요. 그렇다면 그 중 가방 하나는 들고 가지요.
B: 어떤 위치의 좌석을 원하십니까?
A: 창문 쪽 좌석으로 주세요.

여러 가지 활용

I. 탑승 수속 登机手续
dēng jī shǒu xù

▶ **탑승 수속에 관한 문의** **询问登机手续**
xún wèn dēng jī shǒu xù

· 탑승 수속은 언제부터 시작합니까?
登机手续从什么时候开始办?
dēng jī shǒu xù cóng shén me shí hou kāi shǐ bàn

· 탑승 시간 2시간 전부터 수속을 시작합니다.
上机前两个小时开始办手续。
shàng jī qián liǎng ge xiǎo shí kāi shǐ bàn shǒu xù

· 탑승 시간 30분 전에 탑승 수속을 마감합니다.
上机前半个小时停办登机手续。
shàng jī qián bàn ge xiǎo shí tíng bàn dēng jī shǒu xù

· 출발 시간이 얼마나 남았습니까?
离出发还有多长时间?
lí chū fā hái yǒu duō cháng shí jiān

▶ **좌석 선택** **挑选座位**
tiāo xuǎn zuò wèi

· 앞 좌석으로 주십시오.
我要前面的座位。
wǒ yào qián miàn de zuò wèi

· 비상 탈출구에서 가까운 쪽으로 주십시오.
我要离紧急出口近的座位。
wǒ yào lí jǐn jí chū kǒu jìn de zuò wèi

· 창문 쪽 좌석으로 주십시오.
我要靠窗的座位。
wǒ yào kào chuāng de zuò wèi

· 일행과 같이 앉을 수 있도록 해 주세요.
请安排让我们坐在一起。
qǐng ān pái ràng wǒ men zuò zài yì qǐ

짐 부치기 行李托运
xíng li tuō yùn

- 짐이 몇 개입니까?
  你有几个行李?
  nǐ yǒu jǐ ge xíng li

- 짐은 이것 하나뿐입니까?
  只有这一件行李吗?
  zhǐ yǒu zhè yí jiàn xíng li ma

- 이것들을 전부 부치실 겁니까?
  这些全部都托运吗?
  zhè xiē quán bù dōu tuō yùn ma

- 짐이 있는데, 두 개는 부치고 한 개는 휴대할 겁니다.
  我有行李, 两件托运的, 一件随身携带的。[1)]
  wǒ yǒu xíng li liǎng jiàn tuō yùn de yí jiàn suí shēn xié dài de

- 수하물표는 티켓 뒷면에 붙여 드립니다.
  我把托运单贴在飞机票的反面。[2)]
  wǒ bǎ tuō yùn dān tiē zài fēi jī piào de fǎn miàn

- 짐을 위에 올려 놓아도 됩니까?
  把行李放在上面可以吗?
  bǎ xíng li fàng zài shàng miàn kě yǐ ma

중량 초과 요금 超重费
chāo zhòng fèi

- 20kg이 넘으면 초과 요금을 내야 합니다.
  超过20公斤的话, 要付超重费。
  chāo guò gōng jīn de huà yào fù chāo zhòng fèi

- 짐이 초과되었습니다. 초과될 경우는 200위안을 내셔야 합니다.
  您的行李超重了。超重的话要多付200元。
  nín de xíng li chāo zhòng le chāo zhòng de huà yào duō fù yuán

- 가방 하나의 무게가 30kg를 초과할 수 없습니다.
  一个包的重量不能超过30公斤。
  yí ge bāo de zhòng liàng bù néng chāo guò gōng jīn

---

1) 随身 suíshēn은 '몸에 지니다', '휴대하다'의 뜻. 随身听 suíshēntīng(휴대용 미니카세트, 워크맨)

2) 여기서 单 dān은 '쪽지', '명세서'의 뜻. 예) 单子 dānzi, 清单 qīngdān(명세서, 목록), 菜单 càidān(메뉴, 메뉴판)

- 휴대 물품 随身携带物品
suí shēn xié dài wù pǐn

- 기내에는 손가방 하나만 가지고 들어갈 수 있습니다.
上机只能拿一个手提包进去。
shàng jī zhǐ néng ná yí ge shǒu tí bāo jìn qù

- 이 가방은 기내에 가지고 들어갈 수 없습니다.
这个包不能拿到飞机上。
zhè ge bāo bù néng ná dào fēi jī shang

▶ 탑승구 登机口
dēng jī kǒu

- 몇 번 탑승구에서 탑승합니까?
在几号登机口乘机?
zài jǐ hào dēng jī kǒu chéng jī

- OZ318 비행기를 타려면 몇 번 탑승구로 가야 합니까?
我要乘OZ318航班, 应该到几号登机口?
wǒ yào chéng hāng bān yīng gāi dào jǐ hào dēng jī kǒu

- 5번 탑승구가 어느 쪽입니까?
5号登机口在哪儿?
hào dēng jī kǒu zài nǎr

- 10번 탑승구는 어디로 가야 하지요?
10号登机口怎么走?
hào dēng jī kǒu zěn me zǒu

- MU5060 항공편은 어디에서 탑승하지요?
MU5060航班在哪里乘?
háng bān zài nǎ li chéng

- 출발 20분 전에 5번 탑승구에서 기다리십시오.
出发20分钟之前, 在5号登机口等候吧。
chū fā fēn zhōng zhī qián zài hào dēng jī kǒu děng hòu ba

Ⅱ. 보안 검색 安全检查
ān quán jiǎn chá

- 이쪽으로 오셔서 팔을 벌려 주십시오.
这边请, 请伸开胳膊。
zhè biān qǐng qǐng shēn kāi gē bo

- 서류 가방을 열어 주십시오.
请打开公文包。
qǐng dǎ kāi gōng wén bāo

- 열쇠와 시계는 여기에 놓아 주십시오.
  请把钥匙和表放在这里。
  qǐng bǎ yào shi hé biǎo fàng zài zhè li

- 가방 속에 금지 품목이 들어 있습니까?
  包里有违禁物品吗?
  bāo li yǒu wéi jìn wù pǐn ma

- 스위스칼을 가지고 기내에 오를 수 없습니다.
  不能携带瑞士刀乘机。
  bù néng xié dài ruì shì dāo chéng jī

- 가방은 X-RAY 검사대 위에 놓아 주십시오.
  请把包放在X-光检查台上。
  qǐng bǎ bāo fàng zài guāng jiǎn chá tái shang

- 가방 안에 뭐가 들어 있습니까?
  这个包里是什么?
  zhè ge bāo li shì shén me

- 이 봉투를 열어 주시겠습니까?
  你可以打开这个袋子吗?
  nǐ kě yǐ dǎ kāi zhè ge dài zi ma

Ⅲ. 안내소에서[3] 在问讯处

zài wèn xùn chù

▶ 이착륙 시간 문의 询问起落时间

xún wèn qǐ luò shí jiān

- 비행기는 정시에 이륙합니까?
  飞机正点起飞吗?
  fēi jī zhèng diǎn qǐ fēi ma

- 광저우에 도착하는 시간은 몇 시입니까?
  到达广州的时间是几点?
  dào dá guǎng zhōu de shí jiān shì jǐ diǎn

- 선전(심천)에 제 시간에 도착할 수 있습니까?
  能准时到达深圳吗?
  néng zhǔn shí dào dá shēn zhèn ma

- 비행기는 정시에 출발합니다
  飞机准时起飞。
  fēi jī zhǔn shí qǐ fēi

3) 안내소는 问讯处 wènxùnchù, 咨询处 zīxúnchù, 问讯台 wènxùntái, 咨询台 zīxúntái 등으로 일컫는다. 우리 말의 案內라는 표현은 쓰지 않는다.

- 비행기는 10시 30분에 이륙합니다.
飞机10点30分起飞。
fēi jī diǎn fēn qǐ fēi

- 비행기는 예정보다 30분 늦게 출발합니다.
飞机比预定时间推迟三十分钟起飞。
fēi jī bǐ yù dìng shí jiān tuī chí sān shí fēn zhōng qǐ fēi

비행기를 놓쳤을 때 错过飞机时
cuò guò fēi jī shí

- 차가 막히는 바람에 베이징행 아시아나 항공 OZ331을 놓쳤습니다.
因为堵车，所以错过了去北京的韩亚航空OZ331航班。
yīn wèi dǔ chē suǒ yǐ cuò guò le qù běi jīng de hán yà háng kōng háng bān

- 베이징행 항공편이 오늘 또 있습니까?
去北京的航班今天还有吗？
qù běi jīng de háng bān jīn tiān hái yǒu ma

- 직항이 아니라도 괜찮습니다. 홍콩에 갈 수만 있다면 어떤 항공편이라도 됩니다.
不是直达的也可以。只要能去香港，什么航班都行。
bú shì zhí dá de yě kě yǐ zhǐ yào néng qù xiāng gǎng shén me háng bān dōu xíng

탑승 안내 방송 提示乘机的广播
tí shì chéng jī de guǎng bō

10点30分 乘KL353航班的旅客们，请抓紧时间准备乘机。
diǎn fēn chéng háng bān de lǚ kè men qǐng zhuā jǐn shí jiān zhǔn bèi chéng jī
10시 30분 출발 예정인 KL353 항공편 손님께서는 지금 빨리 탑승하시기 바랍니다.

이륙 지연 안내 방송 推迟起飞的广播
tuī chí qǐ fēi de guǎng bō

海南航空HU7181航班，由于目的地海口的气象恶化，已经推迟出发时间。
hǎi nán háng kōng háng bān yóu yú mù dì dì hǎi kǒu de qì xiàng è huà yǐ jīng tuī chí chū fā shí jiān
해남 항공 HU7181편이 목적지인 하이커우의 기상 악화로 인하여 출발이 지연되고 있습니다.

4 항공기 탑승

乘机
chéng jī

스튜어디스는 空中小姐 kōngzhōng xiǎojiě라 하는데 줄여서 空姐 kōngjiě 또는 小姐 xiǎojiě라 부르면 된다. 여행 중 불편한 사항이나 도움을 요청할 일이 있으면 이들에게 부탁하면 친절하게 해결해 줄 것이다. 기내에서는 음료수나 식사 제공과 함께 슬리퍼, 담요 등도 준비되어 있을 뿐만 아니라, 긴 시간 어린이가 지루해 하지 않도록 각종 장난감 등도 준비되어 있으므로 필요할 경우 요청하면 된다.

기본대화

A: 请问我的座位是哪个?
qǐng wèn wǒ de zuò wèi shì nǎ ge

B: 请给我看一下您的登机牌。
qǐng gěi wǒ kàn yí xià nín de dēng jī pái

A: 我的座位是32A。
wǒ de zuò wèi shì

B: 就是那边靠窗的座位。
jiù shì nà biān kào chuāng de zuò wèi

你沿着这排座位一直走到第4个座位就到了。
nǐ yán zhe zhè pái zuò wèi yì zhí zǒu dào dì ge zuò wèi jiù dào le

A: 谢谢您。
xiè xie nín

B: 不客气。我帮您拿点儿行李。
bú kè qi wǒ bāng nín ná diǎnr xíng li

A: 제 좌석이 어디죠?

B: 탑승권을 보여 주시겠습니까?

A: 제 자리는 32A인데요.

B: 바로 저기 창문 쪽 좌석입니다.

이 좌석 줄을 따라 가셔서 4번째 좌석입니다.

A: 고맙습니다.

B: 뭘요. 제가 짐을 들어 드리겠습니다.

여러 가지 활용

Ⅰ. 좌석을 찾을 때 找座位

zhǎo zuò wèi

- 제가 좌석을 찾아 드리겠습니다.

  我帮你找座位吧。
  wǒ bāng nǐ zhǎo zuò wèi ba

- 15번 A석이 어디죠?
15号A座在哪儿?
hào zuò zài nǎr

- 저기 통로 쪽 좌석입니다.
就是那个靠通道的座位。
jiù shì nà ge kào tōng dào de zuò wèi

- 손님 좌석은 저 분 옆입니다.
您的座位在那位先生的旁边。
nín de zuò wèi zài nà wèi xiān sheng de páng biān

▶ 좌석을 확인할 때 确认座位时
què rèn zuò wèi shí

- 실례지만 좌석 번호가 어떻게 되십니까?
请问, 你的座位号码是多少?
qǐng wèn nǐ de zuò wèi hào mǎ shì duō shao

- 실례지만 여기는 제 자리입니다. 당신 좌석을 확인해 주시겠습니까?
不好意思, 这是我的座位。请你确认一下你的座位好吗?
bù hǎo yì si zhè shì wǒ de zuò wèi qǐng nǐ què rèn yí xià nǐ de zuò wèi hǎo ma

- 죄송합니다만 제 자리에 앉으신 것 같군요.
不好意思, 您好像坐了我的座位。
bù hǎo yì si nín hǎo xiàng zuò le wǒ de zuò wèi

▶ 좌석을 바꿀 때 换座位时
huàn zuò wèi shí

- 저와 자리를 바꾸시겠습니까?
我可以和你换个座吗?
wǒ kě yǐ hé nǐ huàn ge zuò ma

- 제 친구와 같이 앉고 싶은데요. 바꿔 주시겠습니까?
我想跟我的朋友一起坐, 咱们换一下好吗?
wǒ xiǎng gēn wǒ de péng you yì qǐ zuò zán men huàn yí xià hǎo ma

- 빈 좌석에 옮겨 앉아도 됩니까?
我可以坐空座吗?
wǒ kě yǐ zuò kòng zuò ma

- 창문 쪽 좌석으로 바꿀 수 있습니까?
我能换成靠窗的座位吗?
wǒ néng huàn chéng kào chuāng de zuò wèi ma

- 좀 앞 좌석으로 바꿀 수 있을까요?
  我能不能换成往前一点的座位?
  wǒ néng bu néng huàn chéng wǎng qián yì diǎn de zuò wèi

▶ 기타 其他
qí tā

- 의자를 뒤로 젖혀도 되겠습니까?
  把椅子往后退一下可以吗?
  bǎ yǐ zi wǎng hòu tuì yí xià kě yǐ ma

- 안전벨트를 어떻게 사용하죠?
  怎么使用安全带?
  zěn me shǐ yòng ān quán dài

- 죄송합니다. 좀 비켜 주세요.
  对不起, 请让一下。
  duì bu qǐ qǐng ràng yí xià

- 이 안전벨트는 고장난 것 같아요.
  这个安全带好像坏了。
  zhè ge ān quán dài hǎo xiàng huài le

- 화장실이 어디입니까?
  卫生间在哪儿?
  wèi shēng jiān zài nǎr

Ⅱ. 기내 서비스 机内服务
jī nèi fú wù

▶ 신문 · 잡지 报纸/杂志
bào zhǐ zá zhì

A: 请问有没有韩国杂志?
qǐng wèn yǒu méi yǒu hán guó zá zhì

B: 对不起, 我们只有中国报纸。您看《信报》吗?
duì bu qǐ wǒ men zhǐ yǒu zhōng guó bào zhǐ nín kàn xìn bào ma

A: 那也可以, 给我一份吧。
nà yě kě yǐ gěi wǒ yí fèn ba

A: 한국 잡지가 있습니까?

B: 죄송합니다만 저희는 중국 신문 밖에 없습니다. 《신보》를 보시겠습니까?

A: 그러지요. 한 부 주십시오.

- 잡지가 있습니까?
  有杂志吗?
  yǒu zá zhì ma

- 베이징 관광 지도가 있습니까?
  有没有北京的观光地图?
  yǒu méi yǒu běi jīng de guān guāng dì tú

- 중국어 신문은 어떤 것이 있습니까?
  有什么中文报纸?
  yǒu shén me zhōng wén bào zhǐ

▶ **음료수 饮料**
yǐn liào

A: 您要喝点儿什么? 这儿有咖啡、茶、可乐、橙汁和汽水。
nín yào hē diǎnr shén me zhèr yǒu kā fēi chá kě lè chéng zhī hé qì shuǐ

B: 我要咖啡。
wǒ yào kā fēi

A: 음료수 드시겠습니까? 커피, 차, 콜라, 오렌지 주스, 사이다가 있습니다.

B: 커피 주세요.

- 뭘 드시겠습니까?
  您想喝点什么?
  nín xiǎng hē diǎn shén me

- 광천수를 마시고 싶습니다.
  我想喝矿泉水。
  wǒ xiǎng hē kuàng quán shuǐ

- 콜라 한 잔 주세요.
  请给我一杯可乐。
  qǐng gěi wǒ yì bēi kě lè

- 맥주 한 잔 더 주실 수 있습니까?
  再给我一杯啤酒可以吗?
  zài gěi wǒ yì bēi pí jiǔ kě yǐ ma

- 포도주 있습니까?
  有葡萄酒吗?
  yǒu pú táo jiǔ ma

식사 用餐
yòng cān

A: 您要米饭, 还是面条?
nín yào mǐ fàn hái shi miàn tiáo

B: 我吃米饭。
wǒ chī mǐ fàn

A: 밥을 드시겠습니까, 국수를 드시겠습니까?

B: 밥을 먹겠습니다.

- 소고기와 닭고기 어떤 것으로 드시겠습니까?
  您要牛肉, 还是鸡肉?
  nín yào niú ròu hái shi jī ròu

- 죄송합니다. 소고기는 다 떨어졌습니다.
  对不起, 牛肉已经没有了。
  duì bu qǐ niú ròu yǐ jīng méi yǒu le

- 다 드셨습니까?
  您吃完了吗?
  nín chī wán le ma

기타 其他
qí tā

A: 可以给我条毛毯吗?
kě yǐ gěi wǒ tiáo máo tǎn ma

B: 好的, 我马上去给您拿。
hǎo de wǒ mǎ shàng qù gěi nín ná

A: 담요를 주시겠어요?

B: 네, 곧 갖다 드리겠습니다.

- 짐을 선반에 올리고 싶은데요.
  我想把行李放在行李架里面。
  wǒ xiǎng bǎ xíng li fàng zài xíng li jià lǐ miàn

- 영화를 볼 수 있습니까?
  我可以看电影吗?
  wǒ kě yǐ kàn diàn yǐng ma

- 짐을 좌석 밑에 놓아도 됩니까?
  把行李放在座位底下可以吗?
  bǎ xíng li fàng zài zuò wèi dǐ xià kě yǐ ma

- 실수로 물을 바지에 엎질렀어요. 수건 좀 주시겠습니까?
  不小心把水洒在裤子上了。帮我拿条毛巾好吗?
  bù xiǎo xīn bǎ shuǐ sǎ zài kù zi shang le bāng wǒ ná tiáo máo jīn hǎo ma

- 필요하신 게 있으시면 호출 버튼을 누르십시오.
  有什么需要, 请按铃。
  yǒu shén me xū yào qǐng àn líng

- 베개가 있습니까?
  有枕头吗?
  yǒu zhěn tou ma

- 트럼프가 있습니까?
  有没有扑克?
  yǒu mei yǒu pū kè

Ⅲ. 기내 방송 机内广播
jī nèi guǎng bō

各位乘客你们好! 感谢你们乘坐南方航空。本次CZ 3195航班11点准时起飞。请大家坐在自己的座位上系好安全带。希望大家旅途愉快。谢谢大家。
gè wèi chéng kè nǐ men hǎo gǎn xiè nǐ men chéng zuò nán fāng háng kōng běn cì háng bān diǎn zhǔn shí qǐ fēi qǐng dà jiā zuò zài zì jǐ de zuò wèi shang jì hǎo ān quán dài xī wàng dà jiā lǚ tú yú kuài xiè xie dà jiā

손님 여러분 안녕하십니까? 남방 항공을 이용해 주셔서 감사합니다. 저희 CZ 3195편 항공기는 11시에 정시 이륙하겠습니다. 손님 여러분께서는 좌석에 앉아 안전벨트를 착용해 주십시오. 즐거운 여행이 되시길 바랍니다. 감사합니다.

▶ 이륙할 때 起飞时
qǐ fēi shí

- 지금 곧 이륙하겠습니다.
  现在马上就要起飞了。
  xiàn zài mǎ shàng jiù yào qǐ fēi le

- 안전벨트를 착용해 주십시오.
  请系好安全带。[1)]
  qǐng jì hǎo ān quán dài

- 의자의 등받이를 앞으로 당겨 주십시오.
  把椅子的靠背往前拉一下。
  bǎ yǐ zi de kào bèi wǎng qián lā yí xià

- 기내에서는 금연입니다.
  机内禁止吸烟。
  jī nèi jìn zhǐ xī yān

- 비행 중에는 휴대폰과 호출기 등의 통신 기기를 모두 꺼 주시기 바랍니다.
  在飞机飞行期间，请大家关闭手机、呼机等通讯工具。
  zài fēi jī fēi xíng qī jiān qǐng dà jiā guān bì shǒu jī hū jī děng tōng xùn gōng jù

- 비상 탈출구를 확인해 주십시오.
  请确认一下紧急出口。
  qǐng què rèn yí xià jǐn jí chū kǒu

- 목적지인 서울의 현재 기온은 섭씨 25도입니다.
  目的地首尔的现在气温是25摄氏度。
  mù dì dì shǒu ěr de xiàn zài qì wēn shì shè shì dù

- 지금 12000피트 상공을 시속 600마일로 비행하고 있습니다.
  我们现在在12000英尺高的上空，以600英里一小时的速度飞行。[2)]
  wǒ men xiàn zài zài yīng chǐ gāo de shàng kōng yǐ yīng lǐ yì xiǎo shí de sù dù fēi xíng

착륙할 때 降落时
jiàng luò shí

- 5분 후에 목적지인 인천 국제공항에 착륙하겠습니다.
  5分钟后，我们在仁川国际机场降落。
  fēn zhōng hòu wǒ men zài rén chuān guó jì jī chǎng jiàng luò

---

1) 系는 '연결되다', '관련되다'의 뜻일 때는 xì로 발음하고, '매다' '묶다', '조르다'의 뜻일 때는 jì로 발음한다. 예) 中文系 zhōngwénxì(중문학과), 系统 xìtǒng(계통), 系紧 jìjǐn(꽉 조여 매다)

2) 미터(m)는 米 mǐ 또는 公尺 gōngchǐ, 킬로미터는 公里 gōnglǐ, 피트는 英尺 yīngchǐ, 마일은 英里 yīnglǐ。

- 안전벨트를 확인해 주시고 비행기가 완전히 정지할 때까지 풀지 마십시오.
  请确认系好安全带, 在飞机停稳之前, 请勿解开。
  qǐng què rèn jì hǎo ān quán dài zài fēi jī tíng wěn zhī qián qǐng wù jiě kāi

- 의자 등받이를 바로 세워 주시고, 탁자를 정리해 주십시오.
  请将您的座椅靠背调直, 收起您的桌板。
  qǐng jiāng nín de zuò yǐ kào bèi tiáo zhí shōu qǐ nín de zhuō bǎn

- 비행기가 무사히 착륙하였습니다. 아직 여러분 자리에서 벗어나지 말아 주십시오.
  飞机安全着陆了, 但是还请大家坐在自己的座位上先不要离开。
  fēi jī ān quán zhuó lù le dàn shì hái qǐng dà jiā zuò zài zì jǐ de zuò wèi shang xiān bú yào lí kāi

- 내리실 때에는 본인의 물건을 잘 챙겨 가십시오.
  下飞机时请携带您的随身物品。
  xià fēi jī shí qǐng xié dài nín de suí shēn wù pǐn

Ⅳ. 몸이 불편할 때 身体不适时
shēn tǐ bú shì shí

- 몸이 불편하십니까?
  您身体不舒服吗?
  nín shēn tǐ bù shū fu ma

- 괴로워요. 토할 것 같습니다.
  我难受, 想吐。
  wǒ nán shòu xiǎng tù

- 비닐봉지를 주시겠습니까?
  请给我一个塑料袋好吗?
  qǐng gěi wǒ yí ge sù liào dài hǎo ma

- 몸이 좀 안 좋아요.
  我身体有点儿不舒服。
  wǒ shēn tǐ yǒu diǎnr bù shū fu

- 저는 비행기 멀미를 해요.
  我晕机。[3)]
  wǒ yùn jī

- 비행기 멀미를 예방하는 약이 있습니까?
  请问有没有预防晕机的药?
  qǐng wèn yǒu méi yǒu yù fáng yùn jī de yào

---

3) 晕 yùn: 현기증이 나거나 어지러운 현상을 말하며, 각종 멀미를 일컫기도 한다.
예) 晕车 yùnchē(차멀미), 晕船 yùnchuán(뱃멀미)

- 머리가 아프고 정신이 혼미합니다.
  我头痛, 觉得昏昏沉沉的。
  wǒ tóu tòng jué de hūn hūn chén chén de

- 가슴이 찢기는 듯 아픕니다.
  我胸口像撕裂一般疼痛。[4)]
  wǒ xiōng kǒu xiàng sī liè yì bān téng tòng

- 소화제 있습니까?
  有助消化的药吗?
  yǒu zhù xiāo huà de yào ma

- 약을 먹었는데 여전하군요.
  吃了药, 可还是不舒服。
  chī le yào kě hái shi bù shū fu

- 신경 써 줘서 고마워요, 이제 많이 좋아졌어요.
  谢谢你的关心, 我已经好多了。
  xiè xie nǐ de guān xīn wǒ yǐ jīng hǎo duō le

V. 기내 쇼핑 机内购物
jī nèi gòu wù

- 기내에서 면세품을 판매하고 있습니까?
  飞机上卖免税品吗?
  fēi jī shang mài miǎn shuì pǐn ma

- 샤넬 No.5 향수 있습니까?
  有没有夏奈尔5号香水?
  yǒu méi yǒu xià nài ěr hào xiāng shuǐ

- 어떤 술들이 있습니까?
  都有什么酒?
  dōu yǒu shén me jiǔ

- 위스키를 살 수 있습니까?
  可以买威士忌吗?
  kě yǐ mǎi wēi shì jì ma

- 술은 몇 병까지 살 수 있습니까?
  最多可以买几瓶酒?
  zuì duō kě yǐ mǎi jǐ píng jiǔ

- 담배는 몇 갑까지 살 수 있을까요?
  最多能买几盒烟?
  zuì duō néng mǎi jǐ hé yān

---

4) 여기서 一般 yìbān은 '보통', '일반'의 뜻이 아니라 一样 yíyàng '~처럼'의 뜻.

Ⅵ. 서식 기입 填表
tián biǎo

▶ 입국 카드 작성 填写入境卡
tián xiě rù jìng kǎ

• 이것은 입국 카드입니다. 비행기 안에서 작성해 두시면 시간이 절약됩니다.
这是入境卡，在飞机上填的话，会节省时间的。
zhè shì rù jìng kǎ zài fēi jī shang tián de huà huì jié shěng shí jiān de

• 출입국 신고서를 배부해 드리겠습니다.
给大家分一下出入境登记卡。
gěi dà jiā fēn yí xià chū rù jìng dēng jì kǎ

• 잘못 썼습니다. 한 장 더 주시겠습니까?
我写错了，能再给我一张吗?
wǒ xiě cuò le néng zài gěi wǒ yì zhāng ma

• 어떻게 작성하죠? 좀 도와주시겠어요?
这个怎么填啊? 您能帮我吗?
zhè ge zěn me tián a nín néng bāng wǒ ma

• 안경이 없어서 그러는데 좀 도와주시겠어요?
我没戴眼镜，能帮我吗?
wǒ méi dài yǎn jìng néng bāng wǒ ma

▶ 세관 신고서 작성 填写海关申报表
tián xiě hǎi guān shēn bào biǎo

• 이것은 세관 신고서입니다.
这是海关申报表。
zhè shì hǎi guān shēn bào biǎo

• 신고할 게 없으시면 안 적으셔도 됩니다.
没有可申报物品的话，就不用写了。
méi yǒu kě shēn bào wù pǐn de huà jiù bú yòng xiě le

• 소지하신 현금이 1만 달러를 초과하면 신고를 하셔야 합니다.
如果随身携带的现金超过一万美元的话，需要申报。
rú guǒ suí shēn xié dài de xiàn jīn chāo guò yí wàn měi yuán de huà xū yào shēn bào

Ⅶ. 운항 상황 运航情况
yùn háng qíng kuàng

- 지금 어느 상공을 날고 있죠?
  现在在哪儿的上空飞行?
  xiàn zài zài nǎr de shàng kōng fēi xíng

- 모두 몇 시간 비행합니까?
  总共飞行多长时间?
  zǒng gòng fēi xíng duō cháng shí jiān

- 현재 우리가 어느 높이의 상공에 있습니까?
  现在我们在多高的上空?
  xiàn zài wǒ men zài duō gāo de shàng kōng

- 예정대로 목적지에 도착할까요?
  能准时到达目的地吗?
  néng zhǔn shí dào dá mù dì dì ma

- 지금 비행기가 흔들리는데 괜찮습니까?
  现在飞机摇晃, 没问题吗?
  xiàn zài fēi jī yáo huàng méi wèn tí ma

- 기상 관계로 비행기가 많이 흔들리는군요.
  由于气象关系, 飞机摇晃得很厉害。
  yóu yú qì xiàng guān xì fēi jī yáo huàng de hěn lì hai

- 비행기가 기류를 만나 전후좌우로 요동하는군요.
  飞机遇到气流, 前后左右晃动。
  fēi jī yù dào qì liú qián hòu zuǒ yòu huàng dòng

▶ 기타 其他
qí tā

- 서울에서 베이징까지 얼마나 걸립니까?
  从首尔到北京需要多长时间?
  cóng shǒu ěr dào běi jīng xū yào duō cháng shí jiān

- 지금부터 얼마 후면 인천 공항에 도착할까요?
  现在还要多长时间能到达仁川机场?
  xiàn zài hái yào duō cháng shí jiān néng dào dá rén chuān jī chǎng

- 여기서 공항까지 얼마나 걸립니까?
  从这里到机场还需要多长时间?
  cóng zhè li dào jī chǎng hái xū yào duō cháng shí jiān

- 밑에 보이는 섬의 이름은 무엇입니까?
  下面的是什么岛?
  xià miàn de shì shén me dǎo

5 환 승 转机 zhuǎn jī

비행기로 여행을 하다 보면 환승을 해야 하는 경우도 있는데, 이때 장시간을 기다릴 경우 공항의 각종 편의 시설을 이용하게 된다. 모든 공항에는 休息室 xiūxishì(휴게실), 电子游戏厅 diànzǐ yóuxìtīng(전자오락실), 免税店 miǎnshuìdiàn(면세점) 등을 운영하고 있을 뿐 아니라, 淋浴室 línyùshì(샤워실), 按摩室 ànmóshì(안마실), 祈祷室 qídǎoshì(기도실) 등도 마련해 놓고 있으므로 긴 시간을 효과적으로 이용할 수 있다. 또한 转机宾馆 zhuǎnjī bīnguǎn(환승 호텔)에서는 시간당으로 요금을 계산하여 투숙할 수도 있으므로 더욱 편리하다.

기 본 대 화

A: 我得转乘法国航空AF119航班。
wǒ děi zhuǎn chéng fǎ guó háng kōng háng bān

B: 请给我看一下飞机票。
qǐng gěi wǒ kàn yí xià fēi jī piào

A: 好的, 在这儿。
hǎo de zài zhèr

B: 这是转机的登机牌。[1]
zhè shì zhuǎn jī de dēng jī pái

A: 我托运的行李怎么办?
wǒ tuō yùn de xíng li zěn me bàn

B: 不要担心。会自动转过去的。
bú yào dān xīn huì zì dòng zhuǎn guò qù de

A: 转机的登机口在哪儿?
zhuǎn jī de dēng jī kǒu zài nǎr

B: 沿着那“中转”的指示标志一直走就可以了。
yán zhe nà zhōng zhuǎn de zhǐ shì biāo zhì yì zhí zǒu jiù kě yǐ le

---

A: 에어프랑스 AF119편으로 갈아타려는데요.
B: 항공권을 보여 주시겠습니까?
A: 네, 여기 있습니다.
B: 이것이 갈아타실 비행기의 탑승권입니다.
A: 제가 부친 짐은 어떻게 됩니까?
B: 염려하실 필요 없습니다. 자동적으로 옮겨질 겁니다.
A: 환승 게이트는 어디 있습니까?
B: 저기 “환승”이라고 표시되어 있는 화살표를 따라 가시면 됩니다.

---

1) 转机 zhuǎnjī는 비행기를 갈아타는 것을 뜻하며 换机 huànjī라고도 한다.
또한 转机 zhuǎnjī에는 상황의 변화를 뜻하는 ‘전기’의 뜻도 있다.

여러 가지 활용

Ⅰ. 환승에 관한 문의 转机咨询
zhuǎn jī zī xún

- 여기서 얼마나 기다려야 됩니까?
  要在这里等多长时间?
  yào zài zhè li děng duō cháng shí jiān

- 언제 출발합니까?
  什么时候出发?
  shén me shí hou chū fā

- 홍콩행으로 환승하려면 어떤 항공편을 타야 하지요?
  我要转机去香港, 请问我转坐哪趟航班?
  wǒ yào zhuǎn jī qù xiāng gǎng qǐng wèn wǒ zhuǎn zuò nǎ tàng háng bān

- 좌석 번호는 동일합니까?
  座位号是一样的吗?
  zuò wèi hào shì yí yàng de ma

- 먼저 수하물 검사를 받으신 후에 윗층으로 올라가셔서 탑승을 준비하십시오.
  您先办理行李物品安全检查, 然后上楼准备登机。
  nín xiān bàn lǐ xíng li wù pǐn ān quán jiǎn chá rán hòu shàng lóu zhǔn bèi dēng jī

- 탑승권이 없으시면 저쪽 환승 카운터에서 탑승권을 바꾸십시오.
  没有登机牌, 请在那边转机柜台更换一下。
  méi yǒu dēng jī pái qǐng zài nà biān zhuǎn jī guì tái gēng huàn yí xià

- 출발 40분 전에 환승 항공편의 탑승구에서 대기하십시오.
  请您在出发前40分钟到转乘航班的登机口等候。
  qǐng nín zài chū fā qián fēn zhōng dào zhuǎn chéng háng bān de dēng jī kǒu děng hòu

▶ **환승 안내 방송** **转机指南广播**
zhuǎn jī zhǐ nán guǎng bō

各位旅客请注意, 飞往广州的上海航空FM308航班15分钟后降落, 请转乘的旅客在2号登机口等候。
gè wèi lǚ kè qǐng zhù yì fēi wǎng guǎng zhōu de shàng hǎi háng kōng háng bān fēn zhōng hòu jiàng luò qǐng zhuǎn chéng de lǚ kè zài hào dēng jī kǒu děng hòu

승객 여러분, 상하이 항공 광저우행 FM 308 항공기가 15분 후에 착륙하겠습니다. 환승하실 손님께서는 2번 탑승구에서 기다려 주십시오.

Ⅱ. 환승을 기다릴 때 等待转机时
děng dài zhuǎn jī shí

- 환승 대기 시간이 너무 긴데 무얼 하면 좋을까?
  等待转机的时间太长了，干点儿什么好呢？
  děng dài zhuǎn jī de shí jiān tài cháng le gàn diǎnr shén me hǎo ne

- 우리 전자오락실 가서 게임하자.
  咱们去电子游戏厅玩一会儿吧。
  zán men qù diàn zǐ yóu xì tīng wán yí huìr ba

- 환승객용 휴게실은 어디 있습니까?
  转机旅客休息室在哪儿？
  zhuǎn jī lǚ kè xiū xi shì zài nǎr

- 공항에서 면세품을 살 수 있습니까?
  在机场可以买免税品吗？
  zài jī chǎng kě yǐ mǎi miǎn shuì pǐn ma

- 저 면세점의 물건들은 아주 저렴해요.
  那个免税店的物品很便宜的。
  nà ge miǎn shuì diàn de wù pǐn hěn pián yi de

- 장시간 대기 승객은 면세점에서 쇼핑을 하실 수 있습니다.
  长时间等候的乘客可以在免税店购物。
  cháng shí jiān děng hòu de chéng kè kě yǐ zài miǎn shuì diàn gòu wù

- 환승 승객을 위해 어떤 서비스가 마련되어 있죠?
  请问为转机乘客准备了哪些服务？
  qǐng wèn wèi zhuǎn jī chéng kè zhǔn bèi le nǎ xiē fú wù

- 환승 승객을 위해 마련된 호텔이 있습니까?
  有没有为转机乘客准备的宾馆？
  yǒu méi yǒu wèi zhuǎn jī chéng kè zhǔn bèi de bīn guǎn

- 이곳에 승객들이 쉴 만한 곳이 있습니까?
  这儿有什么供乘客休息的地方吗？
  zhèr yǒu shén me gōng chéng kè xiū xi de dì fang ma

- 환승 승객께서는 안마실과 샤워실, 오락실을 이용하실 수 있습니다.
  转机旅客可以使用按摩室、淋浴室和娱乐室。
  zhuǎn jī lǚ kè kě yǐ shǐ yòng àn mó shì lín yù shì hé yú lè shì

6 출입국 · 세관 수속

出入境/海关手续
chū rù jìng hǎi guānshǒu xù

출국할 때와 입국할 때는 出入境登记卡 chūrùjìng dēngjìkǎ(출입국 카드)를 사전에 작성하였다가 출입국시 제시해야 한다. 또한 신고 대상의 물품을 소지했을 경우에는 海关申报卡 hǎiguān shēnbàokǎ(세관 신고서)를 제출해야 하며, 健康申报表 jiànkāng shēnbàobiǎo(건강신고서)도 반드시 작성해서 내야 한다. 중국의 주요 공항 출입국 심사대에는 심사원의 근무 태도에 대한 고객들의 만족도를 체크하는 작은 단말기가 놓여 있어 서비스 향상에 보다 더 심혈을 기울이고 있다.

기 본 대 화

A: 我们是一家人。
wǒ men shì yì jiā rén

B: 请出示护照和入境卡
qǐng chū shì hù zhào hé rù jìng kǎ

A: 好, 在这里。
hǎo zài zhè li

B: 你来这里的目的是什么?
nǐ lái zhè li de mù dì shì shén me

A: 我是来观光的。
wǒ shì lái guān guāng de

B: 你打算呆多久?[1)]
nǐ dǎ suàn dāi duō jiǔ

A: 两个月左右。
liǎng ge yuè zuǒ yòu

B: 好的, 祝你旅途愉快。
hǎo de zhù nǐ lǚ tú yú kuài

A: 저희는 가족입니다.
B: 여권과 입국 카드를 보여 주십시오.
A: 네, 여기 있습니다.
B: 이곳에 오신 목적은 무엇입니까?
A: 관광차 왔습니다.
B: 얼마 동안 머무실 예정입니까?
A: 두 달 가량입니다.
B: 좋습니다. 즐거운 여행 되십시오.

1) 呆 dāi는 '머물다', '체재하다'의 뜻. 待 dāi를 쓰기도 한다.

여러 가지 활용

Ⅰ. 출입국 심사 边防检查[2)]
biān fáng jiǎn chá

- 여권을 보여 주십시오.
  请让我看一下您的护照。
  qǐng ràng wǒ kàn yí xià nín de hù zhào

- 입국 카드를 보여 주십시오.
  请出示入境卡。
  qǐng chū shì rù jìng kǎ

- 입국 카드는 있습니까?
  有入境卡吗?
  yǒu rù jìng kǎ ma

- 저의 여권과 입국 카드입니다.
  这是我的护照和入境卡。
  zhè shì wǒ de hù zhào hé rù jìng kǎ

- 동행은 몇 분입니까?
  您的旅伴有几名?
  nín de lǚ bàn yǒu jǐ míng

- 처음 중국을 방문합니다.
  第一次访问中国。
  dì yī cì fǎng wèn zhōng guó

- 이번이 두 번째입니다.
  这回是第二次。
  zhè huí shì dì èr cì

▶ 위생 검역 卫生检疫
wèi shēng jiǎn yì

- 건강 신고서를 보여 주십시오.
  请出示健康申报卡。
  qǐng chū shì jiàn kāng shēn bào kǎ

- 예방 접종 카드가 있습니까?
  您有预防接种卡吗?
  nín yǒu yù fáng jiē zhǒng kǎ ma

---

2) 출국 심사와 입국 심사를 가리켜 边防检查 biānfáng jiǎnchá라 한다. 边防 biānfáng이란 '국경 수비'의 뜻.

- 최근 고열이 난 적이 있습니까?
  最近发过烧吗?
  zuì jìn fā guo shāo ma

- 해열제를 복용하셨습니까?
  您是否服用了退烧药?
  nín shì fǒu fú yòng le tuì shāo yào

- 체온이 38도입니다. 잠시 의무실에 가서 검사를 받으십시오.
  您的体温有38度，麻烦您到医务室检查一下。
  nín de tǐ wēn yǒu dù má fan nín dào yī wù shì jiǎn chá yí xià

- 열이 있는 승객은 반드시 위생 검역 카드를 기입하여야 합니다.
  发烧的旅客必须填写一张卫生检疫卡。
  fā shāo de lǚ kè bì xū tián xiě yì zhāng wèi shēng jiǎn yì kǎ

- 당신과 타인의 건강을 위해서 사실대로 기입하여 주십시오.
  为了您和他人的健康，请如实填报。
  wèi le nín hé tā rén de jiàn kāng qǐng rú shí tián bào

- 사실을 은폐하거나 거짓 보고하면 관련 법률에 따라 처벌받게 됩니다.
  如有隐瞒或虚假填报，将依据有关法律予以追究。[3]
  rú yǒu yǐn mán huò xū jiǎ tián bào jiāng yī jù yǒu guān fǎ lǜ yǔ yǐ zhuī jiū

방문 목적 访问目的
fǎng wèn mù dì

- 입국의 목적은 무엇입니까?
  入境的目的是什么?
  rù jìng de mù dì shì shén me

- 최종 목적지는 어디입니까?
  最终目的地是哪里?
  zuì zhōng mù dì dì shì nǎ li

- 친척 방문입니다.
  来访问亲戚。
  lái fǎng wèn qīn qi

- 국제 환경 회의에 참석하러 왔습니다.
  我是来参加国际环保会议的。
  wǒ shì lái cān jiā guó jì huán bǎo huì yì de

---

3) 追究 zhuījiū: 추궁하다. 규명하다.

- 비즈니스 상담차 왔습니다.

我是来进行商务洽谈的。
wǒ shì lái jìn xíng shāng wù qià tán de

- 베이징의 지점으로 발령되어 가족 3명이 모두 함께 왔습니다.

我被调到北京的分店工作，所以一家三口一起来了。
wǒ bèi diào dào běi jīng de fēn diàn gōng zuò suǒ yǐ yì jiā sān kǒu yì qǐ lái le

▶ **체류 기간** **停留期间**
tíng liú qī jiān

- 베이징에서 얼마 동안 머무르실 예정입니까?

在北京停留多长时间？
zài běi jīng tíng liú duō cháng shí jiān

- 1주일 정도입니다.

一个星期左右。
yí ge xīng qī zuǒ yòu

- 당일로 바로 돌아갑니까?

当天就回去吗？
dàng tiān jiù huí qù ma

- 오후 비행기로 서울로 돌아갑니다.

我坐下午的飞机返回首尔。
wǒ zuò xià wǔ de fēi jī fǎn huí shǒu ěr

- 상황에 따라 10일 아니면 12일이 될 겁니다.

看情况，可能要10天，或者12天。
kàn qíng kuàng kě néng yào tiān huò zhě tiān

▶ **체류 장소** **住宿地**
zhù sù dì

- 베이징에서 어디에 머무르십니까?

在北京住在哪儿？
zài běi jīng zhù zài nǎr

- 국제 호텔에 머무릅니다.

住国际饭店。
zhù guó jì fàn diàn

- 친구 집에 묵습니다.

住在朋友家。
zhù zài péng you jiā

- 친척 되시는 분은 어디에 살고 계십니까?
  你的亲戚住在哪儿?
  nǐ de qīn qi zhù zài nǎr

Ⅱ. 수하물 수취 提取行李
tí qǔ xíng li

A: 请问, 在哪里找行李?
qǐng wèn zài nǎ li zhǎo xíng li

B: 那边12号行李领取台。
nà biān hào xíng li lǐng qǔ tái

A: 실례합니다만, 어디서 수하물을 찾습니까?

B: 저쪽 12호 수하물 수취대입니다.

- 수하물은 어디서 찾죠?
  在哪儿取行李?
  zài nǎr qǔ xíng li

- 바로 여기 수하물 회전판에서 기다리시면 됩니다.
  就在这边行李转盘等就行了。
  jiù zài zhè biān xíng li zhuàn pán děng jiù xíng le

- 카트가 어디 있죠?
  行李推车在哪儿?
  xíng li tuī chē zài nǎr

- 저게 우리 가방이에요. 얼른 꺼내요.
  那是我们的包, 赶快把它拿下来。
  nà shì wǒ men de bāo gǎn kuài bǎ tā ná xià lái

- 이제 빨간색 작은 가방 하나만 더 나오면 되지?
  现在再等一件红色的小行李箱就可以了吧?
  xiàn zài zài děng yí jiàn hóng sè de xiǎo xíng li xiāng jiù kě yǐ le ba

▶ 수하물을 유실했을 때 遗失行李
yí shī xíng li

A: 怎么我的行李不出来呀?
zěn me wǒ de xíng li bù chū lái ya

B: 能让我看看您的行李票吗?
néng ràng wǒ kàn kan nín de xíng li piào ma

A: 可以, 是从上海来的MU5179次航班。
kě yǐ shì cóng shàng hǎi lái de cì háng bān

B: 好像那架飞机上的所有行李已经都清理完了。
hǎo xiàng nà jià fēi jī shang de suǒ yǒu xíng li yǐ jīng dōu qīng lǐ wán le

A: 那么我现在应该怎么办?
nà me wǒ xiàn zài yīng gāi zěn me bàn

B: 你去遗失行李柜台申报一下吧。
nǐ qù yí shī xíng li guì tái shēn bào yí xià ba

A: 제 짐이 왜 안 나오는 거죠?
B: 수하물표를 볼 수 있을까요?
A: 네, 상하이에서 온 MU 5179 항공편이에요.
B: 그 비행기의 수하물은 이미 다 나간 것 같은데요.
A: 그러면 제가 지금 어떻게 해야 하죠?
B: 분실 수하물 센터에 가셔서 신고를 하십시오.

- 수하물표를 가지고 있습니까?
  您有行李单吗?
  nín yǒu xíng li dān ma

- 제 짐을 찾을 수가 없군요.
  找不着我的行李。
  zhǎo bu zháo wǒ de xíng li

- 제 짐이 마지막까지도 안 나왔습니다.
  我的行李到最后也没有出来。
  wǒ de xíng li dào zuì hòu yě méi yǒu chū lái

- 아마도 짐을 잃어버린 것 같습니다.
  恐怕我的行李丢了。
  kǒng pà wǒ de xíng li diū le

- 해당 항공사를 찾아서 신고하십시오.
  你去找该航空公司挂失吧。
  nǐ qù zhǎo gāi háng kōng gōng sī guà shī ba

A: 看看这些样品, 然后告诉我你行李的颜色和式样。
kàn kan zhè xiē yàng pǐn, rán hòu gào su wǒ nǐ xíng li de yán sè hé shì yàng

B: 式样是这一型, 颜色是棕色的。
shì yàng shì zhè yì xíng, yán sè shì zōng sè de

A: 好的, 我们一发现这个行李箱, 就会马上跟你联系的。
hǎo de, wǒ men yì fā xiàn zhè ge xíng li xiāng, jiù huì mǎ shàng gēn nǐ lián xì de

A: 여기 견본들을 보시고 수하물 색깔과 모양을 말씀해 주세요.
B: 모양은 이런 것이고 색은 갈색이에요.
A: 알겠습니다. 가방을 발견하면 바로 연락드리겠습니다.

- 제 짐은 비밀 번호가 있는 검정색 트렁크입니다.
  我的行李是黑色的密码箱。
  wǒ de xíng li shì hēi sè de mì mǎ xiāng

- 트렁크에는 저의 이름과 연락처가 붙어 있습니다.
  行李箱上面有我的名字和联系电话。
  xíng li xiāng shàng miàn yǒu wǒ de míng zi hé lián xì diàn huà

Ⅲ. 세관 검사 海关检查
hǎi guān jiǎn chá

A: 有特别申报的吗?
yǒu tè bié shēn bào de ma
B: 没有什么可申报的。
méi yǒu shén me kě shēn bào de
A: 这些是什么?
zhè xiē shì shén me
B: 全部是我的生活用品。
quán bù shì wǒ de shēng huó yòng pǐn
A: 麻烦您打开这个包。
má fan nín dǎ kāi zhè ge bāo
B: 可以。
kě yǐ
A: 这个小瓶子里装的是什么?
zhè ge xiǎo píng zi li zhuāng de shì shén me
B: 是药, 我的胃不好所以必须随身带着。
shì yào, wǒ de wèi bù hǎo suǒ yǐ bì xū suí shēn dài zhe
A: 好, 可以了。
hǎo, kě yǐ le

A: 특별히 신고하실 것이 있습니까?
B: 신고할 만한 것은 없습니다.
A: 이것들은 무엇입니까?

B: 전부 제 생활용품입니다.
A: 죄송하지만 이 가방 좀 열어 주십시오.
B: 그러지요.
A: 이 작은 병에 들어 있는 것은 무엇인가요?
B: 약입니다. 위장이 좋지 않아 꼭 가지고 다녀야 합니다.
A: 네, 됐습니다.

- 어디서 검사를 합니까?
在哪里检查?
zài nǎ li jiǎn chá

- 제 짐은 이것뿐입니다.
我的行李只有这些。
wǒ de xíng li zhǐ yǒu zhè xiē

- 신고할 물건은 없습니까?
有没有要申报的物品?
yǒu méi yǒu yào shēn bào de wù pǐn

- 다이아몬드 목걸이가 있는데 신고해야 합니까?
有一条钻石项链, 要申报吗?
yǒu yì tiáo zuàn shí xiàng liàn yào shēn bào ma

- 이것은 한국의 특산물인데 친구에게 줄 기념품입니다.
这些是韩国的特产, 是给朋友的纪念品。
zhè xiē shì hán guó de tè chǎn shì gěi péng you de jì niàn pǐn

- 이것은 한국에서 사용하던 디지털 카메라와 노트북입니다.
这是在韩国使用的数码相机和手提电脑。
zhè shì zài hán guó shǐ yòng de shù mǎ xiàng jī hé shǒu tí diàn nǎo

- 세관 신고서를 가지고 계십니까?
您有海关申报单吗?
nín yǒu hǎi guān shēn bào dān ma

- 이 보석은 세금을 내야 합니다.
这个宝石要交税。
zhè ge bǎo shí yào jiāo shuì

- 양주는 두 병까지는 면세입니다.
洋酒两瓶以下是免税。
yáng jiǔ liǎng píng yǐ xià shì miǎn shuì

7 환영홀에서

在迎客厅
zài yíng kè tīng

처음 여행하는 지역이라면 공항의 입국장 환영홀에 있는 问讯处 wènxùnchù(안내소)나 旅游咨询台 lǚyóu zīxúntái(여행 안내소) 등에서 차량, 숙박 등 여러 가지 필요한 정보를 얻으면 된다. 또한 공항버스(机场班车 jīchǎng bānchē)의 경우 비교적 저렴하나 갈아타야 하는 번거로움이 있을 수 있고, 택시(出租车 chūzūchē)의 경우 차종에 따라서 요금 체계가 다르므로 미리 확인해 두는 것이 좋다. 참고로 알아 두면 좋은 것은 공항에서 바로 휴대폰을 대여할 수도 있으며, 한국과 중국은 로밍(国际漫游 guógì mànyóu) 서비스도 시행하고 있으므로 출국 전 미리 신청을 해두면 매우 편리하다는 점이다.

기 본 대 화

A: 去国际大酒店, 坐什么车好?
qù guó jì dà jiǔ diàn zuò shén me chē hǎo

B: 您可以坐机场班车, 也可以打的。
nín kě yǐ zuò jī chǎng bān chē yě kě yǐ dǎ dí

A: 机场班车的车站在哪儿?
jī chǎng bān chē de chē zhàn zài nǎr

B: 就在这个建筑的前面, 您坐5号班车就行。
jiù zài zhè ge jiàn zhù de qián miàn nín zuò hào bān chē jiù xíng

A: 국제 호텔에 가려는데 무슨 차를 타면 될까요?
B: 공항버스를 타셔도 되고 택시를 타셔도 됩니다.
A: 공항버스 정류장은 어디 있습니까?
B: 바로 이 건물 앞에 있습니다. 5번 버스를 타면 됩니다.

여러 가지 활용

Ⅰ. 공항 영접 机场迎接
jī chǎng yíng jiē

A: 请问, 您是七星集团的朴总吗?
qǐng wèn nín shì qī xīng jí tuán de piáo zǒng ma

B: 是。您是哪位呢?
shì nín shì nǎ wèi ne

A: 我是中国新华集团的李总, 欢迎您来中国。
wǒ shì zhōng guó xīn huá jí tuán de lǐ zǒng huān yíng nín lái zhōng guó

B: 啊, 您好! 谢谢您来接我。
ā nín hǎo xiè xie nín lái jiē wǒ

A: 칠성 그룹 박 사장님이십니까?
B: 그렇습니다. 당신은 누구시죠?
A: 저는 중국 신화 그룹의 이 사장입니다. 중국에 오신 것을 환영합니다.
B: 아, 안녕하십니까? 마중 나와 주셔서 감사합니다.

- 중국에 오신 것을 진심으로 환영합니다.
  衷心地欢迎你们来中国。
  zhōng xīn de huān yíng nǐ men lái zhōng guó

- 한국에 오신 것을 환영합니다.
  欢迎你到韩国来。
  huān yíng nǐ dào hán guó lái

- 만나서 반갑습니다.
  见到你很高兴。
  jiàn dào nǐ hěn gāo xìng

- 김 부장 대신 제가 모시러 나왔습니다.
  我替金部长来接您。
  wǒ tì jīn bù zhǎng lái jiē nín

- 비행기가 연착했어요. 너무 오래 기다리셨죠?
  飞机延误了，您等很长时间了吧?[1)]
  fēi jī yán wù le nín děng hěn cháng shí jiān le ba

- 많이 기다리셨죠? 짐이 너무 늦게 나왔어요.
  您等半天了吧? 行李出来得很晚。
  nín děng bàn tiān le ba xíng li chū lái de hěn wǎn

Ⅱ. 환전　兑换
duì huàn

- 어디서 돈을 바꿀 수 있습니까?
  在哪里可以兑换?
  zài nǎ li kě yǐ duì huàn

- 환전소는 어디에 있습니까?
  兑换的地方在哪儿?
  duì huàn de dì fang zài nǎr

- 돈을 바꾸고 싶은데요.
  我想兑换。
  wǒ xiǎng duì huàn

1) 延误 yánwù: 迟延耽误 chíyán dānwù。시간을 질질 끌어 시기를 놓치는 것을 말함.

- 한국 돈 10만원을 인민폐로 바꾸면 얼마입니까?
  10万韩币换人民币的话是多少?
  wàn hán bì huàn rén mín bì de huà shì duō shao

- 이 한국 돈 100만원을 인민폐로 바꿔 주세요.
  请把这个100万的韩币换成人民币。
  qǐng bǎ zhè ge wàn de hán bì huàn chéng rén mín bì

- 이것을 잔돈으로 바꿔 주십시오.
  请把这些换成零钱。
  qǐng bǎ zhè xiē huàn chéng líng qián

- 잔돈으로 좀 주십시오.
  给我一些零钱吧。
  gěi wǒ yì xiē líng qián ba

- 지금 달러의 환율은 어떻습니까?
  现在美元的汇率怎么样?
  xiàn zài měi yuán de huì lǜ zěn me yàng

Ⅲ. 안내소에서 在问讯处
zài wèn xùn chù

- 안내소는 어딥니까?
  问讯处在哪儿?
  wèn xùn chù zài nǎr

- 택시는 어디서 탑니까?
  在哪儿打的?
  zài nǎr dǎ dí

- 시내로 들어가는 버스는 있습니까?
  有去市内的公车吗?[2)]
  yǒu qù shì nèi de gōng chē ma

- 버스 정류장은 어디입니까?
  公车车站在哪里?
  gōng chē chē zhàn zài nǎ li

- 시내까지 가는 요금은 얼마입니까?
  去市内的车费是多少?
  qù shì nèi de chē fèi shì duō shao

- 여기서 시내까지 얼마나 걸립니까?
  从这里去市内需要多长时间?
  cóng zhè li qù shì nèi xū yào duō cháng shí jiān

---

2) 버스는 公车 gōngchē, 公交车 gōngjiāochē 또는 公共汽车 gōnggòng qìchē라고 한다.

- 교통이 편리한 호텔을 소개해 주시겠습니까?
给我介绍一家交通方便的酒店，好吗？
gěi wǒ jiè shào yì jiā jiāo tōng fāng biàn de jiǔ diàn hǎo ma

- 비교적 저렴한 호텔을 원하는데요.
我想要比较便宜的酒店。
wǒ xiǎng yào bǐ jiào pián yi de jiǔ diàn

- 5성급 호텔에 묵고 싶은데 어느 호텔이 좋을까요?
我想住五星级酒店，哪一家比较好？
wǒ xiǎng zhù wǔ xīng jí jiǔ diàn nǎ yì jiā bǐ jiào hǎo

Ⅳ. 공항에서 시내로 从机场进城
cóng jī chǎng jìn chéng

▶ 짐을 운반할 때 搬行李时
bān xíng li shí

A: 这些行李需要搬吗？
zhè xiē xíng li xū yào bān ma
B: 谢谢你，我自己拿吧。
xiè xie nǐ wǒ zì jǐ ná ba

A: 이 짐을 운반해 드릴까요?
B: 고맙지만 제가 들고 가겠습니다.

- 이 짐을 주차장까지 운반해 주시겠어요?
把这些行李搬到停车场好吗？
bǎ zhè xiē xíng li bān dào tíng chē chǎng hǎo ma

▶ 거리 풍경에 대한 느낌 沿途感受
yán tú gǎn shòu

A: 先生，您第一次来这儿吗？
xiān sheng nín dì yī cì lái zhèr ma
B: 对，这是我第一次来中国旅游。
duì zhè shì wǒ dì yī cì lái zhōng guó lǚ yóu
A: 您对中国的第一印象如何？
nín duì zhōng guó de dì yī yìn xiàng rú hé
B: 比我想象的更大更美丽。
bǐ wǒ xiǎng xiàng de gèng dà gèng měi lì

A: 손님께서는 여기 처음 오셨습니까?

B: 네, 이번이 첫 번째 중국 여행입니다.
A: 중국에 대한 첫인상이 어떻습니까?
B: 생각했던 것보다 훨씬 크고 아름답습니다.

- 이 곳에 대한 인상이 어떠십니까?
  您觉得这里怎么样?
  nín jué de zhè li zěn me yàng

- 훌륭합니다! 정말 예상 밖이로군요.
  太棒了! 真是让人出乎意料啊![3)]
  tài bàng le zhēn shì ràng rén chū hū yì liào ɑ

- 관광차 오셨습니까?
  您是来这儿观光旅游的?
  nín shì lái zhèr guān guāng lǚ yóu de

- 이곳 풍경은 정말 아름답군요!
  这里的风景真美呀!
  zhè li de fēng jǐng zhēn měi yɑ

- 베이징도 이렇게 차가 막히는 줄 몰랐습니다.
  没想到北京也这么堵车。
  méi xiǎng dào běi jīng yě zhè me dǔ chē

- 이곳은 역사 문화의 고도라지요, 어쩐지 그래서 운치가 있군요.
  这里是历史文化古都呀, 怪不得这么有韵味。[4)]
  zhè li shì lì shǐ wén huà gǔ dū yɑ guài bu de zhè me yǒu yùn wèi

- 이 도시는 전에 왔을 때와 너무 다르군요. 정말 금석지감입니다!
  这座城市跟我以前来的时候大不相同啊! 真是今非昔比![5)]
  zhè zuò chéng shì gēn wǒ yǐ qián lái de shí hou dà bù xiāng tóng ɑ zhēn shì jīn fēi xī bǐ

- 무척 번화해 보이는군요. 앞으로도 더욱 발전하겠죠?
  这里看上去很繁华, 发展前景应该不错?
  zhè li kàn shàng qù hěn fán huá fā zhǎn qián jǐng yīng gāi bú cuò

- 10년 전 제가 처음 왔을 때 이곳은 황량한 벌판이었어요.
  十年前我第一次来的时候, 这地方是一片荒地。
  shí nián qián wǒ dì yī cì lái de shí hou zhè dì fang shì yí piàn huāng dì

---

3) 出乎 chūhū는 '~를 벗어나다', '~로부터 나오다'의 뜻으로 出乎意料 chūhū yìliào는 '예상을 빗나가다', '전혀 뜻밖이다'의 뜻. '出乎意料之外 chūhū yìliào zhī wài'라고도 한다.
4) 怪不得 guàibude: 과연, 어쩐지, 그러기에. = 难怪 nànm guài.
5) 今非昔比 jīn fēi xī bǐ: 지금은 옛날에 비할 바가 아니다. 변화가 매우 많음을 일컬음.

- 도시의 야경이 정말 휘황찬란하군요.
  城市的夜景真是辉煌灿烂。
  chéng shì de yè jǐng zhēn shì huī huáng càn làn

참고 관련 용어

- 여권 护照 hù zhào
- 비자 签证 qiān zhèng
- 비행기표 机票 jī piào
- 항공편 航班 háng bān
- 퍼스트 클래스 头等舱 tóu děng cāng
- 비즈니스 클래스 公务舱 gōng wù cāng
- 이코노미 클래스 经济舱 jīng jì cāng
- 왕복 往返 wǎng fǎn
- 편도 单程 dān chéng
- 공항 이용료 机场建设管理费 jī chǎng jiàn shè guǎn lǐ fèi
- 탑승 登机 dēng jī
- 탑승 수속 登机手续 dēng jī shǒu xù
- 탑승권 登机牌 dēng jī pái
- 출입국 카드 出入境登记卡 chū rù jìng dēng jì kǎ
- 건강 신고서 健康申报表 jiàn kāng shēn bào biǎo
- 출국 심사 出境检查 chū jìng jiǎn chá
- 입국 심사 入境检查 rù jìng jiǎn chá
- 출입국 심사 边防检查 biān fáng jiǎn chá
- 수하물 行李 xíng li
- 수하물 회전판 行李转盘 xíng li zhuàn pán
- 위생 검사 检疫 jiǎn yì
- 세관 검사 海关检查 hǎi guān jiǎn chá
- 보안 검사 安全检查 ān quán jiǎn chá
- 탑승구 登机口 dēng jī kǒu
- 환승 转机 zhuǎn jī
- 이륙하다 起飞 qǐ fēi
- 착륙하다 降落, 着陆 jiàng luò zhuó lù
- 기내 서비스 机内服务 jī nèi fú wù
- 기내 쇼핑 机内购物 jī nèi gòu wù
- 안전벨트 安全带 ān quán dài
- 항공 회사 航空公司 háng kōng gōng sī
- 비행기 飞机 fēi jī
- 공항 机场 jī chǎng
- 활주로 跑道 pǎo dào
- 조종사 飞行员, 领航员 fēi xíng yuán lǐng háng yuán
- 스튜어드 乘务员 chéng wù yuán
- 스튜어디스 空中小姐, 女乘务员 kōng zhōng xiǎo jiě nǚ chéng wù yuán
- 낙하산 降落伞 jiàng luò sǎn
- 비상구 安全出口 ān quán chū kǒu
- 트랩 舷梯 xián tī
- 승객 乘客 chéng kè

24 관 광

旅 游 LÜYOU

1 관광 정보 旅游信息

2 기차 여행 乘火车旅行

3 유람선 여행 乘船旅行

4 관광지에서 在旅游景点

5 기념사진 · 기념품 留影/纪念品

6 단체 여행 团体旅游

7 분실 신고 挂失

1 관광 정보

旅游信息
lǚ yóu xìn xī

많은 사람들이 중국을 찾고 있다. 넓은 땅 곳곳에 펼쳐져 있는 수려한 풍광과 문화 유물, 독특한 소수 민족의 민속과 풍습, 그리고 하루가 다르게 도약하고 있는 중국인들의 눈부신 발전상을 찾아서 세계 도처의 관광객들이 몰려오고 있다. 특히 서양인들에게 있어서 동양 세계의 중심인 중국의 문화 탐방열은 대단하고, 우리 한국인에게 있어서도 가장 가까운 이웃 나라로 관광 및 무역 교류가 날로 활발해지고 있다. 본 장에서는 중국 내 여행을 중심으로 관광에 필요한 사항들을 알아보도록 한다.

기 본 대 화

A: 我想去中国旅行, 去哪儿好呢?
wǒ xiǎng qù zhōng guó lǚ xíng, qù nǎr hǎo ne

B: 如果想看中国的名胜古迹, 去北京或西安最好了。[1)]
rú guǒ xiǎng kàn zhōng guó de míng shèng gǔ jì, qù běi jīng huò xī ān zuì hǎo le

A: 听说, 桂林、杭州、苏州等地也不错。
tīng shuō, guì lín、háng zhōu、sū zhōu děng dì yě bú cuò

B: 那些地方是有名的风景区。[2)]
nà xiē dì fang shì yǒu míng de fēng jǐng qū

A: 上海怎么样?
shàng hǎi zěn me yàng

B: 上海是一国际化大都市, 值得一看。
shàng hǎi shì ge guó jì huà dà dū shì, zhí de yí kàn

A: 중국 여행을 가고 싶은데 어디로 가면 좋을까요?
B: 중국의 명승고적을 보려면 베이징이나 시안으로 가는 게 가장 좋아요.
A: 꾸이린이나 항저우, 쑤저우 등도 좋다던데요.
B: 그 지방들은 유명한 풍치지구랍니다.
A: 상하이는 어때요?
B: 상하이는 국제화 도시로서 한번 볼 만하지요.

---

1) 중국 西安 xī'ān은 옛 秦 qín나라·唐 táng나라의 수도로서 兵马俑 bīngmǎyǒng, 大雁塔 dàyàntǎ 등의 유적이 남아 있고, 北京 běijīng은 元 yuán나라 이후 明 míng, 清 qīng 시대의 수도로서 紫禁城 zǐjìnchéng, 万里长城 wànlǐchángchéng 등의 유적, 유물이 많다.

2) 风景区 fēngjǐngqū: 풍치 지구, 풍광이 빼어난 구역. 중국에서는 경치가 빼어난 곳을 风景区라고 하는 관광특구로 지정하여 관광 산업을 육성하고 있다.

여러 가지 활용

Ⅰ. 여행지 정보 旅游景点的信息
lǚ yóu jǐng diǎn de xìn xī

▶ 정보를 물을 때 询问信息时
xún wèn xìn xī shí

• 이번에 중국 여행 다녀오셨다면서요? 어디가 가장 좋았나요?
这次去中国旅行了，是吗？哪里最好？
zhè cì qù zhōng guó lǚ xíng le shì ma nǎ li zuì hǎo

• 이번에 상하이에 가고 싶은데, 거기에는 뭐가 있나요?
这次想去上海，那里都有什么？
zhè cì xiǎng qù shàng hǎi nà li dōu yǒu shén me

• 이번에 항저우로 출장을 가게 되었는데, 거기는 어디가 가 볼 만합니까?
这次要出差去杭州，那里有什么好玩的地方？[3)]
zhè cì yào chū chāi qù háng zhōu nà li yǒu shén me hǎo wán de dì fang

• 베이징에서 빼놓을 수 없는 관광 명소는 어디입니까?
在北京不可不看的旅游景点是什么？
zài běi jīng bù kě bú kàn de lǚ yóu jǐng diǎn shì shén me

▶ 여행지를 추천할 때 推荐旅游景点时
tuī jiàn lǚ yóu jǐng diǎn shí

• 베이징에 가시면 만리장성에 꼭 가 보세요.
到了北京一定要去看看万里长城。
dào le běi jīng yí dìng yào qù kàn kan wàn lǐ cháng chéng

• 시안에 가거든 병마용을 꼭 관람해 보십시오.
去西安，一定要看兵马俑。
qù xī ān yí dìng yào kàn bīng mǎ yǒng

• 그곳은 한 번쯤 가 볼 만해요.
那地方值得一去。[4)]
nà dì fang zhí de yí qù

• 자금성 이외에 명십삼릉도 가 볼 만해요.
除了故宫，明十三陵也值得看一看。[5)]
chú le gù gōng míng shí sān líng yě zhí de kàn yi kàn

---

3) 出差 chūchāi: 출장 가다. 이 때의 差는 多音字 duōyīnzì로서 chāi라고 발음한다.
4) 值得 zhíde~: '~할 만한 가치가 있다'.
5) 故宫 gùgōng(고궁)은 바로 '紫禁城 zǐjìnchéng'(자금성)을 말한다.

- 백두산에 가셔서 천지를 안 보신다면 후회하실 겁니다.
  去长白山，不看天池会后悔的。
  qù cháng bái shān bú kàn tiān chí huì hòu huǐ de

▶ **관광 소감 观光所感**
guān guāng suǒ gǎn

A: 这次去北京旅行，觉得怎么样?
zhè cì qù běi jīng lǚ xíng jué de zěn me yàng
B: 太好了。值得观赏的地方真是太多了。
tài hǎo le zhí de guān shǎng de dì fang zhēn shì tài duō le
A: 给你留下最深刻印象的是哪儿?
gěi nǐ liú xià zuì shēn kè yìn xiàng de shì nǎr
B: 万里长城给我的印象最深。
wàn lǐ cháng chéng gěi wǒ de yìn xiàng zuì shēn

A: 이번에 베이징 여행 다녀오신 소감이 어떻습니까?
B: 너무 좋더군요. 볼 만한 곳이 정말 많았습니다.
A: 가장 인상에 남는 곳은 어디입니까?
B: 만리장성이 가장 인상 깊었습니다.

- 쑤저우는 과연 소문대로 정말 아름답더군요.
  苏州果然名不虚传，真的很美丽。[6)]
  sū zhōu guǒ rán míng bù xū chuán zhēn de hěn měi lì

- 하늘에는 천당이 있고, 땅에는 쑤저우와 항저우가 있다잖아요.
  上有天堂，下有苏杭嘛![7)]
  shàng yǒu tiān táng xià yǒu sū háng ma

- 꾸이린의 산수는 천하제일이다!
  桂林山水甲天下![8)]
  guì lín shān shuǐ jiǎ tiān xià

- 산수가 아름답고 공기도 무척 맑더군요.
  山清水秀，空气也很新鲜。[9)]
  shān qīng shuǐ xiù kōng qì yě hěn xīn xiān

---

6) 名不虚传 míng bù xū chuán: "명불허전이다"라는 뜻의 성어.
7) 上有天堂，下有苏杭 shàng yǒu tiāntáng, xià yǒu sūháng: 예로부터 쑤저우와 항저우의 아름다운 산수를 예찬하는 말이다.
8) 예로부터 꾸이린의 산수를 예찬하는 말.
9) 山清水秀 shān qīng shuǐ xiù: 산 좋고 물 맑다. 산수의 풍경이 아름다움을 나타내는 성어. = 山明水秀.

Ⅱ. 관광 안내소에서 在旅游咨询台[10)]

zài lǚ yóu zī xún tái

A: 您好, 有什么需要帮忙的吗?
nín hǎo yǒu shén me xū yào bāng máng de ma

B: 我想游览一下北京市。
wǒ xiǎng yóu lǎn yí xià běi jīng shì

A: 您要游览一天, 还是?
nín yào yóu lǎn yì tiān hái shi

B: 我只有今天一天的时间。
wǒ zhǐ yǒu jīn tiān yì tiān de shí jiān

A: 当天的行程有万里长城、故宫、颐和园。
dàng tiān de xíng chéng yǒu wàn lǐ cháng chéng gù gōng yí hé yuán

B: 需要多少钱?
xū yào duō shao qián

A: 300元一位。
yuán yí wèi

A: 안녕하세요? 무엇을 도와 드릴까요?

B: 베이징 시내 관광을 하고 싶은데요.

A: 당일 코스를 원하십니까? 아니면?

B: 저는 오늘 하루밖에 시간이 없습니다.

A: 당일 코스로는 만리장성, 자금성, 이화원이 있습니다.

B: 비용은 얼마인가요?

A: 1인당 300위안입니다.

▶ 관광 지도를 구입할 때 购买旅游图时

gòu mǎi lǚ yóu tú shí

- 베이징 관광 지도가 있습니까?
  有北京旅游图吗?
  yǒu běi jīng lǚ yóu tú ma

- 관광 지도 하나 주세요.
  来一本旅游图。
  lái yì běn lǚ yóu tú

---

10) 각 여행지의 공항이나 기차역 등에는 旅游咨询台 lǚyóu zīxúntái 또는 旅游咨询处 lǚyóu zīxúnchù가 있어, 이곳에서 관광, 숙박 등을 포함한 여러 사항들에 대해 물어보고 도움을 받을 수가 있다. 또한 각종 여행지의 안내서나 호텔 등 숙박업체의 팸플릿이 배치되어 있으며, 통역이나 관광가이드, 또는 차량 대여 등을 알선해 주기도 한다.

- 상하이 시내 지도가 있습니까?
  有上海市地图吗?
  yǒu shàng hǎi shì dì tú ma

- 도로 표시가 자세히 되어 있는 지도가 있습니까?
  有没有道路标志详细的地图?
  yǒu méi yǒu dào lù biāo zhì xiáng xì de dì tú

▶ 관광 명소를 물을 때 询问旅游胜地时
xún wèn lǚ yóu shèng dì shí

- 여기서 고궁 박물관을 어떻게 가죠?
  从这里怎么去故宫博物馆?
  cóng zhè li zěn me qù gù gōng bó wù guǎn

- 쇼핑할 만한 곳들을 추천해 주시겠습니까?
  推荐一下购物的好地方, 好吗?
  tuī jiàn yí xià gòu wù de hǎo dì fang hǎo ma

- 베이징의 후통을 보고 싶은데요.
  我想看一下北京的胡同。[11)]
  wǒ xiǎng kàn yí xià běi jīng de hú tòng

- 쓰허위안과 후통을 보려면 어떻게 가야 합니까?
  要看四合院和胡同的话, 怎么走?[12)]
  yào kàn sì hé yuàn hé hú tòng de huà zěn me zǒu

▶ 숙박 시설을 물을 때 询问住宿时
xún wèn zhù sù shí

- 베이징의 5성급 호텔들을 소개해 주시겠습니까?
  能介绍一下北京的五星级酒店吗?
  néng jiè shào yí xià běi jīng de wǔ xīng jí jiǔ diàn ma

- 좀 저렴한 호텔을 소개해 주십시오.
  给我介绍一下稍微便宜的酒店吧。
  gěi wǒ jiè shào yí xià shāo wēi pián yi de jiǔ diàn ba

- 여관이 있습니까?
  有小旅店吗?
  yǒu xiǎo lǚ diàn ma

---

11) 胡同 hútòng: 골목, 작은 거리. 흔히 베이징의 옛 모습이 남아있는 거리를 말한다.
12) 四合院 sìhéyuàn: 북경의 전통 가옥 양식. 마당(院子yuànzi)을 중심으로 네 건물이 둘러서 있는 주거 형태이다.

2 기차 여행

乘火车旅行
chéng huǒ chē lǚ xíng

중국에서는 기차 여행이 여러모로 편리하다. 무엇보다 출발 및 도착 시간이 정확한 것이 가장 큰 장점이다. 대도시 간의 열차는 밤에 출발하여 이른 아침에 목적지에 닿을 수 있도록 시간이 조정되어 있으므로 더욱 편리하다. 열차의 등급에는 软卧 ruǎnwò(푹신한 침대칸), 硬卧 yìngwò(딱딱한 침대칸), 软坐 ruǎnzuò(푹신한 의자칸), 硬坐 yìngzuò(딱딱한 의자칸) 등이 있는데, 软卧 ruǎnwò의 경우 4인이 들어갈 수 있는 객실로 되어 있어서 가족이나 일행끼리 함께 묵을 수 있어 더욱 안성맞춤이다.

기 본 대 화

A: 这次想坐火车去上海。
zhè cì xiǎng zuò huǒ chē qù shàng hǎi

B: 需要很长时间，不会累吗?
xū yào hěn cháng shí jiān bú huì lèi ma

A: 坐夜车的话，第二天早晨到，也许会更好。
zuò yè chē de huà dì èr tiān zǎo chén dào yě xǔ huì gèng hǎo

B: 那也挺不错的。
nà yě tǐng bú cuò de

A: 이번에는 기차를 타고 상하이를 갈까 해요.
B: 장시간 타야 하는데 힘들지 않겠어요?
A: 밤 기차를 타면 다음 날 아침에 도착하니 더 나은 것 같아요.
B: 하긴 그것도 괜찮겠군요.

여러 가지 활용

I. 표를 살 때 买票时
mǎi piào shí

A: 有27号早晨去深圳的特快列车吗?[1)]
yǒu hào zǎo chén qù shēn zhèn de tè kuài liè chē ma

B: 有上午10点出发的。
yǒu shàng wǔ diǎn chū fā de

A: 有没有更早一点的?
yǒu méi yǒu gèng zǎo yì diǎn de

B: 已经卖完了。
yǐ jing mài wán le

1) 열차의 빠르기에 따라 特快 tèkuài, 直快 zhíkuài, 普快 pǔkuài 등이 있다.

A: 没办法, 来两张10点的吧。
méi bàn fǎ lái liǎng zhāng diǎn de ba

A: 27일 아침 선전(심천)행 특급 열차가 있습니까?
B: 오전 10시에 출발하는 것이 있습니다.
A: 그보다 더 빠른 것은 없습니까?
B: 이미 다 매진되었습니다.
A: 할 수 없군요. 10시 기차로 2장 주십시오.

출발 시간 出发时间
chū fā shí jiān

- 텐진 가는 가장 이른 기차는 몇 시입니까?
  去天津的火车最早的是几点?
  qù tiān jīn de huǒ chē zuì zǎo de shì jǐ diǎn
- 난징 가는 기차는 몇 시에 있습니까?
  去南京的火车都有几点的?
  qù nán jīng de huǒ chē dōu yǒu jǐ diǎn de
- 좀더 이른 것은 없습니까?
  有没有更早的?
  yǒu méi yǒu gèng zǎo de
- 막차는 몇 시입니까?
  末班车是几点?
  mò bān chē shì jǐ diǎn

소요 시간 所用时间
suǒ yòng shí jiān

- 정저우까지는 몇 시간 걸립니까?
  去郑州需要几个小时?
  qù zhèng zhōu xū yào jǐ ge xiǎo shí
- 몇 시에 도착합니까?
  几点能到?
  jǐ diǎn néng dào
- 좀더 빠른 기차는 없습니까?
  有没有更快的车?
  yǒu méi yǒu gèng kuài de chē

- 특급 열차로 가면 몇 시간 걸립니까?
  坐特快，需要几个小时?
  zuò tè kuài xū yào jǐ ge xiǎo shí

▶ **좌석의 등급 座位的等级**
zuò wèi de děng jí

- 롼워(푹신한 침대칸)는 얼마입니까?
  软卧是多少钱?
  ruǎn wò shì duō shao qián

- 잉워(딱딱한 침대칸)로 주십시오.
  来硬卧吧。
  lái yìng wò ba

- 맨 위 칸 침대로 주세요.
  给上铺吧。2)
  gěi shàng pù ba

- 롼쭤(푹신한 좌석)로 주세요.
  要软座。
  yào ruǎn zuò

- 잉쭤(딱딱한 좌석)는 다 매진되었습니다.
  硬座已经卖完了。
  yìng zuò yǐ jīng mài wán le

- 현재 입석표만 남아 있습니다.
  现在只剩站票。
  xiàn zài zhǐ shèng zhàn piào

▶ **기차 요금 火车票价**
huǒ chē piào jià

- 어린이 표는 반액입니다.
  儿童票是半价。
  ér tóng piào shì bàn jià

- 110cm 이하의 어린이는 표를 살 필요가 없습니다.
  110厘米以下的儿童不用买票。
  lí mǐ yǐ xià de ér tóng bú yòng mǎi piào

- 140cm 이하의 어린이는 반액을 받습니다.
  140厘米以下的儿童收半价。
  lí mǐ yǐ xià de ér tóng shōu bàn jià

2) 软卧 ruǎnwò는 침대가 上铺 shàngpù(위 칸)과 下铺 xiàpù(아래 칸)으로 나뉘어져 있고, 硬卧 yìngwò는 上铺 shàngpù(위 칸), 中铺 zhōngpù(가운데 칸), 下铺 xiàpù(아래 칸)으로 나뉘어져 있다. 맨 위 칸이 上铺 shàngpù가 제일 싼데, 그 이유는 오르내리기가 불편하고 승차감이 떨어지기 때문이다.

- 140cm 이상이면 어른 표를 사야 합니다.
  140厘米以上的要买成人票。
  lí mǐ yǐ shàng de yào mǎi chéng rén piào

- 학생증을 제시하면 할인을 받을 수 있습니다.
  出示学生证的话可以优惠。
  chū shì xué shēng zhèng de huà kě yǐ yōu huì

Ⅱ. 기차 내에서 在火车上
zài huǒ chē shang

좌석을 찾을 때 找座位时
zhǎo zuò wèi shí

- 실례지만 차표를 보여 주시겠습니까?
  麻烦您看一下车票, 好吗?
  má fan nín kàn yí xià chē piào hǎo ma

- 자리를 잘못 찾으신 것 같습니다.
  您好像找错座儿了。
  nín hǎo xiàng zhǎo cuò zuòr le

- 창문 쪽이 아니고 통로 쪽입니다.
  不是靠窗的, 是过道边的。
  bú shì kào chuāng de shì guò dào biān de

- 12번 좌석이 어디에 있지?
  12号座在哪儿?
  hào zuò zài nǎr

승무원과의 대화 与乘务员的对话
yǔ chéng wù yuán de duì huà

A: 我早上6点到, 麻烦你叫我一下好吗?
wǒ zǎo shang diǎn dào má fan nǐ jiào wǒ yí xià hǎo ma

B: 您放心, 这是我们的职责。
nín fàng xīn zhè shì wǒ men de zhí zé

A: 아침 6시 도착인데 깨워주실 수 있습니까?

B: 염려 마십시오. 그건 저희들의 일인데요.

- 칭다오까지 앞으로 몇 시간 남았습니까?
  到青岛还要多长时间?
  dào qīng dǎo hái yào duō cháng shí jiān

- 옆 좌석 사람들이 너무 시끄러워요.
  旁边的人太吵了。
  páng biān de rén tài chǎo le
- 좀 조용한 자리로 바꾸고 싶습니다.
  我想换安静一点的座位。
  wǒ xiǎng huàn ān jìng yì diǎn de zuò wèi
- 식당이 몇 호 차에 있습니까?
  餐厅在几号车厢?
  cān tīng zài jǐ hào chē xiāng
- 롼워로 바꿀 수 있습니까?
  能换成软卧吗?
  néng huàn chéng ruǎn wò ma
- 휴대폰 배터리가 다 되었는데 충전할 수 있습니까?
  手机没有电了, 可以充电吗?
  shǒu jī méi yǒu diàn le kě yǐ chōng diàn ma

옆 자리 사람과의 대화 与旁边人的对话
yǔ páng biān rén de duì huà

A: 您到哪儿下车?
nín dào nǎr xià chē
B: 我到桂林。
wǒ dào guì lín
A: 比我下得早。我去南宁。
bǐ wǒ xià de zǎo wǒ qù nán níng

A: 어디에서 내리십니까?
B: 저는 꾸이린까지 갑니다.
A: 저보다 일찍 내리시는군요. 저는 난닝까지 갑니다.

A: 您是哪儿的人?
nín shì nǎr de rén
B: 我是河北人。您呢?
wǒ shì hé běi rén nín ne
A: 我是韩国人。从首尔来的。
wǒ shì hán guó rén cóng shǒu ěr lái de

A: 어느 지방 사람이십니까?

B: 저는 허베이 사람입니다. 당신은요?
A: 저는 한국 사람입니다. 서울에서 왔어요.

A: 去南宁做什么?
qù nán níng zuò shén me
B: 我去那儿出差。
wǒ qù nàr chū chāi

A: 난닝에는 무슨 일로 가십니까?
B: 저는 그리로 출장을 갑니다.

A: 第一次去桂林吗?
dì yī cì qù guì lín ma
B: 是的, 去旅游。在照片上看桂林很美。
shì de qù lǚ yóu zài zhào piàn shang kàn guì lín hěn měi

A: 꾸이린은 처음 가시는 겁니까?
B: 예, 여행 가는 거예요. 사진 보면 꾸이린이 아주 멋있더군요.

A: 您尝尝这个吧。这叫紫菜包饭。
nín cháng chang zhè ge ba zhè jiào zǐ cài bāo fàn
B: 谢谢, 这是您做的吗? 真好吃。
xiè xie zhè shì nín zuò de ma zhēn hǎo chī

A: 이것 좀 드셔 보세요. 이것은 김밥이라고 합니다.
B: 감사합니다. 손수 만드신 겁니까? 아주 맛있습니다.

A: 我下一站就下车了。
wǒ xià yí zhàn jiù xià chē le
B: 再见。希望您旅途愉快。
zài jiàn xī wàng nín lǚ tú yú kuài
A: 认识你很高兴。再见。
rèn shi nǐ hěn gāo xìng zài jiàn

A: 저는 이제 다음 역에서 내립니다.
B: 안녕히 가십시오. 여행 즐거우시길 바랍니다.
A: 만나서 반가웠습니다. 안녕히 가세요.

3 유람선 여행

乘船旅行
chéngchuán lǚ xíng

중국의 관광 명소 중에는 유람선을 타야 하는 코스가 있다. 长江三峡 chángjiāng sānxiá(양자강 삼협)이나 桂林漓江 guìlín líjiāng(꾸이린 리장 강) 등이 바로 그러하다. 이는 유람선을 타고 내려가며 주변의 산수를 감상하는 코스로서, 깎아지른 듯한 험준한 절벽이 장관인 三峡 sānxiá를 남성적 아름다움이라 한다면, 수를 놓은 듯한 기기묘묘한 봉우리 사이를 누비는 漓江 líjiāng을 여성적 아름다움이라 한다.

기 본 대 화

A: 桂林的旅游最好玩儿的地方是哪儿?
guì lín de lǚ yóu zuì hǎo wánr de dì fang shì nǎr

B: 桂林旅游的精髓是漓江。[1)]
guì lín lǚ yóu de jīng suǐ shì lí jiāng

A: 是吗? 那里有游船吗?
shì ma nà li yǒu yóu chuán ma

B: 当然, 那里有很多游船。
dāng rán nà li yǒu hěn duō yóu chuán

A: 我们从这儿出发, 要乘几个小时的船?
wǒ men cóng zhèr chū fā yào chéng jǐ ge xiǎo shí de chuán

B: 5个小时左右, 早上9点出发, 下午3点到达。
ge xiǎo shí zuǒ yòu zǎo shang diǎn chū fā xià wǔ diǎn dào dá

A: 你怎么知道得这么清楚?
nǐ zěn me zhī dào de zhè me qīng chu

B: 我曾经在那里住过。
wǒ céng jīng zài nà li zhù guo

A: 꾸이린 여행에서 제일 좋은 곳은 어디에요?

B: 꾸이린 여행의 진수는 리장 강이에요.

A: 그래요? 거기에 유람선이 있나요?

B: 물론이죠. 거기엔 유람선이 무척 많아요.

A: 우리가 여기서 출발하면 몇 시간이나 배를 타나요?

B: 다섯 시간 정도예요, 아침 9시에 출발하면 오후 3시에 도착이에요.

A: 어떻게 그렇게 잘 아세요?

B: 이전에 거기서 살았었거든요.

1) 精髓 jīngsuǐ: 정수, 진수, 정화.

여러 가지 활용

Ⅰ. 배편 문의 询问乘船信息
xún wèn chéng chuán xìn xī

- 배편은 자주 있습니까?
  班船常有吗?[2)]
  bān chuán cháng yǒu ma

- 그 섬으로 가는 배편이 있습니까?
  有去那个岛的班船吗?
  yǒu qù nà ge dǎo de bān chuán ma

- 유람선 선착장이 어디입니까?
  游船码头在哪儿?
  yóu chuán mǎ tou zài nǎr

- 표값에 보험도 포함되어 있습니까?
  票价里包括保险吗?
  piào jià li bāo kuò bǎo xiǎn ma

- 돌아올 때도 배를 타고 옵니까?
  回来时也是坐船回来吗?
  huí lái shí yě shì zuò chuán huí lái ma

- 하이난다오는 배로 갈 수 있습니까?
  去海南岛可以坐船吗?
  qù hǎi nán dǎo kě yǐ zuò chuán ma

- 모터보트도 있습니까?
  有快艇吗?
  yǒu kuài tǐng ma

Ⅱ. 유람선에서 在游船上
zài yóu chuán shang

- 갑판에 올라가면 풍경을 더 잘 볼 수 있습니다.
  上甲板可以更好地欣赏风景。
  shàng jiǎ bǎn kě yǐ gèng hǎo de xīn shǎng fēng jǐng

- 배를 타고 장강삼협을 바라보면 정말 장관이에요.
  坐船看长江三峡真是很壮观。
  zuò chuán kàn cháng jiāng sān xiá zhēn shì hěn zhuàng guān

- 유람선이 협곡 사이를 지날 때에는 정말 웅장합니다.
  游船经过峡谷之间时, 真的很雄伟。
  yóu chuán jīng guò xiá gǔ zhī jiān shí zhēn de hěn xióng wěi

---

2) 班船 bānchuán: 정기선, 정기적으로 운항하는 배.

- 강물이 맑아서 바닥의 돌멩이까지 선명히 보이네요.
  清澈见底，连石子儿都能看得一清二楚。
  qīng chè jiàn dǐ, lián shí zǐr dōu néng kàn de yì qīng èr chǔ

- 물에 비치는 그림자가 정말 한 폭의 그림같이 아름다워요.
  倒映在水里的影子美丽得像一幅图画。[3]
  dào yìng zài shuǐ li de yǐng zi měi lì de xiàng yì fú tú huà

- 갑판에 올라오니 바람이 아주 시원하군요!
  来到甲板上，风很凉快！
  lái dào jiǎ bǎn shang fēng hěn liáng kuài

- 난간에 기대지 마세요, 위험합니다!
  别靠在栏杆上，太危险了！
  bié kào zài lán gān shang tài wēi xiǎn le

- 배가 흔들리니 난간을 꼭 잡으세요.
  船来回摇摆，你一定要扶好栏杆。
  chuán lái huí yáo bǎi nǐ yí dìng yào fú hǎo lán gān

- 파란 하늘, 흰 구름, 푸른 물, 정말 가슴이 탁 트이네요!
  蓝天、白云、绿水，让人心旷神怡。
  lán tiān bái yún lǜ shuǐ ràng rén xīn kuàng shén yí

- 보세요, 저 바위가 꼭 사람 같아요!
  看，那岩石简直太逼真了，好像一个人！
  kàn nà yán shí jiǎn zhí tài bī zhēn le hǎo xiàng yí ge rén

- 정말이네요, 여기는 기암괴석이 아주 많군요!
  真的，这里有很多奇岩怪石！
  zhēn de zhè li yǒu hěn duō qí yán guài shí

Ⅲ. 기타 其他
qí tā

- 수심이 얕아 배가 흔들리지 않으니 걱정할 필요 없습니다.
  水很浅，船开得很稳，你不要担心。
  shuǐ hěn qiǎn chuán kāi de hěn wěn nǐ bú yào dān xīn

- 출발 전 미리 멀미약을 드십시오.
  出发之前先吃点晕船药吧。
  chū fā zhī qián xiān chī diǎn yùn chuán yào ba

- 여행 중에서 유람선 여행이 가장 낭만적이더라구요.
  我觉得旅行中游船旅行是最浪漫的了。
  wǒ jué de lǚ xíng zhōng yóu chuán lǚ xíng shì zuì làng màn de le

---

3) 倒映 dàoyìng: 비치다, 투영되다.
倒影 dàoyǐng: 물에 비친 그림자.

4 관광지에서

在旅游景点
zài lǚ yóujǐngdiǎn

어느 지방을 여행할 때에는 사전에 그곳에 관한 지식이나 정보를 알아 두는 것이 좋다. 예를 들면 그 지방의 역사적 사실이라든지 유적과 유물의 상황을 미리 알고 둘러보면 더욱 알찬 여행이 될 것이다. 또한 그 지방에서 생산되는 특산품이나 토속 음식이 무엇인지도 미리 알아 놓았다가 나중에 기념으로 구입하거나 시식을 해 보는 것도 여행의 맛을 더해 줄 수 있는 것들이다.

기 본 대 화

A: 门票多少钱?
mén piào duō shao qián

B: 成人50元, 儿童30元。
chéng rén yuán ér tóng yuán

A: 来两张成人票, 一张儿童票。
lái liǎng zhāng chéng rén piào yì zhāng ér tóng piào

B: 我们现在实行优惠, 您买两张成人票, 我们会赠您一张儿童票。
wǒ men xiàn zài shí xíng yōu huì nín mǎi liǎng zhāng chéng rén piào wǒ men huì zèng nín yì zhāng ér tóng piào

A: 那太好了。我可以节省了30元钱。
nà tài hǎo le wǒ kě yǐ jié shěng le yuán qián

B: 是的。您只需要给我100块就行了。
shì de nín zhǐ xū yào gěi wǒ kuài jiù xíng le

A: 好的, 给您钱。
hǎo de gěi nín qián

B: 三张票, 您拿好了。
sān zhāng piào nín ná hǎo le

A: 입장권이 얼마예요?
B: 어른은 50위안이고, 어린이는 30위안입니다.
A: 어른 표 두 장, 어린이 표 한 장 주세요.
B: 저희가 지금 우대 행사를 하는데 어른 표 두 장을 사시면 어린이 표 1장을 드립니다.
A: 그것 잘됐군요. 30위안을 절약할 수 있겠네요.
B: 네, 100위안만 주시면 됩니다.
A: 좋습니다. 여기요.
B: 표 세 장입니다. 잘 받으세요.

여러 가지 활용

Ⅰ. 매표소에서 在售票处
zài shòu piào chù

- 박물관 입장료가 얼마입니까?
  博物馆的门票是多少?
  bó wù guǎn de mén piào shì duō shao

- 롤러코스터 타는 데 얼마예요?
  坐过山车多少钱?[1)]
  zuò guò shān chē duō shao qián

- 10명 이상은 할인이 됩니까?
  10人以上可以优惠吗?
  rén yǐ shàng kě yǐ yōu huì ma

- 와, 줄 선 사람이 이렇게 많네요. 보아하니 오래 기다려야겠어요.
  哇, 排队的人这么多啊, 看来要等好长时间了。
  wā pái duì de rén zhè me duō a kàn lái yào děng hǎo cháng shí jiān le

- 다음에 다시 옵시다.
  下回再来吧。
  xià huí zài lái ba

입장할 때 进入时
jìn rù shí

- 입장권을 보여 주세요.
  请出示门票。
  qǐng chū shì mén piào

- 어린이 표를 끊으셨습니까?
  买儿童票了吗?
  mǎi ér tóng piào le ma

- 110cm 이상의 어린이는 어린이 표를 사야 합니다.
  110厘米以上的儿童要买儿童票。[2)]
  lí mǐ yǐ shàng de ér tóng yào mǎi ér tóng piào

- 120cm 이하의 어린이는 탑승할 수 없습니다.
  120厘米以下的儿童禁止乘坐。
  lí mǐ yǐ xià de ér tóng jìn zhǐ chéng zuò

---

1) 过山车 guòshānchē: 산을 넘는 열차, 즉 롤러코스터.
2) 우리 나라에서는 나이나 학년을 기준으로 소인 또는 학생 표를 구입하지만 중국에서는 키를 기준으로 삼는 경우가 많다. 따라서 표를 파는 곳에는 대부분 아이들의 키를 재기 위한 눈금자가 그려져 있다.

- 어린이는 반드시 보호자가 동반해야 합니다.
  儿童一定要有监护人陪同。
  ér tóng yí dìng yào yǒu jiān hù rén péi tóng

- 노인과 어린이는 입장 금지입니다.
  老人和儿童禁止入内。
  lǎo rén hé ér tóng jìn zhǐ rù nèi

- 심장병이 있는 사람은 입장하지 않는 게 좋습니다.
  心脏病人最好不要进入。
  xīn zàng bìng rén zuì hǎo bú yào jìn rù

Ⅱ. 신기한 것을 보았을 때 看到新奇的东西时
kàn dào xīn qí de dōng xi shí

- 저기 있는 탑이 무슨 탑이지요?
  那边那个塔叫什么塔?
  nà biān nà ge tǎ jiào shén me tǎ

- 이 바위에 관한 전설이 있습니까?
  有没有关于这个岩石的传说?
  yǒu méi yǒu guān yú zhè ge yán shí de chuán shuō

- 이 유적지에 관한 설명을 좀 해 주시겠습니까?
  请说明一下这个遗迹好吗?
  qǐng shuō míng yí xià zhè ge yí jì hǎo ma

- 이 건물은 언제 지은 겁니까?
  这建筑物是什么时候建造的?
  zhè jiàn zhù wù shì shén me shí hou jiàn zào de

Ⅲ. 멋진 경관을 보았을 때 看到美丽的景色时
kàn dào měi lì de jǐng sè shí

- 이곳의 풍경은 정말 아름답군요!
  这里的风景真是美丽啊!
  zhè li de fēng jǐng zhēn shì měi lì a

- 풍경이 정말 그림 같군요!
  真是风景如画呀!
  zhēn shì fēng jǐng rú huà ya

- 이루 말로는 형용할 수가 없습니다.
  难以言表。
  nán yǐ yán biǎo

- 이렇게 아름다운 풍경은 처음 봅니다.
  我头一次看见这么美丽的风景。
  wǒ tóu yí cì kàn jiàn zhè me měi lì de fēng jǐng

- 향산의 단풍은 정말 아름답습니다.
  香山的枫叶真的很美丽。[3)]
  xiāng shān de fēng yè zhēn de hěn měi lì

- 별천지에 온 것 같은 기분입니다.
  仿佛来到了世外桃源。[4)]
  fǎng fú lái dào le shì wài táo yuán

- 한 폭의 아름다운 산수화 속에 들어온 것 같네요.
  仿佛置身于一幅美丽的山水画中。
  fǎng fú zhì shēn yú yì fú měi lì de shān shuǐ huà zhōng

- 백두산 천지에 올라 보니 가슴이 뭉클해집니다.
  爬到长白山天池，心都快要跳出来了。
  pá dào cháng bái shān tiān chí xīn dōu kuài yào tiào chū lái le

- 야! 정말 감동적이군요!
  呀！真让人感动啊！
  yā zhēn ràng rén gǎn dòng ɑ

- 태산의 장관은 정말 소문대로군요.
  泰山的壮观真是名不虚传啊。
  tài shān de zhuàng guān zhēn shì míng bù xū chuán ɑ

- 세계 각지를 다녀 봤지만 이렇게 멋진 경치는 처음입니다.
  我去过世界各地，但这么迷人的景色还是头一次见。
  wǒ qù guo shì jiè gè dì dàn zhè me mí rén de jǐng sè hái shi tóu yí cì jiàn

- 이 동굴은 세계 어느 동굴보다 멋있군요!
  这个洞比世界上的任何一个洞都要漂亮！
  zhè ge dòng bǐ shì jiè shang de rèn hé yí ge dòng dōu yào piào liang

- 일사천리로 내리는 폭포가 비할 데 없이 장관입니다!
  这瀑布一泻千里，无比壮观！
  zhè pù bù yí xiè qiān lǐ wú bǐ zhuàng guān

- 저 풍경을 배경으로 사진을 한 장 찍고 싶어요.
  我想以那风景为背景，拍一张照片。
  wǒ xiǎng yǐ nà fēng jǐng wéi bèi jǐng pāi yì zhāng zhào piàn

---

3) 베이징의 香山 xiāngshān은 가을 단풍으로 유명하다

4) 东晋 dōngjìn(동진)시대 陶渊明 táoyuānmíng(도연명)의 <桃花源记 táohuā yuánjì> (도화원기)에 나오는 이상향 武陵桃源 wǔlíng táoyuán(무릉도원)을 말한다.

5 기념사진 · 기념품

留影/纪念品
liú yǐng jì niàn pǐn

흔히 여행하고 남는 것은 사진밖에 없다고 한다. 훗날 사진들을 보면서 추억에 잠기기도 하고 잊었던 사건들을 바로 어제 일처럼 기억해 내기도 한다. 아름다운 풍경이나 기념이 될 만한 유적 앞에서 찍은 잘 나온 사진을 한 장 크게 확대해서 걸어 놓아도 좋을 것이다. 사진을 찍을 때 우리 나라 사람들이 "김치~" 하고 찍는 것처럼 중국 사람들은 "茄子 qiézi"(가지)하며 찍는다.

기 본 대 화

A: 我们在这儿留张影吧。
wǒ men zài zhèr liú zhāng yǐng ba

B: 那样也好，找人给我们照相吧。
nà yàng yě hǎo zhǎo rén gěi wǒ men zhào xiàng ba

A: 麻烦您帮我们照张相好吗?
má fan nín bāng wǒ men zhào zhāng xiàng hǎo ma

C: 好，来，照了。一，二，三。
hǎo lái zhào le yī èr sān

A: 우리 여기서 기념사진 찍어요.
B: 그것도 좋겠군요. 다른 사람에게 찍어 달라고 합시다.
A: 실례합니다만, 사진 좀 찍어 주시겠습니까?
C: 그러지요. 자 찍습니다. 하나 둘 셋.

여러 가지 활용

I. 사진을 찍을 때 拍照时
pāi zhào shí

- 모두 빨리 오세요. 단체 사진을 찍겠습니다.
  大家快过来。来照集体照了。[1)]
  dà jiā kuài guò lái lái zhào jí tǐ zhào le

- 저 산을 배경으로 찍으면 멋있을 것 같아요.
  以那座山为背景照的话，会很漂亮的。
  yǐ nà zuò shān wéi bèi jǐng zhào de huà huì hěn piào liang de

- 죄송하지만 잠깐만 비켜 주시겠습니까?
  麻烦您暂时让一下好吗?
  má fan nín zàn shí ràng yí xià hǎo ma

---

1) 集体照 jítǐzhào: 단체 사진.

· 자, 모두 치즈~ 하고 웃어 봐요.
来大家一起说"茄子", 笑一笑。
lái dà jiā yì qǐ shuō qié zi xiào yi xiào

· 앗, 눈을 감은 것 같아요.
啊, 好像眨眼睛了。
ā hǎo xiàng zhǎ yǎn jing le

· 다시 한 장 찍어 주세요.
再给照一张吧。
zài gěi zhào yì zhāng ba

사진을 찍어 달라고 부탁할 때 请人拍照时
qǐng rén pāi zhào shí

· 실례지만 사진 좀 찍어 주시겠습니까?
麻烦您给我照张相, 好吗?
má fan nín gěi wǒ zhào zhāng xiàng hǎo ma

· 자동카메라니까 눌러만 주시면 됩니다.
是自动相机, 摁一下就可以了。
shì zì dòng xiàng jī èn yí xià jiù kě yǐ le

· 이 셔터만 누르시면 됩니다.
摁这个快门就可以了。[2)]
èn zhè ge kuài mén jiù kě yǐ le

사진을 찍어 줄 때 给别人照相时
gěi bié rén zhào xiàng shí

· 자 여기를 보세요.
来, 看这里。
lái kàn zhè li

· 두 분 같이 서세요. 제가 찍어 드릴게요.
你们两位一起站吧。我给你们拍。
nǐ men liǎng wèi yì qǐ zhàn ba wǒ gěi nǐ men pāi

· 저는 사진을 잘 찍을 줄 모르는데요.
我不大会照相。
wǒ bú dà huì zhào xiàng

· 그냥 여기만 누르면 됩니까?
摁这里就可以了吗?
èn zhè li jiù kě yǐ le ma

2) 快门 kuàimén: 사진기의 셔터.

▶ 필름을 살 때 买胶卷时
mǎi jiāo juǎn shí

- 필름이 몇 장 안 남았네.
  胶卷没剩多少张了。
  jiāo juǎn méi shèng duō shao zhāng le

- 필름을 사야겠어요./어디서 필름을 팔죠?
  该买胶卷了。/哪里卖胶卷?
  gāi mǎi jiāo juǎn le nǎ li mài jiāo juǎn

- 필름이 몇 장짜리 입니까?
  这胶卷一共有多少张?
  zhè jiāo juǎn yí gòng yǒu duō shao zhāng

▶ 즉석 사진을 찍을 때 照快照时
zhào kuài zhào shí

A: 我们在那里照一张快照吧。
wǒ men zài nà li zhào yì zhāng kuài zhào ba

B: 照出来的效果会好吗?
zhào chū lái de xiào guǒ huì hǎo ma

A: 那儿摆的相片都挺好的。
nàr bǎi de xiàng piàn dōu tǐng hǎo de

A: 우리 저기서 즉석 사진 한 장 찍어요.

B: 사진이 잘 나올까?

A: 저기 진열해 놓은 사진들은 꽤 잘 나왔는데요.

- 얼마나 기다려야 찾을 수 있지요?
  等多长时间可以取?
  děng duō cháng shí jiān kě yǐ qǔ

- 15분이면 됩니다.
  15分钟就够了。
  fēn zhōng jiù gòu le

- 사진을 찍고 올라가셨다가 내려오실 때 찾으시면 됩니다.
  先照完相再上去, 下来的时候就可以取了。
  xiān zhào wán xiàng zài shàng qù xià lái de shí hou jiù kě yǐ qǔ le

- 이 즉석 사진은 그런대로 괜찮군요.
  这张快照还可以。
  zhè zhāng kuài zhào hái kě yǐ

Ⅱ. 기념품점에서 在纪念品店

zài jì niàn pǐn diàn

A: 既然来旅游, 就买个纪念品吧。
jì rán lái lǚ yóu jiù mǎi ge jì niàn pǐn ba

B: 买什么好呢?
mǎi shén me hǎo ne

A: 杭州的绿茶、绸缎, 还有珍珠产品都很有名。
háng zhōu de lǜ chá chóu duàn hái yǒu zhēn zhū chǎn pǐn dōu hěn yǒu míng

B: 买绿茶吧, 回去还可以送人。
mǎi lǜ chá ba huí qù hái kě yǐ sòng rén

A: 기왕 여행을 왔으니 기념품을 좀 삽시다.

B: 뭘 사면 좋을까요?

A: 항저우는 녹차와 비단, 그리고 진주 제품이 다 유명해요.

B: 녹차를 사죠. 돌아가 선물로 줄 수도 있으니까요.

토산품을 찾을 때 找土特产时

zhǎo tǔ tè chǎn shí

- 이 지역 토산품을 좀 보여 주시겠습니까?
  看一下这里的土产品好吗?
  kàn yí xià zhè li de tǔ chǎn pǐn hǎo ma

- 이곳의 특산물에는 어떤 것들이 있나요?
  这儿的特产都有什么?
  zhèr de tè chǎn dōu yǒu shén me

- 이 지역에서 가장 유명한 토산품은 무엇입니까?
  在这个地区最有名的土产品是什么?
  zài zhè ge dì qū zuì yǒu míng de tǔ chǎn pǐn shì shén me

- 항저우는 녹차의 고장입니다.
  杭州是绿茶之乡。
  háng zhōu shì lǜ chá zhī xiāng

- 다양한 녹차가 있습니다.
  有各种各样的绿茶。
  yǒu gè zhǒng gè yàng de lǜ chá

- 이곳의 진주는 아주 유명합니다.
  这里的珍珠很有名。
  zhè li de zhēn zhū hěn yǒu míng

· 취푸의 도장은 좋기도 하고 값도 싸다던데요.
听说曲阜的印章又好又便宜。[3]
tīng shuō qū fù de yìn zhāng yòu hǎo yòu pián yi

토산품을 살 때 买土特产时
mǎi tǔ tè chǎn shí

· 품질이 좋긴 한데 가격이 너무 비싸군요.
质量是好, 就是价钱太贵了。
zhì liàng shì hǎo jiù shì jià qián tài guì le

· 관광지라서 가격이 다 비싸네요.
旅游胜地, 所以价钱都很贵。
lǚ yóu shèng dì suǒ yǐ jià qián dōu hěn guì

· 다른 곳의 절반 가격입니다.
是其他地区的半价。
shì qí tā dì qū de bàn jià

· 품질 좋고 저렴하기로 명성이 자자합니다.
物美价廉, 很有名气的。[4]
wù měi jià lián hěn yǒu míng qi de

· 이곳에는 가짜도 많으니 속지 않도록 조심해야 해요.
这里假的也很多, 小心别上当了。[5]
zhè li jiǎ de yě hěn duō xiǎo xīn bié shàng dàng le

· 이것은 무엇으로 만든 건가요?
这是用什么做的?
zhè shì yòng shén me zuò de

· 이것은 무게가 얼마나 나가죠?
这大概有多少公斤?
zhè dà gài yǒu duō shao gōng jīn

· 이 물건은 해외로 가져갈 수 있나요?
这个产品能出境吗?
zhè ge chǎn pǐn néng chū jìng ma

· 입출국 시에 최대 얼마까지 가져갈 수 있죠?
进出境时最多能拿多少?
jìn chū jìng shí zuì duō néng ná duō shao

---

3) 曲阜 qūfù(취푸)는 孔子 kǒngzǐ(공자)의 사당이 있는 곳으로 갖가지 도장들을 저렴한 가격에 구입할 수가 있다.

4) 物美价廉 wù měi jià lián: '물건도 좋고 가격도 저렴하다'는 뜻의 성어. 거리의 간판이나 광고 문구에서도 자주 볼 수 있다.

5) 上当 shàngdàng: 꾀에 넘어가다, 속임수에 빠지다.

6 단체 여행

团体旅游
tuán tǐ lǚ yóu

젊은이들에게는 배낭여행, 무전여행 등 스스로 계획하여 여행을 하는 것이 비록 고생은 되더라도 훨씬 의미가 있을 수 있다. 그러나 언어가 전혀 통하지 않거나 이것저것 신경 쓰지 않고 편하게 여행하고 싶을 때에는 여행사의 패키지 상품을 이용하는 것이 좋을 것이다. 여행 가이드는 导游 dǎoyóu라고 하며, 팁은 小费 xiǎofèi라고 한다.

기 본 대 화

A: 语言不通, 团体旅游会不会好一些?
yǔ yán bù tōng tuán tǐ lǚ yóu huì bu huì hǎo yì xiē

B: 说得对。再说你对那儿的地理环境也不太熟悉。
shuō de duì zài shuō nǐ duì nàr de dì lǐ huán jìng yě bú tài shú xi

A: 不过, 听说团体旅游总是要你买很多东西。
bú guò tīng shuō tuán tǐ lǚ yóu zǒng shì yào nǐ mǎi hěn duō dōng xi

B: 反正也要购物嘛。就当旅游行程的一部分吧。[1)]
fǎn zhèng yě yào gòu wù ma jiù dāng lǚ yóu xíng chéng de yí bù fen ba

A: 언어도 안 통하니 단체 여행이 낫지 않을까요?
B: 맞아요. 게다가 그곳 지리 환경도 잘 모르잖아요.
A: 그런데 단체 여행은 쇼핑을 많이 시킨다던데요.
B: 어차피 쇼핑도 필요하니 여행 코스의 일부로 생각하면 되죠 뭐.

여러 가지 활용

Ⅰ. 여행지 및 코스 旅游地点及线路
lǚ yóu dì diǎn jí xiàn lù

A: 想去昆明旅游, 有哪几种?
xiǎng qù kūn míng lǚ yóu yǒu nǎ jǐ zhǒng

B: 有5日游, 也有7日游。
yǒu rì yóu yě yǒu rì yóu

A: 旅游行程怎么样?
lǚ yóu xíng chéng zěn me yàng

B: 这里有日程表。参考一下吧。
zhè li yǒu rì chéng biǎo cān kǎo yí xià ba

1) 反正 fǎnzhèng: 어차피, 어쨌든, 아무튼.

A: 쿤밍을 여행할까 하는데 어떤 것들이 있습니까?
B: 5일 코스도 있고, 7일 코스도 있습니다.
A: 관광 일정은 어떻게 되죠?
B: 여기 일정표가 있습니다. 참고해 보세요.

여행 코스 및 가격표 路线及价格表
lù xiàn jí jià gé biǎo

- 베이징-하이난 왕복 항공 이용, 5일 핵심 여행, 1인당 1880위안
  北京双飞海南5日精华游1880元/人[2)]
  běi jīng shuāng fēi hǎi nán rì jīng huá yóu yuán rén
- 베이징-황산, 첸다오후, 항저우, 상하이 왕복 침대열차 이용, 7일 여행, 1인당 1680위안
  北京至黄山, 千岛湖, 杭州, 上海双卧7日游1680元/人
  běi jīng zhì huáng shān qiān dǎo hú háng zhōu shàng hǎi shuāng wò rì yóu yuán rén

일정 설명 行程说明
xíng chéng shuō míng

- 도착하는 첫날은 자유 시간입니다.
  到达的第一天是自由时间。
  dào dá de dì yī tiān shì zì yóu shí jiān
- 첫날은 기차에서 잠을 잡니다.
  第一天在火车上睡觉。
  dì yī tiān zài huǒ chē shang shuì jiào
- 베이징-시안-꾸이린 코스가 있습니다.
  有北京-西安-桂林的路线。
  yǒu běi jīng xī ān guì lín de lù xiàn
- 시안-청두-쿤밍 코스도 있습니다.
  也有西安-成都-昆明的行程。
  yě yǒu xī ān chéng dū kūn míng de xíng chéng
- 7박 8일 코스는 3,000위안이고, 9박 10일 코스는 4,000위안입니다.
  7晚8日游是3000元, 9晚10日游是4000元。
  wǎn rì yóu shì yuán wǎn rì yóu shì yuán

---

2) 精华 jīnghuá: 정수, 정화의 뜻. 즉 精华游 jīnghuáyóu란 중요한 곳들만 골라서 하는 여행을 말한다.

Ⅱ. 여행 가이드 导游
dǎo yóu

- 가이드가 단체를 인솔해서 같이 갑니다.
  导游带团一起走。
  dǎo yóu dài tuán yì qǐ zǒu

- 불편하신 점이 있으시면 가이드에게 말씀하시면 됩니다.
  有什么不方便的, 跟导游说就可以了。
  yǒu shén me bù fāng biàn de gēn dǎo yóu shuō jiù kě yǐ le

- 비행기에서 내리시면 현지의 가이드가 마중 나올 겁니다.
  下飞机, 当地的导游会来迎接的。
  xià fēi jī dāng dì de dǎo yóu huì lái yíng jiē de

▶ 팁 小费
xiǎo fèi

- 가이드 팁은 손님의 재량에 따라 주시면 됩니다.
  导游的小费, 由您来决定。
  dǎo yóu de xiǎo fèi yóu nín lái jué dìng

- 가이드가 친절하고 안내를 잘 했을 경우에 팁을 주시면 됩니다.
  导游亲切, 带路也好时, 就给小费。
  dǎo yóu qīn qiè dài lù yě hǎo shí jiù gěi xiǎo fèi

- 대개 가이드 팁은 팀에서 함께 모아서 줍니다.
  一般导游的小费是团里的人一起凑的。
  yì bān dǎo yóu de xiǎo fèi shì tuán li de rén yì qǐ còu de

Ⅲ. 추가 비용 附加费用
fù jiā fèi yong

- 일체의 추가비용은 전혀 없습니다.
  一切附加费用都没有。
  yí qiè fù jiā fèi yong dōu méi yǒu

- 민속 공연 관람은 별도로 비용을 내셔야 합니다.
  看民俗表演是要另交费的。
  kàn mín sú biǎo yǎn shì yào lìng jiāo fèi de

- 고급 침대 열차를 이용하시려면 500위안을 추가하셔야 합니다.
  使用软卧的话, 要加500元。
  shǐ yòng ruǎn wò de huà yào jiā yuán

- 예약을 취소하시면 수수료를 내셔야 합니다.
  取消预约的话, 要支付手续费。
  qǔ xiāo yù yuē de huà yào zhī fù shǒu xù fèi

7 분실 신고

挂失
guà shī

해외에 나갔을 경우에는 특히 여권(护照 hùzhào)을 분실하지 않도록 각별히 신경을 써야 한다. 특히 중국에서는 한국인들의 여권 분실 사례가 빈발하고 있으므로 더욱 주의를 요한다. 만일 분실했을 경우에는 바로 중국의 公安局 gōng'ānjú(공안국)에 여권 분실 신고를 한 다음 이를 근거로 한국 영사관(领事馆 lǐngshìguǎn)에서 여권이나 여행 증명서를 재발급받은 뒤에, 다시 공안국에서 비자를 받아야만 출국을 할 수가 있다.

기 본 대 화

A: 发生了什么事儿?
fā shēng le shén me shìr

B: 我的旅行包丢了。
wǒ de lǚ xíng bāo diū le

A: 什么时候, 在哪里丢的?
shén me shí hou zài nǎ li diū de

B: 昨天在火车站到市内的出租车上丢的。
zuó tiān zài huǒ chē zhàn dào shì nèi de chū zū chē shang diū de

A: 您还记得出租车号码吗?
nín hái jì de chū zū chē hào mǎ ma

B: 我第一次来这儿, 所以什么都想不起来了。
wǒ dì yī cì lái zhèr suǒ yǐ shén me dōu xiǎng bu qǐ lái le

A: 包里面有什么东西?
bāo lǐ miàn yǒu shén me dōng xi

B: 里面有一些贵重的物品。
lǐ mian yǒu yì xiē guì zhòng de wù pǐn

A: 知道了。请您在这个丢失报告单上写下你的联系方式。找到的话会马上跟您联络的。
zhī dào le qǐng nín zài zhè ge diū shī bào gào dān shang xiě xià nǐ de lián xì fāng shì zhǎo dào de huà huì mǎ shàng gēn nín lián luò de

---

A: 무슨 일이십니까?

B: 제 여행 가방을 잃어버렸습니다.

A: 언제, 어디서 분실했습니까?

B: 어제 기차역에서 시내로 들어오는 택시에 놓고 내렸습니다.

A: 택시 번호를 기억하고 계십니까?

B: 저는 이곳에 처음이라 아무것도 기억을 못하겠습니다.

A: 가방에는 어떤 물건이 들었습니까?

B: 약간의 귀중품이 있습니다.

A: 알겠습니다. 이 분실 신고서에 연락처를 기입해 주십시오.
찾는 즉시 연락드리겠습니다.

여러 가지 활용

Ⅰ. 소지품 분실 丢失随身携带品
diū shī suí shēn xié dài pǐn

▶ **분실** 丢失
diū shī

- 지갑을 택시 안에 두고 내렸습니다.
  我把钱包放在出租车上了。
  wǒ bǎ qián bāo fàng zài chū zū chē shang le

- 제 가방을 찾을 수가 없습니다.
  找不着我的包了。
  zhǎo bu zháo wǒ de bāo le

- 저 의자에 놔두었던 가방이 없어졌습니다.
  放在那张椅子上的包不见了。
  fàng zài nà zhāng yǐ zi shang de bāo bú jiàn le

- 버스 안에 서류 가방을 두고 내렸습니다.
  把公文包放在公车上, 忘拿了。
  bǎ gōng wén bāo fàng zài gōng chē shang wàng ná le

- 지갑을 분실했습니다.
  我把钱包丢了。
  wǒ bǎ qián bāo diū le

- 여권을 어디에 놓았는지 기억이 나지 않습니다.
  我想不起护照丢在哪儿了。
  wǒ xiǎng bu qǐ hù zhào diū zài nǎr le

- 카메라가 없어졌습니다.
  我的照相机不见了。
  wǒ de zhào xiàng jī bú jiàn le

- 여권을 분실하여 한국 영사관에 가서 분실 신고를 하려고 합니다.
  我丢了护照, 想去韩国领事馆挂失。[1)]
  wǒ diū le hù zhào xiǎng qù hán guó lǐng shì guǎn guà shī

---

1) 挂失 guàshī: 카드나 증서 등을 분실한 후에 원발행기관에 분실 신고하는 것을 말함.

• 여기에서 가장 가까운 파출소는 어디 있습니까?
离这里最近的派出所在哪儿?
lí zhè li zuì jìn de pài chū suǒ zài nǎr

▶ 분실 신고 挂失
guà shī

• 분실물 보관소는 어디 있습니까?
丢失物品保管处在哪儿?
diū shī wù pǐn bǎo guǎn chù zài nǎr

• 분실물을 수령하는 곳은 어디 있습니까?
取丢失物品的地方在哪儿?
qǔ diū shī wù pǐn de dì fang zài nǎr

• 여권을 재발급받으려면 어떻게 하면 됩니까?
再办护照的话, 该怎么做?
zài bàn hù zhào de huà gāi zěn me zuò

• 한국 대사관은 어디 있습니까?
请问韩国大使馆在哪儿?
qǐng wèn hán guó dà shǐ guǎn zài nǎr

• 죄송합니다만, 최대한 빨리 찾아 주시겠습니까?
麻烦你们尽快帮我找, 好吗?
má fan nǐ men jǐn kuài bāng wǒ zhǎo hǎo ma

▶ 내용물 内存物品
nèi cún wù pǐn

A: 钱包里有什么东西?
qián bāo li yǒu shén me dōng xi
B: 护照、钱, 还有支票。
hù zhào qián hái yǒu zhī piào

A: 지갑에는 어떤 것들이 있습니까?
B: 여권, 돈, 그리고 수표가 있습니다.

• 가방 안에는 중요한 서류가 들어 있습니다.
包里面有重要的文件。
bāo lǐ miàn yǒu zhòng yào de wén jiàn

• 그 가방 안에 이 선생한테 줄 선물이 있는데 어떡하죠?
那个包里有送给李先生的礼物, 怎么办啊?
nà ge bāo li yǒu sòng gěi lǐ xiān sheng de lǐ wù zěn me bàn a

▶ 분실물을 찾았을 때 找到丢失物品时
zhǎo dào diū shī wù pǐn shí

A: 我接到消息说找到我的包了，是吗?
wǒ jiē dào xiāo xi shuō zhǎo dào wǒ de bāo le shì ma
B: 是的，在地铁站找到的。查看一下包里面的东西。
shì de zài dì tiě zhàn zhǎo dào de chá kàn yí xià bāo lǐ miàn de dōng xi
A: 噢，都在，太感谢你们了。
ò dōu zài tài gǎn xiè nǐ men le

A: 제 가방을 찾으셨다는 연락을 받았는데요, 맞습니까?
B: 네, 지하철역에서 찾았습니다. 가방 안의 내용물을 확인하십시오.
A: 오, 다 있습니다. 정말 감사합니다.

• 가방을 찾아가려고 왔습니다.
我是来拿包的。
wǒ shì lái ná bāo de

Ⅱ. 강도나 도둑을 만났을 때 遇到强盗或小偷时
yù d o qiáng dào huò xiǎo tōu shí

▶ 강도의 위협 强盗的威胁
qiáng dào de wēi xié

• 움직이지 마! / 손 들어!
不要动! / 举起手来!
bú yào dòng jǔ qǐ shǒu lái

• 소리 지르지 마! / 엎드려!
不要喊! / 趴下!
bú yào hǎn pā xià

• 소리 지르면 죽여 버릴 테다!
再喊就杀了你!
zài hǎn jiù shā le nǐ

• 돈 내놔! / 이것밖에 없어? / 이게 다야?
拿钱来! / 就这么多吗? / 就这些吗?
ná qián lái jiù zhè me duō ma jiù zhè xiē ma

도움을 청할 때 求助时
qiú zhù shí

- 도와주세요!
帮帮我!
bāng bang wǒ

- 사람 살려요!
救命啊!
jiù mìng a

- 도둑 잡아라! / 저놈 빨리 잡아요!
抓小偷了! / 快抓住他!
zhuā xiǎo tōu le kuài zhuā zhù tā

- 경찰을 빨리 불러 주세요!
快叫公安!
kuài jiào gōng ān

- 저 좀 근처 가장 가까운 파출소에 데려다 주시겠습니까?
带我去附近最近的派出所好吗?
dài wǒ qù fù jìn zuì jìn de pài chū suǒ hǎo ma

도난 신고 报警
bào jǐng

- 신고를 하러 왔습니다.
我是来报案的。
wǒ shì lái bào àn de

- 제 지갑을 도둑맞았어요.
我的钱包被偷了。
wǒ de qián bāo bèi tōu le

- 지하철역에서 소매치기에게 지갑을 도둑맞았습니다.
在地铁站小偷把我的钱包偷走了。
zài dì tiě zhàn xiǎo tōu bǎ wǒ de qián bāo tōu zǒu le

- 눈 깜짝할 사이에 지갑을 도둑맞았습니다.
一眨眼的工夫钱包就被人偷走了。
yì zhǎ yǎn de gōng fu qián bāo jiù bèi rén tōu zǒu le

- 정류장에서 서류 봉투를 날치기당했습니다.
我在停车场文件包被抢了。
wǒ zài tíng chē chǎng wén jiàn bāo bèi qiǎng le

- 카메라를 뺏겼습니다.
我的照相机被抢了。
wǒ de zhào xiàng jī bèi qiǎng le

• 한 시간 전 매표소 앞에서 잃었습니다.
一个小时之前在售票处前面丢的。
yí ge xiǎo shí zhī qián zài shòu piào chù qián mian diū de

• 어젯밤 제가 투숙하는 객실에 강도가 들었습니다.
昨天晚上我住的客房进强盗了。
zuó tiān wǎn shang wǒ zhù de kè fáng jìn qiáng dào le

• 몇 분 안되는 시간에 도둑이 들었습니다.
没几分钟的时间就进小偷了。
méi jǐ fēn zhōng de shí jiān jiù jìn xiǎo tōu le

• 외출한 사이에 객실에 놔둔 돈을 몽땅 도둑맞았습니다.
外出的时候, 放在客房里的钱全被偷了。
wài chū de shí hou fàng zài kè fáng li de qián quán bèi tōu le

• 방 안은 엉망으로 되어 있고 귀중한 물건도 좀 없어졌습니다.
房间乱得很, 还有一些贵重的物品也被偷了。
fáng jiān luàn de hěn hái yǒu yì xiē guì zhòng de wù pǐn yě bèi tōu le

• 물건을 몽땅 잃어버렸으니 어떡하면 좋지요?
我所有的东西都丢了, 我该怎么办?
wǒ suǒ yǒu de dōng xi dōu diū le wǒ gāi zěn me bàn

▶ 곤경에 처했을 때 处于困境时
chǔ yú kùn jìng shí

• 한국말 할 줄 아는 사람은 없습니까?
有没有人会说韩语?
yǒu méi yǒu rén huì shuō hán yǔ

• 말도 통하지 않고 짐도 잃어버려 어찌하면 좋을지 모르겠습니다.
我语言不通, 行李又丢了, 我都不知道该怎么办了。
wǒ yǔ yán bù tōng xíng li yòu diū le wǒ dōu bù zhī dào gāi zěn me bàn le

• 어서 한국 대사관에 연락하세요.
赶快与韩国大使馆联系吧。
gǎn kuài yǔ hán guó dà shǐ guǎn lián xì ba

참고 관련 용어

- 관광 旅游, 观光 lǚ yóu guānguāng
- 기념관 纪念馆 jì niànguǎn
- 미술관 美术馆 měi shù guǎn
- 전람관 展览馆 zhǎn lǎn guǎn
- 동물원 动物园 dòng wù yuán
- 식물원 植物园 zhí wù yuán
- 관광 지도 观光地图 guānguāng dì tú
- 여행사 旅行社 lǚ xíng shè
- 유적지 遗迹 yí jì
- 공원 公园 gōngyuán
- 궁전 宫殿 gōngdiàn
- 명승고적 名胜古迹 míngshèng gǔ jì
- 박람회 博览会 bó lǎn huì
- 온천 温泉 wēnquán
- 화랑 画廊 huà láng
- 유람선 游船 yóu chuán
- 여객선 客船 kè chuán
- 모터보트 快艇 kuài tǐng
- 배표 船票 chuánpiào
- 항구 港口 gǎng kǒu
- 부두 码头 mǎ tou
- 승무원 乘务员 chéng wù yuán
- 조타실 驾驶舱 jià shǐ cāng
- 노 桨 jiǎng
- 해안 海岸 hǎi àn
- 탑 塔 tǎ
- 폭포 瀑布 pù bù
- 화산 火山 huǒ shān
- 빙하 冰河 bīng hé
- 평원 平原 píngyuán
- 초원 草原 cǎo yuán
- 산 山 shān
- 강 江 / 河 jiāng hé
- 협곡 峡谷 xiá gǔ
- 산언덕 山坡 shān pō
- 풍차 风车 fēng chē
- 잔디 小草 xiǎo cǎo
- 동굴 洞 dòng
- 호수 湖 hú
- 숲 树林 shù lín
- 고원 高原 gāo yuán
- 전망대 展望台 zhǎnwàng tái
- 광장 广场 guǎngchǎng
- 사막 沙漠 shā mò
- 카메라 照相机 zhàoxiàng jī
- 비디오 카메라 摄像机 shè xiàng jī
- 디지털 카메라 数码相机 shù mǎ xiàng jī
- 필름 胶卷 jiāo juǎn
- 기념사진 留影 liú yǐng
- 반신 사진 半身照 bàn shēnzhào
- 사진첩 相册 xiàng cè
- 매표소 售票处 shòupiào chù
- 무료 티켓, 무료 입장권 免费券 miǎn fèi quàn
- 어른 표 成人票 chéng rén piào
- 어린이 표 儿童票 ér tóngpiào
- 기차표 火车票 huǒ chē piào
- 단체 여행 团体旅游 tuán tǐ lǚ yóu
- 가이드 导游 dǎo yóu
- 팁 小费 xiǎo fèi

25 호텔 이용

宾馆住宿 BINGUAN ZHUSU

1	호텔 예약	预订房间
2	체 크 인	入房登记
3	부대시설	服务设施
4	호텔 서비스	饭店服务
5	불편 신고	投诉
6	체크아웃	退房
7	프 런 트	前台

1 호텔 예약

预订房间
yù dìngfángjiān

호텔에 대한 중국어 표현으로는 酒店 jiǔdiàn, 饭店 fàndiàn, 宾馆 bīnguǎn 등이 있는데, 예전에는 조금씩 의미가 달랐지만 지금은 동일하게 쓰이고 있다. 예를 들면, 쉐라톤 호텔(Sheraton Hotel)은 喜来登饭店 xǐláidēng fàndiàn, 하얏트 호텔(Hyatt Hotel)은 凯悦酒店 kǎiyuè jiǔdiàn, 힐튼 호텔(Hilton Hotel)은 希尔顿大酒店 xī'ěrdùn dàjiǔdiàn, 센트럴 가든 호텔(Central Garden Hotel)은 中苑宾馆 zhōngyuàn bīnguǎn으로 표기하고 있다. 이 밖에 리조트(Resort)는 度假村 dùjiàcūn이라고 하며, 규모가 작은 모텔(Motel)급은 旅馆 lǚguǎn이라고 한다.

기 본 대 화

A: 你好! 观光酒店前台。
nǐ hǎo guān guāng jiǔ diàn qián tái

B: 你好! 我想订房间。[1)]
nǐ hǎo wǒ xiǎng dìng fáng jiān

A: 您打算住几天?
nín dǎ suàn zhù jǐ tiān

B: 两天。
liǎng tiān

A: 您要单人房, 还是双人房?[2)]
nín yào dān rén fáng hái shi shuāng rén fáng

B: 我想订一个双人房。一天多少钱?
wǒ xiǎng dìng yí ge shuāng rén fáng yì tiān duō shao qián

A: 1000元。
yuán

B: 那就订那个吧。
nà jiù dìng nà ge ba

A: 안녕하세요. 관광호텔 프런트입니다.
B: 안녕하세요. 룸을 예약하고 싶습니다.
A: 며칠 묵으실 예정입니까?
B: 이틀입니다.
A: 싱글룸을 원하세요? 아니면 트윈룸을 원하세요?

1) '예약하다'라는 표현에는 预订 yùdìng, 预约 yùyuē 등이 있지만, 일상생활에서는 그냥 订 dìng이라고 많이 한다.

2) 호텔의 객실 등급은 单人房 dānrénfáng(single room), 双人房 shuāngrénfáng(twin room), 大床房 dàchuángfáng(double room), 行政房 xíngzhèngfáng(executive room), 豪华套间 háohuá tàojiān(suite room), 普通套房 pǔtōng tàofáng(deluxe suite), 皇家套房 huángjiā tàofáng(royal suite), 总统套房 zǒngtǒng tàofáng(presidential suite) 등으로 나눌 수 있다. 그러나 호텔에 따라서는 double room을 双人房 shuāngrénfáng, twin room을 标准房 biāozhǔnfáng이라고도 하므로 예약 시에 확인을 해 보는 것이 좋다.

B: 트윈룸으로 예약하고 싶습니다. 하루에 얼마입니까?
A: 1,000위안입니다.
B: 그럼 그것으로 예약하겠습니다.

여러 가지 활용

Ⅰ. 숙박 기간　住宿期间
zhù sù qī jiān

- 3박을 할 겁니다.
住三天。
zhù sān tiān

- 닷새 묵을 예정입니다.
打算住五天。
dǎ suàn zhù wǔ tiān

- 9월 12일부터 14일까지 싱글룸을 예약하고 싶습니다.
我想订9月12号至14号的单人间。
wǒ xiǎng dìng yuè hào zhì hào de dān rén jiān

- 7월 12일부터 2일간 묵을 스탠다드룸을 예약하고 싶은데요.
我想订7月12号开始可以住两天的标准间。
wǒ xiǎng dìng yuè hào kāi shǐ kě yǐ zhù liǎng tiān de biāo zhǔn jiān

- 글피 오전에 체크아웃할 겁니다.
大后天早上退房。
dà hòu tiān zǎo shang tuì fáng

Ⅱ. 숙박 요금　住宿费
zhù sù fèi

A: 单人间的房费是多少?
dān rén jiān de fáng fèi shì duō shao
B: 一天200元, 税和服务费单算。
yì tiān yuán shuì hé fú wù fèi dān suàn

A: 싱글룸의 방값은 얼마입니까?
B: 하루에 200위안이며 세금과 봉사료는 별도 계산입니다.

- 하루 묵는 데 얼마입니까?
住一天多少钱?
zhù yì tiān duō shao qián

- 방값은 얼마입니까?
房费是多少?
fáng fèi shì duō shao

- 더 싼 방은 없습니까?
有没有更便宜的房间?
yǒu méi yǒu gèng pián yi de fáng jiān

- 500위안 이하의 방은 없습니까?
没有500元以下的房间吗?
méi yǒu yuán yǐ xià de fáng jiān ma

- 아침 식사는 제공됩니까?
提供早餐吗?
tí gōng zǎo cān ma

- 아침 식사는 별도로 계산됩니다.
早餐另算。
zǎo cān lìng suàn

- 아침 식사 포함입니다.
包括早餐。
bāo kuò zǎo cān

Ⅲ. 원하는 방을 말할 때 对房间提出要求时
duì fáng jiān tí chū yāo qiú shí

- 더블룸이 하나 필요합니다.
我需要一个大床房。
wǒ xū yào yí ge dà chuáng fáng

- 욕실이 있는 싱글룸을 예약할 수 있을까요?
可以订一个有浴室的单人间吗?
kě yǐ dìng yí ge yǒu yù shì de dān rén jiān ma

- 조용한 방을 원합니다.
想要安静一点的房间。
xiǎng yào ān jìng yì diǎn de fáng jiān

- 전망이 좋은 방에 묵고 싶은데요.
我想住观景房。
wǒ xiǎng zhù guān jǐng fáng

- 호텔에 수영장이 있습니까?
酒店里有游泳池吗?
jiǔ diàn li yǒu yóu yǒng chí ma

- 아이가 있으니 침대를 하나 더 놓아 주시겠습니까?
我们带有孩子, 麻烦你再加一个床好吗?
wǒ men dài yǒu hái zi má fan nǐ zài jiā yí ge chuáng hǎo ma

Ⅳ. 방이 없을 때 没有房间时
méi yǒu fáng jiān shí

- 죄송합니다. 오늘은 방이 다 찼습니다.
  对不起，今天住满了。
  duì bu qǐ jīn tiān zhù mǎn le

- 죄송합니다. 오늘 방은 이미 예약이 끝났습니다.
  对不起，今天房间已经预订完了。
  duì bu qǐ jīn tiān fáng jiān yǐ jīng yù dìng wán le

- 오늘 밤엔 빈방이 없습니다.
  今天晚上没有空房。
  jīn tiān wǎn shang méi yǒu kōng fáng

- 예약 취소가 있을 경우, 손님께 배정해 드리겠습니다.
  如果有人取消预约的话，再给您安排吧。
  rú guǒ yǒu rén qǔ xiāo yù yuē de huà zài gěi nín ān pái ba

Ⅴ. 예약 변경 · 취소 更改/取消预约
gēng gǎi qǔ xiāo yù yuē

변경 更改
gēng gǎi

- 예약을 변경하고 싶습니다.
  我想更改预约。
  wǒ xiǎng gēng gǎi yù yuē

- 트윈룸을 예약했는데 스위트룸으로 바꿀 수 있습니까?
  原订的标准间可以换成套房间吗?
  yuán dìng de biāo zhǔn jiān kě yǐ huàn chéng tào fáng jiān ma

취소 取消
qǔ xiāo

- 9월 13일자 리우옌 명의로 예약된 방을 취소하고 싶습니다.
  我想取消9月13日以刘燕的名义订下的房间。
  wǒ xiǎng qǔ xiāo yuè rì yǐ liú yàn de míng yì dìng xià de fáng jiān

- 제가 좀 늦게 도착할 수도 있으니 절대로 예약을 취소하지 마십시오.
  我可能晚一点儿到，千万不要取消预约。
  wǒ kě néng wǎn yì diǎnr dào qiān wàn bú yào qǔ xiāo yù yuē

- 예약을 취소하려면 48시간 전에 통보해야 합니다.
  要取消预约，一定要在48小时之前通知。
  yào qǔ xiāo yù yuē yí dìng yào zài xiǎo shí zhī qián tōng zhī

2 체크인

入房登记
rù fángdēng jì

Check-in을 중국어로는 住宿登记 zhùsù dēngjì, 入房登记 rùfáng dēngjì 또는 入住登记 rùzhù dēngjì 라고 한다. 이때 외국인의 경우는 반드시 여권(护照 hùzhào)을 제시하여야 하며, 내국인의 경우 남녀가 한방에 투숙하려면 반드시 결혼증(结婚证 jiéhūnzhèng)을 제시해야 한다. 또한 중국 호텔의 경우에는 미리 押金 yājīn(보증금)을 내야 하는 경우가 대부분이라는 것도 알아 두어야 한다.

기 본 대 화

A: 欢迎光临。
huān yíng guāng lín

B: 你好，我以黄竹风的名义订了一个房间。
nǐ hǎo wǒ yǐ huáng zhú fēng de míng yì dìng le yí ge fáng jiān

A: 请稍等。您订的是住三天的双人间，对吧?
qǐng shāo děng nín dìng de shì zhù sān tiān de shuāng rén jiān duì ba

B: 是的。
shì de

A: 请填完这张表后，签上您的名字好吗?
qǐng tián wán zhè zhāng biǎo hòu qiān shàng nín de míng zi hǎo ma

B: 好。我们要住的房间是几号?
hǎo wǒ men yào zhù de fáng jiān shì jǐ hào

A: 是705号房间。两位好好休息一下吧。
shì hào fáng jiān liǎng wèi hǎo hǎo xiū xi yí xià ba

B: 谢谢。
xiè xie

A: 어서 오십시오.

B: 안녕하세요. 황주펑이라는 이름으로 방 하나를 예약했는데요.

A: 잠시만요. 3일간 트윈룸 예약하셨네요, 맞으시죠?

B: 그렇습니다.

A: 이 카드를 기입하신 후 서명해 주십시오.

B: 그러죠. 우리가 묵을 방은 몇 호실이죠?

A: 705호실입니다. 두 분 편히 쉬십시오.

B: 고맙습니다.

여러 가지 활용

I. 예약을 한 경우 已经订房时
yǐ jīng dìng fáng shí

- 저는 궈샤오윈이라고 합니다. 서울에서 예약했습니다.
  我叫郭小云, 在首尔订的。
  wǒ jiào guō xiǎo yún zài shǒu ěr dìng de

- 두세 시간 전에 공항에서 예약했는데요.
  两三个小时之前在机场订的。
  liǎng sān ge xiǎo shí zhī qián zài jī chǎng dìng de

- 싱글룸을 예약했습니다.
  订了单人间。
  dìng le dān rén jiān

- 욕실 달린 싱글룸을 3일간 예약했습니다.
  订了带浴室的单人间, 住3天的。
  dìng le dài yù shì de dān rén jiān zhù tiān de

- 방은 몇 층에 있습니까?
  房间在几楼?
  fáng jiān zài jǐ lóu

예약을 확인할 때 确认预订时
què rèn yù dìng shí

- 예약을 확인하고 싶습니다.
  我想确认一下预订。
  wǒ xiǎng què rèn yí xià yù dìng

- 이 카드에 성함과 국적, 여권 번호를 기입해 주십시오.
  请在这张表上填一下姓名、国籍、护照号码。[1)]
  qǐng zài zhè zhāng biǎo shang tián yí xià xìng míng guó jí hù zhào hào mǎ

- 오늘 날짜로 예약했습니다. 틀릴 리가 없어요.
  订的是今天的, 不会错的。
  dìng de shì jīn tiān de bú huì cuò de

- 왕타오라는 이름으로 예약했습니다.
  以王涛的名义订的。[2)]
  yǐ wáng tāo de míng yì dìng de

---

1) 이미 만들어진 표나 카드의 빈칸에 기입할 때는 写 xiě란 동사보다 填 tián 또는 填写 tiánxiě를 더 많이 사용한다.

2) 以 yǐ: (신분·자격·공구 등) ~(으)로, ~(으)로써.
名义 míngyì: 이름, 명의, 명칭.

• 여행사에서 예약해 준 것입니다.
旅行社给我订的。
lǚ xíng shè gěi wǒ dìng de

Ⅱ. 예약을 안 했을 때　没有预订时
méi yǒu yù dìng shí

A: 欢迎光临，您订房间了吗？
huān yíng guāng lín nín dìng fáng jiān le ma
B: 没有。今天晚上有空房吗？
méi yǒu jīn tiān wǎn shang yǒu kōng fáng ma
A: 您几位？
nín jǐ wèi
B: 两位，我们想住外景好的标准间。
liǎng wèi wǒ men xiǎng zhù wài jǐng hǎo de biāo zhǔn jiān
A: 住一天吗？
zhù yì tiān ma
B: 不，住两天。
bù zhù liǎng tiān
A: 有一天500元的，也有一天700元的，您住哪间？
yǒu yì tiān yuán de yě yǒu yì tiān yuán de nín zhù nǎ jiān
B: 请安排一下一天500元的。
qǐng ān pái yí xià yì tiān yuán de

A: 어서 오십시오. 예약하셨습니까?
B: 아뇨, 오늘 밤 빈방 있습니까?
A: 몇 분이세요?
B: 두 사람입니다. 전망이 좋은 트윈룸을 원합니다.
A: 하룻밤 묵으시겠습니까?
B: 아뇨, 이틀 묵을 겁니다.
A: 하루 500위안짜리와 700위안짜리가 있는데, 어느 방에 묵으시겠어요?
B: 하루 500위안짜리를 부탁합니다.

▶ 빈방을 찾을 때　寻找余房时
xún zhǎo yú fáng shí

• 저 한 사람 묵을 건데 빈방 있습니까?
我一个人住，有空房吗？
wǒ yí ge rén zhù yǒu kōng fáng ma

- 언제쯤 방이 날까요?
  什么时候会有空房?
  shén me shí hou huì yǒu kōng fáng

- 지금은 5.1절(노동절) 성수기라 방 구하기가 어렵습니다.
  现在是五一旺季, 房间很紧张。[3)]
  xiàn zài shì wǔ yī wàng jì fáng jiān hěn jǐn zhāng

- 오늘 밤 묵을 수 있을까요?
  今晚可以住宿吗?
  jīn wǎn kě yǐ zhù sù ma

- 그냥 잠만 잘 수 있는 방이면 됩니다.
  只要能睡的房间就行。
  zhǐ yào néng shuì de fáng jiān jiù xíng

- 트윈룸이 없으면 싱글룸이라도 괜찮습니다.
  没有标准间, 单人间也可以。
  méi yǒu biāo zhǔn jiān dān rén jiān yě kě yǐ

- 대기자 명단에 올려 주세요.
  请在候补名单上登记一下。
  qǐng zài hòu bǔ míng dān shang dēng jì yí xià

Ⅲ. 방을 정할 때　选定房间时
xuǎn dìng fáng jiān shí

A: 您需要什么样的房间?
nín xū yào shén me yàng de fáng jiān

B: 我要观景房。[4)]
wǒ yào guān jǐng fáng

A: 海景房, 可以吗?
hǎi jǐng fáng kě yǐ ma

A: 어떤 방을 원하십니까?

B: 전망이 좋은 방을 부탁합니다.

A: 바다가 바라다보이는 방 괜찮으시겠습니까?

- 방을 볼 수 있습니까?
  可以看一下房间吗?
  kě yǐ kàn yí xià fáng jiān ma

---

3) 성수기는 旺季 wàngjì, 비수기는 淡季 dànjì라 함.
紧张 jǐnzhāng: 여기서는 '긴장하다'의 뜻이 아니라, (시간. 물자 등이) '부족하다', '여유가 없다'의 뜻.

4) 观景房 guānjǐngfáng: 전망이 좋은 방. 海景房 hǎijǐngfáng: 바다가 바라보이는 방. 山景房 shānjǐngfáng: 산이 바라보이는 방.

- 엘리베이터와 붙어 있지는 않겠지요?
  不会是跟电梯挨着的吧?
  bú huì shì gēn diàn tī āi zhe de ba

- 조용한 방으로 주세요.
  我要安静的房间。
  wǒ yào ān jìng de fáng jiān

- 가능하면 고층에 있는 방을 주시겠습니까?
  如果可以的话, 请安排高一点的楼层好吗?
  rú guǒ kě yǐ de huà qǐng ān pái gāo yì diǎn de lóu céng hǎo ma

- 트윈룸이 없으면 싱글룸으로 두 개도 괜찮아요.
  没有标准间的话, 两个单人间也可以。
  méi yǒu biāo zhǔn jiān de huà liǎng ge dān rén jiān yě kě yǐ

Ⅳ. 방을 바꿀 때 换房间时
huàn fáng jiān shí

- 방을 바꿔 주시겠습니까?
  可以给我换一下房间吗?
  kě yǐ gěi wǒ huàn yí xià fáng jiān ma

- 엘리베이터와 멀리 떨어진 방으로 바꿔 주세요.
  请换一个远离电梯的房间。
  qǐng huàn yí ge yuǎn lí diàn tī de fáng jiān

- 소음이 심합니다. 좀 조용한 방으로 바꿔 주세요.
  噪音很大, 请给我换一个安静的房间。
  zào yīn hěn dà qǐng gěi wǒ huàn yí ge ān jìng de fáng jiān

- 곰팡이 냄새가 납니다. 방을 바꾸고 싶어요.
  房间里有一股发霉的味道, 我想换房。[5)]
  fáng jiān li yǒu yì gǔ fā méi de wèi dào wǒ xiǎng huàn fáng

- 밤에 옆방에서 너무 떠들어서 잠을 못 잤어요.
  晚上隔壁的房间吵得我睡不好觉。[6)]
  wǎn shang gé bì de fáng jiān chǎo de wǒ shuì bu hǎo jiào

---

5) 发霉 fāméi: 곰팡이 슬다, 곰팡이가 피다.
6) 隔壁 gébì: 이웃, 옆집, 옆방.

3 부대 시설

服务设施
fú wù shè shī

호텔의 부대 시설에는 餐饮设施 cānyǐn shèshī(식당 시설), 休闲设施 xiūxián shèshī(레저 시설), 商务设施 shāngwù shèshī(비즈니스 시설) 등이 있다. 식당 시설에는 식사를 할 수 있는 西餐厅 xīcāntīng(양식당), 中餐厅 zhōngcāntīng(중식당) 등의 식당과 음료와 주류를 즐길 수 있는 咖啡屋 kāfēiwū(커피숍), 酒吧 jiǔbā(바) 등이 있고, 위락 시설로는 游泳池 yóuyǒngchí(수영장), 健身房 jiànshēnfáng(헬스클럽), 按摩中心 ànmó zhōngxīn(마사지 센터), 美容美发室 měiróng měifàshì(미용실), 娱乐场 yúlèchǎng(오락장) 등이 있어 여가와 휴식을 즐길 수 있으며, 비즈니스 시설로는 사무기기를 이용할 수 있는 商务中心 shāngwù zhōngxīn(비즈니스 센터)과 会议室 huìyìshì(회의실) 등이 있다.

기 본 대 화

A: 这饭店有什么娱乐设施吗?
zhè fàn diàn yǒu shén me yú lè shè shī ma

B: 有健身中心、室内游泳场, 还有网球场和高尔夫练习场。
yǒu jiàn shēn zhōng xīn shì nèi yóu yǒng chǎng hái yǒu wǎng qiú chǎng hé gāo ěr fū liàn xí chǎng

A: 健身中心在几楼?
jiàn shēn zhōng xīn zài jǐ lóu

B: 在二楼。对住宿客人是免费开放的。
zài èr lóu duì zhù sù kè rén shì miǎn fèi kāi fàng de

A: 이 호텔에는 어떤 위락 시설들이 있죠?
B: 헬스클럽과 실내 수영장, 그리고 테니스장과 골프 연습장이 있습니다.
A: 헬스클럽은 몇 층에 있나요?
B: 2층에 있습니다. 투숙하시는 손님께는 무료 개방합니다.

여러 가지 활용

Ⅰ. 비즈니스 센터 商务中心
shāng wù zhōng xīn

▶ **회의실** 会议室
huì yì shì

· 화상 회의 시설을 갖추고 있나요?
具备可视会议设备吗?
jù bèi kě shì huì yì shè bèi ma

- 저희 호텔은 300명을 수용할 수 있는 회의실을 갖추고 있습니다.
  我们饭店备有可容纳300人的会议室。[1]
  wǒ men fàn diàn bèi yǒu kě róng nà rén de huì yì shì

- 30석 규모의 회의실은 소규모 회의, 세미나, 또는 가족 파티에 적합합니다.
  可容纳30人的会议室，适合小型会议、研讨会，或家庭派对。[2]
  kě róng nà rén de huì yì shì shì hé xiǎo xíng huì yì yán tǎo huì huò jiā tíng pài duì

사무기기 이용 利用办公设备
lì yòng bàn gōng shè bèi

컴퓨터 电脑
diàn nǎo

- 인터넷을 이용하시려면 비즈니스 센터로 가시면 됩니다.
  你要上网的话，去商务中心就可以了。
  nǐ yào shàng wǎng de huà qù shāng wù zhōng xīn jiù kě yǐ le

- 컴퓨터 사용료는 시간당 계산됩니다.
  使用电脑的费用按小时计算。
  shǐ yòng diàn nǎo de fèi yong àn xiǎo shí jì suàn

- 인터넷 사용은 무료입니다.
  上网是免费的。
  shàng wǎng shì miǎn fèi de

팩스 传真
chuán zhēn

- 여기서 팩스를 받을 수 있습니까?
  在这里可以接收传真吗？
  zài zhè li kě yǐ jiē shōu chuán zhēn ma

- 이것을 팩스로 보내 주실 수 있습니까?
  这个可以发一下传真吗？
  zhè ge kě yǐ fā yí xià chuán zhēn ma

기타 其他
qí tā

- 이것을 10장만 복사해 주세요.
  把这个复印10张。
  bǎ zhè ge fù yìn zhāng

---

1) 容纳 róngnà: 수용하다. 포용하다. 받아들이다.
2) 研讨会 yántǎohuì: 세미나. 研讨 yántǎo: 연구 토론하다.

· 이 인터넷 페이지를 한 장만 프린트해 주세요.
帮我把这网页打印一张好吗?
bāng wǒ bǎ zhè wǎng yè dǎ yìn yì zhāng hǎo ma

▶ **우편 서비스 邮寄服务**
yóu jì fú wù

A: 我想把这封信用快件寄到韩国。
wǒ xiǎng bǎ zhè fēng xìn yòng kuài jiàn jì dào hán guó

B: 好的。您把地址写好了吗?
hǎo de nín bǎ dì zhǐ xiě hǎo le ma

A: 啊, 差点儿忘了, 我没写邮编。谢谢。[3)]
ā chà diǎnr wàng le wǒ méi xiě yóu biān xiè xie

B: 不客气。
bú kè qi

A: 이 편지를 한국에 속달로 부치고 싶은데요.
B: 네, 알겠습니다. 주소를 다 쓰셨습니까?
A: 앗, 하마터면 잊을 뻔했네요. 우편 번호를 쓰지 않았군요. 고맙습니다.
B: 뭘요.

· 이 짐을 한국으로 부치고 싶습니다.
我想把这个东西寄到韩国。
wǒ xiǎng bǎ zhè ge dōng xi jì dào hán guó

· 편지를 부칠 수 있습니까?
可以寄信吗?
kě yǐ jì xìn ma

Ⅱ. 헬스 센터 康乐中心[4)]
kāng lè zhōng xīn

▶ **헬스클럽 健身房**
jiàn shēn fáng

· 우리 헬스클럽에 가서 운동할까요?
咱们去健身房锻炼身体好不好?[5)]
zán men qù jiàn shēn fáng duàn liàn shēn tǐ hǎo bu hǎo

---

3) 差点儿 chàdiǎnr: 자칫하면, 하마터면, 거의.
4) 健身中心 jiànshēn zhōngxīn이라고도 한다.
5) 锻炼 duànliàn: 단련하다. '(건강을 위해서) 운동하다'라고 할 때는 '锻炼身体' duànliàn shēntǐ라는 표현을 많이 쓴다.

· 헬스클럽은 본 호텔 손님께는 무료로 개방합니다.
健身房对本酒店客人免费开放。
jiàn shēn fáng duì běn jiǔ diàn kè rén miǎn fèi kāi fàng

· 운동을 하고 나니 정말 상쾌하군요.
做做运动，真爽快。
zuò zuo yùn dòng zhēn shuǎng kuai

▶ **사우나 桑拿浴**
sāng ná yù

· 우리 피곤한데 사우나 하러 갈까요?
我们很累了，去洗桑拿浴好吗?
wǒ men hěn lèi le qù xǐ sāng ná yù hǎo ma

· 이 호텔은 사우나 시설이 정말 좋아요.
这宾馆的桑拿浴设备真不错。
zhè bīn guǎn de sāng ná yù shè bèi zhēn bú cuò

· 사우나를 하고 나니 무척 개운하군요.
洗完桑拿，感觉好舒服。
xǐ wán sāng ná gǎn jué hǎo shū fu

▶ **수영장 游泳池**
yóu yǒng chí

· 수영을 하고 싶은데 수영복을 빌릴 수 있을까요?
我想游泳，能借泳衣吗?
wǒ xiǎng yóu yǒng néng jiè yǒng yī ma

· 우리 실내 수영장에서 물놀이할까?
咱们去室内游泳池玩水怎么样?
zán men qù shì nèi yóu yǒng chí wán shuǐ zěn me yàng

· 수영장 물이 깨끗합니까?
游泳池的水干净吗?
yóu yǒng chí de shuǐ gān jìng ma

▶ **마사지 센터 按摩中心**
àn mó zhōng xīn

· 오늘 많이 걸어서 피곤한데 우리 마사지 받으러 갑시다.
今天走累了，我们去按摩吧。
jīn tiān zǒu lèi le wǒ men qù àn mó ba

· 발마사지를 받으면 피곤이 싹 풀릴 거예요.
按按脚，一定会很舒服。
àn an jiǎo yí dìng huì hěn shū fu

Ⅲ. 기타 其他 qí tā

- 호텔 안에 미용실이 있습니까?
  酒店里有美容美发店吗?
  jiǔ diàn li yǒu měi róng měi fà diàn ma
- 양식당은 어디 있습니까?
  西餐厅在哪儿?
  xī cān tīng zài nǎr
- 아침 식사 시간은 몇 시부터 몇 시까지입니까?
  早餐时间是几点到几点?
  zǎo cān shí jiān shì jǐ diǎn dào jǐ diǎn
- 커피숍은 언제부터 영업합니까?
  咖啡屋什么时候开始营业?
  kā fēi wū shén me shí hou kāi shǐ yíng yè
- 재즈 바는 몇 층에 있습니까?
  爵士酒吧在几楼?[6]
  jué shì jiǔ bā zài jǐ lóu
- 가라오케 1시간에 얼마예요?
  卡拉OK一个小时多少钱?
  kǎ lā yí ge xiǎo shí duō shao qián
- 나이트클럽은 몇 시까지 합니까?
  夜总会营业到几点?[7]
  yè zǒng huì yíng yè dào jǐ diǎn
- 저에게 우대권이 3장 있는데 같이 가요.
  我有三张优惠券, 一起去吧。
  wǒ yǒu sān zhāng yōu huì quàn yì qǐ qù ba
- VIP 카드가 있으면 15% 할인이 됩니다.
  有贵宾卡能打8.5折。
  yǒu guì bīn kǎ néng dǎ zhé

---

6) 爵士 juéshì는 jazz를 음역한 것이며, 酒吧 jiǔbā의 吧 bā 역시 bar의 음역이다.
7) 夜总会 yèzǒnghuì: night club의 의역.

4 호텔 서비스

饭店服务
fàndiàn fú wù

서비스는 服务 fúwù라고 하며, 서비스를 담당하는 직원들을 服务员 fúwùyuán이라고 한다. 서비스 산업의 꽃이라 일컬어지는 호텔 산업은 고객의 만족을 최우선으로 생각하며, 고객을 위하여 최상의 서비스를 제공한다. 만족스런 서비스를 받은 손님은 그에 대한 보답으로 팁을 주는데 이를 小费 xiǎofèi라고 한다. 서비스업계에서는 흔히 "고객을 왕으로 모십니다"라는 모토를 내걸기도 하는데 중국어로는 "顾客是上帝 gùkè shì shàngdì"라고 한다.

기본대화

A: 喂你好! 这里是客房服务中心。
wèi nǐ hǎo zhè li shì kè fáng fú wù zhōng xīn

B: 503号房间, 想订早餐。
hào fáng jiān xiǎng dìng zǎo cān

A: 请问, 您要什么?
qǐng wèn nín yào shén me

B: 橙汁、咖啡、培根、鸡蛋, 还有烤面包。
chéng zhī kā fēi péi gēn jī dàn hái yǒu kǎo miàn bāo

A: 鸡蛋怎么做?
jī dàn zěn me zuò

B: 煎一下吧。
jiān yí xià ba

A: 别的还要什么吗?
bié de hái yào shén me ma

B: 好了, 够了。
hǎo le gòu le

A: 谢谢。
xiè xie

A: 안녕하세요, 룸서비스 센터입니다.

B: 503호실인데, 아침 식사를 주문하고 싶습니다.

A: 무엇으로 하시겠습니까?

B: 오렌지 주스, 커피, 베이컨, 계란, 그리고 토스트입니다.

A: 계란은 어떻게 해 드릴까요?

B: 프라이로 해 주세요.

A: 다른 것 또 필요하십니까?

B: 네, 됐습니다.

A: 감사합니다.

여러 가지 활용

Ⅰ. 짐 서비스 行李服务
xíng li fú wù

A: 我的行李在车的后备箱里, 能派一个人去拿过来吗?
wǒ de xíng li zài chē de hòu bèi xiāng li néng pài yí ge rén qù ná guò lái ma

B: 好, 我马上派人去。
hǎo wǒ mǎ shàng pài rén qù

C: 这是您的行李, 还有车钥匙。
zhè shì nín de xíng li hái yǒu chē yào shi

A: 谢谢。
xiè xie

C: 行李我拿吧。请到这边。
xíng li wǒ ná ba qǐng dào zhè biān

这就是909室, 您的房间。行李放在哪儿?
zhè jiù shì shì nín de fáng jiān xíng li fàng zài nǎr

A: 放在那个柜子上吧。谢谢, 这是小费。
fàng zài nà ge guì zi shang ba xiè xie zhè shì xiǎo fèi

C: 谢谢。那您休息吧。
xiè xie nà nín xiū xi ba

A: 제 짐이 자동차 트렁크 안에 있습니다. 사람을 보내 가져오게 할 수 있을까요?

B: 예, 곧 사람을 보내겠습니다.

C: 이것은 손님의 짐이고, 이것은 자동차 열쇠입니다.

A: 고마워요.

C: 짐은 제가 들겠습니다. 이쪽으로 오십시오.

여기가 909호실, 손님의 방입니다. 짐을 어디에 놓을까요?

A: 저 테이블 위에 놓으세요. 고마워요. 이건 팁이에요.

C: 감사합니다. 그럼 편안히 쉬십시오.

- 짐을 방까지 가져다 주시겠습니까?

能帮我把行李拿到房间吗?
néng bāng wǒ bǎ xíng li ná dào fáng jiān ma

- 이 트렁크를 1층 로비까지 운반해 주세요.

请把这个旅行箱拿到一楼大厅。
qǐng bǎ zhè ge lǚ xíng xiāng ná dào yì lóu dà tīng

- 이 가방은 제가 가지고 가겠어요.
  这个箱子我拿过去。
  zhè ge xiāng zi wǒ ná guò qù
- 미안하지만 포터 좀 불러줄 수 있을까요?
  麻烦您, 能叫一下行李员吗?
  má fan nín néng jiào yí xià xíng li yuán ma

입실할 때 入房时
rù fáng shí

- 예약하신 방으로 안내하겠습니다.
  我带您到预订的房间吧。
  wǒ dài nín dào yù dìng de fáng jiān ba
- 이것이 원하신 방입니다. 마음에 드십니까?
  这是您要的房间, 喜欢吗?
  zhè shì nín yào de fáng jiān xǐ huan ma
- 필요한 일이 있으시면 불러 주십시오.
  有什么需要, 叫我一声。
  yǒu shén me xū yào jiào wǒ yì shēng
- 필요한 일이 있으시면 말씀해 주십시오.
  您有什么需要, 尽管说。
  nín yǒu shén me xū yào jǐn guǎn shuō
- 편안히 쉬십시오.
  您好好儿休息吧。
  nín hǎo hāor xiū xi ba
- 틀림없이 마음에 드실 겁니다.
  您一定会满意的。
  nín yí dìng huì mǎn yì de

퇴실할 때 退房时
tuì fáng shí

A: 哪位?
nǎ wèi

B: 我是行李员, 听说您这里有行李。
wǒ shì xíng li yuán tīng shuō nín zhè li yǒu xíng li

A: 请进, 你拿那两个大包就可以了。剩下的由我来拿。
qǐng jìn nǐ ná nà liǎng ge dà bāo jiù kě yǐ le shèng xià de yóu wǒ lái ná

B: 是这两个吗?
shì zhè liǎng ge ma

A: 是的。你先下去, 我一会儿下去结账。
shì de nǐ xiān xià qù wǒ yí huìr xià qù jié zhàng

B: 我知道了。
wǒ zhī dào le

A: 누구세요?

B: 포터입니다. 짐이 있으시다고 들었습니다.

A: 들어오세요. 저 큰 가방 두 개를 좀 들어 주시면 됩니다. 나머지는 내가 가지고 갈 거니까요.

B: 이 두 개 말입니까?

A: 그래요. 먼저 내려가세요. 나도 곧 내려가서 계산할게요.

B: 알겠습니다.

Ⅱ. 세탁 서비스 洗衣服务
xǐ yī fú wù

- 세탁할 옷이 몇 개 있는데요.
  有几件衣服要洗。
  yǒu jǐ jiàn yī fu yào xǐ

- 언제 찾을 수 있을까요?
  什么时候可以取?
  shén me shí hou kě yǐ qǔ

- 내일 아침 8시까지 이 바지와 셔츠를 드라이클리닝할 수 있을까요?
  明天早上8点之前, 能把这件裤子和衬衫干洗一下吗?
  míng tiān zǎo shang diǎn zhī qián néng bǎ zhè jiàn kù zi hé chèn shān gān xǐ yí xià ma

- 이 바지를 다림질해 주세요.
  把这条裤子熨一下吧。
  bǎ zhè tiáo kù zi yùn yí xià ba

Ⅲ. 보관 서비스 保管服务
bǎo guǎn fú wù

A: 请把这个护照保管到退房为止。
qǐng bǎ zhè ge hù zhào bǎo guǎn dào tuì fáng wéi zhǐ

B: 那么，请放在这个信封里封一下吧。
nà me qǐng fàng zài zhè ge xìn fēng li fēng yí xià ba

A: 이 여권을 체크아웃할 때까지 보관해 주십시오.
B: 그럼, 이 봉투에 넣고 봉해 주십시오.

- 귀중품을 맡아 주실 수 있습니까?
  可以保管一下贵重物品吗?
  kě yǐ bǎo guǎn yí xià guì zhòng wù pǐn ma
- 죄송하지만 이것을 맡아 주실 수 있습니까?
  麻烦您，能把这个保管一下吗?
  má fan nín néng bǎ zhè ge bǎo guǎn yí xià ma
- 이 짐을 잠시 맡길 수 있습니까?
  这个东西能暂时保管吗?
  zhè ge dōng xi néng zàn shí bǎo guǎn ma
- 금고를 사용하고 싶은데요.
  我想用保险箱。
  wǒ xiǎng yòng bǎo xiǎn xiāng
- 보관증을 줄 수 있습니까?
  可以给我保管单吗?
  kě yǐ gěi wǒ bǎo guǎn dān ma
- 이 보관함 열쇠를 잘 간직하셔야 합니다.
  这把保管箱的钥匙你一定要收好。[1)]
  zhè bǎ bǎo guǎn xiāng de yào shi nǐ yí dìng yào shōu hǎo
- 보관함의 물건을 찾으러 왔습니다.
  我来拿箱里的东西。
  wǒ lái ná xiāng li de dōng xi

Ⅳ. 환전 서비스 兑换服务
duì huàn fú wù

- 환전소는 어디 있습니까?
  外币兑换台在哪里?
  wài bì duì huàn tái zài nǎ li
- 호텔 안에 환전하는 곳이 있습니까?
  酒店里有兑换外币的地方吗?
  jiǔ diàn li yǒu duì huàn wài bì de dì fang ma

---

1) 把 bǎ: 여기서는 钥匙의 양사(量词)로 쓰임.

- 1,000달러입니다. 인민폐로 바꿔 주세요.
  这是1000美元，请换成人民币。
  zhè shì měi yuán qǐng huàn chéng rén mín bì

- 인민폐를 달러로 바꿔 주시겠습니까?
  请把人民币换成美元好吗?
  qǐng bǎ rén mín bì huàn chéng měi yuán hǎo ma

- 이것을 잔돈으로 바꿔 주세요.
  请把这些换成零钱。
  qǐng bǎ zhè xiē huàn chéng líng qián

- 한국 돈을 인민폐로 바꿀 수 있습니까?
  能不能把韩币兑换成人民币?
  néng bu néng bǎ hán bì duì huàn chéng rén mín bì

V. 전화 서비스 电话服务
diàn huà fú wù

▶ 장거리 전화를 걸 때 打长途电话
dǎ cháng tú diàn huà

A: 你好，这是总机，有什么需要帮忙的吗?
nǐ hǎo zhè shì zǒng jī yǒu shén me xū yào bāng máng de ma
B: 想用对方付款的方式往首尔打电话。
xiǎng yòng duì fāng fù kuǎn de fāng shì wǎng shǒu ěr dǎ diàn huà
A: 请告诉我对方的姓名和电话号码。
qǐng gào su wǒ duì fāng de xìng míng hé diàn huà hào mǎ
B: 是首尔的2266-2729，叫金永先生。
shì shǒu ěr de jiào jīn yǒng xiān sheng

A: 안녕하세요, 교환실입니다. 무엇을 도와 드릴까요?
B: 콜랙트콜로 서울에 전화 걸고 싶은데요.
A: 상대방의 전화번호와 성함을 알려 주십시오.
B: 서울의 2266-2729, 김영 선생입니다.

- 한국으로 전화를 걸고 싶은데요.
  我想往韩国打电话。
  wǒ xiǎng wǎng hán guó dǎ diàn huà

- 바로 연결할 수 있습니까?
  能马上连接吗?
  néng mǎ shàng lián jiē ma

▶ **통화 방식 通话方式**
tōng huà fāng shì

• 지명 통화로 연결해 주세요.
请给我联系一下叫人电话。[2)]
qǐng gěi wǒ lián xì yí xià jiào rén diàn huà

• 콜렉트콜로 연결해 주세요.
请给我联系一下对方付费电话。
qǐng gěi wǒ lián xì yí xià duì fāng fù fèi diàn huà

• 지불은 상대편에서 하도록 해 주세요.
电话费让对方付吧。
diàn huà fèi ràng duì fāng fù ba

• 이 전화는 IP카드를 쓸 수 있습니까?
这电话能用IP卡吗?
zhè diàn huà néng yòng kǎ ma

▶ **통화 요금 通话费**
tōng huà fèi

• 언제 전화를 하면 가장 저렴합니까?
什么时候打电话最便宜?
shén me shí hou dǎ diàn huà zuì pián yi

• 지금 전화하면 1분당 얼마입니까?
现在打电话, 一分钟多少钱?
xiàn zài dǎ diàn huà yì fēn zhōng duō shao qián

• 조금 전의 통화 요금이 얼마지요?
请问刚才的通话费是多少?
qǐng wèn gāng cái de tōng huà fèi shì duō shao

• 방금 뉴욕에 건 통화 요금을 알려 주십시오.
请查一下刚刚往纽约打电话的费用。
qǐng chá yí xià gāng gāng wǎng niǔ yuē dǎ diàn huà de fèi yong

• 몇 시부터 할인 요금이 적용됩니까?
从几点开始是优惠价?
cóng jǐ diǎn kāi shǐ shì yōu huì jià

• 지명 통화의 요금도 같습니까?
叫人通话的费用也是一样吗?
jiào rén tōng huà de fèi yong yě shì yí yàng ma

---

2) 叫人电话 jiàorén diànhuà: 지명 통화. 국제 전화를 할 때 자신이 지명한 사람과 통화가 되었을 때에만 요금을 지불하는 제도. = 指名电话 zhǐmíng diànhuà.

연결을 기다릴 때 等待转接时
děng dài zhuǎn jiē shí

- 전화를 끊고 기다려 주세요.
  请放下电话等吧。
  qǐng fàng xià diàn huà děng ba
- 곧 연결시켜 드리겠습니다.
  马上给您联系。
  mǎ shàng gěi nín lián xì
- 지금 연결 중입니다. 잠시만 기다려 주십시오.
  现在正联系, 稍等一会儿吧。
  xiàn zài zhèng lián xì shāo děng yí huìr ba

연결되었을 때 已经接通时
yǐ jīng jiē tōng shí

- 연결되었습니다. 말씀하세요.
  打通了, 请说话。
  dǎ tōng le qǐng shuō huà
- 상대방과 연결되었습니다. 말씀하세요.
  对方接电话了, 请讲。
  duì fāng jiē diàn huà le qǐng jiǎng

통화 중에 전화가 끊어졌을 때 通话中断时
tōng huà zhōng duàn shí

- 서울과 통화 중에 갑자기 전화가 끊어졌습니다.
  我在跟首尔通话时, 突然电话断了。
  wǒ zài gēn shǒu ěr tōng huà shí tū rán diàn huà duàn le
- 전화가 끊어졌습니다. 다시 연결해 주세요.
  电话断了, 再接一下吧。
  diàn huà duàn le zài jiē yí xià ba
- 잠시만요, 지금 부탁하신 번호를 발신하고 있습니다.
  稍等, 正在拨您所要的电话号码。
  shāo děng zhèng zài bō nín suǒ yào de diàn huà hào mǎ
- 전화가 고장난 것 같군요. 연결할 때마다 끊어집니다.
  电话好像坏了。每次连接时都会断。
  diàn huà hǎo xiàng huài le měi cì lián jiē shí dōu huì duàn

▶ 기타 其他
qí tā

A: 请转一下505房间。
qǐng zhuǎn yí xià fáng jiān
B: 您直接按505就可以了。
nín zhí jiē àn jiù kě yǐ le

A: 505호실을 바꿔 주세요.
B: 직접 505를 누르시면 됩니다.

- IP카드로 전화하고 싶은데요.
我想用IP卡打电话。
wǒ xiǎng yòng kǎ dǎ diàn huà

- 이 전화로 미국에 직통 전화를 할 수 있습니까?
用这部电话, 能往美国直拨吗?
yòng zhè bù diàn huà néng wǎng měi guó zhí bō ma

- 급하니 빨리 좀 부탁합니다.
我很着急, 请快一点儿, 好吗?
wǒ hěn zháo jí qǐng kuài yì diǎnr hǎo ma

- 방금 신청한 국제 전화를 취소하려고 합니다.
我想取消刚才申请的国际长途。
wǒ xiǎng qǔ xiāo gāng cái shēn qǐng de guó jì cháng tú

Ⅵ. 모닝콜 서비스 叫醒服务
jiào xǐng fú wù

A: 这是1302房间。你能明天早上5点半叫醒我吗?
zhè shì fáng jiān nǐ néng míng tiān zǎo shang diǎn bàn jiào xǐng wǒ ma
B: 好的, 知道了。祝您晚安!
hǎo de zhī dào le zhù nín wǎn ān

A: 1302호실인데요. 내일 아침 5시 반에 깨워 주시겠습니까?
B: 예, 알겠습니다. 안녕히 주무십시오.

- 내일 아침 6시에 깨워 주시겠습니까?
明天早上6点把我叫醒好吗?
míng tiān zǎo shang diǎn bǎ wǒ jiào xǐng hǎo ma

- 제가 잠이 좀 깊으니 전화를 받을 때까지 계속해 주세요.
  我睡觉很死，你一定要到我接电话为止。
  wǒ shuì jiào hěn sǐ, nǐ yí dìng yào dào wǒ jiē diàn huà wéi zhǐ

- 안녕하세요? 모닝콜 서비스입니다. 일어나셨습니까?
  早上好！叫醒服务。您起来了吗？
  zǎo shang hǎo jiào xǐng fú wù nín qǐ lái le ma

VI. 룸서비스 送餐服务
sòng cān fú wù

- 지금 아침 식사를 주문할 수 있습니까?
  现在还可以订早餐吗？
  xiàn zài hái kě yǐ dìng zǎo cān ma

- 여기는 702호실인데 아침 식사를 갖다 주시겠습니까?
  这里是702号房间，可以送早餐上来吗？
  zhè li shì hào fáng jiān kě yǐ sòng zǎo cān shàng lái ma

- 8시에 룸에서 아침 식사를 하겠습니다.
  8点我要在房间里吃早餐。
  diǎn wǒ yào zài fáng jiān li chī zǎo cān

- 맥주 다섯 병을 주문했는데 아직 안 왔습니다. 빨리 좀 갖다 주시겠습니까?
  我订的5瓶啤酒还没来，能快点儿吗？
  wǒ dìng de píng pí jiǔ hái méi lái néng kuài diǎnr ma

- 얼음과 컵 2개를 가져다 주시겠습니까?
  请帮我拿一下冰块儿和两个杯子。
  qǐng bāng wǒ ná yí xià bīng kuàir hé liǎng ge bēi zi

- 아이스커피 두 잔 부탁합니다.
  我要两杯冰咖啡。
  wǒ yào liǎng bēi bīng kā fēi

VII. 기타 서비스 其他服务
qí tā fú wù

▶ 객실 카드 키 房卡
fáng kǎ

- 객실 카드 키를 방에 둔 채 문을 잠갔습니다. 문 좀 열어 주세요.
  我把房卡落在房里了，请帮我开一下门。[3)]
  wǒ bǎ fáng kǎ là zài fáng li le qǐng bāng wǒ kāi yí xià mén

---

3) 落 là: 빠뜨리다, 놓아두고 잊어버리다, 잊고 가져오지 않다. 이 때는 luò가 아닌 là로 발음한다.

- 문이 안에서 잠겼는데 어떻게 하지요?
  门从里面反锁了，怎么办?
  mén cóng lǐ miàn fǎn suǒ le zěn me bàn

- 방에 객실 카드 키를 두고 나왔습니다.
  把房卡落在房里了。
  bǎ fáng kǎ là zài fáng li le

- 방 열쇠를 잃어버렸어요.
  房间钥匙弄丢了。
  fáng jiān yào shi nòng diū le

- (외출할 때) 여기 802호 카드 키입니다.
  (出去时) 这是802号房卡，给你。
  chū qù shí zhè shì hào fáng kǎ gěi nǐ

- (돌아왔을 때) 1712호실 열쇠 주세요.
  (回来时) 请给我1712号钥匙。
  huí lái shí qǐng gěi wǒ hào yào shi

기타 其他
qí tā

- 이 호텔의 주소를 알려 주세요.
  请告诉我这家酒店的地址。
  qǐng gào su wǒ zhè jiā jiǔ diàn de dì zhǐ

- 이 호텔 명함 한 장 주세요.
  请给我一张这家酒店的名片。
  qǐng gěi wǒ yì zhāng zhè jiā jiǔ diàn de míng piàn

- 이 지방을 소개하는 지도가 있습니까?
  有介绍这个地方的地图吗?
  yǒu jiè shào zhè ge dì fang de dì tú ma

- 영화를 볼 수 있습니까?
  我能看影片吗?
  wǒ néng kàn yǐng piàn ma

- 방을 청소해 주세요.
  请把房间打扫一下。
  qǐng bǎ fáng jiān dǎ sǎo yí xià

- 방해하지 마십시오.
  请勿打扰。[4)]
  qǐng wù dǎ rǎo

4) 조용히 쉬고 싶을 때, 또는 타인들로부터 방해를 받고 싶지 않을 때 객실 문 앞에 "清勿打扰"라고 써진 팻말을 걸어 놓으면 된다.

5 불편 신고 投诉 tóu sù

호텔은 서비스 산업의 꽃(服务产业的奇葩 fúwù chǎnyède qípā)이라고도 할 만큼 고객의 만족을 최우선(顾客至上 gùkè zhìshàng)으로 하고 있다. 그러나 많은 사람을 접대하는 일이기에 모든 고객의 요구를 다 만족시키기란 매우 어려운 일이다. 그러므로 어쩔 수 없이 고객들이 불만족한 상황이 발생되기도 하는데 이 때에는 불편 신고 제도를 통하여 문제를 해결할 수 있다.

기 본 대 화

A: 您好! 客房部, 您有什么事吗?
nín hǎo kè fáng bù nín yǒu shén me shì ma

B: 淋浴时出不来热水。
lín yù shí chū bu lái rè shuǐ

A: 真对不起, 我们马上给您修。请告诉我您的房间号。
zhēn duì bu qǐ wǒ men mǎ shàng gěi nín xiū qǐng gào su wǒ nín de fáng jiān hào

B: 902室。
shì

A: 안녕하세요, 객실부입니다. 무엇을 도와 드릴까요?
B: 샤워할 때 더운물이 나오지 않습니다.
A: 죄송합니다. 바로 수리해 드리겠습니다. 객실 번호를 알려 주세요.
B: 902호실입니다.

여러 가지 활용

I. 객실 설비 客房设备 kè fáng shè bèi

▶ 온도 조절 调节温度 tiáo jié wēn dù

- 방이 너무 덥습니다.
  房间太热了。
  fáng jiān tài rè le

- 방 온도를 어떻게 조절합니까?
  怎样调节房间的温度?
  zěn yàng tiáo jié fáng jiān de wēn dù

- 이 방은 난방이 잘 안되는군요. 얼어 죽겠어요.
这间房的暖气不热，我都快冻死了。
zhè jiān fáng de nuǎn qì bú rè wǒ dōu kuài dòng sǐ le

▶ **화장실 卫生间**
wèi shēng jiān

- 화장실이 너무 더럽습니다.
洗手间太脏。
xǐ shǒu jiān tài zāng

- 욕실의 배수관에 문제가 있는 것 같아요. 물이 빠지지 않습니다.
好像浴室的排水管有点问题，无法排水。
hǎo xiàng yù shì de pái shuǐ guǎn yǒu diǎn wèn tí wú fǎ pái shuǐ

- 욕실에 수건이 없군요.
浴室里没有浴巾。
yù shì li méi yǒu yù jīn

- 변기가 막혔어요.
马桶堵了。
mǎ tǒng dǔ le

- 비누(칫솔 · 치약)가 없습니다.
没有香皂(牙刷 · 牙膏)。
méi yǒu xiāng zào yá shuā yá gāo

- 문손잡이가 고장 나서 문이 잠기지 않아요.
把手坏了，锁不了门。
bǎ shǒu huài le suǒ bu liǎo mén

Ⅱ. 도난 · 분실 失窃/遗失
shī qiè yí shī

- 제 지갑과 여권을 몽땅 잃어버렸어요.
我的钱包和护照都丢了。
wǒ de qián bāo hé hù zhào dōu diū le

- 누가 제 여행 가방을 가지고 갔는지 모르겠군요.
不知道谁把我的旅行包拿走了。
bù zhī dào shéi bǎ wǒ de lǚ xíng bāo ná zǒu le

- 가방을 도둑맞았습니다.
我的包被偷了。
wǒ de bāo bèi tōu le

- 외출 중에 제 방에 도둑이 들었습니다.
外出时，我的房间被盗了。
wài chū shí wǒ de fáng jiān bèi dào le

- 카메라가 보이지 않아요.
  相机不见了。
  xiàng jī bú jiàn le

Ⅲ. 불편 사항 不便事项
bú biàn shì xiàng

- TV가 켜지지 않아요.
  电视打不开。
  diàn shì dǎ bu kāi

- 창문이 잘 열리지 않아요.
  窗户很难打开。
  chuāng hu hěn nán dǎ kāi

- 베개가 하나 부족해요.
  少一个枕头。
  shǎo yí ge zhěn tou

- 뜨거운 물을 가져다 줄 수 있습니까?
  能送热水吗?
  néng sòng rè shuǐ ma

- 냉장고 냉동 장치가 고장났어요.
  冰箱的冷冻装置坏了。
  bīng xiāng de lěng dòng zhuāng zhì huài le

- 침대가 너무 딱딱하고 삐걱삐걱 소리가 나요.
  床太硬, 老咯吱咯吱响。
  chuáng tài yìng lǎo gē zhī gē zhī xiǎng

- 옆방에서 너무 떠들어요.
  隔壁房间太吵了。
  gé bì fáng jiān tài chǎo le

- 호텔의 실제 상황이 인터넷에서 소개된 것과 너무나 다릅니다.
  饭店的实际情况和网上介绍的大相径庭。[1)]
  fàn diàn de shí jì qíng kuàng hé wǎng shang jiè shào de dà xiāng jìng tíng

- 당신들의 서비스는 너무나 형편없군요.
  你们的服务质量太差了。
  nǐ men de fú wù zhì liáng tài chà le

- 5성급 호텔의 기준에 전혀 맞지 않는군요.
  根本不符合五星级饭店的标准。
  gēn běn bù fú hé wǔ xīng jí fàn diàn de biāo zhǔn

---

1) 大相径庭 dà xiāng jìng tíng: 아주 큰 차이가 나다. 매우 동떨어지다.

6 체크아웃

退房
tuì fáng

체크아웃을 할 때에는 먼저 프런트에 가서 수속을 밟아야 하는데, 이 때에는 객실 내의 비품에 대한 체크도 하게 된다. 만일 객실 내의 비품이 손상되었거나 분실된 경우에는 배상(赔偿 péicháng)을 하여야 한다. 체크아웃은 대개 정오 12시를 기준으로 하게 되어 있으므로, 시간을 넘길 경우에는 사전에 협의를 하는 것이 좋다.

기 본 대 화

A: 我要退房，请结一下账。
wǒ yào tuì fáng qǐng jié yí xià zhàng

B: 请说一下姓名和房间号。
qǐng shuō yí xià xìng míng hé fáng jiān hào

A: 507号房间的蔡勇飞。
hào fáng jiān de cài yǒng fēi

B: 请稍等。这是结算单。包括税和服务费一共两千元。
qǐng shāo děng zhè shì jié suàn dān bāo kuò shuì hé fú wù fèi yí gòng liǎng qiān yuán

A: 付款用旅行支票可以吗?
fù kuǎn yòng lǚ xíng zhī piào kě yǐ ma

B: 当然可以，住宿期间有没有不满意的地方?
dāng rán kě yǐ zhù sù qī jiān yǒu méi yǒu bù mǎn yì de dì fang

A: 没有，我非常满意。
méi yǒu wǒ fēi cháng mǎn yì

B: 随时欢迎您再来。非常感谢您的光临。
suí shí huān yíng nín zài lái fēi cháng gǎn xiè nín de guāng lín

A: 谢谢，这次真麻烦你们了。
xiè xie zhè cì zhēn má fan nǐ men le

A: 체크아웃하려는데 계산해 주세요.
B: 성함과 객실 번호를 말씀해 주십시오.
A: 507호실의 차이용페이 입니다.
B: 잠시만 기다려 주십시오. 여기 계산서입니다. 세금과 봉사료를 포함해서 전부 2,000위안입니다.
A: 여행자 수표로 지불할 수 있습니까?
B: 물론입니다. 투숙하시는 동안 불편한 점은 없으셨습니까?
A: 없었습니다. 아주 만족스러웠어요.
B: 언제라도 또 오십시오. 찾아 주셔서 감사드립니다.
A: 고맙습니다. 여러 가지로 신세 많았습니다.

여러 가지 활용

Ⅰ. 체크아웃 할 때 退房时
tuì fáng shí

▶ 객실 비품 확인 清点物品
qīng diǎn wù pǐn

A: 对不起, 我昨天把保温瓶摔碎了。
duì bu qǐ wǒ zuó tiān bǎ bǎo wēn píng shuāi suì le

B: 是吗? 真不好意思, 摔碎的东西要赔偿的。
shì ma zhēn bù hǎo yì si shuāi suì de dōng xi yào péi cháng de

A: 미안합니다만 어젯밤 보온병을 깨뜨렸습니다.
B: 그렇습니까? 죄송하지만 깨뜨리신 물건은 배상하셔야 합니다.

- 목욕 타월이 한 장 보이지 않습니다.
  一条浴巾不见了。
  yì tiáo yù jīn bú jiàn le
- 냉장고의 맥주 2캔과 사이다 1병을 드셨지요?
  您喝了冰箱里的两罐啤酒和一瓶雪碧, 是吧?
  nín hē le bīng xiāng li de liǎng guàn pí jiǔ hé yì píng xuě bì shì ba
- 냉장고 안의 음료는 건드리지도 않았습니다.
  冰箱里的饮料碰都没碰过。
  bīng xiāng li de yǐn liào pèng dōu méi pèng guo

▶ 비용 결산 结账
jié zhàng

- 체크아웃 하겠습니다. 전부 얼마인지 계산해 주세요.
  我想退房。请结算一下一共多少钱。
  wǒ xiǎng tuì fáng qǐng jié suàn yí xià yí gòng duō shao qián
- 30분 후에 체크아웃 하겠으니 계산을 해 주십시오.
  我要三十分钟以后退房, 请准备结算。
  wǒ yào sān shí fēn zhōng yǐ hòu tuì fáng qǐng zhǔn bèi jié suàn
- 계산서 좀 주시겠어요?
  能给我结算单吗?
  néng gěi wǒ jié suàn dān ma

▶ **계산이 틀릴 때** **结算错误时**
jié suàn cuò wù shí

- 계산이 틀린 것 같아요.
好像算错了。
hǎo xiàng suàn cuò le

- 이것은 무슨 요금입니까?
这是什么费用?
zhè shì shén me fèi yong

- 저는 룸서비스를 주문한 일이 없는데요.
我没有叫过客房服务。
wǒ méi yǒu jiào guo kè fáng fú wù

- 이것은 505호실의 계산서군요. 저는 503호실입니다.
这是505室的结算单, 我的房间是503室。
zhè shì shì de jié suàn dān wǒ de fáng jiān shì shì

- 저는 국제 전화를 걸지 않았는데 청구서에는 기재되어 있군요. 어떻게 된 거죠?
我没有打过国际长途, 结算单上却记了。怎么回事呀?
wǒ méi yǒu dǎ guo guó jì cháng tú jié suàn dān shang què jì le zěn me huí shì ya

▶ **지불할 때** **付款时**
fù kuǎn shí

- 신용 카드로 지불할 수 있습니까?
能用信用卡付款吗?
néng yòng xìn yòng kǎ fù kuǎn ma

- 수표로 지불해도 됩니까?
用支票付款可以吗?
yòng zhī piào fù kuǎn kě yǐ ma

- 카드로 긁어도 됩니까?
刷卡可以吗?
shuā kǎ kě yǐ ma

- 1205호실인데요, 청구서는 준비됐습니까?
是1205号房间, 账单准备好了吗?
shì hào fáng jiān zhàng dān zhǔn bèi hǎo le ma

- 여기 영수증입니다.
给您发票。
gěi nín fā piào

Ⅱ. 체크아웃 연장 延迟退房
yán chí tuì fáng

A: 打扰一下。麻烦您一件事。
dǎ rǎo yí xià má fan nín yí jiàn shì

B: 什么事? 我会尽力帮助您的。
shén me shì wǒ huì jìn lì bāng zhù nín de

A: 我订的飞机, 下午7点才起飞。所以想把退房时间延长三个小时。
wǒ dìng de fēi jī xià wǔ diǎn cái qǐ fēi suǒ yǐ xiǎng bǎ tuì fáng shí jiān yán cháng sān ge xiǎo shí

B: 真不巧, 今天房间很紧, 只能延长一个小时。
zhēn bù qiǎo jīn tiān fáng jiān hěn jǐn zhǐ néng yán cháng yí ge xiǎo shí

A: 可以, 太感谢您了。
kě yǐ tài gǎn xiè nín le

A: 실례합니다. 한 가지 부탁드릴 일이 있어서요.

B: 무슨 일입니까? 힘 닿는 대로 도와 드리겠습니다.

A: 예약한 비행기가 오후 7시에 출발합니다. 그래서 체크아웃 시간을 3시간 연장할까 해서요.

B: 공교롭게도 오늘 방이 여유가 없어서 한 시간만 연장이 가능합니다.

A: 괜찮습니다. 정말 감사합니다.

- 1시간만 더 연장해 줄 수 있겠습니까?
你能给我再推迟一个小时吗?
nǐ néng gěi wǒ zài tuī chí yí ge xiǎo shí ma

- 일정이 변경되어 오후 5시에 체크아웃을 하고 싶습니다.
我的日程安排临时改变了, 所以我想到5点再退房。
wǒ de rì chéng ān pái lín shí gǎi biàn le suǒ yǐ wǒ xiǎng dào diǎn zài tuì fáng

- 이 방은 이미 다른 손님이 예약했기 때문에 연장이 불가능합니다.
因为这个房间已经有人预订了, 所以不能延迟。
yīn wèi zhè ge fáng jiān yǐ jīng yǒu rén yù dìng le suǒ yǐ bù néng yán chí

- 주말이라 연장은 곤란하고, 짐은 보관해 드릴 수 있습니다.
周六不能推迟, 只能帮您保管行李。
zhōu liù bù néng tuī chí zhǐ néng bāng nín bǎo guǎn xíng li

Ⅲ. 호텔을 떠나며 离开宾馆时
lí kāi bīn guǎn shí

A: 谢谢光临我们饭店。再见!
xiè xie guāng lín wǒ men fàn diàn zài jiàn
B: 呆这儿几天, 挺满意的。再见!
dāi zhèr jǐ tiān tǐng mǎn yì de zài jiàn
A: 谢谢。欢迎下次再来。
xiè xie huān yíng xià cì zài lái

A: 저희 호텔을 이용해 주셔서 감사합니다. 안녕히 가세요.
B: 이곳에서 며칠 머무는 동안 매우 만족했어요. 안녕히 계세요.
A: 감사합니다. 다음에 또 오세요.

- 사람을 보내 짐을 가져오게 할까요?
  需要派人去拿行李吗?
  xū yào pài rén qù ná xíng li ma
- 짐은 저기 있습니다. 저 커다란 슈트케이스를 들어 주시면 됩니다.
  行李在那里, 拿那个大的衣箱就可以了。
  xíng li zài nà li ná nà ge dà de yī xiāng jiù kě yǐ le
- 방에다 물건을 두고 나왔군요.
  我把东西落在房间里了。
  wǒ bǎ dōng xi là zài fáng jiān li le
- 객실 카드 키를 열쇠 구멍에 꽂아 두었어요.
  房卡插在钥匙孔里了。
  fáng kǎ chā zài yào shi kǒng li le
- 포터를 불러 주시겠어요?
  请帮我叫行李员?
  qǐng bāng wǒ jiào xíng li yuán
- 가방을 현관까지 운반해 주세요.
  请把包搬到大门口。
  qǐng bǎ bāo bān dào dà mén kǒu
- 택시를 좀 불러 주세요.
  请叫一下出租车。
  qǐng jiào yí xià chū zū chē

7 프런트

前台
qián tái

프런트는 **前台** qiántái, **前厅** qiántīng 또는 **总服务台** zǒngfúwùtái라고 한다. **前台** qiántái는 호텔의 **大堂** dàtáng(또는 **大厅** dàtīng, 로비)에 위치하여 있으며, 주로 **入住/退房办理业务** rùzhù tuìfáng bànlǐ yèwù(체크인/체크아웃 업무), **结账业务** jiézhàng yèwù(결제 업무), **贵重物品存放业务** guìzhòng wùpǐn cúnfàng yèwù(귀중품 보관 업무), **外币兑换业务** wàibì duìhuàn yèwù(외환 업무) 등을 담당한다. 그 밖에 호텔 이용에 관한 안내와 여행 등에 관한 자문 등 호텔을 이용하는 손님들에 대한 전반적인 서비스를 제공하기도 한다.

기 본 대 화

A: 您好! 这里是前台, 有什么事吗?
nín hǎo zhè li shì qián tái yǒu shén me shì ma

B: 能帮我确认一下从上海来的金仁先生是住在你们酒店吗?
néng bāng wǒ què rèn yí xià cóng shàng hǎi lái de jīn rén xiān sheng shì zhù zài nǐ men jiǔ diàn ma

A: 请稍等, 我查一下。
qǐng shāo děng wǒ chá yí xià

对, 他住在209号房间, 现在不在, 您有什么话要转告他吗?
duì tā zhù zài hào fáng jiān xiàn zài bú zài nín yǒu shén me huà yào zhuǎn gào tā ma

B: 如果金仁先生回来的话, 请转告他, 李明来找过。
rú guǒ jīn rén xiān sheng huí lái de huà qǐng zhuǎn gào tā lǐ míng lái zhǎo guo

A: 好的, 我一定转告他。
hǎo de wǒ yí dìng zhuǎn gào tā

A: 안녕하십니까! 프런트입니다. 무엇을 도와 드릴까요?

B: 상하이에서 온 진런 씨가 이 호텔에 투숙하고 있는지 확인해 주시겠습니까?

A: 잠깐만 기다려 주십시오. 확인해 보겠습니다.
네, 209호실에 묵고 계시는데 지금은 외출 중이시군요. 전할 말씀이라도 있으신지요?

B: 진런 씨가 돌아오면 리밍이 찾아왔었다고 전해 주십시오.

A: 알겠습니다. 꼭 전해 드리겠습니다.

여러 가지 활용

I. 프런트　前台
qián tái

▶ 전화 · 방문객 확인　查询来电来访
chá xún lái diàn lái fǎng

• 제게 온 전화가 없었습니까? / 제게 온 메시지가 있습니까?
有没有我的电话? / 有给我的留言吗?
yǒu méi yǒu wǒ de diàn huà　yǒu gěi wǒ de liú yán ma

• 제가 외출해 있는 동안 저를 찾은 사람이 있습니까?
我外出期间有人找过我吗?
wǒ wài chū qī jiān yǒu rén zhǎo guo wǒ ma

• 리밍이란 사람이 찾아왔었습니까?
有个叫李明的来过吗?
yǒu ge jiào lǐ míng de lái guo ma

▶ 투숙객 확인　确认住宿客人
què rèn zhù sù kè rén

• 투숙객 중에 진런 씨라는 분이 있습니까?
住宿客人当中, 有一位叫金仁的先生吗?
zhù sù kè rén dāng zhōng　yǒu yí wèi jiào jīn rén de xiān sheng ma

• 이 전화를 진런 씨의 방에 연결해 주시겠습니까?
把这个电话转到金仁先生的房间, 可以吗?
bǎ zhè ge diàn huà zhuǎn dào jīn rén xiān sheng de fáng jiān　kě yǐ ma

• 예약은 되어 있는데 사람은 아직 도착하지 않았습니다.
已经预订了, 但是人还没有到。
yǐ jīng yù dìng le　dàn shì rén hái méi yǒu dào

▶ 방이 다 찼을 때　酒店住满时
jiǔ diàn zhù mǎn shí

• 조금 더 기다려 보면 빈방이 나올 수도 있을까요?
我再等等, 看能否找到空余的房间?
wǒ zài děng deng　kàn néng fǒu zhǎo dào kòng yú de fáng jiān

• 다른 호텔을 좀 연결해 주실 수 있겠습니까? 여관이라도 상관없습니다.
你能帮我联系其他酒店吗? 旅馆也没关系。
nǐ néng bāng wǒ lián xì qí tā jiǔ diàn ma　lǚ guǎn yě méi guān xi

• 그 호텔도 시설이 괜찮아요. 저희가 연결해 드릴 수 있습니다.
那家酒店设备也很好。我们可以帮你联系。
nà jiā jiǔ diàn shè bèi yě hěn hǎo　wǒ men kě yǐ bāng nǐ lián xì

Ⅱ. 투숙 기간 변경 变更住宿时间
biàn gēng zhù sù shí jiān

- 출발을 하루 앞당기고 싶은데요.
  我想提前一天离开。
  wǒ xiǎng tí qián yì tiān lí kāi

- 하룻밤 더 묵고 싶은데요. / 이틀 더 머무르고 싶은데요.
  我想多住一天。/ 我想多呆两天。[1)]
  wǒ xiǎng duō zhù yì tiān wǒ xiǎng duō dāi liǎng tiān

- 급한 일이 있어 일찍 떠나려 합니다.
  因为有急事, 所以我想早点儿离开。
  yīn wèi yǒu jí shì suǒ yǐ wǒ xiǎng zǎo diǎnr lí kāi

Ⅲ. 사람을 찾을 때 在酒店找人时
zài jiǔ diàn zhǎo rén shí

A: 有什么可以帮助您的吗?
yǒu shén me kě yǐ bāng zhù nín de ma

B: 我想找503号房间的金先生。
wǒ xiǎng zhǎo hào fáng jiān de jīn xiān sheng

A: 您贵姓?
nín guì xìng

B: 我是李华, 请转告他我正在大厅等他。
wǒ shì lǐ huá qǐng zhuǎn gào tā wǒ zhèng zài dà tīng děng tā

A: 무엇을 도와드릴까요?

B: 503호실의 김 선생님을 찾는데요.

A: 성함이 어떻게 되시죠?

B: 저는 리화라고 하는데, 제가 로비에서 기다린다고 전해 주십시오.

- 누구를 찾으십니까?
  请问您找谁?
  qǐng wèn nín zhǎo shéi

- 어제 한국에서 온 김 선생님이 여기에 투숙하고 계십니까?
  昨天, 有位从韩国来的金先生住在这儿吗?
  zuó tiān yǒu wèi cóng hán guó lái de jīn xiān sheng zhù zài zhèr ma

- 말씀 좀 묻겠는데, 조금 전 한국 단체 여행객이 도착해 여기에 묵고 있나요?

---

1) 呆 dāi: '머무르다, 체재하다.' 이밖에 '멍청하다, 무표정하다'의 뜻도 있다. 예) 你发什么呆啊 nǐ fā shénme dāi a?(너 멍청히 뭐하고 있니?)

请问，刚才有支韩国旅行团来这儿住宿吗?
qǐng wèn gāng cái yǒu zhī hán guó lǚ xíng tuán lái zhèr zhù sù ma

- 선생님, 어떤 손님께서 로비에서 기다리고 계십니다.
先生，有位客人在大厅等您。
xiān sheng yǒu wèi kè rén zài dà tīng děng nín

- 누가 저를 찾아오면 로비에서 기다리라고 해 주세요.
要是谁来找我的话，请他在大厅等一会儿。
yào shi shéi lái zhǎo wǒ de huà qǐng tā zài dà tīng děng yí huìr

참고 관련 용어

- 호텔 酒店, 饭店, 宾馆 jiǔ diàn, fàn diàn, bīn guǎn
- 모텔 旅馆, 旅店 lǚ guǎn, lǚ diàn
- 프런트 前台, 前厅, 总服务台 qián tái, qián tīng, zǒng fú wù tái
- 로비 大堂, 大厅 dà táng, dà tīng
- 객실 客房 kè fáng
- single room 单人房 dān rén fáng
- twin room 双人房 shuāng rén fáng
- double room 大床房 dà chuáng fáng
- standard room 标准房 biāo zhǔn fáng
- executive room 行政房 xíng zhèng fáng
- deluxe suite 普通套房 pǔ tōng tào fáng
- royal suite 皇家套房 huáng jiā tào fáng
- presidential suite 总统套房 zǒng tǒng tào fáng
- suite room 豪华套间 háo huá tào jiān
- 전망이 좋은 방 观景房 guān jǐng fáng
- 예약하다 订, 预订 dìng, yù dìng
- 변경 更改 gēng gǎi
- 취소 取消 qǔ xiāo
- 체크인 入房登记 rù fáng dēng jì
- 체크아웃 退房登记 tuì fáng dēng jì
- 결제 结账 jié zhàng
- 숙박 요금 住宿费 zhù sù fèi
- 식당 시설 餐饮设施 cān yǐn shè shī
- 위락 시설 休闲设施 xiū xián shè shī
- 양식당 西餐厅 xī cān tīng
- 중식당 中餐厅 zhōng cān tīng
- 커피숍 咖啡屋 kā fēi wū
- 바 酒吧 jiǔ bā
- 수영장 游泳池 yóu yǒng chí
- 헬스클럽 健身房 jiàn shēn fáng
- 마사지 센터 按摩中心 àn mó zhōng xīn
- 비즈니스 센터 商务中心 shāng wù zhōng xīn
- 회의 센터 会议中心 huì yì zhōng xīn
- 세탁 서비스 洗衣服务 xǐ yī fú wù
- 보관 서비스 保管服务 bǎo guǎn fú wù
- 금고 保险箱 bǎo xiǎn xiāng
- 모닝콜 서비스 叫醒服务 jiào xǐng fú wù
- 환전 兑换 duì huàn
- 룸서비스 送餐服务 sòng cān fú wù
- 객실 카드 키 房卡 fáng kǎ
- 불편 신고 投诉 tóu sù

26 취미와 스포츠

爱好与运动 AIHAO YU YUNDONG

1	여가 생활	业余生活
2	각종 취미	各种爱好
3	각종 스포츠	各种体育运动
4	경기 관전	观看比赛

1 여가 생활

业余生活
yè yú shēnghuó

생활수준이 향상되면 삶의 질에 대한 관심도 높아지게 되는데, 여가 시간의 활용은 삶의 질을 가늠하는 하나의 척도가 되기도 한다. 중국은 법적으로 8시간 근무제와 주 5일 근무제를 실행하고 있으므로 대부분의 사람들이 오후 5시면 퇴근하고 토요일과 일요일에는 휴식한다. 새로 발표된 중국의 법정 공휴일 제도에 따르면 양력설(元旦 yuándàn) 연휴는 3일, 음력설(春节 chūnjié) 연휴는 7일, 청명절(清明节 qīngmíngjié) 연휴는 3일, 단오절(端午节 duānwǔjié) 연휴는 3일, 중추절(仲秋节 zhōngqiūjié) 연휴는 3일, 국경절(国庆节 guóqìngjié) 연휴는 7일로 되어 있다. 이들 연휴 일수는 법정 공휴일과 앞뒤의 주말을 합쳐서 계산한 것이다.

기 본 대 화

A: 周末怎么过?
zhōu mò zěn me guò

B: 一般在家里过。
yì bān zài jiā li guò

A: 不出门儿吗?
bù chū ménr ma

B: 除非有事, 一般很少出门的。
chú fēi yǒu shì yì bān hěn shǎo chū mén de

A: 那你在家里干什么呢?
nà nǐ zài jiā li gàn shén me ne

B: 我喜欢一个人在家里看看书, 听听音乐。
wǒ xǐ huan yí ge rén zài jiā li kàn kan shū tīng ting yīn yuè

A: 주말은 어떻게 보내세요?
B: 주로 집에서 보내요.
A: 외출은 안 하세요?
B: 일이 있는 경우를 제외하고는 보통 거의 외출을 안 해요.
A: 그럼 집에서 무엇을 하세요?
B: 저는 혼자 집에서 책을 보거나 음악을 듣기를 좋아해요.

여러 가지 활용

Ⅰ. 여가 활동 休闲活动
xiū xián huó dòng

- 주말 연휴에는 무엇을 하세요?
  双休日都做些什么?[1)]
  shuāng xiū rì dōu zuò xiē shén me

---

1) 双休日 shuāngxiūrì: 중국은 주 5일제 근무로 토요일과 일요일 이틀을 쉬므로 주말 연휴를 가리켜 双休日 shuāngxiūrì라고 한다.

- 주말에는 무슨 일을 하세요?

  周末做什么事?
  zhōu mò zuò shén me shì

- 여가 시간을 어떻게 보내십니까?

  怎么过休闲的时间?
  zěn me guò xiū xián de shí jiān

- 퇴근 후에는 무엇을 합니까?

  下班以后做什么?
  xià bān yǐ hòu zuò shén me

- 이번 주말에 마작을 할까요?

  这周末来搓麻将吧?[2)]
  zhè zhōu mò lái cuō má jiàng ba

- 바둑 한판 둡시다.

  下一盘围棋吧。
  xià yì pán wéi qí ba

- 따분한데 오목이라도 둡시다.

  挺闷的, 下一盘五子棋吧。
  tǐng mèn de xià yì pán wǔ zǐ qí ba

- 장기는 머리를 쓰는 게임이에요.

  象棋是一种动脑筋的游戏。
  xiàng qí shì yì zhǒng dòng nǎo jīn de yóu xì

- 때로 당구장에 가서 기분을 풉니다.

  有时去台球厅, 放松一下心情。
  yǒu shí qù tái qiú tīng fàng sōng yí xià xīn qíng

- 우리 놀이동산에 가서 기분 전환이나 할까?

  咱们去游乐场散散心, 好不好?
  zán men qù yóu lè chǎng sàn san xīn hǎo bu hǎo

- 퇴근 후에 저는 주로 아이와 함께 놉니다.

  下班以后我一般陪孩子一起玩。
  xià bān yǐ hòu wǒ yì bān péi hái zi yì qǐ wán

Ⅱ. 여가 활동 계획 休闲活动计划
xiū xián huó dòng jì huà

A: 这次周末, 有什么特别的计划吗?
zhè cì zhōu mò yǒu shén me tè bié de jì huà ma

---

2) 麻将 májiàng: 마작. 중국의 전통 놀이의 일종. 搓 cuō는 비비거나 문지르는 동작을 말한다.

B: 和朋友一起去看电影。你呢?
hé péng you yì qǐ qù kàn diàn yǐng nǐ ne

A: 我和太太一起去旅行。
wǒ hé tài tai yì qǐ qù lǚ xíng

B: 是吗? 这是很棒的计划, 祝你旅途愉快。
shì ma zhè shì hěn bàng de jì huà zhù nǐ lǚ tú yú kuài

A: 이번 주말에 특별한 계획 있어요?

B: 친구와 영화 보러 가기로 했어요. 당신은요?

A: 나는 아내와 여행을 가기로 했어요.

B: 그래요? 멋진 계획이군요. 즐거운 여행 되세요.

- 저는 마당을 좀 손볼 생각이에요.
  我想收拾一下院子。
  wǒ xiǎng shōu shi yí xià yuàn zi

- 친구와 바둑을 둘까 합니다.
  我想和朋友下棋。
  wǒ xiǎng hé péng you xià qí

- 집에서 푹 쉬려고 합니다.
  我想在家里好好休息。
  wǒ xiǎng zài jiā li hǎo hǎo xiū xi

- 아들과 함께 낚시하러 갑니다.
  和儿子一起去钓鱼。
  hé ér zi yì qǐ qù diào yú

- 별 계획이 없습니다.
  没什么计划。
  méi shén me jì huà

Ⅲ. 취미에 관해서 关于爱好
guān yú ài hào

A: 你的爱好是什么?
nǐ de ài hào shì shén me

B: 收集纪念邮票。
shōu jí jì niàn yóu piào

A: 外国的也收集吗?
wài guó de yě shōu jí ma

B: 是的, 我收集了几张特别珍贵的。
shì de wǒ shōu jí le jǐ zhāng tè bié zhēn guì de

A: 네 취미는 무엇이니?
B: 기념우표 수집하는 거야.
A: 외국 것도 수집하니?
B: 응, 아주 진귀한 것도 몇 장 있어.

- 특별한 취미가 있으세요?
  有特别的爱好吗?
  yǒu tè bié de ài hào ma

- 어떤 취미가 있어요?
  有什么爱好?
  yǒu shén me ài hào

- 제 취미는 음악 감상입니다.
  我的爱好是欣赏音乐。
  wǒ de ài hào shì xīn shǎng yīn yuè

- 저는 골프에 흥미가 있어요.
  我对高尔夫有兴趣。
  wǒ duì gāo ěr fū yǒu xìng qù

- 저의 유일한 취미는 독서예요.
  我唯一的爱好是读书。
  wǒ wéi yī de ài hào shì dú shū

- 독서 외에는 다른 취미가 없어요.
  除了读书, 没有别的爱好。
  chú le dú shū méi yǒu bié de ài hào

- 한 달에 서너 번 정도 등산을 해요.
  一个月去登山三四回。
  yí ge yuè qù dēng shān sān sì huí

- 자주 교외의 저수지로 나가 낚시도 하면서 기분 전환을 해요.
  常常去郊区的水池钓鱼散心。[3)]
  cháng cháng qù jiāo qū de shuǐ chí diào yú sàn xīn

- 제 취미는 다양합니다.
  我的兴趣很广泛。
  wǒ de xìng qù hěn guǎng fàn

- 저는 별 특별한 취미가 없어요.
  我没有什么特别的爱好。
  wǒ méi yǒu shén me tè bié de ài hào

---

3) 散心 sànxīn: 기분을 풀다, 기분을 전환하다.

2 각종 취미

各种爱好
gè zhǒng ài hào

취미는 爱好 àihào라고 하며, 특기는 特长 tècháng이라고 한다. 이 때 好는 3성이 아닌 4성으로 발음해야 하며, 长 역시 zhǎng이 아니라 cháng으로 발음되는 것에 주의하여야 한다. 사람들은 저마다 자신의 취향이나 관심에 따라 자신에게 맞는 취미 생활을 하고 있으며, 어떤 이들은 이에 만족하지 않고 아마추어(业余 yèyú)의 수준을 넘어 프로(专业 zhuānyè)의 수준으로 발전시키기도 한다.

여러 가지 활용

Ⅰ. 여행 旅行 lǚ xíng

A: 哎, 你回来了? 这次你去哪儿旅行了?
āi nǐ huí lái le zhè cì nǐ qù nǎr lǚ xíng le

B: 我去了长白山, 昨天晚上才回来的。
wǒ qù le cháng bái shān zuó tiān wǎn shang cái huí lái de

A: 真的呀, 那里风景怎么样?
zhēn de ya nà li fēng jǐng zěn me yàng

B: 真是太雄伟了, 给我的印象特别深。
zhēn shì tài xióng wěi le gěi wǒ de yìn xiàng tè bié shēn

A: 你看到天池了没有?
nǐ kàn dào tiān chí le méi yǒu

B: 看了, 那里云雾缭绕, 简直是人间仙境。[1)]
kàn le nà li yún wù liáo rào jiǎn zhí shì rén jiān xiān jìng

A: 听你这么说, 我也想去了。
tīng nǐ zhè me shuō wǒ yě xiǎng qù le

A: 어? 너 돌아왔구나, 이번엔 어디로 여행을 갔었니?

B: 백두산에 갔었어, 어젯밤에 돌아왔지.

A: 정말? 거기 경치가 어떻든?

B: 진짜 장관이더라. 정말 인상 깊었어.

A: 천지도 보았니?

B: 응, 보았어. 구름과 안개에 감싸여 있었는데 정말이지 세속의 선경이더라.

A: 네 말을 들으니 나도 가고 싶어지는 걸.

---

1) 简直 jiǎnzhí: 정말로, 실로, 그야말로. 人间 rénjiān: 속세, 세상. 仙境 xiānjìng: 경치가 아주 아름다운 곳.

▶ 여행의 형태 旅行形式
lǚ xíng xíng shì

- 유람선 여행을 한 일이 있습니까?
  乘船旅行过吗?
  chéng chuán lǚ xíng guo ma

- 전 자전거 여행이 참 재미있는 것 같아요.
  我觉得自行车旅行很有意思。
  wǒ jué de zì xíng chē lǚ xíng hěn yǒu yì si

- 저는 명승고적을 둘러보는 것을 좋아해요.
  我喜欢参观名胜古迹。
  wǒ xǐ huan cān guān míng shèng gǔ jì

- 해외여행은 시야를 넓힐 수 있지요.
  海外旅行可以开阔视野。
  hǎi wài lǚ xíng kě yǐ kāi kuò shì yě

- 우리 이번 여름 방학에 배낭여행 가자.
  我们这个暑假背包去旅行吧。
  wǒ men zhè ge shǔ jià bēi bāo qù lǚ xíng ba

- 단체 여행의 장점은 (아무래도) 시간과 돈이 절약되고 안전하다는 것이죠.
  团体旅行的优点是既省时、省钱、又安全。
  tuán tǐ lǚ xíng de yōu diǎn shì jì shěng shí shěng qián yòu ān quán

▶ 여행의 경험 旅行经验
lǚ xíng jīng yàn

A: 你去过海外旅行吗?
nǐ qù guo hǎi wài lǚ xíng ma

B: 去了两次。先去了泰国, 然后又去了韩国。
qù le liǎng cì xiān qù le tài guó rán hòu yòu qù le hán guó

A: 해외여행을 간 적이 있습니까?

B: 두 차례 갔었어요. 한 번은 태국, 또 한 번은 한국에 갔었죠.

- 이번에 처음으로 일본 가는 거예요.
  这是我第一次去日本。
  zhè shì wǒ dì yī cì qù rì běn

- 5년 전 친구와 파리에 간 적이 있어요.
  5年前, 和朋友一起去过巴黎。
  nián qián hé péng you yì qǐ qù guo bā lí

- 해외여행은 한 번밖에 못했습니다.
  只去过一次海外旅行。
  zhǐ qù guo yí cì hǎi wài lǚ xíng

- 한 달 동안 유럽을 한 바퀴 돌았어요.
  一个月之间，转了一圈欧洲。
  yí ge yuè zhī jiān zhuàn le yì quān ōu zhōu

- 저 혼자서 실크로드를 갔었는데 비록 고생은 했지만 많은 걸 얻었어요.
  我一个人去了丝绸之路，虽然很辛苦，但是收获颇多。
  wǒ yí ge rén qù le sī chóu zhī lù suī rán hěn xīn kǔ dàn shì shōu huò pō duō

여행 소감　旅行感受
lǚ xíng gǎn shòu

A: 听说，这个假期你去欧洲旅游了？
tīng shuō zhè ge jià qī nǐ qù ōu zhōu lǚ yóu le

B: 是的。我去了巴黎、柏林、维也纳、伦敦和罗马。
shì de wǒ qù le bā lí bó lín wéi yě nà lún dūn hé luó mǎ

A: 你觉得哪个城市给你的印象最深刻？
nǐ jué de nǎ ge chéng shì gěi nǐ de yìn xiàng zuì shēn kè

B: 我觉得罗马最漂亮。
wǒ jué de luó mǎ zuì piào liang

A: 是吗？我听过有句话叫“罗马是世界旅行的终点”。
shì ma wǒ tīng guo yǒu jù huà jiào luó mǎ shì shì jiè lǚ xíng de zhōng diǎn

B: 对啊，所以罗马一定要最后看，要是先看罗马，其他地方就觉得没有意思了。
duì a suǒ yǐ luó mǎ yí dìng yào zuì hòu kàn yào shi xiān kàn luó mǎ qí tā dì fang jiù jué de méi yǒu yì si le

---

A: 이번 휴가에 유럽 여행을 갔었다면서요?

B: 네. 파리, 베를린, 비엔나, 런던, 로마를 갔었어요.

A: 어느 도시가 가장 인상 깊었어요?

B: 로마가 가장 멋있더군요.

A: 그래요? “세계 여행의 종착역은 로마”라는 말을 들은 적이 있는데.

B: 맞아요. 그래서 로마는 반드시 맨 나중에 봐야 해요, 먼저 로마를 구경하면 다른 도시는 재미없거든요.

- 이번 여행은 어떠했습니까?
  这次旅行怎么样?
  zhè cì lǚ xíng zěn me yàng

- 가장 인상 깊은 곳은 어느 도시에요?
  印象最深刻的是哪个城市?
  yìn xiàng zuì shēn kè de shì nǎ ge chéng shì

- 가장 재미있는 곳은 어디였습니까?
  最有意思的是哪里?
  zuì yǒu yì si de shì nǎ li

- 제주도가 가장 인상적이었습니다.
  济州岛的印象最深刻。
  jì zhōu dǎo de yìn xiàng zuì shēn kè

- 저로 하여금 중국을 새롭게 알게 했습니다.
  使我重新认识了中国。
  shǐ wǒ chóng xīn rèn shi le zhōng guó

- 언어의 장벽을 절실히 느꼈습니다.
  深深体会到了语言的障碍。
  shēn shēn tǐ huì dào le yǔ yán de zhàng ài

- 언어가 통하지 않아 애를 좀 많이 먹었습니다.
  因为语言不通, 所以费了很多心思。
  yīn wèi yǔ yán bù tōng suǒ yǐ fèi le hěn duō xīn si

- 시차를 극복하지 못해서 컨디션이 좋질 않았습니다.
  因为不能克服时差, 所以感到身体不适。
  yīn wèi bù néng kè fú shí chā suǒ yǐ gǎn dào shēn tǐ bú shì

- 중국 사람들과 친구처럼 함께 지냈으므로 매우 의미 있는 여행이었습니다.
  与中国人像朋友一样相处过, 所以是一次很有意义的旅行。
  yǔ zhōng guó rén xiàng péng you yí yàng xiāng chǔ guo suǒ yǐ shì yí cì hěn yǒu yì yì de lǚ xíng

▶ 여행에 대한 소망 旅行愿望
lǚ xíng yuàn wàng

- 이번 여름휴가를 어디서 보낼 예정이십니까?
  这次暑假, 准备在哪儿度过?[2)]
  zhè cì shǔ jià zhǔn bèi zài nǎr dù guò

---

2) 准备 zhǔnbèi: 준비하다, 계획하다. ~하려고 마음먹다. 度过 dùguò: 지내다, 보내다.

- 저는 세계 일주를 하고 싶어요.
  我想环游世界。
  wǒ xiǎng huán yóu shì jiè

- 지중해를 한번 유람하고 싶어요.
  很想去地中海游览一次。
  hěn xiǎng qù dì zhōng hǎi yóu lǎn yí cì

- 저는 남태평양의 여러 섬에 가 보고 싶어요.
  我想到南太平洋的几个岛去看看。
  wǒ xiǎng dào nán tài píng yáng de jǐ ge dǎo qù kàn kan

- 저는 1년에 적어도 한 차례 해외여행을 하고 싶어요.
  我想一年至少去一次海外旅行。
  wǒ xiǎng yì nián zhì shǎo qù yí cì hǎi wài lǚ xíng

- 저는 이집트의 피라미드에 관심이 많습니다.
  我对埃及的金字塔很有兴趣。
  wǒ duì āi jí de jīn zì tǎ hěn yǒu xìng qù

- 저는 국내의 명승고적을 유람하고 싶어요.
  我想到国内的名胜古迹去游览一次。
  wǒ xiǎng dào guó nèi de míng shèng gǔ jì qù yóu lǎn yí cì

- 가능하다면 저는 북극 여행을 하고 싶군요.
  可以的话，我想去北极旅行。
  kě yǐ de huà wǒ xiǎng qù běi jí lǚ xíng

▶ **여행 시간** **旅行时间**
lǚ xíng shí jiān

- 얼마나 머무르실 예정입니까?
  你想去呆几天?
  nǐ xiǎng qù dāi jǐ tiān

- 그곳에 얼마나 있었습니까?
  在那里呆了多长时间?
  zài nà li dāi le duō cháng shí jiān

- 이번 여행은 당일로 돌아올 수 있어요.
  这次旅行当天就能回来。
  zhè cì lǚ xíng dàng tiān jiù néng huí lái

- 하룻밤만 묵을 거예요.
  只留一个晚上。
  zhǐ liú yí ge wǎn shang

- 이번 여행은 오래 걸리지는 않을 겁니다.
这次旅行不会需要太多的时间。
zhè cì lǚ xíng bú huì xū yào tài duō de shí jiān

- 아마 한 1주일 걸릴 겁니다.
可能需要一个星期吧。
kě néng xū yào yí ge xīng qī ba

- 친구와 4일간 한국 여행을 하기로 결정했습니다.
我和朋友决定花费4天的时间去韩国旅行。
wǒ hé péng you jué dìng huā fèi tiān de shí jiān qù hán guó lǚ xíng

피크닉 郊游
jiāo yóu

A: 这个星期日决定去郊游。小红, 一起去吧。
zhè ge xīng qī rì jué dìng qù jiāo yóu xiǎo hóng yì qǐ qù ba
B: 好啊。这主意是谁出的?
hǎo a zhè zhǔ yi shì shéi chū de
A: 是科长的主意。
shì kē zhǎng de zhǔ yi
B: 那我们科的人都会去吧?
nà wǒ men kē de rén dōu huì qù ba
A: 当然了, 还雇了一辆客车呢。
dāng rán le hái gù le yí liàng kè chē ne

A: 이번 일요일에 야외로 놀러 가기로 했어요. 샤오홍, 함께 가요.
B: 좋지요. 누가 이 제안을 하신 거예요?
A: 과장님의 제안이에요.
B: 그럼 우리 과 사람들 모두 가겠네요.
A: 물론이죠. 버스까지 한 대 세냈어요.

- 오늘 우리 식구끼리 근교 숲으로 피크닉을 갑시다.
今天我们一家人到附近的森林里郊游吧。
jīn tiān wǒ men yì jiā rén dào fù jìn de sēn lín li jiāo yóu ba

- 오길 참 잘했어요. 공기가 정말 신선하군요.
真没有白来, 空气真新鲜。[3)]
zhēn méi yǒu bái lái kōng qì zhēn xīn xiān

3) 白 bái: 여기는 '하얗다'의 뜻이 아닌 '헛되이'라는 부사이다. 즉 白来 báilái는 헛걸음하다, 허탕 치다의 뜻.

- 애들도 너무 좋아서 마구 뛰어다니는군요.
  孩子们也都高兴得跳起来了。
  hái zi men yě dōu gāo xìng de tiào qǐ lái le

- 저도 몇 년 묵은 스트레스가 말끔히 해소되는 것 같아요.
  我也觉得几年来的压力, 好像完全地消除了。
  wǒ yě jué de jǐ nián lái de yā lì hǎo xiàng wán quán de xiāo chú le

- 쓰레기는 함부로 버리지 말고 모두 여기에 모읍시다.
  垃圾不要随便扔, 都一起放在这里吧。
  lā jī bú yào suí biàn rēng dōu yì qǐ fàng zài zhè li ba

- 우리 먼저 출발할게요, 바짝 뒤따라 오세요.
  我们先去吧, 你们紧随其后啊。
  wǒ men xiān qù ba nǐ men jǐn suí qí hòu a

- 오늘은 아주 유쾌한 하루였어요.
  今天是很愉快的一天。
  jīn tiān shì hěn yú kuài de yì tiān

Ⅱ. 독서 读书
dú shū

▶ 독서 취향 读书嗜好
dú shū shì hào

- 어떤 장르의 책을 좋아합니까?
  你喜欢什么类型的书?
  nǐ xǐ huan shén me lèi xíng de shū

- 무슨 책이든 다 읽기 좋아해요.
  我什么书都喜欢看。
  wǒ shén me shū dōu xǐ huan kàn

- 철학 관련 책을 자주 봅니다.
  常常看哲学方面的书。
  cháng cháng kàn zhé xué fāng miàn de shū

- 그는 무협 소설에만 흥미가 많아요.
  他只对武侠小说感兴趣。
  tā zhǐ duì wǔ xiá xiǎo shuō gǎn xìng qù

- 지금 중국에서 가장 널리 읽히는 책은 무엇입니까?
  现在在中国最广泛看的是什么书?
  xiàn zài zài zhōng guó zuì guǎng fàn kàn de shì shén me shū

- 역사 소설에는 흥미진진한 대목이 많아요.
  历史小说里有很多津津有味的情节。
  lì shǐ xiǎo shuō li yǒu hěn duō jīn jīn yǒu wèi de qíng jié

▶ **독서량**

A: 你一个月大概读几本书?
nǐ yí ge yuè dà gài dú jǐ běn shū
B: 我每个月读5, 6本。
wǒ měi ge yuè dú běn

A: 한 달에 몇 권 정도 책을 읽습니까?
B: 매달 5, 6권 읽습니다.

- 그는 책벌레예요.
他是书呆子。
tā shì shū dāi zi

- 읽은 책이 많습니까?
你看的书多吗?
nǐ kàn de shū duō ma

- 책을 읽을 틈이 없어요.
我没时间看书。
wǒ méi shí jiān kàn shū

- 그 작가의 책은 안 읽은 게 거의 없어요.
那位作者的书, 几乎没有没读过的。
nà wèi zuò zhě de shū jī hū méi yǒu méi dú guo de

- 그는 하루 종일 늦게까지 책을 보는 데다가 무슨 책이든 다 봅니다.
他一天到晚都在看书, 并且什么书都看。
tā yì tiān dào wǎn dōu zài kàn shū bìng qiě shén me shū dōu kàn

▶ **책에 관한 화제 关于书的话题**
guān yú shū de huà tí

- 최근 베스트셀러는 어떤 책이지요?
最近最畅销的是什么书?[4)]
zuì jìn zuì chàng xiāo de shì shén me shū

- 그 책은 젊은이들이 꼭 한번은 읽어야 합니다.
那本书, 年轻人一定要读一遍。
nà běn shū nián qīng rén yí dìng yào dú yí biàn

- 그 책은 정독할 가치가 있습니다.

---

4) 畅销 chàngxiāo: 잘 팔리다, 많이 팔리다. 最畅销的书 zuì chàngxiāo de shū: 베스트셀러.

那本书值得精读。
nà běn shū zhí de jīng dú

• 재미있는 책은 밤을 새워서라도 다 읽어요.
有趣的书, 我即使熬夜也会把它读完。[5)]
yǒu qù de shū wǒ jí shǐ áo yè yě huì bǎ tā dú wán

• 그 책은 제게 큰 도움이 되었어요.
那本书对我的帮助很大。
nà běn shū duì wǒ de bāng zhù hěn dà

• 이렇게 재미있는 책은 지금껏 본 적이 없어요.
这么有趣的书, 从来没有读过。
zhè me yǒu qù de shū cóng lái méi yǒu dú guo

• 그 소설은 한때 대단한 인기를 누렸어요.
那本小说在一段时期很受欢迎。
nà běn xiǎo shuō zài yí duàn shí qī hěn shòu huān yíng

• 그 책은 너무 재미있어서 집어 들자마자 단숨에 모두 읽어 버렸어요.
那本书很有意思, 我拿起来就一气呵成地读完了。[6)]
nà běn shū hěn yǒu yì si wǒ ná qǐ lái jiù yí qì hē chéng de dú wán le

• 그 책을 나는 대충 훑어보았어요.
那本书我粗略地看过一次。
nà běn shū wǒ cū lüè de kàn guo yí cì

• 그 책은 아주 실망스러웠어요.
那本书让我很失望。
nà běn shū ràng wǒ hěn shī wàng

• 그 책은 한 푼의 가치도 없어요.
那本书一文不值。[7)]
nà běn shū yì wén bù zhí

• 그 책은 정말 따분한 책이에요.
那是一本很无聊的书。
nà shì yì běn hěn wú liáo de shū

• 그 책은 정말 재미가 없어요.
那本书读起来很乏味。[8)]
nà běn shū dú qǐ lái hěn fá wèi

---

5) 熬夜 áoyè: 밤을 새우다, 철야하다. 이 밖에 '开夜车 kāi yèchē'라는 표현도 있다.
6) 一气呵成 yí qì hē chéng: 단숨에 일을 해치우다.
7) 一文不值 yì wén bù zhí: 한 푼의 가치도 없다.
8) 乏味 fáwèi: 재미없다, 무미건조하다.

▶ 기타 其他
qí tā

- 그 책 다 읽었어요?
  那本书都读完了吗?
  nà běn shū dōu dú wán le ma

- 그 책 다 읽었으면 돌려주세요.
  那本书看完了, 就还给我吧。
  nà běn shū kàn wán le jiù huán gěi wǒ ba

- 어두운 방에서 독서하면 눈에 해로워요.
  在昏暗的房间里读书, 对眼睛不好。
  zài hūn àn de fáng jiān li dú shū duì yǎn jing bù hǎo

▶ 신문 报纸
bào zhǐ

A: 看什么报纸?
kàn shén me bào zhǐ

B: 我们家看的是北京青年报。
wǒ men jiā kàn de shì běi jīng qīng nián bào

A: 무슨 신문을 구독하십니까?

B: 저희 집은 북경 청년 신문을 구독하고 있어요.

- 무슨 신문을 보고 계세요?
  您看的是什么报纸?
  nín kàn de shì shén me bào zhǐ

- 저희 집은 신문을 보지 않습니다.
  我们家不看报纸。
  wǒ men jiā bú kàn bào zhǐ

- 저는 두 가지 신문을 보고 있습니다.
  我看两种报纸。
  wǒ kàn liǎng zhǒng bào zhǐ

- 그 신문은 발행 부수가 아주 많습니다.
  那报纸的发行量很多。
  nà bào zhǐ de fā xíng liàng hěn duō

- 당신은 신문의 어느 면을 먼저 보세요?
  你先看报纸的哪面?
  nǐ xiān kàn bào zhǐ de nǎ miàn

- 머리기사와 기사 제목만 봅니다.
  只看报纸头条和新闻标题。[9)]
  zhǐ kàn bào zhǐ tóu tiáo hé xīn wén biāo tí

- 우선 1면을 훑어본 후 다른 내용을 봅니다.
  先看第一版, 再看其他内容。
  xiān kàn dì yī bǎn zài kàn qí tā nèi róng

- 저는 신문의 연예 오락면을 즐겨 봅니다.
  我一般都喜欢看报纸的娱乐版。
  wǒ yì bān dōu xǐ huan kàn bào zhǐ de yú lè bǎn

- 신문을 받아 들면 주로 스포츠면부터 봅니다.
  我拿到报纸, 一般都会先看体育版。
  wǒ ná dào bào zhǐ yì bān dōu huì xiān kàn tǐ yù bǎn

- 무슨 재미있는 기사라도 났습니까?
  登了什么趣闻了吗?
  dēng le shén me qù wén le ma

- 오늘 신문을 보셨습니까?
  今天的报纸看了吗?
  jīn tiān de bào zhǐ kàn le ma

- 연예 오락면의 각종 스캔들은 독자들의 관심을 끌어요.
  娱乐版的各种绯闻吸引了读者的关注。
  yú lè bǎn de gè zhǒng fēi wén xī yǐn le dú zhě de guān zhù

- 그 뉴스는 전국을 뒤흔들었어요.
  那条新闻让全国引起了轰动。
  nà tiáo xīn wén ràng quán guó yǐn qǐ le hōng dòng

- 그 사건이 오늘 아침 신문에 실렸더군요.
  那事件登在晨报上了。
  nà shì jiàn dēng zài chén bào shang le

▶ **잡지** 杂志
zá zhì

A: 你喜欢看哪方面的杂志?
nǐ xǐ huan kàn nǎ fāng miàn de zá zhì

B: 你怎么突然问这个? 恩... 我对黄色杂志最感兴趣。
nǐ zěn me tū rán wèn zhè ge ēn wǒ duì huáng sè zá zhì zuì gǎn xìng qù

---

9) 头条 tóutiáo: 머리기사, 헤드라인. 新闻 xīnwén: 뉴스, 새소식.

A: 你别开玩笑，我只想了解你的读书嗜好。
nǐ bié kāi wán xiào wǒ zhǐ xiǎng liǎo jiě nǐ de dú shū shì hào

A: 넌 어떤 종류의 잡지를 즐겨 보니?
B: 갑자기 그건 왜 물어? 음... 난 외설잡지에 제일 관심이 많아.
A: 농담하지 말고, 그냥 너의 독서 취향을 알고 싶어서 그래.

- 정기 구독하고 있는 잡지가 있어요?
  有定期阅读的杂志吗?
  yǒu dìng qī yuè dú de zá zhì ma
- 언제부터 그 잡지를 읽기 시작했어요?
  你什么时候开始阅读那本杂志的?
  nǐ shén me shí hou kāi shǐ yuè dú nà běn zá zhì de
- 요즘 어떤 잡지의 판매량이 높지요?
  最近什么杂志的销量较高?
  zuì jìn shén me zá zhì de xiāo liàng jiào gāo
- 어떤 잡지가 흥미 있는 기사가 제일 많아요?
  什么杂志有趣的信息最多?
  shén me zá zhì yǒu qù de xìn xī zuì duō
- 전문지보다는 종합 잡지가 더 읽을 만해요.
  与专题杂志相比，综合杂志更值得读。
  yǔ zhuān tí zá zhì xiāng bǐ zōng hé zá zhì gèng zhí de dú

Ⅲ. 영화 电影
diàn yǐng

A: 你最喜欢好莱坞的哪位明星?
nǐ zuì xǐ huan hǎo lái wū de nǎ wèi míng xīng
B: 我很崇拜汤母克鲁斯。
wǒ hěn chóng bài tāng mǔ kè lǔ sī
A: 你为什么崇拜他呢?
nǐ wèi shén me chóng bài tā ne
B: 我觉得他不但人长得帅而且演技也很棒!
wǒ jué de tā bú dàn rén zhǎng de shuài ér qiě yǎn jì yě hěn bàng
A: 对啊，所以他曾几次获得了奥斯卡最佳男演员奖。
duì a suǒ yǐ tā céng jǐ cì huò dé le ào sī kǎ zuì jiā nán yǎn yuán jiǎng

A: 넌 할리우드의 어느 스타를 가장 좋아하니?
B: 난 톰 크루즈를 무척 좋아해.
A: 왜 좋아하는데?
B: 잘생겼을 뿐만 아니라 연기도 잘하잖아.
A: 맞아. 그러니까 오스카 남우 주연상도 몇 번이나 받았지.

- 영화 자주 보러 가세요?
你常常去看电影吗?
nǐ cháng cháng qù kàn diàn yǐng ma

- 한 달에 한 번 정도 갑니다.
我差不多一个月去一次。
wǒ chà bu duō yí ge yuè qù yí cì

- 저는 본래 영화를 보지 않아요.
我从来不看电影。
wǒ cóng lái bú kàn diàn yǐng

- 그는 심심하면 영화를 봅니다.
他闲着就看电影。
tā xián zhe jiù kàn diàn yǐng

- 저는 영화광입니다.
我是影迷。[10]
wǒ shì yǐng mí

▶ 취향 嗜好
shì hào

- 어떤 영화를 좋아하세요?
你喜欢看什么样的电影?
nǐ xǐ huan kàn shén me yàng de diàn yǐng

- 무술 영화와 공상 과학 영화를 즐겨 봅니다.
我爱看武打片和科幻片。
wǒ ài kàn wǔ dǎ piàn hé kē huàn piàn

- 저는 눈물을 짜내는 영화는 좋아하지 않아요.
我不喜欢看让人流泪的电影。
wǒ bù xǐ huan kàn ràng rén liú lèi de diàn yǐng

---

10) 迷 mí: 동사로 쓰일 때는 '심취하다', '빠지다', '매료되다'의 뜻이 있으며, 명사로 쓰이면 '애호가', '광', '팬' 등의 뜻이 된다.

- 나는 공포 영화는 보기 싫어요, 장면들이 너무 잔인하거든요.
我不喜欢看恐怖电影, 因为我觉得那些场面太残忍了。
wǒ bù xǐ huan kàn kǒng bù diàn yǐng yīn wèi wǒ jué de nà xiē chǎng miàn tài cán rěn le

- 나는 감동적인 영화를 좋아해요.
我喜欢看那种感人的影片。
wǒ xǐ huan kàn nà zhǒng gǎn rén de yǐng piàn

- 홍콩 대만 영화를 좋아해요, 아니면 중국 본토 영화를 좋아해요?
喜欢港台的, 还是大陆的?
xǐ huan gǎng tái de hái shi dà lù de

- 자주 아이들을 데리고 가서 애니메이션을 봅니다.
常常带着孩子们去看动画片。
cháng cháng dài zhe hái zi men qù kàn dòng huà piàn

▶ **영화배우 · 감독** **影星/导演**
yǐng xīng dǎo yǎn

A: 我们去看电影吧。
wǒ men qù kàn diàn yǐng ba
B: 我对电影不太感兴趣, 你自己去吧。
wǒ duì diàn yǐng bú tài gǎn xìng qù nǐ zì jǐ qù ba
A: 一个人去多没意思啊, 我们一起去看吧。
yí ge rén qù duō méi yì si a wǒ men yì qǐ qù kàn ba
B: 现在有什么值得看的吗?
xiàn zài yǒu shén me zhí de kàn de ma
A: 有一部张艺谋导演的大作, 叫"英雄"。
yǒu yí bù zhāng yì móu dǎo yǎn de dà zuò jiào yīng xióng
B: 那好吧, 我陪你一起去吧。
nà hǎo ba wǒ péi nǐ yì qǐ qù ba

A: 우리 영화 보러 가자.
B: 난 영화에 별로 흥미가 없는데, 너 혼자 가서 봐.
A: 혼자 가면 무슨 재미야. 나랑 같이 가자.
B: 요즘 뭐가 볼 만한데?
A: 장이모우 감독의 대작인데 "영웅"이라고 있어.
B: 그렇다면 좋아, 내가 같이 가 주지.

- 영화배우 중 누구를 가장 좋아해요?
影星当中, 你最喜欢的是谁?
yǐng xīng dāng zhōng nǐ zuì xǐ huan de shì shéi

• 난 줄리아 로버츠가 제일 좋아요. 예쁘고 섹시하잖아요.
我最喜欢朱丽娅·罗伯茨，她又漂亮又性感。
wǒ zuì xǐ huan zhū lì yà luó bó cí tā yòu piào liang yòu xìng gǎn

• 그녀는 우리에게 많은 불후의 명작들을 남겼어요.
她给我们留下了许多不朽的佳作。
tā gěi wǒ men liú xià le xǔ duō bù xiǔ de jiā zuò

• 그 영화는 누가 주연을 했죠?
那部电影是谁主演的？
nà bù diàn yǐng shì shéi zhǔ yǎn de

▶ **영화평** **观后感**
guān hòu gǎn

• 정말 재미있었어요.
真的很有意思。
zhēn de hěn yǒu yì si

• 영화의 마지막 장면은 정말 감동적이었어요.
电影最后的场面真是很让人感动。
diàn yǐng zuì hòu de chǎng miàn zhēn shì hěn ràng rén gǎn dòng

• 최근에 본 영화 중에서 가장 재미있는 것은 어느 것이었어요?
最近看的电影当中，最有意思的是哪一部？
zuì jìn kàn de diàn yǐng dāng zhōng zuì yǒu yì si de shì nǎ yí bù

• 이 영화의 어느 대목이 가장 감동적이었나요?
这部电影，你觉得哪个情节最令你感动？
zhè bù diàn yǐng nǐ jué de nǎ ge qíng jié zuì lìng nǐ gǎn dòng

• 주인공의 개성적이고 박력 있는 연기는 사람을 감탄케 하는군요.
主人公极赋个性和魄力的演技，很让人感叹。
zhǔ rén gōng jí fù gè xìng hé pò lì de yǎn jì hěn ràng rén gǎn tàn

• 이것은 학생들이 꼭 봐야 할 영화입니다.
这是一部学生必须要看的电影。
zhè shì yí bù xué shēng bì xū yào kàn de diàn yǐng

• 이 영화는 매우 교육적이에요, 애들이 볼 만하지요.
这部电影很有教育意义，很值得孩子们看。
zhè bù diàn yǐng hěn yǒu jiào yù yì yì hěn zhí de hái zi men kàn

Ⅳ. 음악 音乐
yīn yuè

▶ **취향** **嗜好**
shì hào

A: 最近，中国的一些年轻人酷爱韩国的流行歌曲。
zuì jìn zhōng guó de yì xiē nián qīng rén kù ài hán guó de liú xíng gē qǔ

B: 这就是所谓的韩流吧。
zhè jiù shì suǒ wèi de hán liú ba

A: 我很喜欢安在旭, 上次他在中国开演唱会我也去看了。
wǒ hěn xǐ huan ān zài xù shàng cì tā zài zhōng guó kāi yǎn chàng huì wǒ yě qù kàn le

B: 是吗? 好像还有宝儿、安七铉等都来过了吧?[11]
shì ma hǎo xiàng hái yǒu bǎo ér ān qī xuàn děng dōu lái guo le ba

A: 对啊, 我看娱乐新闻报道, 许多中国年轻人都很疯狂的喜欢他们。
duì a wǒ kàn yú lè xīn wén bào dào xǔ duō zhōng guó nián qīng rén dōu hěn fēng kuáng de xǐ huan tā men

---

A: 최근 중국의 일부 젊은이들은 한국의 대중가요를 무척 좋아해요.

B: 그게 바로 소위 한류라는 것이지요.

A: 저는 안재욱을 좋아해요, 지난번 중국에서 콘서트를 할 때에 저도 갔었어요.

A: 그래요? 아마 보아, 강타 등도 모두 왔었죠?

B: 네, 연예 뉴스를 보면 많은 중국 젊은이들이 그들을 광적으로 좋아하더라구요.

- 어떤 리듬의 음악을 좋아하세요?
  你喜欢什么节奏的音乐?
  nǐ xǐ huan shén me jié zòu de yīn yuè

- 나는 록 음악을 좋아해요.
  我很喜欢摇滚风格的歌曲。[12]
  wǒ hěn xǐ huan yáo gǔn fēng gé de gē qǔ

- 클래식 음악을 들으면 마음이 편안해져요.
  听古典音乐, 心里会很舒服。
  tīng gǔ diǎn yīn yuè xīn li huì hěn shū fu

- 나는 힙합 음악을 가장 좋아해요.
  我最喜欢街舞歌曲。[13]
  wǒ zuì xǐ huan jiē wǔ gē qǔ

---

11) 중국에서 강타는 安七铉이라는 이름으로 알려져 있다.

12) 摇滚 yáogǔn: 록(rock).

13) 街舞 jiēwǔ: 힙합 댄스(hiphop dance). 그에 곁들여지는 음악을 街舞歌曲 jiēwǔ gēqǔ라고 한다.

- 저는 광적인 시끄러운 노래는 질색이에요.
  我讨厌那种疯狂吵闹的歌曲。[14)]
  wǒ tǎo yàn nà zhǒng fēng kuáng chǎo nào de gē qǔ

- 전 음악 없이는 못 살아요.
  没有音乐, 我就活不了。
  méi yǒu yīn yuè wǒ jiù huó bu liǎo

▶ **가수 歌手**
gē shǒu

- 좋아하는 가수가 있어요?
  你有喜欢的歌手吗?
  nǐ yǒu xǐ huan de gē shǒu ma

- 당신은 어느 가수 팬이에요?
  你是谁的歌迷?
  nǐ shì shéi de gē mí

- 저는 마이클 잭슨을 좋아해요.
  我喜欢麦克杰克逊。
  wǒ xǐ huan mài kè jié kè xùn

- 그 가수는 아주 인기가 많아요.
  那个歌手很有名气。
  nà ge gē shǒu hěn yǒu míng qì

- 저 가수는 팬이 아주 많아요.
  那位歌手的歌迷很多。
  nà wèi gē shǒu de gē mí hěn duō

- 이 그룹의 의상과 춤은 매우 독특하군요.
  这一组的服装和舞蹈很独特。
  zhè yì zǔ de fú zhuāng hé wǔ dǎo hěn dú tè

▶ **악기 乐器**
yuè qì

- 어떤 악기를 다룰 줄 아세요?
  你会什么乐器?
  nǐ huì shén me yuè qì

- 기타를 조금 칠 줄 알아요.
  我会弹一点吉它。
  wǒ huì tán yì diǎn jí tā

---

14) 疯狂 fēngkuáng: 광적이다, 미친 듯하다.
吵闹 chǎonào: 소란을 피우다, 시끄럽다, 떠들다, 말다툼하다.

- 이틀에 한 번씩 바이올린을 배워요.
  每隔一天去学小提琴。
  měi gé yì tiān qù xué xiǎo tí qín

- 플루트 불기 시작한 지 몇 년 되었어요?
  你吹长笛几年了?
  nǐ chuī cháng dí jǐ nián le

- 몇 살부터 피아노를 배웠어요?
  从几岁开始学弹钢琴的?
  cóng jǐ suì kāi shǐ xué tán gāng qín de

- 이 곡 기타로 칠 수 있어요?
  这首曲子可以用吉他弹吗?
  zhè shǒu qǔ zi kě yǐ yòng jí tā tán ma

노래 唱歌
chàng gē

- 다음은 당신 차례예요.
  下一个就是你了。
  xià yí ge jiù shì nǐ le

- 한 곡 더 불러도 될까요?
  再唱一首, 可以吗?
  zài chàng yì shǒu kě yǐ ma

- 그러면 제가 먼저 한 곡 부르겠습니다.
  那我先来唱一首吧。
  nà wǒ xiān lái chàng yì shǒu ba

- 저는 노래를 잘 못해요, 이해해 주세요.
  我唱得不好, 请大家见谅。
  wǒ chàng de bù hǎo qǐng dà jiā jiàn liàng

- 정말 잘 불렀어요.
  唱得真好。
  chàng de zhēn hǎo

- 당신 18번은 어떤 노래예요?
  你拿手的是什么歌?[15]
  nǐ ná shǒu de shì shén me gē

- 언제까지 부를 작정이에요!
  你要唱到什么时候!
  nǐ yào chàng dào shén me shí hou

---

15) 拿手 náshǒu: 가장 잘하는, 가장 자신 있는.

• 오늘은 목이 쉴 때까지 불러 봅시다.
今天要唱到嗓子变哑为止。
jīn tiān yào chàng dào sǎng zi biàn yǎ wéi zhǐ

• 자, 모두 같이 노래 한 곡 부릅시다.
来, 大家一起唱一首歌。
lái dà jiā yì qǐ chàng yì shǒu gē

• 마지막으로 "친구"를 함께 부르며 오늘 모임을 끝냅시다.
最后, 一起唱"朋友"来结束这次的聚会吧。
zuì hòu yì qǐ chàng péng you lái jié shù zhè cì de jù huì ba

▶ 노래를 잘 못 부를 때 不太会唱歌时
bú tài huì chàng gē shí

• 저는 음치예요.
我是音盲。
wǒ shì yīn máng

• 저는 노래 부를 줄 모릅니다.
我不会唱歌。
wǒ bú huì chàng gē

• 그의 노래는 박자가 맞지 않아요.
他唱的歌拍子不合。
tā chàng de gē pāi zi bù hé

• 그녀의 노래는 음정이 맞지 않아요.
她唱的调儿不准。
tā chàng de diàor bù zhǔn

• 저는 음정이 맞질 않아서 사람들 앞에서 감히 노래를 못해요.
我五音不全, 所以不敢在众人面前唱歌。
wǒ wǔ yīn bù quán suǒ yǐ bù gǎn zài zhòng rén miàn qián chàng gē

• 혼자 있을 땐 그래도 좀 하는데 사람들 앞에서는 노래가 안 나와요.
只有自己在的时候还能唱几句, 在别人面前就唱不出来。
zhǐ yǒu zì jǐ zài de shí hou hái néng chàng jǐ jù zài bié rén miàn qián jiù chàng bu chū lái

• 합창은 그런대로 괜찮은데 독창은 자신이 없어요.
合唱还可以, 独唱就没有信心了。
hé chàng hái kě yǐ dú chàng jiù méi yǒu xìn xīn le

• 비록 음정은 못 맞추지만 노래하는 건 좋아해요.
虽然我唱歌跑调儿，但是我还是很喜欢唱。
suī rán wǒ chàng gē pǎo diàor dàn shì wǒ hái shi hěn xǐ huan chàng

V. 등산 登山
dēng shān

A: 你喜欢爬山吗?
nǐ xǐ huan pá shān ma

B: 为了健康，常常去附近的山上锻炼。
wèi le jiàn kāng cháng cháng qù fù jìn de shān shang duàn liàn

A: 등산을 좋아하십니까?

B: 건강을 위해 자주 가까운 산에 올라 단련을 합니다.

• 암벽 등반은 어떤 장비들이 필요하죠?
攀岩需要准备什么装备?
pān yán xū yào zhǔn bèi shén me zhuāng bèi

• 저는 자주 혼자서 등산을 합니다.
我常常一个人去登山。
wǒ cháng cháng yí ge rén qù dēng shān

• 안전한 코스를 택합시다.
选一下安全的路线。
xuǎn yí xià ān quán de lù xiàn

• 정상까지 얼마나 더 걸리죠?
到顶点，还需要多长时间?
dào dǐng diǎn hái xū yào duō cháng shí jiān

• 목이 타는군요. 물 한 모금 마시고 올라갑시다.
真渴，喝口水再上去吧。
zhēn kě hē kǒu shuǐ zài shàng qù ba

• 오늘은 등산하기 좋은 날씨네요.
今天是登山的好天气。
jīn tiān shì dēng shān de hǎo tiān qì

• 우리가 드디어 산 정상에 도착했어요!
我们终于到达山顶了!
wǒ men zhōng yú dào dá shān dǐng le

• 우리는 가까스로 정상까지 올랐어요.
我们好不容易爬到了顶点。
wǒ men hǎo bu róng yì pá dào le dǐng diǎn

- 산을 정복했을 때의 기분은 말로 표현할 수가 없어요.
  征服整座山的心情是无法用语言来表达的。
  zhēng fú zhěng zuò shān de xīn qíng shì wú fǎ yòng yǔ yán lái biǎo dá de

- 오늘은 등산객이 많군요.
  今天登山的人真多。
  jīn tiān dēng shān de rén zhēn duō

- 암벽 등반을 해 본 적이 있습니까?
  你攀过岩吗?
  nǐ pān guo yán ma

- 뚱뚱한 사람은 가파른 산을 오르는 것을 피해야 해요.
  身体胖的人要避免走陡坡。16)
  shēn tǐ pàng de rén yào bì miǎn zǒu dǒu pō

Ⅵ. 낚시　钓鱼
diào yú

A: 你常去钓鱼吗?
nǐ cháng qù diào yú ma
B: 差不多每个周末都去河边钓鱼。
chà bu duō měi ge zhōu mò dōu qù hé biān diào yú
A: 用什么鱼饵?17)
yòng shén me yú ěr
B: 我每次都用蚯蚓。
wǒ měi cì dōu yòng qiū yǐn

A: 낚시하러 자주 갑니까?
B: 네, 거의 주말마다 강가에 가서 낚시를 합니다.
A: 어떤 미끼를 쓰세요?
B: 매번 지렁이를 씁니다.

- 이번 일요일에 낚시하러 갑시다.
  这个星期日去钓鱼吧。
  zhè ge xīng qī rì qù diào yú ba

- 저는 바다낚시를 좋아합니다.
  我喜欢在海边钓鱼。
  wǒ xǐ huan zài hǎi biān diào yú

16) 陡坡 dǒupō: 가파른 언덕, 험한 비탈. = 陡坡子 dǒupōzi, 高坡 gāopō.
17) 鱼饵 yú'ěr: 낚싯밥, 미끼. = 钓饵 diào'ěr.

- 주로 낚시하러 어디로 갑니까?
  一般上哪儿去钓鱼?
  yì bān shàng nǎr qù diào yú

- 낚싯대 참 좋네요, 어디서 구입하셨어요?
  钓竿真不错, 在哪儿买的?
  diào gān zhēn bú cuò zài nǎr mǎi de

- 낚시 도구 있으세요?
  有鱼具吗?[18)]
  yǒu yú jù ma

- 미끼는 낚시 가게에서 샀습니다.
  鱼饵是在鱼具店买的。
  yú ěr shì zài yú jù diàn mǎi de

- 연휴 때는 밤낚시도 갑니다.
  连休的时候, 晚上也去钓鱼。
  lián xiū de shí hou wǎn shang yě qù diào yú

- 그는 낚시의 명수입니다.
  他是钓鱼名将。
  tā shì diào yú míng jiàng

- 이 강에는 물고기가 많나요?
  这河里鱼多吗?
  zhè hé li yú duō ma

- 요즘에는 낚시가 하면 할수록 재미있더군요.
  最近对钓鱼越来越感兴趣了。
  zuì jìn duì diào yú yuè lái yuè gǎn xìng qù le

▶ 낚시터에서 在垂钓园
zài chuí diào yuán

- 이곳에서는 어떤 종류의 물고기가 잡힙니까?
  在这儿钓的是什么样的鱼?
  zài zhèr diào de shì shén me yàng de yú

- 이곳은 낚시하는 사람들이 많군요.
  在这里钓鱼的人很多。
  zài zhè li diào yú de rén hěn duō

- 이곳은 고기가 잘 잡힙니다.
  这儿的鱼很容易钓。
  zhèr de yú hěn róng yì diào

---

18) 鱼具 yújù: 낚시 도구. = 钓具 diàojù.

- 얼마나 잡으셨어요?
  你钓几个了?
  nǐ diào jǐ ge le

- 가까스로 한 마리 잡았어요.
  好不容易钓了一条。
  hǎo bu róng yì diào le yì tiáo

- 한 마리도 못 잡았어요.
  一个也没钓着。
  yí ge yě méi diào zháo

- 겨우 잉어 두 마리와 메기 한 마리 잡았어요.
  才钓了两条鲤鱼和一条鲇鱼。
  cái diào le liǎng tiáo lǐ yú hé yì tiáo nián yú

- 오늘은 어째서 입질조차 안 하는 걸까요?
  今天为什么钓竿动也不动?
  jīn tiān wèi shén me diào gān dòng yě bú dòng

Ⅶ. 미술 美术
měi shù

A: 你那么喜欢画画儿, 那你最欣赏哪位画家的作品呢?[19]
nǐ nà me xǐ huan huà huàr nà nǐ zuì xīn shǎng nǎ wèi huà jiā de zuò pǐn ne

B: 我很喜欢徐悲鸿的作品。
wǒ hěn xǐ huan xú bēi hóng de zuò pǐn

A: 为什么呢? 他的作品哪里吸引你啊?[20]
wèi shén me ne tā de zuò pǐn nǎ li xī yǐn nǐ a

B: 他非常擅长画马, 他笔下的马惟妙惟肖。[21]
tā fēi cháng shàn cháng huà mǎ tā bǐ xià de mǎ wéi miào wéi xiào

---

A: 당신은 그렇게 그림 그리기를 좋아하는데, 어느 화가의 작품을 제일 좋아하세요?

B: 쉬뻬이홍의 작품을 좋아해요

A: 왜요? 그의 작품 어디가 좋으세요?

B: 그는 말을 대단히 잘 그리죠, 그의 붓끝에서의 말은 생동감이 넘쳐요.

---

19) 画画儿 huàhuàr: 앞의 画 huà는 동사 '그리다'이고 뒤의 画 huà는 명사 '그림' 이다.
20) 吸引 xīyǐn: 잡아당기다, 끌다.
21) 惟妙惟肖 wéi miào wéi xiào: 묘사를 실감 나게 매우 잘하는 것을 말함. = 维妙维

▶ 관심과 취향 兴趣与嗜好
xìng qù yǔ shì hào

• 그는 그림을 아주 잘 그려요.
他画画儿画得很好。
tā huà huàr huà de hěn hǎo

• 그는 처음에는 취미 삼아 그림을 그리기 시작했어요.
他开始是因兴趣才学画画儿的。
tā kāi shǐ shì yīn xìng qù cái xué huà huàr de

• 저는 지금 조각을 배우고 있습니다.
我正在学雕刻。
wǒ zhèng zài xué diāo kè

• 저는 유화를 즐겨 그립니다.
我爱画油画。
wǒ ài huà yóu huà

• 그는 물감으로 꽃을 그렸어요.
他用水彩画了花。
tā yòng shuǐ cǎi huà le huā

• 저는 자주 미술관에 가서 그림 전람회를 감상해요.
我常去美术馆欣赏画展。
wǒ cháng qù měi shù guǎn xīn shǎng huà zhǎn

• 당신은 동양화를 좋아합니까, 아니면 서양화를 좋아합니까?
你喜欢国画还是西洋画?[22]
nǐ xǐ huan guó huà hái shi xī yáng huà

• 미술 전람회에 출품하신 적이 있습니까?
你在美术展览会上出过作品吗?
nǐ zài měi shù zhǎn lǎn huì shang chū guo zuò pǐn ma

• 미술 작품을 감상하기 위해 화랑에 자주 갑니다.
为了欣赏美术作品，我常常去画廊。
wèi le xīn shǎng měi shù zuò pǐn wǒ cháng cháng qù huà láng

• 어떻게 해서 그림을 그리기 시작했어요?
你怎么开始画画儿的?
nǐ zěn me kāi shǐ huà huàr de

• 정물화보다는 초상화를 더 좋아합니다.
与静物画相比，更喜欢肖像画。
yǔ jìng wù huà xiāng bǐ gèng xǐ huan xiào xiàng huà

肖wéi miào wéi xiào, 唯妙唯肖 wéi miào wéi xiào.
22) 우리가 흔히 말하는 동양화를 중국에서는 国画라고 한다.

• 그림 전람회에 자주 가세요?

你常去参观画展吗?
nǐ cháng qù cān guān huà zhǎn ma

• 이 초상은 누굽니까?

这个肖像是谁?
zhè ge xiào xiàng shì shéi

• 어떤 스타일을 좋아합니까?

你喜欢什么样的风格?
nǐ xǐ huan shén me yàng de fēng gé

• 특히 좋아하는 소재는 무엇입니까?

特别喜欢的素材是什么?
tè bié xǐ huan de sù cái shì shén me

• 소묘는 그림 그리기의 기본이에요.

素描是画画儿的基础。
sù miáo shì huà huàr de jī chǔ

작품 감상 欣赏作品
xīn shǎng zuò pǐn

• 이 그림은 누구의 작품이죠?

这幅画是谁的作品?
zhè fú huà shì shéi de zuò pǐn

• 정말 훌륭한 작품이군요.

真是一幅完美的作品。
zhēn shì yì fú wán měi de zuò pǐn

• 제 취미는 미술 전시회 감상이에요.

我的爱好是欣赏画展。
wǒ de ài hào shì xīn shǎng huà zhǎn

• 이 그림은 매우 생동적이군요.

这幅画很生动。
zhè fú huà hěn shēng dòng

• 이 추상화는 무엇을 그린 것인지 도저히 모르겠네요.

我很难猜出这幅推想画到底画的是什么。
wǒ hěn nán cāi chū zhè fú tuī xiǎng huà dào dǐ huà de shì shén me

• 이 그림은 진짜와 너무 같아서 일반인은 진위를 구별 못 하겠어요.

这幅画太逼真了，一般人都分不出真假。[23)]
zhè fú huà tài bī zhēn le yì bān rén dōu fēn bu chū zhēn jiǎ

---

23) 逼真 bīzhēn: 꼭 진짜 같다, 매우 흡사하다. = 逼肖 bīxiào.

- 피카소보다는 고흐의 그림이 비교적 사실적이에요.
  和毕卡索相比，凡高的画比较现实。[24)]
  hé bì kǎ suǒ xiāng bǐ fán gāo de huà bǐ jiào xiàn shí

Ⅷ. 수집 收集
shōu jí

A: 你在收集什么？
nǐ zài shōu jí shén me
B: 我在收集以前的货币。
wǒ zài shōu jí yǐ qián de huò bì
A: 收集了多少？
shōu jí le duō shao
B: 50种左右。
zhǒng zuǒ yòu

A: 무엇을 수집하고 있습니까?
B: 옛날 화폐를 수집하고 있어요.
A: 얼마나 모았는데요?
B: 50종가량 돼요.

- 그는 우표 수집광이에요.
  他是邮票收集狂。
  tā shì yóu piào shōu jí kuáng
- 학생 때부터 각종 나비 표본을 수집하기 시작했어요.
  从上学时，我就开始收集各种各样的蝴蝶标本。
  cóng shàng xué shí wǒ jiù kāi shǐ shōu jí gè zhǒng gè yàng de hú dié biāo běn
- 저는 전화 카드를 10년 이상 모으고 있습니다.
  我收集电话磁卡已经10多年了。
  wǒ shōu jí diàn huà cí kǎ yǐ jīng duō nián le
- 골동품 수집은 돈이 많이 드는 취미랍니다.
  收集古董是一种花费很多的爱好啊。
  shōu jí gǔ dǒng shì yì zhǒng huā fèi hěn duō de ài hào a
- 그는 많은 돈을 고서적 수집에 쓰고 있어요.
  他把许多的钱都用在收集古书上。
  tā bǎ xǔ duō de qián dōu yòng zài shōu jí gǔ shū shang

---

24) 毕卡索 bìkǎsuǒ: 피카소(Picasso, Pablo Ruiz y) 毕加索 bìjiāsuǒ라 하기도 함.
凡高 fángāo: 고흐 (Gogh, Vincent van). 梵谷 fàngǔ라 하기도 함.

Ⅸ. 텔레비전 시청 看电视
kàn diàn shì

A: 看过昨天晚上的"幸运52"节目吗?
kàn guo zuó tiān wǎn shang de xìng yùn jié mù ma

B: 因为加班, 所以没看着。星期日重播吧?
yīn wèi jiā bān suǒ yǐ méi kàn zháo xīng qī rì chóng bō ba

A: 어젯밤 "행운 52" 프로그램을 봤어요?

B: 야근을 하는 바람에 보지 못 했어요. 일요일에 재방송하겠지요?

▶ 채널 · 프로그램 频道/节目
pín dào jié mù

• 요즘 TV에서 무슨 프로그램이 방영되고 있죠?
最近在电视上播什么节目?
zuì jìn zài diàn shì shang bō shén me jié mù

• 이 프로그램은 몇 시에 방영되죠?
这个节目几点播放?
zhè ge jié mù jǐ diǎn bō fàng

• 오늘 저녁 베이징 3TV에서 무슨 프로그램을 하지?
今天晚上北京3台演什么节目?
jīn tiān wǎn shang běi jīng tái yǎn shén me jié mù

• 어떤 TV 프로그램을 좋아합니까?
你喜欢看哪个电视节目?
nǐ xǐ huan kàn nǎ ge diàn shì jié mù

• 저는 매일 중앙 1TV의 뉴스를 시청합니다.
我天天看中央1台的新闻。
wǒ tiān tiān kàn zhōng yāng tái de xīn wén

• 영화 방송은 어느 채널이죠?
电影台是哪个频道?[25)]
diàn yǐng tái shì nǎ ge pín dào

---

25) 중국의 中央电视 zhōngyāng diànshì(중앙방송, CCTV)의 주요 채널로는 1TV 综合 zōnghé(종합), 2TV 经济 jīngjì(경제), 3TV 综艺 zōngyì(예술), 4TV 国际 guójì(국제), 5TV 体育 tǐyù(스포츠), 6TV 电影 diànyǐng(영화), 8TV 电视剧 diànshìjù(TV드라마), 11TV 戏曲 xìqǔ(경극) 등이 있다.

- 요즘 뉴스의 주요 초점은 베이징 올림픽입니다.
最近新闻的主要焦点是北京奥运。
zuì jìn xīn wén de zhǔ yào jiāo diǎn shì běi jīng ào yùn

- 〈동방시공〉도 놓칠 수 없는 좋은 프로그램이에요.
〈东方时空〉也是不能错过的好节目。
dōng fāng shí kōng yě shì bù néng cuò guò de hǎo jié mù

- 저는 연속극 채널의 고정팬입니다.
我是连续剧频道的忠实观众。
wǒ shì lián xù jù pín dào de zhōng shí guān zhòng

- 여성들은 역시 멜로드라마를 좋아하지요.
女性还是比较喜欢情感连续剧。
nǚ xìng hái shì bǐ jiào xǐ huan qíng gǎn lián xù jù

- 한국 드라마 〈가을 동화〉는 굉장히 유명해요.
那部韩国电视剧〈蓝色生死恋〉很有名气。
nà bù hán guó diàn shì jù lán sè shēng sǐ liàn hěn yǒu míng qì

- 텔레비전의 오락 프로그램은 사람들을 즐겁게 해 줘요.
电视上的娱乐节目都是很让人开心的。
diàn shì shang de yú lè jié mù dōu shì hěn ràng rén kāi xīn de

생방송 · 재방송 直播/重播
zhí bō chóng bō

- 저는 지금 중한 친선 축구 경기의 생방송을 기다리는 중이에요.
我正在等中韩足球友谊赛的现场直播。
wǒ zhèng zài děng zhōng hán zú qiú yǒu yì sài de xiàn chǎng zhí bō

- 생방송은 보지 못하고 재방송을 봤습니다.
直播我没看，但看过重播。
zhí bō wǒ méi kàn dàn kàn guo chóng bō

- 〈해외 극장〉은 몇 시에 재방송합니까?
〈海外剧场〉在几点重播?
hǎi wài jù chǎng zài jǐ diǎn chóng bō

시청 시간 收看时间
shōu kàn shí jiān

- 텔레비전을 자주 보세요?
你常常看电视吗?
nǐ cháng cháng kàn diàn shì ma

- 매일 3시간가량 봅니다.
  每天看3个小时左右。
  měi tiān kàn ge xiǎo shí zuǒ yòu

- 휴일은 거의 TV를 봅니다.
  休息日大部分都在看电视。
  xiū xi rì dà bù fen dōu zài kàn diàn shì

- 저는 아침에 일어나면서부터 TV를 보기 시작해요.
  我早上一起来, 就开始看电视。
  wǒ zǎo shang yì qǐ lái jiù kāi shǐ kàn diàn shì

▶ **시청 중의 대화　收看中的对话**
shōu kàn zhōng dè duì huà

- 리모콘은 어디 있지?
  遥控器在哪儿?
  yáo kòng qì zài nǎr

- 텔레비전 소리 좀 크게 해 봐요.
  把电视的声音调大一点儿。
  bǎ diàn shì de shēng yīn tiáo dà yì diǎnr

- 이 프로그램은 정말 재미없어, 다른 채널로 바꾸자.
  这个节目真没意思, 换别的台吧。
  zhè ge jié mù zhēn méi yì si huàn bié de tái ba

- 다음 프로그램은 무엇이죠?
  下个节目是什么?
  xià ge jié mù shì shén me

- 화면이 흐리군요.
  画面很模糊。
  huà miàn hěn mó hu

- 지금 이 프로그램을 녹화하고 있는 중이에요.
  我正在录这个节目呢。
  wǒ zhèng zài lù zhè ge jié mù ne

- 텔레비전을 끄세요.
  关电视吧。
  guān diàn shì ba

X. 애완동물 기르기　养宠物
yǎng chǒng wù

- 정말 귀여운 개군요.
  真是只可爱的狗。
  zhēn shì zhī kě ài de gǒu

- 그는 매일 개를 데리고 산책을 합니다.
  他每天带着狗散步。
  tā měi tiān dài zhe gǒu sàn bù

- 이 사냥개는 순종입니까, 잡종입니까?
  这猎狗是纯种, 还是杂种?
  zhè liè gǒu shì chún zhǒng hái shi zá zhǒng

- 이 개는 무슨 종입니까?
  这是什么种类的狗?
  zhè shì shén me zhǒng lèi de gǒu

- 이 치와와는 보기에는 작지만 아주 영리해요.
  这只吉娃娃狗, 别看它长得小, 很聪明的。
  zhè zhī jí wá wá gǒu bié kàn tā zhǎng de xiǎo hěn cōng míng de

- 이 앵무새는 말할 수 있어요?
  这鹦鹉会说话吗?
  zhè yīng wǔ huì shuō huà ma

- 그 앵무새는 그녀의 유일한 친구예요.
  那只鹦鹉是她唯一的朋友。
  nà zhī yīng wǔ shì tā wéi yī de péng you

- 저는 집에서 여러 가지 애완동물을 키우고 있어요.
  我在家里养了好几个宠物。
  wǒ zài jiā li yǎng le hǎo jǐ ge chǒng wù

- 수컷이에요? 암컷이에요?
  是公的, 还是母的?
  shì gōng de hái shi mǔ de

- 넌 암수를 가려낼 수 있니?
  你能分出雌雄吗?
  nǐ néng fēn chū cí xióng ma

- 이 고양이는 대소변을 가릴 줄 아나요?
  这只猫不会随地大小便吧?
  zhè zhī māo bú huì suí dì dà xiǎo biàn ba

- 저는 어떤 애완동물이든지 다 기르기 싫어요.
  不管什么宠物, 我都不喜欢养。
  bù guǎn shén me chǒng wù wǒ dōu bù xǐ huan yǎng

3 각종 스포츠

各种体育运动
gè zhǒng tǐ yù yùndòng

중국인들에게 인기 있는 스포츠 종목으로는 단연 축구(足球 zúqiú)를 들 수 있을 것이다. 중국에도 프로 축구팀이 있어 그들의 승패는 늘 사람들의 화젯거리가 되곤 한다. 탁구(乒乓球 pīngpāngqiú) 또한 중국인들의 사랑을 받고 있는 인기 종목이며 세계 정상의 실력을 고수함으로서 중국인들의 자부심을 지켜 주고 있다. 그러나 우리나라에서 매우 인기가 있는 야구(棒球 bàngqiú)가 중국에서는 전혀 사람들 관심 밖에 있는 것은 특기할 만하다.

기본대화

A: 你喜欢什么运动?
nǐ xǐ huan shén me yùn dòng

B: 无论是什么种类的运动，我都喜欢。
wú lùn shì shén me zhǒng lèi de yùn dòng wǒ dōu xǐ huan

A: 那你哪种运动都厉害吧。
nà nǐ nǎ zhǒng yùn dòng dōu lì hai ba

B: 没有那么夸张。虽然我喜欢运动，但是更喜欢观看比赛。
méi yǒu nà me kuā zhāng suī rán wǒ xǐ huan yùn dòng dàn shì gèng xǐ huan guān kàn bǐ sài

A: 어떤 스포츠를 좋아하세요?
B: 스포츠라면 뭐든지 다 좋아해요.
A: 그럼 아무 운동이나 다 잘하겠네요.
B: 그렇진 않아요. 운동을 좋아하긴 하지만 관전하는 것을 더 좋아해요.

여러 가지 활용

I. 축구 足球
zú qiú

A: 昨天你看了韩中友谊足球比赛吗?
zuó tiān nǐ kàn le hán zhōng yǒu yì zú qiú bǐ sài ma

B: 看了，打成一平了。
kàn le dǎ chéng yì píng le

A: 太可惜了。韩国队下半场结束前5分钟的点球应该能进去的。
tài kě xī le hán guó duì xià bàn chǎng jié shù qián fēn zhōng de diǎn qiú yīng gāi néng jìn qù de

B: 可不是嘛，不过两队都踢得很精彩。
kě bu shì ma bú guò liǎng duì dōu tī de hěn jīng cǎi

A: 어제저녁 한중 친선 축구 경기 보았니?
B: 보았어. 1 : 1로 비겼어.
A: 너무 아까워. 한국 팀이 후반 종료 5분 전 페널티 킥을 꼭 넣었어야 했는데.
B: 그러게 말이야. 하지만 양 팀 모두 열심히 잘 싸웠어.

경기 관전 看比赛
kàn bǐ sài

• 지금 전반전이야, 후반전이야?
现在是上半场，还是下半场?
xiàn zài shì shàng bàn chǎng hái shi xià bàn chǎng

• 양 팀 모두 아직 득점이 없어요.
两队现在都没有得分。
liǎng duì xiàn zài dōu méi yǒu dé fēn

• 텐진 타이다 팀의 조직력은 뛰어나군요.
天津泰达队组织能力还不错。
tiān jīn tài dá duì zǔ zhī néng lì hái bú cuò

• 지금 우리 팀이 상대방의 수비를 뚫지 못하고 있어요.
现在我队无法突破对方的防守。
xiàn zài wǒ duì wú fǎ tū pò duì fāng de fáng shǒu

• 프랑스 팀이 고전하고 있네요. 이러다간 이탈리아 팀이 승리할 것 같군요.
法国队正在苦战，这样下去意大利队会赢的。
fǎ guó duì zhèng zài kǔ zhàn zhè yàng xià qù yì dà lì duì huì yíng de

• 저 선수의 패스 기술이 아주 훌륭하군요.
那个队员的传球技术太棒了。
nà ge duì yuán de chuán qiú jì shù tài bàng le

• 방금 전의 헤딩슛 정말 멋있었어.
刚才的顶球真漂亮!
gāng cái de dǐng qiú zhēn piào liang

• 저 골키퍼는 수비를 잘 하는군요.
那个守门员防守很棒。
nà ge shǒu mén yuán fáng shǒu hěn bàng

- 저 선수는 수비와 공격 모두가 일류예요.
  那个选手防守和进攻都是一流的。
  nà ge xuǎn shǒu fáng shǒu hé jìn gōng dōu shì yì liú de

- 한국 팀의 공격수가 아주 뛰어나군요.
  韩国队的前锋很出色。
  hán guó duì de qián fēng hěn chū sè

- 코너킥은 득점과 연결되기 쉬우니 방어를 잘해야 됩니다.
  角球很容易得分, 一定要注意防守。
  jiǎo qiú hěn róng yì dé fēn yí dìng yào zhù yì fáng shǒu

- 방금 몇 번 선수가 골키퍼를 제치고 골을 넣었죠?
  刚才是几号选手闪过守门员, 射门进球的?
  gāng cái shì jǐ hào xuǎn shǒu shǎn guò shǒu mén yuán shè mén jìn qiú de

- 두 팀 모두 혈전을 벌이며 연장전까지 왔습니다.
  双方拼死苦战, 已经打到了加时赛。
  shuāng fāng pīn sǐ kǔ zhàn yǐ jīng dǎ dào le jiā shí sài

- 하프 타임에 응원단이 멋진 장내 공연으로 우리 선수들을 격려하고 있습니다.
  中场休息时, 啦啦队在场地内的精彩表演鼓舞了我方的队员。[1)]
  zhōng chǎng xiū xi shí lā lā duì zài chǎng dì nèi de jīng cǎi biǎo yǎn gǔ wǔ le wǒ fāng de duì yuán

- 3:2로 경기가 끝났습니다. 정말로 치열한 한판 승부였어요.
  球赛以3比2结束了, 真是一场很激烈的比赛。
  qiú sài yǐ bǐ jié shù le zhēn shì yì chǎng hěn jī liè de bǐ sài

▶ **슛·골인 射门/进球**
shè mén jìn qiú

- 정말 멋진 슛이었어요.
  这个射门真是太棒了。
  zhè ge shè mén zhēn shì tài bàng le

- 슛이 좀 높았습니다.
  射门有点高了。
  shè mén yǒu diǎn gāo le

- 아깝습니다. 골대를 맞고 튀어나왔어요.
  真可惜, 球被球门框反弹回来了。
  zhēn kě xī qiú bèi qiú mén kuàng fǎn tán huí lái le

---

1) 我方 wǒfāng: 우리 팀, 对方 duìfāng: 상대 팀.

• 11번 선수가 멋진 중거리 슛으로 한 골을 넣었습니다.
11号选手用一次很棒的远射进了一球。
hào xuǎn shǒu yòng yí cì hěn bàng de yuǎn shè jìn le yì qiú

• 앗, 저 볼이 들어가다니, 정말 예상치 못한 일입니다.
啊, 那个球竟然进去了, 真是出乎我的意料啊。
ā nà ge qiú jìng rán jìn qù le zhēn shì chū hū wǒ de yì liào a

• 어이없이 자살골로 지다니 정말로 아쉽군요.
竟然因自杀球输掉了, 真是太可惜了。
jìng rán yīn zì shā qiú shū diào le zhēn shì tài kě xī le

▶ **반칙·경고 犯规/警告**
fàn guī jǐng gào

• 저 선수의 태클 동작은 반칙입니다.
那个队员的拦球动作是犯规的。2)
nà ge duì yuán de lán qiú dòng zuò shì fàn guī de

• 저 선수 고의로 발을 걸다니, 너무 비겁하군요.
那个选手竟然故意绊人, 太卑鄙了。
nà ge xuǎn shǒu jìng rán gù yì bàn rén tài bēi bǐ le

• 베컴이 상대 선수에 의해 넘어졌어요, 땅에 엎어져 한참 만에야 겨우 일어났습니다.
贝克汉姆被对方撞倒了, 趴在地上好长时间才起来。3)
bèi kè hàn mǔ bèi duì fāng zhuàng dǎo le pā zài dì shang hǎo cháng shí jiān cái qǐ lái

• 7번 선수의 부상이 심하군요. 의무요원들에 의해 들것에 실려 나가고 있습니다.
7号队员伤得很重, 被救护人员用担架抬出场外。
hào duì yuán shāng de hěn zhòng bèi jiù hù rén yuán yòng dān jià tái chū chǎng wài

• 심판이 10번 선수에게 옐로카드를 들어 경고를 주는군요.
裁判给10号队员亮了一次黄牌, 以示警告。
cái pàn gěi hào duì yuán liàng le yí cì huáng pái yǐ shì jǐng gào

• 5번 선수가 태클 반칙으로 심판에게 레드카드를 받고 퇴장당했습니다.
5号队员由于铲人犯规被裁判员用红牌罚下场了。
hào duì yuán yóu yú chǎn rén fàn guī bèi cái pàn yuán yòng hóng pái fá xià chǎng le

---

2) 拦 lán: 가로막다, 저지하다. 拦住他 lánzhù tā!: 그를 막아라!
3) 撞 zhuàng: 세게 부딪히거나 충돌하는 것을 말함. 撞车 zhuàngchē: 차에 부딪히다. 차에 치이다.

- 모두가 골인으로 알고 환호할 때 심판이 오프사이드를 선언했어요. 정말 아깝군요.
  大家正为进球而欢呼的时候裁判员却判这个球越位，真可惜。
  dà jiā zhèng wèi jìn qiú ér huān hū de shí hou cái pàn yuán què pàn zhè ge qiú yuè wèi zhēn kě xī

▶ 월드컵　世界杯
shì jiè bēi

- 한국 팀은 2002년 월드컵 경기에서 천운과 홈그라운드의 이점 그리고 국민의 화합을 다 갖추었어요.
  韩国队在2002年的世界杯足球赛上占尽了天时地利人和。[4)]
  hán guó duì zài nián de shì jiè bēi zú qiú sài shang zhàn jìn le tiān shí dì lì rén hé

- 붉은 악마의 열렬한 응원이 있었기에 한국 팀이 4강에 진출할 수 있었습니다.
  有了"红魔"的衷心支持，韩国队才杀进了四强。[5)]
  yǒu le hóng mó de zhōng xīn zhī chí hán guó duì cái shā jìn le sì qiáng

- 중국 팀은 44년의 각고의 노력 끝에 월드컵에 진출했어요.
  中国队经过44年的奋力拼搏，终于踢进了世界杯。[6)]
  zhōng guó duì jīng guò nián de fèn lì pīn bó zhōng yú tī jìn le shì jiè bēi

- 밀로의 지도 아래 중국팀이 월드컵에 진출하게 됨으로써 그는 중국인들의 존경을 받았습니다.
  在米卢的带领下中国队才杀进世界杯，所以他倍受中国人的尊崇。[7)]
  zài mǐ lú de dài lǐng xià zhōng guó duì cái shā jìn shì jiè bēi suǒ yǐ tā bèi shòu zhōng guó rén de zūn chóng

- 히딩크는 한국에서 제일가는 영웅이 되었습니다.
  希丁克是韩国当之无愧的英雄。[8)]
  xī dīng kè shì hán guó dāng zhī wú kuì de yīng xióng

---

4) 天时 tiānshí: 하늘이 내린 기회. 地利 dìlì: 땅(지형)의 이로움. 人和 rénhé: 사람이 서로 화목함. 즉, 운도 따라 주었고, 홈그라운드의 이점도 있었으며, 사람들이 하나가 되어 응원을 열심히 함으로써 좋은 결과를 낼 수 있었다는 것을 뜻함.
5) 杀进 shājìn: 여기서 杀shā는 '죽이다'의 뜻이 아닌 '싸우다'의 뜻. 杀进 shājìn은 곧 '싸워 이겨서 진입하다'.
6) 奋力拼搏 fèn lì pīn bó: 분발하여 필사적으로 싸우다. 목숨을 걸고 쟁취하다.
7) 米卢 mǐlú: 중국의 축구 감독 밀루티노비치(米卢蒂诺维奇 mǐlúdìnuòwéiqí).
8) 当之无愧 dāng zhī wú kuì: 부끄럽지 않다, 손색이 없다.

- 주최국은 경기에서 유리한 점이 있지요.
  东道主在比赛中是很占优势的。[9)]
  dōng dào zhǔ zài bǐ sài zhōng shì hěn zhàn yōu shì de

- 호나우두가 페인트 모션으로 상대방 수비를 따돌렸군요, 정말 멋있습니다.
  罗纳尔多一个顺势的假动作骗过了对方的防守,真是精彩得很。
  luó nà ěr duō yí ge shùn shì de jiǎ dòng zuò piàn guo le duì fāng de fáng shǒu, zhēn shì jīng cǎi de hěn

- 응원단의 함성은 경기장의 매 선수들에게 큰 격려가 됩니다.
  啦啦队的齐声欢呼大大鼓舞了场上的每一位球员。[10)]
  lā lā duì de qí shēng huān hū dà dà gǔ wǔ le chǎng shang de měi yí wèi qiú yuán

Ⅱ. 탁구 乒乓球
pīng pāng qiú

A: 王楠是女子乒乓球世界排名第一的。
wáng nán shì nǚ zǐ pīng pāng qiú shì jiè pái míng dì yī de

B: 在这次的奥运会上, 她会再次拿到金牌吗?
zài zhè cì de ào yùn huì shang ta huì zài cì ná dào jīn pái ma

A: 应该吧。比塞肯定会很精彩。[11)]
yīng gāi ba bǐ sài kěn dìng huì hěn jīng cǎi

A: 왕난은 여자 탁구의 세계 제1인자야.

B: 그녀가 이번 올림픽에서 다시 금메달을 딸 수 있을까?

A: 아마도. 아무튼 멋진 한판 승부가 벌어질 거야.

- 탁구는 중국에서 가장 인기 있는 스포츠 종목입니다.
  乒乓球在中国是最受欢迎的运动项目。
  pīng pāng qiú zài zhōng guó shì zuì shòu huān yíng de yùn dòng xiàng mù

- 탁구에는 어떠한 규칙들이 있습니까?
  乒乓球都有什么规则?
  pīng pāng qiú dōu yǒu shén me guī zé

- 당신은 탁구를 잘 치세요?
  你乒乓球打得好吗?
  nǐ pīng pāng qiú dǎ de hǎo ma

---

9) 东道主 dōngdàozhǔ: 주최측, 주최자.

10) 啦啦队 lālāduì: 응원단. = 拉拉队 lālāduì. 啦啦队姑娘 lālāduì gūniang: 치어걸.

11) 反正 fǎnzhèng: 어쨌든, 아무튼, 어찌되었든 간에.

• 저는 아침 운동으로 탁구를 합니다.
我把打乒乓球当作早练。
wǒ bǎ dǎ pīng pāng qiú dāng zuò zǎo liàn

• 저는 어릴 때부터 탁구를 치기 시작했습니다.
我从小就开始打乒乓球。
wǒ cóng xiǎo jiù kāi shǐ dǎ pīng pāng qiú

• 저는 라켓도 제대로 잡지 못해요.
我连球拍都拿不好。
wǒ lián qiú pāi dōu ná bu hǎo

• 그가 공을 높이 치면 저는 받아 내지를 못해요.
他一发高抛球，我就接不住。
tā yì fā gāo pāo qiú wǒ jiù jiē bu zhù

• 우리 한번 단식으로 쳐 봅시다.
我们来单打独斗吧。
wǒ men lái dān dǎ dú dòu ba

• 이번에는 누가 서브할 차례입니까?
这回谁发球?
zhè huí shéi fā qiú

• 단식으로 할까요? 아니면 복식으로 할까요?
单打，还是双打?
dān dǎ hái shi shuāng dǎ

• 지금 양 팀의 득점 상황이 어떻게 되지요?
现在两队的得分情况怎么样?
xiàn zài liǎng duì de dé fēn qíng kuàng zěn me yàng

• 경기 시간이 다 돼 가니 제 가슴이 조마조마해지는군요.
比赛的时间快到了，我的心都悬了起来。[12)]
bǐ sài de shí jiān kuài dào le wǒ de xīn dōu xuán le qǐ lái

• 그녀는 리시브할 때 여전히 문제가 있어요.
她的接发球还是有问题。
tā de jiē fā qiú hái shi yǒu wèn tí

• 저 공을 보세요, 매우 빠르게 회전하는군요.
你看那个球，发得非常转。
nǐ kàn nà ge qiú fā de fēi cháng zhuàn

• 이번 세계 선수권 대회에서 한국 팀에 커트볼의 명수가 나타났습니다.

---

12) 悬 xuán: 높은 곳에 달리다, 걸리다. 여기서는 가슴 졸이다, 조바심을 내다의 뜻.

这次世锦赛上韩国队出现了一位削球高手。[13)]
zhè cì shì jǐn sài shang hán guó duì chū xiàn le yí wèi xiāo qiú gāo shǒu

- 탁구 경기에서는 담력이 큰 사람이 이기죠.
在乒乓球赛场上是狭路相逢勇者胜。[14)]
zài pīng pāng qiú sài chǎng shang shì xiá lù xiāng féng yǒng zhě shèng

Ⅲ. 야구 棒球
bàng qiú

- 야구는 중국에서 인기가 없어요.
棒球在中国倍受冷落。[15)]
bàng qiú zài zhōng guó bèi shòu lěng luò

- 지금 몇 회가 진행 중이죠?
现在进行了几局?
xiàn zài jìn xíng le jǐ jú

- 막 4회가 시작되었어요.
第四局刚开始。
dì sì jú gāng kāi shǐ

- 만루입니다.
满垒了。
mǎn lěi le

- 아마도 투수를 바꿀 것 같아요.
好像要换投手了。
hǎo xiàng yào huàn tóu shǒu le

- 또 삼진 아웃이네요.
又是三振出局。
yòu shì sān zhèn chū jú

- 지금 이미 1, 2루에 주자가 나가 있어요.
现在已经形成一二垒有人。
xiàn zài yǐ jīng xíng chéng yī èr lěi yǒu rén

- 이미 주자는 2루와 3루까지 나갔어요.
跑者已经跑上二垒跟三垒了。
pǎo zhě yǐ jīng pǎo shàng èr lěi gēn sān lěi le

---

13) 世锦赛 shìjǐnsài: 世界锦标赛 shìjiè jǐnbiāosài(세계 선수권 대회).
削球 xiāoqiú: 커트볼. 깎아 친 공.

14) 狭路相逢 xiá lù xiāng féng: 좁은 길에서 만나다. 즉, 狭路相逢勇者胜이란 "막다른 상황에서는 용감한 자가 이긴다"는 뜻.

15) 倍受 bèishòu: 마음껏 받다, 한껏 받다.
冷落 lěngluò: 냉대하다, 소홀히 하다, 쓸쓸하다.

- 매우 위험했어요, 하마터면 데드 볼이 될 뻔했네요.
  非常危险, 差一点儿形成了触身球。
  fēi cháng wēi xiǎn chà yì diǎnr xíng chéng le chù shēn qiú

- 그는 주루 속도가 매우 빠르군요.
  他跑垒的速度非常快。
  tā pǎo lěi de sù dù fēi cháng kuài

- 결국 역전승을 했습니다.
  最终, 还是反败为胜了。
  zuì zhōng hái shi fǎn bài wéi shèng le

- 이봐! 홈런 한 방 날려!
  喂, 打一个全垒打!
  wèi dǎ yí ge quán lěi dǎ

- 또 도루에 성공했어요.
  盗垒又成功了。
  dào lěi yòu chéng gōng le

- 그가 장외 만루 홈런을 쳤어요.
  他击出了一支场外的全垒打。
  tā jī chū le yì zhī chǎng wài de quán lěi dǎ

- 저 투수는 제구력이 아주 좋아요.
  那位投手控球能力很好。
  nà wèi tóu shǒu kòng qiú néng lì hěn hǎo

- 저 선수 제구력을 잃어버린 것 아닌가요?
  这位选手是不是失去控球的能力了?
  zhè wèi xuǎn shǒu shì bu shì shī qù kòng qiú de néng lì le

- 고의 사구로 내보내는군요.
  四坏球保送!
  sì huài qiú bǎo sòng

- 왕밍즈 선수가 이미 연속으로 두 차례 고의 사구를 던졌어요.
  王明治选手已经连续投出两个四坏球保送了。
  wáng míng zhì xuǎn shǒu yǐ jīng lián xù tóu chū liǎng ge sì huài qiú bǎo sòng le

- 이제 자이언트 4번 타자 리홍의 타격이에요.
  现在由巨人四棒李洪打击。
  xiàn zài yóu jù rén sì bàng lǐ hóng dǎ jī

- 빨리 도루를 해, 빨리 뛰어!
  你赶快盗垒, 快跑啊!
  nǐ gǎn kuài dào lěi kuài pǎo a

· 여전히 만루예요.
依旧满垒。
yī jiù mǎn lěi

· 천치앙 선수가 볼에 맞았습니다.
陈强选手被球打中了。
chén qiáng xuǎn shǒu bèi qiú dǎ zhòng le

· 투수를 바꾸는군요.
更换投手。
gēng huàn tóu shǒu

Ⅳ. 골프 高尔夫球
gāo ěr fū qiú

A: 您在周末主要干什么?
nín zài zhōu mò zhǔ yào gàn shén me
B: 我常常打高尔夫。
wǒ cháng cháng dǎ gāo ěr fū
A: 是吗? 在碧绿的草地上可以呼吸新鲜的空气，真是太好了。
shì ma zài bì lǜ de cǎo dì shang kě yǐ hū xī xīn xiān de kōng qì zhēn shì tài hǎo le
B: 改天我们一起打吧。
gǎi tiān wǒ men yì qǐ dǎ ba

A: 주말이면 주로 무엇을 하십니까?
B: 저는 종종 골프를 칩니다.
A: 그렇습니까? 푸른 잔디 위에서 신선한 공기를 마실 수 있으니 정말 좋겠네요.
B: 언제 한번 같이 치십시다.

· 골프 치기를 좋아하세요?
喜欢打高尔夫球吗?
xǐ huan dǎ gāo ěr fū qiú ma

· 언제부터 골프를 시작했습니까?
什么时候开始打高尔夫的?
shén me shí hou kāi shǐ dǎ gāo ěr fū de

· 어느 골프 클럽에 가입하셨습니까?
加入了哪个高尔夫俱乐部?[16)]
jiā rù le nǎ ge gāo ěr fū jù lè bù

16) 俱乐部 jùlèbù: 클럽(club)을 음역한 것임.

- 쉬는 날에는 골프를 칩니다.
  休息日，我去打高尔夫。
  xiū xi rì wǒ qù dǎ gāo ěr fū

- 핸디는 얼마나 됩니까?
  差点是多少?
  chā diǎn shì duō shao

- 저는 지금 핸디 16입니다.
  现在我的差点是16。
  xiàn zài wǒ de chā diǎn shì

- 이 골프장은 그린이 참 좋군요.
  这球场的果岭真的不错。[17)]
  zhè qiú chǎng de guǒ lǐng zhēn de bú cuò

- 오랜만에 필드에 나오니 기분이 아주 상쾌합니다.
  好久没来球场了，现在一来心情真爽。
  hǎo jiǔ méi lái qiú chǎng le xiàn zài yì lái xīn qíng zhēn shuǎng

- 다음 홀의 거리는 200야드예요.
  下一个洞的距离是200码。
  xià yí ge dòng de jù lí shì mǎ

- 멋진 샷이었어요!
  好漂亮的挥杆啊!
  hǎo piào liang de huī gān a

- 저런! 볼을 또 벙커에 빠뜨렸군요.
  哎呀! 又把球打进沙坑里面了。
  āi yā yòu bǎ qiú dǎ jìn shā kēng lǐ miàn le

- 어찌된 일인지 공이 계속 오비(OB)가 나는군요.
  球怎么总出界啊。[18)]
  qiú zěn me zǒng chū jiè a

V. 수영 · 다이빙 游泳/跳水
yóu yǒng tiào shuǐ

A: 你会游泳吗?
nǐ huì yóu yǒng ma

B: 我只会自由泳，你呢?
wǒ zhǐ huì zì yóu yǒng nǐ ne

A: 我会蛙泳、蝶泳。
wǒ huì wā yǒng dié yǒng

---

17) 果岭 guǒlǐng: green을 음역한 것임.
18) 总 zǒng: 늘, 줄곧, 매번. = 老 lǎo.

B: 那你掉进水里应该没事吧。
nà nǐ diào jìn shuǐ li yīng gāi méi shì ba

A: 너 수영할 줄 아니?
B: 나는 자유영만 조금 할 줄 알아. 너는?
A: 나는 평영, 접영 다 할 줄 알아.
B: 그럼 넌 물에 빠져도 걱정 없겠구나.

- 수영을 참 잘하는군요.
  你游得真棒。
  nǐ yóu de zhēn bàng

- 저는 배영, 평영 모두 좋아합니다.
  我仰泳、蛙泳都喜欢。
  wǒ yǎng yǒng wā yǒng dōu xǐ huan

- 저는 헤엄을 못 칩니다.
  我不会游泳。
  wǒ bú huì yóu yǒng

- 몇 미터 정도 헤엄칠 수 있어요?
  能游多少米?
  néng yóu duō shao mǐ

- 이 강을 헤엄쳐 건널 수 있어요?
  能游过这条河吗?
  néng yóu guò zhè tiáo hé ma

- 개구리 헤엄이라면 저를 따를 사람이 없을 겁니다.
  蛙泳没人能赶得上我。
  wā yǒng méi rén néng gǎn de shàng wǒ

- 귀에 물이 들어갔어요.
  耳朵里进水了。
  ěr duo li jìn shuǐ le

- 사람이 너무 많아 수영을 못하겠어요.
  人太多了, 没法游泳。
  rén tài duō le méi fǎ yóu yǒng

- 이 수영복 내가 입으면 너무 야하겠지?
  这个泳衣, 我穿太亮了吧?
  zhè ge yǒng yī wǒ chuān tài liàng le ba

- 이 비키니 수영복은 너무 노출이 심하군.
  穿这个比基尼泳衣显得太暴露了。
  chuān zhè ge bǐ jī ní yǒng yī xiǎn de tài bào lù le

- 경기를 할 때는 입수 속도가 빨라야 해요.
  比赛的时候入水速度要快。
  bǐ sài de shí hou rù shuǐ sù dù yào kuài

- 물에 들어가기 전에 먼저 준비 운동을 하는 것은 수영의 기본 철칙이에요.
  进水之前先做一些准备运动是游泳的基本原则。
  jìn shuǐ zhī qián xiān zuò yì xiē zhǔn bèi yùn dòng shì yóu yǒng de jī běn yuán zé

▶ **다이빙 跳水**
tiào shuǐ

- 이 다이빙 동작은 정말 멋있군요.
  这个跳水的动作真漂亮。
  zhè ge tiào shuǐ de dòng zuò zhēn piào liang

- 나는 겁이 많아서 다이빙을 못해요.
  我胆子小，不敢跳。
  wǒ dǎn zi xiǎo bù gǎn tiào

- 티엔량이 올림픽 남자 다이빙에서 금메달을 땄어요.
  田亮在奥运会上获得了男子跳水金牌。
  tián liàng zài ào yùn huì shang huò dé le nán zǐ tiào shuǐ jīn pái

- 중국 다이빙 팀의 실력은 세계적으로 알아주는 수준이에요.
  中国跳水队在世界上的实力不可低估。[19]
  zhōng guó tiào shuǐ duì zài shì jiè shang de shí lì bù kě dī gū

Ⅵ. 태권도 跆拳道
tái quán dào

A: 跆拳道是韩国的传统武术。
tái quán dào shì hán guó de chuán tǒng wǔ shù

B: 在悉尼奥运会时我也看了。
zài xī ní ào yùn huì shí wǒ yě kàn le

A: 现在全球各个地方都有学跆拳道的。
xiàn zài quán qiú gè ge dì fang dōu yǒu xué tái quán dào de

B: 踢脚很棒，我也想学。
tī jiǎo hěn bàng wǒ yě xiǎng xué

A: 태권도는 대한민국의 전통 무술이에요.

19) 低估 dīgū: 얕잡아 보다, 과소평가하다.

B: 저도 시드니 올림픽 때 본 적이 있어요.
A: 이제는 세계 곳곳에서 태권도를 배우고 있어요.
B: 발차기가 아주 멋지더군요. 저도 배우고 싶어요.

- 저는 지금 태권도 5단이에요.
我是跆拳道五段。
wǒ shì tái quán dào wǔ duàn

- 우리 아이는 지금 빨간 띠예요.
我家的孩子现在是红带。
wǒ jiā de hái zi xiàn zài shì hóng dài

- 선수를 보호하기 위해 헬멧과 보호대를 착용합니다.
为了保护选手，带安全帽，穿防身衣。
wèi le bǎo hù xuǎn shǒu dài ān quán mào chuān fáng shēn yī

- 그런 날렵한 동작은 다른 무술에서는 보기 힘듭니다.
那样敏捷的动作，是在其他武术上罕见的。[20]
nà yàng mǐn jié de dòng zuò shì zài qí tā wǔ shù shang hǎn jiàn de

- 1980년 태권도가 국제 경기로 정식 선정되었습니다.
1980年，跆拳道被正式选定为国际竞赛。
nián tái quán dào bèi zhèng shì xuǎn dìng wéi guó jì jìng sài

- 2000년 시드니 올림픽에서 태권도가 정식 경기 종목이 되었습니다.
在2000年悉尼奥运会上，跆拳道成了正式的比赛项目。
zài nián xī ní ào yùn huì shang tái quán dào chéng le zhèng shì de bǐ sài xiàng mù

Ⅶ. 무술 武术
wǔ shù

A: 你能告诉我到哪里能够学到武术吗?
nǐ néng gào su wǒ dào nǎ li néng gòu xué dào wǔ shù ma
B: 武术学校和武术馆都行。
wǔ shù xué xiào hé wǔ shù guǎn dōu xíng
A: 那怎么练呢?
nà zěn me liàn ne
B: 首先应该练好基本功，只有基础打扎实了才可能练好别的。
shǒu xiān yīng gāi liàn hǎo jī běn gōng zhǐ yǒu jī chǔ dǎ zhá shí le cái kě néng liàn hǎo bié de

20) 罕 hǎn: 드물다. 예) 罕见 hǎnjiàn: 보기 드물다. 罕有 hǎnyǒu: 드물게 있다, 희귀하다.

A: 那学什么比较好呢?
nà xué shén me bǐ jiào hǎo ne

B: 那就看你自己的兴趣和爱好了。比如刀、枪、剑、戟, 你可以挑着学。[21]
nà jiù kàn nǐ zì jǐ de xìng qù hé ài hào le bǐ rú dāo qiāng jiàn jǐ nǐ kě yǐ tiāo zhe xué

A: 飞檐走壁的功夫是真的吗?
fēi yán zǒu bì de gōng fu shì zhēn de ma

B: 那只不过是电视上的表演罢了, 在现实中是不可能的, 要不人人都成飞侠了。[22]
nà zhǐ bú guò shì diàn shì shang de biǎo yǎn bà le zài xiàn shí zhōng shì bù kě néng de yào bù rén rén dōu chéng fēi xiá le

A: 어디 가야 무술을 배울 수 있는지 알려줄 수 있어요?

B: 무술 학교와 무술관 다 됩니다.

A: 어떻게 연마를 해요?

B: 먼저 기본기를 잘 배워야 해요. 기초가 잘 되어 있어야 다른 것도 잘 배울 수 있어요.

A: 뭘 배우는 것이 좋을까요?

B: 그거야 당신의 관심과 취미가 어디에 있느냐에 달렸죠. 도, 창, 검, 극, 골라서 배우면 돼요.

A: 처마 위나 담을 넘나드는 묘기가 진짜인가요?

B: 그건 TV 속의 연기일 뿐이에요. 현실에선 불가능하지요. 안 그러면 누구나 날아다니는 협객이 되게요.

- 중국 무술의 역사는 유구합니다.
中国武术的发展历史渊源流长。
zhōng guó wǔ shù de fā zhǎn lì shǐ yuān yuán liú cháng

- 그의 권법은 매우 박진감이 넘쳐요.
他这套拳打得有鼻子有眼儿的。[23]
tā zhè tào quán dǎ de yǒu bí zi yǒu yǎnr de

---

21) 刀 dāo(도): 주로 베는 데 사용하는 칼로 한쪽에만 날이 서 있으며, 칼끝이 약간 휘어져 올라감.
剑 jiàn(검): 주로 찌르는데 사용하는 칼로 양쪽에 모두 날이 서 있음.
枪 qiāng(창): 긴 나무막대 끝에 뾰족한 창살을 물림.
戟 jǐ(극): 끝이 좌우로 가닥진 창. 미늘창.

22) 飞侠 fēixiá: 동작이 날렵하여 마치 날아다니는 듯한 협객. 小飞侠 xiǎofēixiá: 피터팬.

23) 有鼻子有眼儿 yǒu bízi yǒu yǎnr: 이목구비가 뚜렷하다는 뜻으로서, 행동이나 표현이 매우 정확하고 박진감이 넘칠 때에도 이러한 표현을 쓴다.

- 태극권을 할 줄 아세요?
  你会打太极拳吗?
  nǐ huì dǎ tài jí quán ma

- 그는 갖가지 무예에 모두 정통해요.
  他十八般武艺样样精通。[24)]
  tā shí bā bān wǔ yì yàng yàng jīng tōng

- 이 검술은 그가 아주 멋있게 잘해요.
  这套剑术他玩得很漂亮。
  zhè tào jiàn shù tā wán de hěn piào liang

Ⅷ. 스키 · 스케이트 滑雪/滑冰

huá xuě huá bīng

A: 你会滑雪吗?
nǐ huì huá xuě ma
B: 我滑过一次, 很好玩。
wǒ huá guo yí cì hěn hǎo wán
A: 到了冬天, 我常常去滑雪场。
dào le dōng tiān wǒ cháng cháng qù huá xuě chǎng
B: 是吗? 那你可以教我吗?
shì ma nà nǐ kě yǐ jiào wǒ ma

A: 스키를 탈 줄 아세요?
B: 한번 타 보았는데 정말 재미있더군요.
A: 겨울이 되면 저는 스키장에 자주 가요.
B: 그래요? 그럼 저 좀 가르쳐 줄래요?

- 스케이트를 좋아하세요?
  你喜欢滑冰吗?[25)]
  nǐ xǐ huan huá bīng ma

- 스키 타본 적 있어요?
  你滑过雪吗?
  nǐ huá guo xuě ma

- 저는 지금 스케이트를 배우고 있어요.
  我正在学滑冰。
  wǒ zhèng zài xué huá bīng

---

24) 十八般武艺 shíbābān wǔyì: 십팔반무예, 여러 가지 기능이나 재주.
25) '스케이트를 타다'는 滑冰 huábīng 외에 溜冰 liūbīng이라고도 하는데, 溜冰 liūbīng은 지역에 따라서는 롤러스케이트 타는 것을 뜻하기도 한다.

• 저 사람 정말 잘 타는 걸!
他滑得真好!
tā huá de zhēn hǎo

• 바야흐로 스키의 계절이에요. 우리 스키 타러 갑시다.
现在是滑雪的季节, 我们去滑雪吧。
xiàn zài shì huá xuě de jì jié wǒ men qù huá xuě ba

• 나는 멈추기만 하면 넘어져. 어떻게 멈추는지 좀 가르쳐 줘.
我一停就会摔倒, 你教教我怎么停吧。
wǒ yì tíng jiù huì shuāi dǎo nǐ jiāo jiao wǒ zěn me tíng ba

• 많이 넘어져 봐야 더 잘 탈 수 있다구.
多摔倒几次, 滑得会更好的。
duō shuāi dǎo jǐ cì huá de huì gèng hǎo de

• 뒤로 벌렁 넘어져서 너무 아파 눈물이 나올 것 같아요.
摔了个仰八叉, 疼得我只想掉眼泪。[26)]
shuāi le ge yǎng bā chā téng de wǒ zhǐ xiǎng diào yǎn lèi

• 언제쯤 나도 얼음판에서 자유자재로 탈 수 있을까?
什么时候我也能在冰上来去自如?[27)]
shén me shí hou wǒ yě néng zài bīng shang lái qù zì rú

Ⅸ. 볼링 保龄球
bǎo líng qiú

A: 你打的平均分是多少?
nǐ dǎ de píng jūn fēn shì duō shao

B: 现在是160, 已经打了10年了。
xiàn zài shì yǐ jīng dǎ le nián le

A: 打保龄球, 一定会有益健康吧?
dǎ bǎo líng qiú yí dìng huì yǒu yì jiàn kāng ba

B: 是的, 打完一场, 浑身都会出汗, 心情也特别好。
shì de dǎ wán yì chǎng hún shēn dōu huì chū hàn xīn qíng yě tè bié hǎo

---

A: 애버리지가 얼마나 됩니까?

B: 현재는 160이에요. 이미 10년이나 쳤는걸요.

A: 볼링을 하면 틀림없이 건강에 도움이 되겠죠?

B: 네, 게임이 끝나면 온몸에 땀이 나고 기분도 산뜻해져요.

---

26) 仰八叉 yǎngbāchā: 뒤로 벌렁 넘어지다. 나자빠지다. 큰대 자로 넘어지다.
27) 自如 zìrú: 자유자재로, 마음대로.

- 이 근처에 볼링장이 있나요?

这附近有保龄球馆吗?
zhè fù jìn yǒu bǎo líng qiú guǎn ma

- 우리 볼링 치러 가요.

咱们去打一会儿保龄球吧。
zán men qù dǎ yí huìr bǎo líng qiú ba

- 스트라이크를 할 때의 그 기분은 정말 통쾌해요.

打了个全中, 心中非常痛快。[28)]
dǎ le ge quán zhòng xīn zhōng fēi cháng tòng kuài

- 에이, 공이 옆으로 빠져 버렸어요.

哎呀, 球掉进旁边的沟槽里去了。[29)]
āi yā qiú diào jìn páng biān de gōu cáo li qù le

- 오늘은 공이 정말 안 맞는군요.

今天这个球老打不中。
jīn tiān zhè ge qiú lǎo dǎ bú zhòng

- 공을 던질 때 좀더 세게 해 봐요.

你挥球的时候, 再用力一点儿。
nǐ huī qiú de shí hou zài yòng lì yì diǎnr

- 공이 너무 무겁네요, 체중에 맞춰 적당한 공을 선택해야 해요.

你打的球太重了, 应该按照你的体重选择适合你用的球。
nǐ dǎ de qiú tài zhòng le yīng gāi àn zhào nǐ de tǐ zhòng xuǎn zé shì hé nǐ yòng de qiú

X. 테니스 · 배드민턴 网球/羽毛球
wǎng qiú yǔ máo qiú

A: 在公园里打羽毛球的人真多呀!
zài gōng yuán li dǎ yǔ máo qiú de rén zhēn duō ya

B: 对, 羽毛球在中国最受老百姓的欢迎。
duì yǔ máo qiú zài zhōng guó zuì shòu lǎo bǎi xìng de huān yíng

A: 我们也从明天开始打球怎么样?
wǒ men yě cóng míng tiān kāi shǐ dǎ qiú zěn me yàng

B: 好啊, 我们马上去买一幅球拍。
hǎo a wǒ men mǎ shàng qù mǎi yì fú qiú pāi

A: 공원에 배드민턴 치는 사람들이 아주 많군요!

28) 全中 quánzhòng: 모두 맞히다. 스트라이크. 이때 中은 4성으로 발음한다.
29) 沟槽 gōucáo: 홈, 고랑.

B: 그래요, 배드민턴은 중국인들에게 가장 인기가 많죠.
A: 우리도 내일부터 치는 게 어때요?
B: 좋아요, 당장 라켓을 사러 갑시다.

- 테니스 잘 치세요?
  你网球打得好吗?
  nǐ wǎng qiú dǎ de hǎo ma

- 우리 테니스로 몸 좀 풉시다.
  我们来打网球, 活动活动身体。
  wǒ men lái dǎ wǎng qiú huó dòng huó dòng shēn tǐ

- 서브 순서는 제비뽑기로 정합시다.
  咱们抽个签来决定谁先发球吧。[30)]
  zán men chōu ge qiān lái jué dìng shéi xiān fā qiú ba

- 누가 서브할 차례지요?
  该谁发球了?
  gāi shéi fā qiú le

- 복식으로 할까요, 단식으로 할까요?
  双打, 还是单打?
  shuāng dǎ hái shi dān dǎ

- 서브가 별로 좋지 않군요.
  发球不怎么好。
  fā qiú bù zěn me hǎo

- 서브가 무척 훌륭했어요.
  发球发得太棒了。
  fā qiú fā de tài bàng le

- 저는 이 지역의 테니스 클럽에 가입되어 있어요.
  我加入了这个社区的网球队。
  wǒ jiā rù le zhè ge shè qū de wǎng qiú duì

- 저는 공 치는 기교를 잘 몰라 라켓을 제대로 사용하지 못해요.
  我不懂打球的技巧, 所以不太会使球拍。
  wǒ bù dǒng dǎ qiú de jì qiǎo suǒ yǐ bú tài huì shǐ qiú pāi

---

30) 抽签 chōuqiān: 추첨하다. 제비를 뽑다. 抽 chōu는 '뽑다'라는 뜻. 예) 抽奖 chōujiǎng: 경품을 추첨하다, 抽血 chōuxuè: 피를 뽑다.

4 경기 관전

观看比赛
guānkàn bǐ sài

경기를 관전하면서 우리 팀을 응원할 때는 보통 加油! jiāyóu라고 한다. 加油 jiāyóu란 자동차 등에 "기름을 넣다"라는 뜻도 되며, 경기장에서는 "힘내라", "이겨라" 등의 의미가 된다. 때로 축구 경기를 지켜볼 때 자국 팀이 부진을 면치 못할 때에는 화가 나서 감독(教练 jiàoliàn)을 향해 "下课! xiàkè"라고 야유를 보내기도 하는데, "수업을 끝내다"라는 뜻이니 곧 "감독 물러나라!"는 말이다.

기 본 대 화

A: 你昨天看了日本和中国的女篮比赛吗?
nǐ zuó tiān kàn le rì běn hé zhōng guó de nǚ lán bǐ sài ma

B: 看了, 气死我了。
kàn le qì sǐ wǒ le

A: 可不是嘛! 裁判怎么能那么判呢?
kě bú shì ma cái pàn zěn me néng nà me pàn ne

B: 明明不公平嘛, 原本是赢的比赛竟然输了。
míng míng bù gōng píng ma yuán běn shì yíng de bǐ sài jìng rán shū le

A: 어제 일본과 중국의 여자 농구 경기 보았니?
B: 보았어, 화가 나서 죽을 뻔했어.
A: 누가 아니래. 심판이 어쩜 그 따위로 판정을 할 수가 있지?
B: 확실히 불공평했어. 다 이긴 경기를 어이없이 지고 말았잖아.

여러 가지 활용

Ⅰ. 경기 관람하기 看比赛
kàn bǐ sài

▶ **중계방송 시청 收看现场直播**
shōu kàn xiàn chǎng zhí bō

A: 你知道今天有韩中足球赛的现场直播吗?
nǐ zhī dào jīn tiān yǒu hán zhōng zú qiú sài de xiàn chǎng zhí bō ma

B: 当然了, 我是从来都不会错过观看这种比赛的。
dāng rán le wǒ shì cóng lái dōu bú huì cuò guò guān kàn zhè zhǒng bǐ sài de

A: 오늘 한중 축구 중계방송 있는 것 알아?
B: 물론이지, 나는 그런 시합은 놓친 적이 없어.

- 우리 같이 경기 보면서 우리 팀 응원하자.
  我们一起观看比赛，支持我们的队吧。
  wǒ men yì qǐ guān kàn bǐ sài zhī chí wǒ men de duì ba

- 오늘 프로 축구 경기는 무슨 채널에서 중계방송하지?
  今天的职业足球比赛在哪个频道进行现场直播啊?
  jīn tiān de zhí yè zú qiú bǐ sài zài nǎ ge pín dào jìn xíng xiàn chǎng zhí bō a

- 탁구 대회 중계방송은 몇 시에 시작되죠?
  乒乓球比赛的现场直播在几点开始啊?
  pīng pāng qiú bǐ sài de xiàn chǎng zhí bō zài jǐ diǎn kāi shǐ a

경기장에서의 관람 在现场观看
zài xiàn chǎng guān kàn

A: 今天我们去现场观看棒球比赛好吗?
jīn tiān wǒ men qù xiàn chǎng guān kàn bàng qiú bǐ sài hǎo ma

B: 今天太热了，在家里看现场直播，怎么样?
jīn tiān tài rè le zài jiā li kàn xiàn chǎng zhí bō zěn me yàng

A: 去现场看和在家里看电视是不同的。
qù xiàn chǎng kàn hé zài jiā li kàn diàn shì shì bù tóng de

B: 怎么不同呢?
zěn me bù tóng ne

A: 在现场看很有气氛。可以大声为我们的队加油、喝彩。[1)]
zài xiàn chǎng kàn hěn yǒu qì fēn kě yǐ dà shēng wèi wǒ men de duì jiā yóu hè cǎi

B: 那倒也是。难怪大家都抢着买票。
nà dào yě shì nán guài dà jiā dōu qiǎng zhe mǎi piào

A: 오늘 우리 야구장에 가서 야구 시합 볼까?
B: 날씨도 더운데 그냥 집에서 중계방송으로 보는 게 어때?
A: 현장에서 보는 것과 집에서 텔레비전으로 보는 것은 다르다구.
B: 뭐가 다른데?
A: 현장에서는 분위기라는게 있잖아. 큰 소리로 우리 팀을 응원도 하고 환호도 하고.
B: 하긴, 그러니까 다들 표를 사느라 난리겠지.

---

1) 喝彩 hècǎi: 갈채하다. 환호하다. 喝를 1성으로 발음하면 물이나 차 등을 '마시다'라는 뜻이지만, 4성으로 발음하면 '소리치다'라는 뜻이 된다.

▶ **응원 支持**
zhī chí

• 너는 어느 팀을 응원하니?
你支持哪个队?
nǐ zhī chí nǎ ge duì

• 나는 브라질 팀을 응원해.
我支持巴西队。
wǒ zhī chí bā xī duì

• 우리 같이 중국 팀을 응원하자.
我们一起支持中国队吧。
wǒ men yì qǐ zhī chí zhōng guó duì ba

• 이번엔 우리 팀이 이겼으면 좋겠어.
我希望这次比赛我们队能赢。
wǒ xī wàng zhè cì bǐ sài wǒ men duì néng yíng

• 이겨라! 이겨라!
加油! 加油!
jiā yóu jiā yóu

• 골인! 골인!
进球! 进球!
jìn qiú jìn qiú

Ⅱ. 예상 · 진행 · 결과 预测/进行/结果
yù cè jìn xíng jié guǒ

▶ **경기 예상 预测比赛**
yù cè bǐ sài

• 어느 팀이 이길 것 같습니까?
你觉得哪个队会赢?
nǐ jué de nǎ ge duì huì yíng

• 구기 경기는 끝나기 전에는 누가 이길지 몰라요.
球赛不到最后, 不知道谁会赢。
qiú sài bú dào zuì hòu bù zhī dào shéi huì yíng

• 어느 팀이 이기는지 우리 내기합시다.
哪个队会赢, 我们来打赌。
nǎ ge duì huì yíng wǒ men lái dǎ dǔ

• 내일이 결승전인데, 브라질과 아르헨티나 어느 팀이 이길까?
明天有决赛, 巴西和阿根廷哪队会赢呢?
míng tiān yǒu jué sài bā xī hé ā gēn tíng nǎ duì huì yíng ne

▶ 경기 진행 상황 **比赛进行情况**
bǐ sài jìn xíng qíng kuàng

- 지금 몇 대 몇이죠?
现在几比几?
xiàn zài jǐ bǐ jǐ

- 점수가 어떻게 됐어요?
比分是多少?
bǐ fēn shì duō shao

- 지금 어느 팀이 앞서고 있죠?
现在哪个队领先了?[2)]
xiàn zài nǎ ge duì lǐng xiān le

- 우리 팀이 5대 3으로 앞서고 있어요.
我们队5比3领先了。
wǒ men duì bǐ lǐng xiān le

- 이 시합은 무승부가 될 것 같군요.
这比赛可能打平。
zhè bǐ sài kě néng dǎ píng

- 역전의 기회는 아직도 충분해요.
反败为胜的机会还很多。
fǎn bài wéi shèng de jī huì hái hěn duō

▶ 경기 결과 **比赛结果**
bǐ sài jié guǒ

- 누가 이겼지?
谁赢了?
shéi yíng le

- 그 경기의 결과는 어떻게 됐죠?
那次比赛的结果怎么样?
nà cì bǐ sài de jié guǒ zěn me yàng

- 우리 팀이 역전승을 했어.
我们队反败为胜了。
wǒ men duì fǎn bài wéi shèng le

- 아깝게도 우리 팀이 2:3으로 역전패했어.
真可惜，我们队以2:3反败了。
zhēn kě xī wǒ men duì yǐ fǎn bài le

---

2) 领先 lǐngxiān: 앞서다. 리드하다. 선두에 서다 = 领前 lǐngqián.

- 졌어. 정말 실망이야.
  输了，所以我感到很失望。
  shū le suǒ yǐ wǒ gǎn dào hěn shī wàng

- 무승부야. 맥이 빠지는군.
  平了，真没劲。
  píng le zhēn méi jìn

- 그건 처음부터 이미 승패가 정해진 경기였어요.
  那一开始就是一个胜负已定的比赛。
  nà yì kāi shǐ jiù shì yí ge shèng fù yǐ dìng de bǐ sài

- 그녀는 예선 경기에서 탈락했어요.
  她在预选赛上，就落选了。
  tā zài yù xuǎn sài shang jiù luò xuǎn le

- 그는 수영 경기 도중 스스로 기권했어요.
  他在游泳比赛中，自动弃权了。
  tā zài yóu yǒng bǐ sài zhōng zì dòng qì quán le

- 그는 다리 부상으로 실력을 발휘 못해 결선에 떨어졌어요.
  他腿受伤了，所以影响发挥，没进决赛。
  tā tuǐ shòu shāng le suǒ yǐ yǐng xiǎng fā huī méi jìn jué sài

- 싸우다 보면 이길 수도 있고 질 수도 있지, 너무 경기 결과에 집착하지 마.
  胜败乃兵家常事，不要太计较比赛的结果。[3)]
  shèng bài nǎi bīng jiā cháng shì bú yào tài jì jiào bǐ sài de jié guǒ

- 운동선수라면 페어플레이 정신이 있어야 해요.
  作为一个运动员，要有公平公正之心。
  zuò wéi yí ge yùn dòng yuán yào yǒu gōng píng gōng zhèng zhī xīn

- 경기 전 도핑 테스트를 해서 금지 약물 복용 여부를 검사합니다.
  在比赛以前要进行药检，看有没有服用违禁药品。
  zài bǐ sài yǐ qián yào jìn xíng yào jiǎn kàn yǒu méi yǒu fú yòng wéi jìn yào pǐn

- 노장이 출전하니 경기 양상이 바로 바뀌는군요.
  真是老将出马一个顶俩呀，比赛马上就有了转机。[4)]
  zhēn shì lǎo jiàng chū mǎ yí ge dǐng liǎ ya bǐ sài mǎ shàng jiù yǒu le zhuǎn jī

---

3) 胜败乃兵家常事: "승패는 병가지상사" 즉, 승패는 싸움에서 늘 있는 일이라는 뜻. 计较 jìjiào: 사소한 일을 가지고 지나치게 따짐. = 斤斤计较 jīn jīn jì jiào.

4) 老将出马一个顶俩: 노장이 출전하여 1인 2역을 해내다. 즉 베테랑 선수가 제 역할을 톡톡히 해낸다는 뜻.

참고 관련 용어

- 취미 爱好 ài hào
- 여가 休闲 xiū xián
- 휴가 休假 xiū jià
- 마작 麻将 má jiàng
- 바둑 围棋 wéi qí
- 바둑을 두다 下棋 xià qí
- 오목 五子棋 wǔ zǐ qí
- 영화 电影 diànyǐng
- 우표 수집 集邮 jí yóu
- 음악 감상 欣赏音乐 xīn shǎng yīn yuè
- 에어로빅 健美操 jiàn měi cāo
- 원예 园艺 yuán yì
- 조각 雕刻 diāo kè
- 소상 塑像 sù xiàng
- 추상화 抽象画 chōuxiàng huà
- 포커 扑克 pū kè
- 여행 旅行 lǚ xíng
- 해외여행 海外旅行 hǎi wài lǚ xíng
- 들놀이 野游, 郊游 yě yóu jiāo yóu
- 명승고적 名胜古迹 míngshèng gǔ jì
- 무전여행 自助旅行 zì zhù lǚ xíng
- 배낭여행 背包旅行 bēi bāo lǚ xíng
- 실크로드 丝绸之路 sī chóu zhī lù
- 독서 读书 dú shū
- 무협 소설 武侠小说 wǔ xiá xiǎoshuō
- 역사 소설 历史小说 lì shǐ xiǎoshuō
- 추리 소설 推理小说 tuī lǐ xiǎoshuō
- 책벌레 书呆子 shū dāi zi
- 베스트셀러 畅销书 chàngxiāo shū
- 산문 散文 sǎn wén
- 시집 诗集 shī jí
- 신문 报纸 bào zhǐ
- 헤드라인 头条 tóu tiáo
- 무협영화 武打片 wǔ dǎ piān
- 일면 머리기사 头条新闻 tóu tiáo xīn wén
- 잡지 杂志 zá zhì
- 영화광 影迷 yǐng mí
- 코미디 영화 喜剧片 xǐ jù piàn
- 공상 과학 영화 科幻片 kē huànpiàn
- 공포 영화 恐怖片 kǒng bù piàn
- 애니메이션 영화 动画片 dòng huà piàn
- 영화배우 影星 yǐngxīng
- 감독 导演 dǎo yǎn
- 영화제 电影节 diànyǐng jié
- 대중가요 流行歌曲 liú xíng gē qǔ
- 콘서트 演唱会 yǎn chàng huì
- 록 음악 摇滚歌曲 yáo gǔn gē qǔ
- 민요 民谣 mín yáo
- 클래식 古典音乐 gǔ diǎn yīn yuè
- 가수 歌手 gē shǒu
- (가수의) 팬 歌迷 gē mí
- 악기 乐器 yuè qì
- 기타 吉他 jí tā
- 하모니카 口琴 kǒu qín
- 피아노 钢琴 gāng qín
- 바순 巴松, 巴松管 Bā sōng Bā sōngguǎn

- 바이올린 小提琴 xiǎo tí qín
- 비올라 中提琴 zhōng tí qín
- 아코디언 手风琴 shǒufēng qín
- 오르간 风琴 fēng qín
- 전자 오르간 电子琴 diàn zǐ qín
- 첼로 大提琴 dà tí qín
- 탬버린 铃鼓 líng gǔ
- 트럼펫 小号 xiǎo hào
- 플루트 长笛 cháng dí
- 피리 笛子 dí zi
- 경음악 轻音乐 qīng yīn yuè
- 동요 童谣 tóng yáo
- 오케스트라 管弦乐队 guǎnxuán yuè duì
- 재즈 爵士 jué shì
- 노래방 卡啦OK厅 kǎ lā tīng
- 음치 音盲, 五音不全 yīn máng wǔ yīn bù quán
- 박자 拍子 pāi zi
- 음정 调儿 diàor
- 독창 独唱 dú chàng
- 합창 合唱 hé chàng
- 등산 登山, 爬山 dēngshān pá shān
- 침낭 睡袋 shuì dài
- 암벽 등반 攀岩 pān yán
- 산 정상 山顶 shāndǐng
- 낚시 钓鱼 diào yú
- 미끼 鱼饵 yú ěr
- 지렁이 蚯蚓 qiū yǐn
- 낚시 도구 鱼具 yú jù
- 낚싯대 钓竿 diào gān
- 올림픽 奥运会 ào yùn huì
- 아시안 게임 亚运会 yà yùn huì
- 장애인 체육 대회 残运会 cán yùn huì
- 우승 冠军 guàn jūn
- 준우승 亚军 yà jūn
- 무승부 平手, 平局 píngshǒu píng jú
- 스코어 比分 bǐ fēn
- 축구 足球 zú qiú
- 전반전 上半场 shàng bàn chǎng
- 후반전 下半场 xià bàn chǎng
- 패스 传球 chuán qiú
- 헤딩슛 顶球 dǐng qiú
- 골키퍼 守门员 shǒuményuán
- 공격수 前锋 qiánfēng
- 수비수 后卫 hòu wèi
- 코너킥 角球 jiǎo qiú
- 페널티 킥 点球 diǎn qiú
- 연장전 加时赛 jiā shí sài
- 슛 射门 shè mén
- 골인 进球 jìn qiú
- 골대 球门框 qiú ménkuàng
- 자살골 自杀球 zì shā qiú
- 반칙 犯规 fàn guī
- 경고 警告 jǐng gào
- 심판 裁判 cái pàn
- 오프사이드 越位 yuè wèi
- 월드컵 世界杯 shì jiè bēi
- 탁구 乒乓球 pīngpāng qiú
- 라켓 球拍 qiú pāi
- 탁구대 乒乓球台 pīngpāng qiú tái
- 서브권 发球权 fā qiú quán

- 서브 发球 fā qiú
- 소프트볼 垒球 lěi qiú
- 스매싱, 스파이크 扣球 kòu qiú
- (배구의) 토스 托球 tuō qiú
- 드라이브 杀球 shā qiú
- 커트 볼 削球 xiāo qiú
- 야구 棒球 bàng qiú
- 투수 投手 tóu shǒu
- 삼진 아웃 三振出局 sān zhèn chū jú
- 만루 满垒 mǎn lěi
- 데드 볼 触身球 chù shēn qiú
- 홈런 全垒打 quán lěi dǎ
- 도루 盗垒 dào lěi
- 사구 四坏球 sì huài qiú
- 변화구 变化球 biàn huà qiú
- 골프 高尔夫 gāo ěr fū
- 핸디 差点 chā diǎn
- 홀 洞 dòng
- 벙커 沙坑 shā kēng
- 오비 出界 chū jiè
- 그린 果岭 guǒ lǐng
- 수영 游泳 yóu yǒng
- 다이빙 跳水 tiào shuǐ
- 자유영 自由泳 zì yóu yǒng
- 평영 蛙泳 wā yǒng
- 접영 蝶泳 dié yǒng
- 배영 仰泳 yǎngyǒng
- 수영복 泳衣 yǒng yī
- 비키니 比基尼 bǐ jī ní
- 태권도 跆拳道 tái quán dào
- 무술 武术 wǔ shù
- 태극권 太极拳 tài jí quán
- 스키 滑雪 huá xuě
- 스케이트 滑冰 huá bīng
- 볼링 保龄球 bǎo líng qiú
- 테니스 网球 wǎng qiú
- 배드민턴 羽毛球 yǔ máo qiú
- 농구 篮球 lán qiú
- 배구 排球 pái qiú
- 럭비 橄榄球 gǎn lǎn qiú
- 체조 体操 tǐ cāo
- 씨름, 레슬링 摔跤 shuāi jiāo
- 마라톤 马拉松 mǎ lā sōng
- 사격 射击 shè jī
- 수중 발레 花样游泳 huā yàng yóu yǒng
- 승마 马术 mǎ shù
- 원반 飞盘 fēi pán
- 윈드서핑 帆板运动 fān bǎn yùn dòng
- 유도 柔道 róu dào
- 조정 赛艇 sài tǐng
- 줄넘기 跳绳 tiào shéng
- 파도타기 滑浪 huá làng
- 펜싱 击剑 jī jiàn
- 폴로 马球 mǎ qiú
- 피겨 스케이팅 花样滑冰 huā yàng huá bīng
- 필드하키 曲棍球 qū gùn qiú
- 행글라이더 飞翼运动 fēi yì yùn dòng
- 당구 台球 tái qiú

APPENDIX

APPENDIX

부 록

附 录 FULU

1 주요 번체자－간체자 대조표 繁体字-简化字 对照表
fán tǐ zì jiǎn huà zì duì zhàobiǎo

ㄱ

가 價:价　가 傢:家　가 駕:驾　각 閣:阁　각 殼:壳
각 覺:觉　간 趕:赶　간 懇:恳　간 簡:简　간 艱:艰
간 間:间　간 幹:干　감 尷:尴　감 鑒:鉴　감 監:监
강 岡:冈　강 剛:刚　강 崗:岗　강 鋼:钢　강 講:讲
강 薑:姜　개 個:个　개 開:开　개 凱:凯　개 蓋:盖
거 擧:举　거 據:据　거 鉅:钜　건 乾:干　걸 傑:杰
검 臉:脸　검 檢:检　격 擊:击　견 堅:坚　견 牽:牵
견 見:见　결 潔:洁　경 傾:倾　경 勁:劲　경 徑:径
경 競:竞　경 經:经　경 輕:轻　경 慶:庆　경 頃:顷
경 驚:惊　계 啓:启　계 鷄:鸡　계 繼:継　계 計:计
계 階:阶　계 係:系　고 褲:裤　고 庫:库　고 顧:顾
과 誇:夸　과 過:过　관 慣:惯　관 觀:观　관 貫:贯
관 關:关　광 礦:矿　광 廣:广　괴 塊:块　괴 壞:坏
굉 轟:轰　교 較:较　구 區:区　구 構:构　구 歐:欧
구 溝:沟　구 舊:旧　구 購:购　구 驅:驱　국 國:国
군 軍:军　궁 窮:穷　권 勸:劝　권 權:权　궤 軌:轨
귀 歸:归　귀 貴:贵　귀 龜:龟　규 規:规　규 糾:纠
극 劇:剧　극 極:极　근 僅:仅　기 幾:几　기 棄:弃
기 氣:气　기 豈:岂　기 饑:饥　기 機:机　긴 緊:紧

ㄴ

낙 諾:诺　난 難:难　녕 寧:宁　노 魯:鲁　농 農:农
농 濃:浓　뇌 腦:脑　뇨 鬧:闹

ㄷ

단 單:单　단 團:团　단 壇:坛　단 斷:断　달 達:达
담 擔:担　담 膽:胆　당 當:当　당 檔:档　당 黨:党

대 對:对　대 帶:带　대 隊:队　대 臺:台　도 圖:图
도 導:导　도 濤:涛　독 獨:独　독 讀:读　동 動:动
동 東:东　두 頭:头　등 燈:灯　등 鄧:邓　등 騰:腾

ㄹ

라 懶:懒　라 羅:罗　라 邏:逻　락 樂:乐　란 亂:乱
란 欄:栏　란 爛:烂　란 蘭:兰　람 藍:蓝　람 覽:览
래 來:来　래 萊:莱　량 諒:谅　량 倆:俩　량 兩:两
량 輛:辆　량 糧:粮　려 厲:厉　려 勵:励　려 麗:丽
려 慮:虑　력 曆:历　력 歷:历　력 靂:雳　련 戀:恋
련 練:练　련 聯:联　련 蓮:莲　련 連:连　련 憐:怜
렴 斂:敛　령 靈:灵　례 隸:隶　로 勞:劳　로 蘆:芦
로 魯:鲁　록 錄:录　론 論:论　롱 聾:聋　료 療:疗
룡 龍:龙　루 壘:垒　루 樓:楼　루 淚:泪　류 劉:刘
류 類:类　륙 陸:陆　륜 倫:伦　륜 侖:仑　륜 輪:轮
리 離:离　리 裏:里　린 鄰:邻　림 臨:临

ㅁ

마 麼:么　마 媽:妈　마 螞:蚂　마 嗎:吗　마 碼:码
마 馬:马　만 滿:满　만 灣:湾　만 萬:万　망 網:网
매 買:买　매 賣:卖　매 邁:迈　매 罵:骂　맥 脈:脉
멸 滅:灭　명 鳴:鸣　모 謀:谋　몽 夢:梦　무 務:务
무 撫:抚　무 無:无　문 們:们　문 問:问　문 門:门
미 彌:弥　민 閔:闵　민 憫:悯

ㅂ

박 撲:扑　반 盤:盘　반 飯:饭　발 撥:拨　발 發:发
발 髮:发　방 幫:帮　방 龐:庞　방 訪:访　배 輩:辈
번 煩:烦　범 範:范　변 變:变　변 辯:辩　변 邊:边
병 餠:饼　보 報:报　보 寶:宝　보 補:补　복 複:复
봉 鳳:凤　부 婦:妇　부 膚:肤　부 負:负　분 奮:奋

분 憤:愤	비 備:备	비 費:费	비 飛:飞	빈 貧:贫

ㅅ

사 寫:写	사 師:师	사 絲:丝	사 謝:谢	사 辭:辞
사 捨:舍	산 産:产	산 傘:伞	살 殺:杀	삼 滲:渗
삼 參:参	상 傷:伤	상 償:偿	상 喪:丧	상 嘗:尝
상 賞:赏	상 狀:状	쌍 雙:双	새 賽:赛	서 書:书
석 釋:释	선 綫:线	선 選:选	선 鮮:鲜	설 說:说
섬 閃:闪	섭 攝:摄	성 聖:圣	성 聲:声	세 勢:势
세 歲:岁	소 掃:扫	소 燒:烧	소 蘇:苏	소 簫:箫
속 屬:属	속 續:续	손 孫:孙	손 損:损	쇄 鎖:锁
수 數:数	수 樹:树	수 隨:随	수 雖:虽	수 須:须
순 順:顺	술 術:术	습 濕:湿	습 習:习	습 襲:袭
승 勝:胜	승 繩:绳	시 時:时	시 視:视	식 蝕:蚀
식 識:识	식 飾:饰	신 腎:肾	신 訊:讯	실 實:实
심 審:审	심 尋:寻			

ㅇ

아 亞:亚	아 兒:儿	아 啞:哑	아 餓:饿	악 樂:乐
악 惡:恶	압 壓:压	압 鴨:鸭	애 礙:碍	애 愛:爱
액 額:额	앵 櫻:樱	야 爺:爷	약 約:约	약 藥:药
약 躍:跃	양 癢:痒	양 揚:扬	양 楊:杨	양 樣:样
양 讓:让	양 釀:酿	양 陽:阳	양 養:养	어 魚:鱼
억 億:亿	억 憶:忆	엄 嚴:严	업 業:业	여 與:与
여 餘:余	역 譯:译	연 硯:砚	연 淵:渊	연 軟:软
열 熱:热	염 厭:厌	염 鹽:盐	엽 葉:叶	엽 頁:页
영 贏:赢	영 嬰:婴	영 榮:荣	영 營:营	예 藝:艺
예 譽:誉	오 誤:误	오 烏:乌	옥 獄:狱	온 穩:稳
옹 擁:拥	와 渦:涡	요 擾:扰	용 聳:耸	우 優:优
우 郵:邮	운 運:运	운 雲:云	원 員:员	원 圓:圆
원 園:园	원 遠:远	원 願:愿	위 爲:为	위 偉:伟
위 圍:围	위 衛:卫	위 違:违	유 猶:犹	유 遺:遗

윤 潤:润　은 隱:隐　음 陰:阴　응 應:应　의 擬:拟
의 義:义　의 蟻:蚁　의 議:议　의 醫:医　이 爾:尔
이 異:异　인 認:认

ㅈ

자 資:资　잔 殘:残　잠 暫:暂　잡 雜:杂　장 獎:奖
장 髒:脏　장 場:场　장 壯:壮　장 妝:妆　장 將:将
장 張:张　장 墻:墙　장 臟:脏　장 裝:装　장 長:长
장 莊:庄　장 漲:涨　재 齋:斋　재 財:财　재 載:载
저 儲:储　저 這:这　저 貯:贮　적 敵:敌　적 積:积
적 適:适　적 賊:贼　전 傳:传　전 專:专　전 戰:战
전 轉:转　전 錢:钱　전 電:电　절 節:节　점 墊:垫
점 漸:渐　점 點:点　정 貞:贞　정 釘:钉　정 鄭:郑
정 頂:顶　정 淨:净　정 靜:静　제 劑:剂　제 濟:济
제 際:际　제 題:题　제 齊:齐　조 條:条　조 棗:枣
조 竈:灶　조 趙:赵　종 從:从　종 種:种　종 鐘:钟
주 疇:畴　준 準:准　중 衆:众　즉 則:则　증 贈:赠
증 證:证　지 遲:迟　직 織:织　직 職:职　진 盡:尽
진 進:进　진 陣:阵　진 陳:陈　질 質:质　집 輯:辑
집 執:执　징 徵:征

ㅊ

차 車:车　착 錯:错　착 鑿:凿　찬 燦:灿　찬 攢:攒
찬 贊:赞　참 參:参　참 慘:惨　창 搶:抢　창 倉:仓
창 創:创　창 廠:厂　창 愴:怆　창 暢:畅　창 瘡:疮
창 艙:舱　채 債:债　책 責:责　처 處:处　천 淺:浅
천 賤:贱　천 薦:荐　천 遷:迁　철 徹:彻　철 鐵:铁
첨 簽:签　첩 貼:贴　첩 疊:叠　청 聽:听　청 廳:厅
체 滯:滞　체 遞:递　체 體:体　초 礎:础　촉 觸:触
총 寵:宠　총 叢:丛　총 總:总　추 趨:趋　추 雛:雏
추 醜:丑　축 築:筑　충 蟲:虫　충 衝:冲　측 廁:厕
측 側:侧　층 層:层　치 齒:齿　친 親:亲　칭 稱:称

ㅌ

타 墮:堕 탁 託:托 탁 濁:浊 탄 彈:弹 탈 奪:夺
탐 貪:贪 태 態:态 택 擇:择 택 澤:泽 투 鬥:斗

ㅍ

파 擺:摆 파 罷:罢 판 販:贩 판 辦:办 패 敗:败
패 貝:贝 편 編:编 평 蘋:苹 폐 幣:币 폐 廢:废
폐 閉:闭 포 飽:饱 표 標:标 풍 豐:丰 풍 諷:讽
풍 風:风 필 畢:毕 필 筆:笔

ㅎ

하 嚇:吓 하 蝦:虾 하 賀:贺 학 學:学 한 漢:汉
한 閑:闲 한 韓:韩 할 轄:辖 함 艦:舰 항 項:项
해 該:该 향 鄕:乡 향 響:响 향 嚮:向 헌 憲:宪
험 險:险 험 驗:验 현 現:现 현 懸:悬 현 縣:县
현 顯:显 현 賢:贤 협 協:协 협 夾:夹 협 狹:狭
협 脅:胁 형 螢:萤 호 護:护 호 號:号 호 壺:壶
혼 琿:珲 홍 紅:红 화 畫:画 화 華:华 화 貨:货
화 嘩:哗 확 擴:扩 확 確:确 환 歡:欢 환 環:环
환 還:还 활 闊:阔 회 懷:怀 회 會:会 획 劃:划
획 獲:获 효 曉:晓 후 後:后 훈 勛:勋 휘 彙:汇
휘 揮:挥 휘 諱:讳 휘 輝:辉 휴 虧:亏 흥 興:兴
희 戲:戏 희 犧:牺

2 자주 쓰이는 양사

常用量词
chángyòngliàng cí

把(bǎ)	손잡이가 있는 물건	一把伞(yì bǎ sǎn)
		一把刀(yì bǎ dāo)
	의자	一把椅子(yì bǎ yǐzi)
	한 움큼의 분량	一把米(yì bǎ mǐ)
包(bāo)	포장된 물건	一包糖(yì bāo táng)
		一包香烟(yì bāo xiāngyān)
本(běn)	책	一本书(yì běn shū)
		一本词典(yì běn cídiǎn)
笔(bǐ)	화폐, 금융	一笔钱(yì bǐ qián)
		一笔收入(yì bǐ shōurù)
遍(biàn)	동작의 횟수	说一遍(shuō yí biàn)
		看一遍(kàn yí biàn)
步(bù)	걸음, 단계	一步路(yí bù lù)
		下一步(xià yí bù)
部(bù)	서적, 영화	一部小说(yí bù xiǎoshuō)
		一部电影(yí bù diànyǐng)
层(céng)	중첩 또는 누적된 것	五层楼(wǔ céng lóu)
		双层玻璃(shuāng céng bōli)
	물체의 표면을 덮은 것	一层油(yì céng yóu)
		一层土(yì céng tǔ)
场(cháng)	비·바람 등의 자연현상	一场大雨(yì cháng dàyǔ)
	한바탕의 사건·현상	一场战争(yì cháng zhànzhēng)
(chǎng)	운동 경기의 횟수	一场球(yì chǎng qiú)
	공연, 관람	一场戏(yì chǎng xì)
处(chù)	곳, 장소	一处错误(yí chù cuòwù)
	가옥	一处房屋(yí chù fángwū)
串(chuàn)	연달아 있는 사물	一串钥匙(yí chuàn yàoshi)
		一串葡萄(yí chuàn pútao)
次(cì)	차례, 횟수	有一次(yǒu yí cì)
		一次机会(yí cì jīhuì)

打(dá)	다스(dozen)	一打铅笔(yì dá qiānbǐ) 一打纸(yì dá zhǐ)
代(dài)	세대 대, 시대	一代人(yí dài rén) 第一代(dì yī dài)
袋(dài)	봉지·자루에 담긴 것	一袋米(yí dài mǐ) 一袋面粉(yí dài miànfěn)
道(dào)	긴 모양의 것 문, 담 문제	一道沟(yí dào gōu), 一道皱纹(yí dào zhòuwén) 一道门(yí dào mén) 一道题(yí dào tí)
等(děng)	등급	一等奖(yì děng jiǎng) 一等舱(yì děng cāng)
滴(dī)	방울지는 액체	一滴水(yì dī shuǐ) 一滴血(yì dī xiě)
点(diǎn)	시간 소량 사항, 사안	几点钟(jǐ diǎn zhōng) 一点水(yì diǎn shuǐ) 一点希望(yì diǎn xīwàng) 一点建议(yì diǎn jiànyì)
栋(dòng)	건물	一栋楼(yí dòng lóu) 一栋房子(yí dòng fángzi)
段(duàn)	긴 것의 일부분	一段路(yí duàn lù) 一段时间(yí duàn shíjiān)
队(duì)	대열, 대오	一队学生(yí duì xuéshēng)
对(duì)	쌍, 짝	一对男女(yí duì nánnǚ)
顿(dùn)	식사, 끼니 책망, 훈계	一顿饭(yí dùn fàn) 骂一顿(mà yí dùn) 打一顿(dǎ yí dùn)
朵(duǒ)	꽃, 구름	一朵花(yì duǒ huā) 一朵白云(yì duǒ báiyún)
方(fāng)	사각형의 물건	一方土(yì fāng tǔ)
分(fēn)	시간의 단위 화폐의 단위 성적, 점수	差五分(chà wǔ fēn) 一分钱(yì fēn qián) 一百分(yì bǎi fēn)

	분수, 각도	三分之一(sān fēn zhī yī)
份(fèn)	조각, 일부분	一份礼物(yí fèn lǐwù)
	요리, 음식	一份套餐(yí fèn tàocān)
	간행물, 문서	一份报纸(yí fèn bàozhǐ)
	감정, 사상	一份心意(yí fèn xīnyì)
封(fēng)	편지 등 밀봉한 물건	一封信(yì fēng xìn)
幅(fú)	서화 등의 작품	一幅画(yì fú huà)
	풍경, 화면, 깃발, 자수	一幅刺绣(yì fú cìxiù)
	천 등의 폭, 너비	宽幅(kuān fú)
副(fù)	한 벌·한 쌍으로 된 것	一副手套(yí fù shǒutào)
	사람의 생김새, 표정	一副笑脸(yí fù xiàoliǎn)
服(fù)	한약, 중약	一服汤药(yí fù tāngyào)
杆(gǎn)	긴 막대 같은 물건	一杆枪(yì gǎn qiāng)
		一杆秤(yì gǎn chèng)
个(gè)	전용 양사가 없을 때	一个人(yí gè rén)
		一个苹果(yí gè píngguǒ)
	다른 양사를 대신할 때	一个桌子(yí gè zhuōzi)
	추상 명사	一个主意(yí gè zhǔyi)
	돌발적인 동작·현상	一个霹雳(yí gè pīlì)
根(gēn)	뿌리가 달린 것	一根大葱(yì gēn dàcōng)
	모발, 털	一根头发(yì gēn tóufa)
	가늘고 긴 물건	一根绳子(yì gēn shéngzi)
		一根蜡烛(yì gēn làzhú)
股(gǔ)	가닥·줄기를 이루는 것	一股泉水(yì gǔ quánshuǐ)
	기체, 맛, 힘	一股香味(yì gǔ xiāngwèi)
	떼·무리를 지은 사람	一股难民(yì gǔ nànmín)
管(guǎn)	원통형의 물건	一管笔(yì guǎn bǐ)
行(háng)	줄, 행, 열	排成一行(pái chéng yìháng)
		两行泪(liǎng háng lèi)
号(hào)	등급, 차례	第一号(dì yī hào)
	종류, 번호	一号选手(yí hào xuǎnshǒu)
户(hù)	집, 가정	一户农民(yí hù nóngmín)
回(huí)	동작의 횟수	一回事(yì huí shì)

		看一回(kàn yì huí)
伙(huǒ)	사람의 무리	一伙年轻人(yì huǒ niánqīngrén)
级(jí)	등급, 급수	第一级(dì yī jí) 一级水(yì jí shuǐ)
剂(jì)	한약, 중약	一剂中药(yí jì zhōngyào)
家(jiā)	집, 기업, 사업	一家企业(yì jiā qǐyè) 一家商店(yì jiā shāngdiàn)
架(jià)	대, 받침대가 있는 사물	一架飞机(yí jià fēijī) 一架模型(yí jià móxíng)
间(jiān)	방의 칸	一间房(yì jiān fáng) 一间卧室(yì jiān wòshì)
件(jiàn)	옷, 문서, 안건 등	一件衣服(yí jiàn yīfu) 一件事(yí jiàn shì)
节(jié)	마디가 있는 사물 단락, 음절	几节藕(jǐ jié ǒu) 两节电池(liǎng jié diànchí) 第三节(dì sān jié)
届(jiè)	정기적 회의, 회기	第一届(dì yī jiè) 上届(shàng jiè)
局(jú)	바둑 등 시합의 회	第一局(dì yī jú)
句(jù)	말, 문장	一句话(yí jù huà)
卷(juàn) (juǎn)	서적의 편, 장 말아져 있는 것	第三卷(dì sān juàn) 一卷卫生纸(yì juǎn wèishēngzhǐ)
棵(kē)	식물	一棵树(yì kē shù)
颗(kē)	작고 둥근 것, 알갱이	一颗爱心(yì kē àixīn) 一颗星星(yì kē xīngxing)
刻(kè)	시간의 단위(15분)	一刻钟(yí kè zhōng)
口(kǒu)	사람(식구)의 수 돼지 입구가 있는 것 날이 있는 것 입과 관련된 동작 · 행위	五口人(wǔ kǒu rén) 一口猪(yì kǒu zhū) 一口井(yì kǒu jǐng) 一口刀(yì kǒu dāo) 吃一口(chī yì kǒu)
块(kuài)	화폐의 단위 덩어리 · 조각으로 된 것	一块钱(yí kuài qián) 一块面包(yí kuài miànbāo)

捆(kǔn)	묶여져 있는 것, 다발	一捆油菜(yì kǔn yóucài)
类(lèi)	등급, 종류	三类品种(sān lèi pǐnzhǒng)
粒(lì)	작은 알갱이	一粒米(yí lì mǐ) 一粒豌豆(yí lì wāndòu)
辆(liàng)	차량	一辆车(yí liàng chē)
列(liè)	기차, 열차 줄을 지은 것	一列火车(yí liè huǒchē) 一列柳树(yí liè liǔshù)
流(liú)	사람이나 사물의 등급	一流演员(yì liú yǎnyuán)
路(lù)	버스나 전철의 노선 종류, 부류, 등급	三路车(sān lù chē) 这路人(zhè lù rén)
轮(lún)	태양, 달 회담 · 경기 등의 횟수	一轮明月(yì lún míngyuè) 三轮会谈(sān lún huìtán)
码(mǎ)	일의 건수 길이의 단위(yard)	两码事(liǎng mǎ shì) 一码(yìmǎ)
枚(méi)	동전, 메달, 훈장 등	一枚金牌(yì méi jīnpái) 一枚硬币(yì méi yìngbì)
门(mén)	학문 · 기술 등의 과목 일족, 혼사 대포	一门课(yì mén kè) 一门学科(yì mén xuékē) 一门婚事(yì mén hūnshì) 三门大炮(sān mén dàpào)
面(miàn)	편평하거나 펼쳐지는 것 만남의 횟수	一面镜子(yí miàn jìngzi) 见几面(jiàn jǐ miàn)
名(míng)	사람의 수 석차, 서열	一名学生(yì míng xuéshēng) 第一名(dì yī míng)
幕(mù)	연극의 막	第三幕(dì sān mù)
排(pái)	가로로 줄을 선 것	一排队伍(yì pái duìwǔ)
派(pài)	파벌, 부류, 유파 경치, 기상, 말, 소리 등	两派学者(liǎng pài xuézhě) 一派新气象(yí pài xīn qìxiàng)
盘(pán)	접시에 담긴 식품 감겨진 모양의 사물 바둑, 장기 등의 시합	一盘水果(yì pán shuǐguǒ) 一盘蚊香(yì pán wénxiāng) 一盘棋(yì pán qí) 一盘比赛(yì pán bǐsài)
批(pī)	많은 수의 사물이나 사람	一批文件(yì pī wénjiàn)

		一批商人(yì pī shāngrén)
匹(pǐ)	말・나귀 등의 동물	一匹马(yì pǐ mǎ)
篇(piān)	문장, 소설	一篇文章(yì piān wénzhāng) 一篇小说(yì piān xiǎoshuō)
片(piàn)	편평하고 얇은 물건 평면적인 범위・공간 분위기, 소리, 말 등	一片饼干(yí piàn bǐnggān) 一片白云(yí piàn báiyún) 一片柔情(yí piàn róuqíng) 一片混乱(yí piàn hùnluàn)
期(qī)	정기적인 간행물・활동	一期杂志(yì qī zázhì) 一期夏令营(yì qī xiàlìngyíng)
群(qún)	무리를 지은 것	一群人(yì qún rén) 一群羊(yì qún yáng)
扇(shàn)	문, 창문의 짝 병풍의 폭	两扇窗户(liǎng shàn chuānghu) 八扇屏风(bā shàn píngfēng)
身(shēn)	의복	一身香味儿(yì shēn xiāngwèir)
声(shēng)	소리의 횟수・마디	一声哀叹(yì shēng āitàn)
手(shǒu)	재주, 기술, 기능	学两手(xué liǎng shǒu)
首(shǒu)	시, 노래	一首歌(yì shǒu gē)
束(shù)	묶음, 다발	一束菊花(yí shù júhuā)
双(shuāng)	짝을 이루어 있는 것	一双手(yì shuāng shǒu) 一双筷子(yì shuāng kuàizi)
丝(sī)	극히 적거나 작은 것	一丝悔意(yì sī huǐyì) 一丝微笑(yì sī wēixiào)
艘(sōu)	비교적 큰 선박	一艘客轮(yì sōu kèlún)
所(suǒ)	집・학교 등 건물	一所房子(yì suǒ fángzi) 一所学校(yì suǒ xuéxiào)
台(tái)	기계, 설비 경극	一台电视机(yì tái diànshìjī) 一台京剧(yì tái jīngjù)
堂(táng)	수업 시간	一堂语文课(yì táng yǔwén kè)
趟(tàng)	왕래의 횟수 기차의 편수	去一趟(qù yí tàng) 这趟火车(zhè tàng huǒchē)
套(tào)	세트를 이루고 있는 것	一套家具(yí tào jiājù)

条(tiáo)	가늘고 긴 것	一条河(yì tiáo hé)
	바지	一条裤子(yì tiáo kùzi)
	형체가 긴 동식물	一条狗(yì tiáo gǒu)
贴(tiē)	붙이는 약	一贴膏药(yì tiē gāoyào)
通(tōng)	문서, 전화	一通电话(yì tōng diànhuà)
(tòng)	일정 시간 내에 계속되는 동작	一通骂(yí tòng mà)
头(tóu)	몸집이 비교적 큰 동물	一头牛(yì tóu niú)
	마늘	一头大蒜(yì tóu dàsuàn)
团(tuán)	원형·구형을 이룬 것	一团毛线(yì tuán máoxiàn)
丸(wán)	환약	一丸药(yì wán yào)
位(wèi)	사람(존칭어)	一位先生(yí wèi xiānsheng)
	수의 자리	三位数(sān wèi shù)
	자리, 지위	第一位(dì yī wèi)
下(xià)	동작의 횟수	看一下(kàn yí xià)
		问一下(wèn yí xià)
线(xiàn)	줄기·가닥 등 추상적인 것	一线希望(yí xiàn xīwàng)
		一线光明(yí xiàn guāngmíng)
项(xiàng)	종목, 항목	第一项(dì yī xiàng)
		各项条件(gè xiàng tiáojiàn)
些(xiē)	확정적이지 않은 복수	一些人(yì xiē rén)
		一些事情(yì xiē shìqing)
	다소, 약간, 조금	好一些(hǎo yì xiē)
		胖一些(pàng yì xiē)
宿(xiǔ)	밤	住一宿(zhù yì xiǔ)
旬(xún)	열흘	上旬(shàng xún)
	십 년	八旬(bā xún)
眼(yǎn)	눈으로 보는 횟수	看一眼(kàn yì yǎn)
	우물, 구멍	一眼井(yì yǎn jǐng)
样(yàng)	종류, 형태	三样菜(sān yàng cài)
		十样产品(shí yàng chǎnpǐn)
页(yè)	페이지	第一页(dì yī yè)
张(zhāng)	평면이 있는 것	一张纸(yì zhāng zhǐ)
		一张床(yì zhāng chuáng)

	얼굴	一张脸(yì zhāng liǎn)
阵(zhèn)	갑작스런 일이나 동작	一阵风(yí zhèn fēng) 一阵笑声(yí zhèn xiàoshēng)
	잠시 지속된 일이나 동작	哭一阵(kū yí zhèn) 忙一阵(máng yí zhèn)
支(zhī)	부대, 대오	一支军队(yì zhī jūnduì) 一支队伍(yì zhī duìwǔ)
	노래, 음악	一支歌(yì zhī gē) 一支乐曲(yì zhī yuèqǔ)
	막대 모양의 물건	一支笔(yì zhī bǐ)
只(zhī)	쌍으로 된 물건의 하나	一只耳朵(yì zhī ěrduo) 一只鞋(yì zhī xié)
	동물, 조류	一只鸟(yì zhī niǎo) 一只猫(yì zhī māo)
	배, 선박	一只小船(yì zhī xiǎochuán)
	축구·농구 등의 숫	一只球(yì zhī qiú)
枝(zhī)	꽃이 달린 가지	一枝玫瑰(yì zhī méigui)
	가늘고 긴 물건	一枝枪(yì zhī qiāng)
种(zhǒng)	종류, 가지, 부류	一种人(yì zhǒng rén) 一种现象(yì zhǒng xiànxiàng)
幢(zhuàng)	건물의 동·채	这幢楼(zhè zhuàng lóu)
桌(zhuō)	요리상, 술상	一桌酒席(yì zhuō jiǔxí) 一桌客人(yì zhuō kèrén)
座(zuò)	산	一座山(yí zuò shān)
	집, 다리	一座桥(yí zuò qiáo)

3 자주 쓰이는 성어 常用成语
chángyòng chéng yǔ

- 安分守己(ān fèn shǒu jǐ) 분수에 만족하여 본분을 지키다.
- 百读不厌(bǎi dú bú yàn) 아무리 읽어도 싫증이 나지 않다.
- 半死不活(bàn sǐ bù huó) 반죽음이 되다. 다 죽어 가다.
- 半途而废(bàn tú ér fèi) 중도에서 그만두다.
- 半信半疑(bàn xìn bàn yí) 반신반의하다.
- 背井离乡(bèi jǐng lí xiāng) 고향을 떠나다.
- 本来面目(běn lái miàn mù) 본래의 모습. 사람이 지니고 있는 고유의 심성.
- 变化无穷(biàn huà wú qióng) 변화무쌍하다.
- 变幻莫测(biàn huàn mò cè) 변화를 예측할 수 없다. 종잡을 수 없다.
- 别有天地(bié yǒu tiān dì) 속계를 떠난 경지에 있다. 풍경이 매우 아름답다. 별천지이다.
- 勃然大怒(bó rán dà nù) 발끈하며 몹시 화를 내다. 버럭 화를 내다.
- 不耻下问(bù chǐ xià wèn) 아랫사람에게 물어보는 것을 부끄럽게 여기지 않다.
- 不慌不忙(bù huāng bù máng) 당황하지 않고 서두르지 않다.
- 不计其数(bú jì qí shù) 부지기수. 헤아릴 수 없이 많다.
- 不假思索(bù jiǎ sī suǒ) 깊이 생각하지 않다. 단숨에 행하다.
- 不可开交(bù kě kāi jiāo) 해결할 수 없다. 끝을 맺을 수 없다.
- 不可思议(bù kě sī yì) 불가사의하다.
- 不伦不类(bù lún bú lèi) 이도 저도 아니다. 얼토당토않다.
- 不言而喻(bù yán ér yù) 말할 필요도 없다. 말하지 않아도 다 알다.
- 不约而同(bù yuē ér tóng) 약속이나 한 듯이 일치하다.
- 不知不觉(bù zhī bù jué) 자기도 모르는 사이에. 부지불식간에.
- 灿烂夺目(càn làn duó mù) 눈부시게 찬란하다.
- 沧海桑田(cāng hǎi sāng tián) 바다가 뽕밭이 되다. 세상의 변화가 매우 크다.

- 称心如意(chèn xīn rú yì) 마음에 꼭 들다. 바라던 대로이다.
- 成败得失(chéng bài dé shī) 성공과 실패, 이익과 손해.
- 乘风破浪(chéng fēng pò làng) 어려움을 두려워하지 않고 과감히 앞으로 나아가다.
- 愁眉苦脸(chóu méi kǔ liǎn) 근심에 잠긴 얼굴. 수심에 찬 얼굴.
- 出乎意料(chū hū yì liào) 예상을 벗어나다. 뜻밖이다.
- 出人头地(chū rén tóu dì) 남보다 뛰어나다. 출중하다.
- 穿山越岭(chuān shān yuè lǐng) 산을 뚫고 고개를 넘다. 온갖 어려움을 극복하다.
- 垂头丧气(chuí tóu sàng qì) 기가 죽다. 낙담하다. 의기소침하다.
- 聪明伶俐(cōng míng líng lì) 총명하고 영리하다.
- 从容不迫(cóng róng bú pò) 여유 만만하다. 태연자약하다.
- 寸步不离(cùn bù bù lí) 한 발짝도 곁을 떠나지 않다.
- 打抱不平(dǎ bào bù píng) 억울한 사람의 역성을 들다. 괴롭힘 당하는 사람의 편을 들다.
- 大功告成(dà gōng gào chéng) 큰일 또는 중대한 임무를 완성하다.
- 大惊小怪(dà jīng xiǎo guài) 하찮은 일에 크게 놀라다.
- 大开眼界(dà kāi yǎn jiè) 시야를 크게 넓히다. 눈이 번쩍 뜨이다.
- 大失所望(dà shī suǒ wàng) 크게 실망하다.
- 大显身手(dà xiǎn shēn shǒu) 솜씨를 크게 발휘하다. 실력을 한껏 드러내다.
- 大摇大摆(dà yáo dà bǎi) 의기양양하게 걷다.
- 得意扬扬(dé yì yáng yáng) 득의양양하다.
- 滴水穿石(dī shuǐ chuān shí) 낙숫물이 돌을 뚫는다. 능력이 없어도 끊임없이 노력하면 이룰 수 있다.
- 东奔西跑(dōng bēn xī pǎo) 이리저리 뛰어다니다. 동분서주하다.
- 东张西望(dōng zhāng xī wàng) 여기저기 두리번거리며 보다.
- 对症下药(duì zhèng xià yào) 증상에 따라 약을 쓰다. 구체적인 상황에 따라 해결책을 정하다.
- 反复无常(fǎn fù wú cháng) 변덕스럽기 짝이 없다.
- 粉身碎骨(fěn shēn suì gǔ) 분신쇄골하다. 뼈가 부서지도록 있는 힘을 다하다. (= 粉骨碎身 fěn gǔ suì shēn)

- 奋不顾身(fèn bú gù shēn) 목숨을 돌보지 않고 용감히 나아가다.
- 丰富多彩(fēng fù duō cǎi) 매우 풍부하고 다채롭다.
- 风吹雨打(fēng chuī yǔ dǎ) 비바람을 맞다. 세상의 온갖 풍상을 다 겪다.
- 风土人情(fēng tǔ rén qíng) 풍토와 인정. 지리적 환경과 풍습.
- 各得其所(gè dé qí suǒ) 각자 자기가 있을 자리에 있다. 모두가 적절히 쓰여지다.
- 各式各样(gè shì gè yàng) 각양각색. 가지각색. 별의별.
- 更上一层楼 (gèng shàng yì céng lóu) 다시 한 계단을 더 오르다. 더 높은 경지를 향하다.
- 诡计多端(guǐ jì duō duān) 간사한 꾀가 많다.
- 鬼鬼祟祟(guǐ guǐ suì suì) 몰래 못된 짓을 하다. 꿍꿍이수작을 부리다.
- 海阔天空(hǎi kuò tiān kōng) 광활한 천지. 끝이 없다.
- 黑白分明(hēi bái fēn míng) 흑백이 분명하다. 시비와 선악을 분명히 구별하다.
- 横七竖八(héng qī shù bā) 혼잡하다. 어수선하다. 어지럽다.
- 后悔莫及(hòu huǐ mò jí) 후회막급하다. (=后悔无及 hòu huǐ wú jí))
- 后生可畏(hòu shēng kě wèi) 젊은 세대는 선배를 앞지를 힘이 있어 두려워할 만하다.
- 狐假虎威(hú jiǎ hǔ wēi) 호가호위하다. 남의 권세를 빌어 위세를 부리다.
- 胡说八道(hú shuō bā dào) 헛소리하다.
- 胡思乱想(hú sī luàn xiǎng) 쓸데없는 허튼 생각을 하다.
- 虎头蛇尾(hǔ tóu shé wěi) 용두사미. 시작은 거창하나 끝이 좋지 않다.(=龙头蛇尾 lóng tóu shé wěi)
- 欢声雷动(huān shēng léi dòng) 환호성이 우렛소리처럼 울리다.
- 恍然大悟(huǎng rán dà wù) (의문이 갑자기 풀려) 문득 깨닫다.
- 灰心丧气(huī xīn sāng qì) 의기소침해지다.
- 艰苦奋斗(jiān kǔ fèn dòu) 어려움을 참으며 분발하다.
- 将计就计(jiāng jì jiù jì) 상대방의 책략을 역이용하다.
- 绞尽脑汁(jiǎo jìn nǎo zhī) 온갖 지혜를 짜내다.
- 脚踏实地(jiǎo tà shí dì) 땅을 힘껏 밟다. 착실히 일을 하다.

- 斤斤计较(jīn jīn jì jiào) 사소한 일을 지나치게 따지다.
- 津津有味(jīn jīn yǒu wèi) 흥미진진하다.
- 精神抖擞(jīng shén dǒu sǒu) 정신이 활기에 차 있다. 원기 왕성하다.
- 井底之蛙(jǐng dǐ zhī wā) 우물 안 개구리.
- 救死扶伤(jiù sǐ fú shāng) 죽어가는 사람을 구하고 부상자를 돌보다. 환자에게 봉사하다.
- 居高临下(jū gāo lín xià) 높은 곳에 있어 아래를 내려보다. 아주 유리한 지위에 있다.
- 举世闻名(jǔ shì wén míng) 온 천하에 이름을 떨치다.
- 举世无双(jǔ shì wú shuāng) 천하에 비길 자가 없다.
- 聚精会神(jù jīng huì shén) 정신을 집중하다.
- 冷言冷语(lěng yán lěng yǔ) 풍자의 의미를 담은 쌀쌀한 말. 비꼬는 말.
- 连绵不断(lián mián bú duàn) 끊임없이. 부단히.
- 两败俱伤(liǎng bài jù shāng) 양쪽이 모두 손상(손실)을 입다.
- 漫不经心(màn bù jīng xīn) 전혀 마음에 두지 않다. 전혀 염려하지 않다.
- 眉开眼笑(méi kāi yǎn xiào) 만면에 웃음을 띠다. 기쁜 표정을 짓다.(= 眉花眼笑 méi huā yǎn xiào)
- 名副其实(míng fù qí shí) 명실상부하다.(= 名符其实 míng fú qí shí)
- 命中注定(mìng zhōng zhù dìng) 운명에 정해져 있다.
- 莫名其妙(mò míng qí miào) 기기묘묘하다. 이유를 알 수 없다. 영문을 모르다.
- 目瞪口呆(mù dèng kǒu dāi) 눈이 휘둥그레지고 입이 딱 벌어지다. 어안이 벙벙하다.
- 念念不忘(niàn niàn bú wàng) 한시도 잊지 않다.
- 怒气冲天(nù qì chōng tiān) 화가 하늘 끝까지 나다.
- 七手八脚(qī shǒu bā jiǎo) 여러 사람이 함께 달려 들어 바쁘게 해치우다.
- 齐心合力(qí xīn hé lì) 마음과 힘을 다 합하다.
- 千变万化(qiān biàn wàn huà) 변화무쌍하다. 끊임없이 변화하다.
- 千篇一律(qiān piān yí lǜ) 천편일률적이다. 하나같이 다 똑같다.

- 千辛万苦(qiān xīn wàn kǔ) 천신만고. 온갖 고생.
- 轻而易举(qīng ér yì jǔ) 아주 쉽게 할 수 있다.
- 情不自禁(qíng bú zì jīn) 감정을 누를 수 없다.
- 全力以赴(quán lì yǐ fù) 전력을 다하여 나아가다. 최선을 다하다. 전력투구하다.
- 全神贯注(quán shén guàn zhù) 온 정신을 집중하다.
- 全心全意(quán xīn quán yì) 온 마음과 뜻을 기울이다.
- 惹人注目(rě rén zhù mù) 사람들의 시선을 끌다.
- 热泪盈眶(rè lèi yíng kuàng) 뜨거운 눈물이 눈에 가득 고이다.
- 日积月累(rì jī yuè lěi) 오랜 시간에 걸쳐 쌓이다.
- 日新月异(rì xīn yuè yì) 나날이 새로워지다. 하루가 다르게 발전되어 가다.
- 容光焕发(róng guāng huàn fā) 얼굴빛이 환하다. 안색이 좋다.
- 如鱼得水(rú yú dé shuǐ) 물고기가 물을 만난 듯하다.
- 塞翁失马(sài wēng shī mǎ) 인생의 길흉화복은 예측할 수 없다.
- 三心二意(sān xīn èr yì) 망설이며 마음을 못 정하다.
- 神采奕奕(shén cǎi yì yì) 원기 왕성하다.
- 生气勃勃(shēng qì bó bó) 활기에 넘치다.
- 失败乃成功之母(shī bài nǎi chéng gōng zhī mǔ) 실패는 성공의 어머니.
- 始终不渝(shǐ zhōng bù yú) 시종일관 변함없다.
- 手不释卷(shǒu bú shì juàn) 손에서 책을 놓지 않다.
- 手忙脚乱(shǒu máng jiǎo luàn) 허겁지겁하다. 허둥지둥하다.
- 熟能生巧(shú néng shēng qiǎo) 익숙해지면 기교가 생긴다.
- 水泻不通(shuǐ xiè bù tōng) 물샐틈없다.
- 似懂非懂(sì dǒng fēi dǒng) 아는 것도 같고 모르는 것도 같다.
- 滔滔不绝(tāo tāo bù jué) 도도히 흐르는 물처럼 끊이지 않다.
- 啼笑皆非(tí xiào jiē fēi) 울 수도 웃을 수도 없다.
- 天高气爽(tiān gāo qì shuǎng) 하늘은 높고 날씨는 상쾌하다.
- 天壤之别(tiān rǎng zhī bié) 천양지차. 하늘과 땅 차이.
- 甜言蜜语(tián yán mì yǔ) 달콤한 말. 감언이설.

- 铁杵磨针(tiě chǔ mó zhēn) 쇠몽둥이를 갈아 바늘을 만들다. 꾸준히 노력하면 무엇이든 해낼 수 있다.
- 挺身而出(tǐng shēn ér chū) 곤란한 일이나 어려운 일에 용감히 나서다.
- 通宵达旦(tōng xiāo dá dàn) 밤을 새다. 날을 새다.
- 头昏脑胀(tóu hūn nǎo zhàng) 머리가 띵하다. 골이 지끈지끈하다.
- 突飞猛进(tū fēi měng jìn) 매우 빠르게 발전하다.
- 徒劳无功(tú láo wú gōng) 헛수고를 하다.
- 亡羊补牢(wáng yáng bǔ láo) 소 잃고 외양간 고치다.
- 忘恩负义(wàng ēn fù yì) 배은망덕하다.
- 无精打采(wú jīng dǎ cǎi) 의기소침하다. 풀이 죽다.
- 无拘无束(wú jū wú shù) 구속됨이 없다. 거리낌이 없다.
- 无可奈何(wú kě nài hé) 어찌할 도리가 없다.
- 无所不知(wú suǒ bù zhī) 모르는 게 없다.
- 相亲相爱(xiāng qīn xiāng ài) 서로 매우 친하고 정이 두텁다.
- 小题大做(xiǎo tí dà zuò) 작은 일을 크게 만들다. 침소봉대하다.
- 心甘情愿(xīn gān qíng yuàn) 마음에서 우러나다. 진심으로 원하다.
- 心满意足(xīn mǎn yì zú) 마음이 흡족하다. 매우 만족하다.
- 欣喜若狂(xīn xǐ ruò kuáng) 미친 듯이 기뻐하다.
- 胸有成竹(xiōng yǒu chéng zhú) 마음속에 이미 다 생각이 있다.
- 栩栩如生(xǔ xǔ rú shēng) 살아 있는 것처럼 생생하다.
- 雪中送炭(xuě zhōng sòng tàn) 꼭 필요한 때에 도움을 주다.
- 哑口无言(yǎ kǒu wú yán) (질문·반박 따위에) 벙어리가 된 듯 말을 못하다.
- 一本正经(yì běn zhèng jīng) 근엄하다. 정색을 하다.
- 依依不舍(yī yī bù shě) 헤어지기를 못내 아쉬워하다.
- 以貌取人(yǐ mào qǔ rén) 외모로 사람을 판단하다.
- 有条不紊(yǒu tiáo bù wěn) 조금도 흐트러짐이 없다.
- 自告奋勇(zì gào fèn yǒng) 자진해서 용맹히 나서다.
- 走马看花(zǒu mǎ kàn huā) 주마간산. 대충 훑어보다.
- 坐立不安(zuò lì bù ān) 안절부절못하다.

4 각종 신체 동작의 표현 各种身体动作
gè zhǒng shēn tǐ dòng zuò

- 머리를 빗다 梳头(shū tóu)
- 머리핀을 꽂다 卡发卡(qiǎ fàqiǎ)
- 머리를 묶다 扎头发(zā tóufa)
- 머리를 긁다 挠头(náo tóu)
- 머리카락을 뽑다 拔头发(bá tóufa)

- 눈쌀을 찌푸리다 皱眉(zhòu méi)
- 눈썹을 치켜세우다 挑眉毛(tiǎo méimao)

- 눈을 깜빡이다 眨眼(zhǎ yǎn)
- 눈을 비비다 揉眼睛(róu yǎnjing)
- 눈곱을 떼다 擦眼屎(cā yǎnshǐ)
- 노려보다 瞪(dèng)
- 눈을 내리깔다 低垂眼皮(dīchuí yǎnpí)

- 귀를 후비다 挖耳屎(wā ěrshǐ)
  掏耳朵(tāo ěrduo)
- 코를 골다 打呼噜(dǎ hūlu)
  打鼾(dǎ hān)
- 코를 후비다 挖鼻子(wā bízi)
  抠鼻子(kōu bízi)
- 코를 풀다 擤鼻涕(xǐng bítì)
- 콧물을 흘리다 流鼻涕(liú bítì)

- 재채기하다 打喷嚏(dǎ pēntì)
- 기침하다 咳嗽(késou)
- 하품하다 打哈欠(dǎ hāqian)
- 기지개 켜다 伸懒腰(shēn lǎnyāo)
- 딸꾹질하다 打嗝儿(dǎ gér)
- 트림하다 打饱嗝儿(dǎ bǎogér)
- 숨을 헐떡이다 喘气(chuǎn qì)

• 입을 벌리다	张嘴(zhāng zuǐ)
• 입을 다물다	闭嘴(bì zuǐ)
• 입을 내밀다	撅嘴(juē zuǐ)
• 입을 씰룩거리다	嘴角抽搐(zuǐjiǎo chōuchù)
• 이를 악물다	咬牙(yǎo yá)
• 이를 갈다	磨牙(mó yá)
• 씹다	嚼(jiáo)
• 깨물다	咬(yǎo)
• 삼키다	咽(yàn), 吞(tūn)
• 핥다	舔(tiǎn)
• 빨다	吸(xī) : 액체 · 기체 따위를 빨아들이다. 含(hán) : 사탕 등을 입 안에 넣고 빨다 嘬(zuō) : 입을 오므려 빨다
• 혀를 내밀다	伸舌头(shēn shétou) 吐舌头(tǔ shétou)
• 혀를 차다	咂嘴(zā zuǐ)
• 휘파람 불다	吹口哨儿(chuī kǒushàor)
• 침을 흘리다	流口水(liú kǒushuǐ)
• 침을 튀기다	喷唾沫(pēn tuòmo)
• 침을 뱉다	吐口水(tǔ kǒushuǐ)
• 가래침을 뱉다	吐痰(tǔ tán)
• 고개를 들다	抬头(tái tóu)
• 고개를 숙이다	低头(dī tóu)
• 고개를 돌리다	回头(huí tóu)
• 고개를 끄덕이다	点头(diǎn tóu)
• 고개를 젓다	摇头(yáo tóu)
• 목을 움츠리다	缩脖子(suō bózi)
• 가슴을 펴다	扩胸(kuò xiōng)
• 가슴을 움츠리다	窝胸(wō xiōng)
• 가슴을 치다	捶胸(chuí xiōng)
• 어깨를 으쓱이다	耸肩(sǒng jiān)
• 어깨를 움츠리다	缩肩(suō jiān)

· 팔을 휘두르다	甩胳膊(shuǎi gēbo)
· 팔을 구부리다	弯胳膊(wān gēbo)
· 손을 뻗다	伸手(shēn shǒu)
· 손을 비비다	搓手(cuō shǒu)
· 손톱을 깨물다	咬手指甲(yǎo shǒuzhǐjia)
· 손가락을 빨다	嘬手指(zuō shǒuzhǐ)
· 박수 치다	鼓掌(gǔzhǎng), 拍手(pāishǒu)
· 손가락을 튀기다	打响指(dǎxiǎngzhǐ) : 엄지와 가운뎃손가락을 튕겨 '딱' 소리가 나게 하는 동작.
· 주먹을 휘두르다	挥拳头(huī quántou)
· 움켜쥐다	抓住(zhuā zhù), 握住(wò zhù)
· 할퀴다	抓(zhuā), 抓破(zhuā pò), 挠破(náo pò)
· 뒷짐 지다	倒背手(dàobèishǒu)

· 배를 내밀다	挺肚子(tǐng dùzi), 腆肚子(tiǎn dùzi)
· 허리를 펴다	伸腰(shēn yāo)
· 허리를 구부리다	弯腰(wān yāo)
· 엉덩이를 흔들다	扭屁股(niǔ pìgu)
· 다리를 떨다	抖腿(dǒu tuǐ)
· 다리를 벌리다	劈腿(pǐ tuǐ)
· 다리를 꼬다	跷二郎腿(qiāo èrlángtuǐ)
· 무릎을 구부리다	弯膝(wān xī)
· 무릎을 꿇다	跪(guì), 下跪(xiàguì), 屈膝(qū xī)
· 발을 구르다	跺脚(duò jiǎo)
· 발로 차다	踢(tī)
· 발길질하다	踹(chuài)
· 밟다	踩(cǎi)

· 소변보다, 오줌 누다	尿尿(niào niào) : 주로 어린아이들의 표현 撒尿(sā niào) : 주로 남자 아이들의 표현 小便(xiǎobiàn) 解小手(jiě xiǎoshǒu)
· 대변보다, 똥 누다	拉屎(lāshǐ) 大便(dàbiàn) 解大手(jiě dàshǒu)

- 방귀 뀌다 放屁(fàng pì)
- 밑을 닦다 擦屁股(cā pìgu)

- 서다 站(zhàn)
- 앉다 坐(zuò)
- 눕다 卧(wò), 躺(tǎng)
- 벌렁 드러눕다 仰八叉(yǎngbachā), 仰卧(bǎngwò)
- 일어서다 站起来(zhànqǐlái)
- 엎드리다 趴(pā)
- 기다 爬(pá)
- 걷다 走(zǒu)
- 달리다 跑(pǎo)
- (깡충) 뛰다 跳(tiào)
- 넘어지다 摔倒(shuāidǎo)
- 절름거리다 跛(bǒ), 一瘸一拐(yì qué yì guǎi)

5 숫자 읽는 법

数字读法
shù zì dú fǎ

0 : 零 : (líng)
1 : 一 : 壹* : (yī)[1]
2 : 二 : 贰* : (èr)[2]
3 : 三 : 叁* : (sān)
4 : 四 : 肆* : (sì)
5 : 五 : 伍* : (wǔ)
6 : 六 : 陆* : (liù)
7 : 七 : 柒* : (qī)
8 : 八 : 捌* : (bā)
9 : 九 : 玖* : (jiǔ)
10 : 十 : 拾* : (shí)
11 : 十一(shí yī)
12 : 十二(shí èr)
13 : 十三(shí sān)
14 : 十四(shí sì)
15 : 十五(shí wǔ)
16 : 十六(shí liù)
17 : 十七(shí qī)
18 : 十八(shí bā)
19 : 十九(shí jiǔ)
20 : 二十(èr shí)
30 : 三十(sān shí)
40 : 四十(sì shí)
50 : 五十(wǔ shí)
60 : 六十(liù shí)
70 : 七十(qī shí)
80 : 八十(bā shí)
90 : 九十(jiǔ shí)
100 : 一百 : 壹佰* : (yì bǎi)

1,000 : 一千 : 壹仟 * : (yì qiān)
1,001 : 一千零一(yì qiān líng yī)[3]
1,010 : 一千零一十(yì qiān líng yì shí)
1,110 : 一千一百一十(yì qiān yì bǎi yì shí)
2,000 : 两千(liǎng qiān)
2,001 : 两千零一(liǎng qiān líng yī)
2,002 : 两千零二(liǎng qiān líng èr)
2,020 : 两千零二十(liǎng qiān líng èr shí)
2,200 : 两千二百(liǎng qiān èr bǎi)
2,220 : 两千二百二十(liǎng qiān èr bǎi èr shí)
10,000 : 一万(yí wàn)
10,001 : 一万零一(yí wàn líng yī)
10,010 : 一万零一十(yí wàn líng yì shí)

---

1) *는 갖은자(大写 dàxiě)로 금융 거래상에서 보다 정확한 표기를 위해 사용한다.
2) 숫자 "2"를 읽는 방법은 다소 복잡하다. 기본적으로 수(数)와 서수(序数), 소수(小数), 분수(分数)를 나타낼 때는 "二 èr"로 읽고, 전통 도량형 단위를 제외한 일반적인 양사 앞에서는 "两 liǎng"으로 읽는다. 또한 일(一), 십(十), 백(百) 단위는 "二"로만 읽는 것이 원칙이나 습관상 백 단위에서는 "二"과 "两"이 모두 쓰이기도 하며, 천(千), 만(万), 억(亿) 단위에서는 "二"과 "两"으로 다 읽을 수 있는 것이 원칙이나, 습관상 연도(年度)를 읽을 때는 천 단위는 "两千 liǎngqiān"이라고만 읽고 "二千 èrqiān"이라고는 읽지 않는다.
3) 중간에 '0'이 여러 개가 있어도 한 번만 읽는다.

10,100 : 一万零一百(yí wàn líng yì bǎi)
10,200 : 一万零二百(yí wàn líng èr bǎi)
11,000 : 一万一(yí wàn yī)
一万一千(yí wàn yì qiān)
12,000 : 一万两千(yí wàn liǎng qiān)
20,000 : 两万(liǎng wàn), 二万(èr wàn)
100,000 : 十万(shí wàn)
200,000 : 二十万(èr shí wàn)
220,000 : 二十二万(èr shí èr wàn)
1,000,000 : 一百万(yì bǎi wàn)
1,200,000 : 一百二十万(yì bǎi èr shí wàn)
2,000,000 : 二百万(èr bǎi wàn), 两百万(liǎng bǎi wàn)
10,000,000 : 一千万(yì qiān wàn)
20,000,000 : 两千万(liǎng qiān wàn)
100,000,000 : 一亿(yí yì)
200,000,000 : 两亿(liǎng yì)

- 소수점은 点(diǎn)이라 읽으며, 소수점 이하 '0'은 개수대로 다 읽는다.
  0.1 : 零点一(líng diǎn yī)
  0.01 : 零点零一(líng diǎn líng yī)
  0.001 : 零点零零一(líng diǎn líng líng yī)
  1/2 : 二分之一(èr fēn zhī yī))
  1/20 : 二十分之一(èr shí fēn zhī yī)
- 연도를 읽을 때는 하나씩 읽는다. 그러나, 2000년 이후의 연도는 서수로 읽기도 한다.
  1999年 : yì jiǔ jiǔ jiǔ nián
  2000年 : èr líng líng líng nián, liǎng qiān nián
  2002年 : èr líng líng èr nián, liǎng qiān líng èr nián
- 건물의 동 호수나 전화번호를 읽을 때는 '一'를 yāo라고 읽는다.
  101楼 901室 : yāo líng yāo lóu, jiǔ líng yāo shì
  64778888 : liù sì qī qī, bā bā bā bā[4)]
- 백분율 기호(퍼센트)는 百分之~(bǎi fēn zhī ~) 라고 읽는다.
  80% : bǎi fēn zhī bā shí
  100% : bǎi fēn zhī bǎi
- 십분의 일(할)은 ~成(chéng)으로 읽는다.
  8成: bā chéng

---

4) 8888은 四个八 (sì gè bā) 라고 읽기도 한다.

6 중국 전화 지역 번호

中国电话区号
zhōng guó diàn huà qū hào

北京(běijīng) 010		
上海(shànghǎi) 021		
天津(tiānjīn) 022		
重庆(chóngqìng) 023		
河北省(héběishěng)	石家庄(shíjiāzhuāng)	0311
	保定(bǎodìng)	0312
	承德(chéngdé)	0314
	唐山(tángshān)	0315
	廊坊(lángfāng)	0316
	秦皇岛(qínhuángdǎo)	0335
辽宁省(liáoníngshěng)	沈阳(shěnyáng)	024
	大连(dàlián)	0411
	鞍山(ānshān)	0412
	抚顺(fǔshùn)	0413
	丹东(dāndōng)	0415
	营口(yíngkǒu)	0417
	辽阳(liáoyáng)	0419
	朝阳(cháoyáng)	0421
吉林省(jílínshěng)	长春(chángchūn)	0431
	吉林(jílín)	0432
	延吉(yánjí)	0433
	龙井(lóngjǐng)	0433
	通化(tōnghuà)	0435
	集安(jí'ān)	0435
黑龙江省(hēilóngjiāngshěng)	哈尔滨(hā'ěrbīn)	0451
	齐齐哈尔(qíqíhā'ěr)	0452
	牡丹江(mǔdānjiāng)	0453
	佳木斯(jiāmùsī)	0454
广东省(guǎngdōngshěng)	广州(guǎngzhōu)	020

	深圳(shēnzhèn)	0755
	珠海(zhūhǎi)	0756
	佛山(fóshān)	0757
广　西(guǎngxī)	南宁(nánníng)	0771
	柳州(liǔzhōu)	0772
	桂林(guìlín)	0773
云南省(yúnnánshěng)	昆明(kūnmíng)	0871
	大理(dàlǐ)	0872
	丽江(lìjiāng)	0888
贵州省(guìzhōushěng)	贵阳(guìyáng)	0851
	大方(dàfāng)	08675
四川省(sìchuānshěng)	成都(chéngdū)	028
	遂宁(suìníng)	0825
	西昌(xīchāng)	0834
青海省(qīnghǎishěng)	西宁(xīníng)	0971
	海东(hǎidōng)	0972
湖南省(húnánshěng)	长沙(chángshā)	0731
	衡阳(héngyáng)	0734
湖北省(húběishěng)	武汉(wǔhàn)	027
	荆州(jīngzhōu)	0716
河南省(hénánshěng)	郑州(zhèngzhōu)	0371
	许昌(xǔchāng)	0374
	信阳(xìnyáng)	0376
	开封(kāifēng)	0378
	洛阳(luòyáng)	0379
山东省(shāndōngshěng)	济南(jìnán)	0531
	青岛(qīngdǎo)	0532
	烟台(yāntái)	0535
	威海(wēihǎi)	0631
安徽省(ānhuīshěng)	合肥(héféi)	0551
	黄山(huángshān)	0559
江苏省(jiāngsūshěng)	南京(nánjīng)	025

	无锡(wúxī)	0510
	苏州(sūzhōu)	0512
	扬州(yángzhōu)	0514
江西省(jiāngxīshěng)	南昌(nánchāng)	0791
	景德镇(jǐngdézhèn)	0798
浙江省(zhèjiāngshěng)	杭州(hángzhōu)	0571
	宁波(níngbō)	0574
	绍兴(shàoxīng)	0575
	温州(wēnzhōu)	0577
福建省(fújiànshěng)	福州(fúzhōu)	0591
	厦门(xiàmén)	0592
海南省(hǎinánshěng)	海口(hǎikǒu)	0898
	三亚(sānyà)	0899
山西省(shānxīshěng)	太原(tàiyuán)	0351
	大同(dàtóng)	0352
陕西省(shǎnxīshěng)	西安(xī'ān)	029
	咸阳(xiányáng)	0910
	延安(yán'ān)	0911
甘肃省(gānsùshěng)	兰州(lánzhōu)	0931
	嘉峪关(jiāyùguān)	0937
内蒙古(nèiménggǔ)	呼和浩特(hūhéhàotè)	0471
	包头(bāotóu)	0472
宁　夏(níngxià)	银川(yínchuān)	0951
	灵武(língwǔ)	0953
新　疆(xīnjiāng)	乌鲁木齐(wūlǔmùqí)	0991
	吐鲁番(tǔlǔfān)	0995
西　藏(xīzàng)	拉萨(lāsā)	0891

저자 프로필

저자 채 심 연(蔡心姸)

E-mail: joymemory@yahoo.co.kr

[저자 소개]

1987년 한국 외국어 대학교 중국어과를 졸업하고, 동 대학원 중국어과에 진학하여 1989년 석사 학위를 받았다. 1997년 중국 天津의 南開大學 文學院 박사 과정에 진학하여 중국 문학 비평사를 전공, 2001년 문학 박사 학위를 받았다. 1999년 모교인 한국 외국어 대학교에서 〈실용중국어〉를 강의하였고, 2000년 다시 중국 광시성 꾸이린으로 건너가 桂林旅游高等專科學校에서 〈한국어〉 및 〈중한번역〉을 강의하였다. 2003년부터는 베이징의 北京外國語大學 國際交流學院과 한국문화홍보원에서 〈중국어〉와 〈한국어〉 강의를 하였고, 2006년 이후 현재는 북경 한국 국제학교에서 〈중국어〉 강좌를 맡고 있다.

논문으로는 「杜甫의 安史亂詩 硏究」(석사학위논문, 1989), 「賈島詩 硏究」(박사학위논문, 2001), 「長江集版本源流」(중국광서사범대학학보, 2001. 4), 「論賈島詩的意境」(〈중국연구〉, 2001. 6), 「渡桑乾作者考」(〈중국연구〉, 2002. 6), 「한국 고대 唐詩選集에 수록된 賈島詩 고찰」(〈중국학 연구〉, 2004. 9) 등이 있으며,
저서로는 『중국시의 전통과 모색』(공저, 신아사, 2003. 8), 『봄날 친구를 그리며 — 천년의 노래 唐詩 산책』(한길사, 2004), 『현대중국어회화사전』(민중서림, 2005. 1), 『띠다오 중국어』(공저, 민중서림, 2006. 3)이 있다.

동방 문화의 진수라 할 수 있는 중국 고전 문학을 쉽고 정확하게 번역하는 일과, 현재 이끌고 있는 사랑실천모임 〈伊園會〉를 통해 중국인들에게 한글과 한국 문화를 널리 알리는 것을 소명으로 삼고 있다.

MINJUNG'S
Essence
Modern Chinese
Conversation Dictionary

엣센스
현대중국어회화사전

2005년 1월 10일 초 판 발행
2025년 1월 10일 제21쇄 발행

저 자 채 심 연
발행자 김 철 환

발행처 사전전문 民衆書林

10881 경기도 파주시 회동길 37-29
(파주출판문화정보산업단지)
전화 (영업) 031) 955-6500~6 (편집) 031) 955-6507
Fax (영업) 031) 955-6525 (편집) 031) 955-6527
E-mail editmin@minjungdic.co.kr (편집)
홈페이지 http: // www.minjungdic.co.kr
등록 1979. 7. 23. 제2-61호

정가 34,000원 ISBN 978-89-387-0206-7
〔CD 2개 포함〕

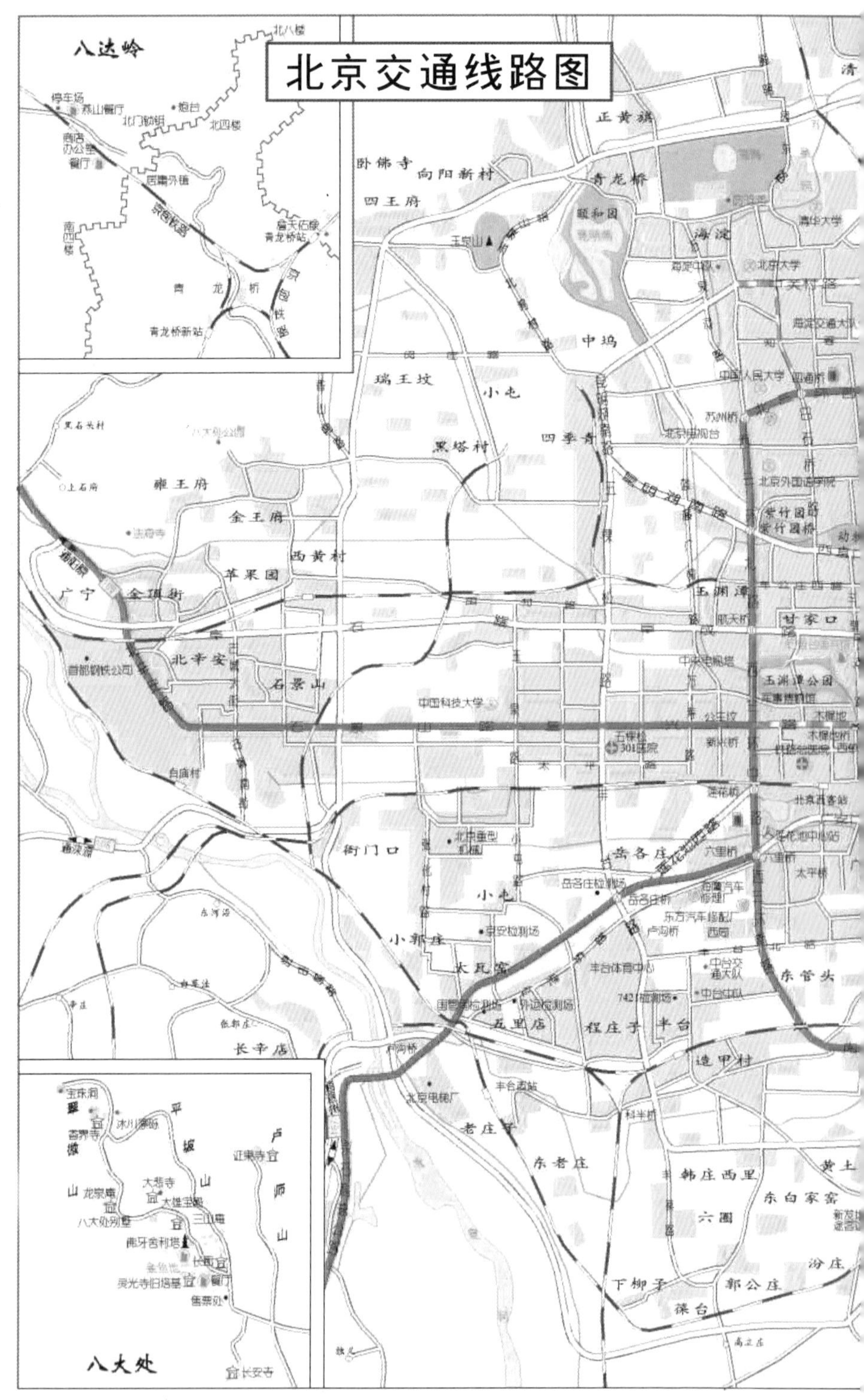

北京交通线路图
八达岭
八大处
正黄旗
卧佛寺
向阳新村
青龙桥
颐和园
四王府
海淀
清华大学
北京大学
中坞
瑞王坟
小屯
四季青
黑塔村
雍王府
金王府
西黄村
苹果园
广宁
金顶街
北辛安
石景山
玉渊潭
甘家口
玉渊潭公园
中国科技大学
五棵松
301医院
街门口
岳各庄
小屯
小郭庄
太瓦窑
五里店
程庄子
丰台
东管头
长辛店
卢沟桥
造甲村
老庄子
东老庄
韩庄西里
东白家窑
六圈
下柳子
郭公庄
葆台
黄土
卢师山
平坡山
翠微山